상담학 사전

3

이 사전은 2009년도 정부재원(교육인적자원부 학술연구 조성 사업비)으로 한국연구재단의 지원을 받아 연구되었음(NRF-2009-322-B00024).

상담학 사전

3
ㅇ~ㅈ

연구 책임자 김춘경 공동 연구자 이수연 · 이윤주 · 정종진 · 최웅용

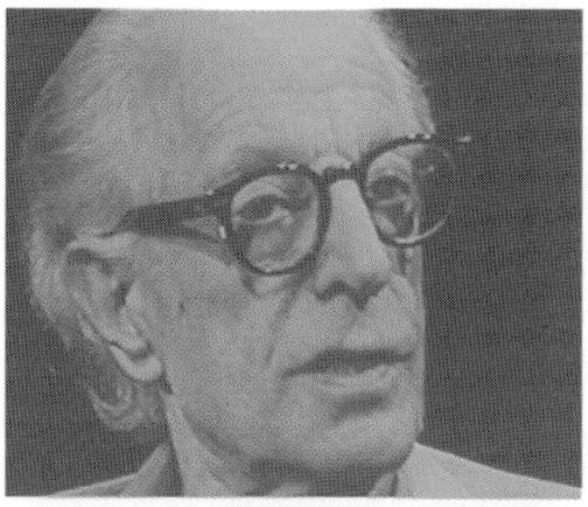
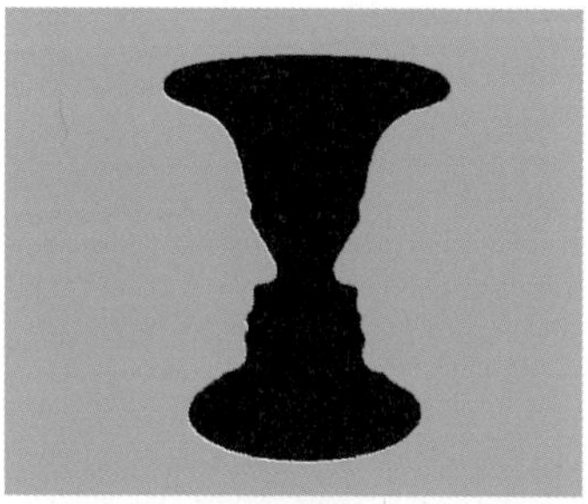
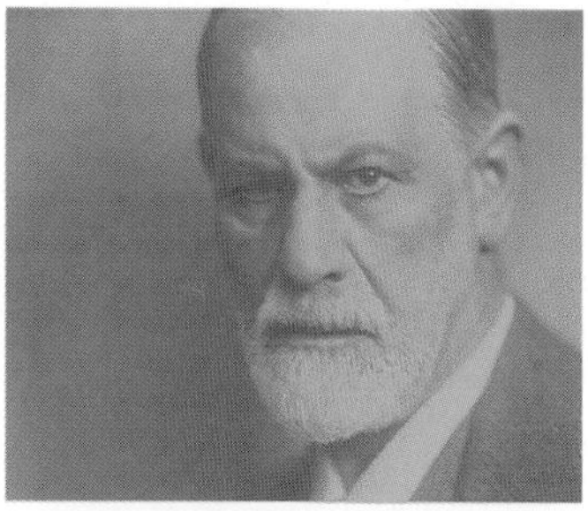
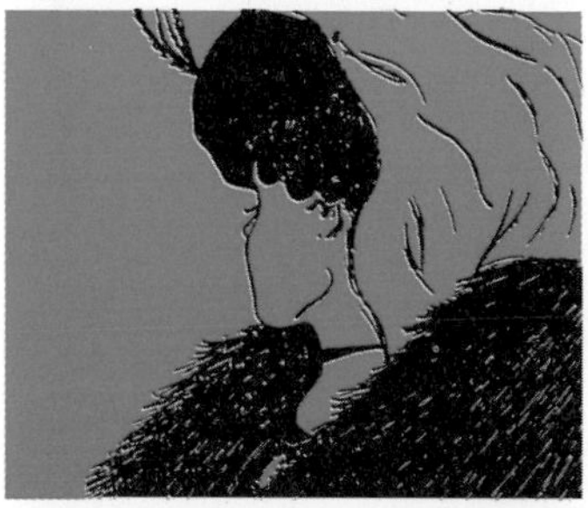
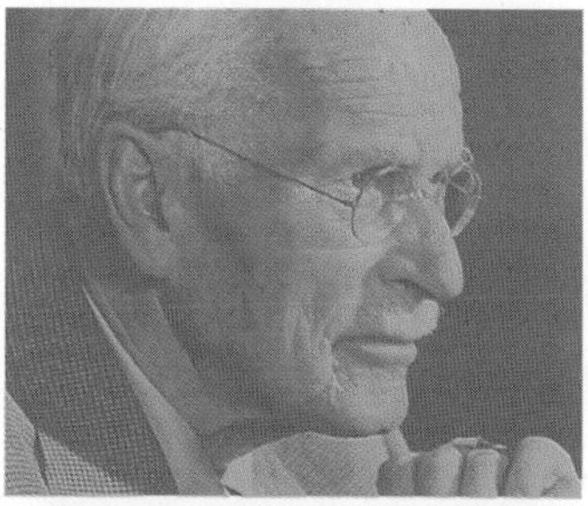
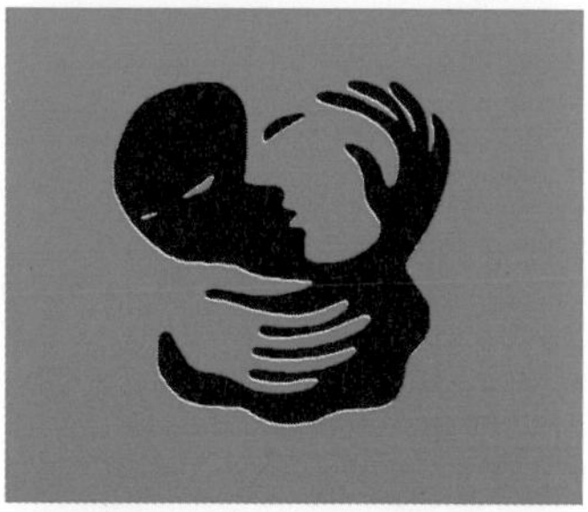
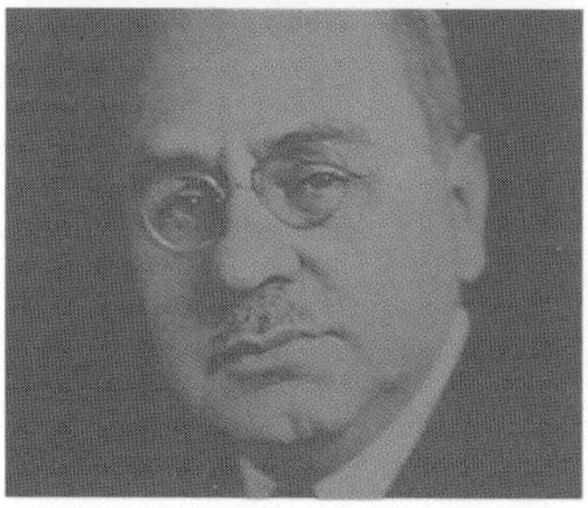
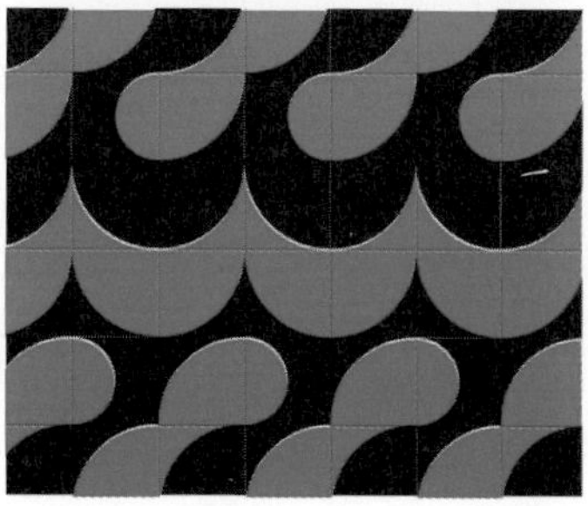
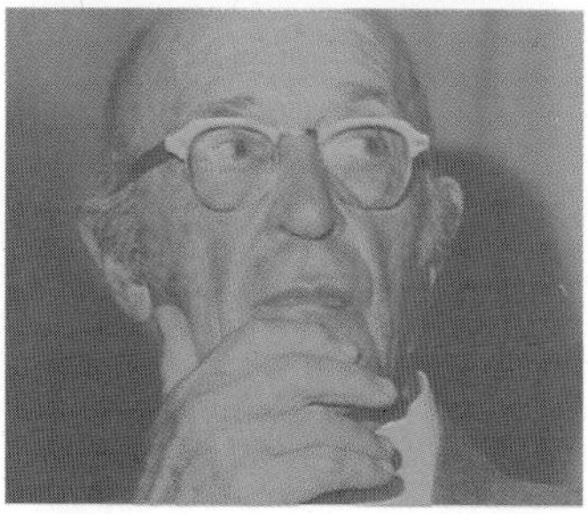

학지사

상담학 사전

3

아날로그 의사소통
[－意思疏通, analogic communication]

비언어적 메시지와 한 맥락에서 중간에 끊어짐 없이 연속적으로 이어지는 메시지 양식. `개인상담`

아날로그 의사소통은 대화하는 사람과의 관계를 규명하는 데 도움이 된다. 이는 대화의 본래 의도와 의미가 중요하다. 몸짓이나 말투, 억양 등 비언어적 영역의 의미는 상황에 따라 달리 해석되는데, 이것이 아날로그 의사소통에 포함된다. 전달되는 내용은 비언어적 양식 및 맥락에 따라 결정되며 비언어적 메시지인 아날로그 양식이 더 영향력이 있다. 예를 들어, 어떤 사람이 무표정한 얼굴로 사랑한다고 말하면서 얼굴이 약간 빨개지고 목소리가 떨린다고 할 때, 언어적 내용인 사랑한다는 말은 디지털 의사소통이라 할 수 있고 무표정한 얼굴, 빨개진 얼굴, 떨리는 목소리는 아날로그 의사소통이라 할 수 있다.

다시 말하면, 디지털 의사소통은 언어를 통해서 전달된다면 아날로그 의사소통은 신체를 통해서 전달된다. 건강한 사람은 의사소통에 있어서 언어와 신체가 일치한다. 자신이 슬프다는 사실을 언어를 통해서 전달할 때 울거나 슬픈 표정을 짓는다. 그러나 심리적으로 이상이 있는 사람은 언어와 신체의 반응이 상이하다. 자신이 슬프다는 말을 하면서 얼굴은 웃는다. 이들은 상대방에게 혼란을 자아내며 위로를 받기 어렵다. 언어와 신체가 일치되도록 마음의 감정을 읽어 내는 연습을 주고받아야 한다. 대체로 긴급함을 요하는 업무상 의사소통 방식은 디지털 방식이 우선시될 수 있고, 관계에서의 친밀감은 아날로그 방식이 우선시될 수 있다. 친밀한 가족일수록 아날로그 의사소통을 많이 하듯이 내담자의 마음을 알아 주고 내담자와 친밀한 관계를 형성하기 위해서는 상담자의 아날로그 의사소통이 필요하다. 아울러 상담과정에서 상담자는 내담자의 언어에 의한 디지털 의사소통과 신체에 의한 아날로그 의사소통이 일치하는지 확인하여 내담자에게 직면시켜 주어야 한다.

아니마
[-, anima]

융(C. G. Jung)이 제시한 원형의 한 요소로 남성의 무의식에 존재하는 여성적 성격 특성. 분석심리학

아니마는 라틴어로서 독어의 'seele'에 해당하는 용어다. 이는 '심혼'이라는 뜻으로, 의식을 자극하는 무의식의 심리적 실체를 의미한다. 아니마는 아니무스와 더불어 의식과 무의식의 중재자로 언급되기도 한다. 융은 모든 사람이 자신의 생물학적 성과 반대되는 성의 특성을 내적 인격으로 지니게 된다고 언급하였다. 즉, 남성의 무의식에는 여성적 인격(anima)이, 여성의 무의식에는 남성적 인격(animus)이 자리한다는 것이다. 그래서 아니마는 여성다움, 즉 섬세한 감정, 자아의식, 예감능력 등의 특성을 지닌다. 융은 아니마를 개인무의식 영역을 초월한 집단무의식의 구성요소라고 기술하였다. 아니마는 아버지, 어머니, 형제, 자매, 고모, 삼촌, 선생님의 모습 등의 집합체가 아닌 집단무의식의 원형으로, 사람에게 긍정적이거나 부정적인 영향을 미칠 수 있다. 이것은 전반적으로 남성이 무의식적으로 나타내는 여성적 행동에서 확인할 수 있다. 남성의 여성스러운 측면은 대개 억압되기 때문에 아니마는 페르소나의 보상적 개념에서 자동 발생적으로 나타나는 콤플렉스의 일부다. 또한 아니마는 꿈으로도 나타난다. 아니마는 남성과 여성의 상호작용에 영향을 미치며, 연애에 대한 태도를 결정짓도록 한다. 하지만 자신의 아니마를 알아차리는 것은 쉽지 않다. 왜냐하면 아니마는 페르소나처럼 외부로 뚜렷하게 나타나지 않기 때문이다. 융은 "개인성숙발달에서 자신의 그림자를 알아차리는 것은 '초심자의

평화'이며, 자신의 아니마를 알아차리는 것은 '전문가의 평화'다."라고 언급하였다. 또한 아니마의 발달 단계를 이브, 헬렌, 마리아, 소피아의 4단계로 구분하기도 하였다. 아니마 발달의 전체적인 과정은 남성이 지닌 주관적 개방성이 감성에 도달하는 과정이다. 즉, 남성이 직관을 포함한 새로운 의식적 패러다임을 창조하고, 창조성과 상상력을 획득하며, 자신과 타인에 대한 심리적 민감성을 획득하는 과정을 말한다.

관련어 | 아니마 기분, 아니무스, 원형

아니마 기분
[-氣分, anima mood]

남성이 아니마 때문에 겪는 변덕스러운 기분, 짜증, 폭발적 감정. 분석심리학

융(C. G. Jung)의 이론에서 제시된 아니마 개념의 일부다. 무의식의 측면에서 살펴보면 아니마는 기분을, 아니무스는 의견을 만들어 낸다. 이러한 아니마 기분은 어두운 무의식의 배경에서 나온다. 1954년 융은 『의식의 뿌리에 관하여(Von den Wurzeln des Bewuβtseins)』에서 다음과 같이 표현하였다. "아니마는 남녀 간의 역동적 관계를 과장시키고 변조시키며 신화화한다. 아니마가 강한 남성은 성격이 여성화되어 예민하고 쉽게 자극을 받으며, 짜증과 질투와 허영심을 부리고 적응부전을 일으킨다. 그는 '불쾌한' 상태가 되며 그 불쾌함을 주위에 퍼트린다." 아니마 기분은 감성적 기분, 우수, 음산한 예감, 허무감, 쓸쓸함에서 폭풍 같은 분노, 격렬한 열정, 대환희의 감정에 이르기까지 다양하고, 또 그렇게 여러 가지로 나타난다. 그 기분의 동요가 심하다 보니 겉으로 보기에는 매우 변덕스럽다. 아니마의 원형적 측면이 자극되면 그 작용의 파장은 엄청나게 커진다. 그것은 혼돈된 삶의 충동으로 나타난다. 그러나 융은 이 가운데 어떤 특별한 의미가 있다고 말

한다. 아니마는 요정 같은 비합리적 성질을 가지고 있지만 그것과는 매우 대조되는 어떤 앎, 또는 어떤 지혜가 있다는 것이다.

관련어 | 아니마

아니무스
[– , animus]

융(C. G. Jung)이 제시한 원형의 한 요소로 여성의 무의식에 존재하는 남성적 성격 특성. 분석심리학

아니무스는 라틴어로서 독어의 'geist'에 해당하는 용어다. 'geist'란 '정신세계 그 이상'을 의미한다. 아니무스는 아니마와 더불어 의식과 무의식의 중재자로 언급되기도 한다. 융은 모든 사람이 자신의 생물학적 성과 반대되는 성의 특성을 내적 인격으로 지니게 된다고 언급하였다. 즉, 남성의 무의식에는 여성적 인격(anima)이, 여성의 무의식에는 남성적 인격(animus)이 자리한다는 것이다. 그래서 아니무스는 남성다움, 즉 논리적·객관적·자기주장이 강한 등의 특성을 지닌다. 융은 아니무스를 개인무의식 영역을 초월한 집단무의식의 구성요소라고 기술하였다. 아니무스는 전반적으로 여성이 무의식적으로 나타내는 남성적 행동에서 확인할 수 있다. 여성의 남성스러운 측면은 사회적 환경으로 대개 억압되기 때문에, 아니무스는 페르소나의 보상적 개념에서 자동 발생적으로 나타나는 콤플렉스의 일부다. 아니무스는 남성과 여성의 상호작용에 영향을 미치며, 연애에 대한 태도를 결정짓도록 한다. 여성은 자신의 아니무스를 이성에게 투사하며 상대방의 아니마와 상호작용한다. 하지만 자신의 아니무스를 알아차리는 것은 쉽지 않다. 왜냐하면 아니무스는 페르소나처럼 외부로 뚜렷하게 나타나지 않기 때문이다. 융은 "개인성숙발달에서 자신의 그림자를 알아차리는 것은 '초심자의 평화'이며, 자신의 아니무스를 알아차리는 것은 '전문가의 평화'다."라고 언급

하였다. 또한 아니무스의 발달단계를 네 단계로 구분하였다. 첫째 단계는 단순한 신체적 힘의 구현으로, 예로는 운동선수, 근육적인 남성이다. 둘째 단계는 주도적이고 계획된 행동을 하는 능력을 지닌 남성 및 낭만적인 남성이다. 셋째 단계는 아니무스의 언어화 단계로 교수나 성직자와 같은 세상의 안내자, 가장 예의 바른 연설가 등이다. 넷째 단계는 의미의 실현으로서 영적 심연의 중재자다. 여성은 아니무스의 발달을 통해 힘의 충동에서 진취적인 성향과 말의 의미적 힘을 깨닫고, 그 의미를 실현하고 지혜를 획득한다.

관련어 | 아니마, 원형

아니시드(스타 애니스)
[– , Aniseed]

방부제, 항경련, 구풍(驅風), 거담, 모유분비 촉진, 건위(健胃) 등의 효과가 있는 허브로서, 동남 아시아가 원산지이며 중국 남부, 베트남, 인도, 일본에서 집중적으로 재배. 향기치료

아니시드는 초장이 60센티미터 이하의 일년생 허브로 종자는 적갈색이며 껍질에 맥이 있다. 아니시드의 따뜻한 향신료 향은 정신을 고양시키고 편안하게 해주는 효과가 있다. 위축되고 냉담한 경향의 내성적인 사람, 우울한 사람 또는 두려움이 있는 사람들에게 좋다. 또한 아니시드는 구풍제, 소화제로서 소화계에 미치는 효과가 널리 알려져 있으며 소화불량, 복통, 위장 내에 가스가 차는 것을 제거하는 데 사용된다. 다른 효과로는 수유모의 모유분비를 증가시키는 데 사용되며, 거담제 및 항경련제로서 많은 흰점액 분비, 기침, 색색거림 또는 만성 기관지

천식과 관련된 천식성 질환이나 호흡기 질환에도 탁월한 효과가 있다.

아도세 콤플렉스
[- , ajase complex]

후루자와 헤이사쿠(古澤平作)가 제창한 개념으로 부모와 자녀 간에 원한에서 용서로 가는 심리적 과정. 이상심리

후루자와는 진종의 열정적인 신자로, 불교설화 '아도세왕의 전설'에서 아도세 이론을 만들었으며 아도세는 일본어로 아자세라 한다. 이는 세계심리학계에서 공인된 이론인데, 동양의 여성은 아도세의 윤환과정을 밟는다고 본다. 아도세 콤플렉스는 프로이트(Freud)의 오이디푸스콤플렉스에 대비하여 일본인 또는 동양인을 정신분석하는 데 이론적, 실천적 근거로 삼는다. 후루자와의 주장을 발전시킨 오코노기 케이고(小此木啓吾)에 따르면, 아도세 콤플렉스는 부모-자녀 쌍방의 일체감과 응석을 기반으로 하고, 그것에서의 소외나 욕구좌절로 한(恨)과 공격이 일어나고, 다음으로 공격에 대한 용서와 그 때문에 죄의식이 생기며, 다시 새로운 일체감으로 들어가는 일련의 순환적인 심리적 과정이다. 이는 여러 가지 형태로 복잡하게 혼합된 감정과 개념의 복합체다. 심리치료 중에서 아도세 콤플렉스가 전형적으로 나타나는 경우는 정신분석에서라기보다는 정토진종(淨土眞宗)의 수행에서 발전하여 생긴 내관요법(內觀療法)에서 이루어진다.

아동
[兒童, child]

출생에서 사춘기 사이의 시기에 있는 사람. 아동청소년상담

주로 성인과 대비되는 개념으로 쓰이는데, 교육법에서는 만 6~만 12세까지를 초등학교 의무교육을 받아야 할 학령 아동으로 규정하고 있다. 우리나라 '형법'상으로는 만 13세 미만인 자, '아동복지법' 상으로는 만 18세 이하인 자로 정의되어 있고, 미국의 형법에는 12세 미만, 미국 지방정부에는 16~18세 이하로 다양하게 규정되어 있는데 만 12세 이하의 아동에 대한 의견은 일치하지만 만 13~18세 사이의 청소년에 대해서는 의견이 분분하다. 또 아동기는 신체적·사회적·정서적·지적 발달의 속도가 매우 뚜렷하기 때문에 이를 다시 아동 전기와 아동 후기로 나누기도 한다. 즉, 6~8세까지를 아동 전기, 9~12세까지를 아동 후기로 하여 발달단계를 구분한다. 아동기의 앞을 유아기(3~5세), 아동기 이후를 청소년 전기(12~14세)라고 한다. 발달심리학에서는 신체적 성장 및 정신적 성숙이라는 입장에서, 소아의학에서는 인간의 발달단계에 따른 발육상태의 수준이라는 입장에서 심신의 성장발달기에 있는 자, 즉 한 사람이 성인이 될 때까지 미성숙, 미완전한 상태에 있는 자라고 규정하였다. 아동의 특성은 첫째, 의존성을 들 수 있다. 아동은 의식주를 포함한 생존과 더불어 신체적·정서적·사회적 발달을 부모와 가족 및 타인에게 의존한다. 이러한 아동의 의존성은 때로는 부모와 가족 및 타인이 아닌 국가 또는 사회가 책임지기도 한다. 아동의 정서적 안정과 따뜻한 보살핌은 아동의 발달에 꼭 필요한 요소로서 성인이 된 이후에도 삶에 중요한 영향을 미친다. 둘째, 성숙이다. 아동은 미성숙 단계에서 성숙 단계로 지속적으로 변화하는 과정에 있는데, 이 시기 보편적으로 거치는 자연스러운 현상이 성숙이다. 셋째, 민감성이다. 아동기는 감정이 예민한 시기로서 타인의 관심을 기대하면서 이 기대치의 충족 여부에 매우 민감하게 반응한다. 즉, 욕구에 대한 만족을 즉각적으로 얻기를 원하며 성인의 보호 또는 보살핌에 대해 매우 민감하고, 환경에 대해서 민감하게 반응한다. 아동의 욕구가 충족되지 않으면 그 상황을 이해하기보다는 실망과 좌절에 빠지기 쉽고 상처받기 쉽다. 또한 아동은 주변인의 반응

에 대해서도 큰 영향을 받는데, 학령기 아동들은 성인보다는 또래집단의 영향을 더 크게 받는다고 할 수 있다. 넷째, 욕구다. 아동은 인간본능의 기본적인 욕구인 생리적 욕구 외에 다양한 욕구, 즉 애정을 받고 싶어 하는 욕구, 집단에 소속되고 싶은 욕구, 자립하고 싶어 하는 욕구, 자아실현의 욕구 등을 가지고 있다. 다양한 욕구는 아동이 하나의 인격체로서 대접받고자 하는 욕구라고 할 수 있다. 다섯째, 적응이다. 아동기는 교육과 학습을 통하여 새로운 지식과 기술을 습득함으로써 독립된 하나의 인간으로서 하나의 제 기능을 할 수 있다. 하지만 본인의 힘만으로 환경에 적응하기란 어렵다. 즉, 아동은 자신이 속한 사회나 문화의 지배를 받으며 적응해 나감으로써 적응과정은 성인이 된 이후에도 지속된다. 따라서 교육과 학습의 장으로서 집단의 기초가 되는 가정을 통해서, 그리고 또래, 이웃, 학교 등의 사회집단을 통하여 사회화되어 간다. 이러한 적응의 과정은 아동이 적극적인 삶의 주체가 되고 창의적인 인간으로 성장하는 데 기초가 된다고 할 수 있다.

아동 발달검사
[兒童發達檢査, Korean Child Development Inventory: K-CDI]

부모보고를 통하여 아동의 발달상 문제를 조기에 선별하기 위한 발달선별검사. `심리검사`

부모보고를 통하여 15개월에서 만 6세 사이 아동의 발달적 정보를 심도 있게 얻고 발달상 문제를 조기에 선별하고자 아이어튼(Ireton, 1992)이 개발한 검사로, 김정미와 신희선(2006)이 번안 및 표준화하였다. 덴버검사와 함께 미국소아발달심리분야에서 널리 사용되고 있는 검사이며, 8개국 이상에서 표준화하였다. 아동의 발달상태를 측정하는 사회성, 자조행동, 대근육 운동, 소근육 운동, 표현언어, 언어

이해, 글자, 숫자의 8개 하위척도와 부가적인 정보를 제공해 주는 문제항목 영역의 총 300개 문항으로 구성되어 있다. 각 하위척도의 내용 및 문항 수는 다음과 같다. 사회성은 총 35개 문항으로 개별적 상호작용을 포함한 집단 참여 상황에서 다른 사람과의 상호작용 발달 정도를 평가한다. 자조행동은 총 38개 문항으로 먹기, 옷 입기, 목욕하기, 화장실 가기, 독립심과 책임감 발달을 평가한다. 대근육 운동은 총 29개 문항으로 걷기, 뛰기, 오르기, 점프하기, 협응능력발달을 평가한다. 소근육 운동은 총 30개 문항으로 물건을 들어 올리는 것부터 그림 그리는 것까지 눈과 손의 협응발달을 살펴본다. 표현언어는 50개 문항으로 간단한 몸짓이나 발성, 언어행동부터 복잡한 언어표현까지 표현적 의사소통발달을 평가한다. 언어이해는 50개 문항으로 간단한 이해에서 개념적 이해까지 언어이해 발달수준을 평가한다. 글자는 23개 문항으로 쓰기와 읽기를 포함하는 문자와 단어 인지발달수준을 평가하며, 숫자는 15개 문항으로 간단한 숫자 세기부터 산수 문제 풀이까지 숫자에 관한 인지발달을 평가한다. 마지막으로 문제항목은 시각, 청각, 건강과 성장, 먹기, 잠자기, 배변훈련 등 아동에게 관찰될 수 있는 다양한 증상과 행동문제를 평가하는 30개의 문항으로 구성되어 있다. K-CDI의 내적 합치도 계수 크론바흐 알파값은 .95로 나타났다. 내용 타당도는 거의 모두 .70 이상(사회성 .61 제외)이었고, 구성 타당도는 .95~.49였다. 각 문항은 '예' 또는 '아니요'로 응답하도록 되어 있으며, '예'는 1점, '아니요'는 0점으로 점수화한다.

발달목록 체크결과는 점수화되어 연령수준과 관련하여 K-CDI 프로파일에 현재 아동의 능력과 취약점이 드러나도록 간결한 그래프로 그려진다. K-CDI는 표준화를 거친 뒤 학지사 심리검사연구소에서 출판되고 있다.

관련어 덴버발달, 발달검사, 선별검사

아동 색선로검사
[兒童色線路檢査, Children's Color Trails Test: CCTT]
아동의 신경심리기능 평가를 위한 검사. `심리검사`

아동의 신경심리기능을 평가하기 위해 제인 윌리엄스(Jane Williams), 루이스 엘리아(Louis Elia), 폴 사츠(Paul Satz), 안톨린 로렌테(Antolin Llorente)가 개발한 검사로, 우리나라에서는 2008년에 신민섭과 구훈정이 한국판으로 표준화하였다. 5~15세 아동을 대상으로 하며, 지각추적능력, 정신운동속도, 순차적 처리능력 및 분할시각주의력과 지속적 시각주의력을 측정하는 전두엽 관련 검사다. 기존의 선로 잇기 검사(TMT)가 '글자'를 자극으로 사용함으로써 언어 및 문화적 영향에서 자유로울 수 없다는 한계점을 극복함과 동시에 아동의 인지 및 발달적 특성에 적절한 검사를 개발하고자 '글자'를 '색'으로 대체하여 새롭게 개발되었다. 글자에 대한 익숙도 및 글자 읽기 능력과 같이 잠재적으로 수행에 영향을 미치는 오염요소를 제거하였으며, 색 구별능력은 30~48개월에 이르는 유아기부터 획득되는 안정적인 인지능력이기 때문에 기존의 검사보다 훨씬 어린 연령대의 아동에게도 실시가 가능하다. 또한 글자를 읽어야 할 필요가 없기 때문에 언어적 능력이나 상징화 능력이 손상되어 있는 언어 및 특정 읽기장애 아동에게도 실시할 수 있다. 언어적 지시와 함께 비언어적 지시를 함께 사용하여 청력장애나 심한 부주의와 같은 특정 장애가 있는 아동을 포함한 모든 아동에게 검사실시 절차를 명료하게 전달하여 이해도를 높일 수 있고, 검사지시에서 청각적 자극과 시각적 자극을 동시에 사용함으로써 검사에 대한 아동의 흥미와 동기 수준을 높일 수 있다. 하위검사 중 CCTT-1은 특정 숫자가 적힌 원을 가능한 한 빨리 순서대로 연결하는 검사로서 인지적 융통성, 정신운동속도, 순차처리능력과 지속적 시각주의력이 요구된다. CCTT-2는 숫자가 적힌 원을 순서대로 연결하되 원 안의 색(분홍색과 노란색)을 번갈아 가며 연결하는 검사로서 인지적 융통성과 그 외에 다른 실행기능, 정신운동속도와 순차적 처리능력, 아동이 두 가지 특정 숫자 순서와 각각의 색 순서를 동시에 추적해야 하는 지속적 분할주의력이 요구된다.

아동·청소년 교우관계문제검사
[兒童靑少年交友關係問題檢査, Korean Inventory of Peer Relationship: KIPR]
아동·청소년의 부적응 및 교우관계문제 여부를 파악하기 위한 검사. `심리검사`

아동·청소년이 일상생활에서 경험하는 교우관계문제들을 종합적으로 평가하고 가장 핵심적인 교우관계문제를 밝히고자 홍상황, 김종미, 안이환(2008) 등이 개발하였다. 초등학교 4학년 이상부터 고등학생까지를 대상으로 하는 자기보고형 검사다. 한국형 대인관계문제검사(IIP)의 척도구성과 문항에 근거하고 있으며, 지배통제, 자기중심성, 냉담, 사회적 억제, 비주장성, 과순응성, 자기희생, 과관여 등 8개 하위척도에 8문항씩 총 64개 문항으로 구성되어 있다. 전체 문항 내적 합치도는 .94로 나타났으며, 반분신뢰도는 .83, 검사-재검사신뢰도는 .88로 나타났다. 8개 하위척도별 신뢰도는 내적 합치도 .70~.81, 반분신뢰도는 .67~.78, 검사-재검사신뢰도는 .69~.87의 범위에 있었다. 하위영역별 척도의 내용은 다음과 같다. 지배통제척도는 타인을 지나치게 통제하거나 조정하려는 경향(예, 다른 아이의 입장이나 처지를 이해해 주기가 어렵다), 자기중심성 척도는 타인에게 쉽게 화를 내고 의심을 갖는 경향(예, 다른 아이들을 잘 믿지 못하는 편이다), 냉담척도는 타인과 정서적 경험과 표현을 나누기 어렵고 친밀한 관계형성이 어려운 정도(예, 다른 아이들에게 좋아하는 감정을 느끼기가 어렵다)를 평가한다. 또 사회적 억제척도는 사람들 앞에서 불안해하고 당황하는 정도(예, 내가 먼저 다른 아이들에게 만나자고 말하기가 어렵다), 비주장성 척도는 타인과의 관계에서 욕구 및 의사 표현의 어려움(예, 내 요구가 정당해도 다른 아이들에게 말하기가 어렵다), 과순응성 척도는 타인에게 쉽게 설득당하며 지나치게 순종적이어서 독립성 유지가 어려운 정도(예, 다른 아이들에게 "싫어." 또는 "안 돼."라고 말하기 어렵다), 자기희생 척도는 자신은 고려하지 않고 타인의 욕구에만 지나치게 민감한 경향(예, 가까운 친구에게 화내기가 어렵다), 과관여 척도는 타인에게 강한 결속력을 요구하고 자신에게 항상 관심을 가져 주기를 바라는 성향(예, 다른 아이들에게 지나치게 인정을 받고 싶

어 한다)을 평가한다. 피험자는 각 문항을 읽고 '전혀 그렇지 않다(0점)' '약간 그렇다(1점)' '대체로 그렇다(2점)' '매우 그렇다(3점)' 중 자신과 가깝다고 느껴지는 곳에 표시한다. 점수가 높을수록 교우관계에서 느끼는 문제가 많은 것으로 해석한다. KIPR은 표준화를 거친 뒤 학지사 심리검사연구소에서 출판되고 있다.

관련어 | 교우관계, 한국형 대인관계문제검사

아동기
[兒童期, childhood]

신체적, 인지적, 사회적 성장이 일어나는 출생에서 사춘기까지의 시기. 아동청소년상담

아동기는 광의로는 출생부터 사춘기까지의 시기를 의미하며, 다시 영아기(출생~1세), 유아기(1~6, 7세) 및 협의의 아동기(6, 7~12, 13세)로 나눌 수 있다. 이때 협의의 아동기는 학동기(學童期)라고도 한다. 생활의 중심이 가정에서 학교로 옮겨지고 학교생활을 통해 사회에 적응할 수 있는 기술을 습득하는 발달단계다. 공식적 학습이 시작된다고 해서 학동기, 상대적으로 조용한 발달을 보인다고 해서 잠복기, 사회적 행동이 증가하고 또래끼리 어울려 다닌다고 해서 도당기라고 부르기도 한다. 이 시기에는 몸통보다 팔과 다리의 성장이 빠르고, 뼈의 성장이 근육의 성장을 초월하는 경우에 발생하는 성장통을 경험하기도 한다. 성장통이 심한 경우에는 걷기를 힘들어하거나 밤에 잠을 설치기도 한다. 성적으로는 성적 기관의 발달이 거의 이루어지지 않기 때문에 성적 중성기에 해당하는데, 요즘에는 영양적 요인과 환경적 요인이 작용하여 성적 발달시기가 점점 빨라지고 있다. 이 시기에 호르몬의 변화로 신체적, 성적 성숙이 이루어지는 기간, 즉 사춘기를 경험하게 된다. 각각의 생식기관이 발달함에 따라 성호르몬이 활발하게 분비되고, 이로 인해 2차

성징이 나타난다. 또한 일생을 통해 하게 될 운동기능의 거의 모든 기초를 습득하는 시기이기도 한데, 운동기능 발달이 단지 신체적인 발달에서 끝나는 것이 아니라 심리적, 정서적 발달과 연결되어 있다. 신체의 크기나 골격은 운동이나 친구와의 놀이에 중요한 영향을 미치며, 심리적 발달은 자신의 운동기술과 역량을 다른 친구들과 비교하고 평가하여 자아개념과 자존감 형성의 밑바탕이 된다. 아동의 신체적 발달에 영향을 미치는 또 하나의 요인은 심한 정신적 스트레스다. 사랑 없는 양육을 받았거나 지나치게 방치된 아동들은 뇌하수체에서 정상적인 신체발달을 위한 호르몬이 방출되지 않아 아무리 적절한 영양을 섭취하더라도 성장이 중지되는 요인이 되기도 한다. 그리고 이 시기는 정서적 안정기로 정서적 통제와 분화된 정서표현이 가능하지만, 이 시기의 대표적인 정서는 불안과 분노다. 불안은 아동의 상상력 발달과 관련되어 있는데, 미래의 위험을 예상할 때 생기는 약한 공포반응으로 운동능력 발달과 관련해서 자신이 또래 아동보다 뒤처지거나 성적이 하락하였을 때 주로 나타난다. 분노는 공포나 불안보다 더 발달된 것으로서, 이 시기 아동의 분노빈도는 높아지지만 분노감정을 잘 통제하고 간접적인 방식으로 표현한다. 남아의 경우는 부정적 결과를 회피하고자 분노를 조절하고, 여아의 경우는 분노를 표현함으로써 상대방의 마음을 다치게 해서는 안 된다는 생각에서 분노를 조절한다. 아동은 자기중심적이고 자신이 원하는 것만 생각하지만, 자기가 원하는 것을 알아 주고 해 주는 친구를 좋은 친구로 여기면서, 의존과 자율에 대한 친구의 요구를 모두 존중해 주기도 한다.

관련어 발달단계, 영아기, 유아기

아동기 양극성장애
[兒童期兩極性障礙, bipolar disorder in childhood]

들뜬 기분(조증)과 침울한 기분(우울증)이 반복되는 정동(기분)장애. **특수아상담**

기분이 들떠 있는 시기를 조증삽화의 기간이라고 하는데, 이때는 매우 활동적이지만 부산하고 비생산적이며 결국에는 고통스러운 지경에 이른다. 에너지가 넘치고 조급하며, 평소보다 잠을 훨씬 적게 자는 경향이 있고 실현 가능성이 없는 생각에 빠지기도 한다. 한편, 약간의 조증 증상은 있지만 정신과적 증상을 동반하지 않는 경우를 일컬어 경조증이라고 한다. 이러한 조증삽화가 있는 경우 대부분 우울증 삽화기간을 경험하게 되며, 두 가지가 함께 나타나는 경우 이를 혼합삽화기간이라고 한다. 대개 한번 조증을 겪은 사람은 적절한 치료를 받지 못하면 이후 여러 번의 조증삽화를 경험한다. 그러나 아동기 정동장애 연구에 따르면, 아동의 경우 성인 양극성장애와는 다르게 가장 흔하게 나타나는 기분 증상이 불안정한 정동(기분)을 동반한 자극 과민성이나 지속적이고 공격적인 분노폭발로 나타난다는 점이다. 소아·아동기의 양극성장애의 경우 다소 비전형적인 증상으로 나타나고 첫 삽화가 조증이 아닌 우울증으로 많이 나타나는 경향을 보이기 때문에 진단이 어려운 측면이 있다. 아동기의 양극성장애에 대한 진단이 어려운 또 하나의 이유는 약 50%의 공존질환 때문이다. 행동장애(conduct disorder), 주의력결핍 과잉행동장애(ADHD), 불안장애(anxiety disorder), 지적장애(mental retardation), 투레트 장애(Tourette's disorder) 등이 대표적인 공존질환으로 알려져 있으며, 특히 아동기 ADHD와 공존발생률이 높다. 따라서 ADHD는 불안정한 정서, 공격성 등과 더불어 향후 양극성장애가 조기 발생할 수 있는 신호로 받아들일 수 있다. 관련 연구에 따르면, 조증이 동반된 ADHD 아동은 순수 ADHD 아동보다 훨씬 심각하며 학습장애와 같은 기타 문제의 가능성이 클 뿐만 아니라 서로 다른 증상유형과 치료 반응을 보인다고 알려져 있다. 발생통계를 살펴보면, 통상적으로 우울증의 경우 여성에게서 많이 나타나는 반면 양극성장애는 남성과 여성에게 거의 같은 비율로 나타나는 경향이 있다. 유병기간을 살펴보면, 첫 번째 조증삽화는 평균적으로 2~4개월 동안 지속되며 우울증삽화는 8개월 이상 지속될 수 있지만 경우에 따라 매우 다양하다. 적절한 치료가 이루어지지 않을 경우 각 증상 삽화의 기간이 길어지고 또한 빈도도 잦아지며 시간이 지나면서 악화되는 경향이 있다. 양극성장애의 치료는 일반적으로 약물치료와 정신치료(심리치료)를 병행한다. 약물치료로는 기분안정제, 항정신약제, 항불안제, 항우울제 등이 사용되며, 심리치료의 경우 대화를 통한 교육과 지지에 중점을 둔다. 여기에는 인지행동치료, 정신역동적 치료 등이 포함되며, 최근 연구를 보면 양극성장애 및 청소년에게 심리치료가 긍정적인 효과를 가져오는 것으로 밝혀졌다.

관련어 | 기분장애, 조울증

아동기 우울증
[兒童期憂鬱症, childhood depression]

두통, 복통 등 신체적 증상, 짜증, 등교거부, 무단결석, 학습부진, 과잉행동, 공격적 행동 등의 증상으로 나타나는 우울증으로서, 가면 쓴 우울증이라고도 함. 아동청소년상담

아동의 경우 우울증의 형태가 성인과 달리 슬픔, 무관심, 활동 감소 혹은 과잉, 식욕감퇴, 신체적 고통 호소, 잦은 울음, 공격적인 행동, 심지어 자살 등의 형태로 나타난다. 아동기에 나타나는 우울증은 진단이 확실하지 않다. 왜냐하면 우울증은 아동에게서 거의 매일 관찰할 수 있는 정상적인 심리적 반응인 슬픈 감정과 큰 차이가 없으며, 보기에 좀 더 이상할 뿐이기 때문이다. 아동기에 나타나는 정상

적인 우울한 기분은 욕구불만에 기인한 것으로, 지속기간이 짧고 정도가 가볍다. 욕구불만의 원인은 심하게 경제사정이 어려운 가정이나 부모가 항상 야단만 치는 가정에서 나타나는 낙망과 슬픔이다. 우울증은 억울한 기분이 지속되고, 슬픔이 계속되어 울기도 하며, 동기가 없고, 억압되어 있으면서 자살생각을 많이 하는 증후로 나타난다. 그런데 전혀 우울하게 보이지 않는 행동으로 우울이 표출되어 이를 '가면 쓴 우울증(masked depression)'이라고 한다. '가면 쓴 우울증'을 가진 아동들은 공격적이고 파괴충동을 나타내기도 하며, 절도나 가출 형태로 문제를 나타내는데, 심리검사나 상담을 통해서 우울증이 확인되기도 한다. 성인이 보기에는 사소한 것이라도 아동에게는 어려운 문제여서 근심과 걱정거리가 되고, 이것이 누적되면 우울증을 초래할 수 있다. 이 증세는 또래로부터의 따돌림과 같은 부정적 외부경험에 따른 바람직하지 못한 귀인양식이나 비합리적 신념 등의 인지적 왜곡에 의해 나타나고, 또한 우울증에 걸린 엄마와의 상호작용으로 우울한 기분을 전달받아 나타나기도 하며, 유전이 원인이 되어 촉발되기도 한다. 이 증세에 대한 생물학적 이론은 유전적이고 생화학적인 요인에 초점을 둔다. 우울증 환자의 가족에 대한 연구와 쌍생아 연구결과, 우울증에서 유전적인 요인이 중요한 역할을 한다는 것이 발견되었으며, 특히 아동기 우울증에서는 유전적 요인이 강하게 작용한다. 생화학적 원인론에서는 우울증이 뇌의 신경전달물질인 세로토닌이나 노르에피네프린의 수준이 정상보다 낮기 때문이라고 보고 있으며, 신경전달물질에 영향을 미치는 약물이 우울증 치료에 효과적이라는 연구결과로 이러한 입장을 지지하고 있다. 치료의 접근으로는 단일한 방법보다는 놀이치료, 인지행동치료, 약물치료, 환경적 개입, 대인관계 기술훈련 등 다양한 방법이 고려되어야 한다. 행동문제를 주로 보이는 아동의 경우에는 '나쁜 아이'라고 단정 짓고 엄하게 야단치기보다는 '언제부터 그러한 문제를 보였는지,

그 당시 환경적인 요인은 없었는지, 아이의 얼굴표정이 밝지 않고 우울해 보이는지, 즐거움을 느낄 만한 일이 있는지, 자주 짜증을 부리거나 울지는 않는지, 학교에서나 일상적인 활동, 혹은 또래들과 어울리는 데 흥미가 감소되지는 않았는지' 등을 면밀하게 관찰한 다음, 만일 행동문제가 우울한 요인에 기인한 것이라면 우선 감정표현을 자유롭게 할 수 있도록 격려하고 온정적인 정서적 환경을 조성하여 아동을 수용적으로 따뜻하게 대하는 자세가 필요하다.

관련어 | 아동기, 우울증

아동기 행동장애
[兒童期行動障礙, behavior disorders of childhood]

아동기에 나타나는 비정상적이거나, 특이하거나, 역기능적인 행동. 아동청소년상담

타인을 위협하거나 귀찮게 하는 것, 순응하지 않고 성인에게 반항하거나 적대감을 드러내는 것 등 아동의 발달수준에 비추어 볼 때 기대수준 이상으로 나타나는 부정적인 행동이다. 정신건강센터, 지역사회 병원, 학교 등에서 가장 빈번하게 진단되는 심각한 파괴적 행동장애는 반항성장애(oppositional defiant disorder: ODD)와 품행장애(conduct disorder: CD)다. 일반적인 외적 행동 특징은 공격성, 규칙파괴, 불복종이며, 대표적인 내적 행동 특징은 사회적 고립, 불안, 우울이다. 행동장애가 있는 아동은 지속적으로 통제되지 않은 행동, 외현적 행동, 공격적 행동, 반사회적 행동, 품행문제, 과잉행동, 비행 등을 표출하며, 자존감, 정서조절, 가정 · 학교 · 지역사회 장면에서 갈등적인 대인관계와 관련된 문제를 지니게 된다. 성인과 타협하거나 참는 것을 힘들어하며, 성인이 정해 놓은 범위를 벗어나려 하고 성인의 한계를 시험하려고 한다. 아동의 연령에 따라 신체적 공격, 기물파손, 무단결석, 도주와 같은 심각한 문제행동이 드러나기도 한다. 공격적인 행동 때문에 학업성취가 낮으며, 폭력적인 행동을 표출하고, 학교규범을 무시하는 경향이 강하다. 행동장애 아동은 자의적으로 비행과 일탈행동에 빠지는 경우가 많지만, 한편으로 약물의 부작용, 가정과 학교에서의 스트레스, 우울 등이 발생 요인이 되기도 한다. 행동장애의 치료는 보호요인으로 확인된 긍정적인 자존감, 타인에 대한 공감능력, 미래목표 설정, 취미활동 참여, 사회적 지원체계 확립 등에 초점을 둔다. 1980년대 중반 이후부터 행동장애(behavioral disorder)라는 용어는 기존의 정서장애(emotionally disturbance)와 함께 사용되어 일반적으로 정서 · 행동장애(emotional disturbance and behavioral disorder)라고 사용하기 시작하였다. 미국 행동장애 아동위원회(Council for Children with Behavioral Disorder)는 행동장애라는 용어가 정서장애라는 용어보다 더 명확한 규준을 제시할 수 있기 때문에 아동상담계획을 수립하고 실행하는 데 보다 적합하다고 보았다. 또한 행동장애는 특정 원인론과 무관하고 종합적인 진단과 사정을 가능하게 하므로 현장의 임상전문가들이 선호하는 용어가 되었다. 이 같은 변화는 아동의 내재화된 장애가 원인이 된 문제로만 여겼던 것을 행동으로 표출되는 외재화된 장애로 바라보는 관점의 전환을 반영한 것이다.

관련어 | 반항성장애, 품행장애

아동상담의 과정
[兒童相談 – 科程, the process of children counseling]

아동인 내담자의 문제에 관하여 아동의 특징과 내담자의 성격, 상황, 배경 및 상담자와 내담자의 가치관을 고려한 상담과정. 아동청소년상담

아동상담의 과정은 내담자인 아동의 문제에 관한 성격과 상황, 상담자의 이론적 배경, 상담자와 내담자의 욕구나 가치관에 따라 다양하게 이루어지는

상담과정을 의미한다. 간단한 경우에는 한두 번의 면접으로 종결될 수 있지만 심리적인 문제인 경우에는 정도에 따라 5, 6회에서 20회 또는 그 이상 몇 년이 걸리기도 한다. 아동상담의 과정은 상담자들마다 자신의 이론적 근거에 따라 일련의 과정을 설명하고 있는데, 대부분의 상담과정에서 다루는 사항은 크게 초기, 중기, 말기 등 3단계로 나눌 수 있다. 초기단계는 치료적 환경 마련하기, 치료적 관계 형성하기, 상담목표 합의하기 등을 목표로 한다. 초기단계에 주로 사용되는 상담기술은 수용, 반영, 공감, 침묵, 명료화, 질문, 비언어적 단서의 활용, 역할놀이 등이다. 초기단계에서 치료적 환경과 상담목표가 형성되면 중기단계로 넘어간다. 이 단계의 주요 목표는 심오한 탐색과 분석, 아동의 세계와 생활양식의 이해, 상담목표의 달성 원조 등 본격적 문제해결을 위한 구체적이고 실질적인 것들이다. 중기단계에서는 제안, 정보, 해석, 미완성된 생각, 질문, 임시 분석과 임시 가설, 자기노출 등이 상담기술로 사용된다. 상담의 마지막 단계인 말기로 넘어가면, 아동의 행동을 통하여 목표를 성취하는 단계가 된다. 이 단계에서 아동은 자신과 타인에게 건설적인 방법으로 행동하는 것을 배우고 익혀 나간다. 말기단계의 주요 목표는 지금까지 상담목표에 도달하기 위해 작업해 온 결과와 성취의 요약 및 평가, 그리고 성공적인 종결 등이다. 상담종결 결정은 이 단계에서 매우 중요한 문제다. 상담을 더 이어갈 지, 종결을 할지에 대한 표준을 마련하기 위해서는 명확한 규준을 세워 두어야 한다. 이 단계에서 상담자들은 아동이 원하면 언제든 다시 도움을 받을 수 있다는 사실을 인식시키는 것이 중요하다. 말기단계에서는 문제해결과 결정 내리기, 직면, 즉각성, 격려 등이 주요 상담기술로 사용된다. 무엇보다 격려는 상담자의 인내가 많이 필요하며, 기다려 주는 것이 매우 중요하다.

관련어 상담과정

아동생활지도
[兒童生活指導, child guidance]

모든 아동을 인격으로서 존중하고 아동의 복지를 위해 아동 본인뿐만 아니라 보호자도 도와주고 지도하는 활동.
아동청소년상담

아동의 복지를 위해 아동과 아동의 환경적 요인에 도움을 주고 지도해 주는 것을 의미한다. 우리나라 '아동헌장(兒童憲章)'에 기본 이념이 기술되어 있으며, '아동복지법'에 표준이 제시되어 있다. 또 최근에는 이 방면의 연구가 추진되어 아동의 이상행동이나 정서장애 등의 문제에 대해서 환경조정 등 각종 지도나 치료를 하게 되어 있다. 아동생활지도는 광역 지방자치단체의 아동지도센터 및 아동복지시설, 대학병원, 민간 아동지도센터, 기타 시설에서 실시한다. 상담내용은 건전육성, 지능이나 학업성적, 성격이나 행동, 심신장애, 보건이나 의료 외에도 진로나 직업지도 문제까지 아동복지의 전반에 걸쳐 있다. 각 시설이나 기관에 따라 각각 차이는 있지만 정서장애에 대해서는 정신과 의사, 임상심리전문가, 개별지도 사회사업가(social caseworker) 등으로 구성된 팀의 협력으로 시행하고 있다. 우리나라에서 아동생활지도는 해방 후 과도기나 6·25 전쟁 후의 고아원, 부랑아나 불량아동 등의 수용보호에서 시작되었다고 할 수 있다. 그러나 오늘날에는 특수한 아동들에 대한 소극적인 것에서 전체 아동에 대한 복지증진이라는 적극적인 것으로 변해가고 있다. 따라서 그 이론도 사회 정책적인 방향에서 성장·발달을 건전하게 촉진해 나가도록 하고 있다. 또 기법에서도 행동관찰이나 심리진단검사의 수량화, 기계화가 시도되고, 행동치료나 약물치료도 일단 진보해 왔다. 그럼에도 불구하고 정서장애 아동이나 그 가정에 대한 일반 사회의 편견, 경제 우선에서 유래하는 약육강식의 경향, 경쟁주의 교육체제 등이 큰 걸림돌이 되어 아동 문제 전공의 정신과 의사나 임상심리학자의 양성이 불충분한 점 등의 문제가 남아 있다.

관련어 | 아동복지시설, 아동복지법, 아동지도센터, 학교상담

아동성학대
[兒童性虐待, child sexual abuse]

아동을 대상으로 하여 아동이 충분히 이해되지 않은 상태, 성행위에 대해 동의표현이 불가능하거나 동의를 표현할 만큼 충분히 발달하지 않은 상태, 불법적이고 사회적으로 금기시되는 상황 등에서 일방적으로 가해지는 모든 성적인 행위.

성상담 위기상담

아동성학대는 미국의 「아동복지법」에 의거해서 볼 때, 18세 미만의 아동을 대상으로 하여 성인 자신의 성적 욕구를 충족하려는 목적으로 성적 수치심을 주는 성희롱, 성폭력 등의 학대행위를 비롯한 신체적 접촉이나 상호작용을 모두 포함하는 말이다. 아동에게 직접 음행을 시키거나 음행을 매개하는 행위도 포함된다. 아동성학대는 어린이 성폭력, 아동 성폭력이라는 용어로 대체되기도 한다. 1900년대 초, 프로이트(S. Freud)가 아동의 성에 관한 관심을 보였지만, 프로이트 초기이론은 학계에서 주목을 받지 못하였다. 프로이트 자신도 아동의 성 문제를 학대나 폭력의 차원으로 나아가지는 않았다. 그러다가 아동성학대에 대한 관심은 1970년 후반에서 1980년 초반이 되어서야 법적 및 전문적으로 일어나게 되었다. 여성운동이 세계적으로 확산되는 추세의 결과로 여성들이 어린 시절 성학대의 희생자였음을 세상에 폭로하면서 아동성학대 문제가 대두되기 시작하였고, 아동을 대상으로 한 성범죄가 사회적 현상으로 받아들여졌다. 18세를 기준으로 하고 있는 미국과는 달리 우리나라 법에서는 13세를 성학대 피해 아동의 기준으로 삼고, '형법' 제302조와 제305조 등에서 13세 미만의 미성년자에 대한 강간 혹은 간음, 강제추행 등에 대한 처벌규정을 명시하고 있다. 아동을 대상으로 한 성학대는 비접촉성 행위와 접촉성 행위로 나눌 수 있다. 접촉 여부가

중요한 것이 아니라 누가 성학대를 얼마나 했는가, 어느 정도로 자극적, 위협적, 강제적으로 했는가 등에 따라서 받아들이는 심각성도 달라진다. 아동성학대에 대한 명확한 제한이 있는 것은 아니지만, 이들을 대강 분류해 보면 아동에게 불법 성행위 계약 유도 및 강요, 윤락행위 등의 불법 성행위 강요, 직접적인 음란행위나 음란행위의 수단으로 아동을 이용하는 것 등으로 구분할 수 있다. 가슴이나 성기 애무 및 강간과 같은 직접적 접촉만이 아니라 음란물을 보여 주거나 성기를 노출하는 것, 언어 희롱과 같은 행위는 모두 성학대의 범주에 들어간다. 아동의 성기를 만지거나 자신의 성기에 접촉을 요구하는 행위, 성행위, 폭력적 행위, 아동 앞에서 옷을 벗으며 자신의 성기를 만지는 행위, 강제 애무, 키스, 아동의 옷을 강제로 벗기는 행위, 소아 나체를 보는 것을 즐기거나 포르노 비디오를 아동에게 보여 주는 행위, 포르노물 판매 등의 포르노 매체 관련 행위도 모두 아동성학대에 포함된다. 아동이 이 같은 성학대를 받으면, 성기나 비뇨기 관련 질병, 두통, 위장장애, 구토증과 같은 신체적 질병의 징후를 보일 수 있고, 낯선 사람에 대한 공포증을 비롯한 대인공포증, 오락적인 활동을 즐기지 못함, 악몽, 야뇨증, 불면증, 우울 및 자살 경향, 혼자 있는 것에 대한 공포, 결벽증, 갑작스러운 행동변화, 불안발작, 자기파괴적 행위, 공격성, 가출과 같은 이상징후가 나타날 수 있다.

아동신경증
[兒童神經症, child neurosis]

정신적 충격과 같은 심리적 원인으로 일상생활과 상관없이 나타나는 불안, 우울, 근심 등의 불유쾌한 정서적 상태 또는 기능적 이상이 없는데도 불구하고 신체적 질환을 호소하는 상태.

이상심리

일반적으로 성인은 강한 불안을 호소하고 일정한 형태로 반응하지만, 아동의 경우에는 자아발달이

미숙하여 불안이나 걱정을 호소하지 않으며 일정한 증상을 보이는 경우도 적다. 아동기에는 생활 공간도 좁고 자아도 미숙하여 심리적 원인이 가장 큰 영향을 미치며, 나타나는 증상이 달라 신경증으로 진단하기 힘든 경우가 많다. 아동이 보이는 신경증을 히스테리 반응으로 보는 전문가도 있고, 신경증적 발증(neurotic manifestation)으로 보는 전문가도 있다. 증상은 다음과 같이 나눌 수 있다. 첫째, 정신신체장애(psychophysiological disease)다. 영유아의 경우에는 심신이 미분화되어 심인성으로 여러 가지 신체증상이 나타날 수 있다. 예를 들면, 자신의 요구가 전달되지 않으면 심하게 울어 호흡이 멈추듯이 되는 호흡중지발작, 천식증상, 신경성 구토나 이질, 유뇨나 야뇨, 대변 실금(失禁) 등이 있다. 둘째, 신경성 버릇(nervous habit)이다. 유뇨나 야뇨를 신경성 버릇으로도 볼 수 있다. 다른 예로는 편식 · 소식 · 대식 등의 식사문제, 불면 · 야경 · 잠에 취한 듯이 멍청함 · 몽유 등의 수면문제, 언어문제, 틱문제 등이 있다. 셋째, 반사회적 행동(antisocial behavior)이다. 유아기 후반에서 학령기가 되면 심인성으로 여러 문제행동이 나타날 수 있다. 예를 들면, 심한 분노발작, 반항, 시기나 질투, 심한 과잉행동, 침착성 부족, 특정 장면에서 말을 하지 않음, 등교거부, 거짓말, 가출, 비행 등이다. 넷째, 비정상적 체험이다. 나이가 들어 감에 따라 자아가 발달하고 성인과 비슷한 증상도 보인다. 특히 사춘기에 접어들면 성인과 거의 같은 신경증을 보인다. 예를 들면, 신체에 이상이 생겼다며 병증을 호소하는 것과 같은 심신증, 강박중, 히스테리, 불안발작 등이 있다. 심리치료를 보면, 심리적 원인이 있으므로 원인을 제거하면 증상을 호전시킬 수 있지만 이러한 제거가 항상 가능하지는 않다. 본질적 치료방법으로는 자아를 강하게 하는 것이다. 놀이치료와 같은 심리치료를 통하여 긴장이나 불안의 개방, 보다 강한 자아의 형성을 시도한다. 모친이나 가족을 상담하거나 학교와 연계하여 실시하기도 한다.

관련어 | 신경증

아동심리치료
[兒童心理治療, child psychotherapy]
아동을 대상으로 실시하는 심리치료. 아동청소년상담

아동은 아직 언어능력이 덜 발달하고 심리치료에 대한 의욕이 낮으며 병식(病識)이 잘 나타나지 않는다는 점에서 어려움이 많다. 이러한 문제점을 극복하기 위해 많은 연구가 행해졌고 그 성과에 따라 이 분야가 생기게 되었다. 크게 놀이치료(play therapy)와 행동수정(behavior modification)으로 나눌 수 있는데, 놀이치료에서는 치료적 인간관계를 형성하고 욕구나 감정을 해방시켜 아동이 받아들이기 쉽게 해석하면서 놀이를 통해 통찰을 이끌어 간다. 놀이는 아동의 생활이자 말이며 욕구나 감정이 해방되는 장(場)이다. 놀이치료에서는 환경조성도 중요한데, 특히 아동에 대한 어머니의 태도변화를 강조한다. 아동이 어릴수록 특히 그렇다. 행동수정은 학습이론에 근거하여 바람직한 행동을 강화하거나 바람직하지 않은 행동을 소거하여 행동의 변화를 이끌어 내는 것이다. 아동심리치료는 신경성 버릇, 정서장애, 흘음, 신경증, 사회성장애 등에 주로 적용된다. 아동심리치료사는 다양한 장애와 문제행동을 보이는 아동을 대상으로 과학적 측정도구나 각종 심리검사를 통해 종합적 진단을 내리고 각각의 상황과 환경에 맞게 심리상담 및 치료활동을 함으로써 아동의 인지, 정서, 행동상의 장애와 문제를 치유한다. 아동의 문제와 심리적 상태를 파악하고 치료하기 위해서 놀이치료와 행동수정 외에도 언어치료와 미술치료를 실시하는 경우가 많다.

관련어 | 놀이치료, 행동치료

아동에게 책임감 돌리기
[兒童 – 責任感 –,
returning responsibility to the child]

아동의 자기확신과 의사결정을 강화하는 데 사용하는 놀이치료기법. 놀이치료

아동에게 책임감 돌리기는 아동이 자기확신과 의사결정기술을 강화하는 것이 목적이다. 여기서 아동은 선택권을 가지고 있으며, 선택의 결과는 자신의 행동과 관련된 것임을 깨달아야 한다. 책임은 누가 가르쳐 주어서 배우는 것이 아니라 경험을 통하여 배울 수 있기 때문에, 이 기법에서는 아동이 스스로 모든 것을 정의 내리고 행할 수 있도록 한다. 치료자나 다른 성인이 아동을 대신해서 결정할 때, 아동은 자신의 잠재적 창의력을 박탈당하고 책임감을 발달시키는 데 방해를 받는다. 따라서 치료자는 마지막 선택들을 제시한 뒤 아동이 자신의 행동을 선택하면 아동의 선택을 따라야 하며, 그것이 실행되는지 관찰하면 된다.

아동용 웩슬러 지능검사
[兒童用 – 知能檢査, Wechsler Intelligence Scale for Children: WISC]

아동의 지적 능력을 검사하는 법적 지능검사. 심리검사

아동의 지적 능력을 검사하기 위해 1949년에 웩슬러(D. Wechsler)가 제작한 검사로, 5~15세의 아동을 대상으로 한다. 1974년에 WISC-R이란 이름으로 개정판이 나왔고, 우리나라에서는 1986년에 한국교육개발원(Korean Education Development Institute: KEDI)에서 WISC-R을 기초로 박경숙 등이 표준화하여 KEDI-WISC를 개발하였다. K-WISC-III는 1991년에 개정된 WISC를 번안하여 곽금주, 박혜원, 김청택이 우리나라 실정에 맞추어 표준화 제작하였으며, 문화적 차이를 고려하여 문항을 수정·보완하였다. 또한 소검사의 신뢰도, 채점자 간 신뢰도, 요인 구조분석, 성별 및 지역 차이에 대한 분석을 포함하여 표준화를 위한 체계적인 연구가 이루어졌다. K-WISC-III의 대상은 6세부터 16세 11개월까지이며, 검사도구는 언어성 소검사와 동작성 소검사의 두 부분으로 구성되어 있다. 언어성 소검사에는 상식, 공통성, 산수, 어휘, 이해, 숫자 영역이 있고, 동작성 소검사에는 빠진 곳 찾기, 기호 쓰기, 차례 맞추기, 토막 짜기, 모양 맞추기, 동형 찾기, 미로가 있다. 이 중 숫자, 동형 찾기, 미로는 보충 소검사로 검사자가 아동의 능력에 대해 더 풍부한 정보를 알아보고자 할 때 사용할 수 있다. 그리고 언어성, 동작성, 전체 검사 IQ 외에 언어이해, 지각조직, 주의집중, 처리속도 등 네 가지 요인에 대한 지표점수를 알 수 있다. 검사의 신뢰도는 소검사의 특성상 기호 쓰기와 동형 찾기는 안정성 계수를 사용하고 나머지는 일관성을 나타내는 크론바흐 알파(Cronbach α)로 계산하였다. 기호 쓰기와 동형 찾기는 속도를 재는 검사이므로 크론바흐가 부적절하기 때문이다. 여기서 일관성이란 검사문항에 대한 내적 일관성을 의미하고, 안정성이란 시간의 경과에 따른 점수의 안정성을 의미한다. 각 소검사, IQ 척도, 요인지표 척도의 신뢰도는 0.51~0.92로 나타났고, IQ 척도와 요인지표 척도의 신뢰도 계수는 각 소검사 계수보다 크게 나타났다. 따라서 단일한 소검사 점수의 정확성보다 IQ 점수나 지표점수의 정확성에 대해 더 신뢰할 수 있다. 피검자들이 나타낸 각 소검사에서의 평가치 분포를 가지고 분산분석(scatter analysis)을 함으로써 개인의 정신병리적 현상에 대한 진단적 정보를 얻을 수 있으며, 특히 각 소검사문항에서의 반응을 세밀히 분석하면 사고의 흐름, 사고의 형태 및 정서적 반응의 실마리를 얻을 수 있다. 개인의 지능수준부터 어떤 특징적 지적 능력이 있는지, 어떤 영역이 강하고 어떤 영역이 부족한지를 알 수 있으며, 아울러 개인의 성격적 측면과 정서적 측면을 함께 고려하여 해석을 제공하는 만

큼 한 개인에 대한 여러 가지 지적 능력이나 잠재력을 살펴볼 수 있는 검사라 할 수 있다. 언어성 검사(verbal scale) 중 상식은 30문항으로 구성되어 있으며, 피검자의 선천적 능력, 풍부한 초기 환경조건, 학교생활 및 문화적 경험 등에서 누적된 지식이 어느 정도 되는지를 측정하는 내용으로 구성되어 있다. 공통성은 19문항으로 구성되어 있으며, 언어적 개념형성을 주로 측정한다. 개념형성이란 사물이나 대상을 의미 있는 집단으로 묶는 기능을 말한다. 이러한 개념 형성은 자발적으로 노력하는 과정을 통해 이루어질 수도 있지만 경우에 따라서는 자동적인 언어적 습관에 따라 이루어지기도 한다. 산수는 24문항으로 구성되어 있으며, 각 문항은 30~75초의 시간제한이 있다. 처음 1~4번 문항은 소책자를 이용하여 풀도록 되어 있고, 5~15번까지는 검사자가 문항을 읽어 주고 가감승제의 기본 방식을 알면 풀 수 있는 수준이다. 그러나 16~24번 문항은 피검자가 소책자를 보고 문제를 직접 읽고 난 후 머릿속에서 계산해야 한다. 이 검사는 사고력과 수리능력 및 주의집중력을 요구한다. 어휘는 30문항으로 구성되어 있으며, 아동의 문화적 경험, 교육적 환경과 밀접하게 관련된 아동의 학습능력, 개념의 풍부성, 기억력, 개념형성, 언어능력 등 개인의 지적 능력을 측정하는 데 아주 효과적이다. 이해는 18문항으로 구성되어 있으며, 문항은 일상생활의 경험, 대인관계, 사회적 관습 등을 반영하고 있다. 다양한 상황을 잘 이해하고 이에 따른 문제해결방안을 찾아내는 등 적절하고 의미 있는 방법으로 자신의 과거경험을 평가, 종합하는 능력을 측정한다. 숫자는 언어성 검사의 보충검사로 사용되는데, 바로 따라 외우기 8문항과 거꾸로 따라 외우기 7문항 등 총 15문항으로 구성되어 있다. 각 문항은 시행 1과 시행 2로 되어 있고, 주어진 문항에서 둘 다 실패하면 검사를 중지한다. 이 검사는 주의력과 단기기억력을 측정하는데, 바로 따라 외우기에서는 상호 논리적 관련성이 없는 몇 가지 요소를 기억하는 능력을 요구하고 거꾸로

따라 외우기에서는 기억력뿐 아니라 요소들을 재구성하는 능력이 요구된다. 동작성 검사(performance scale) 중 빠진 곳 찾기는 30문항으로 구성되어 있다. 각 문항의 그림마다 중요한 부분이 빠져 있는데, 빠져 있는 부분을 피검자가 20초 이내에 찾아내야 정답이 된다. 그림에 제시되어 있는 사물의 중요한 부분과 지엽적인 부분을 구별하는 능력과 집중력, 사고력, 시각적 예민성, 시각적 구성력 및 시각적 기억력 등이 요구된다. 기호 쓰기는 완전히 다른 2개의 부분으로 구성되어 있으며, 기호 쓰기 A는 6~7세 아동에게, 기호 쓰기 B는 8세 이상의 아동에게 실시한다. 기호 쓰기 A는 별, 동그라미, 세모, 십자, 네모 모양에 각각 수직선, 수평선, 2개의 수직선, 2개의 수평선, 동그라미를 그려 넣는 것으로 2개의 시범문항과 3개의 연습문제, 그리고 58문항으로 구성되어 있다. 여기서는 빨리 완성하면 가산점수를 받을 수 있다. 기호 쓰기 B는 1에서 9까지의 숫자가 적힌 칸과 각각의 숫자에 대응하는 기호가 있어 각 숫자 밑의 칸에 해당하는 기호를 그려 넣어야 하는데, 3개의 시범문항과 4개의 연습문제, 그리고 119문항으로 되어 있다. 기호 쓰기의 제한시간은 120초다. 이 하위검사는 아동의 시각-운동의 협응, 정신적 작업의 민첩성 및 단기기억능력을 측정하고 시각적 근육 운동의 활동, 협응 정도에 따라 점수가 결정되며, 근육운동능력이 보다 중요한 요인으로 작용한다. 차례 맞추기는 14문항으로 구성되어 있으며, 각 카드에 그려져 있는 그림들을 의미 있는 이야기가 되도록 배열하는 능력이 요구된다. 14문항 모두 시간제한이 있으며, 3번 문항부터는 빨리 배열하면 가산점수를 받는다. 이 검사는 사회적 상황에 대한 해석과 그림에 담겨 있는 의미(이야기)를 이해하고 해석하는 능력을 요구한다. 즉, 계획능력과 전체 상황을 이해하고 구성하는 능력, 시각적 구성능력 등을 측정한다. 토막 짜기는 12문항으로 구성되어 있다. 1~2번 문항은 검사자가 만들어 놓은 토막 모양을 직접 보며, 그리고 3~12번 문항은 카드에 그

려져 있는 토막모양을 보고 피검자가 주어진 토막을 이용하여 그대로 맞추는 것이다. 1~3번 문항은 검사자가 토막을 짜는 과정을 직접 보여 준 다음 피검자가 토막을 짜도록 한다. 4번 문항부터는 토막을 짜는 시간이 빠를수록 가산점수를 받는다. 이 검사에서는 카드에 그려진 모양을 지각하고 분석하며, 토막을 가지고 카드에 제시된 모양으로 재구성하는 과정이 요구된다. 따라서 여기서는 시각-운동의 협응능력과 지각구성능력 및 공간시각능력(혹은 추상적 개념화 능력과 일반화 능력)을 측정하며, 운동능력과 색채-지각능력도 검사수행에 영향을 미친다. 모양 맞추기는 몇 개의 조각으로 이루어진 특정 모양을 완성하는 검사로서, 전체 문항 수는 소녀(6조각), 자동차(9조각), 말(5조각), 공(7조각), 얼굴(13조각)의 5개다. 모든 문항에서 빠른 수행에 대해 가산점을 받는다. 이 검사에서는 시각-운동의 협응 능력이 요구된다. 즉, 근육운동능력은 시각적인 지각과 감각운동의 피드백에 따라 조절된다. 따라서 모양 맞추기 검사에서는 지각능력뿐만 아니라 구성능력도 요구된다. 동형 찾기는 동작성 검사 중에서 기호 쓰기의 보충검사로 이용된다. 쌍으로 이루어진 도형으로 각 쌍은 표적부분과 반응부분으로 구성되는데, 아동은 두 부분을 훑어보고 표적모양이 반응부분에 있는지를 지적하는 것이다. 연령에 따라 A형과 B형으로 나뉘며, A형은 6~7세 아동에게, B형은 8세 이상의 아동에게 실시한다. A형과 B형 모두 45문항으로 둘 다 제한시간은 120초다. 이 하위검사는 아동의 시각-운동의 협응, 정신적 작업의 민첩성을 측정하고, 시각적 근육운동의 활동, 협응 정도에 따라 점수가 결정된다. 미로검사는 동작성 검사의 보충검사로 이용되며 10문항으로 구성되어 있다. 제한시간은 30~150초까지다. 이 검사는 계획능력과 지각구성능력을 측정하며, 시각-운동 협응능력을 측정한다. 전체적으로 살펴보면 공통성, 모양 맞추기, 이해, 숫자 검사에서 모든 아동은 1번 문항부터 시작한다. 기호 쓰기와 동형 찾기는 연령에 따라 A형

또는 B형을 실시한다. 그 외 다른 검사는 아동의 연령에 따른 시작점에서 시작하지만 지적으로 결손된 것으로 추정되는 아동과 다른 임상적 문제가 있는 아동은 1번 문항부터 시작한다. 중지준거는 소검사별로 연속적으로 실패한 문항의 개수, 시간의 초과 등으로 정해져 있다. K-WISC-IV와 K-WISC-III의 차이를 살펴보면, 우선 K-WISC-IV에서 삭제된 소검사는 K-WISC-III에 있던 '차례 맞추기' '모양 맞추기' '미로'이며, 나머지 10개는 유지되었다. 그러나 문항 내용이나 실시 및 채점 절차는 개정되었다. 새로운 소검사는 5개가 개발되어 추가되었다. '공통 그림 찾기' '순차연결' '행렬추리' '단어추리'는 학령기 아동에게 사용되는 다른 웩슬러 지능검사에서 가져와 적용시킨 것이고, '선택'은 '처리속도'에 대한 보충 소검사로 개발되었다.

관련어 성인용 웩슬러 지능검사, 지능검사

아동용 카우프만 진단검사
[兒童用-診斷檢査, Kaufman Assessment Battery for Children: K-ABC]

아동의 지능과 습득도를 측정하는 검사. **심리검사**

정보처리이론을 바탕으로 2세 6개월에서 12세 6개월까지 아동의 지능 및 성취를 평가하기 위해 카우프만(A. Kaufman) 등(1983)이 개발하였다. 이를 문수백과 변창진(1997)이 우리나라 문화적 특성에

맞게 한국판 K-ABC로 수정 및 개발하였다. 신경심리학과 인지심리학에 근거하여 내용보다는 과정에 초점을 둔 순차-동시 처리모델을 채택하여 지능을 문제해결과 관련된 기능으로 정의하고 있다. 즉, 기존의 내용 중심 검사와 달리 아동이 왜 그러한 정도의 수행을 했는지 처리과정 중심의 검사로 이를 통해 교육적 처치가 가능하다. 지능과 후천적으로 습득된 지식수준인 습득도를 분리하여 측정하기 때문에 아동의 문제해결능력과 이를 통한 학습의 정도를 서로 비교할 수 있다. 또한 아동이 선호하는 정보처리 패턴이 좌뇌 지향적인지 우뇌 지향적인지 비교할 수 있다. 여기서는 동시처리, 순차처리, 인지처리과정, 습득도, 비언어성 척도의 다섯 가지 지능점수가 산출된다. 총 16개의 하위검사로 구성되어 있으며, 연령에 따라 적용되는 검사의 종류 및 수가 달라진다. 각 하위척도는 평균 100, 표준편차 15의 표준점수로 산출하도록 되어 있다. 장애아나 학습부진아의 진단에 효과적이며 프로파일 분석을 통하여 아동의 지적 능력의 특색을 상세하게 알 수 있으므로 교육상담에서 아동의 접근방법 결정을 돕는 데 사용할 수 있다. 아동용 카우프만 진단검사 외에 청소년 및 성인용 카우프만 지능검사(Kaufman Adolescent and Adult Intelligence Test: KAIT)도 있다. K-ABC와 KAIT는 표준화를 거친 뒤 학지사 심리검사연구소에서 출판되고 있다.

관련어 | 정보처리이론, 지능검사

아동용 한국판 보스턴 이름대기검사
[兒童用韓國版-檢査, Korean version-Boston Naming Test for Children: K-BNT-C]

표현언어장애의 표현어휘력 측정 및 표현언어장애를 선별하기 위한 검사. 심리검사

표현언어장애의 표현어휘력을 측정하고 표현언어장애를 선별하기 위해 1983년에 해럴드 굿글래스(Harold Goodglass), 이디스 캐플란(Edith Kaplan), 산드라 웨인트룹(Sandra Weintraub)이 개발한 검사로, 우리나라에서는 2007년에 김향희와 나덕렬이 표준화하였다. 대상은 만 3~14세의 아동이다. 표현어휘력 측정도구로서 대상자에게 흑백으로 그려진 사물의 그림을 보여 주고 이름을 말하게 함으로써 그림에 대한 '시각적 인지력', 그림에 대응하는 '단어인출력' 등을 측정할 수 있다. 표현어휘력은 정상아에게는 언어산출능력의 기초가 된다. 이는 한 단어를 구사하면서도 본인이 말하고자 하는 의도를 상대방에게 무리 없이 전달할 수 있으며, 여러 단어를 조합하여 구를 형성하고, 더 나아가 구를 조합하여 더 큰 언어단위를 형성할 수 있기 때문이다. 따라서 이 검사는 언어임상뿐만 아니라 신경심리임상에서 중요한 검사절차 중 하나가 된다. 검사자와의 상호작용이 수월하지 않은 아동에게 비교적 손쉽게 사용할 수 있고, 다른 표현언어검사를 보완하고 대체할 수 있다. 검사기록지에 첨부된 표를 이용하여 이해하기 쉬운 백분위 수와 등가연령으로 환산된 점수를 얻을 수 있어 결과해석이 용이하다. 이 검사와 K-BNT의 차이점은 문항의 순서를 해당 연령의 수행력에 맞게 재배열했다는 것이다. 기존의 60문항 전체를 아동에게 실시하는 것이 어려울 수 있기 때문에 연령군별로 시작문항을 제시하고, 기초선과 최고한계기준을 활용하는 검사방법을 도입하여 연령군별 실시문항 수를 차등화하고 대폭 줄임으로써 검사의 효율성을 극대화하였다.

아동의 은유 사용하기
[兒童－隱喩使用－, using the child's metaphor]

아동에게 놀이를 통하여 실제 사건이나 표현을 묘사적·설명적이 아닌 추상적 이미지로 표현하도록 하는 기법. 놀이치료

아동의 은유 사용하기 기법은 아동이 놀이를 통하여 자신의 내적 사고와 감정, 욕구를 표현할 수 있도록 하기 위한 것이다. 놀이의 대부분이 은유이므로 이 방법은 아동의 은유를 해석하지 않고 기꺼이 그 은유를 공유하거나 치료적 은유를 고안하면서 진행한다. 실제적인 사건이나 감정 등을 묘사적이고 설명적인 것으로 표현하기보다는 추상적 이미지를 만들어 표현하도록 한다.

아동임상심리학
[兒童臨床心理學, child clinical psychology]

유아, 아동, 청년의 제 문제를 임상심리학 측면에서 연구하고, 심리 진단 및 평가, 치료 및 해결을 도모하는 심리학의 한 분야. 이상심리

19세기 전반부터 관심을 끌기 시작했던 비행소년을 다루는 문제에서 시작되었다. 그 후 정신의학이나 임상심리학의 이론적·임상적 연구의 진전에 따라 점차 발전하여 유아나 아동, 청소년의 문제와 관련하여 각 분야에서 심리진단 및 심리치료를 중심으로 그 체계를 정비하고 문제들을 해결하는 데 크게 기여하게 되었다. 아동임상심리학의 발전과정을 변천기로 나누어 살펴보면 다음과 같다. 제1기는 제1차 세계 대전 전까지로 볼 수 있다. 앞서 기술한 바와 같이 아동과 청소년에 대한 임상심리학은 반항적 행동으로 세인의 주목을 끌었던 비행청소년을 위한 보호시설을 갖춘 시점에서 출발하였다. 1824년에 미국 뉴욕에서 최초로 공립보호시설이 설립되었고, 유럽은 조금 늦은 1833년에 독일 함부르크 교외에 라우에스하우스(Raues Haus), 프랑스에서는 1839년에, 영국에서는 1849년에 각각 교호원(教護院)이 설치되었다. 연구 측면에서 보면 1896년에 미국의 심리학자 위트머(L. Witmer)가 철자장애아의 치료, 학업성적 부진아 등에 대한 임상심리학적 연구를 위해 심리학클리닉을 펜실베이니아대학에 개설하여 아동임상심리학에 관한 본격적 연구의 단서를 열었다. 정신의학자 힐리(W. Healy)는 1909년 시카고에서 소년법원과 제휴하여 비행이나 정서장애를 대상으로 하는 소년정신병질연구소(Juvenile Psychopathic Institute)를 개설하여 소년심판의 과학화에 기여하였다. 1913년에는 심리학자 브론너(A. Bronner)가 참여했고, 1914년에는 사회사업가가 참여하여 비로소 현재의 클리닉팀의 원형이 완성되었다. 이때 독일 정신의학자 크레펠린(E. Kraepelin)은 현재 정신의학의 중요한 기반의 하나인 기술적 정신의학(descriptive psychiatry)을 체계화하였는데, 그의 질병론(nosology)은 아동임상심리학에 큰 기여를 하였다. 그리고 프로이트(S. Freud)의 정신분석학이 등장했는데, 그의 역동정신의학(dynamic psychiatry)은 미국의 마이어(A. A. Meyer)와 더불어 아동임상심리학에 큰 영향을 주었다. 또한 18세기 말에 프랑스의 아베롱 지구에서 발견된 야생 소년을 치료한 국립농아시설의 의사 이타르(Itard)와 1905년에 지적 능력에 관한 종합적이고 실험적인 연구로 지능척도를 완성한 비네(A. Binet)의 공적도

빠트릴 수 없다. 제2기는 제2차 세계 대전 전후까지로 볼 수 있다. 1899년에 미국에서 소년심판소가 설치되었는데, 이후로 1910년 러시아, 1912년 프랑스, 1922년 독일, 1928년 오스트리아에 소년심판소가 각각 설치되었다. 한셀만(Hanselmann)이나 헬러(Heller) 등의 치료교육에 관한 연구뿐만 아니라 심리상담도 점차 발전했는데, 1917년 미국에서 힐리와 브론너는 저지베이커지도센터를 개설하였다. 나아가 1921년에 톰(Thom)이 보스턴습벽클리닉을, 1926년에 게젤(A. L. Gesell)이 예일심리클리닉을 설치하였다. 제3기는 제2차 세계 대전 후로 볼 수 있다. 당시 세계적인 인간존중 풍조와 더불어 발전했는데, 각종 관련 시설이 증가하고 심리 진단 및 평가, 치료, 다양한 기법이 현저하게 발전하여 아동임상심리학도 괄목할 만하게 발달하였다.

관련어 | 아동정신의학

아동정신의학
[兒童精神醫學, child psychiatry]

출생에서 사춘기에 속하는 유아, 아동, 청소년을 대상으로 정신을 진단, 평가, 치료 및 예방하는 학문. 이상심리

아동정신의학은 청년기 이전 아동의 정신장애나 이상행동을 대상으로 연구하는 정신의학과 신경학의 한 분야이며, 1920년대 중반 이후부터 성인 정신의학과 분리하여 하나의 학문으로 관심을 받기 시작했고 1950년대 중반부터 미국정신신경의학국에서 공식적인 학문으로 출범하였다. 아동은 다음과 같은 특징을 가지고 있으므로 정신장애의 진단과 치료는 성인의 접근방법과 달라야 한다. 첫째, 아동은 발달의 결정적 시기에 놓여 있으므로 아동이 보이는 증상을 발달에 비추어 파악해야 한다. 둘째, 성인과 달리 아동의 경우 증상이 신체현상으로 나타나기 쉽다. 따라서 아동정신의학에서는 행동장애와 정서문제를 함께 다룬다. 셋째, 환경이 중요한

역할을 할 수 있다. 아동은 보호가 필요가 존재이므로 부모의 양육태도가 중요하며 증상에 부모가 영향을 줄 수 있다. 이러한 점 때문에 아동을 대상으로 하는 상담은 부모와 동시에 실시하는 경우가 많다. 아동정신의학에서 하는 주된 일은 아동이 가지고 있는 행동장애와 정서문제를 연구하고 처방하는 것이다. 감정조절이 어려운 아동은 불안반응을 나타내는 경우가 많다. 이 불안반응에는 습관장애(손가락 빨기, 오줌 싸기 등)와 행위장애(가출, 공격성, 불장난, 싸움, 울음 등)가 포함된다. 어머니와의 관계에 문제가 있거나 어머니의 보살핌이 없는 유아의 경우, 계속 울어대거나 먹지 못하거나 잠을 자지 못하는 등의 위축적인 행동을 보이기도 하며, 신체적·정신적 성장의 지연을 초래하기도 한다. 학령기 아동의 경우, 지적·정서적·기질적 문제로 인해 배우는 일에 적응하지 못하여 행동과 학습에 장애를 나타내기도 한다. 예를 들어, 난독증 아동처럼 지각에 어려움이 있는 아동은 나이 수준에 맞게 읽는 요령을 습득하고 개발하지 못하게 된다. 그 결과 이런 아동은 가족이나 학급의 기대수준에 미치지 못하는 것에 대해 흔히 불안해하고 좌절하게 된다. 아동에게 많이 적용되는 치료방법은 아주 자유로운 분위기에서 놀이나 장난감을 통해 내면적 에너지와 감정을 발산하고 새로운 행동방식을 시도하도록 하는 놀이치료(play therapy)를 비롯하여 미술치료, 언어치료, 행동수정 등이다.

관련어 | 아동임상심리학

아동지도센터
[兒童指導 -, child guidance center]

'아동복지법'에 입각해서 아동에게 복지서비스를 제공하는 국가 혹은 지방 공공 단체 기관. 아동청소년상담

아동과 그 가족의 문제에 관한 상담, 치료, 예방 및 연구 등을 목적으로 하는 시설로서, 「아동복지법」

에 따르면 도지사나 시장, 군수는 자신의 행정관할 지역에 아동지도센터를 설치할 수 있다. 아동지도센터의 담당업무는 다음과 같다. 아동 또는 임산부와 그 가족 또는 관계인에 대한 상담, 아동지도에 필요한 가정환경의 조사, 입양, 위탁보호 및 거택보호, 아동 또는 임산부에게 전문적 혹은 기술적 지도가 필요한 경우 개별지도나 집단지도 및 그 알선과 감독, 아동을 위해 지역사회 자원의 활용 알선, 아동의 일시 보호, 기타 아동 및 임산부의 복지증진에 관한 업무 등이다. 아동지도센터에서는 가정이나 학교, 경찰 등의 의뢰로 방문한 아동에게 상담을 실시한다. 나아가 상담에 응한 아동에 대해 조사를 하고, 심리판정을 하며, 법에 따른 혹은 법에 의하지 않은 조치를 한다. 법에 따른 조치는 아동복지시설에 입소, 입양, 위탁보호 등을 말한다. 법에 의하지 않은 조치는 상담 혹은 심리치료 등을 말한다. 아동지도센터에서는 일시 보호소를 두고 아동을 일시적으로 보호하는 경우도 있다. 이러한 업무들은 공공복지기관, 가정법원 등과의 협력을 통하여 실시된다. 아동상담소에서 시행하고 있는 구체적인 사업들은 문제행동 아동상담, 부모교육 및 상담, 문제행동치료 등의 다양한 사업들이다. 문제행동 아동, 즉 복합비행, 가출, 부랑, 도벽, 허언, 약물남용, 학교 부적응 등의 문제행동을 보이는 아동의 일시 보호 및 상담이 이루어진다. 대상에 따라 심리검사를 실시한 다음 적절한 기법을 활용하여 개별상담, 집단상담, 가족상담을 진행한다. 이때 주요 상담치료기법으로 놀이치료, 모래놀이치료, 행동수정, 미술치료, 음악치료, 가족치료, 과제 중심 모델 부모교육(STEP) 등을 적용한다. 부모나 양육자에게 학대받은 아동의 일시 보호 및 상담, 문제행동 아동 부모, 학대 부모 및 보호자 상담, 아동발달 일반에 관한 상담과 함께 가족문제에 대한 교육 및 상담, 자녀양육에 도움이 필요한 일반 부모에 대한 상담 등이 이루어지며, 상담의 내용은 비밀보장이 된다.

관련어 아동복지시설, 아동생활지도

아동학대
[兒童虐待, child abuse]

부모 혹은 양육자가 자녀를 몹시 괴롭히거나 가혹하고 부당하게 대하는 것. 아동청소년상담

학대의 정도나 목적은 부적당 혹은 비현실적이며 자주 상습적이다. 아동학대에 대한 인식은 1962년 미국소아의학회에서 소개한 피학대아동증후군(battered child syndrome)을 통해서다. 우리나라에서 주목하게 된 것은 1980년대 후반부터다. 다양한 정의에 따라 아동학대는 여러 가지 유형으로 분류하지만, 대체로 신체적 학대, 정서적 학대, 방임, 성적 학대의 네 가지 유형이 있다. 신체적 학대는 심한 신체적 상해를 주는 것으로 구타와 동일한 개념으로 사용된다(Kempe et al., 1963). 즉, 뺨을 때리거나 회초리로 종아리를 때리는 행위부터 칼로 찌르는 행위까지 말하며, 생후 12개월 이하의 영아에 가해진 처벌은 이유 여하를 막론하고 학대로 규정하고, 가족이나 부모가 자신의 권위에 대한 복종을 강요하기 위하여 아동에게 고의적이거나 우발적으로 신체적 폭력을 반복해서 사용하는 것이다. 신체적 학대를 받은 아동의 행동징후로는, 첫째, 타인의 행동에 대해 지나친 경계, 둘째, 어떤 종류의 위험에 대한 계속적인 불안과 예, 셋째, 또래와 적절하게 상호작용하지 못함, 넷째, 사회적 상호작용에서 방어적 행동, 다섯째, 상황에 따라 인성과 상호작용 유형이 계속해서 변화하는 '카멜레온' 행동, 여섯째, 도전적인 과업에 대한 시도의 거부(학습된 무력감), 일곱째, 부모의 신체적·정서적 요구를 돌보는 성향, 여덟째, 모든 종류의 신체적 접촉을 분명하게 피함 등이다. 정서적 학대는 언어적·정서적·심리적 위험, 억제, 감금 및 기타 가학적 행위로 보통 신체적 학대에 수반되어 발생한다. 습관적이거나 극단적인 말로 아동을 경멸하거나 수치감을 주거나 무시하는 것, 위협하고 욕하는 것, 공부에 대한 지나친 요구 등의 적대적·거부적인 대우를 하여 심리적인 상해

를 통해 아동의 인성발달에 손상을 입히는 행위다. 방임은 고의적·반복적으로 아동 양육 및 보호를 소홀히 함으로써 아동의 건강과 복지를 해치거나 정상적인 발달을 저해할 수 있는 모든 행위를 말한다. 구체적인 예로는 아동의 영양결핍, 부적절한 위생관리, 교육의 소홀, 의료적 보호부족, 신체적·사회적 위험으로부터 보호받지 못하여 신체적, 심리적 성숙이 지체된 경우를 말한다. 브랜든과 스텔라(Brandon & Stella, 1998)는 아동방임을 "일반적으로 주양육자가 충분한 음식과 옷, 의학적 치료, 교육, 거처 등 기본적으로 필요한 여러 요인을 공급해 주지 못해 아동의 건강이 위협당하고 정서적 박탈감을 경험하게 되는 상황"이라고 말하였다. 정서적 학대와 방임을 경험한 아동을 특징짓는 행동은, 첫째, 불안·적대·공격성을 포함하는 행동장애, 둘째, 자신은 원치 않는 아이이고 가치가 없으며 사랑받지 못한다는 느낌과 같은 정서적 문제, 셋째, 연령에 적절하지 않은 염세적이고 냉소적인 세계관으로 대표되는 부적절한 사회적 상호작용, 넷째, 열등감과 부적당함의 감정, 다섯째, 부모에게 지나치게 의존적이거나 부모와의 상호작용 회피, 여섯째, 낮은 자아존중감, 일곱째, 비행행동이나 무단결석 등이다. 성적 학대는 다른 사람의 성적 만족을 위하여 아동을 이용하는 성적 착취와 아동을 성적 도구로 이용하는 성적 폭행, 그리고 아동을 성적으로 자극하거나 혐오감을 느낄 수 있는 환경에 처하도록 내버려 두는 성적 노출 등으로 구별한다. 성적 착취는 아동을 매음, 매춘, 유흥업소의 접대부로 소개하거나 일하도록 하는 것이고, 성적 폭행은 아동에게 성적인 접촉, 성의 노출 또는 성관계를 갖게 하는 것이며, 성적 노출은 아동에게 유해한 성적 비디오나 그림 및 성관계 장면을 볼 수 있는 환경에 노출시키는 것이다. 성학대를 경험한 아동들에게 빈번하게 나타나는 행동으로는, 첫째, 성적 행위와 유혹적인 행동 또는 문란한 행동, 둘째, 성인에 대한 신뢰 부족이나 성인을 신뢰하는 것에 대한 일반적이지 않은 두려움, 셋째, 연령에 적합하지 않은 성 행동에 대한 자세한 지식, 넷째, 섭식습관이나 수면습관의 변화, 다섯째, 성적이나 학문적 수행하락, 여섯째, 학교활동에 대한 갑작스러운 흥미상실이나 학교의 과제에 집중하는 능력의 감소, 일곱째, 학교에 일찍 오거나 집에 돌아가는 것의 거부, 여덟째, 분노, 적대 또는 공격적 행동, 아홉째, 가상 성숙, 지나친 불평, 열째, 손가락 빨기, 야뇨증, 아기같이 말하기 등의 퇴행행동, 열한째, 생각과 감정의 공유 회피, 열두째, 지나친 수치, 죄책감 또는 불안 표현, 열셋째, 친구를 사귀거나 유지하는 데 곤란, 열넷째, 가출 등이다. 성학대를 받은 모든 아동이 이러한 증상을 나타내는 것은 아니지만, 상담자들은 이 중 어떤 증상을 보이는 아동에게는 특히 주의를 기울여야 한다. 이처럼 아동학대는 아동에게 신체적 장애나 심리적 고통(예를 들어, 낮은 자존감, 우울감) 또는 발달지체 등 많은 심각한 후유증을 일으킨다. 아동학대가 일어나는 요인으로는 부모의 성격요인, 사회경제적 요인, 부부관계와 같은 가족관계 요인, 자녀에 대한 인지왜곡 등 다양하다. 즉, 부모가 미성숙하거나, 양육에 대한 지식이 부족하거나, 경제적 어려움이 있거나, 자녀양육과 관련하여 도움을 요청할 수 있는 친척 또는 친구가 없거나, 부모 자신이 학대받은 경험이 있는 경우 등 다양하다. 학대아동은 문제를 해결하기 위하여 자신의 감정을 표현하고 질문하며 학대당한 사실을 드러낼 필요가 있다. 대개 아동들은 자신을 돌보는 사람이나 다른 어른들을 자신을 위하는 사람이라고 배워 왔고, 사랑하고 돌보아 줄 것이라 생각한 사람이 자신을 해칠 수도 있다는 사실을 이해하지 못한다. 이 때문에 많은 아동들은 자신이 받은 체벌을 당연한 것이라 생각한다. 그들의 인지발달 정도로는 부모가 친절하지 않고 사랑이 없다는 사실을 받아들일 수 없는 것이다. 학대 희생자를 상담할 때, 상담자는 내담 아동에게 전적으로 개입할 준비를 하고 있어야 하며, 상담자가 아동 자신을 돌보고 있다는 것을 반복해서 검증하도록 해야 한다. 이완 및 심상법(visualization)은 아동들이 자신의 삶에 대한 긍정적인 태도를 발달시킬 수 있도록 해 준다. 언어와 비언어적 상호작용으로 좋은 외모와 자기 확신적 자세를 지니도록 격려하면서, 학대당한 아동들이 자신의 생각과 감정을 전달하는 데 도움을 준다.

관련어 다세대 간 전승과정, 아동학대 유형, 외상 후 스트레스 장애

아바타
[- , avatar]

시각단서를 확보하기 어려운 컴퓨터 매개 의사소통 공간에서 자신에 대한 시각적 표현을 가능하게 하는 상징적 표현. **사이버상담**

아바타의 사전적인 정의는 인터넷의 음성대화형 디지털 인물 화상이다. 현재는 주로 인터넷 가상세계(virtual community)에서 자신을 나타내기 위해 사용하는 상징적인 애니메이션 캐릭터를 의미한다. 채팅상담에서 상담자와 내담자가 자신의 아이디와 함께 나타내거나 메일상담이나 게시판상담에서 자신의 글 아래에 나타내어 자신을 표현하는 데 사용한다. 원래 아바타는 인도 신화에서 유래한 것으로, 신이 인간 세상으로 내려올 때 밖으로 드러내는 모습을 말한다. 영어로는 구현, 구체화라는 뜻으로 사용되고 있다. 현재 기존의 2차원으로 된 그림의 아바타에 현실감이 떨어지는 문제점을 보완하여 3차원 캐릭터가 등장하였다. 아바타는 현실세계와 가상공간을 이어 주며, 익명과 실명의 중간 정도에 존재한다. 그래픽 기술이 향상되면서 서비스 제공자가 이미 만들어 놓은 기성품(ready-made)을 이용하는 것이 아니라, 문자 ID처럼 사용자가 자신만의 개성 있는 아바타를 직접 만들 수도 있다. 사이버 공간에서는 유니콘, 파랑새, 사이버 인형, 기타 신비하고 창조적인 화신들이 사용자를 대신하는 일종의 자기 상징 캐릭터로 사용되고 있다.

아사지올리의 인간정신모델
[- 人間精神 - , Assagioli's diagram of the person]

이탈리아의 정신의학자인 아사지올리 박사가 인간의 의식영역을 7개로 구분하여 설명한 모델. **정신종합치료**

아사지올리는 인간이 일상을 경험하는 방식을 나타내는 의식구조를 모두 7개로 구분하여 설명하였다. 이 모델의 목적은 인간의 의식구조를 분석하기보다는 인간의식의 다양한 요소가 서로 통합적으로 작용하여 인간의 실체를 이루고 있음을 강조하는 것이다.

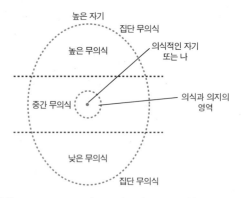

출처: Firman, J., & Gila, A. (2007). *Assagioli's Seven Core Concepts for Psychosynthesis Training.* California: Psychosynthesis Palo Alto.

의식적인 자기 또는 나 [- , conscious self of I] 순수한 자기자각의 지점으로서, '높은 자기'의 인격영역에서의 반영과 투사가 일어나는 의식의 한 부분이다. '나'는 개인에게 항상 존재해 왔던 관찰자인 자신의 부분이다. 혼란스러움과 흔들리는 감정은 '나'를 온전하게 인식하는 것을 방해한다. 이러한 '나'를 느끼기 위해서는 시간은 중요하지 않고, 개별적인 삶이 아니라 총체적이고 살아 있는 삶에 에너지를 집중하는 것을 배울 때 가능하다고 하였다.

낮은 무의식 [- 無意識, lower unconscious] 신체적 기능에 대한 지적 협응, 근본적 추동, 원시적

충동, 콤플렉스 등이 나타나는 의식의 한 부분이다. 사실 프로이트(Freud)가 먼저 관심을 가진 곳으로, 인간의 정신적인 스트레스에 대응하기 위한 방어기제가 발휘되는 곳이다. 낮은 무의식에서 인간의 감정을 통제하는 방법으로 망각이나 우울 등을 동원하기도 한다. 낮은 무의식은 실제적인 인간의 삶에서 계속 영향을 미치며 존재하는데, 이 같은 역할 때문에 개인의 실제 삶에서 일어나는 여러 가지 스트레스 상황의 실제 고통을 어느 정도 감소시켜 인간이 인지하게 되는 것이다.

높은 무의식 [- 無意識, higher unconscious or superconscious] 높은 직관과 영감, 고상한 느낌의 원천, 놀라운 영적 에너지가 나타나는 의식의 한 부분이다. 높은 무의식은 희미하게 감지되는 것으로서, 우리의 삶을 더욱 넓은 관점으로 옮기는 기쁨, 삶 전반의 조화, 사랑, 아름다움 등이 여기에 해당한다. 이러한 높은 무의식은 다른 무의식과 마찬가지로 무시되거나 억압되기도 하고 수용되거나 알아차리기도 한다. 정신종합치료에서는 이러한 것들을 자각하도록 도와주고, 진정한 자신의 모습을 인식할 수 있도록 지지해 준다.

높은 자기 [- 自己, higher self] 위에 있으며 마음의 흐름에 영향을 받지 않는 참된 자기의 모습인 인간의식의 한 부분이다. 높은 자기는 살아 있는 인간의 존재를 총체적으로 표현해 주는데, 종종 온전하게 각성할 수 있는 높은 무의식을 통해 이를 엿볼 수 있다. 인생의 특별한 시점에 무의식의 내용이 극적으로 인식되는 순간이 있는데, 이러한 인식을 통해서 무의식이 의식이 되는 과정이라고 설명하였다. 정신종합치료에서는 '나'와 '높은 자기'를 알아차리고 완전히 생동하는 인생을 살아가는 과정이 의미 있는 인생의 과정이라고 설명하고 있다.

의식 [意識, field of consciousness] 감각, 이미지, 생각, 느낌, 욕망의 끊임없는 흐름 및 관찰, 분석, 판단할 수 있는 충동이 일어나는 의식의 한 부분이다. 의식영역은 인간이 일상을 경험하는 방식이라고 할 수 있다. 즉, 인간이 즉각적으로 알아차릴 수 있는 모든 것을 포함하는 개념이다. 아사지올리의 인간정신모델에서 의식영역을 제외한 나머지 부분은 무의식 영역에 대해 말하고 있다.

중간무의식 [中間無意識, middle unconscious] 깨어 있는 의식과 비슷한 요소로 형성되며 접근이 용이한 의식의 한 부분이다. 이 영역은 인간이 쉽게 다가갈 수 있는 곳인데, 꿈이나 과거에 대한 회상 등 개인이 어느 정도 수용할 수 있고 부분적으로 각성할 수 있는 내부의 심층과정이다. 또한 일상세계와 내부세계의 구분이 없는 곳이기도 하다. 이러한 중간무의식은 프로이트가 주장한 전의식(preconscious)과 몇 가지 공통된 특성을 가지고 있다.

집단무의식 [集團無意識, collective unconscious] 전체와 적극적인 상호교환을 허용하는 막(심리적인 침투성)의 역할을 하는 인간의식의 한 부분이다. 전체 인류의 구성원으로서 공유하는 것을 말하는 이 관점은 우리 인간이 개별적인 것만큼 집단적으로도 많은 기억을 공유하고 있다는 생각에서 출발하였다. 이러한 집단무의식은 우리가 우주 전체의 한 부분이라는 사실과, 그 안에 있는 모든 행성과 동물 역시 한 부분이라는 느낌을 말한다.

아세틸콜린
[- , acetylcholine]

기억을 조절하거나 근육의 수축을 유도하는 신경전달물질의 하나. 뇌 과학

1915년 영국의 생리학자인 헨리 할레 데일(Henry Hallett Dale)에 의해 처음 밝혀진 물질로, 당시에는

심장박동을 느려지게 하는 물질로 밝혀졌다. 그 후 1921년에 독일의 생리학자인 오토 뢰비(Otto Loewi)에 의해 그 기능의 중요성이 밝혀졌고, 뢰비는 데일과 함께 1936년에 노벨상을 받았다. 아세틸콜린은 혈관확장제로서 작용하여 심장박동 및 수축을 감소시켜 심혈관계를 포함한 수많은 신체기관에 영향을 미친다. 또한 위의 연동운동 및 소화기의 수축 폭을 증가시켜 위장관계에도 영향을 미치며, 방광의 용량을 감소시키고 수의(隨意) 방뇨압(放尿壓)을 증가시키는 작용을 하여 비뇨계에 영향을 미친다. 또한 호흡계에도 영향을 미치며, 부교감신경의 신경충격을 전달받는 모든 샘〔腺〕들도 아세틸콜린에 의해 분비작용이 촉진된다. 아세틸콜린은 신경정보가 뉴런의 끝에 다다르면 시냅스 주머니에 저장되어 있다가 방출되어 다음 뉴런의 수용체와 결합하여 신경정보를 전달하는 물질로 작용한다는 사실이 확인되었다. 아세틸콜린은 또한 기억력과 학습활동에 있어서도 중요한 역할을 하며, 뇌에 아세틸콜린이 정상인보다 적게 공급되면 알츠하이머병에 걸린다.

관련어 뉴런, 신경전달물질, 알츠하이머병

아스클레페이온
[-, Asklepeion]

의술의 신인 아스클레피오스(Asklepios)를 숭배하기 위한 신전. **철학상담**

의신(醫神)인 아스클레피오스의 치유공간이자 그를 숭배하는 공간을 말한다. 신격화된 아스클레피오스에 대한 숭배는 그의 고향인 테살리아의 트리카 지방에서 시작되었고, 그곳에서 최초로 아스클레페이온이 건축되었다고 알려져 있다. 그 후 기원전 6세기 말에 더욱 확장되어 많은 수의 아스클레페이온이 건축되었다. 즉, 아스클레페이온은 고대 그리스에서 여러 지역에 조성된 육체적, 정신적 치유공간인 복합건강센터였다고 할 수 있다. 주로 숲과 온천 및 신선한 공기로 둘러싸인 장소에 설립되어 좋은 휴양지이자 경외감을 느낄 수 있는 공간이 되었다. 이 신전에 들어오는 사람들은 모두 신에 대한 기도를 하고, 제물을 바치며, 목욕을 통해 몸과 마음을 정결하게 하는 종교의식을 거치면서 신에 대한 경외심을 가지도록 하였는데, 이러한 믿음과 경건의 행동이 곧 사람들의 몸과 마음의 병을 치료하는 근원이 되었다. 당시 아스클레페이온은 치유받기를 원하는 사람들은 성별이나 재산, 권력에 관계없이 신에 대한 믿음만 있으면 누구라도 치료를 받을 수 있었다. 치료를 위해 환자들은 아스클레페이온에 오랜 기간 머물렀고, 이러한 환자들에게 아스클레페이온은 단순한 치료공간이 아닌 일종의 요양소이자 휴양소의 역할을 하였다. 그리고 의신인 아스클레피오스의 도움으로 치유가 된 사람들은 그를 기리는 제사를 지내거나 다양한 재료로 만들어진 선물을 헌정한 다음 그곳을 떠났다. 이와 같이 아스클레페이온은 아스클레피오스가 질병을 제거하고 건강을 회복하려고 신전을 찾아오는 사람들을 치유하는, 은총을 베푸는 장소가 되었다. 아스클레페이온에서는 뱀과 같은 동물이나 약초를 이용하여 환자들을 치료하였다. 고대인들은 뱀이 허물을 벗는 현상을 낡은 몸을 버리고 새로운 몸을 얻는 것으로 해석했기 때문이다. 따라서 뱀은 치료의 기적을 달성하여 얻을 수 있는 영원한 젊음이나 새로운 삶을 상징하는 것이었다. 동물이나 약초를 이용한 치료법 외에도 수면요법(신전수면이라고도 한다)이 사용되었다. 아스클레페이온에서는 심리적 원인을 갖는 신체적 장애에 대해 효과적인 다양한 치료방법, 즉 육체적 질병은 약용치료와 외과적 치료를 통해 해결하고, 정신적 고통은 목욕, 음악, 손기술, 마사지, 체조, 일광욕, 시와 노래의 작곡, 음식조절, 오락과 같은 요법으로 해소하였다. 몸과 마음의 아픔과 고통은 치유의 신인 아스클레피오스가 경감해 주었고, 이러한 육체적, 심리적 위안은 아스클레피오스에 대한 숭배를 통해 얻을 수 있는 정신적 안정의 대가였던 것이다. 더욱이 아스클레페이온에 극장이나 다양한 운동시설을 갖추고 쾌적한 환경을 유지했다는 것은 아스클레피오스와 그의 신전이 무엇보다도 사람들과 그들의 삶에 관심을 가짐으로써 단순히 병을 치료하는 것이 아니라 그들이 행복하게 살아가는 데 도움을 주는 역할과 기능을 했다고 볼 수 있다. 요컨대 아스클레피오스와 그의 신전에서 이루어진 일련의 치료는 육체적 건강과 정신적 안녕(well-being)이 분리될 수 없는 것임을 알려 주는 사례라고 할 수 있다. 또한 이는 신화와 종교와 의학이 분리되지 않은 채 과학적 의학의 선구라고 할 수 있는 합리적 의학과 공존하며, 인간의 건강과 행복을 추구하는 주요한 수단으로 작용했음을 보여 주는 것이라 할 수 있다.

아스퍼거 증후군
[－症候群, Asperger syndrome]

언어 및 인지발달은 정상적이지만 운동기능의 발달에 지체가 나타나고, 정서적 · 사회적 발달에 결함을 보이는 자폐성장애 하위유형의 하나. **특수아상담**

아스퍼거 증후군은 표준진단기준에는 포함되어 있지 않지만 서툰 동작과 특이한 언어사용이 자주 보고되는 장애다. 지금까지 보고된 아스퍼거 증후군의 전형적인 특징은 사회적 상호작용의 질적인 손상(예, 공감의 표현을 보이지 않음, 사람과의 접촉을 거부하지는 않지만 듣는 이의 반응을 신경 쓰지 않고 이야기를 장황하게 늘어놓는 식의 적절하지 않은 사회적 반응), 제한적이거나 반복된 행동과 관심사(예, 특정 주제에 대한 강한 관심, 손을 꼬는 등의 복잡한 동작의 반복), 그리고 임상적으로 의미 있는 정도로 언어 및 인지 발달이 지연되지 않은 점 등이다. 그러나 아직까지 아스퍼거 증후군에 대한 많은 의문이 남아 있는데, 예를 들어 아스퍼거 증후군이 고기능 자폐와 차이가 없다는 주장이 여전히

제기되고 있다. 아스퍼거 증후군은 자폐성장애와 마찬가지로 사회적인 상호작용 및 의사소통 기술의 결함과 제한적이고 반복적이며 상동적인 행동 특성을 갖는다. 또한 2008년부터 시행된 '장애인 등에 대한 특수교육법'의 정서 · 행동장애 영역에서 아스퍼거 증후군을 포함한 자폐성장애를 독립된 장애 영역으로 분리하고 있다. 아스퍼거 증후군의 진단은 보통 4~11세 사이에 이루어지며 임상적 판단과 관찰, 면접 등 다면적 방법을 통해 이루어진다. 표준적인 진단기준은 사회적 상호작용의 장애, 반복적이고 정형화된 행동 및 관심사 패턴, 언어 및 인지발달 지연의 부재로 구성된다. 그러나 종종 ADHD와 혼동되기도 하며, 정확한 감별진단을 위해서 다른 자폐성장애, ADHD, 정신분열스펙트럼, 강박장애, 우울증, 비언어적 학습장애, 양극성장애 등과 구분할 필요가 있다. 그리고 이들을 평가하기 위해서 유아기 문제행동관찰 평정척도와 같은 선별도구, 웩슬러 유아지능검사, 카우프만 지능검사(K-ABC)와 같은 인지능력검사, 자폐영아검목표(CHAT), 아동기 자폐증 평정척도(CARS) 등의 행동 및 사회성 발달검사, 문장이해력검사와 그림어휘력검사 등의 언어발달검사를 사용할 수 있다. 그러나 이러한 검사들이 다른 자폐성장애와 아스퍼거 증후군을 신빙성 있게 구분해 준다는 데에는 의문이 제기되고 있다. 아스퍼거 증후군의 원인에 대해서는 다양한 견해가 제시되어 왔는데, 일반적으로 유전, 신경학적 요인, 뇌 손상 등의 생물학적 요인, 환경오염이나 백신접종 등의 다양한 환경적 요인, 그리고 소뇌, 뇌간, 측두엽, 편도체, 전두엽 결함 등의 뇌의 구조 및 기능상 차이 등이 제기되고 있다. 아스퍼거 증후군 아동의 중재 및 치료에 관해서도 아직까지 확실한 치료법으로 합의된 것은 없지만 일반적으로 의사소통문제나 반복행동 및 신체제어문제를 개선시키기 위한 행동수정 요법이 이루어지고 있다.

관련어 자폐범주성장애

아야와스카
[-, ayahuasca]

바니스 테리옵시스와 루스바냐라는 식물의 줄기에서 추출하는 환각성 액체음료. 중독상담

아야와스카는 안데스 지역의 케추아어로 '영혼의 줄기'라는 뜻을 가지고 있는 환각성분을 포함한 물질로, 아마존 인디언들이 종교적 의식에서 수천 년간 사용해 오고 있는 환각제다. 아마존 인디언들이 이 식물의 환각효과를 언제부터 인지하고 사용했는지는 알 수 없지만 인류학자들은 최소한 기원전 3천 년 이전부터였을 것이라고 추측한다. 아야와스카의 특별한 점은 제조법과 환각의 형태다. 먼저, 이 물질의 원료가 되는 바니스테리옵시스와 루스바냐라는 식물은 각각 항우울제인 MAO와 환각성분인 DMT를 포함하고 있다. 이 중 DMT는 구강으로 단독 복용했을 때는 환각 성분이 분해가 되어 아무런 효과를 나타내지 않지만, MAO와 함께 복용하면 증폭된 효과가 나타난다. 따라서 아마존 인디언들은 이 두 식물을 푹 고아서 아야와스카를 만든다. 이 같은 독특한 제조법을 어떻게 알아냈는지는 아직까지 많은 학자들이 의문을 가지고 있다. 또 다른 특이점은 아야와스카의 독특한 환각경험이다. 이 물질을 섭취하면 특이한 환각을 경험하게 되는데, LSD나 디자이너 약물 등 다른 환각제 복용 시 나타나는 환각과는 매우 다른 특성을 지니고 있다. 다른 종류의 환각제를 복용했을 때 나타나는 환각의 내용은 사람마다 매우 다양한데, 아야와스카를 복용했을 때 나타나는 환각은 국적, 지위, 성별에 상관없이 모든 사람이 똑같다. 페루 출신의 화가 파블로 아마링고(Pablo Amaringo)는 아야와스카의 이러한 특별한 환각세계에 대해 그림을 그려 오고 있다. 샤먼 출신인 그는 1977년 이후부터 아야와스카의 그림을 그렸는데, 그의 그림을 통해 아야와스카를 복용했을 때 나타나는 공통된 환각의 형태를 엿볼 수 있다. 그것은 바로 지적 능력을 가진 커다란 보아(boa)다.

관련어 | 환각제

아이디어 심기
[-, seeding ideas]

내담자와 대화를 나누거나 암시를 주는 도중에 이따금 최종적인 암시와 관련된 말을 조금씩 던지는 최면기법. 최면치료

상담자가 의도하는 결과와 관련된 내용들을 대화나 암시 중간에 계속 조금씩 넣어 둠으로써 내담자의 저항을 줄이고, 원하는 결과를 얻는 데 도움이 되는 기법이다. 내담자 마음의 밭에 심어진 씨앗은 싹으로 자라나 내담자의 삶의 성장이 실현되는 결과를 얻는다. 따라서 지시적인 암시를 하기 전에 씨앗을 심어 두면 내담자의 반응적 행동을 유도하는 데 도움이 된다. 예를 들어, "당신은 이제 스스로를 '변화'시킬 수 있는 여러 가지 방법에 대해 '호기심'을 가지고 '궁금해'하는 시간을 가질 수 있을 것입니다. 이제 당신도 예전과는 다른 식으로 행동할 수 있는 방법을 '선택'하는 '능력'이 있음을 깨닫는 것은 멋진 일입니다."라는 암시문에 강조되어 심어진 말들은 차후에 내담자의 변화와 성장에 대한 반응을 유도하는 데 영향을 미친다.

관련어 | 암시

아츠리의 은퇴과정
[-隱退過程, Atchley's retirement phases]

개인이 맡은 직무나 직책에서 물러나 한가로운 생활을 하게 되는 단계 또는 경로. 은퇴상담

아츠리와 바루쉬(Atchley & Barusch, 2004)는 개인이 오랫동안 다니던 직장이나 직무에서 물러나 일상생활을 하는 과정을 6단계로 구분하여 설명하

였다. 먼저, 은퇴 전 단계로서 대략 은퇴하기 전 15~20년 전을 말하며, 이 단계는 다시 먼 단계와 가까운 단계로 구분한다. 먼 단계에서는 은퇴를 언젠가는 일어날 일이라 여기고 긍정적으로 생각하면서도 막연한 일이라고 본다. 가까운 단계에서는 특정한 은퇴시기를 생각하게 되고 자신의 일과 사회적 상황에서 자신을 서서히 분리하고자 한다. 또한 은퇴가 좋은 일이 될 것이라는 환상을 가지고 보다 더 긍정적인 측면을 바라보려고 한다. 그러나 은퇴 후 수입이 줄어들어 경제적 어려움에 직면하거나 건강이 점차 쇠약해지면 이러한 환상이 비현실적이었다는 것을 깨닫고 현실적 적응에 어려움을 느끼게 된다. 둘째는 은퇴 직후 단계로서, 이 단계를 맞이하는 은퇴자는 밀월기, 즉각적인 은퇴 일상기, 쉼과 이완의 시기라는 세 유형 중에서 하나의 기간으로 지낸다. 밀월기로 지내는 은퇴자는 직장생활 때문에 하지 못했던 텔레비전 시청, 장기간 여행, 운동과 같은 여가활동으로 즐겁고 행복한 시간을 보낸다. 즉각적인 은퇴 일상기로 지내는 은퇴자는 만족스러운 삶을 살고 있으면 안정적인 은퇴생활을 하게 되고, 은퇴를 하기 전에 직장을 그만둔 은퇴자는 자신의 선택에 맞는 시간들을 배치하여 안정적으로 살아가게 된다. 쉼(rest)과 이완(relaxation)의 시기는 'R과 R' 단계라고도 하는데, 이 시기로 지내는 은퇴자는 휴식기를 가지면서 충분히 휴식을 취한 후에는 오랫동안 살아온 자신의 인생을 평가하고 더 이상의 휴식이 필요치 않을 때 자신이 계획한 은퇴활동을 수행하려고 한다. 셋째는 환멸 또는 각성 단계로서, 이 단계가 되면 은퇴 후 여가생활 등으로 즐거웠던 기분은 사라지고 은퇴로 겪게 되는 재정적, 심리적, 신체적 문제점들이 나타나 그간에 가졌던 은퇴 후의 환상적 생활이 깨지는 시기다. 자신이 가졌던 목표의식, 지위, 소득, 의미, 동료관계가 단절되어 상실감, 불안, 우울 같은 부정적 정서를 느끼게 된다. 이 단계에서 비자발적으로 은퇴를 하거나 계획보다 더 일찍 은퇴하였다면 상실감, 외로움, 소외감은 더

커질 수 있다. 그러나 이 단계를 경험한 은퇴자의 비율은 보고되지 않고 있다. 넷째는 재정립 단계로서, 이 시기가 되면 주변환경을 현실적으로 지각하고 현실에 맞는 목표를 다시 정립하여 적응해 나간다. 다섯째는 은퇴 일상 단계로서, 이 시기가 되면 생활이 조금 바빠지고 흥미로운 순간을 보내기도 하지만 대부분은 안정되고 만족스러운 생활을 한다. 많은 은퇴자들이 재취업으로 이 단계를 거치지 않기도 하며, 어떤 은퇴자는 자신이 기대했던 것과 자신의 능력, 그리고 한계를 파악하여 은퇴 일상에 만족해한다. 이들은 만족을 느끼면서 자기 소신대로 생활하고 적당히 바쁘게 자신의 일을 관리해 나간다. 여섯째는 은퇴 종결단계로서, 이 시기에는 다시 일을 하거나 또는 질병이나 무능력에 따르는 그늘진 삶을 살기도 한다. 은퇴자들은 나이가 들수록 신체적, 심리적으로 노쇠하여 의존성이 증가하고 독립적인 선택, 자기돌봄, 집안일과 같은 은퇴자의 역할이 줄어들어 결국 종결단계를 맞이하게 된다.

관련어 | 은퇴상담, 은퇴적응이론

아트 스튜디오
[- , art studio]

내담자가 자신이 원하는 미술재료를 스스로 선택하고 자유롭게 작품활동을 할 수 있도록 미국의 맥그로우(McGraw)가 제안한 미술치료실. **미술치료**

미술에 초점을 두는 심리치료적 작업실의 이상적인 형태로서, 1967년 미국의 오하이오 주 클리블랜드에 위치한 메트로병원(Metro Health Medical Center)에 처음 도입되었다. 아트 스튜디오는 병원의 7층에 있는데, 이곳에는 다양한 미술재료가 준비되어 있으며, 개방일은 월요일부터 토요일까지다. 그래서 원하는 환자들은 언제든지 작업실로 가서 원하는 시간에 원하는 재료로 자유롭게 작업할 수 있으며, 원하는 경우 미술 기법이나 기술에 대한 도움을 받을 수도 있다. 이곳의 주된 대상은 신체장애가 있는

환자들과 의학적 문제가 있는 환자들이다. 이를테면 신체장애 때문에 휠체어를 탄 사람은, 바닥에 넓은 종이를 깔아 놓고 휠체어에 물감을 묻혀서 바퀴자국을 남기는 것으로 그림을 그린다. 이곳은 두 가지 규칙이 있다. 즉, 환자가 자기 자신이나 다른 사람을 상해할 수 없다는 것과 다른 치료시간과 겹쳐서는 안 된다는 점이다. 작업실에는 월요일부터 토요일까지 미술치료사가 상주해 있지만, 경우에 따라 자리를 비울 수도 있기 때문에 미술작업에 참여하는 환자들은 어느 정도 독립적으로 작업실을 사용할 수 있어야 한다. 참여하는 환자의 대부분은 충분한 조절력과 통제력이 있고, 자신이 겪고 있는 신체적 장애와 투병생활을 견딜 수 있는 자아강도가 있다. 그러나 병과 관련하여 고통이나 불안, 답답함, 좌절, 우울함과 같은 여러 가지 정서적인 어려움을 겪기 때문에, 그들에게는 이러한 어려움을 말없이 조용히 돌아볼 수 있는 심리적 공간이 필요한 것이다. 결국 이 환자들에 대한 미술치료의 핵심은 바로 미술과 미술작업 그 자체에 있다고 할 수 있다.

관련어 작업실 접근

아편
[阿片, opium]

양귀비의 즙을 일컫는 말. **중독상담**

아편은 기원전 약 1,500년 전부터 쓰인 것으로 추정되는데, 터키, 멕시코, 라오스, 캄보디아, 미얀마, 중국, 타이, 레바논 등지에서 재배하는 'papaver somniferum'이라 불리는 양귀비의 봉우리에 상처를 내어 나오는 우유 빛깔의 액체를 60도 이하의 온도에서 건조한 암갈색의 고형물이다. 아편 사용의 초기에는 외과수술을 할 때의 마취제, 지사제, 진통제 또는 아이가 심하게 울 때 쓰는 진정제로 쓰이기도 하였다. 의학의 아버지인 그리스의 히포크라테스는 아편을 진통제, 수면제, 마취제, 지혈제 등의 용도로 사용하였으며, 그 후에도 사람들은 이것을 의약품이나 기호품으로 사용하였다. 특히 16세기에는 아편을 알코올로 삼출하여 액체상태로 만든 아편정기(laudanum)가 개발되었는데, 이 액체로 된 약은 19세기 초까지 만병통치약으로 칭송되면서 널리 사용되었고, 이로 인해 많은 수의 아편중독자가 생겨났다. 우리나라에서는 일본에 강점당할 시기에 일본총독부의 아편 재배, 사용의 묵인 및 조장 정책에 따라 아편문제가 급격하게 나타나기 시작하였고, 1919~1926년 사이에는 국내의 아편중독자가 2만여 명 발생한 바 있다. 1945년의 해방 혼란기와 한국전쟁 전후의 혼란기를 거치며 국내의 아편 문제는 더욱 심각해져 '아편쟁이'라는 속어가 등장할 정도가 되었다. 그러다가 1957년 마약법의 제정과 정부의 안정에 힘입어 우리 사회에서 아편중독 문제가 거의 사라지게 되었다. 1830년대부터 아편의 유해성에 대한 자각과 연구는 시작되었고, 현대에는 아편을 향정신성 약물로 분류하여 그 생산과 복용이 법의 규제를 받고 있다. 아편으로부터 모르핀(morphine), 헤로인(heroin), 코데인(codeine), 테바인(thebaine) 등이 합성되는데, 현재 전 세계에서 생산되는 아편과 이것의 유도체인 헤로인은 타이, 미얀마, 라오스의 접경지대인 황금의 삼각지대(Golden Triangle)와 이란, 아프가니스탄의 접경지대인 황금의 초승달지대(Golden Crescent)에서 대부분 생산되고, 그 외 콜롬비아, 멕시코, 베트남 등지에서 일부분 생산된다. 아편은 생아편, 의학용 아편, 흡입용 아편으로 나누는데, 생아편은 양귀비 열매에 상처를 내어 채취한 갈색의 덩어리 자체를 말하는 것이다. 아편이 의학용으로 사용될 때에는 그 속의 모르핀 함유량을 10%로 낮추어 사용하며, 생아편을 물에 녹인 다음 증발, 농축하여 만든 흡연용 아편은 담배처럼 흡연한다. 아편은 인체 내에서 중추신경을 마비시키고, 진정, 진통, 진해, 지사 작용을 한다. 부작용은 오심, 구토, 두통, 현기증, 변비, 피부병, 혼수 만성중독 등을 일으킬 수 있다. 아편에 대한 오남용으로 중독증상이 발생했을 때 사용을 중단하면 12~16시간 이내에 금단증상이 나타나는데, 하품, 구토, 경련, 설사, 오한과 함께 환각과 망상이 일어날 수도 있다. 우리나라에서 아편과 양귀비는「마약류 관리에 관한 법률」에 따라 재배, 제조, 수입, 매매, 취급, 소지가 제한되며, 의학적 목적 이외의 용도로 매매와 사용이 금지되어 있다.

관련어 | 모르핀, 약물중독, 양귀비, 헤로인

아편길항제
[阿片拮抗劑, opiate antagonist]

아편제의 성분이 인체의 혈액 속에 침투할 때 이를 받아들이는 수용체 자체를 차단하여 아편이 인체 내에서 아무런 효과를 발휘하지 못하게 하는 약물. 중독상담

이러한 아편길항제가 아편 금단증상으로 떨어지는 것을 방지하기 위해 사용하기 전에 개개인은 의료적으로 해독되어야 하며 며칠 동안 아편 없는 상태가 되어야 한다. 이런 방식으로 아편길항제를 사용할 때, 다행감을 포함해 자가 조제된 아편의 모든 효과는 완벽하게 차단된다. 아편길항제 치료의 이론은 아편 사용의 쓸데없음을 인식하는 것뿐만 아니라 바라는 아편효과의 반복되는 부족은 점차 시간이 경과함으로써 아편중독 습관을 깨게 된다. 아편길항제 자체는 남용의 주관적인 효과나 잠재력은 없으며 중독되지 않는다. 환자 불복종이 공통 문제이므로 긍정적인 치료관계, 효과적인 상담이나 치료, 그리고 진료 승낙의 세심한 노력이 필요하다. 아편길항제의 이 같은 효과를 이용하여 아편류 약물중독치료에 사용한다. 하지만 지속시간이 매우 짧다는 단점을 가지고 있어서 다른 치료접근법과 함께 사용해야 한다.

관련어 | 아편, 약물중독

아편양제제
[阿片樣製劑, opioid]

아편류의 통칭. 중독상담

천연 아편류와 합성 아편류 모두를 지칭하는 말로서, 모르핀(morphine), 코데인(codeine), 페티딘(pethidine) 등이 아편양제제에 속한다. 아편양제제는 대뇌나 척수의 특수한 수용체에 작용하여 진통작용을 나타낸다. 마취기술의 발달과 수술 후 통증치료의 필요성에 대한 인식의 증가와 심혈관계에 대한 안정성을 인정받은 아편양제제는 조절마취(balanced anesthesia)와 심혈관계 수술을 위한 마취 및 모든 통증의 치료에 유용하게 사용되고 있다. 또한 마약중독환자의 금단증상 방지를 위한 전투약으로도 적당하다. 아편양제제의 작용 발현과 기간은 투여된 약물의 종류와 투여된 형태에 따라 다르고, 정맥, 피하주사나 근육주사뿐만 아니라 경구투여나 직장 내 투여 등 어떤 방법으로 투여되든 잘 흡수되며 최근에는 피부(transdermal)에 부착하는 제제나 설하(sublingual) 투여제도 사용되고 있고, 비점막(nasal mucosa)이나 폐를 통해서 흡수가 이루어지는 제제도 개발되어 사용 중에 있다. 아편양제제는 주로 진정, 불안감소, 기억억제의 효과를 가져올 수 있는 다른 약물과 같이 투여하는 경우가 많은데, 이런 약물의 혼합투여는 과도한 진정이나 호흡억제가 심해질 수 있으므로 주의를 요한다.

관련어 | 모르핀, 아편, 코데인

아프가척도
[－尺度, Apgar scale]

신생아의 건강상태 및 스트레스 대처능력을 측정하는 검사. 심리검사

1952년 아프가(V. Apgar)가 출생 직후 신생아의 건강을 빠르고 간단하며 반복적으로 사용할 수 있

도록 고안한 신생아 건강척도인데, 아프가는 연구자의 이름이자 척도의 각 하위영역의 첫 글자이기도 하다. 이 척도는 출생 후 1분, 5분에 의사 또는 간호사가 측정하고, 신생아의 혈색(appearance), 맥박(pulse), 반사(grimace), 근육 운동(activity), 호흡(respiration)의 다섯 가지 영역에 대하여 각각 0~2점으로 채점하여 총점은 0~10점이 된다. 총점이 7~10점이면 정상, 4~6점은 발달장애 가능성이 있으며, 3점 이하는 위기상황이다. 출생 후 5분 측정에서 정상이면 위험하지 않지만 계속해서 3점 이하이면 10분, 15분, 30분 세 번에 걸쳐 측정하고, 계속해서 3점 이하인 경우는 신경학적 손상, 뇌성마비의 가능성이 있다. 그러나 이 척도의 목적은 신생아의 장래 건강을 예측하는 데 사용하는 것이 아니라 출생 시 즉각적인 의료적 도움에 대한 필요 여부를 결정하는 데 있다. 또한 신생아의 출산과정과 신생아의 새로운 환경에 대한 스트레스 대처능력이 어느 정도인지 측정하는 데 사용하기도 한다.

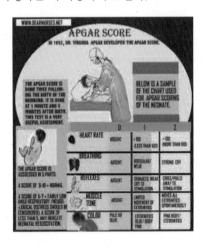

관련어 | 스트레스, 신생아 발달검사

악기연주
[樂器演奏, instrument playing]

음악치료 중 음악활동 요소 중 하나로, 악기를 연주함으로써 음악 및 비음악적 요소를 자극하는 음악적 개입수단. 음악치료

악기연주는 음악치료 중에 악기를 활용하는 방법으로, 내담자의 인식 및 기능의 모든 수준에서 음악적·비음악적 의사소통, 인지발달, 자아표현 등을 자극하여 정서상태에 영향을 주고 감정표현의 배출구를 만들어 준다. 악기를 연주할 때는 악기를 다룰 수 있는 기본적 신체 및 지적 능력이 필요하지만, 증상이 심하여 악기를 다루기 힘든 경우라 하더라도 리듬악기나 타악기를 활용할 수 있기 때문에 대상 적용범위에 큰 제한은 없다. 인식수준이 낮거나 지능에 제약이 있는 내담자의 경우 탬버린을 흔드는 활동만으로도 과거에는 불가능했던 타인과의 의사소통이 가능해질 수 있다. 기능 수준이 높은 내담자의 경우는 악기연주를 통해서 구체적 의미를 구현할 수 있는 음악적 대화, 논쟁, 메시지 교환과 같은 효과를 기대할 수 있을 뿐만 아니라 다양한 형식의 상호작용, 상호 관련성, 대인관계 기술을 향한 통로 개척 등의 기회가 되기도 한다. 기능수준이 그리 높지 않다 하더라도 악기연주는 정신 운동성 기술과 같은 자발적 행동, 근육운동 감각적 경험, 협응, 지각 등의 운동기술을 활성화하는 데 도움을 준다. 또한 악기 선택 과정에서 개인의 흥미나 관심을 인정해 주고 스스로 선택할 수 있는 기회를 받음으로써 자신을 독립적 존재로 인식할 수 있게 된다. 아동의 경우는 악기연주 이후 정리정돈과 같은 사회적 기술도 함께 습득할 수 있다. 악기연주로 도출할 수 있는 긍정적인 결과는, 첫째, 에너지 집중, 둘째, 적응행동을 위한 통로 제공 및 개인과 집단 관련성 증대, 셋째, 참여도 및 주의집중력 증대, 넷째, 즉시적 성취감 및 성공 의식 고취, 다섯째, 음악적 행동의 구조화 등으로 볼 수 있다.

관련어 | 음악치료

악기재창조
[樂器再創造, recreation of instrument]

악기를 사용하여 조직적으로 또는 미리 작곡된 음악의 내용을 재현하는 것. 음악치료

음악치료에서 '연주(performing)'라는 단어 대신 '재창조(recreation)'라는 단어를 쓰는데 음악치료에서의 연주는 특별한 음악적 기술을 필요로 하는 연주가 아니라 음악을 만드는 과정에 참여하는 다양한 차원의 작업들을 모두 포함하기 때문이며, 따라서 악기연주에는 악기 다루기, 주어진 소리 모방하기, 악기를 통한 리듬 및 선율 표현, 독주 혹은 합주, 즉흥적 연주 등이 실시된다. 음악치료에서 연주활동이란 악기를 이용하여 음악을 만들어 내는 과정을 의미하나, 어느 정도의 구조화된 접근을 중심으로 한다. 악기연주 시 연주과정의 질 높은 음악 결과물도 의미 있지만 음악치료에서 우선적 목표는 연주활동을 통한 과제수행력과 문제해결능력 같이 참여하는 과정에서 나타날 수 있는 변화를 중심으로 한다. 멜로디, 리듬, 노래, 악곡 등을 즉각적으로 만들면서 연주 또는 노래로 음악을 만드는 즉흥연주가 많이 실시된다. 즉흥연주는 비언어 의사소통의 채널형성과 언어적 의사소통에 대한 가교를 형성하고 내담자의 자기표현과 정체성 형성을 위한 방법을 제공해 준다. 또한 타인과 관련한 자아의 다양한 측면을 탐색할 수 있게 해 주며 집단을 통해 즉흥연주가 이뤄지므로 대인 친밀감이 발달하고, 타인과 함께하는 기술을 발달시킬 수 있다. 즉흥연주이기 때문에 창의성, 표현의 자유, 즉각성, 유쾌성이 개발되고 적절히 감각을 자극하여 감각의 발달이 가능하다. 즉, 즉흥연주는 강박신경증 아동, 자기도취성 인격장애의 성인, 자폐성 아동, 공격성 청소년, 충동성 어린이, 우울증 성인, 발달지체 또는 신체부자유 아동, 장애가 없는 아동 등에까지 다양하게 사용된다. 음악치료에서 연주, 즉 재창조는 내담자가 미리 작곡한 성악 또는 악곡을 배우거나 연주를 하

며, 재생하고 실행하는 것으로 감각운동기술, 기억기술, 주의력과 현실감각, 그리고 아이디어와 감정을 해석하고 전달하는 기술을 발달시키는 데 목적이 있다. 재창조에는 악기재창조 외에 미리 작곡된 노래를 목소리로 재현하는 발성적 재창작, 경연대회와 리사이틀을 통해 청중이 있는 음악을 연주하는 음악적 재생, 악보나 기타 기본 지휘법이 지시하는 바와 같이 공연을 지휘하는 것 등이 있다. 악기재창조는 운동장애를 가진 사람들의 대근육과 소근육의 협응을 향상시키기 위한 재활운동으로 사용되기도 한다. 함께 연주하는 활동은 행동적 문제를 가진 사람들이 집단구조 내에서 자신의 충동적 행동을 조절하는 방법을 익히는 데 도움을 준다. 또한 음악을 배우고 연주하는 것은 음악적 기술을 향상시킬 수 있고, 자기신뢰(self-reliance)와 자긍심(self-esteem) 및 자기훈련(self-discipline)의 확립을 도와준다.

관련어 음악치료

악몽질문
[惡夢質問, nightmare question]

부정적인 생각에 사로잡힌 내담자에게 역설적인 질문을 함으로써 오히려 긍정적인 변화에의 의지를 일깨우고자 하는 해결중심상담의 질문기법 중 하나. 해결중심상담

예외질문이 효과가 없을 때 대처질문을 한 것처럼 면담 전 변화에 대한 질문, 기적질문, 예외질문 등이 효과가 없을 때 악몽질문을 활용할 수 있다. 악몽질문은 해결중심상담에서 유일하게 문제중심적인 부정적 질문인데, 내담자가 자신의 처지에 대해 심각하게 비관하면서 긍정적인 변화나 해결의 가능성을 전혀 생각하지 못할 때 사용한다. 예를 들어, "오늘밤 잠자리에 들었다고 가정해 봅시다. 한밤중에 악몽을 꾸었습니다. 오늘 여기에 가져온 모든 문제가 갑자기 더 많이 나빠졌습니다. 이것이 바

로 악몽이겠죠. 그런데 이 악몽이 정말로 실제 일어난 것입니다. 내일 아침에 무엇을 보면 악몽 같은 인생을 살고 있다는 것을 알 수 있을까요?"와 같은 역설적인 질문을 내담자에게 하여 내담자가 악몽과 같은 삶이 아니라 긍정적인 삶을 희망하도록 하는 효과를 볼 수 있다. 내담자는 자신이 부정적으로 느끼고 있는 고통스러운 현실에서 상황이 더 악화된다는 상상을 함으로써 깊은 절망은 느끼지만, 이 경험을 통해 역설적인 희망에의 의지를 발견하게 된다. 하지만 내담자에게 악몽질문과 같은 역설적 질문은 매우 신중하게 사용해야 한다. 즉, 내담자와의 관계가 잘 형성된 다음 부작용에 유의해 가면서 사용해야 한다.

관련어 | 기적질문, 예외질문

악수기법
[握手技法, handshake induction]
악수하는 척하면서 손을 내밀다가 갑자기 태도를 바꾸어 맥락에서 벗어남으로써 혼란을 일으켜 순간 최면에 빠트리는 기법. **최면치료**

혼란기법의 하나이면서 패턴방해의 대표적인 기법으로, 에릭슨(M. Erickson)과 함께 NLP의 창시자인 밴들러(R. Bandler)도 즐겨 사용하였다. 치료자가 정상적인 악수패턴을 어떤 형태로든 방해하여 단순한 비언어적인 트랜스가 유발될 수 있는 조건을 만드는 것이다. 예를 들어, 악수를 하는 척하다가 악수를 하지 않고 손을 옆으로 비켜서 내밀어 내담자가 당황하며 혼란상태에 빠질 때 치료자가 부드러운 표정과 음성으로 최면유도를 하면 놀랍게도 내담자는 순간적으로 트랜스에 들어간다. 이때 중요한 것은 치료자의 즉흥성인데, 내담자의 반응을 잘 살펴 그에 따른 다양한 방해패턴으로 반응할 수 있는 능력이 있어야 한다. 이 기법의 구체적인 절차는 크게 자동반응 중단시키기와 빈 공간 채우기로

나눌 수 있다. 자동반응(auto-pilot)은 어떤 상황에서 예측되는 습관적, 반복적으로 프로그램화된 반응이다. 내담자를 순간최면으로 유도하기 위해서는 부적응적이거나 반항적인 자동반응을 중단시키는 것이 필요하다. 이를 위해서는 혼란, 놀람, 쇼크 상태를 만들어야 하는데, 악수를 하는 척하다가 의외의 반응을 보일 때 순간적으로 조성이 된다. 이때 순간적으로 마음에 빈 공간이 생기는 것이다. 이는 일종의 인지부조화 상태로, 인지와 행동이 일치하지 않는 상태에서 사람들은 불편함을 느끼고 해소하고자 한다. 이 같은 빈 공간으로 인한 불편함과 이를 해소하고자 하는 동기는 무의식과 연결되는 통로가 되며, 순간적인 빈 공간을 효과적인 최면유도의 과정으로 채우는 것이 두 번째 절차다.

관련어 | 에릭슨 최면, 최면, 트랜스, 패턴방해, 혼란기법

안내법
[案內法, guide for visual impairment person]
방향성과 이동에 불편함을 갖는 시각장애인을 안내하는 방법. **특수아상담**

대부분 시각장애인과 마주치면 그냥 지나가거나, 혹은 도움을 주고 싶어도 어떻게 다가가야 할지 몰라서 망설이는 사람들이 많다. 이때 안내를 제안하는 적절한 행동은, 시각장애인에게 다가가 "제가 안내해 드릴까요?" "제 팔을 잡으시겠습니까?"라고 반드시 의견을 물어본 다음 요청에 따르는 것이다. 안내를 할 때는 과잉친절이나 시각장애인을 임의로 끌고 가는 일 등은 불쾌감을 줄 수 있으므로 주의해야 한다. 안내방법은 시각장애인의 측면 반보 앞에 선 뒤 한쪽 팔을 뻗어 손등에 가볍게 대어 준다. 그러면 안내자의 팔을 따라 올라가 팔꿈치 부분을 잡는데 이때 팔꿈치 윗부분의 한 면에 엄지손가락을 대고 다른 손가락으로 팔을 감싸서 가볍게 잡으면

된다. 이 자세를 취하면 안내자가 장애물에 접근할 때 대처하는 신체 움직임을 시각장애인이 느낄 수 있으므로 중요한 역할을 한다. 또한 함께 걸을 때 신체 움직임을 충분히 느낄 수 있도록 너무 세거나 너무 약하지 않게 안정적으로 잡는 것이 중요하다. 대부분의 사람은 사용하기 편한 손을 선호하여 한 손이 다른 손에 비해 감각이 둔하거나 약할 수 있으므로 안내자의 특정한 쪽의 팔을 잡는 것을 선호할 수 있다는 점을 이해해야 한다. 특히 모퉁이를 돌 때, 좁은 통로를 통과할 때, 안내하는 팔을 바꿔 잡을 때, 문을 통과할 때, 계단을 오르내릴 때, 의자에 앉을 때, 차량에 탑승할 때 등은 주의하여 안내가 필요한 경우다.

관련어 | 시각장애

안녕의 바퀴
[安寧 -, wellness wheel]

아들러의 인생과제, 즉 일과 여가, 우정, 사랑을 바탕으로 제시한 안녕의 여러 차원을 도식화한 것. 성격심리

아들러(A. Adler)의 인생과제를 근거로 위트머, 스위니와 마이어스(Witmer, Sweeney, & Myers, 1998)가 이를 도식화하였다. 안녕의 바퀴는 다섯 가지 인생과제(five life tasks), 생활세력(life forces), 지구촌 사건(global events)으로 구성되어 있다. 다섯 가지 인생과제는 영성, 자기지향, 일과 여가, 우정, 사랑 등이 속한다. 자기지향은 가치감, 통제감, 현실적 신념, 정서적 자각 및 대처, 문제해결 및 창의성, 유머감, 영양, 운동, 자기보살핌, 스트레스 관리, 성정체감, 문화정체감 등의 열두 가지 요소로 구성되어 있다. 생활세력은 개인의 안녕에 영향을 미치는 사회 제도적 측면을 말하는 것으로서 가정, 종교, 교육, 지역사회, 매체, 정부, 경제/산업 등이 속한다. 지구촌 사건은 전쟁, 기아, 질병, 가난, 환경오염, 인구폭발, 인권침해, 경제 착취, 실업 등이 속한다. 이

러한 사건들은 교통수단, 인터넷, 모바일 등 매체 발전의 급속한 증가로 한 지역의 일이 아니라 전 세계적인 문제가 되어 지구에서 일어나는 일은 한 사람의 안녕에 많은 영향을 미친다.

관련어 | 인생과제

안무
[按舞, choreograph]

정서중심부부치료에서 치료자의 역할을 무용을 가르치는 안무가에 빗대어 이르는 말. 정서중심부부치료

정서중심부부치료의 치료자는 부부관계에서 벌어지는 '상호작용'이라는 춤을 안무가가 안무를 구성하고 재조직하는 것처럼 만드는데, 즉 부부의 정서반응, 자신의 새로운 측면, 애착문제를 재정의함으로써 부부의 정서적 교류와 안전한 결합의 기초를 구성한다. 이러한 과정을 통하여 내담자 부부는 발전된 새로운 경험과 상호작용의 춤을 추게 된다.

관련어 | 과정전문가, 협력자

안아주기
[-, hugging]

이마고 부부치료에서 부부간 공감적 유대를 회복하기 위해 배우자를 안아 주도록 하는 방법. 이마고치료

부부간 대화의 과정에서 한 배우자가 슬픔과 상처로 흐느끼고 있을 때 상대 배우자가 흐느끼는 배우자를 안아 줌으로써 부부간 공감적 유대를 회복하는 기법이다. 이는 부모-자녀 대화법의 일부로 혹은 독립적으로 시행할 수 있다. 한 배우자가 상처 때문에 흐느낄 때 치료사는 "지금 그 슬픔에 대해 당신의 배우자에게 더 말해 줄 수 있겠습니까?"라고 말한다. 이때 청자의 역할을 하는 배우자는 상대가 표현하는 슬픔을 반영해 주어야 한다. 이 시점에서

그들의 깊어진다는 판단이 치료자에게 들면, 부부에게 서로 '안아주기'를 할 수 있는지를 물어볼 수 있다. 부부가 안아 주는 것에 동의하면 치료사는 소파 또는 좀 더 큰 방석이 있는 바닥으로 부부의 자리를 이동시킨다. 남편이 아내를 안아 줄 때의 자세는 매우 중요하다. 남편은 팔로 아내를 안고 그녀를 지지하기 위해 한쪽 무릎을 올린다. 이 자세는 엄마가 팔로 아이를 안고 있는 모습을 묘사한 것으로서 가장 원초적인 자세를 나타낸다. 치료사는 부부가 '안아주기'의 과정을 통해 슬픔의 감정을 여과 없이 표현하도록 지지한다. 이때 부부가 상대방의 슬픔에 대한 표현에 대해 말이 아니라, 장점으로 반영할 수 있도록 도와야 한다. 또한 이마고치료사는 화자가 더 많은 말을 하도록 청자역할을 하는 배우자에게 슬픔에 대해 더 설명할 것을 요청하도록 하고 "당신 말은, 당신이 그런 슬픔을 느낄 때 그것이 당신 어린 시절의 ……을 기억나게 한다는 거지요?"라고 말함으로써 공감적 반영하기를 지속시킨다. 이러한 반응은 부부간 유대감 형성에 도움이 된다. 왜냐하면 품에 안겨 자신의 깊은 고통을 표현하는 아내에 대해 남편은 아내를 단지 불평하는 사람이 아닌 새로운 이미지로 바라볼 수 있기 때문이다. 즉, 아내를 상처받은 작은 아이로 봄으로써 더욱더 공감적 반응이 일어나고 두 사람 모두 부드러워지는 것이다. 안아주기 기법은 공감적 유대감을 회복시키고 부부 사이의 연결감을 강화하는 기능을 한다. 언제 안아 주기를 시도할지는 치료사의 직관적 판단에 따른다. 안아주기는 충분한 치유가 일어날 때까지 지속되어야 한다. 이는 마치 우는 아이를 충분히 안아 주면 아이가 울음을 그치는 것과 마찬가지다. 안아주기를 치료장면에서 한번 경험하면 부부는 상담과정에서나 자신의 집에서도 스스로 수행할 수 있다.

관련어 부모-자녀 대화법

안와전두피질
[眼窩前頭皮質, orbitofrontal cortex: OFC]

의사결정 및 기타 인지과정에 관여하는 대뇌피질 부위. 뇌 과학

전두엽의 아래 눈 뒤에 위치한 부위로, 다양한 뇌 영역과 연결되어 있다. 특히 편도체와 그 외의 다른 변연계와 직접 연결되어 있으므로 욕구 및 동기와 연관된 정보를 받아들이는 데 용이하다. 외측 영역은 처벌과 관련된 상황에서 활성화되고 내측 영역은 보상과 관련된 상황에서 활성화되어 상황에 맞는 적절한 사회적 행동을 하는 데 기여한다. 안와전두피질은 보상과 처벌을 표상화하는 것 외에도 감정적 의미결정에 중요한 역할을 하고, 공격성을 조절하고, 공포를 소거하며, 감정적 공감에 관여한다. 따라서 손상을 입으면 이상하고 사회적으로 용납될 수 없는 행동을 흔히 하는 등의 정서장애를 나타낸다.

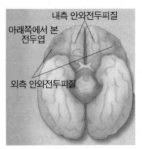

출처: http://www.brainmedia.co.kr/BrainScience/6444

관련어 뉴런, 전두엽, 정서장애

안전한 위기상황
[安全 - 危機狀況, safe emergency]

내담자가 변화의 위험에 직면할 때 충분한 지지가 요구되는 상담상황. 게슈탈트

펄스(L. Perls)는 상담을 내담자가 변화의 위험에 직면할 때 안전하게 받아들일 수 있도록 충분한 지지가 요구되는 '안전한 위기상황'이라고 정의하였다. 때때로 내담자는 자신이 변화하고 싶은 것을 알

면서 여전히 그 자리에 머물러 있기도 한다. 이것은 내담자에게 새로운 자각과 통찰의 에너지가 생겼음에도 불구하고 익숙하고 오래된 사고방식과 느낌, 행동에 여전히 고정되어 있기 때문이다. 하지만 진정한 변화를 위해서는 내담자가 새롭고 불확실한 탐색의 불안을 직면해야 하는데, 상담과정에서 내담자에게 이러한 상황이 제공되어야 한다.

관련어 | 실험

안정된 연합
[安定 – 聯合, stable coalition]

가족 내 두 사람이 한 사람을 배타적으로 밀어내면서 두 사람 사이에 밀착된 관계가 형성되는 현상. 가족치료 일반

안정된 연합을 한 두 사람은 서로 밀착된 관계를 형성하기 때문에 상대방의 욕구와 이해에 민감하게 반응하는 반면, 연합에서 배제된 다른 한 사람과는 격리된 관계를 형성한다. 이때 연합한 두 사람은 배제된 한 사람을 지배하거나 혹은 통제하려고 한다. 만일 안정적 연합이 세대를 넘어 형성되었다면 가족의 위계구조가 무너지고 역기능적 가정이 된다. 예를 들어, 부부간 갈등이 심한 가족의 경우 남편은 아내에 대해 비판을 하고 잔소리를 한다. 이 같은 상황에서 아내는 자신과 불화가 심한 남편 대신 자신의 자녀와 안정된 연합을 형성하면서 정서적으로 밀착하게 되는데, 이렇게 자녀와 정서적으로 밀착된 아내는 비로소 심리적인 안정감을 찾고 나아가 남편을 지배하고 통제하려고 한다. 즉, 가정에서 일어나는 일에 대하여 남편과 대화하는 대신에 밀착된 관계를 형성하고 있는 자녀와 대화함으로써 남편의 마음을 불편하게 만들고, 아내는 자녀와의 밀착된 관계에서의 힘을 이용하여 남편을 지배하고 통제하는 것이다. 이러한 부부의 경우 부모체계의 기능과 권위가 약화되는 결과가 나타난다.

관련어 | 동맹, 연합

안젤리카
[–, Angelica]

정화제, 류머티즘과 통풍 완화작용, 몸을 따뜻하게 하는 제제, 안심시키는 제제, 발한제의 능력이 있는 허브로서, 벨기에, 네덜란드, 프랑스, 독일, 헝가리, 북인도에서 재배. 향기치료

안젤리카는 높이가 2미터까지 자라는 이년생 또는 다년생의 강건한 줄기를 가진 허브다. 안젤리카 오일은 신경계를 강화시키는 데 효과적이다. 허약체질, 신경과민증 및 회복기 환자나 노인에게 적용되는데, 과로와 스트레스 관련 장애에 이상적인 오일이며 신경계가 긴장된 사람들의 신경과 정신을 효과적으로 회복시키는 능력이 있다. 또한 안젤리카 오일은 해독성과 이뇨성이 우수한 것으로 알려져 있고, 마사지 오일로 사용할 경우 림프배액을 향상시키고 류머티즘 및 관절염, 체액 정체와 셀룰라이트를 완화하고 개선시킨다. 그리고 안젤리카를 호흡계에 적용하면 거담효과가 있기 때문에 만성 기관지 천식과 비강 염증, 만성 호흡기 문제, 기침에 사용한다.

알라틴
[–, Alateen]

알코올중독자들의 10대 자녀를 위한 익명모임. 중독상담

1957년 미국의 캘리포니아에서 한 10대에 의해 시작된 모임으로, 우리나라에서는 1986년에 시작되었다. 알라틴은 알코올중독자 가족의 모임인 알아넌의 일부로서, 알라틴의 후원자는 알아넌의 성인들이 담당하고 있다. 알라틴의 목적은 알아넌이나

AA 모임과 연계하여 12단계의 원칙을 실천하도록 서로를 격려해 주는 것이다. 알라틴에서는 알코올중독자의 10대 자녀들에게 해야 할 것과 하지 말아야 할 것의 목록을 제시하여 알코올 관련 문제가 있는 부모들의 부정적인 영향력을 최소화하고, 갈등과 고민을 이겨 나가는 방법을 알려 준다. 알라틴에서 제시하고 있는 해야 할 것의 내용은 다음과 같다. 첫째, 나 외에도 중독자 부모를 둔 아이들이 있다는 것을 기억하자. 둘째, 알라틴, 알아넌, AA, 그리고 그 밖에 알코올중독에 관한 모임이나 단체에서 도움을 얻자. 셋째, 알코올중독이라는 가족병에 대해 최대한 많은 것을 배우자. 넷째, 나와 다른 사람들에 대하여 솔직해지도록 하자. 다섯째, 알코올중독에 대하여 이성적인 자세를 갖자. 여섯째, 알코올중독자뿐만 아니라 그 가족도 감정적으로 이 병에 영향을 받았음을 기억하자. 일곱째, 가족이나 친지 외에 내가 마음을 열 수 있는 사람을 찾도록 하자. 여덟째, 나 자신과 다른 사람을 용서하는 법을 배우자. 아홉째, 위대한 힘에 대한 신뢰를 갖자. 열째, 다른 이에 대하여 잘못한 것을 정리하고 인정하도록 하자. 열한째, 알라틴에 대해서 다른 사람들에게 전하도록 하자. 알라틴에서 제시하고 있는 하지 말아야 할 것의 내용은 다음과 같다. 첫째, 알코올중독자를 감싸려 들지 말고 자기 자신에 대한 책임만을 지도록 하자. 둘째, 알코올중독자가 술을 마시지 못하게 막으려 하지 말자. 불가능한 일이다. 셋째, 알코올중독자와 싸우려 들지 말자. 넷째, 술을 감추거나 버리려고 하지 말자. 술은 어디서든 구할 수 있다. 다섯째, 중독자가 나 때문에 술을 마신다고 해도 믿지 말자. 변명일 뿐이다. 여섯째, 이런 가족환경을 벗어나기 위해 술이나 다른 약물을 사용하지 말자. 일곱째, 알코올중독자를 비난하거나 비판하거나 꾸짖지 말자. 그것은 질병이다. 여덟째, 나 자신 외에 다른 사람을 바꾸려고 하지 말자. 아홉째, 자기연민에 빠지지 말자. 열째, 알코올중독자의 문제에 대하여 과민 반응을 하지 말자. 한국의 알아넌 연합회 홈페이지인 www.alanonkorea.or.kr에서 알아넌과 알라틴 모임을 조직하고 도움을 주는 활동을 하고 있다. 알라틴 외에도 알코올중독자의 4~12세 자녀들의 모임을 알라토스(Al-atots)라고 한다.

관련어 | 알아넌, 알코올중독, 알코올중독자 모임

알렉산더 기법
[-技法, Alexander technique]

습관화된 동작이나 생활습관을 변화시켜 심리정서적인 문제를 치료하고자 하는 기법. 무용동작치료

알렉산더 기법은 프레더릭 마티아스 알렉산더(Frederick Matthias Alexander)가 처음 창안한 용어다. 우리나라에서는 자세술(姿勢術)로 알려져 있는데, 기본 동작인 '등줄기를 펴고' '턱을 당기고' '머리를 위로' '머리를 자유로'를 항상 의식하면서, 몸 전체를 각성하여 자기 자신의 능력을 충분히 발휘할 수 있도록 하는 접근방법이다. 알렉산더 기법의 근본 원리는 스스로가 일상에서 자기 자신을 조절하는 방법, 즉 움직이고 숨 쉬고 말하고 생각하며 반응하는 방법을 재교육하는 것이다. 다시 말해서 일상생활에서 갖게 되는 습관들을 더 잘 인식하게 함으로써 어떤 행동을 할 때 어떻게 자신의 몸을 구조적으로 적절히 움직여야 하는지, 그리고 어떤 자극에 대해서 자신의 몸을 어떻게 잘 반응하게 만드는지에 대해서 자신이 깨닫게 하는 과정이다. 예컨대, 사무실에서 책상에 앉아 있는 자세가 머리가 앞으로 숙여 있고 등은 앞으로 휘어 있으며 무릎은 엉덩이보다 올라가 있으면, 이러한 자세는 척추에 무리를 주어 요통뿐만 아니라 많은 관련 질환을 유발하고, 피로와 두통증상을 초래할 수 있다. 따라서 머리를 곧바로 세우고 허리를 수직으로 세움으로써 척추에 큰 힘이 들지 않게 하여 힘을 분산시키는 효과를 갖게 하면 이런 증상들이 사라질 수 있다. 이러한 예에서처럼 일상생활에서 올바른 자세를 스스

로 깨닫고 조절해 나가는 것이 알렉산더 기법이다. 이 기법에서는 개개인이 스스로 감추어진 긴장을 찾아서 느끼게 하며, 비뚤어진 근육을 펴고, 근육의 움직임이 보다 균형 있고 조화롭게 되도록 요구한다. 그렇게 되면 매일의 일상생활에서도 의식적으로 해로운 긴장을 피하게 되고, 보다 자연스러운 자세로 고쳐 나가는 것과 긴장상태에서 빠져나오는 행동방식을 이룰 수 있게 된다. 알렉산더 기법은 의학적 치료기술도 아니고 요가나 명상 혹은 이완치료의 한 종류도 아니지만, 실제 배워서 이용할 때 업무와 관련된 반복되는 긴장, 긴장에 의한 사지마비, 경축, 요통, 목이 뻣뻣함, 약한 호흡, 소화기 문제, 심장과 혈액 순환의 문제, 류머니즘 질환 등 많은 의학적 치료가 필요한 병적 상태를 효과적으로 호전시키고 건강관리에 많은 도움이 되는 것으로 증명되고 있다.

관련어 | 행위치료

알아넌 구호를 되새기면서 혼란스러움 속에서 평안을 찾는 것을 권하고 있다. 이러한 알아넌 구호의 내용은 다음과 같다. 첫째, 한을 버리고 신에게 맡기자(Let go and Let God). 둘째, 여유 있게 하자(Easy does it). 셋째, 나도 살고 남도 살게 하자(Live and Let Live). 넷째, 먼저 할 일을 먼저 하자(First Things First). 다섯째, 하루하루씩 살아가자(One Day at A Time). 여섯째, 단순하게 하자(Keep it Simple). 일곱째, 생각하자(Think). 여덟째, 듣고 배우자(Listen and Learn). 알아넌에서는 영적인 내용을 강조하고 있지만 특정 종교를 강요하지는 않으며, 특정 종교의 의견에 대한 이야기도 하지 않는다. 한국의 알아넌 연합회 홈페이지는 www.alanonkorea.or.kr이며, 이곳에서 전국적인 알아넌과 알라틴 모임을 조직하고 도와주는 활동을 한다.

관련어 | 공동의존, 알라틴, 알코올중독, 알코올중독자 모임

알아넌
[– , Al-anon]

알코올중독자의 가족이 서로 도우며 격려하기 위해 모인 모임. 중독상담

알아넌은 1935년에 AA의 공동 창시자 빌 월슨(Bill Willson)의 부인인 로이와 그 친구인 앤 두 사람이 시작하였으며, AA와 연계하여 12단계의 실천을 서로 격려하고, 상호조력을 통해서 알코올중독자의 가족 스스로가 중독자 가족에 대해 가질 수 있는 적대감이나 죄의식 등의 심리적인 어려움을 이겨 낼 수 있도록 도움을 주는 활동을 한다. 또한 가족 내의 알코올중독자가 더욱 효과적으로 그 중독을 이겨 낼 수 있도록 안정적인 환경을 조성하는 데 목표를 삼고 있는 친목모임이다. 모임은 익명을 원칙으로 하고 있으며, 모임 안에서 이야기된 것들은 다른 곳에서 이야기할 수 없도록 하는 비밀조항이 있다. 알아넌에서는 모임 중에서나 일상생활에서

알아차림
[– , awareness]

개체가 자신의 유기체 욕구나 감정을 지각한 다음 게슈탈트를 형성하여 전경으로 떠올리는 행위. 게슈탈트

알아차림이란 개체가 개체-환경의 장에서 일어나는 중요한 내적 · 외적 사건들을 지각하고 체험하는 것이라고 할 수 있다. 다시 말해, 개체가 자신의 삶에서 현재 일어나고 있는 중요한 현상들을 방어하거나 피하지 않고 있는 그대로 지각하고 체험하는 행위로, 자신의 단편적인 지식의 조각들을 선명한 통합체인 게슈탈트로 통찰하는 것을 뜻한다. 게슈탈트 치료에서 알아차림은 긍정적 성장과 개인적 통합을 하는 데 핵심 개념이다. 알아차림을 통해서 새로운 게슈탈트를 창조해 내는 의미형성이 일어난다. 그리고 바로 이 순간에 자신이 어떻게 반응하고 있는지, 자기 주변이나 내부에서 무엇이 일어나고 있는지를 알게 된다. 그리고 환경과 타인 및 자신과

연결할 수 있는 능력을 가지고, 자신의 존재에 닿을 수 있게 된다. 알아차림이 일어나고 나면 에너지가 동원된다. 알아차림은 그 대상을 기준으로 볼 때 '현상 알아차림'과 '행위 알아차림'으로 나누어 살펴볼 수 있다. 현상 알아차림은 자신의 신체감각이나 욕구, 감정, 환경, 상황 등 개체의 내부나 외부에서 일어나는 현상을 알아차리는 것으로, 이들은 개체와 환경의 상호작용과정에서 발생하는 내적·외적인 현상이다. 행위 알아차림은 자신의 행위방식을 알아차리는 것으로, 예컨대 접촉경계혼란, 고정된 사고패턴, 고정된 행동패턴 등을 알아차린다. 게슈탈트 치료자들은 행동변화는 좀 더 나은 자각으로 길러진다는 가설에 따라 행동변화에 직접적으로 영향을 주지 않고 알아차림을 격려한다. 따라서 게슈탈트 치료에서는, 인간은 경험을 통해서만, 즉 사람들, 상황, 자연 등 직접 접촉을 통해서만 알아차림을 할 수 있다고 본다. 다른 심리상담과 달리 기억·설명·예측·해석·분석하는 것만으로는 알아차릴 수 없고, 보고, 듣고, 느끼고, 움직이는 직접 경험이나 접촉을 통해서만 알아차릴 수 있다고 보았다. 그래서 알아차림은 경험의 한 형태로, 감각운동계와 정서적, 인지적 에너지의 충실한 지원하에 개인 및 환경의 장에서 가장 중요한 사건과 지속적으로 접촉하는 과정으로 설명할 수 있다. 게슈탈트 상담이론에서는 모든 정신병리현상이 알아차림의 결여 때문에 생긴다고 본다. 만일 개체가 개체-환경 장에서 일어나는 중요한 현상들을 잘 알아차린다면 미해결 과제가 쌓이지 않고, 그리하여 정신병리현상도 생기지 않는다는 것이다. 알아차림은 미해결 과제를 전경으로 떠올려 강한 게슈탈트를 형성하고 이의 완결이 가능해지도록 하기 때문이다. 게슈탈트 치료에서 치료란 강한 게슈탈트를 형성하는 것과 같다고 할 수 있는데, 알아차림은 바로 게슈탈트를 형성하는 행위인 것이다. 따라서 알아차림은 게슈탈트 치료에서 중요한 의미를 갖는다고 볼 수 있다.

관련어 게슈탈트, 전경-배경, 접촉

알아차리기 기법 [-技法, awareness techniques] 지금-여기에서 내담자의 알아차림을 촉진하기 위한 게슈탈트 기법이다. 게슈탈트 치료에서의 핵심은 지금-여기에서 경험하는 욕구와 감정을 알아차리는 것이다. 이에 따라 알아차림을 증진시키는 기법이 많이 개발되었다. 게슈탈트 기법을 사용할 때 이것이 지닌 창의적 특성 때문에 기법만 기술적으로 사용하는 경우가 많은데, 중요한 것은 지금-여기에서 내담자의 알아차림을 촉진하여 자기조절의 방해물을 제거하고 미해결 과제를 해결하는 데까지 나아가야 한다는 것이다. 게슈탈트 치료자들은 욕구와 감정, 신체, 언어, 환경, 책임 등의 다섯 가지 영역에서 알아차림을 활성화할 것을 제시한다. 첫째, 욕구와 감정 알아차리기는 "지금 느낌이 어떤가요?" "지금 무엇을 자각하고 있나요?" "현재의 느낌에 집중해 보세요." 등의 말로 도움을 줄 수 있다. 둘째, 신체 알아차리기는 인간의 정신과 신체가 긴밀하게 연결되어 있다는 전제하에, "한숨을 자주 쉬는데, 알고 있나요?" "지금 주먹을 꽉 쥐고 있네요. 당신의 주먹이 뭐라고 말하나요?" "얼굴이 빨갛게 상기되었네요." 등의 질문을 한다. 이를 통해 말하는 것과 보이는 것 사이의 불일치를 알아차리도록 하고, 개체의 감정이나 욕구 또는 무의식적 생각 등을 알아차릴 수 있게 도와준다. 셋째, 언어 알아차리기는 "저는 선생님께 제 생각을 말할 수 없어요." "그 사람 때문에 사람들이 화가 났어요."와 같이 말하는 사람에게 "저는 선생님께 제 생각을 말하지 않을 거예요." "그 사람 때문에 나는 화가 났어요."와 같이 잘못 사용한 언어습관을 고쳐 주는 것이다. 이를 통해 개체가 자신의 욕구와 감정에 책임을 지고, 주체적인 삶을 살아가도록 도움을 줄 수 있다. 넷째, 환경 알아차리기는 "지금 무엇이 보입니까? 눈을 감고 남편의 얼굴을 떠올려 보세요. 이제 눈을 뜨고 남편의 얼굴을 자세히 관찰해 보세요. 어떤 차이가 있나요?" 또는 "지금 무엇이 들립니까?" 등의 질문으로 내담자가 시각, 청각, 후각, 촉각, 미각 등 각종 감각작용을 통해 환경과 어떤 접촉을 하고 있는지 알아차리도록 한다. 이는 내담자가 현실과의 접촉을 증진하고, 현실과 공상과의 차이를 알아차릴 수 있게 만들어 준다. 다섯째, 책임 알아차리기는 자신이 한 일에 대해 책임지기를 두려워하는 사람은 성숙할 수 없다는 전제하에, 다양한 언어작업으로 자신의 행동에 대한 책임을 지게 하고, 스스로의 내적 힘을 알아차리도록 한다. 다섯 가지 영역 중에서 욕구와 감정 알아차리기, 언어 알아차리기, 책임 알아차리기는 주로 언어수정을 통해 이루어진다. 그런데 게슈탈트 치료에서 언어수정만큼이나 중요한 알아차림 기법이 신체 알아차리기다. 펄스(Perls)는 치료를 할 때 신체 알아차리기를 핵심기법으로 사용하였다. 그는 정신 대 신체의 양극성에서 보이는 불일치를 찾아내는 것이 중요하다고 보았는데, 신체적 무장을 통해서 무의식적 과정이 신체화되므로 신체적 신호에 주의를 기울여 그것으로 작업을 하도록 한 것이다.

알아차림 – 접촉주기
[– 接觸週期, awareness-contact cycle]

게슈탈트가 생성되고 해소되는 반복과정. 게슈탈트

알아차림-접촉주기는 경험의 사이클(cycle of experience)이라고도 하는데, 인식하고 이름을 붙이며 어떻게 반응할 것인지 결정하고, 감각을 만들며 행동을 취하고 상황과 완전히 접촉하여 다음 사이클을 준비하기 위한 에너지를 모으고 완성하는 것이다. 즉, 감각을 경험하는 순간부터 확인하는 단계까지를 말한다. 징커(Zinker)는 이러한 알아차림-접촉주기를 배경(homeostasis), 감각(sensation), 알아차림(awareness), 에너지 동원(energy excitement), 행동(action), 접촉(contact)의 6단계로 나누어 설명하였다. 먼저 ① 배경을 통해서, ② 유기체의 욕구나 감정 등이 신체감각의 형태로 나타나고, ③ 개체

가 자신의 욕구나 감정을 알아차려 이를 게슈탈트로 형성하여 전경으로 떠올리면, ④ 전경의 욕구를 해소하기 위하여 에너지를 동원하고, ⑤ 이를 행동으로 옮겨, ⑥ 마침내 환경과의 접촉으로 게슈탈트를 형성한다. 이렇게 해소된 게슈탈트는 전경에서 배경으로 물러나게 된다. 이 주기를 거치면서 유기체는 자신의 욕구를 인식하여 전경을 형성하고, 이를 해소하여 배경으로 사라지게 하는 과정을 반복한다. 건강한 유기체는 이 과정을 통해서 환경과의 자연스러운 접촉을 하면서 적절하게 성장해 간다. 하지만 어떤 영향을 받아 접촉주기 단계가 다음 단계로 진행하지 못하고 접촉주기가 단절되어 해소되지 못한 욕구는 미해결 과제로 남는다.

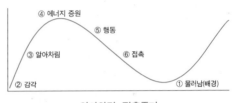

알아차림-접촉주기

출처: Zinker, J. (1977). *Creative Process in Gestalt Therapy*.

관련어 | 미해결 과제, 전경 – 배경

알츠하이머병
[– 病, Alzheimer's disease]

대략 65세 이상 노년기에 발병하는 노화와 비슷한 뇌의 변화를 나타내는 진행성 치매. 이상심리

알츠하이머(A. Alzheimer)가 최초로 보고한 기질적 정신질환이다. 이 질환은 뇌 위축으로 인지기능의 감퇴를 보이는데, 이를 촉발하는 직접적인 원인이 확인되지 않으므로 다른 원인이 발견되지 않을 경우에 이 진단을 내린다. 증상은 새로운 경험의 소재를 기억하지 못하고 사물을 놓아두고 잊어버리거나 방금 했던 것을 금방 잊어버린다. 음식에 독이나 이물질이 들어 있어서 식사를 할 수 없다는 피해

망상을 수반하거나 시간, 장소, 인물을 분명히 구분하거나 찾는 것을 하지 못한다. 즉, 사물의 이름을 알지 못하고 문을 열고 닫는 것이 힘들며, 집의 입구나 화장실의 위치를 알지 못하고, 길을 잃는 등 일상생활을 하는 데 어려움을 나타낸다. 다만, 감각기능과 운동기능은 정상이고 물체를 인지하거나 구별하는 것을 하지 못한다. 또한 문제를 해결하거나 일을 계획하고 조정하며 실행하고 추상적으로 사고하지 못한다. 이러한 증상은 서서히 나타나서 지속적으로 인지기능이 쇠퇴한다. 신체적으로는 첫 1년 동안은 운동과 감각기능의 이상은 거의 나타나지 않다가 해가 갈수록 간대성 근경련과 보행장애가 나타나며, 약 10%는 신체경련을 보인다. 이 질환은 노인성 치매 원인의 50% 이상을 차지한다. 다운증후군 환자와 두부 외상을 입은 과거력이 있는 사람에게 이 질환이 발생할 가능성이 높다. 65세 이상 인구의 2~4% 정도 발병하며, 75세 이상이 되면 더욱 증가하고 남성보다 여성에게 조금 더 많다.

관련어 | 노인성 치매

알코올
[- , alcohol]

주성분이 에틸알코올로 이루어져 있으며, 중추신경계를 억제하는 효과가 있는 액체. 에틸알코올 혹은 에탄올이라고도 함.
중독상담

알코올은 합법적 물질이기 때문에 쉽게 접할 수 있고, 매우 널리 사용되는 물질 혹은 약물이라 할 수 있다. 문자기록이 가능했던 시대 이전부터 인류는 곡물이나 포도 등의 과일을 발효하여 알코올음료를 만들어서 사용해 왔는데, 이것은 진정효과가 있어 진정제의 한 종류로 보는 경우도 있다. 알코올을 섭취하면 행동을 억제하기가 어려워지고 자존감이 고양되면서 행복감이 높아지기도 한다. 하지만 과도하게 사용하면 알코올 의존이나 알코올중독을 초래하여 신체기관에 매우 해로운 영향을 미칠 수 있다.

이에 따라 인류의 역사에서 보면 알코올에 대한 규제가 많았다는 것을 찾을 수 있다. 1839년 영국에서는 16세 이하의 사람에게 술을 판매하는 행위에 처벌을 가하기도 하였고, 현대에도 무슬림 국가에서는 공적인 알코올 사용을 삼가며, 음주금지에 대해 상세하게 명기된 광범위한 규모의 법령이 제정되어 있다. 또한 대부분의 문화권에서는 18세 이하의 미성년에게 알코올 사용을 제한하고 있다. 이렇게 역사적으로 알코올에 대한 규제가 있었던 것은 그만큼 알코올 관련 부정적인 문제가 많이 발생했기 때문이라고 할 수 있다. 음주 관련 문제에 대해 언급한 역사적 문헌을 살펴보면, 유대인들이 알코올 문제를 다루는 내용이 구약성서에 기록되어 있으며, 그리스 철학자 플라톤은 대중의 음주문제를 기술하면서 현재 미국법의 모델이 되는 실천법 일부를 제시하기도 하였다(그는 18세 미만 청소년에게는 알코올을 금지할 것을 제안하였다). 현대의 의학과 심리학의 발달로 밝혀진 알코올의 문제는 더욱 심각하다. 알코올은 여러 가지 남용과 오용, 그리고 중독의 문제를 일으키며, 이러한 문제는 개인뿐만 아니라 가족과 지역사회를 병들게 하는 요인이 되는 것으로 알려져 있다. 알코올은 다른 섭취 가능한 물질들보다 훨씬 더 신체조직 내로 빠르게 흡수되는데, 이것은 신체가 다른 화학적 변화 없이 알코올을 직접 혈관으로 흡수하기 때문이다. 이렇게 혈관에 직접 흡수된 알코올 분자는 혈관-뇌-장벽(blood-brain barrier)을 통과하여 직접적으로 뇌 기능에 영향을 미치고, 특히 중추신경계를 억제한다. 알코올이 인간의 뇌에 미치는 가장 막중한 영향은 망상활동체계(reticular activating system: RAS)라고 불리는 뇌간의 기능을 저하시키는 것이다. RAS는 과부하 혹은 저부하된 감각수용체로부터 우리를 보호하는 역할을 하며, 대뇌피질과 같이 고차 기능을 하는 뇌 중심부가 관련 자극에 대해 각성하고 집중하도록 한다. 따라서 대뇌피질이 어떤 이상으로 뇌간에서 적절한 안내를 받지 못하면 억제받지 못함을 느끼면서 통제가 결여된 정서적 폭발현상을 보일 가능성이 높아진다. 이러한 효과는 알코올의 영향하에 있는 특정인에게서 나타나는 공격행동, 무모한 음주운전, 범죄행위, 난잡성, 호전성, 우울증 등의 심각한 행동반응단계를 설명해 준다. 또한 만성 알코올 섭취는 심장근육의 손상 및 심장마비를 비롯한 심장질환과 간질환을 유발할 수 있으며, 상대적으로 많은 양의 알코올을 정기적으로 섭취할 경우에는 내성의 발달을 초래한다. 물론 불규칙적으로, 혹은 소량으로 마신 사람들의 경우 뚜렷하게 알코올에 대한 내성이 발견되지는 않지만, 소량 섭취만으로도 일시적으로 경미한 내성이 생기는 것이 가능하다. 그리고 이러한 알코올 내성은 알코올 남용과 알코올중독의 문제로 이어질 수 있다. 알코올은 이렇게 섭취로 인한 신체적인 반응의 부정적인 영향도 문제지만, 그 자체의 영양학적인 문제도 간과할 수 없다. 알코올의 실질적인 영양학적 가치는 거의 없는 반면에, 단당류인 포도당으로 이루어져 있기 때문에 칼로리는 상당히 높다. 알코올은 1g당 7cal 정도다. 이러한 알코올의 영양학적 사실은 알코올 섭취가 모두 비만으로 이어진다는 의미가 아니라, 알코올을 과도하게 섭취하는 사람들은 음식을 대신하여 알코올을 섭취하기 때문에 그만큼 영양의 결핍이 일어날 위험이 높다는 데 심각성이 있는 것이다.

관련어 | 물질관련장애, 알코올 남용, 알코올 의존, 알코올중독

알코올 관련 문제
[-關聯問題, alcohol related problems]

알코올의 섭취와 관련하여 생기는 장애로서, 알코올 의존증이나 알코올 정신장애뿐만 아니라 교통사고, 장기장애, 가정문제, 직업상 문제, 범죄, 비행 등의 개념을 포함하는 포괄적인 문제. 중독상담

세계보건기구(WHO)의 알코올전문위원회에서는 1976년에 '알코올 관련 장애'라는 명칭을 사용하였으며, 1979년 제32회 WHO 총회에서는 이러한 문제들을 알코올 관련 문제로 이름을 정하고 당면한 정신위생상의 주요 과제로 다루었다. 특히 청소년의 음주와 임산부의 음주를 제한하고 태아의 장애 방지를 중점적으로 다루기 시작하였다. 이 총회에서는 알코올 관련 문제로 알코올 정신장애뿐만 아니라 알코올 의존과 더불어 '궤양, 위장장애, 태아장애, 간경변, 뇌장애, 간질환, 심장질환과 같은 건강문제' '음주운전과 같은 사고문제' '아동학대, 배우자 학대, 이혼, 부부간 폭력과 같은 가족문제' '산업사고, 단기결근, 장기결근과 같은 직업문제' '타살, 강도, 폭력, 폭행과 같은 범죄문제'가 과제로 제시되었다. 이러한 알코올 관련 문제들은 세계 각국에서 중요시되고 있는데, 어느 문제가 특히 더 중요한가에 대한 강조 부분은 국가마다 다르다. WHO의 '알코올 관련 문제의 예방에 관한 대책과 계획'에서는 다음과 같은 조사가 필요하다고 제안하였다. 첫째, 알코올 관련 문제의 사회적 배경, 인구구성에서 차지하는 남성비율, 15세 이하와 65세 이상의 비율, 가족구성, 도시화 문제, 직업분류, 행정구분, 민족차이, 언어차이, 종교차이를 비교하는 것이다. 둘째, 알코올음료의 생산판매, 알코올 유형, 주된 원료, 평균 소비량(100% 에탄올 환산), 음주양식 등이다. 셋째, 알코올 소비량과 간경변, 자살, 사고, 만취로 인한 체포 등이다. 넷째, 음주에 대한 일반인의 태도다. 다섯째, 예방대책(만취상태에서의 운전이나 미성년자의 음주 등)이다. 여섯째, 음주를 대체할 수 있는 스트레스 해소법 교육이다.

관련어 | 알코올 남용, 알코올 의존, 알코올 정신병, 알코올중독

알코올 금단
[- 禁斷, alcohol withdrawal]

특정한 이유로 장기간 다량으로 섭취하던 알코올을 줄이거나 중단할 때 나타나는 증상. 중독상담

알코올 금단증상으로 가볍게는 손, 혀, 눈꺼풀 등의 떨림이 일어나기도 하고, 구토, 불안, 간질과 같은 전신경련증상을 동반하기도 한다. 이러한 금단증상은 음주중단 직후에 시작하여 5~7일 이내에 사라진다. DSM-5에 따르면, 금주를 하고 몇 시간에서 며칠 이내에 발한이나 맥박수 증가와 같은 자율신경계의 이상, 손 떨림, 불면증, 오심이나 구토, 일시적 환각, 초조, 불안, 대발작 등의 증상 중에서 2개 이상 나타날 경우에 알코올 금단으로 진단한다. 이러한 증상 때문에 사회적 혹은 일상생활에서의 기능이 손상되거나 심리적 고통을 겪을 수 있다. 알코올 금단현상은 금주를 시작하고 이틀째에 가장 강하게 나타난다.

관련어 │ 금단증상, 알코올 남용, 알코올 의존, 알코올중독

알코올 남용
[- 濫用, alcohol abuse]

반복된 알코올의 섭취로 직장이나 가정에서 자신에게 주어진 역할이나 직무를 수행하는 데 장애가 생기거나, 법적인 문제를 반복적으로 일으키는 상태임에도 불구하고 섭취를 중단하지 못하는 상태. 중독상담

정해져 있는 양을 무시하고 과다하게 복용하는 것을 남용이라 하는데, 알코올 남용이란 남용의 대상이 알코올인 것이다. 알코올 남용자는 잦고 과도한 음주로 가정에서 수행해야 할 일에 소홀해지거나 직장에 결근하거나 직장에서 주어진 업무를 제대로 처리하지 못하고, 다른 사람에게 폭력을 휘두르며, 음주운전 등으로 문제를 일으키기도 한다. 학생의 경우는 학교에 결석을 하거나 학업에 태만해진다. 이처럼 알코올 남용은 직장생활에서의 부적

응, 가정생활에서의 부적응, 대인관계 손상, 법 위반 등의 문제를 발생시킬 수 있다. 알코올 남용으로 술에 대한 내성이나 금단현상을 보이지는 않는다. 따라서 알코올 남용의 증상과 함께 내성, 금단 또는 강박적 행동이 동반될 때는 알코올 의존의 진단을 고려해야 한다. DSM-5에서는 음주를 하면서 물질남용(substance abuse)의 진단기준을 충족시킬 경우에 알코올 남용으로 진단할 수 있다고 규정하였다.

관련어 │ 물질남용, 알코올 관련 장애, 알코올 의존, 알코올 중독

알코올 유도성 치매
[- 誘導性癡呆, alcohol-induced oersisting dementia]

반복적인 알코올 남용의 결과로 전반적인 두뇌 기능이 저하하여 발생한 치매. 중독 상담

DSM-IV에서 알코올성 치매로 부르던 진단은 DSM-5에서 알코올 유도성 치매로 변경되었으며, 알코올 유도성 장애의 하위유형에 포함되어 있다. 치매 환자의 10% 정도가 알코올 유도성 치매인 것으로 확인되고 있다. 알코올 남용이나 의존 때문에 나타나는 치매는 주로 문제를 해결하고 정보를 저장하며 주변 환경에 대한 사실들을 조직화하는 등의 인지적 기능이 손상된다. 이러한 뇌 손상은 알코올 중독의 문제가 치료된다고 하더라도 계속해서 남아 있어 인지적 손상이나 성격 변화가 나타난다. 하지만 알츠하이머병 등 다른 종류의 치매와는 달리 금주를 하면 증상의 악화가 멈추거나 증상이 회복될 수 있기 때문에 정확한 조기 진단이 필요하다. DSM-5에서는 알코올 유도성 치매의 진단 기준에 대하여 다음과 같이 밝히고 있다. 기억장애가 나타나고, 실어증, 실행증, 실인증, 실행 기능의 장해 중 한 가지 이상이 함께 나타나는 경우 알코올 유도성 치매로 진단할 수 있다. 이때, 이러한 장해가 섬망

이 나타날 때만 일어나서는 안 되며, 알코올 중독 또는 알코올 금단의 통상적인 기간 이후에도 오랫동안 지속되어야 한다. 또한 과거력, 신체검사 또는 검사 소견에서 결손이 알코올 사용의 지속적인 효과와 원인적으로 관련이 있다는 것이 입증되어야 한다.

관련어 │ 알코올 정신병, 알코올중독

알코올 의존
[－依存, alcohol dependence]

음주를 여러 해 동안 계속하여 사회적·심리적·신체적 장애를 겪고 음주를 하지 않으면 생활하기 어려운 상태 혹은 음주를 중단하거나 조절하기 어려운 상태. 중독상담

음주로 인한 다양한 증상이 물질의존(substance dependence)의 진단기준을 충족시킬 경우에 알코올 의존으로 진단한다. 알코올 의존은 내성과 금단증상을 보이고, 심리적 의존과 신체적 의존이 나타난다. 내성이란 특정 물질을 계속 사용하여 이전에 사용한 양과 동일한 양을 복용하여도 효과가 현저하게 떨어지고 동일한 효과를 보기 위해서는 더 많은 양을 사용해야 하는 상태를 말한다. 따라서 음주를 매우 자주 하여 알코올에 내성이 생기면, 술에 잘 취하지 않게 되고 취하기 위해서는 더 많은 양을 섭취해야 하기 때문에 음주의 양과 빈도가 증가한다. 금단증상이란 특정 물질을 사용하다가 사용하지 않으면 견디기 힘든 심리적, 신체적 이상증상이 나타나는 것을 말하는데, 술을 매우 자주 마시다가 어느 때 마시지 않으면 손가락이 떨리거나 불안해지면서 경련이 일어나고 잠을 취하기 힘드는 등 여러 가지 이상증상이 나타나며, 다시 술을 마시면 금단증상들이 사라진다. 이 같은 금단증상 때문에 음주행위가 계속해서 반복되는 것이다. 알코올의 심리적 의존이란 알코올에 대한 욕구를 만족시키기 위해 음주를 계속하는 것을 말하고, 알코올의 신체적 의존이란 음주를 멈추었을 때 나타나는 금단현상을 없애기 위해 음주를 계속하는 것을 말한다. 반복적인 문제성 음주가 지속되면 간이나 위와 같은 소화기, 순환기, 신경계 등에 문제가 생기는 경우가 많다. 게다가 가정불화, 경제적 곤란, 폭력, 운전사고와 같은 사회적 문제를 초래하여 생활 전반에서 심각한 부적응을 나타낸다. 이러한 많은 문제들이 12개월 이상 지속될 경우 알코올 의존으로 진단한다. 알코올 의존이 심한 경우에는 입원치료를 받는 것이 좋고, 개인치료나 집단치료, 약물치료를 받아야 한다. 재발방지를 위해 환경을 바꾸거나 인간관계를 개선할 필요가 있으며, 스트레스를 관리하는 능력을 향상시키거나 심리적 갈등을 해소시킬 수 있는 훈련을 받는 것도 도움이 될 수 있다. 또한 알코올 의존자들을 위한 자조모임에 참여하여 도움을 받을 수도 있는데, 많이 알려진 자조모임은 알코올중독자 자조모임(alcoholics anonymous: AA)이다.

관련어 │ 물질관련장애, 알코올 남용, 알코올중독자 모임

알코올 정신병
[－精神病, alcoholic psychosis]

알코올이 원인이 되어 발생하는 정신병. 중독상담

알코올 의존을 기반으로 야기되는 부적응적 정신상태를 일반적으로 이르는 말이다. 알코올 만성중독을 기초로 하여 여러 가지 급성 알코올 정신병이 나타난다. 주로 야간에 돌연히 특유의 환각(幻覺), 특히 환시(幻視)가 나타나서 2～3일 안에 회복되는 진전섬망(振顫譫妄)이나 피해적 내용을 갖는 환각망상을 초래하는 급성 알코올환각증 및 질투망상 등이 있다. 만성인 것으로는 결함상태의 특별한 것으로서 여러 해 동안 음주한 초로인 사람에게 일어나기 쉬운 코르사코프병이 있으며, 자발성의 결여, 둔

감·다행·불유쾌 등의 인격변화를 나타낸다. 또 간질상발작(癎疾狀發作)을 나타내는 알코올 간질, 주기적으로 술을 갈망하고 일단 마시기 시작하면 한없이 마셔서 병적 명정을 되풀이하는 주기적 폭음 등이 있다. 절대 금주를 해야 하고, 어느 정도 진전된 경우에는 충분한 휴양과 비타민·미네랄 등의 영양보급을 도모하고, 금주의 의지를 강화하며, 또 배후에 있는 인격장애를 바로잡기 위한 심리치료가 중요하다. 정신병원에 입원해서 치료를 받는 것이 절대 필요하다.

관련어 | 알코올 의존, 알코올 환각증, 진전섬망, 코르사코프 증후군

알코올 환각증
[- 幻覺症, alcohol hallucinosis]

알코올중독 환자가 음주를 중단하거나 그 양을 줄였을 때 나타나는 환각증세. 중독상담

알코올성 정신병의 한 유형으로, 베르니케(C. Wernicke)가 음주자의 급성 환각증(akute Halluzinose der Trinker)이라는 말로 최초로 사용하였으며, 음주자의 환각증적 광기, 알코올광(Halluzinatorischer Wahnsinn der Trinker, Alkoholwahnsinn)이라고도 부른다. 알코올성 환각증은 대부분 알코올중독자가 알코올을 중단한 지 48시간 이내에 발생하며, 보통은 자신을 위협하거나 비난하는 환청과 함께 환각이 나타난다. 환각의 내용을 살펴보면 대개 적대적, 협박적인 내용이 포함되어 있고 환자가 자주 겪는 내적 갈등이나 죄책감이 반영된다. 의식혼탁은 없거나 있다라도 경미하며, 예측과 기억은 유지된다. 심한 불안과 박해망상을 수반하며, 그 결과 자살이 일어나기도 하고, 상상에서의 박해에 대한 방어로 폭력을 보이는 경우도 있다. 알코올 환각증의 대부분은 수일에서 수주 사이에 치료되지만 일부는 만성형으로 이행되거나 망상이 체계화되기도

한다. 따라서 만성적인 알코올 환각증은 망상형 분열병인 정신분열증과 감별하기 힘든 경우도 있다. 이러한 알코올성 환각증은 정신병의 과거병력이 없고 환각증세가 음주를 줄이거나 중단함으로써 생긴다는 점에서 정신분열증과는 차이가 있다. 또한 진전섬망과의 차이도 구분하기 어려운데, 알코올에 취하지 않은 의식이 명료한 상태에서 알코올성 환각증세가 나타난다는 것이 진전섬망이다. 진전섬망 증상은 대개 1주일 내에 사라진다.

관련어 | 물질관련장애, 알코올 남용, 알코올 의존

알코올성 치매
[- 性癡呆, alcohol related dementia]

중독상담

⇨ '알코올 유도성 치매' 참조.

알코올중독
[- 中毒, alcohol intoxication]

알코올로 유발된 장애의 한 유형으로 음주를 과도하게 하고 술에 취한 상태에서 부적응적 행동을 하거나 지속적인 음주 때문에 생리적 변화가 나타나는 상태. 중독상담

알코올중독은 여러 종류의 중독 가운데 니코틴 중독 다음으로 흔하게 일어난다. 개인의 신체와 정신건강, 그리고 가족과 직장뿐만 아니라 사회생활 전반에 걸쳐서 문제를 일으킴에도 불구하고 많은 양의 알코올을 반복적으로 섭취한다. 즉, 알코올에 대한 절박한 갈망으로 그 섭취를 스스로 조절할 수 없는 상태가 되는 것이다. 1849년 스웨덴의 의사인 마그누스 후스(Magnus Huss)가 '알코올중독(alcoholism)'이라는 용어를 사용한 이후 알코올중독에 대한 연구와 치료를 위한 시도가 꾸준히 계속되고 있다. 알코올 중독은 DSM-5에서는 알코올 유도성 장애의

하위요인에 포함되어 있으며, 알코올 유도성 장애는 알코올의 섭취나 사용으로 인해 나타나는 부적응적인 후유증을 말한다. DSM-5에서 알코올 중독의 진단 기준을 살펴보면, 과도하게 알코올을 섭취하여 심하게 취한 상태에서 부적응적 행동(예: 부적절한 공격적 행동, 정서적 불안정, 판단력 장애, 사회적 또는 직업적 기능 손상)이 나타나는 경우를 말한다. 알코올 중독 상태에서는 다음 중 1개 이상의 증상이 나타난다. ① 불분명한 말투, ② 운동 조정 장애, ③ 불안정한 걸음, ④ 안구 진탕, ⑤ 집중력 및 기억력 손상, ⑥ 혼미 또는 혼수, 이러한 알코올 중독은 술에 만취되어 부적응적인 행동이나 신체·생리적 변화가 나타나는 상태를 의미하며, 이러한 알코올 중독이 반복해서 나타나면 알코올 남용이나 의존을 고려해 보아야 한다. 1956년 미국의학협회(American Medical Association)에서는 알코올중독을 암이나 폐렴처럼 하나의 질병이라고 정의하였는데, 그 이유는 알코올중독이 개인에게 정신적 혼란을 일으키고 사회적·경제적 기능을 방해하는 정도까지 알코올을 소비하려고 하는 충동성을 지닌 만성적 의존이며, 시간이 흐를수록 중독이 더욱 악화되는 진행성이고, 치료하지 않으면 정신병이나 죽음에 이르게 되며, 근본적으로 완치가 불가능하다는 것 때문이다. 알코올중독의 원인에 대해서는 아직도 미해결로 남아 있다. 다만 많은 학자들의 연구로 미루어 보아 그 원인이 생물학적 요인, 심리학적 요인, 사회학적 요인, 가족 요인 등이라고 할 수 있다. 알코올중독자들은 대부분 자신의 문제를 심각하게 생각하지 않기 때문에 조기 발견과 그에 따른 처방이 어렵다. 따라서 알코올중독을 보다 효과적으로 치료하기 위해서는 조기에 진단하고 그에 따른 치료계획을 세우는 일이 중요하다.

관련어 │ 물질관련장애, 알코올 관련 문제, 알코올 남용, 알코올 의존, 중독

알코올중독자 모임
[－中毒者－, alcoholic anonymous: AA]

1935년 미국에서 시작된 모임으로 알코올의 섭취를 줄이거나 중단하기를 원하는 사람들이 모여 서로의 결단을 지지하는 자조모임의 하나. 단주친목회 혹은 익명집단이라고도 함.
중독상담

알코올중독자 모임은 1935년 미국 오하이오 주에서 미국의 내과의사인 밥 스미스(Bob Smith)와 뉴욕 주식중개상인 빌 윌슨(Bill Willson)이 시작하였다. 우리나라의 경우는 1980년대 초기 아일랜드 신부가 도입하여 현재 전국적으로 약 74개 집단이 운영되고 있다. AA는 알코올중독자들을 위한 행동치료적 접근으로 가장 널리 알려진 모임인데, 개인을 위한 12단계와 집단을 위한 12전통을 기본적으로 따르고 있다. 또한 중독자들에게 이전과는 다른 사회문화적 환경을 조성하고자 하는 기본 개념을 바탕으로 공통의 문제를 가진 구성원들의 자발적 동기와 참여로 이루어지는 집단활동이다. 알코올중독이라는 공통된 문제를 가진 사람들이 함께 모여 서로의 문제를 공유하고, 다른 사람들이 알코올중독에서 벗어날 수 있도록 격려와 지지를 해 줌으로써 서로 도움을 준다. 이 모임은 비영리 조직으로 회원과 후원자의 헌신에 의존하고 있으며, 전체를 이끄는 지도자는 따로 지정하지 않는다. 다만 필요에 따라 회원을 모으고, 공동의 의견을 반영하여 자조모임을 구성한다. 또한 모임의 본래 목적을 충실하게 수행하기 위해서 특정 정치적 성향을 표시하거나 관여하는 것을 금지하고 있다. AA 모임은 술을 끊겠다는 의지가 있는 사람이면 누구나 참여가 가능하다. 모임의 세부적인 실시사항을 살펴보면, 서로의 약속을 강요하지 않고, 단주를 돕기 위한 약품을 제공하지 않는 특징을 보인다. 모임 중에는 이러한 상호 의존이나 조절이 아닌 공감으로 서로 격려해 주면서 자신의 알코올중독을 공개적으로 인정하고, 자신의 단주성과를 보여 주는 과정으로 이루어져 단주친목모임의 성격을 띤다. 모임의 유지는

절대적인 자립을 원칙으로 하고 있는데, 이것은 AA의 12전통 중 제7전통인 '모든 AA 집단은 외부의 기부금을 사절하며, 전적으로 자립해 나가야 한다.'는 항목을 통해 그들의 재정자립에 대한 원칙을 엿볼 수 있다. 또한 이 모임에서는 절주가 아닌 완전한 단주를 규칙으로 하고 있으므로, 술을 입에 대는 것은 돌아올 수 없는 길로 유도하는 것이라고 강조한다. 이러한 AA의 신념은 AA의 기본 원리 중 하나인 '한 번 알코올릭은 영원한 알코올릭이다.'에서 확실하게 드러난다. AA는 금주를 하기 위한 주요 방법으로 영성, 고백, 구원을 강조하는데, 이러한 방법은 종교적 느낌이 강하지만 특정 종교를 강조하지는 않는다. 다만 신, 즉 더 큰 '힘'에 대한 믿음을 이 프로그램에서 본질적인 힘의 중심으로 삼고 있는 것이다. AA 모임의 형태는 공개 모임과 비공개 모임의 두 가지가 있다. 공개 모임은 알코올중독자뿐만 아니라 그 가족, 알코올 문제에 관심을 가지고 있는 사람들 혹은 알코올 문제를 가진 사람들을 도우려는 사람이 참여할 수 있다. 이에 반해 비공개 모임은 오직 알코올중독자만을 위한 모임이다. 이들은 비공개 AA 모임에 참여하여 서로의 음주 관련 문제에 대해 의견을 교환하고 단주를 위한 다짐을 공유하며 지지한다. 또한 회복을 위한 다양한 주제를 가지고 깊이 있는 토의를 진행하기도 한다. AA 모임의 성격이 공개이든 비공개이든 운영과정에서 공통적으로 지키는 원칙은 회원들 간의 신분에 관해서는 비밀을 유지하고 서로 이름을 부르지 않는 것이다. 이러한 신분비밀의 원칙 때문에 '익명 집단(anonymous)'이라고도 한다. 우리나라의 AA 인터넷 홈페이지는 www.aakorea.co.kr이고, 미국의 AA 인터넷 홈페이지는 www.alcoholics-anonymous.org이다.

관련어 | AA의 12단계, AA의 12전통, 자조모임

알코올중독자의 자녀
[-中毒者-子女, Children of Alcoholics: COAs]

적어도 한 명의 부모가 알코올중독자인 가정에서 자라는 아이들. 중독상담

한 사람 이상의 알코올중독자가 있는 가족관계에서는 자유로운 감정표현과 개방적인 의사소통이 어렵다는 특징이 있어서, 그러한 요소들이 아이들에게 부정적인 영향을 많이 미치게 된다. 알코올중독에 관한 연구결과들을 보면, 알코올중독자의 자녀가 비알코올중독자의 자녀보다 알코올중독자가 될 가능성이 1.5에서 3배가량 높은 것으로 보고되고 있다. 또한 알코올중독자의 자녀는 다른 아이들에 비해서 주의력결핍장애(attention-deficit disorder), 청소년 비행(delinquency), 경조증(hyperactivity), 우울증과 같은 심리사회적 문제를 일으킬 가능성이 훨씬 높아지며, 공동의존과 성인 아이의 특성을 보이기도 한다.

관련어 | 공동의존, 성인 아이, 알코올중독,

가족영웅 [家族英雄, family hero] 가족의 고통에 책임감을 느끼고 부정적인 상황을 해결하기 위해 노력하는 가족구성원을 말한다. 알코올중독자 자녀의 특성을 분류하는 하위유형 중 하나다. 이러한 유형의 특성을 가진 자녀는 주로 가족구성원 중에 알코올중독이나 약물중독 환자가 있는 가정에서 나타나는데, 주로 첫째 아이가 이 역할을 맡는 경향이 있다. 가족영웅의 특성을 보이는 아이들은 학교생활이나 학업에 몰두하여 좋은 결과를 만들고, 부모가 자신의 역할을 잘 수행하지 못하더라도 이해하려고 애를 쓰는 행동 양상을 보인다. 또한 다른 가족구성원을 헌신적으로 보살피며, 가족의 모든 책임과 의무를 혼자 다 감당하려고 노력한다. 가족영웅의 역할을 하는 가족구성원은 이 같은 행동을 함으로써 가족의 역기능성을 부인하고, 스스

로의 행동을 통해 외부로부터 가족을 보호하는 방패역할을 하려고 한다. 가족영웅의 강력한 책임감과 성취욕구는 개인의 성공을 이루는 원동력이 되기도 하지만, 지나친 자기통제와 가족에 대한 책임감 때문에 사회에서 다른 사람들과 관계를 맺을 때 자기 감정을 드러내고 친밀함을 쌓아 나가는 것에 방해가 될 수도 있다. 또한 다른 사람을 신뢰하기 힘들고, 화를 잘 내는 유연성이 없는 사람이 되기 쉽다.

귀염둥이 [−, mascot] 알코올중독이나 약물중독과 같은 역기능적인 가족구성원이 있는 가정에서 아무 걱정이 없고 항상 즐거운 아이처럼 보이는 가족구성원을 귀염둥이라 하며, 알코올중독자 자녀의 특성을 분류하는 하위유형 중 하나다. 귀염둥이의 특성을 보이는 가족구성원은 자기비하적인 행동이나 장난, 유머 등을 통해서 가족 내의 고통이나 긴장감을 다른 곳으로 돌리려고 애를 쓴다. 하지만 자신의 욕구나 감정을 지나치게 통제하고 외면하기 때문에 정서가 불안정하고 심리적으로는 외로움과 불안 등을 느끼기도 한다.

잊힌 아이 [−, lost child] 알코올중독이나 약물중독 환자와 같은 역기능적인 가족구성원이 있는 가정에서 스스로 분리되어 소외됨으로써 가족으로부터 오는 고난과 고통을 감소시키려고 하는 가족구성원을 말한다. 알코올중독자 자녀의 특성을 분류하는 하위유형 중 하나다. 잊힌 아이의 역할을 하고 있는 가족구성원은 가정이나 학교에서 자신의 욕구와 감정을 드러내지 않고, 혼자 가족이나 친구들로부터 소외되어 물리적, 심리적으로 단절된 채 살아간다. 잊힌 아이의 특성은 성인이 되어서도 유지되는 경우가 많으며, 이로 인해 사회생활을 하는 데 많은 어려움이 생기고, 누적된 내적인 분노 때문에 자해나 자살충동의 위험이 발생하기도 한다.

알파 요소
[−要素, alpha element]

감각적 자료가 알파 기능에 의해 변형된 심리적 요소.
정신분석학

Wilfred R. Bion의 정신적 기능 과정에 적용되는 개념 중의 하나로 베타 요소와 대비되는 개념이다. 일반적으로 감각적 자료는 알파 기능에 의해 경험으로 수용되어 적절한 심리적 요소로 변형된다. 알파 요소는 알파 기능의 결과이며, 베타 요소인 감각적이고 정서적인 경험의 영향을 자아가 수용하도록 돕는다. 정신적 변형에 필요한 연결을 만들어 내는 데 사용되는 정신적 자료로서, 꿈, 기억, 정서 등과 같은 정신 기능에 사용할 수 있도록 적당하게 만들어진 중간 형태. 일종의 정신적 신진대사(mental metabolism)를 돕는 데 그 목적이 있다.

관련어 담아주는 자/담기는 자, 베타 요소

암페타민류
[−類, amphetamines]

암페타민 성분을 기초로 하는 마약을 통칭하는 것으로, 인체 내에서 매우 강력한 중추신경 흥분작용을 하여 각성과 흥분을 일으키는 합성화합물질. 중독상담

암페타민은 원래 마황(ephedra)의 활성성분인 에페드린(ephedrine)을 추출하는 과정에서 발견되었다. 이러한 암페타민은 활동성을 증가시키고 기분을 좋게 만드는 기능이 있어서, 1887년 값싼 천식 치료제로 처음 합성된 이래 의학분야에서 비만증, 우울증, 파킨슨병 등을 치료하는 의학목적으로 사용되었다. 하지만 이후에 긍정적인 효과들이 그다지 오래가지 않는다는 것이 발견되었고, 남용을 하면 의존성과 내성, 그리고 우울증 등 금단증상이 발생한다는 것이 보고되었다. 1970년대까지만 해도 암페타민 약물은 시중에서 쉽게 구할 수 있었다. 치료목적 외에도 살을 빼기 위해서, 밤샘 공부를 위해서, 그리고 장거리

를 운전하는 트럭 운전사들이 졸음을 쫓기 위해서 사용하였다. 이때는 의약연구자들이 암페타민이 헤로인을 대체할 수 있으며, 중독성은 없다고 믿었다. 그러나 암페타민과 헤로인을 섞어서 주사하는 스피드(speed)가 유행하면서 남용자가 급속하게 증가하였다. 또한 암페타민류의 내성과 심리적 의존성에 대한 연구결과가 보고되었다. 이에 1970년대에는 암페타민류 약물에 대한 규제가 가해지기 시작하였다. 약물의 인체 내에서의 작용에 따라 분류를 할 때, 마약류는 억제제에 속하지만 암페타민류는 흥분제에 속한다. 암페타민은 천연 추출물이 아니라 화학적으로 합성된 화합물로서, 주로 정제형, 앰플형, 캡슐형, 액제형 등으로 제조된다. 화학적 구조에 따라 디암페타민(D amphetamine), 엘암페타민(L amphetamine), 메스암페타민(methamphetamine)의 세 종류로 나뉜다. 암페타민은 인체 내에서 활동성을 증가시키기 때문에 일시적으로 잠이 오지 않는 맑은 정신상태를 유지시켜 주고, 배고픔과 피곤함도 잊게 해 준다. 하지만 시간이 지날수록 심박수를 증가시켜 가슴이 두근거리고, 혈압이 높아지고, 호흡이 빨라지고, 동공이 확대되고, 입이 마르고, 두통을 일으킨다. 또한 많은 양을 투여하면 위험할 정도로 맥박과 혈압이 증가하기도 한다. 이러한 암페타민류의 각성효과 때문에 '기력제(pep pills)' '잠깨는 약(wake-ups)' '눈꺼풀 받침대(eye openers)' '부조종사(co-pilots)' '트럭 운전수(truck drivers)' '베니(bennies)'라고도 부른다. 이는 모두 암페타민을 복용했을 때 나타나는 현상으로, 약효가 떨어지면 급격한 피로감과 우울함을 느끼게 되어 이에 따른 내성과 의존성도 단기간에 생긴다. 또한 지속적인 과다복용을 하면 간질환, 발기부전, 우울증도 생길 수 있다.

관련어 마약, 메스암페타민, 스피드, 아이스필로폰, 향정신성 약물

압력
[壓力, press]

인간행동에 영향을 미치는 외부환경. 성격심리

머레이(H. A. Murray)는 성격의 체계를 개인적 욕구(needs)와 환경적 영향인 압력(press)의 상호작용을 통해 나타난 행동인 주제(thema)의 개념으로 설명하고 있다. 머레이는 욕구에 따른 동기는 성격이론의 핵심이며, 동기는 항상 유기체 내에서 작동한다고 보았다. 더불어 인간행동에 영향을 미치는 것이 외부환경, 즉 압력이라고 보았다. 머레이는 아동기의 사건들이 욕구발달단계에 영향을 줄 수 있고, 이후의 삶에서 그 욕구가 활성화될 수 있다고 생각했다. 이러한 외부적 영향을 압력이라고 부르는데, 그 이유는 주위의 사건이나 사물은 개인이 특정한 방법으로 행동하도록 압력을 가하거나 재촉하기 때문이다. 머레이에 따르면, 개인이 환경 영향인 압력을 어떻게 지각하는가에 따라 α압력과 β압력으로 구분할 수 있다. 두 압력이 일치하면 심리적으로 건강하고 균형을 이룬 사람이라고 할 수 있으며, 개인의 성격을 이해하기 위해서는 그 사람의 과거, 현재, 미래에 대한 욕구와 압력을 이해하는 것이 중요하다. α압력은 개인이 객관적으로 지각한 환경의 실제적 혹은 객관적 측면을 말하고, β압력은 개인이 주관적으로 지각하고 해석한 환경의 측면을 말한다. 결국 같은 사건이나 상황이라고 해도 개인마다 보고 느끼는 수준에 따라 내용이 달라진다는 것이다.

관련어 욕구, 욕구-압력가설, 주제

애덤스와 글쓰기치료센터
[Center for Journal Therapy and K. Adams]

www.journaltherapy.com 기관

캐슬린 애덤스(Kathleen Adams)는 작가이자, 강사, 심리치료사로서 『Journal to the Self』라는 글쓰

기치료와 관련된 책을 발간한 인물이다. 그녀는 수백, 수천 명의 사람을 치유하고 변화시키고 성장시켜 왔는데, 자기 내면의 변화와 성장을 꿈꾸는 사람이면 누구나 치료·예술적 글쓰기에 참여할 수 있도록 하였다. 글쓰기를 통하여 신체와 정신, 그리고 영혼을 치유하고, 글쓰기의 힘을 교육하면서 단련시킬 목적으로 1988년에 글쓰기치료센터를 설립한 후 2008년부터는 웹사이트를 통하여 치료적 글쓰기연구소(Therapeutic Writing Institute)를 개설하고 현재까지 이어져 오고 있다. 이 센터의 활동으로는 프로그램의 시행, 치료, 학술대회, 병원 및 정신보건센터 세미나, 글쓰기치료의 대중화 등이 있다. 이러한 활발한 활동을 인정받아 전미문학치료학회에서 주는 공로상을 수상하였고, 평화전도사 상 등 많은 상을 받았다.

관련어 | 글쓰기치료

애도
[哀悼, mourning]

상실에 대한 슬픔과 비탄의 표현. 집단상담

집단상담에서 깊은 상실을 경험한 집단구성원에게는 상실경험을 잘 정리하고 그 의미를 생산적으로 재구조화하여 실존적으로 극복할 수 있게 애도작업을 체험하도록 만들어 주는 것이 필요하다. 사별과 같은 형태로 애착의 대상을 상실했을 때는 슬픔에 잠긴다. 이때 애도는 대상의 상실에 따르는 비애와 절망을 극복하는 데 필요한 마음의 작용이다. 프로이트(Freud)의 히스테리성 환자를 대상으로 한 애도 연구에서는, 사랑했던 사람의 사후 즉시 질병과 죽음장면의 재현작업을 시작하여 매일 그 장면을 하나하나 다시 체험하면서 우는 것으로 서서히 위로를 얻었다고 보고하였다. 이는 고통과 추상의 과정을 통하여 지금까지 죽은 사람에게 향하던 리비도를 현실화함으로써 해방되고 인연을 끊는 것

이다. 애도는 사람이나 상실의 정도에 따라 다르며, 애도가 지속되면 병리적 행동으로 이어질 수 있다.

애도 상담
[哀悼相談, grief counseling]

이별에 따른 비탄(슬픔)의 심리과정을 잘 수행하도록 도움을 주는 상담. 기타 가족치료

이별(대상 상실)에는 근친자(배우자, 부모, 자식, 형제)나 친한 사람(연인, 친구 등)과의 생이별(이혼, 실연 등) 또는 사별(死別), 익숙해지고 친숙해진 곳 혹은 일(역할)로부터의 이별(이사, 전학, 이민, 귀국, 진학, 승진, 전근 등)이 있다. 원어 그대로 그리프 상담이라고도 하고, 비애상담이라고도 한다. 애도 상담은 이 같은 이별의 발생 직후부터 급성으로 행하거나, 헤어지고 나서 일 년 이상 지체되어 이루어지기도 한다. 적기가 정해져 있지 않다. 만성적으로 강한 정서반응이나 반사회적인 행동장애, 신체질환, 우울증, 신경증, 정신병 상태 등으로 나타날 때 적용할 수도 있다. 그런데 병리성이 강할 때는 비애상담과 더불어 확실한 인격변화를 촉진하는 심리치료와 의사의 협력이 필요하다. 볼비(J. Bowlby)는 애도의 과정을 4단계로 구분하여 설명하였다. 첫째, 무감각으로 상실한 일을 인정하지 않는 단계, 둘째, 분노, 잃어버린 임무를 사모하여 깊이 구하는 단계, 셋째, 혼란과 절망의 단계, 넷째, 재건의 단계다. 이 같은 이별에 대한 부적응적인 반응은 이별한 사람과 함께 행한 많은 기억이 재생되어 그 사람의 모습에 매달리는 것이기 때문에 애도 상담은 이별한 사람과의 연계나 과거의 면을 자세하게 더듬는 데 에너지를 집중하여 잃어버린 고통을 재경험함으로써 정상적인 비탄의 과정을 거쳐 자율적으로 회복이 일어나도록 돕는 것이다.

애도과정
[哀悼過程, mourning process]

가족과의 사별 때문에 극심한 인격적인 위기와 정서적 충격을 경험한 가족이 사별에 적응해 나가기 위해 경험하는 슬픔의 과정으로, 비탄과정이라고도 함. 정신분석가족치료

애도과정은 남아 있는 가족구성원이 고인과의 유대를 끊고, 고인이 없는 환경에 다시 적응하면서 새로운 관계를 형성해 나가는 과정이다. 애도과정은 사별에 따른 슬픔을 떨치고 일어서서 이상적인 사회생활에 복귀하기까지의 여러 가지 체험과 그 체험으로 인한 여러 가지 깨달음을 모두 포함한다. 프로이트(S. Freud)가 히스테리 환자의 상실체험에서 '상(喪)의 작업'을 이론화한 것에서 애도에 관한 연구가 시작되었으며, 많은 연구자가 사별자의 심리와 정신치료의 문제에 관심을 가져 왔다. 정신분석 가족치료에서 애도과정의 개념은 프로이트의 억압 이론(抑壓理論)을 개인 대신 가족 전체에 적용한 것이라 할 수 있다. 프로이트의 이론에서는 죽음 또는 상실에 대한 비탄(悲歎)이 불충분하기 때문에 증상이 나타나는 경우가 있다고 말하지만, 가족체계 전반에서도 사자(死者)에의 불충분한 애도가 문제를 불러일으키는 경우가 있을 수 있다. 가족에 대한 치료자의 역할은 가족이 부인하고 있는 것을 명확히 하고 그 비탄을 철저하게 맛보며, 거기에서 벗어나도록 도와주는 데 있다. 워덴(Worden)은 애도과정에서 중요한 과제를 다음과 같이 제시하였다. 첫째, 상실의 현실을 받아들인다. 둘째, 비탄의 고통을 받아들인다. 셋째, 죽은 자로부터의 도움이나 우정이 없는 환경에 적응한다. 넷째, 죽은 자를 향해 있는 많은 심적 에너지를 새로운 관계자에게로 돌린다. 정신의학자이자 호스피스 운동의 창시자인 퀴블러로스(Kübler-Ross)는 사별가족의 애도과정을 충격, 분노, 타협(죄책감), 절망(슬픔), 수용의 5단계로 나누고 각 단계에서 가족이 경험하는 가정을 설명하였다. 각 단계를 간략하게 소개하면 다음과 같다. 첫째, 충격의 단계다. 이 단계에서 사별 가족은 충격에 휩싸여 정신이 멍해지고 망연자실한 모습을 보인다. '어떻게 그런 일이 일어났는가?' '그 일을 막을 수 없었을까?' 등 스스로에게 질문을 던짐으로써 고인이 정말 떠나 버렸음을 믿기 시작한다. 이때 자기도 모르는 사이에 치유과정이 시작되고 지금껏 부정해 왔던 모든 감정이 수면 위로 떠오르기 시작한다. 둘째, 분노의 단계다. 이는 죽음을 막을 수 없었던 자신과 예기치 못한 부당한 상황에 화가 남을 의미한다. 분노의 대상에는 친구, 의사, 가족, 고인뿐 아니라 신도 포함되어 있다. 분노 아래에는 소외되고 버림받은 기분이 숨어 있다. 셋째, 타협의 단계다. '만일 그랬더라면…….' 하는 가정 속에서 자신의 잘못을 발견하고 다르게 행동할 수 있었던 부분을 생각해 낸다. 타협은 유가족이 각 단계에 적응할 수 있도록 시간적 여유를 주는 것으로 흐트러져 있는 혼란상태에 질서를 부여한다. 넷째, 절망의 단계다. 타협의 단계가 지나면 관심은 현실로 이동한다. 이때의 절망은 피함으로써가 아닌 슬픔 곁에 앉아서 충분히 이 감정을 느낌으로써 회복할 수 있다. 다섯째, 수용의 단계다. 이상 없음이나 괜찮다는 의미보다 고인이 떠나 버린 현실을 받아들이고 새로운 현실이 영원한 현실임을 인정하는 것이다. 즉, 고인이 떠나 버린 새로운 현실 속에서 살아가는 법을 배우게 된다. 이런 애도의 과정은 순서대로 이루어지는 것은 아니며, 각 단계에 머무는 시간이나 마지막 수용단계에 이르는 시간은 개인별로 다르다고 설명하고 있다.

관련어 애도

애정망상
[愛情妄想, erotic delusion]

유명인, 지위가 높은 사람, 직장의 유능한 상사 등이 자신을 사랑한다고 믿는 망상. 분석심리학

애정망상은 망상의 한 종류로, 주로 양극성 조증

이나 정신분열증에서 나타나는데 다른 사람이 나를 사랑한다고 믿는다. 애정망상의 대상인 '타인'은 환자가 전혀 모르는 사람이거나 혹 알더라도 잠시 스쳐 지나간 사람으로, 대개 환자보다 사회적으로 높은 지위에 있거나 경제적으로 부유하다. 환자가 믿는 사랑의 증거는 여러 가지 비합리적인 병적 체험이다. 지각상의 장애, 즉 아무도 없는데 그 사람이 사랑한다고 말하는 환청을 듣고는 그가 나에게 관심이 있고 나를 주시하며 나를 좋아한다는 느낌을 받거나, 텔레파시로 나에게 신호를 보낸다는 등의 표현을 한다. 애정망상을 겪는 환자는 자신의 비밀 숭배자가 신호, 텔레파시, 미디어를 통해 메시지를 보냄으로써 자신에게 고백할 것이라고 믿는다. 대개 환자는 편지, 전화, 선물, 혹은 실수로 방문을 하는 경우에도 의미를 부여한다. 일반적으로 관계발전을 기대하지 않고, 망상의 내용은 '그와 나만의 비밀'에 부치는 경우가 흔하다. 융(C. G. Jung)은 환자가 체험하는 사랑의 대상은 모두 초인적 능력이나 절대적인 영향력을 지닌 불가사의한 실체, 나의 몸과 마음을 조종하는 자, 신비하고 강력한 존재라는 특징을 가지고 있기 때문에 대상이 일반 여성상이나 남성상이 아닌 신화적인 상, 즉 아니마, 아니무스의 원형상이라고 언급하였다. 애정망상은 대개 관계망상과 같은 다른 망상유형이 동시에 나타날 수 있다. 애정망상을 강박적 사랑과 혼동해서는 안 된다.

관련어 | 관계망상

애착 씨 뿌리기
[愛着 −, seeding attachment]

정서중심부부치료에서 내담자 부부의 제2기에서의 변화를 위한 계기를 만들 목적으로 사용하는 특별한 유형의 추측. 정서중심부부치료

정서중심부부치료에서 부부의 변화를 위한 제2기에서는 부부간의 부정적인 상호작용이 재조직되는 과정인데, 이러한 변화의 계기를 만들기 위해 애착 씨 뿌리기라는 특별한 유형의 추측적 개입이 사용된다. 이는 부부의 정서적 개입을 인정하고 강조하는 방법으로 이루어지는 것으로서, 치료자는 두려움 때문에 막혀 있던 부부의 애착욕구나 열망을 집중적으로 언급함으로써 내담자의 두려움을 확대시키고 경직된 상호작용 패턴 속에 숨어 있던 부부의 애착욕구를 바라볼 수 있도록 도와준다. 애착 씨 뿌리기를 통하여 부부는 더욱 안정적으로 연결되고 결합되는 변화 가능성을 싹틔운다. 이 기법은 치료 과정의 후반부에 사용되며 항상 "그래서 당신은 결코 ……할 수 없었군요."라는 말로 시작한다. 그러면서 배우자에게 더 다가가고 싶었으나 그렇게 하지 못하게 하는 두려움을 언급하는 것이다.

관련어 | 공감적 추측, 비춰주기, 정서중심부부치료

애착손상
[愛着損傷, attachment damage]

부부관계 속에서의 다양한 상호작용에서 입은 정서적 상처 혹은 외상. 정서중심부부치료

정서중심부부치료에서는 부부가 서로와의 관계 속에서 애착 관련 정서적 욕구를 충족하려 한다고 보는데, 이러한 애착욕구가 좌절되었을 때 입는 상처와 손상을 애착손상이라고 하는 것이다. 이는 부부갈등 때문에 불화가 심화되는 원인이 된다. 예를 들어, 배우자로부터 정서적 관계의 안정을 찾고자 유대감을 원하지만 상대 배우자의 무관심 때문에 이러한 욕구가 좌절되면 애착손상이 생긴다. 그리고 애착손상은 부부관계에서 문제상황이 발생했을 때 부정적인 반응을 유발하여 갈등을 일으킨다. 따라서 부부관계에서 안정적인 애착유대감은 적극적이고 애정 어린, 그리고 상호적인 관계를 만들어 주며 이와 같은 안정적인 관계에서 배우자는 서로 친밀감과 위안, 안정감을 얻는다. 이러한 부부 유대감

은 상호 간의 깊이 있게 뿌리 내린 심리적·생리적 상호의존성에 기반을 두고 있으며 심리적 안녕감에 긍정적인 영향을 준다. 따라서 애착대상과의 유대감과 상호의존성의 욕구로 유대감에 손상을 주는 행위는 애착관계에 치명적인 영향을 미친다. 즉, 관계에서 불안감이 증가하고 정서적인 교류가 제한을 받는다. 애착손상은 다음과 같은 경우에 발생할 수 있다. 인공유산과 자녀의 출산, 생명에 위협이 되는 질병, 배우자의 외도, 부모의 사망, 배우자의 신체적·언어적 폭력, 데이트 강간 등이다. 애착손상을 경험한 부부는 다음과 같은 특징을 보인다. 첫째, 부정적 고리와 부정적 정서의 몰입상태가 복잡하고 강하다. 둘째, 불신이 강하고 외상 생존자와의 동맹이 쉽게 깨진다. 셋째, 정서적 위기감이 자주 나타나고 재발이 잦다. 넷째, 폭력, 약물남용, 자해의 가능성이 높다. 다섯째, PTSD의 핵심 감정이 수치심임을 알아야 한다. 이 감정으로 외상 생존자는 자신이 관심을 받고 있지 못하다는 생각을 하기 쉽고 자신이 피해자가 되었다는 것을 스스로 비난하기도 한다. 여섯째, 우울증, 신체화장애, 부정적 반응을 동반할 수 있다.

인해 자신이 받은 영향과 애착적인 의미를 표현한다. 한편 상처를 입힌 배우자는 상처 입은 배우자의 고통스러운 감정표현을 듣고 애착손상 사건의 애착적 의미를 이해하기 시작한다. 세 번째는 재개입 단계로, 상처를 받은 배우자는 애착손상에 대해 통합적이면서 명확하게 설명을 시작하고 애착적 유대감의 특별한 상실에 관하여 고통스러운 감정과 두려움을 표현함으로써 자신의 약한 모습을 지켜보도록 한다. 이것을 지켜본 상처를 입힌 배우자는 점점 더 정서적으로 개입하고, 자신의 책임을 인정하면서 공감, 후회, 유감을 표현한다. 마지막은 용서와 화해 단계로, 상처를 받은 배우자는 애착손상 시에는 배우자로부터 받을 수 없었던 위안과 관심을 보여 달라는 요구를 하게 된다. 상처를 입힌 배우자는 상처 입은 배우자에게 배려하는 태도로 반응하고, 이는 외상적 경험을 치유하는 해독제가 된다.

관련어 | 애착손상

애착유형
[愛着類型, attachment type]

정서중심부부치료의 이론적 배경이 되는 애착이론을 중심으로 나눈 부부관계의 유형. 정서중심부부치료

정서중심부부치료에서는 부부관계 속에서 안정된 애착과 긍정적인 정서적 관계를 방해하는 요소를 파악하는 것이 중요하다. 이를 위해 치료자는 부부의 과거 애착경험과 현재 부부관계에서의 상호작용을 명확하게 함으로써 부부의 애착유형을 평가한다. 이에 따른 네 가지 애착유형은 다음과 같다. 첫째는 안정 애착유형이다. 이 유형의 부부는 긍정적이고 부정적인 정서를 쉽게 표현하고 배우자를 믿어 주면서 긍정적으로 생각한다. 또한 힘들 때 배우자를 통하여 위로받고자 하며 배우자가 요구할 때 위로하고 지지해 준다. 둘째는 회피 애착유형이다. 이 유형의 부부는 배우자에게 관심을 요구하지 않

애착손상해결모델
[愛着損傷解決 –, attachment damage solution model]

정서중심부부치료에서 배우자의 외도로 손상된 애착을 해결하기 위해 제시되는 치료적 단계. 정서중심부부치료

첫 번째는 애착손상 지표를 보이는 단계로, 상처 입은 배우자는 배우자의 외도 때문에 깨어진 신뢰관계를 매우 감정적으로 격하게 표현한다. 반면 상처를 준 배우자는 그 사건과 관련된 배우자의 고통을 무시, 부인, 축소하려고 하며 방어적인 입장을 취한다. 두 번째는 감정의 분화단계로, 상처를 입은 배우자는 여전히 애착손상을 겪으면서 그 사건으로

으며 배우자가 불안해하거나 요구를 해 올 때 지지하기 힘들어한다. 자신에 대한 위협과 상처를 최소화하고자 하며 정서는 제한적으로 표현하고 일과 다른 활동에 더 많이 집중한다. 셋째는 불안 애착유형이다. 이 유형의 부부는 배우자로부터 강력한 지지와 관심을 받으려고 하고 자신에 대한 위협과 상처를 과장한다. 배우자의 행동을 위협적으로 해석하면서 경계심을 늦추지 못한다. 배우자에게 함께 해 줄 것과 관심을 가져 달라고 요구한다. 넷째는 공포회피 애착유형이다. 이 유형의 부부는 친밀감의 거부에 대한 두려움을 보이면서도 정서적·신체적 접근이 어렵다. 정서적 반응을 하지 못하고 자신을 개방하기를 꺼린다. 배우자가 자신을 배려한다는 것을 믿지 못하며 배우자에게 자신을 지지해 줄 것을 요구하기가 어렵고 지지를 받으면 위축된다. 수동적인 태도가 많고 사랑하는 사람에게 난폭한 행동을 보일 때가 많다.

애착의식
[愛着儀式, attachment ceremony]

정서중심부부치료에서 치료를 종결할 때 부부의 정서적 유대감을 유지하는 데 도움을 주기 위해 행하는 의식.
`정서중심부부치료`

정서중심부부치료자는 치료과정이 마무리되고 종결을 맞이할 시기에 부부로 하여금 새롭게 형성된 유대감을 상징하고 지속적인 관계안정을 강화하기 위해 내담자 부부와 함께 다양한 의식을 개발한다. 부부는 치료과정이 끝난 후에도 일상생활 속에서 이와 같은 의식적(ritual)인 행동을 통하여 지속적으로 안정적 유대감을 기억하고, 새롭게 안정된 관계 속에서의 정서적 경험을 강화하게 된다. 애착의식에는 부부에게 서로 의미 있는 것을 주기적으로 반복하는 '동반활동'이 포함되며, 이러한 의식은 단순할수록 좋고 매일 하는 것도 있으며 1년에 한 번 하는 활동을 계획할 수도 있다. 의식의 종류에는 헤어지고 만날 때 키스하고 포옹하기, 편지 쓰고 메모 남기기, 기도나 종교행사에 참석하고 신앙에 대한 나눔과 같은 종교적 의식에 참여하기, 함께 독서하기, 아침에 침실에서 간단한 대화 나누기와 신체 접촉하기, 저녁에 정기적으로 데이트하기, 함께 공부하거나 새로운 기술 익히기, 도움을 청할 수 있는 사람을 만들기 등이 있다.

애착이론
[愛着理論, attachment theory]

영유아가 양육자와 정서적 유대를 발달시켜 가는 과정을 설명하는 이론. `가족치료 일반` `성격심리`

볼비(J. Bowlby)는 영아와 어머니의 정서유대를 설명하는 애착이론을 제시하였다. 애착이란 개인의 애착상태와 질(質)을 포괄하는 용어이고, 애착행동은 특정한 변별이 일어나 좋아하는 인물에게 접근하거나 접근을 유지하려고 하는 일련의 행동양식을 말한다. 애착행동은 애착대상으로부터의 분리 혹은 분리의 위험성에 따라 유발된다. 이러한 애착과 애착행동은 애착행동체계의 기반이 된다. 애착행동체계는 자신과 주요 타인, 그리고 상호관계를 표상화한 것이고 개인이 보는 청사진 혹은 모델을 의미한다. 크레이크(K. H. Craik)나 벡(A. T. Beck) 등의 인지심리학에 영향을 받은 볼비는 내적 작업모델(internal working model)을 창안하였다. 즉, 고등동물은 환경을 효과적으로 예측하고 통제하기 위해 뇌 속에 외부세계에 대한 인지도 혹은 모델을 갖는다는 것이다. 특히 인간은 두 가지 종류의 모델을 갖는다고 주장하였다. 첫째는 외부세계를 자신에게 알게 하는 환경적 모델이고, 둘째는 외부세계와의 관계에서 자기 자신의 것을 스스로 알게 하는 유기적 모델이다. 이 같은 모델을 통하여 인간은 자기, 타인, 자신과 타인의 상호관계에 관한 지도를 갖게 된다. 이는 인지적인 것이지만 감정 측면에도 적용할 수 있다. 인지도는 경험을 통하여 형성되고, 불쾌한 감정을 감지해야 하는 경우에 영향을 미친다. 예를 들면, 불안정 애착을 보이는 아동은 다른 사람이 잠재적으로 위험하다는 모델을 가지고 있을 가능성이 크다. 이로 인해 아동은 필요 이상으로 경계심을 갖고 다른 사람과 접촉할 수 있다. 여기서 양육자와 아동의 관계는 내적 작업 모델을 기초로 일반화되며, 외부세계는 왜곡되고 일관성이 결핍된 모습으로 묘사된다. 볼비는 이러한 왜곡된 묘사가 전이의 기본이 된다고 생각하였다. 이러한 점에서 왜곡이 적고 보다 현실에 맞는 내적 작업모델을 발달시키도록 내담자를 돕는 것이 치료목적이라고 주장하였다. 정신분석이론에서 파생한 개념이지만, 실제는 벡의 인지치료에 가깝다고 할 수 있다. 임상가로서의 볼비는 타비스톡클리닉(Tavistock Clinic)에서 비온(Bion)의 집단치료 관점에 기반을 두고 가족치료에 포함되는 과정을 개인치료로 개념화하였다. 이처럼 볼비는 가족을 함께 면접하는 방법을 도입한 점에서 좋은 평가를 받았고, 가족치료와 체제치료를 창안한 한 사람으로 간주되고 있다.

앤터뷰스
[-, Antabus]

알코올중독치료제의 상표. `중독상담`

앤터뷰스는 술을 싫어하게 만듦으로써 알코올 섭취를 차단하는 약물의 상표다. 이 약물은 음주자의 혈류 속으로 들어가 알코올과 반응하여 구역질을 일으킨다. 알코올중독에 대한 혐오치료의 방법으로 사용되며, 특히 알코올중독자가 회복단계에서 음주를 하지 못하도록 방지하는 회복 프로그램에서 널리 사용된다.

관련어 | 알코올 남용, 알코올 의존, 알코올중독

앨버트엘리스연구소
[-研究所, Albert Ellis Institute: AEI]

1959년 엘리스(Ellis)가 뉴욕에 설립한 비영리연구소.
`합리정서행동치료`

앨버트엘리스연구소(www.rebt.org)는 출판, 연구, 상담 및 치료를 수행하고, 정신건강전문가와 자조집단 등에 합리정서행동치료(REBT)에 기반을 둔 다양한 프로그램을 제공하고 있다.

관련어 | 합리정서행동치료

앵커
[-, anchor]

특정 반응을 불러내는 모든 자극. `최면치료` `NLP`

NLP 치료와 최면치료에서 사용하는 개념으로, 행동주의 심리학의 자극-반응(stimulus-response) 이론에서 말하는 자극에 해당하는 것이기도 하다. 즉, 파블로프(Pavlov)가 했던 종소리를 듣고 침을 흘리는 개의 조건반응실험에서 종소리에 해당한다. 닻을 내림으로써 배가 안전하게 정박할 수 있듯이, 앵커는 사람이 특정 상태에 고착되고 부착되도록 하는 감각적 수단이다. 앵커가 하나의 조건형성과 같이 실제 행동과 연결되는 것을 앵커링(anchoring)이라고 한다. 앵커링을 통하여 내담자에게 자원을 적절히 사용하도록 하는 것은 내담자의 행동을 변화시키는 효과적인 방법이다. 앵커는 어떤 말이나 구절, 어떤 접촉이나 대상물, 어떤 냄새나 노래 등 무엇이라도 가능하다. 시각적·청각적·미각적·신체 감각적·후각적 앵커가 모두 가능한 것이다. 앵커에는 감각양식에 따라 시각적 앵커, 청각적 앵커, 신체 감각적 앵커 등이 있으며, 성질에 따라 긍정적인 기분이나 느낌을 유발하는 긍정적 앵커와 그 반대에 해당하는 부정적 앵커가 있다. 그리고 긍정적 자원을 불러일으킨 자원앵커(resource anchor), 누적앵커(stacking anchor), 붕괴앵커(collapsing anchor), 연쇄앵커(chaining anchor)도 있다. 한편, 앵커충돌(anchor collapse)은 NLP 전략의 하나로서 상충하는 앵커를 충돌시켜 제3의 새로운, 더 바람직한 앵커링을 하는 방법도 있다. 이는 두 가지 마음상태가 동시에 압력을 가해 올 때는 조절과 충돌이 일어나 두 가지 상태가 통합되면서 제3의 새로운 상태가 형성된다는 이론을 근거로 한다. 예를 들어, 자신감, 용기, 창의성 등의 자원이 되는 상태와 불안, 부적응, 주의결함, 과잉행동, 충동성, 의기소침함 등의 비자원적인 상태의 앵커를 충돌시키면 얼마 동안의 혼란이 있은 다음 비자원 상태가 변화하여 새롭고 다른 상태가 나타난다.

관련어 | NLP, 닻, 앵커링, 최면

앵커링
[– , anchoring]

앵커를 적용하여 특정한 반응을 유발하는 것으로서 닻 내리기라고도 함. 최면치료 NLP

특정 반응을 불러일으키기 위하여 특정 자극을 적용하는 것으로서, 자극을 반응과 연결하는 것이기도 하다. 이는 행동주의 심리학에서 말하는 조건형성의 개념에 해당한다. 인간의 모든 행동은 앵커링의 결과라고도 할 수 있을 정도로 앵커링의 개념은 인간생활과 밀접하게 관련되어 있다. 앵커링은 자연발생적으로 이루어질 수도 있지만 인위적·의도적으로 이루어지기도 한다. 예를 들어, 신생아가 엄마의 얼굴을 알아보고 웃는 것이나 엄마의 목소리를 알아듣고 웃는 것, 신호등의 빨간불을 보고 가던 길을 멈추는 것, 뉴스시간에 맞추어 텔레비전 채널을 돌리는 것 등 이 모든 것이 앵커링의 결과라고 할 수 있다. 이 같은 예는 모두 자연적 앵커링에 해당한다. 이와 달리 교육 혹은 치료 차원에서 의도적으로 앵커링을 설정할 수도 있다. 일반적으로 NLP에서 앵커링을 활용할 때는 긍정적 차원에서 긍정적인 정서반응이나 행동을 유발하기 위해 의도적으로 사용하는 경우가 대부분이다. 넓은 의미에서 치료나 변화의 목적으로 사용하는 앵커링에는 용도에 따라 자원앵커링(resource anchoring), 누적앵커링(stacking anchoring), 붕괴앵커링(collapsing anchoring), 연쇄앵커링(chaining anchoring) 등이 포함될 수 있다. 자원앵커링은 자원상태를 앵커링하는 것이다. 즉, 행복, 자신감, 유능감, 즐거움, 용기와 같은 심리와 생리 상태를 이끌어 내기 위하여 이루어지는 앵커링을 말한다. 누적앵커링은 앵커링에서 비슷한 성격의 여러 가지 앵커를 누적하여 하나의 형태로 설정하는 것이다. 특히 신체의 특정한 지점에 비슷한 성격의 여러 가지 자원상태를 설정하는 것이 보통이다. 예를 들어, 손등 위에 특정한 점이 있다면 그 자리에, 특정 손가락 위의 마디에, 또는 손목의 특정 부위에 여러 차례 앵커를 설정하면 좋은 누적앵커링이 될 것이다. 붕괴앵커링은 부정적 정서를 제거하기 위한 것이다. 붕괴앵커링을 위해서는 일단 부정적 정서에 대한 앵커링 설정 작업이 필요하고, 긍정적 앵커링이나 자원앵커링도 설정해야 한다. 일단 두 가지 앵커링 작업이 완료되면, 자원앵커링을 붕괴시키고자 하는 부정적 정서에 대한 앵커링과 동시에 발사한다. 그리고 부정적 앵커링을 먼저 해체한 다음 약 5초 동안 자원앵커링 상태를 유지한다. 그리고 나서 자원앵커링을 해체하면 붕괴앵커링 과정이 완료된다. 연쇄앵커링은 부정적 정서를 해소하기 위한 것이다. 여러 가지 앵커링을 연쇄적으로 설정하고 활용하는 앵커링의 특수한 유형이라고 할 수 있는데, 특히 전략(strategy)을 설정할 때 유용하다.

관련어 | NLP, 닻 내리기, 앵커, 최면

야바
[–, yaba]

타이어로 '미친 약'이라는 뜻을 가진 암페타민계 합성마약.
`중독상담`

야바는 메스암페타민과 카페인, 코데인 등 각종 환각성분이 혼합되어 있고, 복용할 때 거부감을 없애기 위해 당분도 함유되어 있다. 원래 세계 최대의 마약조직인 쿤사조직이 개발한 것인데 쿤사조직이 와해된 이후에는 황금의 삼각지대의 새로운 지배자 와(wa) 족이 생산하여 밀수출하고 있다. 야바는 각종 환각물질의 복합작용으로 각 약물을 단독으로 복용했을 때보다 훨씬 더 강력한 효과를 나타내며, 한 번 복용하면 뇌에 도파민을 과도하게 생성하여 격한 흥분을 느끼게 하기 때문에 3~4일간 잠을 자지 않으면서 공격적 성향, 피해망상 등 심각한 정신장애를 일으킨다. 약을 복용하면 말처럼 힘이 솟고, 성 기능이 향상되는 듯한 느낌을 준다고 해서 '말약(horse medicine)'이라고 부르기도 한다. 야바는 이렇게 호전적인 기분을 유발하는 특징 때문에 과격한 폭력행위와 연결될 위험이 높다. 야바의 형태는 정제나 캡슐로 되어 있고, 일반 약품처럼 상품명까지 부착하면 공항 등에서 적발하는 것이 쉽지만은 않다. 가격도 상당히 저렴하여 정제나 캡슐 한 알(0.2g)에 태국 돈으로 100~120바트(3~5천 원 상당)이고, 정제나 캡슐 하나를 4등분해서 복용하기 때문에 1회 복용비용이 800~1,250원에 불과하다. 10~15만 원 정도의 히로뽕(0.03g)보다 훨씬 저렴하다는 장점 때문에 대중화의 위험성이 커지고 있다. 국내에서는 2000년 이후부터 정제나 캡슐을 이용한 간편한 복용방법, 저렴한 가격 등의 이유로 남용자가 점차 적발되고 있는 추세다.

`관련어` | 메스암페타민, 중추신경 흥분제

야비스
[–, YAVIS]

상담과정에서 상담자가 좋아하는 내담자의 특성. `개인상담`

야비스는 상담자가 이상적으로 여기는 내담자의 다섯 가지 특성으로서, 각 특성의 머리글자로 구성된 용어다. 즉, YAVIS는 젊고(young) 매력적이며(attractive) 달변이고(verbal) 지적이며(intelligent) 성공한(successful) 사람을 뜻한다. 이 용어를 처음으로 제시한 사람은 스코필드(Schofield, 1964)인데, 그는 상담자가 이러한 인물에 관심을 나타내는 경향이 있다고 하면서 비판의 목적으로 사용하였다. 이는 상담자가 흔히 생활이 곤란한 사람이나 심신의 중증장애자보다 YAVIS 내담자에게 훨씬 더 많은 시간과 에너지를 쏟는 경향이 있음을 비판한 것이다.

야외에서 글쓰기
[野外 –, writing in outdoors]

막힌 공간을 벗어나 자유로운 분위기에서 글을 쓰는 방법. `문학치료(글쓰기치료)`

야외에서 글쓰기는 글쓰기치료에서 좀 더 자유로운 분위기 속에서 글쓰기의 부담을 줄이고 저항을 약화시키기 위한 방법의 일환으로, 운동장이나 병원 안마당과 같이 막힌 건물에서 벗어난 자연친화적 환경을 제공하여 글을 쓰도록 하는 것이다. 시간적 여유가 주어지고 안전한 환경이 보장될 경우, 잠시 산책을 하는 것도 포함할 수 있다. 이 과정에서는 건물 내에서 늘 보던 환경이지만 실내를 벗어나 새로운 시각으로 전혀 다른 영감이 일어날 수도 있고, 열린 환경으로 마음의 평정심을 찾을 수도 있다. 실내를 벗어나서 좀 더 자유로운 글쓰기 환경을 제공하고, 새로운 시야를 확보할 수 있게 하는 것이다. 이 방법을 시행할 때는 일정 시간 산책을 하거나 무언가를 자세히 관찰한 뒤에 필기도구를 주고 참여자에게 글을 써 보도록 한다. 그 자리에서 그 순간에 보고 듣고 느낀 것을 기록하는 시간을 갖는다. 각자 쓴 것을 물어보고(치료사도 함께 쓰고 말해 보기도 한다) 서로 나눈다. 가장 이상적인 것은 참여자들이 자기가 가진 모든 감각으로 표현해 보도록 하는 것이다. 하나의 단어나 구 혹은 완성된 문장, 어떤 형식으로든 써 본다. 야외에서 단편적으로 기록한 것들이 하나의 이야깃거리를 만들고, 깊숙이 간직된 기억들을 환기시킬 뿐만 아니라, 갇힌 환경에서는 드러나지 않았던 표현이나 관점이 나타날 수 있다.

관련어 | 글쓰기치료

약물중독
[藥物中毒, drug addiction]

약물의 과도한 사용의 결과로 뇌에 화학적 변화가 생기고 약물을 사용하려는 강한 욕망을 멈출 수 없는 상태. **중독상담**

약물남용 및 중독(drug abuse and addiction)이라고도 부른다. 보통 약물중독자는 그 약물에 관한 통제할 수 없는 강박적 갈망을 갖는다. 이들은 보통 그 약물의 사용으로 인해 극도로 부정적인 결과를 체험함에도 불구하고 지속적으로 그 약물을 사용하고자 한다. 그 약물을 계속적으로 사용할 경우 뇌의 보상체계가 바뀌는 뇌의 화학적 변화를 가져오게 된다. 중독은 다른 만성적 질병처럼 재발이 잦아짐에도 불구하고 치료를 기피하게 되고, 치료에 들어와도 자주 실패하게 되는 만성적 질병이다. 심지어 오랜 기간 약물을 중단한 다음에도 쉽게 재발하게 되는 경향이 있다. 약물중독의 요인이기도 하고 결과이기도 한 것으로, 우울, 주의력결핍, 외상 후 스트레스 장애(PTSD) 등이 동반되기 쉽다. 이들은 흔히 혼란스러운 생활양식과 낮은 자존감의 특징을 보인다. 중독에 이르는 약물사용은 실험적 사용-주기적 사용-문제가 되는 혹은 위험한 사용-중독의

단계를 거친다. 약물중독이 되면 혼란(confusion), 기능을 해치는 데도 불구하고 약물을 지속적으로 사용함, 폭력적 행동, 약물사용을 지적당할 때의 적의(hostility), 약물사용에 대한 통제 결여, 학업이나 직업생활을 포함한 기능 손상, 기능하기 위해 정기적으로 약물을 사용하고자 하는 욕구, 제대로 먹지 않음, 신체적 외모를 돌보지 않음, 약물사용을 위해 여타의 사회활동에는 참여하려 하지 않음, 약물사용을 숨기는 행동 등을 보이게 된다. 약물중독 검사로는 약물테스트, 혈액이나 소변검사 등을 실시하게 된다. 약물중독자는 자신이 중독되었다는 사실을 부정하는 것이 일반적이며, 이러한 상태에서 치료는 불가능하기 때문에 약물중독의 치료는 중독 사실에 대한 인정에서 출발한다. 이를 위해 상담자는 직면보다는 존중과 공감의 태도를 가질 필요가 있다. 다음으로는 약물을 사용하지 않는 상태를 유지하면서 신체적, 정서적 증상들을 주의 깊게 다루어야 한다. 응급상황에 대비해 병원과의 연계가 필요하며 환경의 지지도 중요하다. 금단증상에 주의하면서 천천히 주의 깊게 다룰 필요가 있다. 성공적으로 약물을 중단하게 되면 재활상담의 단계가 된다. 이때는 재발을 방지하기 위한 주의 깊은 모니터링이 필요하며, 중독자가 재발이 되기 쉬운 상황과 그때의 대응방법을 효과적으로 학습할 수 있도록 도와야 한다. 이를 위해 자조집단으로 연결하는 것이 도움이 된다.

약물중독자 자조집단
[藥物中毒者自助集團, narcotics anonymous: NA]

물질남용의 문제를 효과적으로 조절하기 위해 서로 의견을 나누며 함께 노력하려는 사람들의 모임. **이상심리**

이 집단활동은 알코올중독자 자조집단(AA)의 12단계와 12전통 프로그램을 도입하여 사용하고 있

다. 기분을 변화시키기 위해 물질이나 약물을 사용했던 과거력을 지니고 있으며 나이, 성별, 직업, 학력, 종교 등에 상관없이 참여할 수 있다. 우리나라에서는 1990년대 말부터 모임을 가졌고, 2004년 6월에 공식적으로 창립하였다. 회복 중에 있는 약물중독자 모임이며 정기적 만남을 통하여 약물을 끊기위한 노력을 유지할 수 있도록 도움을 준다. 정치, 종교, 법, 과학, 의학적 기관이나 조직과 관련이 없으며 가입비, 사례금, 서약 등이 없고 오로지 약물을 중단하고 건강한 삶으로 회복하는 것을 강조하는 활동이다.

관련어 | AA의 12단계, AA의 12전통, 알코올중독자 자조집단, 자조집단

약물치료
[藥物治療, pharmacotherapy]

정서장애 및 행동장애를 가진 아동에게 문제행동의 경감 및 개선을 목표로 약물을 투여하는 치료. 특수아상담

다른 장애 영역에 비해 주의력결핍 및 과잉행동장애(ADHD) 아동에 대한 약물치료 연구가 활발하게 수행되고 있다. 흔히 ADHD를 가진 아동에게는 중추신경계 각성제의 일종인 리탈린(메틸페니데이트)이 효과적이라고 알려져 있으며, 이러한 각성제 처방이 단기간에 행동적, 학업적, 사회적 기능을 향상시켰다고 많은 연구에서 지속적으로 밝히고 있다. 실험연구 문헌에 따르면, ADHD 아동의 약 70~80%가 한 가지 또는 그 이상의 약물복용에 양성반응을 보이는 것으로 알려져 있으며, 구체적으로는 행동조절과 주의집중, 인지와 학업수행, 그리고 사회적 관계 문제 등에서 긍정적인 효과를 가져오는 것으로 드러났다. 실제로 ADHD 아동에게는 약물치료가 주요 치료방법이며 미국에서는 약 150만 명의 아이들이 약물치료를 받고 있을 뿐만 아니라 지난 20년간 꾸준히 증가해 왔다. 그러나 약물치료의 문제점

(예, 식욕감소, 불면증, 불안, 흥분 등의 부작용 가능성, 장기적인 효과에 대한 불충분한 증거 등)이 제기되면서 ADHD 아동에 대한 중다 처치적인 접근에 관한 논의가 활발해지는 계기가 되었다. 즉, 행동수정과 같은 다양한 방법과 병행할 때 문제행동의 개선에 더욱 효과적이라는 것이다. 실제 연구에 따르면, 약물과 행동치료를 병행하여 중재를 받은 아동은 약물치료만 받은 집단보다 낮은 양의 약물을 복용하였고, 병행한 중재를 받은 아동의 68%가 중재의 성공을 보였다. 이처럼 행동수정과 약물치료의 병행은 임상적으로 유의한 변화를 가져왔으며, 동시에 각각의 처치가 지닌 한계를 최소화할 수 있다. 또한 약물치료는 부모의 교육, 인식 또는 행동의 전환과 그 밖의 심리적 중재가 함께 이루어질 때 그 효과가 높아질 수 있다. 게다가 학교에서 교사는 ADHD 아동의 각성제로 인한 변화를 체계적으로 측정하여 처방의에게 결과자료를 제공하는 중요한 역할을 할 수 있을 것이다.

관련어 | 정서 · 행동장애

약시
[弱視, amblyopia]

시력이 남아 있지만 보조공학 기기 등의 지원을 받아야 하는 경우로, 의학적으로는 뇌와 눈의 협조관계가 제대로 이루어지지 않아 한쪽 눈의 시력이 감소되는 것. 특수아상담

겉으로는 정상으로 보이지만 뇌에서 한쪽 눈만 선호하여, 초기에 치료하지 않으면 성인이 되어서도 지속된다. 특수교육 대상자로서의 시각장애 선정기준은 "시각계의 손상이 심하여 시각기능을 전혀 사용하지 못하거나 보조공학 기기의 지원을 받아야 시각적 과제를 수행할 수 있는 사람으로서, 시각에 의한 학습이 곤란하여 특정 광학기구 · 학습매체 등을 가지고 학습하거나 촉각 또는 청각을 학습의 주요 수단으로 사용하는 사람"이다. 여기서 후자

의 경우가 약시에 해당한다. 시각장애의 원인은 매우 다양한데 가장 흔한 것은 근시, 원시 등의 굴절이상으로 알려져 있다. 이러한 굴절이상 외에 심각한 시각장애를 야기하는 원인으로는 백색증, 사시, 무홍채, 무안구증, 백내장, 색약 또는 색맹, 황반변성, 시신경 위축, 망막박리 등이 있다. 약시와 같은 시각장애를 지닌 학생의 경우 시각적 문제의 영향 정도는 학생의 전체적인 기능수준, 장애 발생연령, 시력상실의 유형, 장애 정도 등에 따라 다르지만 대체로 신체 및 운동능력, 사회·정서적 발달 측면에서 어려움을 야기한다. 특히 어린 나이에 시력이 손실되었다면 주변환경 사물에 대한 탐구적인 관심 정도가 미약해져 배우고 경험하는 기회를 놓칠 수 있으며, 이는 능동적인 학습뿐 아니라 사회적 행동이나 비언어적 단서를 이해하는 데 걸림돌이 될 수 있다. 신체 및 운동능력 발달의 지체를 보완하기 위하여 보행훈련이 필요하며, 여기에는 지팡이를 사용한 촉타법과 대각선법, 실내에서는 따라가기(trailing) 방법을 훈련한다. 또한 약시학생의 경우 오히려 전맹학생보다도 부정적인 자아개념을 갖는 경향이 있다고 밝혀져 이들에게는 아동 및 청소년기에 현실적이면서도 긍정적인 자아개념을 발달시켜 주는 것이 필요하다. 일반적으로 시각장애 학생의 교수-학습 활동에서는 학습효과를 높이기 위해 실제 경험을 통한 추상적 개념학습을 충분히 하도록 하여 개념의 통합을 높이는 방법을 사용하는데, 이를 위해 다양한 교재나 교구를 활용한다. 특히 약시학생들은 잔존시력이 있기 때문에 일반 활자(묵자)를 활용하는데, 이를 확대하여 제시해 주거나 광학도구를 이용하여 습득할 수 있도록 한다. 이들의 잔존시력을 보다 효율적으로 사용하는 데는 시각적 보조도구를 활용하는 방법이 있는데, 확대경, 망원경, 폐쇄회로 TV(CCTV) 등의 광학적 기구나 큰 활자로 기록된 책과 같은 비광학적 기구, 그리고 화면확대 프로그램과 같은 보조도구 등이 있다.

양가감정
[兩價感情, ambivalence]

논리적으로 서로 어긋나는 표상의 결합에서 오는 혼란스러운 감정이나 태도가 함께 존재하고 상반된 목표를 향해 동시에 충동이 일어나는 상태. 인지치료

양가감정은 상실감, 슬픔, 혐오 등의 감정이 희망과 기쁨, 연민 등의 감정과 함께 섞여 있는 상태로서, 1910년 스위스의 정신의학자 블로일러(E. Bleuler)가 소개한 개념이다. 특정 사물이나 사람에 대해 두 가지 상반되는 유형의 행동, 의견, 감정 사이에서 동요하는 경향성으로 상반된 감정이나 태도가 동시에 존재하고, 두 가지 상반되는 목표를 향해 동시에 충동이 일어나는 상태를 말한다. 이 개념은 1913년 프로이트(S. Freud)가 사용하면서 널리 알려졌는데, 그는 양가감정을 '오이디푸스콤플렉스에 각인되어 있는 상반되는 선천적인 갈등'으로 가정하였다. 이와는 반대로 자아심리학(self psychology)에서는 양가감정을 생물학적으로 결정되어 있는 갈등으로 이해하기보다는 1~2세 유아의 바람과 부모의 양가감정 사이에서의 관계갈등으로 소개하였다. 상반되는 태도는 한 가지 감정에 대한 태도가 표면화되는 경우 다른 태도는 억압된 상태로 존재하게 되어 불안감 혹은 죄책감을 일으키는 경향이 있다. 양가감정은 흔히 사랑과 미움이 얽혀 있는 경우에 나타나는데, 사랑과 미움의 갈등이 심하여 용납할 수 없는 미움을 억압하기 위해 의식적인 사랑이 지나치게 강조되거나 타인에 대한 감정적 태도를 신속하게 바꾸는 경향성이 나타난다. 블로일러는 '정신분열증(schizophrenia)'이라는 용어도 처음 사용했는데, 감정, 의지, 지성 사이의 양가감정을 인정하고 이것을 정신분열병의 기본 증상이라고 생각했으며, 건강한 사람에게도 존재한다고 하였다. 아브라함(K. Abraham)은 사랑과 미움이 공존한다는 점을 토대로 전양가적, 양가적, 후양가적 대상관계를 설명하였다. 빨기, 삼키기와 관련된 초기 구강기는 전양가적이며, 깨물기, 씹기와 연관된 후기 구강기는 양가

적이다. 양가성은 항문 공격적 단계에서도 나타나는데, 유아가 대상을 심리적으로 아끼고 파괴로부터 보호할 수 있는 것을 배운 이후에는 성기기, 즉 후양가적 단계로 접어든다. 클라인(M. Klein)은 유아가 대상과의 관계에서 편집분열적 양태로 퇴행할 경우 양가적인 대상이 '좋은' 대상과 '나쁜' 대상으로 분리된다고 보았다. 인지치료에서는 양가감정이 우울증 환자나 자살 의도가 있는 사람들에게 자주 나타난다고 본다. 벡(Beck, 1997)은 개인의 자살의도의 정도를 연속선상의 한 점으로 고려하면서, 한쪽 극단은 절대적인 자살의도이고 다른 극단은 삶을 계속하려는 의도라고 보았다. 자살의도가 있는 내담자를 상담할 때 상담자는 내담자의 자살결심을 내담자의 살고자 하는 소망과 죽고자 하는 소망 사이의 갈등결과로 다루는 것이 효과적일 것이다. 내담자가 자살에 대한 찬반논의에 합의를 하면 상담자는 '살 이유'와 '죽을 이유'를 이끌어 낸다. 그런 다음 상담자와 내담자는 과거에 타당했던, 사는 것이 좋은 이유를 목록으로 작성하고, 상담자는 살아야 했던 '과거'의 이유 중 현재에도 타당한 혹은 적어도 미래에 타당할 만한 이유를 골라낸다. 자살의도가 있는 내담자는 흔히 자신의 삶의 긍정적인 요인을 잊거나 무시하면서 평가절하해 버린다. 이에 상담자는 내담자가 호소하는 절망적인 상황에 대한 내담자의 평가에 살아야 하는 이유를 더해 줌으로써 죽을 이유를 상쇄시킬 수 있다.

관련어 성격장애

양귀비
[楊貴妃, opium poppy]

아편의 원료가 되는 식물. 앵속 또는 아편꽃이라고도 함.
중독상담

양귀비는 기원전 6천 년 전부터 재배되었으며, 꽃이 매우 아름다워서 당나라 현종의 비이자 동양 최고의 미인으로 손꼽히는 양귀비의 이름을 따서 지었다. 양귀비는 일년생 식물로 90~150센티미터까지 자라며, 온대기후와 많이 그늘지지 않는 응달에서 잘 자란다. 양귀비꽃은 발아한 시기부터 약 90일경에 피어나기 시작하여, 꽃이 핀 지 2~4일경이 지나면 꽃잎이 모두 떨어진다. 꽃잎이 떨어지고 나면 팥알 크기의 동그란 봉우리가 생기는데, 이것이 달걀 크기만큼 커지고 그 안에 1천 개 이상의 씨앗이 들어 있다. 양귀비의 씨앗들은 인체에 아무런 영향도 끼치지 않아 샐러드용 드레싱이나 빵을 만들 때 넣기도 하고, 기름이나 향수로 이용하기도 한다. 아편은 양귀비의 봉우리에서 채취하는데, 꽃잎이 떨어진 후 봉우리 옆면에 상처를 내었을 때 나오는 우유 빛깔의 액체가 공기 중에서 산화하면 갈색의 끈적끈적한 물질로 변하며 이것을 생아편이라고 한다. 생아편은 구강으로 섭취하거나 연기를 흡연하고, 주사나 코의 점막을 통해 흡수하는 다양한 형태로 사용할 수 있으며, 사용방법에 따라 인체에 미치는 강도와 속도가 달라진다. 아편으로부터 모르핀이 추출되고, 모르핀에서 헤로인이 추출된다. 우리나라에서 파종과 재배가 금지된 것은 papaver somniferum L. 종과 papaver setigerum D. C. 종이다.

관련어 모르핀, 아편, 헤로인

양극
[兩極, polarity]

인지치료

⇨ '양극이론' 참조.

양극단증후군
[兩極端症候群, all or nothing syndrome]

사물이나 상황에 대하여 흑백 혹은 선악으로 판단하는 경향.
이상심리

프레스먼(S. Pressmen) 등이 제시한 개념이며, 자기애 가족에서 양육된 내담자에게서 주로 나타난다. 일반적으로 여러 상황에서는 올바르지만 틀린 답이 있다는 전제를 두고 흑백논리로 평가한다. 이들은 다양한 선택이 가능하다는 것을 인정하지 않는다. 선택사항이 많다는 것은 잘못을 범할 가능성도 높아질 뿐이라고 생각하며 어떤 질문에도 올바른 답은 하나뿐이라고 믿는다. 예를 들어, 부부간 갈등이 생겼을 때 해결을 위해 다양한 선택사항에 대해 이야기하기보다는 바로 이혼을 하자고 위협을 가한다면 양극단증후군에 해당하는 사람이다. 조직 사회에서 승진하기 위해 상사에게 부탁을 해야 하는 상황이라면 차라리 사표를 쓰는 것이 좋다고 생각하는 사원을 예로 들 수도 있다. 양극단증후군은 다른 사람이 자신의 요구를 직감적으로 이해하고 완전하게 확실한 관계(all)를 맺지 않으면, 차라리 어떤 관계도 맺으려 하지 않는 것(nothing)이 특징이다. 이 증후군을 보이는 내담자는 자신의 감정이나 요구의 타당성이 인정되지 않으며 자신의 정당성을 인정받을 수 없다고 생각한다. 내담자는 자신의 감정이나 요구를 조절할 수 있도록 배우자나 친구, 동료, 상사가 침착하게 이야기해 주면 경계를 하는데, 내담자 본인은 이러한 자신의 경계를 알아차리지 못한다. 이들에게는 인지치료가 도움이 되며, 상담목표는 '나는 이렇게 느끼고 이렇게 하고 싶다.'처럼 경계를 설정하여 그 즐거움을 학습하도록 도와주는 것이다.

관련어 | 이분법적 사고

양극성
[兩極性, polarity]

인간의 자아가 대립적이면서도 상호 의존적인 관계에 있는 두 극으로 나누어져 있는 성질. 게슈탈트

인간의 내면은 안전과 불안전, 자신감과 수치심, 강함과 부드러움, 상냥함과 무뚝뚝함 등 수많은 양극성으로 이루어져 있다. 양극성의 어떤 부분이 좋고 또 어떤 부분이 나쁘다고는 할 수 없다. 단지 상황이나 개인의 관점에 따라 평가가 달라질 뿐이다. 따라서 건강한 사람은 모든 양극성 중에서 어느 한쪽으로 치우치지 않고 균형을 잘 유지하면서, 자신의 양극성을 명확하게 인식하고 접촉하여 인격의 통합성을 유지하며 살아간다. 이러한 사람들은 자신뿐만 아니라 타인과의 관계에서도 진술하고 실존적으로 행동할 수 있다. 하지만 성장과정에서 주위 환경이 그 사람의 양극성의 어느 한 측면을 비판적으로 보거나 매도하면 그 측면을 부정하거나 억압하여 자신의 내부로부터 소외시켜 버린다. 이렇게 소외된 부분은 미성숙한 부분으로 남거나 억압되고 외부로 투사되어, 내적 혹은 대인 갈등을 일으킬 수 있다. 그래서 게슈탈트 치료에서는 내담자가 미성숙한 양극성을 계발하도록 도와주거나, 억압 또는 투사한 양극성의 측면을 다시 접촉하여 통합할 수 있도록 해 준다.

관련어 | 접촉, 투사

양극성 및 관련 장애
[兩極性關聯障礙, bipolar and related disorders]

조증 또는 경조증과 같은 고조된 기분과 우울한 기분이 반복되는 장애. 이상 심리

과거 양극성 장애는 우울장애와 함께 기분의 변화를 나타내는 유사한 장애로 여겨졌다. DSM-IV에서는

1235

양극성 장애와 우울장애를 기분장애(mood disorder)의 하위 유형으로 분류했다. 그러나 이후의 많은 연구에서 우울장애와 양극성 장애는 원인, 경과, 예후의 측면에서 뚜렷한 차이를 지닌 것으로 밝혀지고 있다. 이러한 연구 결과들을 반영하여 DSM-5에서는 양극성 장애를 독립된 진단 범주로 분류하고 양극성 및 관련 장애라는 명칭의 장애 범주에 제1형 양극성 장애(bipolar I disorder), 제2형 양극성 장애(bipolar II disorder), 순환감정 장애(cyclothymic disorder)를 포함시키고 있다. 양극성 장애는 우울한 기분상태와 고양된 기분상태가 교차되어 나타나는 경우를 뜻한다. 일상에서는 조울증(manic de-pressive illness)이라고도 하는데, 슬픔과 무가치함과 같은 우울 상태와 지나치게 행복하거나 과도한 활동과 같은 조증 상태가 번갈아 나타난다. 외적 자극이나 사건에 상관없이 기분이 상당 기간 우울하거나 이유 없이 기분이 좋아지고 고양된다. 즉, 우울, 불안, 공허감, 절망적인 느낌, 염세적 사고, 죄책감, 무가치 혹은 무기력감, 일이나 취미 생활 등에 대한 의욕이나 흥미의 상실, 과도하거나 적은 수면 시간, 과식이나 식욕 감퇴로 인한 체중 증가나 감소, 죽음이나 자살에 대한 생각이나 자살 기도, 주의가 산만하고 집중력이나 기억력의 저하, 의사 결정의 어려움, 두통, 소화 기능 장애, 만성통 등의 치료에 잘 반응하지 않는 신체 증상 같은 우울 관련 증상을 보인다. 그리고 특별한 이유나 외부 사건이 없이 부적절하게 들뜨는 기분으로 쉽게 흥분하고, 부적절하게 민감한 반응, 심한 불면, 과도한 망상, 말이 많고 큰 목소리, 조리가 없고 빠른 사고력으로 판단력이 흐려짐, 성욕 증가, 과잉 행동, 무모한 투자, 지나친 소비력 등의 조증 상태를 나타낸다. 진단은 미국 정신의학협회의 DSM-5의 기준에 따르는데, 제1형 양극성 장애는 기분이 비정상적으로 고양되는 조증 상태를 특징적으로 나타내는 장애다. 이 장애는 비정상적으로 의기양양하고 자신만만하거나 짜증스러운 기분을 나타내고 목표지향 행동이나 에너지 수준이 비정상적으로 증가된 상태가 1주일 이상 분명하게 지속되는 조증 삽화(manic episode)를 나타내야 한다. 제1형 양극성 장애는 가장 심한 형태의 양극성 장애로서 한 번 이상의 주요 우울 삽화(major depressive episode)를 경험한다. 주요 우울 삽화는 주요 우울장애의 증상이 2주일 이상 지속되는 경우를 뜻한다. 양극성 장애로 진단하기 위해서는 현재의 증상뿐만 아니라 과거의 병력을 자세하게 탐색해야 한다. 양극성 장애는 가장 최근에 나타난 기분 삽화와 그 심각도에 따라서 세부적 진단이 내려진다. 예를 들어, 현재는 주요 우울 삽화를 나타내고 있지만 과거에 조증 삽화를 나타낸 적이 있는 경우에는 제1형 양극성 장애로 진단되며 가장 최근의 주요 우울 삽화와 그 심각도가 명시된다. 양극성 장애의 심각도를 경도(mild), 중등도(moderate), 중증도(severe)로 평가한다. 제2형 양극성 장애는 한 번 또는 그 이상의 주요 우울 삽화, 최소한 한 번의 경조증 삽화를 보인다. 즉, 평소의 기분 상태보다는 고양되거나 평소 기분 상태와 구분이 가능할 정도로 고양된 상태로서 고양된 기분 상태가 조증 삽화에는 속하지 않을 정도로 약하거나 미미하며, 이러한 경조증 삽화와 주요 우울 삽화의 발생은 분열정동장애, 정신분열 스펙트럼장애, 분열형 성격장애, 망상장애나 기타 정신병적 장애에 의해 더 잘 설명되지 않아야 한다. 즉, 제2형 양극성 장애는 제1형 양극성 장애와 매우 유사하지만 조증 삽화의 증상이 상대적으로 미약한 경조증 삽화(hypomanic episode)를 보인다는 점에서 구분된다. 경조증 삽화는 평상시의 기분과는 분명히 다른 의기양양하거나 고양된 기분이 적어도 4일간 지속된다. 이울러 7가지 조증 증상 중 3가지 이상의 증상이 나타나지만, 이러한 조증 증상이 사회적·직업적 기능에 현저한 지장을 주지 않으며 입원이 필요할 정도로 심각하지 않을 뿐 아니라 정신증적 양상도 동반되지 않는다. 아울러 제2형 양극성 장애로 진단되려면 과거에 한 번 이상의 경조증 삽화와 한 번 이상의 주요 우울 삽화를 경험한 적이 있어야 하며, 동시에 조증 삽화를 한 번도 경험한 적이 없어야 한다. 제1형 양극성 장애와 제2형 양극성 장애는 증상적 측면에서는 매우 유사하지만 역학적 양상이나 원인에 있어서 차이가 있다는 연구 결과가 누적됨으로써 진단적인 구분이 이루어지고 있다. 순환감정 장애는 약하거나 미약한 울증 상태와 조증 상태가 교차하는 가벼운 제2형 양극성 장애의 한 형태이다. 제1형 양극성 장애를 경험하는 사람 중 20~30%는 삽화와 삽화 사이에 불안정한 기분을 나타내고 사회적 관계와 직업적 기능에서 장애를 보인다. 그리고 조증 삽화를 보인 후에 이어지는 삽화는 정신증적 양상을 보인다. 이 장애를 앓고 있는 직계 가족 중 제1형 양극성 장애는 4~24%, 제2형 양극성 장애는 1~5%, 주요 우울장애는 4~24%의 유병률을 보여 유전적 영향력을 간과할 수 없다. 사춘기 이전에 양극성 장애의 출현은 극히 드물며, 5~6세 아동에게는 조증이 나타나기도 한다. 사춘기 이후에는 양극성 장애가 급증한다. 제1형 양극성 장애는 재발성 장애로서 주요 우울 삽화를 경험한 청소년의 약 10~15%가 제1형 양극성 장애로 발전된다. 제1형 양극성 장애의 유병률은 0.4~1.6%이며 단일 조증 삽화를 보인 사람 중 90% 이상이 재발하여 다른 삽화를 경험한다. 제2형 양극성 장애는 약 0.5%의 유병률을 보이며, 순환성 장애의 유병률은 0.4~1%로 연구에서 보고되고 있지만 임상 장면에서의 유병률은 3~5%에 이른다. 순환성 장애는 청소년기나 초기 성인기에서 시작되고 성인 후반기에 발생하며 서서히 발병하고 만성적으로 발전한다. 이는 제1형 양극성 장애나 제2형 양극성 장애로 발전될 가능성이 15~20%다. 이 증상의 치료 목표는 증상이 감소되고 재발을 방지하며 심리사회적으로 건강을 회복하는 것이다. 이를 위해서 약물치료, 질병에 대한 환자와 가족을 위한 심리사회적 교육, 개인상담, 집단상담 등이 있다. 먼저, 양극성 장애 환자는 급격한 기분의 변화 때문에 스스로를 잘 돌보지 못하는 경우가 있으므

로 상태가 심각할 경우에는 입원 치료가 필요하다. 예를 들면, 자살을 시도하거나 다른 사람을 해칠 위험이 있는 경우, 스스로 안전한 생활을 하지 못하는 경우, 증상이 급격히 악화되는 경우, 식사 등을 제대로 챙겨 줄 지원 체계가 없는 경우 등이다. 양극성 장애는 환자의 증상이 급성으로 나타나거나 악화되는 시기에는 환자의 안정을 위하여 약물치료가 우선이 되어야 한다. 약물치료는 조증, 혼재성 증상, 우울 증상을 감소시키는데, 이러한 증상의 재발을 예방하기 위해 일차적으로 사용되는 약물은 리튬(lithium)이다. 리튬을 복용하고 안정되기까지는 최소 2주일에서 1개월의 기간이 필요하다. 약물치료에 반응하지 않거나 약물의 부작용이 심하다면 전기 충격 치료(electroconvulsive therapy: ECT)를 실시할 수도 있다. 이차적 장애를 방지하고 사회 적응력을 향상시키기 위하여 의사소통 기술 훈련, 불안 감소 훈련, 사회 기술 훈련 등의 인지 행동적 치료와 자살 사고, 자살 시도 등에 대한 환자나 주변인의 교육 등이 도움이 된다. 양극성 장애는 치료가 어려운 편이다.

관련어 | 기분장애, 우울증, 조증

양극성자기
[兩極性自己, bipolar self]

자기애 영역과 대상애 영역 속에서 발달되어 가는 자기.

대상관계이론

코헛(H. Kohut)의 자기심리학(self psychology)은 모든 정신병리의 형태가 자기(self) 구조의 결함, 즉 자기의 왜곡이나 약화에 근거한다고 주장하였다. 자기의 이러한 결함은 유아기의 자기-자기대상 관계의 혼란에서 기인한다. 코헛은 자아심리학(ego psychology)의 갈등모형으로는 반사반응과 이상화에 대한 자기애적 욕구를 설명할 수 없다고 보았다. 개인은 성장하면서 자기애성 열망을 버리고 오히려

타인의 요구에 더 많은 관심을 가져야 한다는 것이 프로이트(S. Freud)적 관점이었다. 코헛은 개인이 성장하면서 자기애(自己愛)로부터 대상애(對象愛)로 이행한다고 제안한 프로이트의 모형을 비난하였다. 코헛은 자기애적 욕구는 평생을 통해 지속되고 애정의 대상이 점차 확대됨에 따라 병행하여 발달한다고 하였다. 그는 자기애의 영역과 대상애의 영역 모두에서 발달이 지속된다는 이중 축 이론(二重軸理論, double axis theory)을 제안하였다. 생애 초기단계의 유아는 공감적이고 반응적인 어머니와의 관계를 토대로 자기감을 발달시킨다. 완전한 사랑을 경험하며 완벽하게 행복했던 '나'와 그런 사랑을 주고 있는 이상적인 '어머니'를 통해 자기애적 욕구를 진행시킨다. 발달조건이 적절할 경우, '나는 완벽해요.'의 기제로부터 '과대자기'의 자기애적 구조가 형성되고, '당신은 완벽하고 나는 당신의 한 부분이에요.'라고 하는 기제로부터 '이상화 부모 이마고'의 자기애적 구조가 형성된다. 유아는 성숙해 나가면서 두 가지 중 하나의 전략을 사용하여 초기 모자관계에서 상실된 완전성을 획득하고자 한다. 즉, 한 가지 전략은 과대자기(grandiose self)로서 이 안에서 완전성을 획득하며, 다른 하나는 이상화 부모 이마고(idealized parental imago)로서 이를 통해 부모에게 완전성이 부과된다. 이 두 가지 극이 양극성 자기를 구성한다. 코헛은 그 후 이중 축 이론에 더하여 세 번째 극(a third pole), 즉 근사성(twinship) 혹은 자아분신(alter ego)이라는 자기대상의 요구를 추가하여 '삼극성 자기(tripolar self)'로 확대시켰다. 자기의 이러한 측면은 치료장면에서 치료자와 같아지려고 하는 형태인 전이로 나타난다. 이는 병합(merge)되고자 하는 소망에서 비롯되며, 점차 행동모방으로 변형되어 간다.

관련어 과대자기

양극성장애
[兩極性障礙, bipolar disorder]

이상심리

⇨ '양극성 및 관련 장애' 참조.

양극이론
[兩極理論, bipolarity theory]

일원론이나 이원론적인 틀에서 벗어나 두 가지 상반되는 측면을 포괄하여 정리한 유형의 논리적 체계.
성격심리 인지치료

에릭 에릭슨(Erik Erikson)의 심리사회발달이론에서는 각 단계마다 발달양상이 대비적으로 소개되고, 각 단계별 해결과제가 상반된 성향으로 제시된다. 에릭슨은 각 단계별로 극복해야 할 위기와 발달과업을 제시한 후, 이 위기 동안 발달과업의 해결 여부를 양극(polarity)의 개념으로 제시하였다. 발달과업의 성취 여부에 따라 발달의 위기극복 여부가 좌우되며, 이에 따라 개인의 발달이 긍정적이거나 부정적인 양극방향으로 이루어진다고 보았다. 즉, 인간은 누구나 각 단계에서 감당할 수 있는 위기를 경험하고 긍정적으로 해결하면 건강한 성격 발달을 이룰 수 있지만, 그렇지 않으면 성격발달상 퇴행을 경험하거나 갈등상황에 놓이게 된다.

양마비
[兩痲痺, diplegia]

출생 전후 뇌의 선천적 기형이나 손상 또는 중추신경계의 병변에 의해 영구적이고 비진행적인 마비성 운동신경장애인 뇌성마비의 한 유형. 특수아상담

주된 마비는 하지이고 상지는 경도 마비상태를 뜻한다. 이는 뇌성마비를 마비된 신체부위에 따라 분류한 것으로서, 양마비 외에도 단마비(사지 중 어

느 한쪽), 편측마비(몸 한쪽 부분), 삼지마비(팔다리 세 부분만), 사지마비(양팔과 양다리), 대마비(양다리), 중복마비(주된 마비는 상지에 있고 하지는 경도 마비)가 있다. 그러나 보다 보편적인 분류방법은 근긴장도에 따라 분류한 것인데 경직형(spasticity), 무정위 운동형(athetosis), 운동실조형(ataxia), 강직형(rigidity), 진전형(tremor), 혼합형(mixed)이 있다. 뇌성마비를 지닌 학생은 경직과 같은 비정상적인 근긴장도, 근력약화, 운동실조, 협응기능장애 등의 문제로 보행 및 그 외 다양한 일상생활 활동에 제약이 있다. 특히 경직이 심한 양마비의 경우 체중을 다양한 자세에서 유지할 수 없기 때문에 균형을 잡기 위해 상지와 머리에 의존하게 되어 결과적으로 양손을 사용하는 것 또한 어려워진다. 이처럼 양마비와 같은 지체장애 학생의 경우 운동성의 제한으로 학습장면에 일반적인 방법으로는 참여하기 어려운 상황이 많이 발생한다. 따라서 교육과정이나 활동 참여에 물리적인 환경상의 제약이 따르는 경우에는 물리적 환경의 조정이 필요하다. 또한 신체적 제한 때문에 모든 활동에 참여하기 어려울지라도 학생이 스스로 할 수 있는 한 특정 활동의 일부라도 의미 있게 참여할 수 있도록 하는 '부분 참여의 원리(principle of partial participation)'를 적용해야 한다.

관련어 뇌성마비

양상 연산자
[樣相演算子, modal operator]

원래 영어문법의 용어지만 NLP에서는 밀턴모형 최면화법의 일종으로, 가능성과 필연성을 암시하는 동사들로서 생활에서의 규범 등을 규정하거나 능력 또는 미래의 가능성을 말할 때 사용하는 표현. **NLP**

'반드시 ~해야 한다.' '~할 수 있다.' '~할 수 없다.'와 같이 규칙이나 법칙을 암시하는 말로서 서법 기능어라고도 부른다. 서법이란 서술법의 줄임말인데 의문법, 명령법 등의 어법과는 대조되는 문법표현의 하나다. 양상 연산자는 일반적으로 조동사에 해당하며, 여기에는 가능성을 나타내는 것과 필연성을 나타내는 두 가지 유형이 있다. 필연성을 나타내는 양상 연산자(modal operator of necessity)는 'should, must, have to'와 같은 단어나 조동사를 사용하여 '당신은 이것을 반드시 해야 한다.'와 같은 형식으로, 가능성을 나타내는 양상 연산자(modal operator of possibility)는 'can, will, may, be able to'와 같은 단어나 조동사를 사용하여 '당신은 이제 ~을 배울 수 있다.'와 같은 형식으로 표현된다. 이들은 모두 메타 모형과 밀턴모형의 주요 언어패턴이다.

양성성
[兩性性, androgyny]

한 개인에게 남성적 특성과 여성적 특성이 동시에 나타나는 것. **이상심리**

남성의 특징이 강하게 나타나는 것을 남성성, 여성의 특징이 강하게 나타나는 것을 여성성이라 하며 두 특성이 동시에 나타나는 것은 양성성이라 한다. 이 개념은 1970년대 벰(S. Bem)이 제안한 것으로, 남성성과 여성성이 근본적으로 상호 배타적인 것이 아니기 때문에 한 개인이 자신의 생물학적 성 역할을 정형화하는 것이 반드시 심리적 안정을 가져오지 않는다는 점에서 크게 관심을 받았다. 많은 연구에 의하면 사회적으로 바람직한 남성적 특성과 여성적 특성을 모두 갖춘 사람이 한 가지 성역할에 유형화된 사람보다 좀 더 사회적 활동에 적극적이고 자유롭게 참여하며, 그 결과 정신적으로 건강하고 성숙한 자아를 지닌다. 전통적으로 고정된 성역할을 지닌 사람은 문제를 해결하는 데 방어적이고 폐쇄된 결정을 하는 반면, 양성성을 지닌 사람은 융통성 있는 행동을 하고 효과적으로 대처하는 능력이 있다. 따라서 현대사회는 남녀 간의 역할에 대한 구분이 없어지고 있어 전통적인 성역할의 고정관념을 강조하는 교육보다는 양성성을 강조하는 교육에 초점을 두고 있다.

양성애자
[兩性愛者, bisexual]
동성과 이성에게 모두 성적으로 끌리는 사람. 이상심리

남자의 경우에는 남자와 여자 모두에게 성적으로 끌리고, 여자의 경우에는 여자와 남자 모두에게 성적으로 끌리는 것을 말한다. 프로이트(S. Freud)는 모든 사람이 태어난 시기에는 양성애 성향을 지니고 있다고 주장하였다. 양성애의 발달에 영향을 주는 요인이 규명되어 있지는 않다. 양성애자는 긴 시간 이성애의 관계를 갖다가 그 후에 오랫동안 동성애적 관계를 갖는다. 때로는 양쪽의 관계가 같은 기간에 진행된다.

양심
[良心, conscience]
개인의 내적 도덕성을 뜻하는 것으로, 부모나 주요 인물에게 배워서 내면화한 것과 반대되는 행동을 했을 때 죄책감을 유발하는 초자아의 한 속성. 정신분석학

프로이트(S. Freud)가 제시한 성격구조는 원초아, 자아, 초자아로 이루어져 있다. 원초아는 쾌락을 지향하는 반면, 초자아는 완전과 완벽을 지향한다. 또한 자아가 현실을 추구하는 반면, 초자아는 이상을 추구한다. 초자아는 도덕이나 가치에 위배되는 원초아의 충동을 견제하며, 자아의 현실적 목표를 도덕적이고 이상적인 목표로 유도한다. 초자아는 성격의 도덕적 기능에 해당하며 현실보다는 이상을, 쾌락보다는 완성을 위해 당위의 원리에 따라 작용한다. 인간이 무언가 잘못된 행동을 했을 때 수치심과 죄책감을 느끼는 것은 모두 초자아의 작용 때문이다. 초자아는 양심과 자아이상이라는 두

가지 하위체제를 가지고 있다. 잘못된 행동에 대해 처벌이나 비난을 받는 경험에서 생기는 죄책감은 양심이 있음을 반영하는 것이다. 양심은 충동이 바람직한 형태로 표출되도록 유도하고 본능적인 욕구 충족을 억제하는 기능을 하며, 이러한 것이 실패했을 때 자아를 처벌하는 역할을 한다.

관련어 | 자아이상, 초자아

양육방식
[養育方式, parenting style]
부모 또는 양육자가 자녀를 양육하는 데 일반적·보편적으로 나타내는 반응양식. 부부상담

양육방식은 학자에 따라 정의를 달리하는데, 피시바인과 아젠(Fishbein & Ajzen)은 부모가 자녀의 성장과 발달을 위해 양육하고 보살피는 데 나타나는 방식으로 정의하였다. 부모가 자녀를 양육하는 방식은 개인차뿐만 아니라 상당한 문화적 차이를 가지고 있다. 어떤 민족은 자녀를 억압적으로 양육하는가 하면 어떤 민족은 자녀를 응석받이로 만든다. 자녀 양육방식이 개인적인 부모의 양육태도에 따라 차이가 많이 나고 이에 따라 자녀의 인격형성 등에 차이가 나타남이 최근의 연구결과를 통해 밝혀지고 있다. 자녀 양육방식을 처음으로 유형화한 사람은 시먼즈(Symonds)로 양육방식을 수용-거부, 지배-복종의 두 차원과 간섭형, 과보호형, 엄격형, 방임형의 네 가지로 분류하였다. 그리고 가장 바람직한 자녀 양육방식을 수용이나 거부, 지배나 복종이 아닌 중간적 태도로 보았다. 셰이퍼(Schaefer)는 자녀 양육방식을 애정-거부 차원과 자율-통제 차원의 두 축으로 분류하였으며, 지금까지의 연구에서 양육방식의 일반적인 유형으로 지지받고 있다. 바움린드(Baumrind)는 자녀에 대한 부모의 통제 정도와 형태에 따라 독재형, 허용형, 권위형의 세 가지로 분류하였다. 독재형 부모는 자녀의 절대적

인 복종을 요구하며 종종 체벌을 자녀의 통제수단으로 삼는다. 또한 기성세대의 가치관을 강조하며 자녀의 자율성을 제한한다. 이 같은 부모 밑에서 자란 아동은 기가 죽고 독립심이 없으며 밝은 아이가 되지 못한다. 허용형 부모는 자녀의 가치관이나 행동을 고치는 데 체벌보다는 긍정적이고 수용적이며 너그러운 태도로 대한다. 이들은 매우 애정적이지만 한편으로는 자녀양육의 책임을 회피하려는 방법의 하나로 자유를 줄 수도 있다. 권위형 부모는 부모의 권위를 자녀양육을 할 때 이용하지만 독재형 부모처럼 일방적인 복종을 강요하거나 체벌을 사용하지는 않는다. 권위적 양육방식은 자율적이고 자기만족을 할 줄 알며 자기통제가 가능하고 배우려는 의지가 강한 아이로 만든다. 이와 같은 자녀 양육방식은 자녀양육에 대한 부모의 태도, 부모와 자녀의 성격, 자녀의 연령, 자녀 수, 사회규범 등 여러 가지 변인의 영향을 받는다.

양육적 어버이 자아
[養育的 – 自我, nurturing parent ego]

교류분석

⇨ '어버이 자아상태' 참조.

양자관계
[兩者關係, dyadic relationship]

수퍼바이저와 수퍼바이지, 그리고 내담자와의 관계차원에서 내담자를 제외한 수퍼바이저와 수퍼바이지의 관계. 수퍼비전

수퍼비전에서 수퍼바이저, 수퍼바이지, 그리고 내담자의 체계를 삼각구도라고 하는데, 양자관계는 수퍼바이저와 수퍼바이지의 관계를 일컫는다. 수퍼바이저와 수퍼바이지 사이의 양자관계에서 일어나는 무의식적 역동관계 패턴을 살펴보는 것은 매우

중요하기 때문에 수퍼비전 실시과정에서 이 양자관계에 집중하여 성찰해 볼 필요가 있다. 양자관계에서는 작업동맹이 중요하며, 작업동맹이 잘 맺어질수록 수퍼비전의 학습효과가 크다.

관련어 | 수퍼비전 과정, 수퍼비전 작업동맹, 수퍼비전 체계

양적 연구
[量的研究, quantitative research]

수량적으로 측정할 수 있는 특성을 포함하는 연구문제나 가설에 대해 답하거나 검증하는 탐구방법. 연구방법

경험적 · 실증적 탐구의 전통을 따르고 있는 양적 연구는 주로 조사와 실험을 통하여 얻은 양적 자료로 통계적 분석을 한다. 양적 연구의 절차는 일반적으로 다음과 같다(성태제, 시기자, 2006). 첫째, 가설을 설정한다. 가설이란 변인들 간의 관계에 대한 잠정적인 진술을 말하며, 이 같은 가설은 이론적 · 경험적 배경에 따라 설정된다. 둘째, 가설의 경험적 결과를 추론하기 위하여 실제 상황이나 유사 상황을 만든다. 연구의 결과를 얻기 위하여 실제 상황이 존재하면 별 문제가 없지만 그렇지 않은 경우에는 연구상황을 만들어야 한다. 때로는 다른 변인의 영향을 배제하기 위하여 인위적으로 연구상황을 만드는 경우도 있다. 셋째, 실제 상황이나 유사 상황에서 발생하는 자료를 수집한다. 실증주의에 입각한 양적 연구는 객관적 절차에 따라 증명 가능한 원리를 발견하는 것이 목적이므로 가시적으로 드러나는 자료를 수집해야 한다. 넷째, 수집된 자료를 분석하기 위하여 잠정적으로 서술된 가설이 참인지 거짓인지 밝힌다. 경험과학은 양적 자료의 분석결과로 가설을 지지하거나 반박하기 때문이다. 이러한 양적 연구의 절차에서 알 수 있듯이 양적 연구의 특성으로는 변인, 연구설계, 가설, 그리고 통계적 유의성 등을 들 수 있다. 양적 연구의 중요한 목적은 연구자가 관심을 가지고 있는 표적 모집단(target population)에 일반화할 수 있는 표본에서 결과를 측정하는 것이다. 표본에서 얻은 결과를 가지고 표적모집단에 일반화하려면, 표본은 표적 모집단을 제대로 대표할 수 있어야 한다. 표집방법은 크게 확률적 표집(probability sampling)과 비확률적 표집(nonprobability sampling)의 두 가지로 구분한다. 확률적 표집은 표적 모집단을 구성하고 있는 각 요소가 표본에서 추출되는 데 영(零)이 아닌 어떤 확률을 가지고 있다는 것을 전제로, 특정한 표본을 얻을 확률을 객관적으로 알 수 있도록 설계하여 추출하는 방법이다. 확률적 표집방법에는 단순무선표집(simple random sampling), 유층무선표집(stratified random sampling), 다단계 군집표집(multistage cluster sampling), 체계적 표집(systematic sampling) 등이 있다. 비확률적 표집은 표적 모집단의 요소들이 뽑힐 확률을 고려하지 않고 연구자의 주관적 판단에 따라 임의적으로 표집하는 방법이다. 비확률적 표집은 표본의 대표성을 확보하기 어렵고 표본오차를 추정할 수 없기 때문에 표본에서 얻은 통계치를 바탕으로 모수치를 추정하는 데 그만큼 한계가 있다. 비확률적 표집방법에는 편의성에 기초한 임의 표집(convenience sampling)과 눈덩이 표집(snowball sampling) 등이 있다. 변인은 속성에 따라 여러 수준으로 분류할 수 있거나 다양한 값으로 측정할 수 있는 어떤 사건, 사물, 현상을 나타내는 개념이다. 변인은 주어진 범위 내에서 어떠한 값이라도 취할 수 있는가, 아니면 몇 개의 범주만으로 구분되는가에 따라 연속적 변인(continuous variable)과 범주적 변인(categorical variable)으로 분류한다. 연속적 변인은 길이, 무게, 시간처럼 주어진 범위 내에서는 이론적으로 무한하게 세분된 값을 가질 수 있는 것이다. 학업성취도나 지능지수와 같은 변인에서 실제로 얻는 수치는 비연속적이지만 이러한 변인의 기본적인 속성은 연속적이기 때문에 연속적 변인으로 취급한다. 범주적 변인은 가지고 있는 속성에 따라 몇 개의 하위범주로 분류되는 것을 말한다. 즉,

성별이라는 변인에서 남자 · 여자의 범주나 종교라는 변인에서 기독교 · 불교 · 유교 등의 범주는 수량적으로 표현할 수 없는 서로 다른 종류를 범주화한 것으로 성별, 종교는 범주적 변인에 속한다. 연구자가 관심을 가지고 있는 변인이 연속적 변인인가 아니면 범주적 변인인가를 확인하는 것이 적절한 통계적 분석을 선정하는 데 중요하다. 변인은 또한 연구자가 조작하거나 변화시킬 수 있는가 아니면 없는가에 따라 활동변인(active variable)과 상태변인(status variable)으로 분류된다. 어떤 특질이나 특성(예, 성, IQ, 성격유형)은 연구자가 조작하거나 변화시킬 수 없는 변인으로, 이를 상태변인 혹은 속성변인(attribute variable)이라고 한다. 연구자가 조작할 수 있고 처치조건에 따라 무선적으로 할당되는 변인(예, 상담처치, 훈련, 상담횟수)은 활동변인에 해당한다. 그리고 변인이 연구에서 어떤 역할을 하는가에 따라 독립변인과 종속변인으로 분류되기도 한다. 독립변인은 변인들 간의 관계에서 영향을 미치거나 예언해 주는 변인이고, 종속변인은 영향을 받거나 예언되는 변인이다. 가설이나 연구문제에서 독립변인이 앞에, 그리고 종속변인이 뒤에 제시되는 것이 일반적이다. 예를 들어, '외상 후 스트레스 장애 증후 척도(PTSD-SS)로 측정한 외상 후 스트레스 증후의 외상 후 스트레스 장애(PTSD) 처치에서 안구 운동 민감 소실 및 재처리 요법(EMDR)이 스트레스면역훈련보다 더 큰 영향을 줄 것이다.'라는 가설에서 개입의 유형은 독립변인이고, PTSD-SS상 개인 점수는 종속변인이다. 좀 더 구체적으로 말하면, 처치의 유형은 두 가지 수준상의 범주적 독립변인이고, PTSD-SS 점수는 연속적인 종속변인이다. '부모-교사 협동수준과 학생의 잦은 결석 사이에는 유의한 부적 관계가 있을 것이다.'라는 가설에서 부모-교사 협동은 독립변인이고, 학생의 잦은 결석은 종속변인이다. 이 예에서는 두 변인 모두 연속적이다. 한편, 양적 연구는 연구설계에 따라 실험적 연구(experimental research), 전 실험적 연구(pre-experimental research), 비실험적 연구(nonexperimental research)로도 분류된다. 실험적 연구는 연구자가 참여자를 처치집단과 통제집단에 무선할당하고 독립변인(활동변인)을 조작하는 것이다. 예를 들어, 서로 다른 두 상담기법이 외상 후 스트레스 장애를 가진 내담자에게 미치는 영향에 관한 연구는 성질상 실험적이다. 실험적 연구는 참여자를 처치집단에 무선적으로 할당하는 능력에 기초하여 진실험적(true experimental) 연구와 준실험적(quasi-experimental) 연구로 나누어진다. 전 실험적 연구는 연구자가 독립변인을 조작하지만 통제집단을 두지 않는 연구이고, 비실험적 연구는 연구자가 독립변인을 조작하지 않는 연구다. 비실험적 연구는 대개 기술적 연구, 상관적 연구, 또는 비교적 연구로 분류된다. 가설검증(hypothesis testing)이란 추리하고자 하는 어느 모집단의 모수치가 특정한 값을 가질 것이라고 미리 정해 놓고 표본에서 얻은 그에 대응하는 통계치와 모수치 간의 차이가 통계적으로 유의한지의 여부를 확률적으로 판단하는 과정을 말한다. 즉, 표본에서 얻은 경험적 자료를 근거로 하여 모집단에 대한 가설이 맞는지 혹은 틀리는지 통계적으로 검증하는 분석방법이 가설검증이다. 모집단에 알려지지 않은 모수치에 대하여 특정한 값을 가정한 것을 영가설(null hypothesis)이라고 부르며, 이러한 영가설에 대립하여 세우는 가설을 대립가설(alternative hypothesis) 혹은 상대적 가설이라고 부른다. 영가설이 사실인 경우에 이것을 기각함으로써 발생하는 오류를 제1종 오류(type I error)라고 한다. 이와 같은 오류를 범할 확률은 α인데, 이는 유의수준(level of significance)과 같다. 유의수준은 영가설이 사실인 경우에 이것을 기각함으로써 범하는 오류의 확률이고, 또한 영가설의 기각 혹은 채택의 통계적 의사결정을 위한 임계치(critical value)의 결정기준이다. 가설검증을 할 때는 일반적으로 유의수준을 1%($\alpha = .01$) 또는 5%($\alpha = .05$)로 선택한다. 양적 연구에서 실제적 의의(practical significance)는

통계적 의의(statistical significance)만큼이나 중요하다. 여기서 통계적 용어 '유의하다'와 실제적 용어 '중요하다'를 혼동하지 말아야 한다. 통계적 가설검증에서 '유의하다'는 것은 단지 영가설이 사전에 정해 놓은 결정기준(α)에 따라서 기각되었다는 것을 의미할 뿐, 그것이 반드시 실제적인 중요성을 의미하는 것은 아니다. 따라서 통계적으로 매우 유의한 결과라도 실제적으로는 아무 가치가 없는 경우가 있으며, 또한 그 반대로 실제적으로는 중요하고 가치 있는 차이지만 통계적으로 의의가 없는 경우도 있다. 실제적 의의는 효과 크기(effect size)를 계산해 봄으로써 알 수 있다. 효과크기의 계산에서는 표본의 크기와 분포의 특성을 고려한다. 비교연구에서 가장 흔히 쓰이는 효과크기는 코헨(J. Cohen)의 d이며, .80 이상이면 효과가 큰 것으로 간주한다. 양적 연구를 수행하는 데에는 연구목적의 명료성, 변인들의 조작, 표집방법, 측정, 적절한 기술통계 및 추론통계의 사용, 정확한 결과의 해석 등이 중요하다.

관련어 | 가설, 변인, 연구설계, 질적 연구, 표집, 효과크기

양전자 방출 단층촬영
[陽電子放出單層撮影,
positron emission tomography: PET]

양전자를 방출하는 방사성 동위원소를 의약품에 결합하여 체내 분포를 알아보는 방법. 뇌 과학

방사성 동위원소를 이용한 영상기술로, 뇌 영역에서 나타나는 방사능의 양을 측정한다. 수검자는 뇌를 순환하는 방사능 물질을 투입받는다. 활성화 수준이 높은 뇌 영역들은 더 많은 방사능을 축적하고, 이것은 탐지기들에 감지된다. 컴퓨터는 뇌의 단층촬영을 통해 방사능의 농축을 보여 준다. 이 사진은 더 활성화된 영역들을 빨간색과 노란색으로, 비활성화된 영역들을 파란색과 녹색으로 나타낸다. 연구자들이 물질의 농도와 혈류뿐만 아니라 뇌 조

직의 다른 특수 요소를 탐지해 여러 뇌 영역의 활동을 관찰하고 측정하는 데 활용하기도 한다. 암 검사, 심장질환, 뇌질환 및 뇌 기능 평가를 위한 수용체 영상이나 대사영상도 얻을 수 있다. 최근에는 양전자 단층촬영 스캐너와 컴퓨터 단층촬영(CT) 스캐너를 하나로 결합시킨 양전자/컴퓨터 단층촬영(PET/CT) 스캐너가 널리 보급되어 있다. 양전자/컴퓨터 단층촬영은 컴퓨터 단층촬영 스캐너의 첨가로 해부학적 정보제공과 함께 좀 더 정확한 영상보정이 가능하여 기존 양전자 단층촬영에 비해 영상화질이 한층 우수하다.

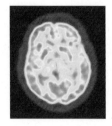

PET를 이용하여 촬영한 뇌의 예

관련어 | 뇌

양측미술
[兩側美術, bilateral art]

미술활동을 통하여 대뇌의 좌뇌와 우뇌를 통합시키고 균형을 이루도록 하는 조력활동. 미술치료

카트라이트(Cartwright, 1999)가 신경생리학적 관점에서 개발한 미술치료기법으로, 대뇌의 좌우 반구를 반응하도록 하는 것이다. 이 활동은 역기능적인 신경조직을 동요시킨다는 가설을 전제로 하여 뇌의 신경조직에 저장되어 있는 경험과 기억에 대한 통합과 균형이 이루어지도록 도와주는 것이다. 이를 위하여 내담자는 양손을 모두 사용하며, 또한 시각이나 촉각 등 다양한 감각을 자극시켜 신경조직을 활성화한다.

관련어 | 미술치료

어구바꾸기
[語句 – , rewording]

상담자가 내담자의 말을 그대로 반복하듯이 반응하는 것이 아니라, 의미는 같지만 말의 순서를 바꾸거나 비슷한 다른 말로 대치하여 전달하는 기술. 생애기술치료

내담자의 말에 대해서 상담자가 반복적이고 무미건조한 반영적인 반응만 한다면 그 상담은 지루해지고, 내담자도 자신의 이야기를 하는 것에 더 이상 흥미를 느끼지 못할 것이다. 상담과정 중 일어나는 대화 속에서 상담자가 내담자의 말에 보다 효과적으로 반영적 반응을 하기 위해서는 몇 가지 부가적인 기술이 필요하다. 그중 하나가 바로 어구바꾸기다. 이는 말하는 사람이 한 말의 단어를 바꾼다든지, 다른 문장으로 바꾸어 비슷한 의미를 전달하는 것이다. 어구바꾸기는 단순히 말하는 사람의 언어를 그대로 반복했을 때 나타날 수 있는 지루함이나 상담자의 태도가 무성의하게 보일 수 있는 상황을 방지할 수 있다. 어구바꾸기를 할 때에는 내담자가 사용한 언어를 기본으로 하여 너무 산만하지 않도록 본래의 의미를 손상시키지 않는 범위에서 하는 것이 좋다. 예를 들어, 부인이 남편에게 "지옥에나 가 버려!"라고 한다면, 남편은 "당신 나에게 진짜 화가 많이 났군!"이라고 본래 쓰인 단어를 다른 것으로 바꾸어 응답할 수 있다. 말하는 사람의 언어 메시지를 적절한 어구바꾸기를 통하여 반영하는 응답은 본래의 의미를 명확하게 하고, 미처 표현되지 못한 감정이나 뜻을 채우는 힌트가 되기도 한다. 즉, 말하는 사람이 적절한 반영적 반응의 말을 듣고, 자신의 감정을 거울을 보듯이 다시 한 번 확인하는 계기가 될 수 있으며, 자신도 미처 인식하지 못한 이면의 감정이나 의미를 떠올리는 계기가 될 수도 있다.

관련어 | 반영적 반응

어른 자아상태
[-自我狀態, adult ego state]

에릭 번(Eric Berne)이 창시한 교류분석(TA)에서 세 가지 자아상태를 기술하는 개념 중 하나로, 우리의 성격 속에서 사실과 현실에 기초해서 객관적이고 실용적으로 일을 판단하려 하는 부분을 말하며 감정에 치우치지 않고 올바른 분석이나 평가에 따라 문제를 해결하는 컴퓨터처럼 정확한 자아상태. 교류분석

성인 자아상태라고도 하며 'A'로 표기한다. 어른 자아는 생후 10개월경 어린아이가 자기 자신에 대한 자각과 독자적 사고가 가능해짐에 따라 자신이 혼자서 어떤 일을 해낼 수 있다는 자신감을 갖게 되면서 서서히 형성되기 시작한다. 어른 자아는 종종 컴퓨터에 비유되는데, 최근에 얻은 정보를 그대로 사용하는 일도 있지만 과거의 경험에 비추어 평가·수정되는 일도 있다. 어른 자아는 항상 감정에 지배되지 않는 자유로운 입장을 취하며, 울기, 웃기, 야단치기, 화내기, 걱정하기와 같은 정서적인 기능은 여기에 해당되지 않는다. 이러한 의미에서 어른 자아는 지성, 이성과 깊이 관련되어 있고, 합리성, 생산성, 적응성을 가지며, 냉정한 계산을 기본으로 하여 그 기능을 발휘한다. 어른 자아는 보통 정신적으로 원숙하고 바람직한 인간상이라고 간주한다. 물론 어른 자아에 의해서 행동하는 것이 완전에 가까운 이상적인 삶의 방식을 의미하는 것은 아니다. 어른 자아가 하는 역할은 자료를 수집해서 그것을 단지 이성적이고 합리적으로 판단하는 것이다. 타인과의 교류라고 하는 면에서 본다면 어른 자아는 성인으로서 주위와의 '주고받음(give and take)'의 관계를 가질 수 있는 마음이라 할 수 있다. 어른 자아상태로부터 심적 에너지를 방출하고 있을 때는 바른 자세와 냉정한 태도로 '어떻게 하면 해결할까? 어쨌든 좀 더 구체적으로 살펴보기로 하자.'처럼 사실에 입각한 냉정한 판단에서 이론적으로 해결하려고 한다. 그러나 어른 자아의 기능이 지나치게 활성화되면 냉정한 평론가라든지 이론적으로만 무장한 머리만 큰 사람(지식만 풍부하고 행동이 따르지 않는 사람)이라고 불리는 말만 많고 불성실한 유형,

뉴스 해설형, 혹은 정열이 부족한 '기계적 인간과 같은 사람'이 될지도 모른다. 이러한 어른 자아상태는 언제나 어버이 자아상태와 어린이 자아상태를 거부하는 것은 아니고, 상황에 맞추어 이들이 적절하게 나타날 수 있도록 조절하는 기능을 한다.

> 관련어 | 어린이 자아상태, 어버이 자아상태

어린이 자아상태
[-自我狀態, child ego state]

교류분석(TA)에서 세 가지 자아상태를 기술하는 개념 중 하나로, 개인의 어린 시절과 똑같은 사고, 느낌, 행동방식을 행하는 상태. 교류분석

자아상태는 '행동의 지속적인 패턴과 일치하는 것에 직접적으로 관계된 감정과 경험의 지속적인 패턴(Berne, 1966)'으로 정의할 수 있다. 이 중 어린이 자아상태는 어린 시절에 했던 것처럼 행동하거나 사고하고 느끼는 것을 말한다. 어린 시절 자주 했던 사고 혹은 감정이나 행동의 재연이라고 볼 수 있고, 최근의 경험이라도 자신이 직접 행한 것이라면 어린이 자아상태에 포함된다. 어버이 자아상태에서의 사고나 행동, 감정이 주요한 타인의 것을 모방한 것이라면, 어린이 자아상태에서 일어나는 사고나 행동, 감정은 모두 과거에 자신이 직접 경험했던 내용이다. 어린이 자아상태에서 하는 생각이나 행동, 감정은 마치 아동기 시절을 재연하는 것과 같다. 다시 말해, 현재의 상황을 과거 아동기 시절의 전략으로 대처하는 것을 말한다. 이러한 어린이 자아상태는 부모나 주위 사람의 기대에 순응하기 위해 취했던 행동양식을 재연하거나, 부모나 주위 사람의 기대나 요구에 구애받지 않으면서 자발적이고 자유롭게 자신을 나타내는 기능을 한다. 이 어린이 자아는 기능상 자유로운 어린이 자아(free child, FC)와 순응하는 어린이 자아(adapted child: AC)로 나누어진다. 자유로운 어린이 자아는 부모나 주위 사람의 기대나 요구에 구애받지 않고 자발적이면서

자유롭게 자신을 나타내는 기능을 한다. 자유로운 어린이 자아상태는 자연스러운 어린이와 작은 교수(little professor)를 합친 것으로서, 이상적으로 말하면 자유로워서 어떤 것에도 구애받지 않는 자발적인 부분이며 창조성의 원천이라고도 할 수 있다. 어린아이가 처음 태어났을 때에는 어떤 것에 구애를 받지 않고 자신이 하고 싶은 대로 하는 경향이 있다. 배가 고프면 울고, 자고 싶으면 자고, 가지고 싶은 것이 있을 때는 떼를 쓰기도 한다. 이러한 행동들은 다른 사람의 기분에 맞추기 위해서가 아니라 자신이 하고 싶은 대로 하는 것인데, 이와 같은 아동기의 행동양식으로 행하는 것이 자유로운 어린이 자아다. 즉, FC는 어떤 규칙이나 규제에 얽매이지 않던 아동기 시절의 행동을 재연하는 것으로서, 자발적이고 충동적이며 감정 지향적이고 자기중심적인 특징이 있다. 도덕이나 규범 등의 현실을 생각하지 않고 즉각적인 쾌락을 추구하는 반면, 불쾌감이나 고통은 피한다. 또한 직관적이고 창의적이며 비언어적 메시지에 반응적이고 상상이나 공상을 즐기는 특징이 있다. 이렇게 명랑하고 장난을 좋아하며 유머가 풍부한 FC의 긍정적인 면이 있는 반면에, 타인에 대한 배려가 결여되어 자기 멋대로 행동하려고 하는 부정적인 면도 있다. 예를 들어, 공식 만찬에서 크게 트림을 하는 행동은 검열받지 않은 어린이 자아상태의 충동을 충족시키는 것이 된다. 그러나 보통은 이러한 행동의 결과로 트림을 참고 지나갔을 때보다 더 불편한 결과를 초래하기도 한다. 극단적인 경우, 복잡한 도로에서 전속력으로 오토바이를 몰면서 자신과 타인의 생명을 위태롭게 한다면 이는 부정적인 FC 행동이라 할 수 있다. 자유로운 어린이 자아상태는 자유롭고 검열받지 않은 어린이 자아상태의 한 부분이다. 마치 충동적이고 호기심과 요구가 많고, 무언가를 갈구하며 접촉에 민감하게 반응하는 어린아이와 흡사하다. 만약 좋다는 감정을 갖는다든지 무엇인지 자꾸 캐묻고 있다든가 자기중심적으로 행동하거나 농담을 하고 반항하는

행동을 보인다면 그것은 자유로운 어린이 자아상태가 작용하고 있다는 증거다. FC는 자연스러운 어린이(natural child, NC)라고 부르기도 한다. 한편, AC는 부모나 주위 사람의 기대에 부응하기 위해 취했던 행동 양식을 재연하는 기능을 한다. 즉, AC는 자신의 참된 감정을 억제하고 부모나 주변 사람들의 기대에 부응하도록 노력하고 있는 부분이며, 주로 부모의 영향 아래 형성된 것이다. 사람들은 대체로 다른 사람들에게 인정이나 칭찬을 받고 싶어 한다. 어린아이도 처음 태어났을 때에는 다른 사람들의 기대나 요구에 얽매이지 않고 자유롭게 행동하지만, 성장해 가면서 이 세상에 적응하고 다른 사람들로부터 인정이나 칭찬을 받기 위해 부모나 다른 사람의 기대와 요구에 응하게 된다. 이는 FC에서 여러 가지 수정을 가한 부분이며, FC의 자연적인 충동이 경험이나 훈련에 의해서 적응적으로 수정이 가해지며, 대부분 중요한 권위적인 인물의 요구에 맞추려는 반응으로 나타난다. 이웃 어른을 만나면 마음이 내키지 않아도 인사해야 되고, 마음대로 뛰어놀고 싶지만 공부를 해야 했다. 동생이 미워도 사이좋게 지내야만 했고, 화가 나도 부모님에게 야단을 맞을까 봐 참고 지냈다. 이렇게 부모나 다른 사람의 기대에 순응하기 위해 취한 행동양식을 재연하는 것을 AC라고 한다. 싫어도 싫은 내색을 하지 않고 타협하거나, 자신의 감정을 표현하지 않고, 또한 자발성이 없으며 타인에게 의지하는 경향이 있다. 이러한 AC는 어릴 때부터 자기 마음 내키는 대로 행동하다가는 주위로부터 야단이나 꾸중을 들었기 때문에, 주위의 눈치를 보며 주위의 기대에 부응하기 위해 발달하는 것이다. 주위 사람들의 기대나 요구, 규칙에 맞추기 위해 자기 자신을 억제할 때 순응하는 어린이 자아상태에 놓이게 된다. AC가 높고 겉마음과 속마음이 같은 사람은 자기부정형(I'm not OK)인 경우가 많다. 평상시에는 얌전하게 있다가 어떤 사건이나 갈등이 발생하면 반항하거나 화를 내는 것도 AC의 행동패턴 중 하나다. 어린이 자아

의 기능작용을 관찰할 수 있는 단서에는 AC의 한부분인 고분고분한 아이의 경우 '나를 떠나지 마세요.' '나를 사랑해 주세요.' '나를 도와주세요.' '나에게 보여 주세요.' '나를 돌봐 주세요.' 등의 언어와 '불안정한, 의존적인, 두려워하는, 소중한, 다정한' 행동 특성 및 고분고분하고, 움츠리며, 눈을 내리깔고, 입술을 물고, 또 손톱을 물어뜯는 행동 등이 있다. 반항적 어린이의 경우는 '아니요.' '나는 그러고 싶진 않아요.' '결코 하지 않을 거예요.' 혹은 '그렇지 않아요.'와 같은 언어를 통해서, 그리고 화내고 반항하는 행동 특성이나 또는 발끈하거나 공격하는 행동, 뾰로통해서 입을 삐쭉거리거나 틀어박히는 행동을 통해서 관찰할 수 있다. 예를 들어, 어린아이가 배가 고플 때 자연적으로 먹으려는 행동을 하고 이를 요청하지만, 출생 후 얼마 지나지 않아서 그 자연적인 충동은 부모들이 결정한 수유시간에 따르도록 훈련된다. 한편으로는 어릴 때 부모가 내건 규칙이나 기대에 반항할 때도 있다. 부모님이 계시지 않는 동안에 동생을 괴롭히기도 하고, 심부름을 시키면 못들은 척하거나 느리게 행동하여 넘어가 버리기도 한다. 이렇게 행동하는 것은 부모님의 요구에 순응한 것 같지만 실제로는 딴짓을 한 것이다. 어른이 되어서도 여전히 이 같은 방식으로 반항하는 경우가 많다. 이를 반항하는 어린이(rebellious child: RC)라고 부르는데, 최근에는 이를 순응하는 어린이 자아상태의 한 부분으로 간주하기도 한다. 평상시는 온순해 보이지만 예기치 않게 반항이나 격한 분노를 나타내는 것도 순응적 어린이 자아상태에서 흔히 나타나는 행동양식이다. 교류분석에서는 지나치게 순응하는 어린이 자아상태에 주목한다. 왜냐하면 감정이나 욕구를 극도로 억압하고 어른 노릇에만 치중하여 스트레스로 인한 신체증상과 예상치 않게 종래와 전혀 다른 행동을 나타내는 등 주위 사람을 곤경에 빠트리는 경우가 종종 발생하기 때문이다.

관련어 어른 자아상태, 어버이 자아상태

어버이 자아상태
[-自我狀態, parent ego state]

교류분석(TA)에서 세 가지 자아상태를 기술하는 개념 중 하나로, 부모를 포함한 주요 타인의 말이나 행동을 무비판적으로 받아들여서 내면화한 것. 교류분석

빌려 온 자아상태(borrowed ego-state)라고도 한다. 어버이 자아란 과거 부모와 같은 주요 타인의 생각과 말과 행동을 그대로 모방한 것처럼 생각하고 느끼고 행동하는 것을 말한다. 부모는 어린아이가 자랄 때 삶의 첫 모델이 된다. 부모는 각각의 방식으로 자녀의 신체적·정서적 요구에 응함으로써 자신의 신념, 가치, 태도, 인생관과 자녀에 대한 기대를 전달한다. 어린아이는 자라면서 이러한 부모의 사고, 행동, 감정, 그리고 주위의 다른 중요한 사람들의 태도나 행동을 내면화하는데, 이를 어버이 자아상태라고 한다. 따라서 어버이 자아상태에서 일어나는 사고나 행동 또는 감정은 좋든 나쁘든 모두 부모나 주요 타인이 하던 사고나 행동 또는 감정을 편집하지 않고 있는 그대로 내사(introjection) 또는 수용한 것이다. 어버이 자아에는 다른 사람들을 가르치고 통제하고 비판하거나 혹은 다른 사람을 도와주고 지지하거나 격려하는 기능이 있다. 이 어버이 자아는 기능상 '비판적 어버이 자아(critical parents: CP)' 혹은 '통제적 어버이 자아(controlling parents)'와 '양육적 어버이 자아(nurturing parents: NP)'로 나누어진다. 비판적 어버이 자아는 부모나 다른 어른들의 가르침과 통제를 본받아 다른 사람들을 가르치고 통제하고 비판하는 것을 의미한다. 자녀는 자라면서 부모의 통제와 제재를 받는다. 부모는 자녀에게 끊임없이 규칙이나 예의범절을 가르치고, 위험한 행동이나 규칙에 벗어난 행동을 하면 제지하고 통제한다. 그리고 부모의 말을 듣지 않거나 부모가 정한 기준에서 벗어나면 꾸짖거나 질책하거나 비판하기도 한다. 부모는 또한 자녀에게 기대뿐만 아니라 자신들의 견해와 신념과 가치와 때로는 편견까

지 전달하는데, 이를 비판적 어버이 자아라고 한다. 흔히 지나치게 엄하고 교만하며 지배적인 태도, 명령적인 말투, 비난이나 질책하는 경향을 보인다. 양육적 어버이 자아는 부모나 주요 타인이 보여 준 행동을 본받아 다른 사람을 도와주거나 온정과 지지와 격려를 표현하는 것을 의미한다. 부모는 자녀의 행동을 통제하거나 비판하는 것만은 아니며, 자녀의 신체적·정서적 욕구를 충족시켜 주기도 한다. 배가 고플 때 먹여 주고 힘들 때 위로해 주며 애정을 표현하고 칭찬과 지지와 격려를 해 주기도 한다. 양육적 어버이 자아는 가정이나 직장에서의 원만한 인간관계를 맺기 위한 윤활유와 같은 것으로서, 상대방의 자립 또는 성장에 깊이 관계를 맺어 타인의 감정에 공감할 수 있는 능력이라고 할 수 있다. 상대방이 원조를 필요로 할 때 부모처럼 보살펴 주고 위로해 주며 따뜻한 말을 해 주고, 벌하기보다는 용서하고 칭찬하며 지도해 준다. 다른 사람의 괴로움을 자신의 일처럼 느끼는 양육적인, 상냥한 면을 가지고 있다. 양육적인 부모 밑에서 자란 아이는 양육적인 말 사용이나 몸짓을 동반하고 비슷한 자아상태를 갖게 된다. 그러나 이 양육적인 어버이 자아가 너무 강하면 아이의 여름방학 숙제를 방학 중에 끝내는 데 지나친 도움을 주고 과잉보호를 하며, 상대방의 독립심이나 자신감을 빼앗는 결과가 나타나거나, 친절을 마지못해 받는 일이 생길 수 있다. 이로 인해 상대방에게 수다스러운 사람으로 인식될 수도 있다. 이렇게 부모의 행동을 본받아 북돋아 주고 격려하며 보살펴 주는 행동을 하는 것을 양육적 어버이 자아라고 한다. 따라서 양육적 어버이 자아는 친절과 동정, 관용적인 태도를 보이는 경향이 있다.

관련어 | 어른 자아상태, 어린이 자아상태

어음수용역치
[語音受容閾値, speech reception threshold]

순음을 대신하여 다양한 어음자극을 검사음으로 사용하고 서로 다른 강도에서 제시하였을 때 수용할 수 있는 능력을 검사하는 것. **특수아상담**

청력손실을 진단하는 데 순음청력검사는 청각의 민감도를 알려 준다는 점에서 유용한 정보를 주지만 실제 의사소통에서의 언어수용능력에 대한 정보는 제한적으로밖에 제공하지 못한다. 즉, 피검사자의 어음청력역치를 측정하여 수량화할 수 있을 뿐만 아니라, 어음수용역치와 순음역치 평균 간의 차이로 순음청력검사의 타당도를 검증할 수 있다. 연구자들이 어음수용역치와 이 절차를 포함한 검사를 사용하면서부터 이제는 청각장애의 사정에도 이의 사용이 증가하였다. 어음수용역치를 검사하는 방법으로는 차이클린, 벤트리와 딕슨(Chaiklin, Ventry, & Dixon)이 개발한 상승법과 칼하트와 제르거(Carhart & Jerger)가 개발한 하강법이 대표적이다. 전자는 주파수를 1,000Hz에 맞추어 놓고 −10dB에서 시작하여 피검사자가 정확하게 반응할 때까지 10dB씩 올린다. 반면에 후자는 피검사자가 반응하지 못할 때까지 10dB씩 낮추어 가면서 검사어음을 제시한다. 연구에 따르면 하강법 절차가 상승법 절차보다 더 낮은 역치를 구할 수 있기 때문에 더 예민하고 시간도 더 적게 걸리는 것으로 알려져 있다. 그러나 상승법은 이를 통한 어음수용역치 결과가 순음청력역치와 거의 일치한다는 장점이 있다. 미국말−청각협회(American Speech Hearing Association: ASHA)는 1978년에 어음수용역치 절차에서 상승법을 권고했지만, 이후 1988년에는 새로운 지침으로 하강법을 권고한 바 있다. 또한 순음청력검사에서와 같이 5dB 간격으로 친숙한 이음절어 역치를 측정하는 것이 권고되고 있다. 어음수용역치 측정절차는 ASHA(1988)에서 제시한 4단계 지침, 즉 검사자료와의 친숙화, 최초의 검사강도 결정, 역치의 결정, 역치의 도출단계를 따른다.

관련어 | 어음청력검사

어음청력검사
[語音聽力檢査, speech audiometry]

순음청력검사만으로 언어이해능력을 평가하는 데 따르는 문제를 보완하기 위하여 사람의 말소리인 어음을 인지하는 검사. 특수아상담

청력손실 정도를 측정하기 위한 여러 청력검사 가운데 가장 보편적인 방법으로 순음청력검사와 어음청력검사가 있다. 어음청력검사가 중요한 이유는 순음청력검사에서 사용되는 순음의 인지 유무와 사람의 말소리인 복합음을 인지하는 정도는 실제 언어환경에서 평가해야 하기 때문이다. 또한, 단순히 순음을 인지하는 데 무리가 없음에도 불구하고 어음의 인지에는 문제를 보이는 경우가 많기 때문이다. 연구에 따르면 순음은 음의 크기와 주파수만을 가지는 반면, 어음은 음색과 음질을 추가적으로 갖는다. 따라서 청각장애인의 보청기를 선정하는 데 순음 검사에 의존하기보다는 어음청력검사를 통한 선정이 좀 더 효과적이라는 보고가 있다. 이러한 어음청력검사는 최적 가청치(가장 편안하게 들을 수 있는 가청치), 최고 가청치(귀가 통증을 느끼기 직전의 음의 크기), 어음 가청치(검사자의 어음을 듣고 이해할 수 있는 최저 가청치), 어음변별력(언어수용 정도를 측정할 수 있는 기초자료) 등으로 구성된다.

관련어 | 순음청력검사, 청력검사

억압
[抑壓, repression]

고통스럽거나 위협적인 생각, 경험, 갈등, 감정 등을 의식으로부터 분리하여 무의식 속으로 밀어 넣는 방어기제의 하나. 분석심리학 정신분석학

프로이트(S. Freud)는 초기 정신분석이론에서 억압을 자아방어와 동의어로 사용했을 만큼 가장 기본적인 방어기제로 제시했으며 억압이론을 정신분석의 초석이라고 지칭하였다. 이러한 측면에서 볼 때 다른 유형의 방어기제는 억압의 하위범주로 간주될 수 있다. 구조모형(structural model)에 따르면, 억압을 비롯한 모든 방어기제 유형은 특정 기억을 금지하고자 하는 초자아의 요청이나 현실적 요구에 대한 반응으로 나타나는 것처럼 보이지만 근본적으로 자아의 기능에 속한다. 억압은 원초아의 충동을 제지하는 데 매우 중요한 기제로서 사회적으로 혹은 윤리적으로 용납될 수 없다고 생각하는 욕구, 충동, 생각 등을 무의식 영역으로 묻어 버린다. 수치심을 느끼는 것, 괴로운 것, 공포스러운 것 등은 억압되어 망각된다. 억압은 일종의 자신에 대한 기만이다. 이러한 자기기만이 성공할 경우 일시적으로는 안정된 상태가 되지만, 반대로 자기기만 기제가 실패하거나 억압된 욕구가 너무 강력하면 근본적인 원인은 의식되지 않은 채 불안만 증가한다. 억압된 비도덕적 행위나 실패 등에 따른 죄책감과 수치심이 심리 내적 세계에 압력을 가하는 경우 우울이 유발된다. 또한 무의식 속에 억압된 내용은 완전하게 충족되거나 해결된 것이 아니기 때문에 지속적으로 행동동기로 작용하며, 억압된 욕망은 종종 꿈, 농담, 말실수 등의 형태로 간접적으로 표출된다. 위협적인 내용을 억압하기 위해서는 많은 심리적 에너지가 요구되기 때문에 억압은 모든 신경증적 행동과 심인성장애의 원인이 된다. 발생적·구조 역동적 측면에서 볼 때, 억압은 일차적 억압(primal repression)과 이차적 억압(secondary repression)으로 구분된다. 전자는 관념과 충동이

의식으로 들어오는 것을 부정하고 금지하는 최초의 기본적 억압이며 유유아기(乳幼兒期)에 형성된다. 후자는 일차적 억압내용이나 그것과 결부된 경향들의 의식화를 방해하는 작용이며 초자아형성 이후에 생긴다. 프로이트(A. Freud)는 아동을 발달적으로 고찰하여 억압은 원초아와 자아가 분화하여 초자아가 형성되기 시작하는 4, 5세경 이후에 성립하고, 그 이전에 나타나는 유아의 부인(否認) 작용을 억압의 선구로 보았다. 따라서 억압, 특히 일차적 억압은 반드시 내적 불안의 처리라는 방어기제일 뿐만 아니라, 자아의 성장을 보호하고 자아와 초자아의 발달에 필수불가결한 현실 적응기제로서의 기능을 가지고 있다. 한편, 억압에는 승화와 같이 건전한 적응기제의 발달을 가능하게 하는 '성공적인 억압'과 끊임없는 원초아의 돌출과 그것에 대한 방어로서 신경증 증상을 유발하게 하는 '성공적이지 못한 억압'이 있다. 정신분석의 후기 이론이 정립되어 가면서 억압에 대한 관점은 변화되었다. 억압은 받아들이기 힘든 욕동을 무의식적 수준에서 보존하려고 하며 또한 그것을 밝혀내려는 치료에 저항한다고 보았다. 따라서 정신분석의 초기이론에서와는 달리, 치료상황에서는 지속되는 억압과 저항의 동기와 과정에 초점을 두고 내담자의 심리과정에 역동적으로 접근한다. 억압된 무의식적인 기억을 되살리고 증상을 일으킨 상황을 감정적으로 재경험하도록 만들어 그것과 연관된 감정들이 해소되고 배출되도록 하던 것에서 점차 억압 자체의 심리기제와 동기를 밝히는 것으로 치료의 초점이 옮겨졌다. 억압과 유사한 개념으로 억제(suppression)가 있다. 억압이 무의식적인 방어기제라고 한다면 억제는 의식적인 억압이라고 할 수 있다. 억제는 비생산적이고 혼란을 가중시키는 문제, 경험, 감정에 매몰되지 않도록 의도적으로 다른 곳에 주의를 돌리는 것이다. 미성숙하지만 적응적인 가치를 지니는 방어기제의 한 유형이다.

관련어 │ 구조모형, 방어기제

억제적인 환경
[抑制 – 環境, constraining environment]

개인의 내면체계에 부담을 주는 다양한 환경적인 요소.
내면가족체계치료

인간체계는 주위 환경과의 상호작용 속에서 조화와 균형을 이룰 때 건강하고 정상적인 발달상태를 유지할 수 있다. 하지만 불균형, 양극화, 밀착, 문제가 있는 리더십 등 조화를 방해하는 환경요소도 존재한다. 억제적인 환경은 개인의 내면체계에 부담을 부과한다. 이와 같은 억제적인 환경에서 개인의 체계가 발달하면 자원에 대한 접근은 보다 제한적일 수밖에 없다. 그래서 구조적으로 불균형적이고 양극화된 문제를 지닌 리더십으로 발달하기 쉽다. 다시 말하면, 그 체계는 불균형적이고 양극화된 체계를 반영할 것이다. 하지만 특정 기간에 억제적인 환경에서 지냈다고 해서 체계 전체가 심각하게 파괴되는 것은 아니다. 아무리 인간체계가 억제적인 환경에서(학대, 방임, 빈곤, 극단적인 가치, 책임 혹은 외상에 따른 희생자 등) 발달되었다 해도 인간은 그러한 구속에서 벗어났을 때 어느 정도의 균형과 조화를 회복할 수 있는 '자기'를 가지고 있다.

억제제
[抑制製, depressants]

인체 내에서 중추신경계의 기능을 억제하여 안정감을 주는 중추신경 진정제의 총칭. 중독상담

일반적으로 사용되는 수면제와 같은 억제제는 신체의 활동을 느리게 하여 신체의 반응성을 감소시키며 진정, 졸음 등을 유발한다. 하지만 아편(opium), 모르핀(morphine), 헤로인(heroin) 등 아편류의 진정제는 심각한 중독현상을 일으키면서 불쾌하고 고통스러운 금단증상을 동반한다. 이러한 약물들은 공통적으로 진정 및 이완 작용을 하거나 불안을 덜어 주고, 억압된 감정을 발산시켜 준다. 또한 환경자

극에 대한 민감성을 완화해 주고, 반응시간과 신체적 활동의 간격을 줄여 주며 추진력을 증가시키는 등의 다양한 기능을 한다. 억제제는 알코올과 일반적인 마취제를 포함하여 바르비튜레이트(barbiturate)와 바르비튜레이트가 첨가되지 않은 진정 수면제, 그리고 항불안제 또는 벤조디아제핀(benzodiazepine) 등이 있다. 모든 중추신경 억제제는 인체 내에서 작용하는 방법과 작용위치, 각 사용자에게 주게 될 효과 등의 측면에서 유사점을 가지고 있다. 첫째, 하나의 약물을 복용할 때보다 2개 이상을 한꺼번에 복용하였을 때 복합적 효과를 일으키는 상승효과가 있다. 둘째, 억제활동을 방해하는 자극제로서의 역할과 어느 한도까지 자극적 효과를 누그러트리는 억제제로서의 역할을 한다. 이것을 길항작용(antagonism)이라고 한다. 예를 들어, 코카인과 같은 자극제를 복용하여 흥분상태에 있을 때 디아제팜(diazepam)과 같은 억제제를 복용하면 흥분효과를 다소 진정시킬 수 있다. 이 같은 길항효과를 이용해서 약물중독자를 치료하기도 한다. 셋째, 적은 양을 복용했을 때 나타나는 행동적인 변화가 마치 자극제처럼 보인다. 적은 양을 복용할 때 억제제는 인체 내 자극체계의 활동을 제지하기 전에 억제체계의 활동을 막는다. 결과적으로 뇌는 억제를 완화시키고, 약물 사용자는 진정되기보다는 오히려 자극을 받은 것처럼 보인다. 넷째, 억제제의 반복적 투약 이후 과잉자극현상(hyperexcitability)이 발생한다. 1회의 약물복용으로는 그 약물이 배출될 때 약물로 인한 모든 작용이 사라지고 복용자는 약물을 사용하기 전 상태 혹은 정상 상태로 돌아온다. 반면, 오랜 시간에 걸쳐 복용한 다량의 약물은 약물이 중단될 때 흥분성과 관련을 맺게 되어 조증, 신체활동 수준이 높아지는 발작증세, 혹은 사망을 야기할 수도 있다. 다섯째, 억제제는 내성과 심리적 의존성을 만들어 낸다. 억제제를 반복적으로 복용하면, 간은 더 빠르고 효과적으로 대사작용을 한다. 또한 뇌세포는 약물에 적응하게 되며 약물이 영향을 미치는 상황하에서 어떻게 기능해야 하는지를 학습하게 된다. 따라서 시간이 지날수록 더 많은 약물을 투여해야 이전과 같은 효과를 얻을 수 있는 것이다.

관련어 | 마약, 바르비튜레이트, 아편, 향정신성 약물, 흥분제

언어발달
[言語發達, language development]

타인과 상호정보를 교환하기 위하여 사용되는 말의 형성과 의사소통의 연령 증가에 따른 변화. 발달심리

언어발달은 두 가지 측면에서 논할 수 있는데, 하나는 영유아가 각 문화권의 언어를 어떻게 습득하고 발달시키는가에 관한 언어형성의 발달, 또 하나는 다른 사람과의 의사소통이 어떻게 형성되고 발달하는가에 관한 의사소통의 발달이다. 이 중 의사소통능력이 먼저 발달한 다음에 언어가 형성된다. 먼저, 의사소통은 인간이 언어를 학습하기 전부터 발달하기 시작한다. 출생 후 영아는 울음, 미소, 표정, 몸짓, 눈빛 등으로 자신의 의사를 전달하고 언어를 습득한 후에도 이러한 전달방식은 신체언어로서 강력한 의사소통의 수단이 된다. 유아기에 이르면 기본적인 언어적 의사소통기술과 대상이나 상황에 적절한 언어를 사용하는 능력이 함께 발달한다. 그러나 아직 의사소통능력이 미숙하고 결함이 있으며 자신이나 상대방의 의사소통능력에 대해 정확히 이해하여 적절하게 대처해 나가는 상위 의사소통능력 또는 참조적 의사소통기술은 아동기 중·후반기에 발달하므로 이 시기의 독해와 작문 훈련은 언어적 의사소통기술을 촉진시킬 수 있다. 의사소통능력은 지속적으로 발달하며 이 시기의 의사소통능력은 인지 기술과 사회 언어적 이해와 성숙을 나타낸다. 그리고 언어형성과정은 크게 2단계로 구분할 수 있으며 첫 단계는 생후 1년간으로 이 시기에 영아는 단어를 형성하지 못하고 소리, 울음, 표정 등으로 자신의 의사를 전달하는 언어 전 단계다. 두 번째 단계

는 1세 이후를 말하며 낱말을 형성하여 의사를 전달하는 본격적인 언어발달이 이루어지는 언어 후 단계다. 언어 전 단계에 영아는 많은 소리 중에서 사람의 음성을 더 선호하고 특히 어머니의 말투에 더 잘 반응하며 생후 1개월이 되면 자음을 구별하고 2개월경에 '오~.' '아~.'와 같은 모음소리를 만들어 내는데, 이를 쿠잉(cooing)이라고 한다. 4~6개월이면 자음이 첨가되는 옹알이를 시작하고 언어와 유사한 최초의 말소리가 나타난다. 마침내 10~12개월이 되면 유성어를 만들고 의미를 알 수 있는 단어가 나타나면서 옹알이가 사라진다. 언어 후 단계에 접어든 유아는 비로소 낱말을 사용하기 시작하고 생후 12개월경부터 18개월까지는 일어문기로서 처음에는 한 번에 하나의 낱말로 자신의 의사를 표현하고 점차 2개의 낱말을 연결해서 사용할 수 있게 된다. 18~24개월은 이어문기로서 조사나 연결사를 생략한 채 명사, 동사, 형용사와 같은 2개 이상의 낱말을 연결하여 문장을 만든다. 2~3세경이 되면 비로소 문법적 형태소를 사용하기 시작하며 세 단어 이상을 사용하여 문장을 만든다. 이 시기부터 발달하는 언어수준은 평균발화길이(mean length of utterance: MLU)로 측정할 수 있으며, 이는 한 문장 내 형태소의 평균 개수를 말하고 유아기 언어발달의 지표로 사용한다. 또한 이어문기 이후의 언어발달은 문법적 지식과 구사능력의 발달로 이루어져 있으며 문법적 지식은 체계적인 순서에 따라 발달한다. 구사능력은 어휘 의미이해 및 사용능력과 관계어 이해, 시간적 관계어 이해, 인과적 관계어 이해 등의 발달로 이루어진다. 2~6세경에 어휘 의미이해 및 사용능력과 관계어 의미에 대한 이해력이 발달하며, 4~5세경에 공간적 관계어를 이해하게 된다. 4세경이면 친숙한 대립관계어와 시간적 관계어를 이해하고 사용하기 시작하는 것이다. 유아기의 언어발달에서 나타나는 특징으로는 하나의 낱말을 여러 가지 상황에 다양한 의미로 적용되는 단어의 과잉반화와 하나의 범주를 나타내는 단어를 특정 대상에 국한하여 사용하려는 과축소화 현상이다. 예를 들면, 과잉반화는 모든 성인 남자를 보고 '아빠'라고 부르거나 '영숙가 갔어.'와 같이 모든 이름 뒤에 '가'라는 조사를 부적절하게 붙여 사용하는 것이다. 과축소화는 자신의 집에 있는 불도그를 보고 '개'라고 하면서 다른 집에 있는 진돗개를 보고는 '개'가 아니라고 고집하는 것이다. 아동기에 이르면 어휘능력이 급속하게 발달하여 단어의 이중적 의미, 은유적 표현, 유머를 이해하고 문장의 오류를 수정하며 사동사, 피동사 등의 문법적 규칙이나 구조를 이해하고 인과적 관계어를 비교적 정확하게 사용한다. 언어형성을 촉진하고 발달시키기 위해서 부모는 옹알이에 민감하게 반응하고 상호작용하는 것이 필요하다. 인지적 측면에서 공동주의(joint attention)가 초기 언어발달에 중요한 기제로 작용한다. 공동주의는 한 사람이 어떤 대상이나 자극에 주의를 기울일 때 다른 사람도 그 대상이나 자극에 주의를 기울이는 것을 말한다. 그리고 부모 또는 형제와의 상호작용, 놀이, 교육수준, 사회경제적 수준 등이 의사소통의 발달에 영향을 미친다.

관련어 | 인지발달

언어성 검사
[言語性檢査, verbal test]

문자와 언어를 사용하여 심리검사를 구성한 것. 심리검사

인쇄된 문자나 말로 자극 또는 문항을 제시하고 글이나 말로 대답하도록 하는 검사를 말한다. 구두나 서면 반응을 요구하며, 검사 대상자가 검사에 사용되는 언어나 문자에 익숙할 때 적용할 수 있다. 언어성 검사는 동작성 검사의 반대 의미를 갖는다. 지능검사의 경우, 언어성 검사에서는 문제를 단어나 문장으로 구성시켜 주로 언어의 이해력 · 구사력 · 추리능력 · 논리적 능력 등을 측정하고, 동작성 검사(비언어성검사)에서는 문제를 글(언어)이 아닌

도형·회화(그림)·기호·숫자 등으로 구성시켜, 주로 수리적 능력·공간파악능력·추리적 능력·기억력 등을 측정하는 경우가 많다. 예를 들어, 한국판 웩슬러 성인지능검사(K-WAIS)의 언어성 검사에서는 기본 지식, 숫자 외우기, 어휘문제, 산수문제, 공통성 문제와 관련된 문항들을 포함하고 있고, 동작성 검사에서는 빠진 곳 찾기, 차례 맞추기, 토막짜기, 모양 맞추기, 바꿔 쓰기와 관련된 문항들을 포함하고 있다.

관련어 | 동작성 검사

언어성 학습장애
[言語性學習障礙, verbal learning disabilities]

언어가 관여된 영역(읽기, 쓰기, 수학 등 주요 학업영역)에서의 심각한 문제를 보이는 학습장애의 한 유형. 특수아상담

사회성 측면의 문제를 주로 드러내는 비언어적 학습장애와 상반되는 개념으로, 학습장애는 발현되는 시점에 따라 학령 전기에 학습과 관련된 기본적 심리과정에 현저한 어려움을 보이는 경우를 발달적 학습장애(developmental LD)로, 학령기 이후 학업 관련 영역에서의 현저한 어려움을 보이는 경우를 학업적 학습장애(academic LD)로 구분한다. 전자는 구어장애, 주의력결핍장애, 지각장애가, 후자는 읽기장애, 쓰기장애, 수학장애가 각각 포함된다. 그리고 두 유형에 해당되지 않는 학습장애, 즉 언어가 관여되는 영역이 아닌 공간지각능력, 운동능력, 사회성 기술과 같은 비언어적 능력에서 결함을 보이는 유형을 비언어적 학습장애(nonverbal LD)로 구분하고 있다. 언어성 학습장애가 갖는 대표적인 학업적 문제로는 구어장애, 읽기장애, 쓰기장애, 수학장애 등을 들 수 있다. 구어장애는 발음에 문제를 보이며 짧은 문장과 제한된 어휘를 사용하거나 단어의 의미와 문장을 이해하는 데 어려움을 갖는다.

읽기장애는 언어성 학습장애의 대표적인 유형으로 음운인식, 읽기 유창성, 읽기 이해 등에 어려움을 드러낸다. 쓰기장애는 글자 쓰기, 철자 쓰기에서의 오류와 함께 글의 구성과 작문에 심각한 문제를 보인다. 수학장애는 기초적인 연산과정의 정확도와 속도가 또래보다 현저하게 낮고 문장제 문제해결에 어려움을 보인다. 또한 쓰기장애와 수학장애의 경우 읽기장애와 동시에 나타나기도 하고, 이와 달리 읽기에는 문제가 없으면서도 쓰기, 수학 각 영역에서 학습장애를 보이기도 한다. 전통적으로 언어와 관련된 영역의 학습문제에 대한 논의가 주로 거론되었지만, 최근 들어 공간지각 또는 사회적 관계형성 등과 연관 있는 비언어성 학습장애에 대한 관심이 높아지고 있다.

관련어 | 비언어성 학습장애

언어장애
[言語障礙, language disorders]

언어를 구상하고 이해하는 데 관계되는 중추신경이 손상되어 발생하는 의사소통장애의 한 유형. 특수아상담

「장애인 복지법 시행령」 제2조에서는 언어장애를 "음성기능이나 언어기능에 영속적으로 상당한 장애가 있는 사람"으로 정의하고 있다. 이러한 언어장애는 다시 언어발달 지체와 실어증으로 구분할 수 있다. 먼저 언어발달 지체란 정상적인 발달수준에 비해 6개월 정도의 차이를 보이는 개인차를 넘어서 정상 발달 또는 또래보다 1년 이상 지체되는 경우를 말한다. 언어발달 지체의 경우 이해와 표현 모두에 문제를 가지므로 말의 이해 부족, 수준 낮은 문장 사용과 잦은 오류, 나쁜 발음 등을 포함한다. 이것의 원인으로는 인지기능의 저하, 자폐나 정서장애로 인한 정상적 언어발달 저해 및 정서·사회적 결손, 그리고 시·청각 문제로 인한 감각 결손 등이 거론된다. 다음으로 실어증은 표현이 단순하고 의미 없

는 말을 하며 임의로 말을 만들어 내고 의사표현에 어려움을 보이는 특징을 갖는다. 또한 말과 글을 이해하지 못하는 경우가 많고 심지어 자신이 표현한 글도 의미가 맞지 않고 철자도 틀린다. 이러한 실어증에는 브로카 실어증(청각적 언어이해능력은 좋지만 말이 유창하지 못하고 따라 말하기가 힘들며 문법에 맞지 않는 문장 사용), 베르니케 실어증(유창하고 조음장애가 거의 없으며 문법도 규칙적으로 사용하지만 결정적으로 의미가 잘 통하지 않음. 또한 행동을 통한 의사소통은 잘하지만 청각적 처리가 필요한 말, 즉 말소리는 이해하지 못하는 경우가 많음), 전반 실어증(언어의 전 영역에 손상이 있어 자발적인 언어를 이해하기 어렵고 유창하지 않음) 등이 포함된다. 이처럼 언어능력에 한계가 있어 사회적 상호작용에서도 학습기회가 줄어든다. 그리고 언어문제를 가진 학생의 경우 좌절, 무력감, 주의집중저하, 사소한 자극에의 흥분 등이 특성으로 보고되고 있다. 언어장애가 있는 학생들에게는 분리된 공간에서 집중적인 언어치료를 실시하는 것보다는 학교나 기타 일상생활의 장면에서 언어를 사용하여 의사소통을 하는 데 주안점을 두는 것이 좋다. 더불어 언어장애와 같은 의사소통의 문제는 학업 문제뿐 아니라 사회 · 정서적 문제까지 야기할 수 있으므로 학습기회를 충분히 제공함과 동시에 사회성 기술훈련도 제공해야 한다.

관련어 | 말 장애, 의사소통장애

언어적 일치시키기
[言語的一致 –, verbal matching]

상담자의 언어를 내담자가 말한 내용 및 언어와 일치시키는 기법. 최면치료

NLP와 에릭슨 최면의 기법으로, 상담자가 내담자의 언어적 특성을 관찰하여 그에 맞추어 일치시키는 것을 말한다. 이는 내담자를 자신의 반응에 집중하게 하고, 라포 형성에 도움을 준다. 상담자는 집중의 범위를 좁혀 나가면서 내면적 차원의 집중으로 이끌어 자연스럽게 트랜스를 유도할 수도 있다. 이때 가장 중요한 것은 내담자의 어휘에 맞추어 일치시키는 것이므로, 내담자가 주로 사용하는 어휘를 잘 파악하여 그 어휘에 맞추어 표현해야 한다. 언어적 일치에는 동급유목화, 상향유목화, 하향유목화가 있다. 동급유목화는 내담자가 한 말과 같은 수준에서 일치시키는 것이다. 예를 들면, "친구들이 무시하면 속이 상해요."라고 할 때 상담자가 "그래요, 친구들이 무시하면 속이 상하죠."라고 말하는 것이다. 상향유목화는 같은 경우에 "내가 의미 있게 생각하는 사람이 나를 인정해 주지 않으면 속이 상하죠."라고 말해 준다. 하향유목화는 좀 더 구체적인 면을 지적해 준다는 점에서 상향 유목화와 다르다. 예를 들면, "그날 같이 만났던 두 친구가 ○○씨를 무시하는 태도를 취해서 기분이 나빴다고요?"라고 말해 준다.

관련어 | NLP, 에릭슨 최면, 트랜스

언어치료
[言語治療, verbal remediation]

의사소통장애를 지닌 사람들의 언어능력(언어 이해 및 표현)을 정확하게 진단하여 언어발달을 유도하고 조장하기 위한 치료 · 중재 방법. 특수아상담

언어치료의 대상은 실어증, 자폐 아동, 주의력결핍 및 과잉행동장애 아동 등 조음 및 유창성에 문제가 있는 사람이다. 언어의 이해와 표현에 어려움을 갖는 의사소통장애 학생의 경우 학급에서의 도움만으로는 충분하지 않을 때 전문적인 언어치료가 보탬이 될 수 있다. 이는 아동의 개별적 능력에 대한 진단과 평가를 바탕으로 실생활에서 기능적으로 사용하는 언어능력을 포함하는 교수목표에 따라 이루어진다. 또한 다양한 유형의 말 · 언어장애를 가진 아동에게 언어적 구성요소를 사용하게 할 뿐만 아

니라 언어장애 때문에 읽기기술이 지체된 아동에게 도움이 된다. 일반적으로 수용언어(말의 이해)에 우선적으로 노출시키고 점차 표현언어(실제로 말을 하는 것)가 가능해지도록 하는 방법을 적용한다. 언어치료는 언어치료사가 치료실에서 독립적으로 실행하는 것보다는 교사와 협력하여 교사가 언어를 기반으로 구성된 학과목으로 언어교육을 실행할 수 있도록 조력하는 방향으로 바뀌고 있다.

관련어 언어치료사, 의사소통장애

얼굴자극검사
[- 刺戟檢査,
face stimulus assessment: FSA]

베츠(D. Betts)가 개발한 심리치료 진단도구로서, 사람의 얼굴상을 주제로 하여 표준 얼굴 자극상을 이용하는 3단계 시리즈 그림검사. **미술치료**

이 검사에 사용된 얼굴 자극상은 아프리카인, 아메리카인, 아시아인, 러시아인 등의 모습으로 정신건강전문가들의 자문을 통하여 문화적 요인이 고려된 얼굴 형상이다. 얼굴자극검사는 원래 의사소통장애가 있는 중복장애 아동이나 청소년을 대상으로 한 미술치료 장면에서, 그들의 창조적 잠재력과 인식력 및 발달수준을 이해하기 위하여 개발되었다. 얼굴자극검사의 특징은 기억력과 시각적 인지력, 얼굴 구성요소를 조직하는 능력을 드러내고, 특히 장애 아동의 심리사회적 발달, 인식력 발달, 창조적 잠재력, 도식 이해력의 수준을 검사하는 데 유익하다. 또한 개념능력, 시각적 인지력, 운동근육 발달 등을 사정하는 도구로도 유용하게 사용할 수 있다. 게다가 얼굴자극검사는 다음과 같은 장점을 가지고 있다. 일관된 내용이 있어서 그리는 과정을 관찰하지 않고도 평가가 가능하며, 언어적이거나 비언어적 집단에서 사용할 수 있다. 위협적이지 않고 성의 구별이 없으며, 특정한 연령대에 한정되지 않는다.

사람에게 가장 친숙한 사람의 얼굴을 자극으로 사용함으로써 내담자의 얼굴상에 대한 인지수준을 쉽게 파악할 수 있다. 이에 더해 이미 그려진 도판을 사용하여 예술적 재능 여부와 부담을 갖지 않고 거부감 없이 쉽게 접근할 수 있고, 인물화 검사항목 중 가장 중요한 요소인 얼굴상을 자극으로 사용하는 만큼 검사의 타당도나 신뢰도 면에서도 보다 안전한 그림검사라고 할 수 있다(Betts, 2003). 준비물은 얼굴자극검사 용지 3장과 채색도구, 즉 빨강, 주황, 노랑, 초록, 파랑, 보라, 갈색, 검정의 8색 마커와 다양한 인종의 피부색을 표현할 수 있는 다문화주의적 칼라 8색 마커다. 이 검사는 3장의 시리즈 그림으로 구성되어 있으며, 용지는 세로 방향이고, 얼굴상은 정면을 향하고 있다. 실시방법은 다음과 같다. 먼저, 완전한 얼굴이 그려진 얼굴 자극그림 1을 제시하여 내담자가 얼굴 그림을 완성하게 한 뒤, 다음에는 윤곽선만 그려진 얼굴 자극 그림 2를 제시하

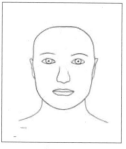
자극그림 1

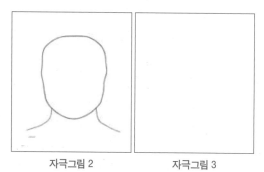
자극그림 2   자극그림 3

[얼굴 자극 그림검사의 자극그림]

출처: Betts, D. J. (2003). Developing a projective drewing test: experiemce with the face stimulus assessment. *Art theropy,* 20.

여 얼굴 그림을 완성하게 하며, 마지막으로 백지 용지를 세로로 제시하여 얼굴 그림을 그리게 한다. 이와 같이 얼굴자극검사에서는 얼굴 자극 그림 2와 3을 제공하여 두 번 계속해서 얼굴 그림을 그리게 함으로써, 내담자는 얼굴 구성요소뿐만 아니라 기억력과 시각적 인지력을 증명할 수 있다. 얼굴자극검사는 비교적 최근에 개발되어 표준화된 해석지표를 수립하고자 하는 연구노력이 이루어지고 있다. 많은 연구들을 종합해 보면, 해석에서 중시되고 있는 것은 얼굴상에 대한 반응, 색상의 역할, 그림의 느낌, 논리성, 사실성, 발단단계, 세부사항, 반복성, 선의 질, 그림형태, 창의성, 그림공간의 사용 등이다.

얽힘
[–, bind]

가족세우기 치료에서 사용하는 용어로 가족관계에서 발생하는 역기능적인 감정이나 행동 또는 갈등. 기타 가족치료

얽힘은 가족세우기 치료에서 핵심이 되는 사항이다. 얽힘이 일어나는 원인은 다음의 두 가지로 설명할 수 있다. 첫째, 얽힘은 무의식적으로 가족 중 누군가와 내적으로 강하게 연결되어 그와 유사한 감정과 비슷한 운명을 가졌다고 볼 때 발생한다. 즉, 가족 중 어떤 사람이 무의식적으로 이전 세대의 한 사람의 불행한 운명을 받아들여 자신의 삶으로 여기고 사는 것이다. 예를 들면, 선대에 아이가 버려졌는데 후대의 누군가가 그 운명을 받아들여 자신이 버려진 것처럼 행동을 하는 것이다. 그러나 그가 자신의 행동이 이전 세대에 벌어진 한 사람의 운명과 얽혀 있다는 사실을 알지 못하기 때문에 얽힘이 일어나며, 그 사실을 알게 되면 풀려날 수 있다. 이전 세대는 후대보다 위에 있으며, 이전 세대의 책임을 보상하는 것은 후대에 속해 있지 않다. 가족세우기 치료에서는 그럼에도 불구하고 이러한 일이 많은 가족 안에서 일어나고 있다고 설명한다. 즉, 만일 한 가족 안에서 누군가 그의 행동을 통하여 파괴적인 일이 발생했다면 대부분의 경우 한 후손이 그를 모방하려고 한다. 둘째, 얽힘은 가족희생양의 역할을 받아들일 경우 발생한다. 부모가 자녀에게 자신이 준 것을 받으려고 하면 자녀는 소위 부모에게 이용당하거나 착취당하게 된다. 가족체계 안에서 가족희생양의 역할을 하는 자녀는 가족체계의 균형을 유지하기 위해 스스로를 희생시키는 경우가 있다. 예를 들면, 자녀가 문제아 역할을 담당하여 반사회적으로 행동함으로써 아버지 어머니가 억압하고 있는 드러내지 못한 분노를 대신 떠맡을 수 있다. 이 같은 아이는 가족의 희생양이 된다. 이들은 충성심 속에서 부모에게 이용당한 것을 부모에게 되갚지 못하고 자신의 자녀에게 되돌린다고 한다. 따라서 가족의 문제는 다세대적 관점에서 얽히게 되고 역기능의 패턴이 계속해서 전수되는 것이다. 헬링거(Hellinger)는 가족문제와 증상의 원인이 얽힘에서 시작된다고 보았다. 따라서 가족세우기 치료는 내담자의 증상을 제거하기 위해 내담자를 둘러싸고 있는 얽힘을 밝히는 것이 주요 목표가 된다. 헬링거는 이러한 얽힘을 풀기 위해서 가족세우기를 수행하고, 이를 통하여 가족이 다시 자기 자리를 회복할 수 있다고 주장하였다. 이 과정을 거쳐 감정이 풀리고 경감되며, 더 이상 짐을 지우는 것 없이 그 자신을 되찾을 수 있다.

업
[業, karma]

몸, 입, 뜻으로 짓는 행동과 그것을 이루어지게 하는 작용. 동양상담

업은 짓는다는 입장에서 보면 먼저 정신의 작용, 곧 마음속의 생각이 일어나고, 이것이 행동으로 나타나 선과 악을 짓게 되는 것이다. 세계 속에서 일체의 만상은 모두 우리의 업으로 생겨난다. 초기 불

교의 『국사론』『바사론』 등에서 이것을 강조하고 있다. 제각기 뜻을 결정하고 그 마음의 결정을 동작과 말로 실천하면 그 결과가 업력이 되고 업력에 의하여 잠재세력이 형성된다. 이들의 세력은 없어지지 않고 반드시 그 결과를 불러오며, 그리하여 삶과 이 세계는 모두 이 업의 결과에 귀속된다. 인생이나 세계가 천차만별로 나타나는데 그것이 서로 다른 모양으로 나타나는 것은 업이 지닌 차별의 결과다. 따라서 몸으로 세 가지 악업을 짓고 괴로운 보를 받게 되는데, 그것은 살생하는 것, 시기하고 훔치는 것, 바람 피우는 것이다. 또 입으로 하는 네 가지 악업은 거짓말, 이간 붙이는 말, 욕설, 꾸며 대는 말이다. 그리고 탐욕, 성냄, 어리석음이 있다. 이 모든 것이 열 가지 악업이 되며, 열 가지 선업은 이와 반대로 행하면 이루어지는 것이다. 이 같은 불교의 업설은 전적으로 인간의 자유의지에 맡겨져 있음을 알 수 있다. 불교의 십업의 내용을 보면 어느 하나라도 인간의 사회생활과 무관한 것은 없다. 업에는 반드시 보(報)가 따른다. 그래서 자기 자신은 물론 그 결과에 대한 사회적 책임으로 깊이 박혀 있는 것이다. 그런데 어떤 사람이 나쁜 일을 크게 저질렀는데도 잘 살고 있는 경우를 우리는 흔히 볼 수 있다. 그와 반대로 선한 일만 하는데도 불우하게 살다가는 사람을 볼 수 있다. 여기서 불교는 삼세업보설(三世業報說)을 말하고 있다. 먼저 현재 업인이 있는데 그 과보가 지금 나타나지 않는 경우, 그리고 과보는 있는데 그 업인이 현재 발견되지 않는 경우가 있다. 전자의 경우는 그 과보가 현세에 나타나지 않았지만 다음 생, 즉 내세에 있을 것이고, 후자의 경우는 그 업인이 현세 이전, 즉 지난 생에 있어 온 것을 지금 받고 있는 것이다. 그래서 『중아함』 권 3 「사경(思經)」에서 석가모니는 다음과 같이 설명하고 있다. "만일 고의로 업을 지으면 반드시 그 과를 받게 되는 것이니, 현세에 받을 때도 있고 내세에 받을 때도 있다."

에고그램
[−, egogram]

교류분석의 기초 이론인 자아의 균형상태와 기능적 자아상태의 각 기능의 양을 직관적으로 보여 줄 수 있게 그림으로 나타내는 검사. **교류분석**

에고그램은 세 가지 성격구조를 기초로 자기 분석을 할 수 있고, 성격의 불균형을 발견하고 개선해 나갈 수 있는 유용한 검사도구다. 이 검사는 자신이 되고자 하는 모습을 향하여 어느 부분이 얼마나 변하면 좋은지에 대한 구체적인 지표를 주며, 자아상태의 균형상실로 인한 행동의 이상이라든지 심신의 이상증세가 나타나는 원인 등을 알아볼 수 있다. 에고그램의 이론적 배경은 번(Berne)의 교류분석 이론에서 자아의 균형상태를 알아보기 위한 검사도구로 듀세이(Dusay, 1977)가 창안한 자기분석방식 중 하나다. 자아도 검사(自我圖檢査) 또는 자아구조검사라고도 불리며, 각각의 자아상태가 방출하고 있다고 생각되는 에너지의 양을 숫자를 통해 그래프로 나타낸다. 여기서는 다섯 가지 기능분석에 따른 자아상태인 비판적 어버이 자아(critical parent: CP), 양육적 어버이 자아(nurturing parent: NP), 어른 자아(adult: A), 순응적 어린이 자아(adapted child: AC), 자유로운 어린이 자아(free child: FC)가 어떻게 발휘되는가를 막대그래프나 꺾은선그래프로 드러내고 있는 것이다. 에고그램의 에너지 체계는 개인이 직접 에너지 전이를 통해 타인과의 관계 및 균형상태를 적극적으로 변화시키지 않는 한 고정되어 있다. 듀세이는 한 자아상태가 강하면 다른 자아상태가 약화될 수밖에 없다는 '항상성 가설(constancy hypothesis)'을 제안하였다. 정신에너지의 양이 일정하기 때문에, 한 자아상태가 많은 에너지를 사용하면 다른 자아상태가 사용할 에너지의 양은 줄어들 수밖에 없다는 것이다. 듀세이는 자신의 에고그램을 변화시킬 최상의 방법은 자신이 원하는 부분을 높이는 것이라고 말하였다. 이렇게 하면 자동적으로 낮추고자 하는 기능에서 에너지가 빠져나와 높이고자 하는 기능으로 이동된다(Stewart & Jones 2010).

관련어 교류분석, 자아상태모델

에난티오드로미 현상
[-, enantiodromie]

심리적 대극의 반전현상으로 시간이 흐르면 무의식의 반대경
향이 나타난다는 것. 분석심리학

실제로 한 극이 극대화되거나 의식세계에서 한 가지 경향성만 지나치게 우세할 때 나타나는 현상이다. 한 개인의 인식과 판단은 외계와 내계에 걸쳐 대극을 이루고 있는데, 정신적 지향성의 급격한 변화와 함께 인식 및 판단양식의 변화가 함께 일어나 그러한 상황을 만들어 내는 것이다. 심리적 기능의 지향변화는 정신지향성의 변화에 따라 발생하는 현상으로, 그 중심은 정신지향성의 변화, 그 자체다. 정신지향성의 변화는 선천적인 행동지향성과는 달리 후천적이다. 이것은 자연세계에서의 균형원리에 대응된다. 인간은 에난티오드로미 현상에 따라 주로 인생 후반기에 급격한 심리적 변화를 겪기도 한다. 예를 들어, 외향적 감정형이던 사람이 어떤 계기로 그 대극인 내향적 사고형으로 돌변하는 경우가 있다. 일반적으로 외계지향적인 사람이 내계지향적으로 변할 때, 외적 세계에 중심을 두던 사람이 자신의 내적 세계를 찾으면서 갖게 되는 생소함이나 충격은 상당하다. 또한 내계지향에서 외계지향으로 변하는 사람 역시 자신이 내계에서 인식하고 결정하던 것과는 다른, 외적 세계를 발견해 가면서 생소함과 충격을 경험한다. 행동지향성과 정신지향성은 독립적인 개념이기 때문에 외향성의 사람과 내향성의 사람 각각에 특히 많은 경우란 존재하지 않는다. 하지만 그 관계를 떠나 일반적으로 외계에서 내계로의 지향전환은 당연하게 여겨지지만, 내계에서 외계로의 지향전환은 유아적으로 평가되는 경향이 있다. 그 이유는 외계에서 내계로 지향성이 옮아가는 것은 물질세계를 위해 살아가다가 정신세계를 지향하거나, 자아를 찾는 노력을 시작하려는 성숙을 향한 어른의 특성으로 평가되고, 내계에서 외계로 지향성이 옮아가는 것은 자기 세계에 갇혀 있다가 외계에 눈을 뜬 어린아이의 특성으로 평가되기 때문이다. 모든 심리학적 극단은 암암리에 그 대극을 내포하거나 그 대극과 가장 밀접하고도 본질적인 관계를 맺는다. 하나의 입장이 극단적이면 극단적일수록, 오히려 에난티오드로미 현상이 더 예기될 수 있다. 최상의 것은 악마적으로 왜곡될 위험이 가장 크다. 왜냐하면 최상의 것은 나쁜 것을 가장 많이 억압하였기 때문이다. 이 같은 극단적인 심리적 변화를 잘 감당하지 못하면 정신질환에 걸리기 쉽다. 에난티오드로미 현상은 전형적으로 심각한 신경증과 관련된 증상을 경험할 수 있고, 성격 재탄생의 전조가 되기도 한다.

에릭슨 최면
[-催眠, Ericksonian hypnosis]

지시적인 전통적 최면을 반대하면서 에릭슨(Erickson)이 개발한 것으로, 자연스러운 상황과 대화 속에서 내담자가 의식하지 못하는 가운데 비지시적으로 트랜스 상태로 유도하는 최면법. NLP 최면이라고도 함. 최면치료

인간중심적, 자연적, 비지시적, 간접적, 창조적, 협동적 특성을 가지고 있는 최면법이다. 에릭슨 최면은 내담자가 눈을 감은 상태에서 치료자의 일방적인 지시에 의해 유도되는 전통적 최면과 달리, 치료자가 주도하는 일상의 대화나 의사소통과정에 자연스럽게 몰입하도록 하면서 내담자가 트랜스 상태로 유도되는 방식이다. 이 때문에 에릭슨 최면은 비지시적, 간접적 최면이자 일종의 자연적 최면으로 불린다. 에릭슨 최면의 가장 큰 특징은 최면이 내담자 위주로 이루어진다는 것이다. 에릭슨은 로저스(Rogers)와 마찬가지로 인간에 대해 낙관적이고 긍정적인 관점을 가지고 있으며, 인간에게는 트랜스

상태로 들어가 트랜스 상황을 경험할 수 있는 능력이 있다고 보았다. 또 무의식은 경험과 학습의 저장소이자 성장을 위한 근원으로 긍정적인 것으로 보았으며, 무의식은 지성적이고 자율적이며 창조적인 방식으로 작용할 수 있다고 생각하였다. 따라서 자연적 능력을 일깨우는 방법으로 이 같은 최면법을 개발하였다. 즉, 최면치료자는 내담자가 가지고 있는 자원이나 내담자의 상태를 바탕으로 내담자와 대화를 하고, 내담자는 그 대화에 응하면서 자연적으로 트랜스 상태로 유도된다. 에릭슨 최면을 전통적 최면과 비교했을 때 중요한 차이점은 다음과 같다. 첫째, 최면을 일상생활에서도 발생할 수 있는 자연적인 심리상태로 본 것, 둘째, 내담자는 다양한 최면 상태를 각기 다르게 경험하고 각기 다른 자원을 찾아낸다고 본 것이다. 로시(Rossi, 1980)가 정리한 기본 원리는, 무의식을 의식화하지 않아도 해결책을 찾을 수 있다는 것, 내담자의 특성은 상담목표를 위해 긍정적으로 활용될 수 있다는 것, 간접적인 암시가 더 효과적일 수 있다는 것, 암시는 새로운 의미·태도·신념을 창조한다는 것이다. 그리고 최면 유도의 원리는 탈집중의 원리, 집중과 몰입의 원리, 인식·활동의 분할, 리듬·반복적 행동이다. 오핸론은 라포와 관계 형성, 정보의 수집, 제한적 자기신념의 우회와 파괴, 숨겨진 능력과 동기환기, 기술의 개발, 기술과 능력을 문제맥락으로 연결, 치료의 종결과 사후관리를 과정과 절차로 제시하였다. 즐겨 사용되는 기초 최면유도법에는 권위적 유도법, 허용적 유도법, 환기법, 혼란기법, 분할하기, 연결짓기, 살포, 아날로그적 표현, 비구체적인 말, 초기 학습세트 기법, '내 친구 존' 기법 등이 있다. 이후 개발된 최면유도모델에는 ARE 모델이 있다. 당시 미국의학회는 의사의 최면사용을 금지했는데, 에릭슨이 미국의학회 회장과 만나 최면법을 적용해 보인 후 최면사용이 허용되었다는 이야기가 있다.

관련어 ARE 모델, 자연적 최면, 최면

에빙하우스 곡선
[－ 曲線, Ebbinghaus curve]

19세기 후반에 에빙하우스(H. Ebbinghaus)가 기억 혹은 망각에 대해 연구하여 시간경과에 따라 나타나는 일반적인 망각 경향을 그래프로 제시한 것. `학교상담`

에빙하우스 곡선은 기억연구에서 선구적이자 고전적인 결과물로 여겨진다. 에빙하우스는 망각연구를 위해 무의미 철자를 고안하였다. 즉, 일반 단어 혹은 의미가 있는 철자는 이미 기억 속에 있어 연구에 영향을 줄 수 있으므로, 어느 누구에게나 동일하게 적용되고 기억에 대한 영향을 최소화할 수 있도록 영어의 자음과 모음을 무작위로 배열한 단어(예를 들어, VAQ, MHI)를 고안하였다. 이러한 일련의 무의미 철자를 실험참여자에게 완전하게 학습시킨 다음 시간경과에 따라 망각량을 측정하여 도표로 작성하였다. 이 도표를 에빙하우스 망각곡선 또는 에빙하우스 곡선이라고 한다. 도표에 따르면, 학습 바로 직후에 망각이 매우 급격하게 일어나며, 특히 학습 직후 20분 내에 41.8%가 망각되었다. 즉, 학습 직후에 망각이 가장 빨리 일어나는 것으로 나타났다. 이를 통해 학습된 내용을 오래도록 기억하기 위해서는 반복학습과 시간 간격을 두고 규칙적으로 여러 번 수행하는 분산학습이 더 효과적이라는 결론을 내릴 수 있다. 한편, 이 연구에서는 무의미 기억자료를 사용하였는데, 의미 기억자료를 사용한다면 결

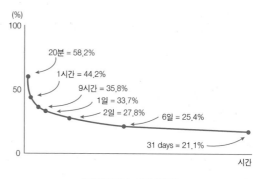

[에빙하우스 망각 곡선]

출처: Anderson, J. R. (2012). 인지심리학과 그 응용. 이영애 역.

과가 달라질 수 있다는 비판이 제기되기도 하였다.

관련어 | 기억, 망각

에스캄브라이 극단
[- 劇團, Thearto Escambray]

1976년 쿠바에 설립된 사회변혁을 위한 지역 연극단.
사이코드라마

에스캄브라이는 쿠바의 중심부에 위치한 농업지역으로, 1960년대 초에는 친정부파와 반정부파의 대립으로 지역민들의 분열과 소요가 계속되었다. 이 같은 상황에서 1967년 하바나 출신의 전문연극인들은 에스캄브라이 극단을 설립하였다. 극단의 주도자는 코리에리(S. Corrieri), 헤르난데스(R. Hernandes) 등 당대 유명 배우들이었으며, 그들의 목표는 연극을 순수한 오락의 도구에서 사회정치적으로 중요한 문제를 함께 생각하고 해결을 도모하는 장으로 확장하는 것이었다. 이를 위하여 그들은 먼저 에스캄브라이 지역으로 갔다. 지역의 관객들이 공연을 보면서 생활에 직결되는 당면 문제들을 토론할 수 있는 작품을 구상하였고, 시민전쟁의 지속과 같은 주제를 집중적으로 연구하였으며, 공연은 배우와 관객의 토론으로 마무리하였다. 그런데 당시 대부분의 관객들은 연극공연을 한 번도 본 적이 없었다. 그래서 공연 도중에 배우에게 말을 걸어 배우들을 당황시키는 경우도 있었다. 그때 에스캄브라이 극단은 그러한 관객의 개입을 수용하여, 드라마에 논쟁 장면을 포함시키는 것으로 공연형식을 수정하였다. 관객이 공연 도중에 끼어들어 질문을 하면, 배우는 맡은 역할을 유지한 채 그 인물의 관점에서 질문에 반응하였다. 다시 말해, 관객의 개입과 논쟁이 극의 구조로 양성화된 것이다. 또한 에스캄브라이 극단은 종교, 교육, 성, 여성주의의 주제를 농민에게 친숙한 이야기와 전통음악으로 형상화함으로써 오락의 측면에서도 뚜렷한 성과를 거두었다. 이와 같

이 에스캄브라이 극단은 대화와 생산적인 사회변화를 위하여 헌신하였다. 그들은 작품 제작과 토론에서 도덕이나 윤리의 잣대를 내세우지 않았고, 경쟁에서 이기려는 개인의 욕구와 그러한 개인의 희생을 요구하는 체제가 빚어내는 갈등, 그리고 혁명을 위하여 불가피한 반혁명적인 행동에 착안하여 혁명과정에서 발생하는 불완전함을 비판하였다. 말하자면, 에스캄브라이 극단은 사회주의에 내재한 본질적인 모순과 문제점을 제기하였고, 그런 점에서 혁명적인 극단이었다. 에스캄브라이 극단은 정치적이면서 동시에 예술적인 목표를 지향했으며, 그 작업은 사회치유적 효과를 거두었다. 에스캄브라이 극단은 혁명의 이상을 연극작업으로 구현했다고 볼 수 있다. 그러나 그 이면에는 공연이라는 집단의 생산물과 연기자 개인의 성장 사이에서 발생하는 일종의 불균형이 존재하였다. 그들은 심리학적 세계관에서 벗어나 사회학과 마르크스주의를 수용하면서 개인의 성장을 간과한 것이다. 에스캄브라이 극단의 작품은 관객과 직접 대화를 나누는 열린 접근법을 사용했지만, 지나치게 공공과 일반에 초점이 맞춰지면서 구체적이고 사적인 영역은 사라져 버린 결과를 초래하였다. 이처럼 보다 나은 사회를 위하여 헌신했지만, 개인으로서 자기 삶의 문제를 돌아보는 데 둔감했고, 그 결과 그들 작업의 사회치유적 효과는 한계를 가질 수밖에 없었다.

에이즈 시 프로젝트
[- 詩 - , AIDS Poetry Project]

에이즈 관련 감정 및 사고를 시로 표현하고자 한 사업.
문학치료(시치료)

에이즈 시 프로젝트는 HIV 양성반응 시인이면서, 아이들의 엄마이고, 1995년 Extraordinary Voices 상에서 '어머니 소리상'을 수상했으며, 『The Sky Lotto』(1995)의 작가이자 운동가인 샌드라 브릴랜드

(Sandra Vreeland)가 설립한 비영리 프로젝트다. 이 프로젝트의 목표는 젊은이들이 에이즈에 대한 감정과 생각을 시로 표현하는 것을 격려하고, 이러한 시를 통해서 세상에 대한 지혜를 나누도록 하는 것이다. 또한 HIV 및 에이즈에 대한 예술적 표현을 할 수 있는 기회를 제공하여 또 다른 차원의 에이즈에 대한 인식과 예방 교육을 하는 것도 목적이다. 자원 교사, 작가, 상담자들의 네트워크를 통해서 에이즈 시 프로젝트는 전 세계 6~18세의 어린이와 청소년의 시를 수집해 왔다. 그들에게 주어지는 주제는 이해, 의사소통, 동감, 후회, 슬픔, 분노, 인정, 희망 등이고, 각각의 주제에 대한 물음으로 작문의 단서를 제공받는다. 현재 이 프로젝트는 인터넷상으로 www.thebody.com에서 여러 단체의 후원을 받으면서 진행 중에 있다.

에포트
[- , effort]

라반동작분석에서 설명하는 개념으로, 동작역동에 나타나는 운동에너지의 사용방법. 무용동작치료

에포트는 내면적 충동이나 욕구로 솟아나는 에너지를 동작에 반영시키는 방법, 즉 동작하는 사람의 내적 태도를 표현하는 방법을 말한다. 라반의 동작분석에서는 에포트가 다음과 같은 네 가지 요소를 가지고 있다고 설명하는데, 직접적인 공간과 간접적인 공간, 무거운 무게와 가벼운 무게, 빠르고 갑작스러운 시간과 느리게 지속되는 시간, 통제된 흐름과 자유로운 흐름이다. 에포트는 이러한 네 가지 요소가 항상 조화를 이루며 연속적으로 발생한다. 예를 들어, 직접적인 공간, 무거운 무게, 그리고 시간에서의 돌발성은 펀치를 하는 행위를 의미하는 반면, 간접적인 공간, 가벼운 무게, 그리고 시간에서의 지속성은 흐름의 결합을 시사한다.

관련어 라반동작분석

공간 [空間, space] 공간은 직접적인 것과 간접적인 것으로 이루어져 있다. 전자의 동작은 집중, 의지, 몰입, 뾰족함, 정확함의 느낌을 주는데, 활쏘기를 하는 사람의 동작에서 잘 나타난다. 즉, 개인의 결정이나 선택에 대한 심리적 태도를 보여 주는 것이다. 후자의 간접적인 동작은 제멋대로임, 산만함, 어지럼, 흔들림, 잃어버림, 무관심과 같은 느낌을 주는데, 마치 처음 들어가는 컴컴한 방에서 전등의 스위치를 찾는 것과 같은 동작이며, 심리적으로는 선택이나 결정에서의 갈등과 고민을 암시한다. 공간은 직접적이거나 간접적인 공간에 기초하여, 사고와 관련된다. 예를 들어, 잃어버린 동전을 찾고 있는 사람은 제한된 반경이나 직접적인 공간적 에포트를 이용하면서 공간에 접근한다. 반면에 누군가를 찾으며 혼잡한 방을 헤쳐 나가는 사람은 넓은 반경이나 간접적인 공간적 에포트를 이용하면서 공간에 접근하는 것이다. 여기서의 공간은 공간에서 팔다리를 조정하는 것이나 방 안에서의 신체적 위치를 말하는 것이 아니라, 공간에서 신체가 움직이는 특성을 의미한다.

무게 [- , weight] 무게는 가벼움과 무거움으로 이루어져 있다. 가벼움은 나풀나풀, 아지랑이, 긴털, 편안함, 요정과 같이 떠 있는 느낌을 주고, 무거움은 강함, 무거움, 힘, 절도, 견고함의 느낌을 주며, 무거운 짐 나르기, 운동경기, 태권도와 같은 행동에서 나타난다. 무게는 나의 무게와 나 자신에 대해 느끼고, 강하거나 약한 충격을 만들며, 의도적이거나 확신적인 특성과 관련된다. 예를 들면, '자신의 체중을 주변으로 내던지는' 행위는 마루 위에 자신의 발을 쿵쾅거리는 데 무게라는 강한 에포트적 특성을 사용하는 것이다. 또한 가벼운 에포트를 사용하는 것은 잠자고 있는 아이를 깨우지 않기 위해 조심스럽게 발끝을 들고 다닐 때와 같은 감각을 암시하는 것이다.

시간 [時間, time] 시간은 빠름과 느림으로 이루어져 있다. 빠름의 경우에는 재빠름, 짧음, 조급함, 날카로움, 직선, 뛰기, 놀람의 느낌을 주며, 환호하는 박수치기와 같은 동작에서 나타난다. 느림의 경우에는 여유, 부드러움, 섬세함의 느낌을 주며, 기지개, 머리 쓰다듬기, 승무의 동작 등에서 나타난다. 시간은 돌진하거나 지체하는 것에서 결정되고, 긴박성이나 지속성에 대한 특징과 관련되어 있다. 시간적 에포트를 이용하는 예로는, 막 떠나려는 버스를 잡아타는 것처럼 빠르고 결정적인 행위, 또는 선물가게에서 선물을 고를 때와 같이 어떤 문제에 대해 느리고 여유 있는 생각을 하는 것이다.

흐름 [–, flow] 흐름은 자유로움과 통제됨으로 이루어진 몸 전체의 동작을 말한다. 자유로움은 즐거움이나 비틀거리는 느낌을 주며, 나비와 어린아이, 바람과 슬라이딩 및 예술가의 동작에서 나타난다. 통제됨은 정형화된, 조심스러운, 딱딱한, 뾰족한, 규칙적인 느낌을 주며, 절하기, 바느질하기, 아기 안기의 동작에서 나타난다. 자유로운 흐름은 쉽고 지속적이며, 잠시 멈추었다가 다시 계속할 준비를 한다. 이와 달리 통제된 흐름은 흐름을 구속하고, 내부에서 지속되며, 뒤로 움츠러들었다가 억제된다.

엑스터시
[–, ecstasy]

1980년대에 처음 나타난 것으로 흥분제와 환각제 역할을 하는 암페타민계 유기화합물. 중독상담

엑스터시는 현재 세계적으로 가장 급속하게 확산되고 있는 대표적인 환각성 신종 합성마약이다. 1914년 독일의 화학회사인 머크 사에서 합성한 물질로서, 처음에는 인지능력을 향상시키는 데 사용되었다. 이후 식욕감퇴, 불감증 등의 치료에 사용되었지만 효능을 인정받지 못해서 한동안 판매가 중지되기도 하였다. 하지만 타인에 대한 호감을 유발하는 효과가 있어서 1986년 지중해 섬 등지에서 관광객들이 댄스파티에 사용한 이래로 1980년대 이후 영국의 레이브 파티에서 사용되면서 마약으로 남용되고 있다. 엑스터시의 화학적 명칭은 MDMA(methylendioxy methamphetamine)다. 엑스터시를 복용하면 성욕이 증가하거나 광란에 가까운 격렬한 춤을 추게 된다. 이때 고개를 가로저으면서 춤을 추는데, 이러한 행동 때문에 우리나라에서는 엑스터시를 일명 '도리도리'로 부르기도 한다. 엑스터시는 내성이 상당히 빨리 생기는 약물로서, 이 때문에 과다사용에 따른 사망으로 이어지기도 한다. 뇌의 활동을 왕성하게 만들어 사회성을 증가시키고, 또한 평온함이나 냉정한 상태를 유지시키는 효능도 있지만 장기간 복용하면 세로토닌을 발생시키는 신경세포를 손상시킬 수 있다. 세로토닌 경로는 일단 손상된 후에는 영구적으로 복구되지 않는데, 그렇게 되면 기억장애, 우울증 등을 유발할 수 있다. 이외에도 불안, 초조, 구토, 혈압상승, 간 손상, 정신 이상, 우울증 등이 일어나고 심장마비로 사망할 수도 있다. 이 같은 결과는 엑스터시의 직접적인 작용이 아니라 사용과 수반되어 일어나는 결과다. 엑스터시는 보통 파티 약물로 부를 정도로 광란에 가까운 격렬한 춤을 추게 만드는데, 이렇게 약에 취해 정신없이 춤을 추다 보면 땀을 지나치게 흘려서 탈수상태가 되고, 열사병으로 발전하여 경련을 일으키다가 사망하는 경우가 많다. 엑스터시는 메스암페타민보다 값은 저렴하면서도 환각효과는 3배나 강하다.

관련어 | 내성, 암페타민류, 약물중독, 환각제, 흥분제

엔트로피
[- , entropy]

체계에서 나타나는 구조의 결함 또는 무질서의 정도.
분석심리학

물질계(物質系)의 열적(熱的) 상태를 나타내는 물리량의 하나로, 한 체계 안에 존재하는 무질서의 정도에 관한 양적 척도를 의미한다. 우주를 원자의 집합으로 보았을 때, 그 질서 정연한 배열이 해체되어 점차로 확산되고 평균화되는 경향성을 설명하기 위해 제시된 개념이다. 열은 높은 곳에서 낮은 곳으로 이동하며 그 역은 성립될 수 없다는 열역학 제2법칙을 정식화한 것으로, 1865년 클라우지우스(R. J. E. Clausius)에 의해 도입된 물리적 양(量)의 개념이다. 이 양(量)의 개념은 사이버네틱스에도 적용되어, 어떤 폐쇄된 체계가 개연성이 보다 낮은 상태에서 보다 높은 상태로 이동하는 경향을 측정하는 양으로 표현된다. 체계의 개방성과 폐쇄성은 외부 체계에서 들어오거나 외부 체계로 내보내는 정보의 흐름이나 상호교류를 허용하는 정도를 나타낸다. 체계가 건강하게 기능하기 위해서는 개방성과 폐쇄성 간에 적절한 균형이 이루어져야 한다. 만약 체계가 외부로부터 정보를 지나치게 많이 받아들이거나 전혀 받아들이지 않으면 체계 고유의 정체성과 생존이 위협받을 수 있다. 이와 같이 체계가 개방성이나 폐쇄성의 극단에 놓여 있는 상태를 엔트로피 상태라고 일컫는다. 반대로 체계가 개방성과 폐쇄성의 적절한 균형을 이룸으로써 체계의 질서를 최고로 유지하고 있는 상태를 니겐트로피(negentropy) 혹은 부적 엔트로피 상태라고 부른다.

관련어 | 균형 원리

엘더 호스텔
[- , elder hostel]

일정 기간 노인들이 함께 모여 살고 공부하는 장소.
중노년상담

세계에서 가장 규모가 큰 비영리 노인교육기관으로서 '평생교육을 통한 모험(Adventures in Lifelong Learning)'이란 슬로건을 내걸고 1975년 창립되어 55세 이상 노인을 대상으로 다양한 교육 프로그램과 여행을 함께 진행하고 있다. 이 교육기관은 놀턴(M. Knowlton)과 그의 동료 비안코(D. Bianco)가 뉴햄프셔대학교에서 220여 명의 노인을 대상으로 1~3주 프로그램을 실시한 것을 계기로 발전하였다. 그들은 은퇴자들에게 흥미로운 주제를 제공하여 지적 호기심을 충족시키고 유스호스텔의 모험정신을 바탕으로 현장답사를 벌이며 다양한 사교 활동 프로그램을 제공하고자 하였다. 현재 미국의 전체 주에서 등록한 단체만 650여 개에 이르고, 지역사회 곳곳의 대학에서 노인을 위해 다양한 강의를 제공하고 있다. 전 세계적으로 90여 개국의 1,900여 개 대학과 컨퍼런스 센터, 박물관, 문화센터 등 다양한 교육기관과 손을 잡고 매년 8,000여 개의 프로그램을 운영 중이다. 엘더 호스텔은 하이킹, 자전거 타기, 수영, 래프팅, 스키, 사냥, 골프 같은 야외활동을 즐기면서 자연의 경이로움을 경험하는 야외 모험활동(outdoor adventures), 미국과 캐나다 지역의 문화유적, 경치, 문화와 예술, 음식과 와인, 집과 정원, 국립공원, 명문 도시 등 7개의 세부 주제로 나누어 '테마 여행'을 떠나는 북미 탐험 프로그램(exploring north America), 에게 해에서 미시시피 강, 남극에서 프랑스의 운하까지 다양한 코스에서 역사, 문화, 예술, 문학, 환경, 생태 교육 프로그램으로 배우고 즐기는 선상모험(adventure afloat), 조부모·부모·이모·삼촌·손자 등의 친척들과 함께 동·식물원, 해변과 섬, 산을 탐사하며 생명과 환경의 소중함을 경험하고 세대 간 교류에도 도움을 주는 세대 간(intergenerational) 프로그램, 예술이나 문학부터 대체의학까지 다양한 주제를 여성의 관점에서 배우고 토론하는 여성 전용(women only) 프로그램 등 40여 개 유형의 프로그램을 갖추고 있다. 또한 각각의 과정은 참가자의 건강과 활동수준에 따라 몇 단계로 나누어진다. 초창기에는 여름방학을 이용해 6일 안팎의 교육 프로그램이 진행되었지만 지금은 하나의 주제나 복수 주제를 다루는 교육 프로그램이 하루에서 2주까지의 일정으로 다양하다. 대학 기숙사뿐만 아니라 호텔, 컨퍼런스 센터, 캠핑장 등 여러 장소를 숙소로 사용한다. 우리나라에서는 2005년 교육인적자원부의 재정지원을 받아 한 대학에서 정보화와 여행을 접목한 'e-실버 호스텔' 프로그램을 개발해 1년 동안 실비로 운영했지만 유료화 과정에서 재정지원이 미흡했고 참여 노인들도 부담을 느껴 결실을 거두지는 못하였다.

엘렉트라 콤플렉스
[- , Electra complex]

남아의 오이디푸스콤플렉스에 해당하는 갈등이 여아에게서 나타나는 현상. 정신분석학

그리스 신화에서 아버지의 죽음에 대한 복수로 남동생에게 자신의 어머니와 그녀의 애인을 살해하도록 지시한 엘렉트라의 이름에서 유래되었다. 남근기에 아동의 리비도는 자신과 가장 가까이 있는 이성의 부모를 향한 근친상간적 욕구로 나타난다. 구강기와 항문기를 거치는 동안 여아는 남아와 마찬가지로 동성인 어머니에게 의존해 왔지만, 남근기에 접어들면서 애정의 대상이 아버지에게로 옮겨간다. 여아는 아버지에 대한 근친상간적 소망을 갖고 어머니를 애정의 경쟁자로 여기면서 질투한다. 이러한 정서적 갈등은 어머니와의 동일시를 통해 해결되는데, 어머니를 닮아 감으로써 아버지에게 간접적으로 접근할 수 있으며 아버지의 애정을 획

득할 수 있다고 믿는다. 여아는 아버지에 대한 욕망을 억압하고 어머니와의 방어적 동일시를 한다. 그 결과 아버지를 간접적으로 소유하고, 어머니의 사랑을 계속 유지할 수 있게 된다. 이러한 동일시 과정을 통해 여아는 부모의 가치와 사회적 규범을 내면화하고 자아와 초자아가 발달한다.

관련어 │ 남근선망, 남근기, 오이디푸스콤플렉스

엘렌 웨스트의 사례
[- 事例, case of Ellen West]

빈스방거(L. Binswanger)가 수행한 엘렌 웨스트라는 환자와의 실존주의적 상담사례. 실존주의 상담

1944년 스위스의 정신의학자 빈스방거(L. Binswanger)는 정신분열증의 한 유형으로 진단된 엘렌 웨스트와 상담한 사례를 다룬 책을 출간하였다. 이 책은 20대 초반의 젊은 여성의 정신분열증과 자살을 다룬 내용이다. 웨스트는 식욕이상 항진증의 한 유형인 신경성 식욕부진증의 전형적인 사례였는데, 빈스방거의 책이 1958년 영어로 번역된 이후 웨스트의 사례가 널리 알려지면서 식욕이상 항진증의 고전적인 사례사로 종종 인용되고 있다. 한편, 빈스방거는 웨스트의 사례를 실존주의적 관점에서 분석했는데, 그 결론 중 하나는 웨스트가 취할 올바른 선택은 자살밖에 없다는 것이었다. "엘렌 웨스트의 사례에서 존재는 죽음을 향할 만큼 무르익었다. 다시 말하면 죽음, 이러한 죽음은 이러한 존재에 대한 삶의 의미를 충족시키는 데 필요불가결한 것이었다. ……그녀가 죽음을 결정하는 과정에서 자기 자신을 발견했고 자기 자신을 선택하였다. 죽음의 축제는 그녀의 존재가 탄생하는 것에 대한 축제인 것이다." 이러한 결론은 웨스트를 담당했던 의사들도 동의했는데, 그들은 퇴원을 하면 그녀가 자살을 시도한다는 것을 알면서도 그녀의 퇴원 요구를 받아들일 수밖에 없었다고 하였다. 빈스방거는 웨스트의 삶과

죽음을 실존주의적 분석기법을 증명하기 위한 하나의 수단으로 사용하였다.

여과망 이론
[濾過網理論, Filter Theory]
결혼을 위한 배우자 선택과정이 여과망처럼 여러 단계를 거치면서 선택적으로 일어난다고 설명하는 이론. 부부상담

배우자 선택에 관한 단계이론 중 하나로, 배우자 선택을 설명하는 데 발달적 단계를 도입하여 설명하고 있다. 케르코프와 데이비스(Kerkoff & Davis, 1962)는 여과망 이론과 관련하여 연인들의 관계가 진전됨에 따라 친밀감과 사랑이 형성되는 데 작용하는 요인이 각각 다르다고 설명하였다. 이를 구체적으로 살펴보면, 첫째 단계에서는 근접성의 여과망을 통과한다고 하였다. 이는 배우자로 선택이 가능한 수많은 사람 가운데 시간과 공간상으로 가까이 있어서 접촉하기 쉬운 사람을 일차적으로 선택하게 된다는 것이다. 즉, 너무 멀리 떨어져 있는 사람과는 좋은 관계를 형성하기 어렵다는 것을 의미한다. 둘째 단계는 사회적 여과망으로 배우자 선택의 단일 요인 가운데 동질혼적 요소와 맥을 같이한다. 즉, 많은 사람들은 자신과 인종, 사회계층, 연령과 같은 사회적 배경이 유사한 사람을 배우자로 선정하는 경향이 있다. 이러한 측면에서 사회적 배경이 다른 사람은 이 여과망에서 걸러진다. 셋째 단계는 신체적 매력의 여과망으로 사람들은 자신과 비슷하거나 자신보다 더 나은 신체적 매력을 소유한 사람을 상대로 선택한다. 넷째 단계는 상호 호환성의 여과망으로 성격과 흥미, 그리고 가치관이 합의가 되는 경우다. 상호 간의 욕구와 필요를 충족해 줄 수 있고 상대방의 단점을 보완해 줄 수 있을 때 결혼의 가능성은 높아진다. 이 단계의 여과망을 통과한다는 것은 서로 성격이나 기본적 가치관이 맞고 상대방을 수용할 수 있다는 의미다. 여기에서 갈등을 일으키면 관계는 더 이상 진전되지 않는다. 마지막 단계는 대차대조표 여과망으로 사람들은 상대방과의 관계에서 무엇을 주고 무엇을 얻을 것인가를 평가한다. 이러한 평가를 통해 주고받는 것이 대등하다고 판단되면 서로에 대해 헌신적이고 장기적인 관계로 발전한다. 이 과정의 구체적인 결과는 상대를 배우자로 선택하여 결혼하는 것이다.

관련어 | 동질혼

여성 은퇴
[女性隱退, women's retirement]
여성이 직업이나 직책에서 물러나는 일. 은퇴상담

우리 사회에서 직업이나 일을 갖고 경제활동을 하는 책임은 주로 남성에게 주어져 있기 때문에 은퇴에 관한 연구의 주대상은 남성이 되어 왔다. 반면에 여성은 가사 활동에 전념하거나 가족을 돌보는 일을 담당함으로써 여성에게 은퇴는 생애사건으로 인식되지 않고 있어 여성 은퇴에 관한 연구를 1990년대 이전까지는 거의 찾아볼 수가 없었다(Simmons & Betschild, 2001). 그러다가 1990년대에 이르러 여성주의적 관점에서 노년학을 연구하게 되면서 여성 은퇴에 대하여 학문적으로 연구가 시작되었다(Calasanti, 2009).

이에 따르면, 여성의 은퇴는 남성과 다른 특성을 보이는데 가장 큰 특성은 은퇴 후 노후생활을 위한 재정이나 직업, 그리고 여가활동 등에 대하여 남성만큼 준비하거나 계획을 세우지 않는다는 점이다. 계획을 세우지 않는 가장 큰 이유는 여성이 남성보다 급여와 사회보장연금이 월등히 낮아 은퇴 준비 계획을 세우기에는 충분한 자원이 마련되지 못하기 때문이다. 둘째, 여성은 남성과 달리 은퇴 후에도 가사나 시부모의 건강을 돌보거나 가족을 부양하는 일을 지속함으로써 은퇴라는 인식이 부족하다. 셋째, 배우자가 있는 여성은 배우자가 자신의 은퇴와

관련된 모든 일을 처리해 줄 것으로 믿기 때문에 은퇴 전 프로그램에 참여하거나 은퇴 정보와 재정적 준비 등을 하지 않는다. 다만, 이혼한 여성과 미망인은 은퇴준비를 하는 것으로 나타났다. 넷째, 여성은 자녀의 대학입시와 같이 자녀의 미래계획의 조력활동, 시부모의 병간호, 배우자의 압력 등 가족과 관련된 이유로 남성보다 더 일찍 은퇴하는 경우가 흔하다. 이처럼 여성의 은퇴는 대부분 자발적으로 이루어지기보다는 주변상황에 따라 비자발적인 이유로 은퇴를 하기 때문에 남성만큼 은퇴를 계획하거나 충분한 준비를 하지 못하게 된다. 다섯째, 여성은 자녀양육에 많은 시간을 보내거나 양육을 위해 은퇴를 하여 자기 계발의 기회를 놓치기 때문에 남성보다 근무기간이 짧고 이에 따라 낮은 임금과 좋은 연금혜택을 받지 못하여 은퇴 후 적응이 어려워지기도 한다. 이러한 여성 은퇴의 특성에 기초하여 여성 은퇴자를 위한 은퇴 전 프로그램의 내용으로는 은퇴 후 재정적 계획, 신체적 건강, 정서적 어려움, 부부와 독신생활, 여가활동, 노화 등이 포함되어야 한다. 즉, 노후생활을 유지하기 위한 저축, 연금 등에 관한 계획과 관련 법규 등에 대한 정보 제공, 검토, 논의가 이루어져야 한다. 신체적 건강을 관리하기 위해 필요한 재정적 자원, 사회적 지원체계 등에 관한 정보를 검토할 수 있도록 격려해 주는 것도 필요하다. 또한 은퇴 전후에 보이는 불안, 두려움, 우울 등의 정서적 어려움에 대한 교육과 상담을 프로그램에 포함시켜 은퇴 후 적응을 도와준다. 은퇴가 결혼생활에 미치는 영향과 홀로 된 은퇴자들이 성공적으로 적응하는 방법 등에 관한 검토와 논의도 필요하다.

여성은 은퇴 후 가족의 간호를 도맡아 하는 경우가 종종 있다. 이러한 경우 대인관계의 단절, 신체적 건강의 쇠약, 개인적 생활의 부재 등을 가져옴으로써 여성은 삶에 대한 만족감을 상실하여 불행감을 느낀다. 따라서 은퇴 후 가족간호를 하게 될 경우에 대비하여 대처방법, 지원서비스, 요양제도 등에 관한 정보를 검토하고 논의하는 프로그램도 구성해야 한다. 이 같은 은퇴 전 프로그램에 참여한다면 여성들은 은퇴 후 현실생활에 성공적으로 적응할 수 있을 것이다.

관련어 | 은퇴, 은퇴과정, 은퇴상담, 은퇴적응이론

여성성
[女性性, feminity]

신체적 성(性)이 출생 이후 사회적·문화적·심리적인 환경에 의해 학습되어 후천적으로 이루어진 사회인 성(性)으로서, 신체적·문화적·사회적 산물로서의 여성적인 정체성.

여성주의 상담

남성성과 대비되는 여성성으로 친교성, 표현적 행동, 상냥함, 조용함, 타인에 대한 배려, 감성성, 따뜻함 등이 제시되고 있다. 이러한 여성성은 여성의 성정체성과 관련해서 여성의 섹슈얼리티를 부각시키고 여성의 차이를 탐색하는 의미를 가지고 있다. 섹슈얼리티는 성에 따른 신체, 성 행위와 그에 대한 사회적 관행, 성정체성, 성적 욕망, 성의 정치적 관계 등을 모두 포함한다. 즉, 여성성은 여성의 섹슈얼리티를 구성하고 표현하면서 추구하는 사회적 과정이며 그것을 정의하고 생산하는 모든 영역을 포괄하고 있다. 과거의 여성성은 초창기 여성운동으로서의 페미니즘의 등장과 함께 인식되었다. 이는 19세기 말에서 20세기 초에 미국에서 일어난 초창기 여성 계몽사상과 자유사상에 입각한 여성인권 해방운동이었다. 그동안 남성 중심 사회가 여성 및 환경 문제를 야기했다고 보고, 여성과 자연을 동류적 입장에 두고는 남성 지배 메커니즘이 갖는 파괴성과 남성 중심주의 규범에 대항하는 새로운 에코페미니즘이 나타났다. 이 입장에서는 양성이 서로 대립되기보다 생명과 생명 간 통합의 관점으로 남성과 여성을 바라본다.

관련어 | 남성성, 페미니즘

여성주의
[女性主義, feminism]

성적 차이에 기초하여 성별 간에 불평등과 억압을 정당화하는 모든 차별의 공식을 비판하고, 나아가 인간의 참된 해방과 자유의 조건을 모색하는 이론활동과 실천활동 모두를 일컫는 말. 철학상담

여성주의는 19세기 초중반 여성 참정권 운동에서 비롯되었으며, 이후 여성적 가치관을 통해 남성주의가 낳은 폐해를 극복하고 인간 삶의 바람직한 방향을 모색하는 운동과 이론으로 발전해 왔다. 이상적 사회주의자인 푸리에(Charles Fourier)가 1837년 'féminisme'이라는 단어를 도입하면서 여성주의라는 용어가 전문화되기 시작하였다. 그는 여성의 권리신장이 모든 사회진보의 척도가 된다는 입장에서 여성주의를 강조하였으며, 이후 밀(John Mill) 역시 성적 차별의 문제를 인류발전의 저해요소로 파악하고 여성의 가치를 새롭게 자리매김하였다. 19세기 중반 자유주의의 확산과 더불어 여성의 사회 진출을 가로막는 전통, 관습체계, 제도에 대한 개선과 교육기회 및 시민권의 요구가 이루어지면서 이른바 자유주의적 여성주의가 전개되었다. 그 후 부르주아 지배 사회에서 강화된 사적 소유가 여성을 억압하는 문제를 마르크스주의적 시각에서 비판하는, 이른바 부르주아와 프롤레타리아 사이의 계급적 착취관계를 남성과 여성에 적용하여 여성의 해방운동을 주장하는 여성주의도 전개되었다. 또한 생물학적 성의 차이를 근거로 문화적 차별을 정당화하는 가부장제의 근본적인 문제에 대해서 혁신을 요구하는 급진적 여성주의도 출현하였다. 게다가 자본주의와 가부장제가 모두 가지고 있는 남성적 폭력 전반을 근본적으로 비판하고, 여성적 가치의 구현을 강조하는 사회주의적 여성주의도 부각되었다. 그런가 하면 남성의 여성에 대한 억압이 단순히 사회구조적인 문제가 아니라 개인의 심리상태, 즉 여성이 어떠한 과정으로 남성적 권력구조에 길들여졌는지를 집중적으로 분석하여 여성의 진정한 해방을 모색하는 정신분석학적 여성주의도 등장하였다. 나아가 최근에는 남성 대 여성이라는 대립구도를 설정하여 여성성에 대해 본질적 차원에서 접근하는 것이 문제가 있다고 지적하면서, 여성성이 고정된 것이 아니고 또한 여성에 대한 억압 역시 확정된 틀이 존재하는 것이 아니어서 여성 억압의 문제에 대한 해법 역시 경제조건, 정치문화적 조건 등 다양한 변수와 관계 속에서 모색되어야 한다고 주장하는 포스트모던적 여성주의도 출현하고 있다. 이상에서 보듯이 그동안 다양한 여성주의가 존재해 왔다. 이 시각들은 서로 차이가 있지만 여성의 인간다운 삶, 여성의 해방을 목표로 한다는 점에서는 입장이 같다. 이들은 남성과 여성이 서로 자율적인 인격체로서 주체와 주체로 관계하지 못하고, 주체와 대상으로 도식화되어 차별을 일삼는 폭력의 문화 전반에 대한 비판과 개혁을 요구한다. 이들 여성주의는 전통 속에 뿌리내려 지속적으로 여성을 억압해 온 가부장적 삶과 그로 인해 파괴된 인간의 존엄성을 문제 삼으면서, 근대 이후 전개된 일인칭 중심 문화, 이른바 타자를 정복하고 지배하고 소유하려고 한 주체 중심의 문화를 타파하고자 하였다. 여성주의는 주체의 폭력을 고발하면서 타자를 배려하고 보살피는 문화, 즉 타자에 대한 사랑과 존중의 문화로 나아가야 함을 주장하고 있다. 오늘날 여성주의자들은 현재 우리 삶이 안고 있는 반인간성, 반자연성의 문제를 극복하기 위해서는 여성주의적 시각이 반드시 필요하다고 강조하고 있다. 이런 면에서 볼 때, 오늘날 여성주의는 생태주의와도 연결되어 있다.

여성주의 상담
[女性主義相談, feminist therapy]

서구에서 1960년대 말 여성운동을 통하여 성장한 여성주의 이론과 방법을 상담에 적용하여 여성의 자아발견과 사회로부터의 구조적 영향을 인식하는 데 도움을 주는 상담이론. 여성주의 상담

여성주의 상담은 여성 스스로 다른 여성을 돕는

과정에서 시작되었다. 여성주의 상담을 나타내는 용어인 'feminism'을 번역하면 '여성주의'로서, 여성의 사회적·문화적·경제적·정치적 활동의 평등성을 보장받기 위한 이론적이고 실천적인 활동을 총칭한다. 따라서 여성주의 상담은 이러한 여성주의의 기본 개념을 바탕으로, 적극적이고 실천적인 상담활동을 통하여 사회적·문화적·경제적·정치적 성차(性差)를 인식함으로써 여성들의 삶의 문제를 해결하고자 하는 상담치료 접근법이라고 할 수 있다. 우리나라에서는 1970년대부터 여성주의 상담에 관심을 가지기 시작하였다. 여성주의 상담의 입장에서는 여성과 남성의 사회적 역할이 생물학적 차이에 따른 것이 아니라 사회구조적인 영향에 따른 강압의 결과라고 보고, 상담을 통하여 여성 스스로 이러한 사회구조적인 영향력을 인식할 수 있도록 여성을 상담의 중심에 놓고 기존의 인식을 변화시키려고 하는 데 목적을 두었다. 여성주의 상담이 사회의 구조적인 억압과 제도적인 불평등에 대한 인식을 치료목적으로 하는 이유 때문에 상담은 때로 내담자 여성 개인의 역량강화에 초점을 맞추고, 또한 그 상담활동이 사회·정치적인 활동으로 이어져서 사회적인 변화를 추구하는 경우가 있다. 예를 들어, 여성주의 상담자들은 여성 폭력에 대한 프로젝트를 통하여 사회의 가부장적인 고정가치에 대항하고, 피해 여성을 위해 안전한 피난처를 제공하며, 여성 자신이 스스로를 보호하고 자존감을 높일 수 있는 훈련 프로그램을 만들기도 한다. 이렇게 여성주의 상담의 확장된 활동 때문에 그 상담원리 중에서 제일 중요한 원리로 손꼽히는 말이 '개인적인 것은 정치적인 것이다.'이다. 이것은 내담자인 여성이 가지고 있는 문제는 개인의 잘못이 아니라 사회문화적인 특수한 구조 속에서 발생하는 문제라는 의미를 가지고 있다. 따라서 상담자는 내담자가 이러한 자신의 문제의 내적 원인과 외적 원인을 분리할 수 있도록 하는 것을 상담의 일차 목표로 본다. 이 같은 분리는 내담자가 자신을 둘러싸고 있는 외적

인 구조에 맞설 수 있는 역량을 강화하는 원동력이 된다. 따라서 여성주의 상담에서는 '병리'라는 말보다 '생활 속의 문제' 또는 '극복전략'이라는 용어를 선호한다. 여성을 위한 여성주의 상담은 접근하는 방법에 따라 두 가지로 나눌 수 있는데, '여성주의에서의 접근'과 '상담에서의 접근'이다. '여성주의에서의 접근'은 상담을 하는 과정에서 여성 내담자들이 심리에 내면화된 사회문화적인 여성 속박의 가치를 인식하고, 여성주의 가치관을 습득하도록 하는 데 초점을 맞춘다. 이때 상담자는 여성주의자여야 한다. 그리고 '상담에서의 접근'은 여성주의 상담을 여러 상담접근법 중 하나로 보고, 여성을 대상으로 하는 상담이 곧 여성주의 상담이라고 보는 견해다. 이때 상담자는 여성 내담자를 더 잘 이해하기 위해서 여성심리나 성역할 연구, 남녀평등과 같은 가치를 활용하는데, 반드시 여성주의자여야 하는 것은 아니다. 이와 같이 여성주의 상담에서는 상담자가 어떤 가치를 가지고 있는가 하는 것이 그 상담에서 무엇에 가치를 두고 이끌어 갈 것인가 하는 접근방향에 많은 영향을 미치고, 이러한 상담자의 가치관을 상담과정 중 내담자에게 자유롭게 표현할 수 있다.

관련어 | 여성주의 집단상담, 의식향상집단

여성주의 수퍼비전
[女性主義 –, feminist supervision]

개인적 차원의 변화와 사회적 차원의 변화를 중요시 여기는 여성주의 상담의 접근을 배경으로 하는 수퍼비전. **상담 수퍼비전**

1960년대 말 여성 운동을 통해 성장한 여성주의 이론과 방법들을 상담에 활용하여 여성의 자아발견과 사회로부터의 구조적 영향을 인식하는 것에 도움을 주는 상담이론인 여성주의 상담을 수퍼비전에 적용한 것이다. 따라서 이 접근의 수퍼비전에서는 수퍼바이저와 수련생 사이의 평등을 유지하려는 노력을 중요하게 생각한다. 수퍼비전 관계에서의 평

등은 수퍼비전 처음부터 모든 과정을 수련생에게 충분히 설명함으로써 학습과정에 적극적인 참여자가 되는 기회를 중대시키는 것에서 시작된다. 이를 위해 수련생에게 최대한의 발언권을 허락하고, 그들이 제시한 목표를 중요하게 생각한다. 또한 수퍼바이저와 수련생 간의 협력적 관계를 증진시키고자 한다. 수퍼바이저는 수련생의 역량강화에 목적을 두고 수련생에게 특정 방향을 제시하기보다는 내담자에 관해 새로운 방향을 생각할 수 있도록 도와주고, 내담자에 대한 해석을 구성해 보고 개입을 고안해 보도록 한다. 이러한 수퍼비전 회기에서는 성별, 인종, 문화, 성적 취향, 능력, 연령 등에 대한 수련생의 가정, 신념, 가치가 주된 논의대상이 된다.

관련어 구성주의 수퍼비전, 내러티브적 접근의 수퍼비전, 심리역동적 수퍼비전, 인간중심 수퍼비전, 인지행동 수퍼비전, 체계적 수퍼비전

여성주의 역량강화상담
[女性主義力量强化相談, feminist empowerment therapy]

역량강화모형을 기반으로 하여 대부분의 여성문제가 여성의 낮은 사회적 권력 때문이라 생각하고, 이를 해결하기 위해서 개인적, 사회적인 변화를 추구하는 상담. **여성주의 상담**

여성주의 역량강화상담의 내용과 과정은 다음 네 가지 기본 원리를 토대로 상담에 적용하는 것이라 볼 수 있다. 첫째, 개인적·사회적 정체성은 상호 의존적이다. 이는 내담자의 정체성과 문제를 사회문화적 맥락에서 이해하는 것을 말한다. 개인의 삶과 사회는 분리될 수 없고 서로 연관되어 그 정체성이 형성되기 때문에 여성이 자신의 삶에서 일어나는 문제를 사회적 맥락에서 이해할 수 있어야만 근본적인 해결이 가능하다는 것이다. 따라서 여성주의 역량강화상담에서는 다양한 기법을 적용하여 여성의 사회적 위치와 이 관계에서 서로의 정체성이 어떤 연관성 속에 발달되어 왔는지를 인식하도록 해

준다. 여성 내담자는 이러한 인식 속에서 사회적 맥락과 관계를 맺고 있는 자신의 위치를 인정하게 된다. 이 인식과 인정은 자신의 문제를 근본적으로 이해하고 그 정체성을 파악하도록 해 준다. 둘째, 개인적인 것은 정치적인 것이다. 이 원리는 여성의 문제를 성역할의 고정관념, 제도화된 성차별과 같은 사회적이고 정치적인 근원에서 원인을 찾는다. 이러한 제도적인 요소들이 여성의 삶 속에 발생하는 문제의 근본 원인이라고 간주하고, 이 원인들을 인식하여 새로운 변화를 추구하도록 여성 내담자를 격려한다. 또한 여성 내담자 개인의 변화는 사회적이고 정치적인 영역으로 확대되어 사회변화를 이끌어 내는 힘이 될 수 있다고 믿는다. 셋째, 관계는 평등하다. 모든 인간관계는 평등해야 하므로 내담자와 상담자 간의 평등한 관계 속에서 상담자는 내담자의 삶의 경험을 존중하면서 협력적이고 상호 존중하는 관계를 형성한다. 여성주의 상담과정에서 상담자와 내담자 간의 평등한 권력유지를 위해서는 상담자를 하나의 '전문가'로 인정하고 상대적으로 약자인 내담자를 돕는 관계형성을 지양해야 한다. 따라서 상담자는 여성 내담자를 동등하고 평등한 권리와 능력을 가지고 있는 존재로 여기고, 상담자와 내담자 간의 권력차이를 좁히기 위해 내담자의 문제를 변화시키고 수정하는 것이 상담자의 역할이 아니라 내담자가 본래 가지고 있던 능력을 극대화하여 문제를 해결해야 한다고 설명한다. 넷째, 여성의 시각은 가치 있다. 이 원리에 따라 여성주의 역량강화상담에서는 사회문화적으로 평가절하된 젠더 개념을 재구성하여 여성 전형적 특성을 재평가하고, 이를 여성과 남성 모두에게 중요하고 가치 있는 인간적 특성으로 인정할 것을 요구한다. 이러한 인식에 따라 여성주의 상담과정에서는 여성인 내담자의 경험과 가치를 신뢰하고, 이를 바탕으로 문제해결의 가능성과 방향성을 찾는 노력을 하게 된다.

관련어 권력분석, 문화분석, 여성주의 상담, 역량강화모형, 의식향상집단

여키스 – 도슨 법칙
[– 法則, Yerkes-Dodson Law]
각성 수준과 수행 수준과의 관계를 제시한 원리. **웃음치료**

여키스(Yerkes)와 도슨(Dodson)은 각성 수준과 수행 수준 간에는 어떤 관련성이 있다고 주장하면서 '거꾸로 된 U형 함수관계(inverted-U function)'를 제시하였다. 그래프에서 수행 단계는 각성이 증가함에 따라 증가하지만, 특정 지점 즉, 거꾸로 된 U자 꼭대기 지점까지만 증가하고 그 이후에는 다시 감소하는 형태를 보여준다. 중간 수준의 각성 상태에서 수행 수준이 가장 높고, 너무 낮거나 너무 높은 수준의 각성 상태에서는 수행 수준이 낮아진다는 것이다. 이 중간 수준의 각성이 가장 높은 수행 수준을 가능하게 하므로 이를 '최적 각성 수준(optimum level of arousal)'이라고 일컫는다. 예를 들어, 중요한 시험을 잘 보아야 한다는 부담 때문에 지나치게 각성되면 효율적인 정보처리를 할 수 없게 되어, 그 결과 다 알고 있는 문제도 제대로 답하지 못하는 등 시험 불안 상태에 처하게 된다. 또한 지나치게 낮은 각성 수준에서는 감각박탈 상태가 되어 졸음이 오고 집중력이 떨어져 시험에 실패하게 된다. 따라서 효과적인 행동을 위해서는 각성 상태가 중간인 최적 수준으로 유지되는 것이 바람직하다. 한편, 수행의 효율성은 과제의 특성에 의존하기도 한다. 즉, 개인의 각성이 과제의 난이도에 적합할 때 과제 수행 효율성이 최대가 된다는 것이다. 간단한 과제의 경우에는 각성 수준이 상대적으로 높을 때 수행 효율성이 최대가 된다. 중간 정도의 난이도를 지닌 과제의 경우에는 각성 수준이 중간일 때 수행이 최고치에 달한다. 한편, 복잡하거나 어려운 과제의 경우에는 각성 수준이 상대적으로 낮을 때 수행 효율성이 최대가 된다.

관련어 각성 이론, 최적 각성 수준

역기능가정
[逆機能家庭, dysfunctional family]
보통은 알코올 장애, 일중독, 놀음중독, 외도, 지독한 가난 등으로 인해 갈등이나 폭력행위 등의 수준이 자주 높게 나타나며, 부모 중 양쪽 모두 또는 한쪽이 아동을 지속적으로 방치 내지는 학대하고 나머지 한쪽도 이러한 상황에 적응한 가정. **가족상담**

데이비드 스툽(David Stoop) 박사는 역기능 가정을 응집성, 적응성, 대화와 역할구조의 관점에서 혼돈된 가정, 경직된 가정, 밀착된 가정, 유리된 가정의 네 가지로 구분하였다. 역기능 가정의 자녀는 훈련되어 있지 않으며, 고집이 세고, 자제력이 없고, 인내심도 없다. 또 충동적이고 무질서하고 버릇이 없다. 부모는 권위도 없고 질서도 없고 훈련도 없으며, 가족구성원 각자가 자신의 문제를 결정하는 기준이 된다. 사실상 지도자가 없는 가정이기 때문에 구성원 각자는 자신이 원하면 무엇이든지 할 수 있다. '내가 알아서 내 마음대로 한다.'가 곧 법칙이 된다. 서로가 알고 있고 표현되지 않는 법칙이 있기는 하지만 문제가 생겼을 때 그 법칙이 적절하게 적용되지 않는다. 어느 누구도 왜 그렇게 하는지 묻는 사람이 없고 관심을 가져 주는 사람도 없다. '자기 멋대로'라는 표현이 이 가정에 가장 적합한 표현이 된다. 좋은 지도자로 가정을 이끌어 가야 할 부모가 혼돈된 생활을 하고 있기 때문에 자녀에게 어떤 말을 하지 못하는 상황이다. 그들은 무엇이 옳고 무엇이 그른지 모른다. 대부분 알코올중독자라든지 경제능력이 없는 무책임한 부모 아래서 자라나는 자녀에게서 쉽게 나타날 수 있는 가정이다. 이러한 가정은 구성원의 의식, 태도, 가치관, 이해관계가 대리되어 상호관계가 결여되고 가족의 경제적·보호적·성적·교육적·정서 안정적·종교적·사회적 제반 기능이 원만하게 이루어지지 않으며 일차적 집단으로서의 전인적 상호관계가 거의 없다. 역기능 가정은 그 말의 의미처럼 자녀를 제대로 사회화시키고 양육할 만한 능력이 갖추어지지 않은 혼란스러운 가정이라고 할 수 있다. 가족치료전문가들이 규정하는 역기능 가정이란 순기능 가정에 비해 부모가 불화하여 잦은 다툼이 있거나 그로 인해 이혼을 했거나 재혼을 하여 편모, 편부, 계부, 계모의 부모가 있는 가정, 습관적으로 술을 마시는 알코올중독자의 가정, 외도가 있는 가정, 중병을 앓는 식구 때문에 온 가족이 영향을 받는 가정, 엄격하게 율법적인 가정, 평범한 일상생활을 심하게 간섭하는 부모가 있는 가정, 쉽게 화를 내는 분노중독자가 있는 가정, 가정사를 돌보지 않고 목회나 사업에만 몰두하는 일중독자의 가정, 이단과 사이비종교에 심취한 가정, 도박중독자가 있는 가정, 문란한 생활을 하는 성중독자의 가정, 화를 자제하지 못하고 폭력을 가하는 폭력중독자의 가정, 정서적·심리적으로 혼란한 가족체계가 있는 가정, 심리적으로 학대하는 가정, 가정의 규율이나 법칙이 너무 경직되어 어떠한 상황에서도 변화가 없는 가정, 가족구성원 중 한 사람만 명령을 내리고 나머지 가족은 복종만을 강요당하는 가정을 말한다. 이와 같은 역기능 가정은 ① 자존감이 낮은 가정, ② 지나치게 기대하는(완벽주의적인) 가정, ③ 신체적·정서적·정신적 문제에 몰두하는 가정, ④ 과거의 해결되지 않은 문제를 짊어지고 있는 가정의 네 가지 유형으로 분류할 수 있다.

역기능적 가족
[逆機能的家族, dysfunctional family]
가족의 기능이 정상적으로 작동되지 않는 가족. `가족상담`

가족은 스트레스, 긴장, 좌절, 불안, 위기 등에 적절하게 대처하지 못할 때, 발달과정상의 위기를 잘 해결하지 못할 때, 그리고 돌발상황으로 인해 순조로운 발달과정에 지장을 초래하게 되었을 때 역기능적 가족이 될 가능성이 높다. 스트레스와 위기상황에 처했을 때 가족은 몇 가지 역기능적 유형으로

나타난다. 첫째, 가장 심각하고 불안한 유형으로서 가족구성원이 각자 완전히 고립된 개체로 살아가는 경우다. 둘째, 세대 간의 분열로 부모와 자녀 간의 상호작용이 결핍되고 세대 내에서만 교류하는 경우다. 셋째, 성별에 따라 가족이 분열된 형태로서 아버지와 아들이 제휴하고 어머니는 딸과 제휴하는 경우다. 가족 전체가 함께 일상적인 시간을 보내고 활동하지만, 정서적으로 중요하고 의미 있는 활동을 할 때에는 동일한 성의 가족구성원 간에만 상호작용이 이루어진다. 넷째, 융해된 한 쌍 가족의 형태로서 두 사람이 한 쌍을 이루면서 나머지 가족구성원과는 단절된 경우다. 다섯째, 가족 내에서 특정한 사람이 완벽하게 군림하는 경우다. 지배적인 가족원이 의사결정과 관련된 모든 권한을 가지고 있다. 여섯째, 말 없는 독재자 가족의 경우다. 마치 무대 뒤에서 조종하는 것처럼 한 명이 말 없이 조용하게 다른 가족구성원의 감정을 조종한다. 이러한 역기능적 가족유형이 지속되면 비행청소년 자녀, 가족구성원의 신체적 질병, 경계선 침범, 희생양 만들기, 가정폭력, 약물남용, 가족 신화 추종 등의 현상이 나타날 수 있다. 구조적 가족상담에서는 명확하고 안정된 경계선, 부모 하위체계의 강력한 위계구조, 체계의 융통성 등의 특징을 지니고 있는 가족을 기능적이라고 본다. 반면, 역기능적 가족은 가족구조의 융통성이 부족하고, 상황변화에 따라 적절하게 대처하지 못하며, 부모 하위체계가 강력한 권한 구조를 갖고 있지 못하다.

역기능적 사고
[逆機能的思考, dysfunctional thoughts]
문제영역에 관련된 부적응적 혹은 왜곡된 관념이나 생각. `인지치료`

인지치료의 대표 학자인 벡(A. Beck)에 따르면, 인간은 자극에 대해 선별적인 주의를 기울이면서

이 자극을 유형으로 결합하고 상황을 개념화한다. 동일한 상황에 대해서도 사람들은 저마다 다르게 개념화하지만 특정 사람은 비슷한 사건유형에 대해 일관성 있게 반응한다. 이는 특정 상황을 상대적으로 고정된 인지유형에 따라 해석하기 때문인데, 이러한 고정된 인지유형을 인지도식이라고 한다. 인간은 특정 상황에 처하면 상황과 연관된 도식을 활성화하고 이 도식에 따라 정보를 조직하고 처리한다. 정서적 문제가 있는 사람은 논리적 오류가 있는 역기능적 도식, 즉 역기능적 사고에 따라 정보를 처리하고 결과적으로 현실을 부정적으로 왜곡한다. 벡의 이론에 따르면, 부정적 사고는 기본적으로 역기능적 신념과 가정을 반영한다. 벡은 내담자가 역기능적 사고를 수정하는 데 적극적 역할을 할 수 있으며, 그렇게 함으로써 정신병적 상황에서 벗어날 수 있다고 주장하였다. 대표적인 역기능적 사고는 다음과 같다. 먼저, 임의적 추론은 결론을 지지하는 증거가 없거나 오히려 반대 증거가 있음에도 불구하고 그와 같은 결론을 내리는 것이다. 선택적 추상은 상황에 대한 뚜렷한 특성을 무시한 채 세부적인 내용에만 초점을 맞추는 것을 의미한다. 자신의 많은 강점에도 불구하고 몇몇 단점에만 집착하거나 잘한 것보다는 잘못한 것에 연연해하고 현재 자신이 가진 것보다 가지고 있지 못한 것에 집착하는 경우다. 예를 들면, 발표상황에서 많은 사람들이 긍정적인 반응을 보여 주었음에도 불구하고 한두 명의 부정적 반응에만 선택적으로 주의를 기울여 자신의 발표가 실패했다고 단정해 버린다. 과잉일반화는 각각의 다른 사건의 결론을 서로 관련이 없는 모든 상황과 연관시켜 적용하는 것이다. 한두 번의 실연으로 자신은 '항상, 누구에게나' 실연당할 것이라고 생각해 버리는 경우다. 의미확대 혹은 의미축소는 사건의 의미나 크기를 왜곡하는 것이다. 우울증 환자는 부정적 사건의 의미나 크기를 확대하는 반면 긍정적 사건의 의미나 크기는 축소하는 경향이 있다. 개인화는 자신과 무관한 사건을 자신과 관련된 것으로 해석하는 오류로서 자신과 무관하게 다른 사람이 웃는 것을 보고 자신을 비웃는 것이라고 해석하는 경우다. 한편, 번스(D. Burns)도 이와 유사하게 열한 가지 역기능적 사고의 범주를 제시하였다. 첫째, 극단적 사고다. 사물을 흑백논리로 보는 것이다. 둘째, 지나친 일반화다. 특정한 실패나 부정적 결과를 앞으로도 계속될 패턴으로 일반화해 버린다. 셋째, 정신적 필터작용이다. 하나의 부정적 내용이 강조되어 모든 현실지각이 왜곡된다. 넷째, 긍정적인 것을 과소평가한다. 긍정적일 것 같아도 그 중요성이나 관련성을 축소시켜 생각한다. 다섯째, 마음 읽기다. 확실한 증거가 없음에도 불구하고 상황으로부터 부정적 결론을 끌어낸다. 여섯째, 비관적 사고다. 나쁜 일이 일어나리라고 임의로 생각한다. 일곱째, 과장과 축소다. 특정 상황의 부정적 요소를 과장하고 긍정적 요소의 중요성을 축소한다. 여덟째, 감정적 추론이다. 한 번 경험한 부정적 감정에 근거하여 현실을 해석한다. 아홉째, 강박적인 말을 한다. '해야 한다.'와 '하면 안 된다.'와 같은 셀프토크는 자기 자신을 강요하거나 조작하게 만든다. 열째, 딱지 붙이기를 한다. 자신이나 다른 사람들, 또는 사건을 묘사할 때 부정적인 딱지를 붙인다. 열한째, 개인화한다. 부정적인 사건이나 결과의 원인에 대해 일차적인 책임이 없는 사람인데도 그를 비난한다.

관련어 | 벡

역기능적 인지도식
[逆機能的認知圖式, dysfunctional cognitive schema]

심리적 문제를 초래하는 비효율적이고 부정적인 인지구조의 틀. 인지치료

인지도식은 세상을 살아가는 과정에서 삶에 대한 이해의 틀을 형성한 마음속에 있는 인지구조로 정

보처리와 행동의 수행을 안내하는 비교적 안정적인 인지적 틀로서, 일정한 행동패턴을 만들어 낸다. 이러한 개인의 인지도식 내용이 부정적일 때 역기능적 인지도식이라고 하며, 이는 심리적 문제를 초래하는 근원적 역할을 한다. 역기능적 인지도식을 가진 사람이 생활 스트레스에 맞닥트리면 부정적 내용의 자동적 사고와 흑백논리 같은 인지적 오류를 떠올리게 되고, 그 결과로 심리적 문제가 초래되는 것이다. 여러 도식은 위계적인 구조를 형성하면서 조직화되어 있다. 어떤 도식은 상위의 핵심적인 위치에, 또 어떤 도식은 하위의 주변적인 위치에 머물면서 경험의 내용에 따라 활성화되는 정도가 바뀐다. 즉, 어떤 도식이 활성화되느냐에 따라 경험을 구조화하는 방식이 달라진다. 벡(Beck, 1967, 1987)은 이와 같은 과정을 역기능적 인지도식모델로 설명하였다.

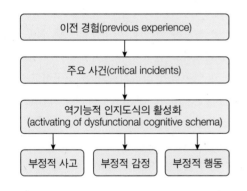

관련어 | 양분법적 사고, 자동적 사고, 흑백논리

역동가정
[力動假定, dynamic assumption]

인간의 모든 행동은 성적 에너지와 공격성과의 상호작용의 결과로 생긴 것이라는 정신분석적 접근의 가정. 정신분석가족치료

존스와 버트먼(Jones & Butman)이 정리한 정신분석의 철학적 가정 가운데 하나로, 인간의 모든 행동은 생의 본능이라고 일컬어지는 성적 에너지와

죽음의 본능이라고 일컬어지는 공격성의 상호작용으로 이루어진다는 가정이다.

관련어 | 경제가정

역동성
[力動性, dynamic]

힘을 지닌 심리 내적 요소들이 상호작용하여 조정된 형태로 드러나는 것. 대상관계이론

심리학 분야에서의 역동성은 힘(force)의 개념을 뜻한다. 프로이트(S. Freud)는 개인의 성격이란 서로 갈등을 일으키고 있는 힘들로 이루어져 있는 하나의 체계라고 보았다. 이 갈등의 결과로 성격의 정서적 측면과 행동적 측면이 형성된다. 성격은 마음속에 있는 힘들이 서로 일치하거나 반대로 작용하면서 궁극적으로 이들 요소가 타협하는 형태로 표현된 것이다. 갈등상태에 있는 이 힘들은 상이한 인식수준에 존재한다. 어떤 힘은 무의식에 속해 있어 완전히 의식영역 밖에 존재한다.

관련어 | 정신분석

역동적 심상치료
[力動的心像治療, dynamic imago psychotherapy]

가장 전형적이고 포괄적인 개념의 심상치료로서 역동적 에너지 체험 및 심상체험을 기반으로 함. 심상치료

역동적 심상치료는 정신분석적 심상치료, 행동주의적 심상치료 등 모든 심상치료를 아우르는 범주로, 내담자의 정신 및 동적 에너지, 즉 역동에너지와 심상을 체험하는 것을 전제로 한다. 역동적 심상치료는 유도주제심상치료 작업과 유도시각심상치료 작업으로 대별되어 구성되어 있다. 이 이론의 핵심은 내담자가 직접 체험한 유도주제심상과 유도시각

심상의 내용 및 기능을 분석한 뒤, 이를 재구성하는 것이다. 이 같은 과정을 통해서 내담자의 문제, 마음 내 역동적 체계와 구조 및 내용 등이 변화하고, 결국 내담자가 겪는 다양한 마음 문제의 근원까지 해결이 가능해진다. 다시 말해, 역동적 심상치료는 심층적 심상체험을 통하여 노출된 마음의 기능, 특징, 상태 등을 분석하고 해석한 다음, 이 내용을 심상으로 재구성시키는 작업에 주력하는 심상치료다. 주로 치료 및 임상적 경험을 바탕으로 개발된 것으로서 정신분석적 심상치료와 행동주의적 심상치료보다 더 자발적이고 독창적이라 할 수 있다. 역동적 심상치료는 내담자가 직접 호소하는 표면적 문제인 겉문제뿐만 아니라 내담자가 미처 인식하지 못하는 혹은 숨기고 있는 내면적 문제나 근본적 마음의 문제라 할 수 있는 속문제까지 다룬다. 역동적 심상치료는 마음의 문제의 원인과 의미의 해석, 즉 신경증의 원인과 해석을 정신분석적 치료이론, 꿈 이론, 융(Jung)의 상징화 이론 등 심층심리학적 이론에 근거를 두고 있으며, 매우 구체적이고 심층적인 심상체험을 인도하는 역동적 심리치료기법을 적용한다. 치료의 궁극적인 목적은 독립적이고 성숙된 자아(ego)의 성장, 그리고 성격과 행동을 변화시키는 것으로, 이를 위해서 정신 혹은 심리의 구조, 기능, 법칙 등을 상징적 심상으로 표현할 수 있도록 유도하며, 직접적이거나 간접적인 치료기법의 중재로 병리적 심상의 기능과 구조 등을 긍정적인 기능과 구조로 전환시킨다. 내담자 자신이 체험한 심상의 내용, 즉 심상의 구조, 기능, 의미를 조절하여 마음 자체를 변화시키려는 것이다. 역동적 심상치료에서 내담자는 치료자의 중재기법을 통하여 단계적으로 마음의 내용 및 기능 등을 이해하고 조절하며 대처하는 방법을 배운다. 역동적 심상치료의 대표적인 기법으로는 마이어(Maier)의 심층심상법(Katathym-Methods), 크레치머(Kretschmer)의 사고연상심상법(Bild-Streifen-denken), 드주와이어(Desoille)의 공상치료기법(daydreaming method), 프란츠(Frants)의

적극적 심상기법, 클라크(Clark)의 판타지 심상기법(phantasy method), 로이너(Leuner)의 KB 심상치료기법(Katathymes Bilderleben) 등이 있다. 이 가운데 KB 심상치료가 가장 구조화되고 표준화된 심상치료기법으로 알려져 있다(Singer, 1974).

역동적 접근 미술치료
[力動的接近美術治療, dynamically oriented art therapy]

나움부르크(M. Naumburg)가 정신역동적 접근의 심리치료에 미술을 도입한 것. 미술치료

나움부르크는 1941년 뉴욕 주립정신병원에서 정신과 환자, 특히 신경증 및 정신증을 가진 환자를 대상으로 한 정신역동적 접근의 심리치료에 미술을 도입하였다. 여기서 그는 환자들에게 자발적으로 떠오르는 이미지를 그리게 한 다음 그림에 대해 자유연상을 하도록 했는데, 이러한 시도를 역동적 접근 미술치료라고 불렀다. 나움부르크는 미술은 분석적이고 역동적인 심리치료의 한 도구이고, 인간의 근본적인 사고와 감정은 무의식에 기인하며 말보다는 그림을 통해 더 잘 표현된다는 인식에 바탕을 두고 미술치료를 내담자와 치료자간의 상징적인 의사소통의 한 방법으로 소개했다. 그에 따르면, 치료는 내담자와 치료자 간의 전이관계의 발달과 그림을 통한 자유연상의 능력, 상징적 이미지를 해석하는 내담자의 능력에 좌우된다. 나움부르크는 그림(미술작품)을 내담자와 치료자 간에 전달된 상징적 회화로, 그리고 미술치료를 심리치료과정에서 그림을 매체로서 이용하는 방법(art in therapy)으로 보았다. 역동적 접근미술치료에서는 말보다는 그림을 통해 자신에게 일어나는 내적 욕망·꿈·환상을 잘 표현하고, 무의식을 그림으로 투사하면 언어표현보다는 검열기능을 약화시키기 때문에 치료과정이 촉진되고, 그림으로 나타난 것은 영속성이 있어서 내용 자체가 망각에 의해 지워지지 않으며 그 내

용을 부정하기 힘들며, 내담자의 자율성이 자신의 그림을 해석할 수 있는 능력에 의해 고무되기 때문에 전이문제가 더 쉽게 해결될 수 있다고 본다. 이러한 역동적 접근미술치료에서는 내담자와 치료자의 치료적 관계형성과 전이와 역전이의 해결, 자유연상, 자발적 그림표현과 해석, 그림의 상징성을 중시한다.

관련어 | 나움부르크, 미술치료

역동적 진단
[力動的診斷, dynamic diagnosis]
개인의 문제와 관련된 여러 요소 간의 상호작용을 분석하고 이를 토대로 진단을 내리는 것. `심리측정`

내담자의 문제를 진단하는 방법 중 하나로 1970년대 이후 소개되었다. 개인에 관한 질적인 자료를 추가로 얻기 위해 표준화된 획일적인 검사시행에서 의도적으로 벗어나는 임상절차를 뜻한다. 개인의 문제는 복합된 상황에서 존재하는 경우가 많기 때문에 한 개인을 둘러싼 요소들 간의 상호작용 역동을 파악하는 것은 상담개입 전략을 수립하는 데에 있어서 중요하다. 내담자의 문제가 내담자 자신의 생활에서 갖는 의미를 파악하고, 문제해결에 유용한 수단을 객관적 요인으로 규명하며, 내담자의 문제해결능력을 평가하는 등 다차원적으로 진단한다. 특수 학습장애 사례뿐만 아니라 경미한 수준의 지적장애처럼 적응문제를 지닌 아동에 대한 보충자료를 얻는 방법으로도 활용된다. 학교장면에서 평가와 지도를 연계함으로써 학업적성의 변화능력을 파악할 수 있으며 적절한 개입 프로그램을 개발하는데 적용될 수 있다. 한편, 역동적 진단은 전환성의 한계를 지니는데, 임상가마다 역동적인 진단기법을 효과적으로 사용할 수 있는 정도에는 차이가 있다. 또한 광범위한 과제를 대상으로 획득한 개입효과가 임상장면에 일반화될 가능성(generalizability)이 있

는지 지적되고 있다.

관련어 | 진단

역동적 특질
[力動的特質, dynamic trait]
무엇을 행하도록 추진하는 반응 경향성. `성격심리`

커텔(R. Cattell)의 분류에 따른 성격 특질로, 역동적 특질은 개인의 동기, 흥미, 야망 등을 일컬으며 운동 지향적이거나 야심이 있거나 또는 힘을 추구하는 특성을 말한다. 역동적 특질에는 에르그(erg), 감정(sentiment), 태도(attitude) 등이 있다. 에르그는 타고난 에너지의 원천 또는 추진력으로서 구체적인 목표를 향해 행동하도록 하는 기본적 동기, 본능, 추동이다. 감정은 외부환경의 물리적 영향으로 학습된 태도로서 환경조형 특질에 속하며, 삶의 중요한 측면에서는 활동을 하지만 그것이 더 이상 중요하지 않는 경우에는 사라지거나 다른 것으로 바뀔 수 있다. 태도는 어떤 사건, 대상 혹은 사람에 대해 갖는 관심이나 정서 또는 행동을 말하며 정서, 행동, 견해를 수반한다. 태도는 에르그와 감정 등이 표출되는 것이고, 이렇게 표출된 특질이 바로 표면특질이다.

관련어 | 개인특질, 공통특질, 기질특질, 능력특질, 독특한 특질, 특질

에르그 [-, erg] 역동적 특질을 이루고 있는 하위요소의 하나로 원천 특질 중 체질특질이다. 에르그는 타고난 심리신체적 경향으로서 본능, 추동, 동기 등으로 표현된다. 에르그는 개인이 행동을 하게 하는 근본적인 힘이며 구체적인 목표를 실천하도록 행동하게 만드는 기본적 동기다. 체질특질로서 영속적인 특성을 가지고 있으며, 더욱 강해지거나 약해질 수는 있지만 없어지지는 않는다. 커텔(Cattell)은 요인분석을 통하여 열한 가지의 에르그를 제시

하였다. 즉, 분노(anger), 보호(protection), 호소(complaint), 안전(safety), 호기심(curiosity), 자기표현(self-assertion), 혐오(hatred), 자기복종(self-submission), 군거성(gregariousness), 배고픔(hungry), 성(sex) 등이다.

역동적 격자 [力動的格子, dynamic lattice] 역동적 특질의 하위요소인 에르그, 감정, 태도의 관계를 도식화한 것을 말한다. 커텔(R. Cattell)은 특질을 분류기준에 따라 크게 세 가지 방식으로 분류하는데, 그중 두 번째 분류방식으로 인간의 인지적, 정서적, 행동적 측면에 따라 능력특질(ability trait), 기질특질(temperament trait), 역동적 특질(dynamic trait)로 구분하였다. 여기서 역동적 격자는 역동적 특질의 세 가지 하위요소의 관계를 제시하고 있다. 이들의 관계는 보조적(subsidisation) 관계에 놓여 있는데, 성격 안에서 어떤 요소가 다른 요소에 보조적이라는 의미다. 예를 들면, 태도는 감정에, 감정은 에르그에, 에르그는 태도에 보조적으로 연결되며, 같은 태도 수준에서 하나의 태도는 다른 태도에 보조적이다. 또한 하나의 에르그는 다른 에르그에, 하나의 감정은 다른 감정에 서로 보조적 관계로 연결된다.

작용하며, 궁극적으로는 관련된 힘의 요소들이 서로 타협하는 형태로 표현된다. 프로이트(S. Freud)는 성격이란 서로 갈등을 일으키는 힘으로 이루어진 하나의 체계라고 보았다. 이러한 갈등의 결과는 적응적이든 혹은 부적응적이든 성격을 구성하는 정서와 행동으로 형성된다. 개인의 정신역동을 탐색함으로써 그 사람의 갈등과 의식적이고 무의식적인 힘, 동기, 불안 등을 이해할 수 있다. 역동정신의학 분야에서는 인간의 내면에 있는 의식과 무의식 간의 갈등내용은 무엇인가, 만약 힘, 동기, 불안 등이 성격구조 안에서 서로 갈등을 일으킨다면 어떤 힘들이 이러한 갈등을 유발하는가, 혹은 어떤 동기와 어떤 불안이 서로 갈등을 일으키는가 등에 대해 연구한다. 대표적인 역동모델은 프로이트의 정신분석모델인데, 개인은 심리성적발달과정을 통해 선천적인 본능적 힘의 지배를 받는다고 보았다. 서로 충돌하는 두 가지 본능은 초기 정신분석모델에서는 자아본능과 리비도 본능이었지만, 후일 수정된 정신분석모델에서는 에로스와 타나토스로 제시되었다. 갈등상태에 있는 힘들은 의식, 전의식, 무의식과 같은 상이한 심리수준에서 작용하며, 본능들은 현실적인 환경의 요구와 초자아와도 갈등을 일으킨다.

관련어 | 역동통찰, 역동성

역동정신의학
[力動精神醫學, dynamic psychiatry]

성격구조의 역동모델에 기초를 둔 정신의학의 한 형태.
대상관계이론

역동(dynamic)이라는 용어는 일상적인 의미와 전문적인 의미를 지니고 있다. 일상적 의미로 역동은 생명력을 함축하는 용어다. 한편, 심리치료영역에서의 역동이란 힘(force), 즉 심리적 에너지를 의미하며 마음속에 있는 힘들이 상호작용한다는 것을 전제한다. 이 힘들은 일치하거나 혹은 서로 반대로

역량강화모형
[力量强化模型, empowerment model]

개인, 가족, 지역사회가 그들의 안녕과 건강을 위해서 개인적·제도적 요인에 영향을 발휘하도록 해야 한다는 개념.
여성주의 상담

개인이 과거, 현재, 미래의 스트레스와 역경에 대처하기 위해서는 지식을 확장하고 기술을 연마하여 변화하는 상황과 기능에 탄력적으로 대응함으로써 개인적인 성장을 이루어 나가야 한다고 설명하는

모형이다.

관련어 │ 여성주의 상담, 여성주의 역량강화상담

역량검사[1]
[力量檢査, power test]

개인이 가지고 있는 역량을 알아보는 검사. 심리검사

충분한 시간을 주고 어느 정도 어려운 문제를 풀 수 있는가를 다루는 검사로서, 시간을 제한하지 않고 넉넉하게 주어 개인이 가지고 있는 역량을 충분히 발휘하도록 하는 데 목적이 있다. 성격검사, 태도검사 등 대부분의 정의적 영역을 측정하는 검사가 여기에 속한다. 검사의 실시시간으로 검사를 구분할 때 반대적인 개념으로는 단시간에 많은 문제를 내는 속도검사(speed test)가 있다.

관련어 │ 속도검사

역량검사[2]
[力量檢査, competency test]

특정 영역에서 개인의 성취, 기술을 평가하는 검사. 심리검사

환경에 맞는 역할을 수행할 수 있는 능력을 측정하는 검사인데, 일반적으로 특정 영역에서 개인이 현재 성취 혹은 달성한 지식이나 기술을 평가하기 위해 실시한다. 법원에서 정신적으로 이상이 있다고 주장하는 사람에게 재판을 받을 수 있는지 검증하거나 결정하기 위해 실시하는 검사, 산업 및 조직에서 개인 조직에 기여할 수 있도록 성과를 달성한 행동을 평가하기 위해 실시하는 검사도 역량검사에 해당한다.

관련어 │ 학습능력검사

역설적 개입
[逆說的 介入, paradoxical intervention]

헤일리(Haley)가 발달시킨 개념으로 내담자의 문제되는 행동을 변화시키기 위해 문제행동을 더 많이 하도록 지시하여 이중속의 상황에 놓이도록 하는 전략적 기법. 전략적 가족치료

전략적 접근의 가족치료사인 헤일리가 주로 사용한 방법으로, 내담자의 문제행동이나 역기능적인 상호작용을 오히려 더 많이 하도록 지시함으로써 역설적으로 내담자의 문제증상이 감소되는 효과가 나타나는 기법이다. 문제가 심각한 가족일수록 기존의 치료방식에 집착하여 치료자가 제시하는 새로운 변화를 위협적인 것으로 인식하기 때문에 지시를 잘 따르지 않는데, 이러한 상황에서 치료자는 내담자의 문제에 대해 역설적으로 개입한다. 즉, 치료자가 '변화하라.'는 메시지와 '변화하지 말라.'는 모순적 메시지를 동시에 내담자에게 전달하는 '치료적 이중구속' 상황을 만드는데, 내담자가 자신이 변화를 추구해야 할 문제에 대해 치료자로부터 변화하면 안 된다는 지시를 받을 때 치료적 이중구속 상황에 빠지게 된다. '변하지 말라.'는 치료자의 메시지를 내담자가 따르든 따르지 않든 문제를 포기해야 하기 때문에 치료에서 이중구속의 상황에 놓이는 것이다. 이러한 모순에도 불구하고 치료자가 역설적 개입을 전략적으로 사용하는 이유는, 이 방법을 통하여 내담자의 문제를 해결할 수 있기 때문이다. 이 기법의 대표적인 것으로 증상처방과 변화제지가 있는데, 예를 들어 증상처방의 경우 치료자는 내담자의 문제에 대해서 '변화하지 말라.'는 지시를 내리므로 내담자로 하여금 일부러 문제행동을 더 하고 싶게 저항감을 유도하여 결과적으로 내담자가 그러한 행동을 하지 않게 된다. 변화제지의 경우는, 앞과 마찬가지로 내담자에게 저항의 심리로 나타낸 변화행동에 대하여 치료자가 변화속도가 빠를 때 내담자에게 그만하라는 지시를 내려 변화를 제지하는 역설적인 태도를 취하는데 이때 내담자는 치료

자에게 저항하는 마음을 갖고 자신의 변화속도를 더욱 빠르게 취한다. 이와 같은 역설적 개입의 효력에 대하여 잘 알지 못하는 내담자나 가족들은 자신의 심각한 문제에 대해 치료자가 엉뚱한 지시를 내린다고 생각하여 당혹하거나 격분할 수 있다. 그러므로 역설적 개입은 치료자의 전문성에 대한 내담자의 전적인 신뢰가 선행될 때 성공할 가능성이 있다. 만일 가족들이 이 처방에 대해 의문을 제기하는 경우, 치료자는 '가족 스스로 증상을 통제할 수 있도록 하기 위함'이라고 치료방법의 목적을 설명해 주어야 한다. 역설적 개입을 하는 방법에는 노출 중심 역설적 개입, 반항 중심 역설적 개입, 순종 중심 역설적 개입이 있다.

노출 중심 역설적 개입 [露出中心逆說的介入, exposure-based paradoxical intervention] 부적응적인 행동이나 상호작용 패턴을 지속적으로 하도록 함으로써 내담자가 자신의 고정된 행동유형을 보고 이를 변경하고 싶은 욕구를 유발하는 역설적 개입의 방법이다. 예를 들어, 늦잠 자는 것을 좋아하고 이 습관을 고치기 힘든 자녀의 경우, 어머니는 마치 자신이 자녀의 늦잠 자는 버릇을 좋아하는 것처럼 표현하고 그런 자녀가 자신의 사랑을 독차지하는 것처럼 느끼게 만든다. 그렇게 하면 자녀는 어머니의 사랑과 관심을 받기 위해 잠이 오지 않는 날에도 일부러 잠을 자야 하는 상황에까지 놓인다. 이를 통하여 자녀는 늦잠을 자야만 어머니의 사랑과 관심을 받게 되는 자신의 행동에 대해 모순을 느끼고, 자신의 늦잠 자는 버릇을 기존과는 다른 관점에서 생각해 볼 수 있는 동기가 생겨, 결과적으로 행동의 변화를 기대할 수 있다.

반항 중심 역설적 개입 [反抗中心逆說的介入, defiance-based paradoxical intervention] 가족들의 역기능적인 행동이나 상호작용 패턴을 계속 격려함으로써 오히려 이에 대해 반항심이 생기

도록 유도하는 것이다. 즉, 치료자가 가족들의 역기능적인 행동이나 상호작용을 제지하지 않고 오히려 계속하도록 격려함으로써 그들이 반항심을 가지고 반대로 행동하도록 만드는 역설적 개입의 방법이다. 예를 들어, 담배를 끊고 싶어 하는 내담자에게 하루 중 일정 시간 마음껏 담배를 피우도록 지시한다. 이 지시를 따르는 내담자는 결국 몸에 좋지 않은 담배를 더 많이 피우도록 지시하는 치료자에게 반감을 갖게 되고, 이러한 반감은 내담자 스스로 담배를 피우는 부정적인 행동을 줄이는 효과를 가져온다.

순종 중심 역설적 개입 [順從中心逆說的介入, compliance-based paradoxical intervention] 가족들의 역기능적인 행동이나 상호작용 패턴을 더욱 격려하는 역설적인 개입의 방법이다. 이는 기존에 가족들이 행하던 역기능적인 패턴을 계속 유지하도록 지시하고, 이를 격려해 준다. 예를 들어, 늦잠을 자는 자녀에게 어머니가 늦잠을 자지 말라는 충고를 계속 하다가 자녀가 말을 듣지 않아 좌절할 때, 치료자는 어머니에게 자녀가 늦잠을 자도 괜찮다고 격려하는 방법을 택하도록 권한다. 이와 같이 어머니가 자녀를 칭찬해서 그 자녀가 늦잠을 잘 때 치료자는 어머니의 방법이 성공했다고 칭찬을 해 주는 것이다.

역설적 의도
[逆說的 意圖, paradoxen intension]

⇨ '의미치료' 참조.

역전이
[逆轉移, countertransference]

정신분석 장면에서 전이현상이 상담자에게서 나타나는 것.

정신분석학

상담에서 역전이 문제가 언급되기 시작한 것은 프로이트(Freud, 1910)에 의해서이며, 그는 내담자가 상담자의 무의식에 끼치는 영향 때문에 상담자에게 일어나는 반응을 역전이라고 했다. 정신분석에 있어서 내담자의 경험이나 문제와 동일시함으로써 또는 자신에 대한 내담자의 사랑이나 또는 증오감에 대해 바로 그런 것으로 반응함으로써 상담자 자신의 억압되었던 느낌이 표면화되는 경우를 말한다. 전이가 내담자에게서 상담자 쪽으로 향해지는 무의식적인 감정이나 태도라고 한다면, 역전이는 상담자가 내담자에게 갖는 무의식적인 반응을 뜻한다. 컨버그(Kernberg, 1965)는 프로이트를 중심으로 한 역전이 개념을 고전적 접근(classical approach)이라고 하고, 그 후 심한 내담자를 다루면서 발전된 역전이를 전체적 접근(totalistic approach)이라 했다. 고전적 입장에서 볼 때 역전이는 일차적으로 내담자에게서 일어나는 전이와 유사한 것으로 표명된다. 즉, 상담자가 어려서 심리적 발달을 할 때 중요했던 사람의 모습을 내담자에게 전위(displacement)하거나 투사(projection)하여 상담자는 이들 과거의 인물과 관련된 감정, 충동 태도 및 동일시를 내담자에게서 재경험한다. 전체적 접근에서는 역전이를 상담자가 내담자에게 보이는 전체적인 정서반응(의식, 무의식, 현실적, 비현실적)으로 보고 역전이를 상담도구로 사용하고자 노력한다. 심한 퇴행과 성격장애를 보이는 내담자들은 신경증 전이에서 일어나는 것보다 훨씬 더 원시적이고 강렬한 감정, 충동, 방어를 보인다. 이러한 것들이 상담자에게 강렬하게 향하게 되는데, 이런 전이들은 그 성질에 있어서 거의 망상에 가까우며 현실감이 훨씬 적다. 오랫동안 내담자는 자신과 상담자 사이에 현실적 관계를 지각하는 것이 어렵게 된다. 이럴 때 치료동맹이나 작업동맹은 아주 어려우며 이 시기는 내담자에게 신체적으로나 객관적으로 위험한 시기다. 흔히 상담자는 내담자가 자신의 생을 파괴적으로 수행하지 않도록 또 상담적 상호작용을 하는 데 필요한 진정한 대화를 얻기 위해서 내담자와의 현실접촉을 형성하고자 강력한 수단을 사용하게 된다. 컨버그는 이렇게 퇴행된 내담자들을 다루는 상담자들이 발전시킨 역전이를 전체적 접근이라 일컬었다. 상담자가 보이는 역전이는 크게 일반화된 역전이(generalized countertransference)와 특수한 역전이(specific countertransference)로 구분할 수 있다. 일반화된 역전이는 상담자가 모든 내담자에게 공통적으로 느끼는 것이고, 특수한 역전이는 내담자의 갈등이 상담자 자신의 아동기 문제와 유사할 때 상담자의 반응이 특수하게 작용하는 것이다. 역전이를 해결하기 위해 상담자는 우선 이 반응들이 자신에게 있음을 의식하고 수용할 수 있어야 한다. 이처럼 역전이는 내담자에 대한 상담자의 부정적인 감정이나 지나친 애착 때문에 나타난다. 상담자가 정신분석적 치료관계에서 비합리적인 방식으로 반응하거나, 내담자와의 갈등이 유발되어 치료관계의 객관성을 잃어버릴 때 나타나는 부적절한 정서적 반응이라고 할 수 있다. 예를 들면, 상담자 자신이 상대방으로부터 인정받고자 하는 욕구를 충족하기 위해 무의식적으로 내담자로 하여금 자신에게 과도하게 의존하도록 만들 수 있다. 역전이는 내담자의 성장과 분석과정에 부정적인 영향을 미친다.

역전이/전이
[逆轉移/轉移, countertransference/transference]

수퍼바이저와 수퍼바이지 사이의 무의식적인 생각과 감정의 흐름. 수퍼비전

수퍼바이저와 수퍼바이지의 양자관계에서는 무

의식적인 역동을 불러일으킬 수 있다. 수퍼바이지는 무의식적으로 자신의 아버지에 대한 부정적인 느낌을 수퍼바이저에게 가지고 수퍼바이저의 모든 피드백을 억압적으로 받아들이며 불안을 호소한다. 이에 대해 수퍼바이저는 무의식적으로 수퍼바이지가 불안을 느끼지 않도록 더 보호적이거나 과도하게 친절 또는 수용적인 역전이 반응을 보일 수 있다. 또한 수퍼바이지의 내담자에 대한 무의식적 감정을 가지고 수퍼바이지를 대하는 경우도 있다. 이는 인간의 무의식적 과정이기 때문에 불가피한 현상이라 할 수 있다. 중요한 것은 이러한 현상을 수퍼바이지와 수퍼바이저가 신뢰관계 안에서 서로 털어놓고 나누면서 치료적으로 그러한 무의식적 과정을 활용할 수 있도록 하는 것이 필요하다.

관련어 ┃ 감정의 활용, 무의식 과정, 수퍼비전 관계, 심리역동 수퍼비전

역조건 형성
[逆條件形成, counter conditioning]

조건형성의 원리 사고방식과 방법으로 학습된 부적응 행동을 제거하는 과정으로서, 고전적 조건형성의 원리를 응용하여 원치 않는 조건자극과 조건반응의 연합을 약화 또는 소거시키는 절차. 행동치료

탈조건형성, 길항 조건화, 항조건화, 반대 조건화라고도 한다. 이미 조건형성된 바람직하지 않거나 원치 않는 조건반응을 소거시키기 위해, 원치 않는 조건반응을 유발하는 조건자극과 이 원치 않는 조건반응과 양립 불가능한 조건반응을 유발하는 조건자극을 연합시키는 것이다. 예를 들어, 개 공포를 나타내는 아동이 있다. 이때 개는 공포를 유발하는 조건자극이고 공포는 조건반응이다. 이 공포와 양립 불가능한 반응으로 편안함을 들 수 있고, 이러한 편안함을 주는 조건자극으로 어머니의 품이 있다. 따라서 개에 대한 아이의 공포를 제거하기 위해 아이가 개를 본 후에 어머니가 따뜻하게 안아 주는 절차를 반복하면, 개에 대한 아이의 공포는 점점 약해진다. 즉, 개와 어머니의 품을 연합시키는 역조건형성을 통해 개에 대한 아이의 공포를 소거시키는 것이다. 이러한 역조건형성은 울페(Wolpe)의 상호 제지 개념과 동일한 것으로, 불안이나 공포 치료에 많이 사용한다. 역조건형성의 원리를 사용하는 기법으로 내재적 민감화(covert sensitization)가 있는데, 이는 소거 혹은 약화시키고 싶은 바람직하지 않은 행동을 불쾌감을 유발하는 자극과 연합하는 기법이다. 예를 들어, 자신이 다리를 떨 때마다 손에 찬 고무밴드를 세게 팅기는 방법으로 다리 떠는 행동을 감소시키는 것이다. 내재적 민감화는 흡연, 비만, 약물남용, 성적 일탈과 같은 문제를 가진 내담자의 행동을 수정하는 데 흔히 사용되고 있다. 역조건형성의 원리는 체계적 둔감의 핵심 요소이기도 하다.

관련어 ┃ 내재적 민감화, 체계적 둔감, 탈조건형성

역치검사
[閾値檢査, threshold test]

어음을 신호로 주고 그에 대한 반응으로 청력을 진단하는 것. 특수아상담

어음청력검사(speech audiometry)는 어음역치검사(speech reception threshold: SRT)와 낱말분별검사(word recognition test: WRT)로 나뉘는데, 이 중 어음역치검사는 보편적인 사람의 말소리를 이해하기 위해 필요한 가장 작은 소리의 정도를 검사하는 것이다. 반면, 낱말분별검사는 낱말에 대한 분별능력을 검사하는데 이러한 어음청력검사는 청력 민감도에 대한 대략적인 정보만 제공하는 순음청력검사의 한계를 보완하여 실제 어음을 듣고 이해하는 능력을 측정하는 수단으로 사용되고 있다. 여기서 어음에 대한 청취 역치란 청력에 문제가 있는 사람이 어음을 50%만큼 정확하게 되풀이하여 말할 수 있는 가장 낮은 강도를 말한다. 이 어음역치검사를

통하여 순음청력검사결과의 정확성을 확인할 수 있다. 보통 순음청력검사와 어음역치검사의 평균값 차이가 플러스마이너스 6dB 이내이면 순음검사의 정확도가 좋다고 볼 수 있으며, 플러스마이너스 13dB 이상의 차이를 보이면 순음검사가 잘못되었다고 판단할 수 있다. 일반적으로 10dB 이상의 차이가 있을 경우 순음검사를 다시 해 볼 필요가 있다. 역치 검사도구로는 함태영(1962)이 개발한 각 음절에 동일한 강세를 지닌 강강격 이음절어가 대표적이다. 검사방법을 살펴보면, 우선 검사음을 세팅한 다음 양쪽 귀에 청력 손실의 차이가 있을 경우 더 좋은 귀를 먼저 검사한다. 검사할 단어를 10개 정도 선정하여 충분히 들을 수 있는 소리강도, 즉 평균 순음검사의 역치보다 20~25dB 더 큰 소리에서 미리 들려준 뒤 순음 검사절차를 따라 검사한다.

관련어 순음청력검사, 어음청력검사

역할
[役割, role]
개인이 속해 있는 집단이나 사회에서 개인의 지위나 위치에 따라 기대되는 행동이나 태도. **개인상담**

역할은 사회적 위치에 따라 예측되는 행동이므로 지위와 불가분의 관계에 있으며 언제든지 바뀔 수 있다. 역할은 이념적 또는 규범적 역할, 인식된 역할, 실제적 역할로 구분된다. 이념적 역할은 개인이 속한 사회나 문화에서 주어지는 역할을 말하며, 인식된 역할은 특정한 문화나 사회에 속한 각 개인이 자기 나름대로 이해하고 지각한 역할을 말한다. 실제적 역할은 각 개인이 스스로 담당하고 있는 개인적 역할을 말한다. 이 중 인식된 역할은 항상 옳은 것이 아니라 때로는 잘못 이해하거나 혼동될 수 있고, 이념적 역할이 실제적 역할과 일치하지 않을 수도 있다. 이러한 역할들은 상호적이다. 예를 들어, 교사는 학생이 있기에 교사의 역할을 하게 되며 부

모는 자녀가 있기에 부모의 역할이 존재한다. 사회에서 주어지는 역할을 학습해 나가는 것이 곧 사회화 과정이라 할 수 있다. 역할은 사장, 교사, 학생 등 사회적 지위에 따른 역할, 부모, 아내, 남편 등 가족 내의 역할, 남녀에 따른 성역할 등이 있다. 인간은 일생을 한 가지 이상의 역할을 담당하고 사회적 환경이나 시대에 따라 그 역할은 바뀐다. 또 역할은 서로 경쟁하거나 충돌을 일으키기도 한다.

관련어 성역할, 역할치료, 정체성

역할갈등 [役割葛藤, role conflict] 개인이 외부에서 기대하는 역할과 자신의 역할 간의 모순을 내적으로 처리할 수 없는 경우에 일어나는 심리적 갈등을 말한다. 즉, 한 개인이 주관적으로 지각하는 지위에 따른 행동과 외부에서 기대하는 행동의 불일치를 스스로 해결하지 못하여 나타나는 심리적 충돌이다. 예를 들어, 자녀가 있는 직업여성은 외부적으로 아내, 어머니, 근로자 등 동시에 여러 가지 역할을 요구받는다. 주어진 여러 가지 역할은 특정 입장에서 행동하면 다른 입장에서의 역할을 할 수 없게 되는데, 이 경우를 역할갈등이라고 한다. 오늘날 현대인은 여러 집단에 소속되어 생활하고 있기 때문에 역할갈등은 현대인을 둘러싸고 있는 여러 가지 문제, 즉 조직과 개인 간의 문제를 해결하는 데 중요한 열쇠가 되는 개념이다. 이러한 중요성에 따라 사이코드라마에서는 참여자들이 각자 맡은 역할들 사이에서 발생하는 여러 가지 갈등을 다루어 나간다. 사이코드라마에서는 역할갈등을 역할 내 갈등(intra-role conflict), 역할 간 갈등(inter-role conflict), 인성역할갈등(personality role conflict)으로 구분한다. 역할 내 갈등은 한 사람이 둘 이상의 집단에서 동시에 각기 다른 역할을 맡는 경우 발생한다. 역할 간 갈등은 두 가지 이상의 역할을 동시에 가지고 있는 상태에서 각각의 역할에 대한 기대가 상반될 때 발생한다. 인성역할갈등은 특정한 역할수행자의 인성이 역할수행에 방해가 될 때, 다

시 말해 역할이 역할수행자의 개인적 윤리관이나 가치관과 부합하지 않을 때 발생한다. 수퍼비전 측면에서 보면 수퍼바이저가 불성실하거나 그 역할에 충실하지 못할 때 혹은 자신의 역할에 대한 전문성이 결여될 때 수퍼바이저와 수퍼바이지 사이에 역할갈등이 일어난다. 또한 수퍼바이지가 평가나 수퍼비전에 대한 기대가 불확실할 때 역할갈등이 일어난다(Olk & Friedlander, 1992). 이러한 역할갈등은 수퍼비전 동맹을 깨트리고 불신의 관계를 만들 수 있다. 역할갈등은 진행되는 토론 과정에 대해서 의문을 나타내거나 평가 과정에 대해서 다시 한 번 물어볼 때, 수퍼비전 회기에 테이프를 가져오는 것을 잊어버리거나 수퍼바이저가 하는 코멘트에 저항할 때 등에서 드러난다.

역할거리 [役割距離, role distance] 역할에 대한 실제적, 심리적 거리를 말한다. 역할거리에는 두 가지 의미가 있다. 즉, 역할기대와 실제 행동의 거리와 역할기대에 대한 자신의 내적 욕구의 심리적 거리다. 전자의 예로는 진지함이 요구되는 수술실에서 외과의사가 농담을 하며 여유를 갖고 일을 수행하는 것을 들 수 있다. 이러한 역할거리는 지나치게 동조함으로써 자신을 해방시키는 기법이다. 후자는 내면에서 관여하지 않는 것으로서, 역할의 소극적인 수용을 의미한다.

역할기대 [役割期待, role expectation] 개인의 역할에 알맞은 행동이나 태도 등을 가정하는 것이다. 즉, 특정한 집단 또는 사회에서 개인이 차지하고 있는 지위나 위치에 적합한 외모 또는 행동과 태도를 취할 것이라고 가정하는 것을 말한다. 예를 들어, 학교라는 사회조직에서 교사는 자신의 개인적 감정, 속성과는 관계없이 사회적 지위나 위치에서 기대되는 교사로서의 역할을 담당하는데, 출석부에 출결을 체크하고, 흑판에 판서를 하며, 수업에 집중하지 않는 학생에게 주의를 주거나 학습내용을 이

해시키는 등의 행동을 수행한다고 본다. 이와 같이 행위자 자신의 사회적 지위나 위치에 할당된 규범적 기준을 역할기대라고 한다. 세코드(Secord)는 역할기대를 규범적 역할기대와 예견적 역할기대로 구분하였다. 전자는 개인이 속한 사회나 문화의 가치 또는 규범에 의해 주어지는 것으로서 다소 강제성을 띤다. 후자는 강제성은 없지만 역할행동에 큰 영향을 미치는 기대를 말하는데, 이는 서로가 서로에게 기대하기도 하며 개인이 스스로 어떤 행동을 하기를 예측한다. 역할기대는 의도적, 때로는 비의도적으로 형성되기도 하며 개인의 역할수행을 동기화하는 요인이다. 그리고 부모와 자녀의 관계, 부부관계, 사제관계가 좋다는 것은 서로의 역할기대가 일치하기 때문이다. 예를 들면, 아내는 남편이 설거지 정도는 할 것이라고 기대하고, 남편은 설거지 정도는 해야 한다고 생각한다면, 이 부부의 역할기대는 일치하는 것이다.

역할수행 [役割隨行, role performance] 지위나 위치에 주어진 의무나 요구를 행동으로 옮기는 것을 말한다. 가정에서 주부는 자녀를 양육하고 집안을 관리하는 역할을 맡기 때문에 그 역할을 수행하기 위해서는 음식을 만들고 청소를 하며 자녀의 건강을 돌보는 행동을 한다. 이와 같이 개인은 사회적 상황에서 요구되는 역할기대와 그 기대에 대한 주관적인 이해, 즉 역할지각을 통하여 행동으로 역할을 수행한다. 그러므로 역할수행은 역할기대와 역할지각에 의해 영향을 받는다. 즉, 가정에서 주부에게 요구하는 역할기대 혹은 주관적으로 이해하고 있는 역할지각에 부합하는 역할을 수행하면 가정은 기능적으로 작동하게 될 것이며 가족구성원의 생활만족도도 향상될 것이다.

역할지각 [役割知覺, role perception] 개인이 외부환경에서 주어지는 여러 가지 역할을 주관적으로 인식하는 것을 말한다. 개인마다 똑같은 사회적

지위나 위치에 있어도 역할을 수행하는 행동은 다르다. 왜냐하면 개인마다 성격, 능력, 흥미, 경험, 동기 등 개인적 요인이 역할지각에 영향을 미치기 때문이다. 사빈(Sarbin)에 따르면 역할지각은 연령, 성별, 사회적 지위, 직업, 개인의 성격에 따라 각각 다른데, 역할기대와 역할지각이 일치할수록 집단이나 사회에 잘 적응한다고 할 수 있다.

역할혼미 [役割昏迷, role confusion] 자기정체성에 대한 확신이 없거나 역할에 따른 수행이 무엇인지 인식하지 못한 상태를 말한다. 에릭슨(Erikson)의 심리사회발달의 다섯 번째 단계인 정체성의 반대로서 자신의 정체성에 대한 확신이 부족한 것을 의미한다. 한편으로는 집단상담에서 집단원이 각자 어떤 역할을 수행해야 할지 모를 때 발생하는 상황을 말하기도 한다. 흔히 지도자가 없는 집단에서 발생하는데, 집단원이 자신감을 갖고 의제를 설정하는 것을 도와야 할지 혹은 수동적으로 지도력이 발휘되기를 기다려야 할지 모르는 상황이다.

역할구성개념목록검사
[役割構成概念目錄檢査, role construct repertory test]

켈리(G. Kelly)가 개인의 구성개념체계를 찾아낼 목적으로 고안한 가장 대표적인 검사. 개인적 구성개념이론

켈리의 개인적 구성개념이론에 관한 연구는 주로 이 검사를 사용하여 이루어져 왔는데, 피검자가 자신의 용어로 구성개념을 생성해 내도록 하는 장점이 있으며, 대개 줄여서 렙 검사(Rep Test)라고 부른다. 이 검사는 개인형과 집단형 및 다양한 형태가 있고, 내용과 실시절차는 다음과 같다. 우선 피검자에게 개인적으로 중요한 의미를 가진다고 보는 20~30명의 사람들을 규정하는 역할 명칭 일람(role title list)을 제시한다. 그런 다음 설명되어 있는 각각의 역할과 가장 일치되는 사람의 이름을 인물(figure)이라

고 부르기로 하는데, 각 역할에 해당되는 인물이 결정되면 피검자가 기록한 인물 중에서 3명을 제시하고 그중 2명이 어떤 중요한 점에서 비슷하며 나머지 한 명과는 어떤 점에서 다른지 말하도록 한다. 다른 점과 같은 점을 말하도록 하는 것이 역할구성개념목록검사의 핵심이라고 할 수 있다. 예를 들어, 누나, 형, 어머니의 이름을 부른 다음 세 사람을 비교, 대조하여 2명의 같은 사람을 정하고 그 2명과 다른 한 명을 말하도록 한다. 그리고 어떤 점이 같고 또 어떤 점이 다른지 설명하도록 하는 것이다. 누나와 형은 '차분하다'는 점에서 비슷한 반면에, 어머니는 '신경질적이다'라고 대비시킬 수 있을 것이다. 그러면 여기서 활용된 구성개념은 '차분하다 대 신경질적이다'가 된다. 이와 똑같은 절차를 약 20~30회 반복하여 피검자가 다른 사람을 범주화하고 변별하기 위해서 적용하는 개인적 구성개념체계를 진단한다. 즉, 이 검사의 과정에서 피검자가 표현한 언어의 내용에 근거해서 검사자는 피검자가 다른 사람을 지각하고 그 사람에게 반응하는 양식이나 방법에 대한 가설을 설정할 수 있는 것이다. 이와 같은 형태를 일람형(list form)이라고 부르며, 주로 개인용으로 활용한다. 켈리는 또한 격자형(grid form)의 역할구성개념목록검사도 고안하였다. 격자형은 한 축에는 역할 명칭 일람을 기록하고 다른 축에는 피검자가 자신의 구성개념을 기록하도록 되어 있다. 먼저 역할 명칭 일람에 해당하는 사람의 이름을 쓴 다음 세 사람을 원으로 표시한 첫 번째 칸부터 반응하도록 한다. 세 사람 중에서 비슷하거나 같은 사람 2명을 결정하고, 이와 다른 제3의 사람이 결정되면 비슷한 2명에게는 원 안에 ×표를 그리도록 한다. 그리고 구성개념 극란에는 2명의 비슷한 점을, 대조란에는 제3의 사람이 그 2명과 대비되는 점을 간단하게 쓰도록 한다. 이 같은 절차가 끝나면 다시 처음으로 돌아가서 2명이 같다고 분류한 개념을 어느 정도 적용할 수 있는 사람에게 V표시를 하도록 한다. 이 과정을 나머지 열을 다 끝낼 때까지 계속해

서 하도록 한다. 이렇게 수집된 자료는 개인의 구성개념체계와 그것의 활용이 어떻게 이루어지고 있는지를 보여 주는 일종의 표집이라고 할 수 있다. 일람형의 검사를 통해서 수집한 자료는 검사자가 드러난 구성개념의 숫자와 다양성, 구성개념의 삼투성, 경직성, 융통성 등의 특징을 고려하여 임상적 분석을 한다. 이 분석은 피검자가 어떻게 구성개념을 하고 있는지를 이해하는 데 주관적인 해석이 된다. 이에 대해 켈리는 해석상의 오류나 편견을 줄이기 위해 격자형을 개발하였고, 이를 수학적 방법인 비모수적 요인분석으로 수량적 연구를 할 수 있도록 하였다. 성격의 변화에 대한 연구가 개인적 구성개념 심리학에서 핵심이 되는 것처럼 역할구성개념목록검사의 큰 장점이자 특징은 구성개념 변화의 정도를 측정할 수 있다는 점이다. 특히 격자형 검사는 변화를 측정할 수 있기 때문에 임상적 및 실험적 연구에서 널리 사용되고 있다. 변화에 대한 측정은 크게 내용면과 구조면으로 구분할 수 있는데, 일람형 검사에서는 주로 구성개념의 내용적 측면을, 격자형 검사에서는 내용과 함께 구조적 측면까지 측정이 가능하다. 구성개념체계의 내용척도는 도출된 구성개념들의 실제적 의미에 초점을 둔다. 즉, 구성개념 차원을 규정짓고 있는 실제의 언어적 내용을 척도로 삼음으로써 그 사람의 관심을 지배하고 있는 사실, 대인관계에서 그 사람이 사건에 부여하는 의미 등을 이해할 수 있다. 따라서 도출된 구성개념의 언어적 내용이 어떻게 변화하느냐에 따라 구성개념의 내용적 측면의 변화를 판단하는 격자형 검사에서는 구성개념들 간에 연결되어 있는 정도나 종류에 우선적인 관심을 둠으로써 구성개념체계의 다양한 수학적 특성을 드러내는 구조척도를 이끌어 낼 수 있다. 체크기호(∨)의 배합이나 관계점수를 기본으로 다양한 유형의 점수가 산출되는데, 인지적 복잡성과 단순성, 일관성이나 강도 등이 이 유형의 척도들이다. 이 같은 구성개념의 내용적 측면과 구조적 측면은 양분될 수 있는 것은 아니며, 각기 중

요한 의미를 지니고 있다. 실제적 구성개념은 여러 가지 구조척도의 해석과 사용에 기초가 되고, 구성개념을 해석하는 데에는 격자형에 나타난 구성개념의 관계에 관한 수학적 특징을 참조하여 도움을 얻는다. 하지만 역할구성개념목록검사가 유용하고 흥미롭다 해도 한계를 가지고 있다. 사람들의 구성개념은 항상 말로 표현할 수는 없다. 역할구성개념목록검사에서는 다른 사람을 능동적으로 해석하고, 사람들을 비슷하거나 다르게 만드는 것을 나타내는, 자연스럽게 마음에 떠오르는 구성개념이 무엇이든지 사용하도록 함으로써 이 문제를 극복하려고 한다. 그러나 이러한 전략은 그 문제의 일부분만 해결해 줄 뿐이다. 왜냐하면 그 사람은 여전히 사용된 구성개념에 대해 이름을 말해야 하기 때문이다.

관련어 | 개인적 구성개념이론, 구성개념

역할극
[役割劇, roleplaying]
실제로 경험한 사건을 현재의 시간과 공간에서 다시 표현해 냄으로써 재경험하고 재조명하는 활동. 경험적 가족치료

역할극은 경험적 가족치료에서 가족관계나 과거의 사건을 재경험하기 위해 가족 조각이나 빈 의자 기법 등에서 많이 활용하는데, 가족구성원들이 자기 자신의 생활이나 다른 사람의 생활, 그리고 그 관계성을 단막극의 형태로 재연하는 것이다. 역할극을 하는 과정에서 주인공은 실제 자신이 경험한 것을 기억하고, 그에 대한 현재 감정과 느낌을 표현하는 것이 전제된다. 이것은 과거의 사건이나 바람 또는 미래의 사건에 대한 감정을 재현해 봄으로써, 이전에 느꼈던 감정을 다시 살펴보고 이를 통해 새로운 변화의 가능성을 찾을 수 있다는 장점이 있다. 또한 이전의 관계나 상호작용에서 미처 시도해 보지 못했던 새로운 반응기제나 반응들을 역할극으로 연습하거나 드러내지 못했던 감정을 드러냄으로써

카타르시스의 극적 효과를 기대할 수 있다. 치료에 참여하지 않은 사람을 표현하고자 할 때는 게슈탈트의 그때-거기 기법을 사용하기도 한다. 즉, 할아버지에 대해 이야기하고자 할 때는 빈 의자를 할아버지로 의인화하여 이야기하도록 한다.

관련어 | 가족 조각, 빈 의자 기법, 원가족 삼인군 치료

역할극 수퍼비전
[役割劇 - , roleplaying supervision]

역할극이 수퍼비전의 방법으로 사용되는 것. 상담 수퍼비전

역할극을 활용하여 수퍼비전을 하는 것인데, 다양한 시나리오를 가지고 수퍼바이저와 수련생이 상담자와 내담자의 역할을 하면서 수련생의 상담회기를 관찰하고, 개입 가능한 상담 관련 기술을 훈련한다. 수퍼바이저가 다양한 수퍼비전의 목적을 달성하기 위해 역할극을 창의적으로 변형하여 사용할 수도 있다. 역할극을 통한 수퍼비전은 수퍼바이저가 단순히 수련생의 상담회기를 보고받는 것이 아니며, 당시의 상황 그대로를 느끼면서 관찰할 수 있는 공감능력과 조력기술 등의 숙달된 능력이 바탕이 될 때 효과가 극대화된다. 역할극의 또 다른 활용은 역할바꾸기다. 이는 수련생이 내담자의 역할을, 그리고 수퍼바이저가 상담자의 역할을 하는 것이다. 이러한 활동은 수련생이 내담자의 시각에서 상담과정을 다시 느껴 보고 생각할 수 있는 기회가 된다. 또한 수련생이 수퍼바이저의 역할을 하고, 수퍼바이저가 수련생의 역할을 하기도 하는데, 이를 통해 수련생은 수퍼비전에서 논의되고 있는 사항을 다른 시각으로 볼 수 있다.

관련어 | 개인 수퍼비전, 라이브 수퍼비전, 비디오 녹화, 음성녹음, 직접관찰, 팀 수퍼비전

역할놀이
[役割 - , role playing]

바람직한 반응 혹은 행동의 훈련이나 변화를 위해서, 혹은 치료과정 중에 내담자가 카타르시스를 느낄 수 있도록 시행하는 모의실습. 사이코드라마

이 기법은 역할바꾸기 및 이중자아 기법과 더불어 사이코드라마의 3대 기법에 속한다. 특정 역할에 대해 자발적이고 자유롭게 실시하는 체험학습방법의 하나인데, 역할놀이의 목적은 문제를 다양한 측면에서 바라보는 것이다. 사이코드라마에서는 주인공을 비롯하여 연출자, 보조자아, 관객 등 모든 역할자가 자신의 생각, 느낌, 환상, 비전, 열정을 역할화한다. 역할극이라고도 불리는 이것은, 특정 상황을 설정하여 역할을 시험적으로 시도해 보고, 그 과정에서 문제점을 파악하거나 바람직한 행동을 습득하게 할 수 있다는 점에서 교육이나 개인 및 집단 상담 장면에 다양하게 활용할 수 있다. 역할연기에서는 내담자 자신의 잘못된 생각들이 다른 사람과의 관계에 어떤 영향을 미치는지 보여 주기 위해 불쾌한 감정을 경험하는 상황을 연출하기도 하고, 자신이 되고 싶은 모습을 직접 행동으로 옮겨 보기도 한다. 상담을 배우는 데 유효한 학습방법인 역할놀이를 시행하는 방법을 살펴보면 다음과 같다. 학습자들 가운데 상담자와 내담자의 역할을 맡을 사람을 결정한다. 그 외의 학습자들은 관찰자가 된다. 상담자 역은 내담자 역의 이야기를 잘 듣고 내담자가 생각한 대로 상담자가 제대로 파악했다는 듯 자신이 하려고 생각하는 것을 해 본다. 성공과 실패에 얽매이지 않고 우선 체험해 보는 것이다. 중요한 것은 자신이 하려고 생각하는 것을 하고, 그 상담 중에 무엇이 일어났었는지를 명확하게 하는 것이다. 내담자 역은 자신이 진짜 내담자가 되었던 것을 가정해 보면서 체험한다. 그때 다루는 사례에서는 현재 자신이 갖고 있는 심각한 문제는 피한다. 왜냐하면 그 장이 연습의 장이고, 또 상대방이 전문상담자가 아

닐 수 있기 때문이다. 따라서 다른 사람의 사례나 해결이 된 과거 자신의 문제를 다루는 것이 좋다. 역할놀이는 시나리오에 기초하여 연기하는 연극이 아니다. 가령 사례는 빌려도 그 장에서의 체험은 자신의 체험이 된다. 따라서 남성은 남성의 역할, 여성은 여성의 역할을 하는 것이 바람직하다. 관찰자는 다음의 다섯 가지 항목을 관찰하여 그 장에서 무엇이 일어났는지 파악한다. 첫째, 상담자가 주로 무엇을 하고 있는가(해석, 조사, 평가, 지지, 이해, 충고, 설교 등)? 둘째, 내담자를 상담하여 어떤 것을 느꼈는가(상담자의 감정의 변화)? 셋째, 내담자는 주로 무엇을 전달했는가(내담자 문제의 본질, 표면상의 문제 등)? 넷째, 상담자와 이야기하여 어떤 것을 느꼈는가(내담자 감정의 변화, 즉 상담내용에서 주는 감정의 흐름 등)? 다섯째, 상담자–내담자 인간관계의 변화다. 역할놀이 종료 후의 회고에서 이상의 다섯 가지 항목을 확인하고, 그 역할놀이에 대하여 검토한다. 이 방법을 사용할 때의 유의점은, 지도자는 역할놀이 전체를 잘 관찰하여 상담자 역과 내담자 역이 각각 체험한 것의 의미를 알도록, 또 관찰자가 단지 비판적·평가적으로 역할놀이를 보는 것이 아니라 거기서 무엇이 일어났는지를 파악하도록 도와야 한다. 역할놀이와 그 회고를 통하여, 상담자 역이 자신이 무엇을 하려고 하고 실제 무엇을 했는지를 알아차리고, 내담자와의 관계에서 무엇이 일어났는지를 명확하게 하는 것은 상담에서 자신을 안다는 의미에서 자기 성장과 연결된다. 내담자 역은 타인의 사례를 빌리면서 그 사람이 어떤 생각으로 상담을 했는지 알게 된다. 또 내담자 체험을 통하여 자기 안에 흐르는 감정의 변화에 주목해 볼 수 있다. 그것은 바로 그때의 자신을 알아차리는 것이 될 수 있다. 역할놀이에서는 특히 상담자 역은 성공과 실패에 얽매이지 않고 자신이 하려고 생각한 것을 해 보는 것, 그리고 그 결과를 음미해 보는 것이 중요하다. 일반적으로는 '이것이 나빴다.' '저것이 나빴다.' 등 방법에 얽매이기 쉽지만, 그것이 이 학

습의 목적은 아니다. 실제 상담에서는 일대일로 이야기하면서 자기 안에서 무엇이 일어나고 있는가? 눈앞의 내담자에게서 무엇이 일어나고 있는가? 그리고 두 사람(상담자와 내담자)의 인간관계에서 무엇이 일어나고 있는가를 상담자가 스스로 파악하지 않으면 안 되기 때문이다. 실제 상담장면에서는 내담자에게 절대 상처를 주어서는 안 된다. 역할놀이라는 연습의 장에서 오히려 크게 실패하고 그 과정에서 배우는 것이 중요하다. 역할놀이에서 의사적 체험의 한계를 지적할 수도 있다. 확실히 한계는 있지만, 가령 의사적 체험일지라도 그 속에서 배우는 것은 많다.

관련어 | 역할, 역할바꾸기, 이중자아

역할도해
[役割圖解, role diagram]

한 사람의 다양한 역할이나 두 사람 사이의 다양한 역할, 또는 집단 내에서의 상호역할을 그림이나 도형으로 표시하는 것으로서, 자기 및 타인에 대한 다른 사람의 관점을 살펴볼 수 있는 방법. 사이코드라마

모레노(J. L. Moreno)의 사이코드라마를 부부치료에 적용하여 행위양식 정신치료(action modality psychotherapy: AMP)를 고안한 헤이든 세만(Hayden-Seman, 1998)이 제안한 방법으로, 일종의 사회측정학적 절차다. 부부치료에서 사용하는 AMP 다이어그램의 가장 단순한 형태는 특정 역할을 수행할 때의 상호작용에서 부부가 서로에 대해 느끼는 바를 알려 주는 것이며, 다음과 같은 순서로 진행된다. 먼저 치료자는 부부에게 각자의 역할 중 가장 많이 하고 있는 역할과 가장 하고 싶은 역할을 적도록 한다. 다음으로 치료자는 부부가 상대방의 역할에 대하여 얼마나 잘 알고 있는지 확인하기 위하여 부부에게 서로 역할을 바꾼 다음 동일한 질문에 대답하도록 한다. 이러한 과정을 통하여 부부는 자신의 배우자가 자신의 역할을 어떻게 지각하고 있는지 알

수 있다. 이와 같은 역할 다이어그램으로 나타낼 수 있는 내용은 대개 다음과 같다. 역할의 범주, 역할의 발달 정도, 역할 간의 상호관계, 역할에 대한 만족도, 역할의 표현성, 목표달성의 정도, 역할의 종류 등이다.

관련어 | 역할

역할모델
[役割 -, role model]

사회적으로 수용되고 권장되는 바람직한 형태의 행동을 위해 본보기가 되는 대상이나 모범. 인지치료

반두라(Bandura, 1977)는 사회학습이론에서 특정 행동에 대한 직접적인 강화보다 다른 사람들의 행동을 관찰하고 모방함으로써 사회적·인지적 행동을 배우고 좀 더 효율적인 학습이 이루어진다고 말하였다. 역할모델의 행동을 관찰한다는 것은 자신의 실제 행동을 평가할 수 있다는 것이며, 이러한 비교를 통해 시행착오를 줄이고 문제해결과정을 효율적으로 학습한다. 역할모델은 살아 있는 실질적인 대상뿐 아니라 상징적 모델이 될 수도 있다.

관련어 | 모델링, 모방

역할바꾸기
[役割 -, role reversal]

한 개인이 다른 사람의 입장이 되어 행동하는 일. 개인상담

역할놀이의 한 기법으로 상담실습과 사회적 기술 훈련에서 자주 이용되는 방법이다. 사이코드라마의 창시자 모레노(J. L. Moreno)가 개발한 기법으로서 사이코드라마와 소시오드라마뿐만 아니라 부부나 가족상담, 개인상담, 집단상담 등에서 서로 역할이나 지위를 교환함으로써 보다 큰 감정이입이 일어나게 한다. 이 과정을 통하여 서로에 대한 이해, 자

기 자신의 행동과 위치가 다른 사람에게 미치는 영향력이 어떠한지 등을 더 깊게 이해하는 기회가 된다. 이 기법은 서로가 무관심 혹은 자신이 다른 사람에게 주는 영향에 대하여 무관심한 경우, 또는 어떤 문제에 길이 막혀 있는 것 같은 경우에 효과적이다. 예를 들면, 부모가 자녀의 역할을 하거나 학생이 교사의 역할을 담당한다. 다른 사람의 견해에 공감할 필요가 있을 때 더욱더 유용하다. 이를 통하여 다른 사람의 기분이나 감정을 직접 경험해 봄으로써 다른 사람에게 가졌던 그릇된 감정 등을 정리하고 그 입장을 이해하는 등 자기중심적 사고의 한계에서 벗어날 수 있다. 역할바꾸기는 정보제공, 지각상의 변화유발, 사고 및 행동의 교정과 확장, 주인공이 자신을 어떻게 보고 있는가에 대한 확인, 내면의 또 다른 자아와의 불균형 해소, 의문에 대한 해답과 행동 결정의 책임고취, 장면의 강도조정, 행동에 대한 즉각적인 피드백 등을 위해 사용한다. 그래서 이 기법은 상담과정에서 많이 사용한다. 상담에서는 상담자 역과 내담자 역 및 관찰자 역의 3인 1조로 학습하는 경우가 많다. 상담장면에서 역할바꾸기는 상담자와 내담자의 역할을 교대하거나, 때로는 관찰자의 역할로 바꾸기도 한다. 이 기법을 사용하여 대인관계 기술 또는 사회적 기술을 향상시키는 것이 훈련 프로그램에 많이 적용되고 있다. 예를 들어, 대인관계기술이 부족하여 친구들과 잘 어울리지 못하는 내담자를 지도할 때 상담자가 친구 역할, 내담자가 자신이 되어 역할연기를 하고, 그런 다음 내담자가 친구 역할, 상담자가 내담자 역할을 하는 것으로 바꾸어 역할연기를 한다. 이외에 부모와 자식의 관계, 상사와 부하의 관계 등에서도 역할바꾸기가 자주 이용된다. 역할바꾸기 과정을 테이프에 녹음하거나 VTR로 촬영하여 그것을 듣거나 보면서 반복적으로 행하면 한층 더 효과적이다. 이와 같이 역할바꾸기는 다른 사람을 이해하는 능력을 향상시키는 데 도움이 되기 때문에 일상생활에서 충분히 활용할 수 있다. 역할바꾸기의 유형은 다음 두 가지

로 구분된다(Kellermann, 1992). 첫째, 상호적 역할바꾸기(reciprocal role reversal)다. 이는 실제 두 사람 간의 역할바꾸기로서, 사회화 과정, 사회적 학습과정을 촉진함으로써 사회적 가치, 태도, 기본적 신념구조 등을 인지하고 실습하여 명료화하는 데 도움이 된다. 둘째, 표상적 역할바꾸기(representational role reversal)다. 한쪽은 보조자가 역할을 맡는 것으로서, 개인의 내적 세계에 초점을 두고 자기통합(self-intergration) 및 자기결정(self-determination)에 대한 책임감을 고취하는 데 도움이 된다. 한편, 가족상담에서 역할바꾸기(role reversal in family therapy)를 실시하는 방법은 다음과 같다. 먼저 상담자는 가족구성원 중 두 사람에게 자리를 바꾸어 역할을 교환하게 한다. 두 사람이 서로 이야기하는 것을 돕고 명확하게 이야기하도록 하며 해설을 추가해 안내자 역할을 수행하면서 필요에 따라 질문도 한다. 예를 들면, "배우자가 이것을 하면 당신은 어떻게 생각합니까?" "충분히 이야기를 들어 주고 이해해 준다는 느낌이 있습니까?" "배우자의 태도나 방식에서 바꾸기를 바라는 것은 어떤 것입니까?" "당신은 자신의 방식을 어떻게 바꿀 수 있다고 생각합니까?" 등의 질문을 사용하여 두 사람이 완전히 다른 시점에서 본다는 경험을 하도록 해 변화에 대한 실마리를 찾는다. 때로는 다른 가족구성원에게 대리자아로서의 역할을 부탁할 수도 있다. 역할바꾸기가 끝나면 상담자는 가족구성원에게 "무엇을 배웠습니까?" "상대방에 대해서 어떻게 느꼈습니까?" "앞으로 어떤 식으로 자신의 방식을 바꾸고 싶습니까?"라고 묻는다. 이러한 변화에 대한 내용은 가족구성원 전체의 합의를 얻어 내거나 집으로 가져가서 해결하도록 하는 과제로 제시할 수 있다. 또한 부부치료에서 역할바꾸기(role reversal in couple therapy)는 상징적, 물리적으로 자리를 바꾸어 봄으로써 부부에게 자신보다는 상대방의 관점을 고려하도록 해 준다. 각 배우자는 다른 관점으로 상대방의 실제를 보게 되며, 이를 통해 자기통제를 연습하고

상황을 좀 더 객관적으로 보는 데 도움을 받는다. 역할바꾸기는 부부의 갈등을 초래하는 시비를 가리는 욕구를 종종 제거해 준다. 이를 통해 다른 사람의 입장이 되어 봄으로써 상대방을 좀 더 공감하고 문제를 다른 방식으로 이해하는 것이다. 부수적으로 배우자는 서로 거울로 자신을 보는 것처럼 볼 수 있다. 자아는 다른 사람의 지각을 통해 보이기 때문이고, 이를 통해 새로운 통찰력을 얻을 수 있다. 방법은 다음과 같다. 배우자는 각자 좌석의 배열을 바꾸어 상대방의 행동을 취한다. 상담자는 두 사람에게 마치 그들이 다른 사람인 것처럼 대화하도록 지시하고, 논리적으로 동의하지 않더라도 상대방의 견해를 말하라고 한다. 다른 렌즈를 통해 봄으로써 상대방의 신념체계나 행동, 감정에 대한 통찰력을 얻을 수 있다. 마지막으로 다시 실제 자아로 돌아가서 다른 사람의 입장에서 무엇을 느꼈고 그 경험에서 배운 것이 무엇인지 나누어 본다. 역할바꾸기는 항상성을 유지하는 것을 막고 변화를 위한 상황을 제공한다. 부부치료에서의 이 기술은 부부갈등을 일으키는 유형, 즉 추적자-도망자, 구조자-희생양, 부모-자녀와 같은 형태를 취하는 유형이 역할바꾸기를 통해 상대방의 역할을 검토하는 데 가장 효율적일 수 있다.

관련어 | 사이코드라마

역할벗어나기
[役割-, deroling]

사이코드라마에서 행위화 과정에 참여했던 등장인물이 자신의 역할에서 벗어나서 본래의 자기로 돌아오는 과정.

사이코드라마

일반적으로 역할벗어나기는 그 상징적 행위들, 예를 들어 몸 털기, 제자리 뛰기, 동요 부르기, 옷 벗겨 주기 등의 행위로 이루어진다. 각각의 인물은 역할벗어나기를 통하여 자신이 맡은 역할의 감

정이 남아 있지 않다는 것을 확인한 다음 집단에 합류한다. 이러한 역할벗어나기는 주로 사이코드라마의 마지막 장면이나 마무리 장면 직후에 실시한다.

관련어 | 역할바꾸기

역할상충
[役割相衝, role incompatibility]

집단 참가자에게 원하는 역할이 주어졌을 때 그 역할을 맡을 준비가 되어 있지 않거나 역할 자체를 못마땅하게 여기는 상황. 집단상담

심리극에서 역할은 다양한 상황이나 배경의 영향을 받는다. 동일한 두 사람의 역할, 즉 아내와 남편의 역할도 시간과 공간, 주변환경, 제3자의 개입에 따라 영향을 받는다. 그것은 곧 하나의 역할이 영구적이지 않다는 의미다. 심리극에서는 대부분의 역할이 실제로 충분히 구체화되거나 실현되지 못한 상태에서 변화, 생성, 소멸의 과정을 겪는다. 사랑하는 자의 역할, 봉사하는 자의 역할 등이 충분히 그 속성이나 기능을 다하지 못한 채 변화되고 소멸되기도 하는 것이다. 또한 참가자들의 역할상충 때문에 집단구성원 간에도 역동적인 충돌, 갈등, 변화를 겪는다. 어머니 역할은 친모, 교육자, 사랑하는 자, 돌보는 자, 경제자, 훈계자 등의 다양한 하부역할로 나뉘어 각각 세분화되며 그들끼리 서로 충돌하거나 갈등을 일으킨다. 이 같은 참가자들의 역할상충에 대한 문제를 해결하기 위해서는 역할훈련을 통하여 다양한 역할을 경험해 보는 것이 필요하다. 이는 집단에서 자발성과 풍부한 상상력을 발현하는 능력을 키울 수 있고, 자신의 일상적인 역할에 존재하지 않는 부분을 재발견하는 데도 도움이 된다.

관련어 | 역할충족

역할수용
[役割收容, role taking]

미드(Mead, 1934)가 제시한 연극치료의 기본 개념으로, 역할모델의 특질을 내면화하는 극적 과정. 사이코드라마

역할수용은 유아가 자신이 엄마와 분리된 개별적 존재임을 인식하고 다른 사람들이 자신을 대하듯이 스스로를 대하게 될 때, 다시 말해 자신을 대상으로 볼 수 있을 때 나타나기 시작한다. 사람들은 이와 같은 역할수용의 과정을 통하여 타자로서의 자신의 이미지를 보게 된다. '나'인 동시에 나가 아닌 '그'가 존재하는 것이다. 역할수용의 과정은 동일시, 투사, 전이의 양상으로 나타나며, 이 역할수용의 양과 질이 개인의 행동과 행복감을 좌우한다.

관련어 | 연극치료에서의 동일시, 연극치료에서의 전이, 연극치료에서의 투사

역할연기
[役割演技, role play]

치료목적으로 다른 사람의 역할을 해 보거나 이상적으로 되고 싶은 사람처럼 직접 행동을 실행해 보도록 하는 절차. 인지행동치료

'역할놀이' 혹은 '역할극'이라고도 하며, 특정 역할에 대해 자발적이고 자유롭게 실시하는 체험학습 방법이다. 내담자에게 자신이 이상적이라고 생각하는 사람처럼 행동할 것을 요구하고, 피드백이 제공되며, 그 과정에서 통찰과 공감이 출현한다. 역할연기에서는 내담자 자신의 잘못된 생각들이 다른 사람과의 관계에 어떤 영향을 미치는지를 보여 주기 위해 불쾌한 감정을 경험하는 상황을 연출하기도 하고, 자신이 되고 싶은 모습을 직접 행동으로 옮겨 보게끔 한다. 집단치료에서는 역할연기 상황을 설정하여 다른 구성원과 함께할 수 있다. 집단의 다른 사람은 문제를 가진 내담자가 되며, 내담자는 그 사람과 이야기를 한다. 또한 구성원들이 사회에서 해

보고 싶은 특정 행동을 다른 구성원과 꾸며 볼 수도 있다. 이처럼 역할연기는 특정 상황을 설정하여 역할을 시험적으로 시도해 보고, 그 과정에서 문제점을 파악하거나 바람직한 행동을 습득하도록 만든다. 그리고 행동기법으로서의 역할연기는 감정의 발산보다는 주장행동을 연습하는 데 주로 사용된다.

역할체계
[役割體系, role system]

연극치료에서의 역할을 여든네 가지 유형으로 구성한 체계.
사이코드라마

역할체계는 개인 내부에서 조명된 역할의 총체성으로 인성의 지도와 같은 것이다. 다시 말해, 역할체계는 다양한 페르소나로 이루어진 인성으로서, 눈에 보이는 것이 아니라 개인이 일상생활에서 수행하는 역할을 통해 추론된다. 역할체계는 사람들이 사회적 환경에서 역할을 행하고 다양한 차원의 정체성을 구축하면서 새로운 역할을 생산하는 과정에서 개발되며, 여기에는 반대되는 것끼리 짝을 이루는 역할이 많다. 예를 들어, 희생자의 역할은 생존자의 역할과 짝을 이루고, 신의 역할은 악마의 역할과 짝을 이루는 것이다. 그리고 각각의 역할이 그 짝과 균형을 이룰 때, 역할체계는 이상적이라고 할 수 있다.

역할카드게임
[役割 –, role card game]

가족 내에서 각 성원이 담당하고 있는 일이나 상호작용적인 역할을 명확히 하는 카드 게임.
놀이치료

카드에는 메뉴담당 직원, 조리담당 직원, 식탁 닦는 직원, 관리담당자, 총책임자 등 하루 동안의 가족의 작업 역할과 도움을 받는 사람, 이해해 주는 사람, 벌을 주는 사람, 독불장군, 피해자 등의 상호관계적인 역할들이 적혀 있다. 가족구성원은 말을 하지 않은 채 카드 속에서 자신에게 어울린다고 생각하는 카드를 집어 든 다음 자신의 앞에 놓고 다른 구성원에게 보이도록 한다. 그리고 서로의 카드를 잘 보고 그들이 모두 적절한지를 확인한다. 가령 자신이 그 역할에 적합하다 해도 자신이 좋아하지 않는 역할은 제거할 수 있으며, 최종적으로 자신이 가지고 있는 카드를 정리한다. 이를 통해 가족구성원은 각각 수행하고 있는 역할을 고르고, 가족 중 어떤 일을 하는지, 일은 어떻게 분담되고 있는지, 나아가 구성원 각각의 기능이나 가족역동 등을 알아볼 수 있다. 이 게임의 핵심은 가족의 서로를 비난하거나 설전으로 번지지 않으면서도 작업 역할과 상호작용 역할을 찾아가며, 구성원들이 자기 자신이나 서로를 어떻게 보고 있는지를 발견할 수 있다는 점이다. 자신을 스스로 어떻게 보고 있는가와 타인에게 어떻게 보이고 있는가의 차이를 찾는 것이 중요하다.

관련어 역할 게임, 역할놀이

역할표현
[役割表現, role presentation]

사이코드라마에서 맡겨진 역할을 표현하는 것. 사이코드라마

사이코드라마에서 역할자는 어떤 역할이든 표현할 수 있다. 비록 그 역할이 무생물이나 물체일지라도 역할이 주어지면 그에 대한 느낌을 표현할 수 있는 것이다. 이를테면 자동차가 주인에게 어떻게 무시당했는지 표현할 수 있고, 가정의 식탁이 가족문제에 대해 지각한 바를 표현할 수도 있다. 또한 사이코드라마에서는 애완동물, 꿈속의 인물, 태어나지 않은 자녀, 천국의 심판자 등도 심리적으로 주인공에게는 실제이기 때문에 그에 대한 역할을 표현할 수 있다.

관련어 역할교대

연결짓기
[連結 - , linking]

에릭슨 최면에서 트랜스 유도를 위한 주요 기법의 하나로, 두 가지 이상의 서로 관련 없는 것을 묶거나 연합하는 것.
최면치료

언어적인 것과 비언어적인 것이 있는데, 언어적 연결짓기에는 2개의 문장을 병렬적으로 연결하여 서술하는 병렬적 서술 연결과 일종의 조건부 연결에 해당하는 부수적 연결 및 내담자의 저항심리가 트랜스로 들어가는 과정에서 경험하는 현상의 일부라는 것을 말하고 합치는 통합이 있다. 그리고 비언어적 연결짓기는 비언어적 단서가 다른 두 가지 개념을 연결짓는 수단으로 사용되는 것이다. 비언어적 연결짓기는 언어적 분할하기와 유사하며, 목소리를 통해서도 가능하다.

관련어 │ 분할하기, 에릭슨 최면, 연계, 집단상담, 최면치료, 트랜스

연결하기
[連結 - , linking]

한 집단구성원의 말과 행동을 다른 집단구성원의 관심과 연결시키고 관련짓는 기술. **집단상담**

집단상담자와 집단구성원 간의 상호작용보다 집단구성원끼리의 상호관계를 중시하는 집단상담자는 연결하기를 즐겨 활용한다. 연결하기가 성공하기 위해서는 집단상담자의 통찰이 필요하다. 또 집단구성원이 제기하는 여러 가지 문제 관련 정보나 자료들을 서로 관련시키는 기술을 뜻하기도 하는데, 집단상담자는 통찰력을 갖고 각각의 정보를 의미 있는 것으로 연결하여 보여 줄 수 있다. 연결하기를 위해서 집단상담자는 통찰력을 비롯해 집단과정에서 제시된 자료에 관심을 기울이고 각각의 단편적 자료 간의 관련성을 보면서 앞서 제시된 자료를 정확하게 기억해 낼 수 있는 능력이 있어야 한다.

그러기 위해 관심기울이기와 경청하기 기술이 적극적으로 활용되어야 한다. 또한 집단구성원의 비언어적인 행동을 관찰하여 눈에 비친 그들의 느낌과 사고를 함께 묶거나 연결해 줄 수도 있다. 즉, 연결하기는 집단상담자의 관심과 경청, 직관, 관찰력 등을 바탕으로 이루어지는데, 이를 통하여 집단구성원은 자기 문제를 다른 각도에서 보거나 미처 의식하지 못한 문제의 진정한 원인 혹은 해결책을 찾는 데 도움을 받을 수 있다. 적당한 연결기술 시기는, 자신이 모든 면에서 완벽하지 않으면 다른 사람들로부터 사랑받지 못할 것이라고 믿고 있는 집단구성원의 경우라면 상담자는 그와 비슷한 상황에 있는 집단구성원의 메시지를 연결해 줌으로써 서로 공감대를 형성하고 보다 깊은 수준의 감정을 표출하도록 할 수 있다. 집단구성원의 공동 관심사에 주의하여 연결해 주는 것은 집단구성원 간의 상호작용을 촉진하고 집단응집력을 향상시키는 효과를 얻을 수 있다. 연결하기는 집단구성원들이 집단에서 자연스럽게 보편성을 체험할 수 있는 장점이 있다.

관련어 │ 경청하기, 공감, 관찰, 응집성

연구문제
[研究問題, research question]

연구하고자 하는 질문이나 문제. **연구방법**

연구는 연구하고자 하는 주제 또는 문제의 발견에서 출발한다. 흥미 있는 주제, 해결해야 할 과제, 알고 싶은 문제가 있을 때 연구를 수행하기 때문이다. 따라서 연구활동의 첫 단계는 연구의 주제를 결정하거나 연구문제를 발견하는 일이다. 연구를 시작하기 전에 연구자는 문제의식과 주의 깊은 관찰, 최신 정보와 연구 동향 파악, 비판적 독서를 통하여 연구하고자 하는 해당 분야의 관련 문헌 및 선행 연구를 다양하게 분석하고 고찰하여 매우 친숙한 연구 주제와 문제를 선택해야 한다. 이러한 이전

문헌에 대한 지식에서 연구문제나 가설이 제기되고, 연구문제나 가설은 이용할 연구방법과 연구에서 조사할 구인(constructs)을 정한다. 연구자가 이전 문헌에 기초하여 연구에서 밝히고자 하는 바를 분명히 진술하는 가설과는 달리, 연구문제는 변인 간의 관계를 탐구하지만 연구에서 나타날 수 있는 연구결과에 대한 구체적인 기대를 진술하지는 않는다. 연구문제를 진술하는 목적은 연구의 목적을 분명히 하고 연구를 가능하게 하는 데 있다. 연구자가 무엇에 대해 연구하려는가에 따라 연구문제를 진술하는 세 가지 방법이 있다. 첫째, 기술 연구문제(descriptive research question)는 특정 사건이나 현상, 그리고 그 사건이나 현상의 구체적인 특성에 대해서 진술한다. 둘째, 차이 연구문제(difference research question)는 집단 간 또는 특정 개인 내의 차이에 대해 진술한다. 셋째, 관계 연구문제(relationship research question)는 두 구인 간에 어떤 관계가 있는지에 대해서 진술한다. 어떤 경우든 연구문제를 구체화하여 적절하게 진술해 놓으면 무엇을 연구하려는 것인지 명확해진다. 가급적 연구문제는 변인들 간의 관계로 기술하되, 의문문 형식으로 분명하고 간결하게 진술하는 것이 좋다. 잘 만들어진 연구문제는 연구설계와 가설을 형성하는 초석이 되기 때문에 모든 유형의 연구에서 중요하다. 연구문제는 주제와 관련된 선행 연구의 지식에서 도출되어야 하고, 연구 중에 사용할 방법(예컨대, 양적 접근, 질적 접근, 혼합적 접근)과 설계에 정보를 제공하는 것이어야 한다. 크레스웰(Creswell, 2006)에 따르면, 질적 연구문제는 개방적이고 점점 변화하며 비방향적이다. 비록 좋은 질적 연구문제가 연구자로 하여금 연구의 구체적인 목적을 진술하도록 해 주지만, 질적 연구는 기본적으로 기술적인 성질을 띤(예컨대, 무엇을 혹은 어떻게를 묻는) 한두 개의 연구문제로 시작하는 것이 일반적이다. 이와는 달리, 양적 연구문제는 연구에서 조사해야 할 변인들의 조작을 쉽게 하고, 연구자로 하여금 검증할 수 있는 통계적 가설

(statistical hypothesis)을 형성하도록 해 준다. 가설은 경험적 연구에서 여러 가지 방식으로 사용되고 있는데, 연구자가 연구에서 밝혀진다고 믿는 관계에 대한 일반적 진술일 수도 있고 통계적 분석을 실행하고 해석하는 데 정보를 주는 통계적 진술일 수도 있다. 연구자는 믿을 만한 충분한 이유가 있느냐 없느냐에 따라, 그리고 구체적인 관계가 변인들 간에 발견될 수 있을 것이라는 선행연구나 관련 이론에 기초하여 일반적 가설을 형성할 수도 있고 하지 않을 수도 있다. 반면에 통계적 가설은 연구보고서에 직접 진술되는 경우는 드물지만 양적 연구로 수행된 분석에서 거의 항상 사용된다. 양적 연구에서 각 연구문제에 해당하는 일련의 영가설(null hypothesis)과 대립가설(alternative hypothesis)이 통계적 분석을 행하는 과정에서 형성된다. 종종 연구가설이라고도 언급되는 대립가설은 방향적 혹은 비방향적 용어로 연구문제를 수학적으로 진술하는 것이 일반적이다. 어떤 연구자가 전역을 한 남자 군인과 여자 군인 중 어느 쪽이 외상 후 스트레스 장애가 더 심한지 알아보는 데 관심이 있다고 하자. 이 연구를 위하여 양적 연구에서는 '남자 군인과 여자 군인은 전역 후 현재 보이는 외상 후 스트레스 장애 증후의 수에 차이가 있는가?'라는 연구문제와 '남자 군인은 여자 군인보다 전역 후 외상 후 스트레스 장애 증후의 수가 더 많을 것이다.'라는 가설을 설정할 수 있다. 이 연구를 위한 양적 연구에서 통계적 가설은, 남자 군인과 여자 군인에게서 보고된 외상 후 스트레스 장애 증후의 평균수는 유의한 차이가 있다 혹은 없다로 진술될 수 있을 것이다. 예를 들어, 영가설은 '남자 군인과 여자 군인에게서 보고된 외상 후 스트레스 장애 증후의 평균수는 유의한 차이가 없다.'라고 진술되고, 이와는 반대로 대립가설 혹은 연구 가설은 연구자가 이전의 연구와 이론에 기초하여 기대하는 바에 따라 "남자 군인과 여자 군인에게서 보고된 외상 후 스트레스 장애 증후의 평균수는 유의한 차이가 있다."라고 진술될 것이다. 한편, 질적 연

구를 할 경우 연구문제로는 '전역 후 남자 군인과 여자 군인은 그들의 일상생활에서 외상 후 스트레스 장애 증후를 어떻게 경험하는가?' '전역 후 군인들은 외상 후 스트레스 장애의 진단을 받기 전에 겪는 진단 및 평가의 과정을 어떻게 경험하는가?' '군대문화에서 외상 후 스트레스 장애의 진단이 군인들에게 무엇을 의미하며, 그것이 군인의 정체성에 어떻게 영향을 미치는가?' 등이 될 것이다. 이러한 연구문제는 질적 자료를 수집하기 위한 인터뷰, 관찰과 같은 방법을 취하도록 한다(American Counseling Association, 2009).

관련어 | 양적 연구, 질적 연구

연극성 성격장애
[演劇性性格障礙, histrionic personality disorder]

다른 사람의 관심이나 애정을 이끌어 내기 위해 과도하게 노력하거나 감정을 표현하는 증상. 이상심리

DSM-5의 진단범주 중 성격장애의 한 유형으로서, B군 성격장애로 분류된다. 이 장애를 가지고 있는 사람은 다른 사람의 관심이나 주의를 끌기 위하여 마치 무대 위의 주인공처럼 행동한다. 과장된 정서표현, 격렬한 대인관계, 자기중심적인 태도, 사람을 교묘하게 조정하고 과다약물을 복용하여 자살을 시도하는 등의 극적인 신체적 행동을 보인다. 작은 사건에 대해서도 과도하게 반응하며, 행동이나 언어 표현이 미성숙하고 허영심이 많으며 감정표현을 많이 한다. 다른 사람들의 반응에 따라 쉽게 주의를 이동하여 주의가 산만해 보이기도 한다. 이렇게 한 후에 주위 사람들로부터 관심을 끌지 못하면 불쾌해한다. 연극성 성격장애를 보이는 사람은 매우 지나치게 요구를 하고 끊임없이 인정받기를 원하기 때문에 만날수록 상대방이 부담스러워하며, 갈등을 자주 유발하여 인간관계가 손상되는 경우가 많다.

관련어 | 반사회적 성격장애, 성격장애

연극성 신경증
[演劇性神經症, histrionic neurosis]

모레노가 극장의 연기자들에게서 발견한 매우 특별한 전문가적 질병으로, 배역의 정체성에 지나치게 몰입하여 자신의 자아정체감이 상실되는 증상. 사이코드라마

사이코드라마의 창시자 모레노(J. L. Moreno)는 극장의 연기자들에게서 매우 특별한 전문가적 질병을 발견했는데, 무대에서 연기자가 맡은 다양한 배역의 파편들이 통합되지 않은 채 남아서 종종 개인적인 삶에 침범하여 평형을 깨트리고 있었다. 이 같은 연극성 신경증은 식당 종업원에게 나타나는 평발 증상이나 광부에게 나타나는 호흡기 질환과 마찬가지다. 이는 연기자들이 역할연기를 하는 가운데 다른 사람의 정신의 일부분이 전이된 것이라고 할 수 있다. 예를 들어, 오이디푸스, 햄릿, 리어왕, 맥베스 등의 역할을 하는 배우는 그 배역의 정체성과 정신상태를 고수하려는 경향이 있어서 자기 자신의 창조성을 상실해 버린다. 그 결과 배우들은 불안을 느끼면서 술에 빠지거나 도박에 빠지는 생활을 하게 된다는 것이다. 이와 관련하여 모레노는 연극성 신경증을 가진 사람들은 극중 역할을 할 것이 아니라 자신의 창조성을 재건하는 것이 중요하다는 사실을 강조하였다. 모레노가 이 증상을 발견함으로써 무대를 보는 관객의 카타르시스뿐만 아니라 연기자의 카타르시스에 대해서도 연구하게 되었고, 이는 결국 모레노가 연기자가 맡고 있는 배역과 대본은 몰수해 버리고 대신 연기자들이 자신의 염려와 근심을 연기하고 허용하는 사이코드라마에서의 진정한 눈물, 진정한 웃음, 진심 어린 자기 감정을 표현하고 실연하는 즉흥적인 역할에 몰두하도록 하였다. 마침내 모레노는 자발성 극장을 만들게 되었다.

관련어 | 신경증, 역할연기, 자발성 극장, 자아정체성, 정체성

1293

연극치료에서의 동일시
[演劇治療 – 同一視,
identification in dramatherapy]

연극치료의 기본 개념으로 '나는 누구인가'를 묻는 과정.
사이코드라마

'나는 누구인가'라는 질문에 대하여, 사람들은 각 발달단계에서 자신이 동일시하는 역할모델을 근거로 대답을 한다. 이때 그 역할모델이 긍정적 대상일 경우, 이를테면 어머니에게 긍정적으로 동일시하는 여자아이는 자연스럽게 여성으로서의 정체성이 확립되지만, 역할모델이 부정적일 경우, 다시 말해 동일시의 대상이 혼란스럽고 명확하지 않거나 미덥지 않은 경우에는 정체성의 위기를 맞이한다. 이 같은 정체성의 위기를 해결하기 위해서는 의미 있는 역할모델을 찾아 그와 동일시해야 한다. 이처럼 동일시는 행동이 필요 없는 내적 과정이다. 아동의 경우 동일시는 아동이 어머니의 역할을 연기하는 것이 아니라, 어머니에 대한 정신적 이미지를 형성하거나 어머니처럼 행동할 수 있고, 또 어머니의 자녀로 행동할 수 있는 능력을 인식하는 것이다.

관련어 | 역할수용, 연극치료에서의 투사

연극치료에서의 전이
[演劇治療 – 轉移,
transference in dramatherapy]

연극치료의 기본 개념으로 역할수용과정의 한 양상.
사이코드라마

역할수용의 관점에서 역할과 현실은 유동적이다. 동일시와 투사의 과정이 너를 나로 만들고 나를 너로 만들며, 전이의 과정을 통해 친구가 어머니가 되고 치료자가 아버지로 변할 수 있다. 연극치료에서 전이는 역기능과 순기능을 가지는데, 먼저 전이의 역기능은 전이가 내담자로 하여금 과거의 관계에서 파생된 갈등을 보지 못하게 만드는 것이다. 다음으로 전이의 순기능은 내담자가 살아온 삶의 어느 한 순간을 극화하여 치료자가 볼 수 있도록 해 주는 것이다. 이때 치료자는 드라마에 상징적으로 참여하거나 과거나 현재 또는 하나의 현실과 또 다른 현실 사이에 뚜렷한 경계를 세움으로써 내담자가 전이와 재현의 양 측면을 모두 인식할 수 있도록 유도한다. 전이의 경험은 과거의 응어리진 감정에 형식을 부여하고 자발적인 연행으로 그것을 재현하는 무대를 마련한다는 점에서 연극치료에서 핵심적인 비중을 차지한다. 요컨대 전이는 보편적인 극적 현상으로, 개별적인 것을 원형으로 변형하는 상상의 행위다. 따라서 전이의 균형, 즉 다른 사람을 그 자체로 보면서 동시에 보이는 대로 볼 수 있는 능력은 건강한 극적 세계관의 관건이 된다.

관련어 | 역할수용, 연극치료에서의 동일시, 연극치료에서의 투사

연극치료에서의 투사
[演劇治療 – 投射,
projection in dramatherapy]

연극치료의 기본 개념으로 다른 사람이 자기가 느끼는 것처럼 느낀다고 상상하거나 다른 사람이 자기와 같다고 상상하는 정신적 과정. 사이코드라마

연극치료에서 역할수용은 역할모델의 특질을 내면화하는 극적 과정을 가리킨다. 이는 아이가 엄마와 자신을 분리된 개별적 존재로 인식하고 자신을 대상화하여 객관화시킬 때 뚜렷이 나타나기 시작한다. 역할수용의 과정에는 동일시, 투사, 전이의 세 가지 양상이 있으며, 이들은 정신분석에서 유래된 개념들로 대체로 정상적이고 내면적인 활동을 의미한다. 이 중 투사는 동일시와 상반되는 개념으로, 일례로 아동이 자기를 어머니로 보는 것이 아니라 어머니를 자신으로 보는 경우다. 연극치료에서 극적 투사는 내담자들이 자기 자신의 어떤 양상이나 경험을 연극적이거나 극적인 재료 혹은 연행에 투

사함으로써 내적 갈등을 외적으로 재현하는 과정이다. 심리학적 관점에서 얄롬(I. D. Yalom)은 투사를 자신의 특성(그러나 자신의 것이 아니라고 생각하는) 중 일부를 다른 사람에게 전가시킨 다음 대상에게 비정상적인 매력이나 반감을 느끼는 것으로 구성된 무의식의 과정이라고 표현하였다. 연극치료에서의 투사는 극적 형식과 연결됨으로써 내담자가 내면의 갈등을 외적으로 재현하는 데 참여하고 창조하고 발견할 수 있게 하며, 랜디(R. J. Randy)는 이것을 치료적 극화(therapeutic dramatization)라고 일컬었다. 고전적인 심리학적 관점에서는 동일시나 투사가 방어적인 과정으로 간주되지만, 연극치료에서는 그와는 달리 치료적 극화의 균형 잡힌 형식을 창조하는 데 활용될 수 있다.

연금술
[鍊金術, alchemy]

근대과학 이전 단계의 과학과 철학의 시도로서, 화학, 금속학, 물리학, 약학, 점성술, 기호학에 대해 거대한 힘의 일부로 이해하려는 운동. `분석심리학`

연금술은 메소포타미아, 고대 이집트, 페르시아, 인도, 중국 등에서 이루어졌으며, 19세기까지 고대 그리스와 로마, 이슬람 문명권, 유럽에서 2,500여 년 동안 철학적 체계를 통하여 각각 상호작용을 해 왔다. 때때로 연금술의 상징은 분석가와 철학가에 의해 사용되어 왔다. 분석심리학자 융(C. G. Jung)은 연금술의 상징과 이론에 대하여 재검토했고, 정신적 통로로서 연금술 작업의 내적 의미를 보여 주기 시작하였다. 융은 개성화를 이룩하기 위해 서양 심리학 분야로는 최초로 연금술에 주목하였다. 그에 따르면 연금술은 그노시스파가 정화를 통하여 재생하는 정신적 통로였다. 그는 연금술을 동양의 요가와 비교하였고, 서양의 종교나 철학보다 동양 정신에 더욱 적합하다고 보았다. 융은 개성화 과정에서 경험하는 인간 마음에서의 자동 발생적 변화

는 연금술의 특징으로 알려진 의식, 표상과 부합된다고 말하였다. 또한 중국 연금술의 맥락 해석에 대하여 동양과 서양의 연금술적 표상과 핵심 개념을 비교하는 기능을 제공하였다. 융의 제자인 프란츠(Franz) 역시 연금술에서의 융의 연구와 연금술의 심리학적 의미에 대하여 꾸준히 연구하였다. 연금술에서는 원초적인 물질은 하나지만 이를 다양한 형태로 변형시킬 수 있다. 연금술의 4원소란 이 물질의 상태를 의미하는 것이다. 연금술의 비법은 금을 만드는 것으로 알려져 있지만, 실제로는 4원소의 순환하는 움직임을 통하여 물질세계의 법칙을 깨달아 가는 과정이다. 네 가지 상태를 순환하면서 정화되는 물질은 물질세계에만 속할 수 없는 신비한 물체로 중심을 되찾을 때 현현한다고 한다.

`관련어` 개성화

연기[1]
[緣起, pratītyasamutpāda]

불교의 개념으로서 사람과 사람의 관계, 사람과 사물 혹은 일과의 관계, 원인과 결과 등의 관계가 형성되었다 없어지는 상태나 현상. `동양상담`

불교에서는 모든 만물은 원인이 있으며 그에 따라 결과를 일으킨다고 보며, 이 세상의 실상을 밝게 아는 것을 지혜(prajña)라 부른다. 이것은 실체를 밝게 보는 눈, 즉 명(明)이라 할 수 있는데, 이러한 명을 가진 자와 가지지 못한 자는 존재방식이 근본적으로 달라지며, 그 차이가 '십이연기설'로 나타난다. 명과 모순되는 것으로 무명(無明, avidyā), 즉 명이 없는 것, 실재가 아닌 것, 실재로 착각한 망상이라 말할 수 있다. 무명이란 내 앞에 주어진 존재의 일시적 형체를 전부인 양, 실재하고 영원한 것인 양 집착하는 것이라 해도 좋다. 그래서 무명이 연결되면 움직이는 행(行)이 있고 이 행에 의해서 식(識)이 발생되며 식 때문에 명색(名色)이 일어나는데 물질적인 것과 정신적인 것이 결합하여 나타난다. 그 명색

1295

이 인연되어 육처(六處)가 일어난다. 육처는 6개의 감관, 즉 눈, 귀, 코, 혀, 몸, 의지의 육근(六根)으로 표시되는 것이다. 다시 이 육처를 통하여 촉(觸), 즉 접촉에서 오는 느낌이 형성되는데 그것이 수(受)가 된다. 이 수가 연하여 애(愛)가 발생하는데 인간이 지닌 끝없는 애정의 목마름을 낳는다. 이 애를 연하여 일어나면 그것을 취득하려는 취(取)가 나타나는데 추구하는 대상을 완전히 자기 것으로 소유화하려는 것이다. 이 취가 연결되어 유(有), 즉 존재하는 그 자체가 형성되는데 삼계(三界), 즉 욕계(欲界), 색계(色界), 무색계(無色界)의 세 가지 유가 나타나 생사의 테두리를 벗어나지 못하고 있는 것이다. 이 유를 연하여 생(生)이 발생하는데, 이 생이 있음으로써 늙고(老), 죽고(死), 근심하고(憂), 슬퍼하고(悲), 괴로워하고(惱), 아파하는(苦) 것이다. 그래서 생사의 근본적인 극복은 무명의 멸진, 즉 없앰을 통해서 가능한데 무명이 멸하면 행이 멸하고 행이 멸하면 십이연기의 모든 것이 멸한다. 이것이 바로 십이연기설이다.

연기2)
[演技, action]
일정 기간에 일어나는 여러 가지 동작. 집단상담

심리극에서 참가자들이 상황에 따라 표현하는 생생한 움직임을 말하는 연기에는 자발성과 창조성이 포함된다. 자발성은 그 상황에 맞는 다양한 움직임 혹은 반응을 할 수 있는 정도를 말하며, 창조성은 새로운 상황에 적절한 새로운 움직임 혹은 반응을 만들어 내는 것이다.

배우 [俳優, actors] 심리극에서 연기를 하는 사람을 말한다. 심리극에서 주인공의 역할을 하는 배우는 무대에서 진정한 자기 자신이 되어 자신의 내적 세계 혹은 자신의 삶을 묘사하거나 연기하는 사람이다. 보조자로서의 배우는 중요한 사람이나 사물을 연기하는데, 심리극을 통해 주인공이 탐색하는 것을 도와주면서 주인공의 중요한 타인 역할을 한다. 즉, 주인공의 대역을 하기도 하고 주인공의 상대역을 하기도 한다.

연기단계 [演技段階, action stage] 심리극에서 연기자들이 자신의 과거나 현재 상황 또는 미래 사건을 연기하면서 무대공연이 시작되는 단계로서 행동단계라고도 부른다. 심리극은 워밍업 단계, 연기단계, 공유단계의 3단계로 진행된다. 여기서 연기단계는 주인공이 무대에서 자신의 문제와 관계를 중심으로 연기를 하는 과정이다. 이때는 주인공의 갈등상황에 초점이 맞추어진다. 하나의 연기단계는 여러 장면 중 하나로 이루어질 수 있다. 장면은 개인 내적 혹은 외적인 것이며, 주로 외면적 문제에서 더 중점적인 문제로 나아간다. 연기단계의 지속 시간은 주인공의 관여에 대한 연출자의 평가와 집단의 관여 수준에 따라 변한다. 집단 리더가 능숙하게 장면들을 이끌어 가면 지금-여기의 참만남에서 타인과 자연스럽게 어울릴 수 있다. 연기단계의 끝에서는 주인공이 자신이 했던 연기에 대해서 종결감을 갖도록 하는 것이 중요하다. 즉, 주인공은 연기단계의 활동으로 실제 상황에서 효과적인 대처를 할 수 있도록 행동적 연습을 한다. 주인공은 역할바꾸기, 미래 투사, 피드백 같은 여러 가지 기법을 통해 새로운 행동의 영향력에 대해 도움을 받을 수 있다. 심리극의 연기단계 중 연출자의 지침을 살펴보면 다음과 같다. 첫째, 주인공은 갈등상황과 관련된 사건, 시간, 장소, 상황, 사람을 자유롭게 선택할 수 있어야 한다. 둘째, 주인공은 가능한 한 빨리 관계에서의 갈등과 관련된 장면을 연기하도록 독려받아야 한다. 셋째, 주인공은 충분히 언어적, 비언어적으로 자신을 표현하도록 독려받아야 한다. 넷째, 주인공은 역할바꾸기, 즉 특정 장면에서 각각의 다른 사람의 역할을 연기해 볼 수 있어야 한다. 이는 타인이 자신의 갈등사건에 대해 어떻게 지각하고 느끼는지 이해하는 데 도움이 되기 때문이다.

에서 기억해 내고, 이를 통해 정체되고 억압된 문제 감정을 해소할 수 있다고 믿는다.

관련어 | 내면아이, 최면, 퇴행

연령퇴행
[年齡退行, age regression]

문제의 원인을 찾거나 해결하기 위하여 과거 특정 시기로 돌아가 그때의 경험을 재생하도록 하는 최면치료의 방법.

개인상담　최면치료

성인기에 겪는 정서나 행동문제의 원인이 어린 시절의 트라우마 때문이라는 것을 알게 된 경우, 최면을 통해 당시의 상황으로 찾아가는 것이다. 최면치료에서는 내담자가 어려움을 겪었던 당시 기억을 떠올리고 재경험함으로써 치료가 이루어진다고 본다. 즉, 과거의 경험으로 돌아가는 퇴행으로 과거에 억압했던 심리적 기능을 발견하고 수용하여 현실에 적응하는 능력이 생기는 것이다. 연령퇴행의 구체적인 과정은 다음과 같다. 첫째, 연령퇴행을 유도한다. 예를 들어, "자, 이제 당신이 겪는 문제의 원인을 찾기 위해 당신은 과거로, 과거로 거슬러 올라갈 것입니다. 거꾸로 열을 세는 동안 과거로, 과거로 거슬러 올라가 당신의 문제가 시작되었던 최초의 시기로 가 보십시오."와 같은 암시문으로 유도한다. 둘째, 내담자가 퇴행한 연령과 문제상황, 감정적 경험을 묘사하도록 한다. 셋째, 핵심 감정을 표출하여 해소하게 한 뒤 감정상태를 확인하고, 상처받은 내면아이에게 사랑과 보호를 받는 경험을 하도록 유도한다. 이에 더하여, 과거의 부정적이고 고통스러운 기억을 긍정적인 방향으로 바꾸는 편집작업 등 필요한 기법을 적절히 활용할 수도 있다. 일부 연구자들은 최면의 과정에서 일어나는 연령퇴행이 실제 내담자의 초기 경험을 그대로 재생하는 것은 아니라고도 한다. 그들은 단지 내담자가 최면 중에 아이의 역할을 한다고 보는 것이다. 하지만 대부분의 최면치료사들은 연령퇴행으로 내담자가 자신이 평소에 기억하지 못한 과거의 일이나 정보를 최면상태

연상검사
[聯想檢査, associations test]

분석심리학에서 내담자의 억압된 콤플렉스를 확인하는 검사.

분석심리학　심리검사

분석심리학자 융(C. G. Jung)의 연상검사는 피검자에게 일련의 자극단어를 제시하고, 각 자극단어에 대해 연상되는 단어를 답하게 하여 자극단어 제시와 반응 간의 시간을 측정하는 검사다. 융은 초기에 최다빈도단어 100개를 선정하여 피검자가 각 자극단어에 반응하는 데 걸리는 시간과 각 자극단어의 정서적 효과를 알아보기 위해 생리적 반응을 측정하였다. 연상연구는 1879년 골턴(F. Galton)이 인상과 착상 사이의 시간을 측정하는 것에서 시작되었다. 그 뒤 독일의 분트(W. Wundt) 학파에서 처음으로 체계적인 연상검사가 고안되었고, 얼마 뒤 크레펠린(E. Kraepelin)이 이 검사를 정신의학에 도입하였다. 이어 아샤펜부르크(G. Aschaffenburg)가 자극어와 연상반응의 형태적인 인자의 상호관계를 발표하였다. 골턴은 인간지능과 단어연상을 연결시켰지만 지능과 단어 연상 간의 직접적 연결에 대해서는 찾지 못하였다. 융은 특정 단어의 반응에서 발생하는 반응시간 지연에 대해 큰 관심을 가졌고, 자극과 반응 간의 시간지연이 자기를 표현하는 데 일종의 방해물을 나타낸다고 이론화하였다. 융은 1903년 연상검사를 사용하여 인간의 정신병리현상을 관찰하였고, 이 검사를 통해 감정적으로 강조된 콤플렉스를 발견하였다. 1904년에는 정신분석의 필요성을 인식하고 연상실험을 창시하여 프로이트(S. Freud)가 주장한 무의식적 억압을 입증하였고, 이를 콤플렉스라고 명명하였다. 1906년에는 연상검사가 정신

분열증상을 이해하는 데 유효하다는 것을 증명하였으며, 단어연상검사에 대한 논문을 발표하였다. 융의 단어연상검사는 분석과정에서 피분석자의 무의식적 콤플렉스를 환기시켜 의식화하는 도구로 사용되었다. 단어연상검사가 진행되는 과정에 피검자들은 강한 정서적 반응을 일으키는 관념이나 콤플렉스에 부딪힌다. 여기서 융은 특정 단어에 대한 반응시간 지연, 재생의 결손, 보속, 반응실패, 특이한 감정반응, 의미 없는 반응 등이 피검자의 잠재된 감정의 복합체인 콤플렉스에서 비롯된다는 것을 발견하였다. 이러한 콤플렉스 징후에는 가능한 응답이 너무 많이 의식으로 밀려와 수많은 통나무가 구멍 하나를 막아 버린 듯 가능한 대답이 하나만 떠오를 때까지 대답을 하지 못하는 경우가 있다. 또 다른 가능성으로는, 피검자가 자극단어에 대한 반응을 하는 데 불편하다거나 그 반응이 부적절하다고 느끼는 것이다. 이때 피검자는 대답을 하는 것에 저항하는데, 자극단어에 대한 이 같은 저항은 프로이트가 설명한 억압현상의 하나다.

관련어 | 분석심리학, 융

연상이완
[聯想弛緩, loosening of association]

하나의 생각이 다른 생각을 불러일으키는 정신작용이 정상적으로 이루어지지 않는 정신상태. 이상심리

정신분열병 환자의 주된 증상 중 하나로서, 사고나 말의 진행속도가 지리멸렬하고 그 내용이 단편화되어 있다. 일반적인 사람의 연상작용은 하나의 관념은 그와 관련된 관념들을 불러일으키는 데 반해, 정신분열병 환자는 하나의 관념에서 전혀 관계가 없고 타당하지 않은 다른 생각으로 옮겨 가게 되어 정상적인 연상작용이 이루어지지 않는다.

연소노인
[年少老人, young-old]

시간경과의 단위인 달력상의 시간에 따라 일정한 연령에 도달한 사람. 중년기상담

생활연령(chronological age)에 의한 노인개념인데, 1989년 세계 최초로 규정된 독일의 '노령연금법'에서 노령연금 수혜자격 연령을 65세로 규정한 것에서 시작되었다. 미국의 경우는 55~57세까지의 사람을 가리키고 있지만, 우리나라의 경우는 대한응급의학회의 응급의료 용어사전에서 65~79세까지의 사람을 가리킨다.

연습놀이
[練習 -, practice play]

생후 1년 동안에 나타나는 감각운동놀이. 놀이치료

피아제(J. Piaget)의 인지적 놀이발달단계의 첫 단계로, 생후 1년 동안에 영아에게 나타나는 놀이를 말한다. 이 시기는 아동이 본격적으로 놀이하기 위한 연습기간으로서, 엄마의 젖꼭지에서 시작하여 자신의 손가락, 발가락, 모빌, 딸랑이 등 자신의 감각기능을 자극하는 장난감에 흥미를 나타내며 주로 빨기, 보기, 듣기, 만지기 등 감각운동 놀이를 한다.

관련어 | 피아제의 인지발달이론

연애망상
[戀愛妄想, erotomania]

이성을 자신이 사랑하는 것이 아니고 자신이 이성 상대로부터 사랑을 받는다는 등의 망상을 주로 보이는 정신병. 이상심리

프랑스 정신의학에서 옛날부터 취급되어 온 주제로 그만큼 많은 논의가 거듭되어 왔다. 19세기의 에스콰이롤(Esquirol)은 '순수한 사랑의 광기'로서 내

용적으로는 완전히 상상적인 것이라 하였다. 치매 경향은 수반하지 않는다. 20세기에 들어와서 클레 람보(Clerambault)는 이 증상이 만성적이라 하였고, 카그라스(Capgras) 등의 산타누학파는 질환으로 보았으며, 세일리어(Ceillier)는 이 증상의 일부가 영향 망상을 보인다고 주장하였다. '순수한 사랑'의 특징은 환자의 병적 성격에 따라서 달라지며, 겁쟁이나 직업적 독신자에게 많이 나타난다고 지적하였다. 남성인 경우에 그 대상은 위대한 여성, 여배우 등으로 화려한 여성이며, 여성인 경우에는 정치가, 작가, 사제, 의사 등이다. 이외에 성모나 성녀와 같이 접근하고 싶은 정신적인 대상도 포함된다. 이러한 망상이 장기간 지속되는 것으로 만성 진행성 망상형이 있는데 이를 독일 정신의학에서는 망상형 분열병이라 일컫는다. 나아가 성기(性器)에 신체환각을 합병하여 마비성 치매나 히스테리를 보이기도 하며, 이차적으로 그 순애보를 방해하는 제3자에 대한 피해망상이나 자신을 사랑한다고 굳게 믿는 상대방에 대한 복권망상(復權 妄想)이 출현하는 경우도 적지 않다.

연합놀이
[聯合 – , associative play]
사회성 놀이의 일종으로 크게 실천성 연합놀이, 상징성 연합놀이, 규칙성 연합놀이의 세 가지를 포함함. 놀이치료

많은 아이들은 함께 놀이하면서 서로 장난감을 빌려 주지만 서로 협조를 하지는 않는다. 놀이하는 아이들은 상호작용적 관심을 연합행위에 두되 놀이의 내용에 두지는 않는다. 즉, 함께 놀이를 하는 소그룹의 모든 아이는 같거나 유사한 활동을 하지만 어떠한 상호역할도 하지 않으며, 또한 어떠한 구체적 목표 혹은 결과를 위해서 놀이활동을 조직하지도 않는 것이다. 따라서 놀이하는 아이들은 함께 놀이하는 아이들을 자기 취향에 따라 맞추려고 하지

도 않고 다른 아이들에 대해서도 별로 신경 쓰지 않으면서 자신이 원하는 방식과 자신이 하고 싶은 대로 놀게 한다.

관련어 | 규칙성 연합놀이, 상징성 연합놀이, 실천성 연합놀이

연합학습
[聯合學習, associative learning]
자극과 자극 혹은 반응과 자극의 연결의 반복에서 그 결합을 인식함으로써 성립되는 학습. 놀이치료

연합학습은 유기체가 환경 속에서 자극과 자극, 또는 자극과 그에 대한 반응이 반복해서 발생하는 것을 경험할 때 자극과 자극, 특정 자극과 그에 대한 반응이 결합됨을 인식하는 것이다. 새로운 자극과 자극, 새로운 자극과 반응이 연결되기 위해서는 단지 시간적인 근접성만 필요하다고 주장하는 근접성 이론과, 새로운 연합을 위해서는 보상이나 강화와 같은 과정이 필요하다고 주장하는 효과이론 또는 강화이론의 견해가 모두 연합학습에 속한다. 연합학습에는 고전적 조건형성과 조작적 조건형성이 있다. 첫째, 고전적 조건형성은 자극과 자극의 연합에 관한 학습이고 둘째, 조작적 조건형성은 반응과 자극 혹은 행동과 그 결과의 연합에 관한 학습이다. 고전적 조건형성에서는 연합의 조건으로 근접성 이론과 예언성 이론이 경쟁 중이다. 또 조작적 조건형성에서는 새로운 연합을 위해 보상이 필수라고 보는 강화이론이 지배적이다. 예를 들어, 과제를 해결할 때 시행착오를 거듭한 끝에 우연히 올바른 답을 낸 이후로 점차 빠르고 확실하게 정답을 구하는 상황을 자주 경험한다. 이것은 학습의 하나로 과제라는 자극에 올바른 반응을 할 수 있는 데에서 성립하는 연합학습이다. 또한 자극과 반응의 연합의 예로 흰 옷을 보고 운다는 자극에 대한 반응을 들어 보면, 이 연합은 교육목적과 무관하거나 유해한 것을 포함하고 있기 때문에 치료자가 그와 같은 연합을 발

1299

견하고 교정하는 것도 교육상담(敎育相談)의 목적 중 하나가 된다.

관련어 | 놀이치료

신경증이나 정신병을 만성화한 열등 콤플렉스로 이해하였다.

관련어 | 보상, 열등감, 우월추구, 우월 콤플렉스

열등 콤플렉스
[劣等 -, inferiority complex]

열등감이 강화되어 병리적으로까지 깊어진 신경증적 열등감.
개인심리학

아들러(A. Adler)는 이 용어를 두 가지 의미로 사용하였다. 하나는 강한 열등감, 다른 하나는 인생의 과제를 건설적인 방법으로 해결하기를 거부하는 구실로서 열등감을 과시하여 자신과 타인을 속이는 것이다. 열등감이 있는 아동이 잘못된 교육상황이나 부적절한 환경에서 열등감을 제대로 극복하지 못하고 강화시키면, 그는 더 이상 삶의 유용한 측면에서 정상적인 방법으로 열등감을 극복하는 것을 포기하고 잘못된 방향으로 보상을 시도한다. 이에 대해 아들러(1966)는 "열등감을 지나치게 억압하면 위험하다. 그렇게 되면 아이는 미래의 삶이 실패하지 않을까 하는 불안 속에서 단순한 보상으로 만족하지 않고 더 많은, 더 먼 곳에 놓여 있는 보상을 획득하고자 한다. 이때 그의 권력과 우월성의 추구는 정도를 넘어 병적으로까지 치닫게 된다."라고 하였다. 이와 같이 아동이 자신의 부족함을 극복할 수 있는 실제적 가능성을 더 이상 발견하지 못하게 되면, 비현실적이 되고 심리적 병리영역에 속하는 발달장애, 열등 콤플렉스를 발달시킨다. 예를 들면, 학력이 낮다는 것은 어떤 의미에서 열등성이다. 그러나 학력이 낮은 사람이 반드시 열등감을 갖는다고는 할 수 없다. 대신 열등감을 가졌다고 해도 그것을 건설적으로 극복하여 살아간다면 열등 콤플렉스는 아니다. 그러나 범죄자가 자신의 학력이 낮은 것을 범죄의 정당화 이유로 사용했다면 그것은 열등 콤플렉스다. 아들러 심리학의 정신병리학에서는

열등감
[劣等感, inferiority feeling]

다른 사람과 비교했을 때 자신이 뒤떨어졌다거나 능력이 없다고 느끼는 감정. 개인심리학

열등감에 빠진 사람은 자기 자신을 무능하고 무가치한 존재로 여기며, 무의식 속에서 자기를 부정하고 합리적·이성적이지 못하면서 불안심리를 동반한 이상행동을 보일 수도 있고, 경쟁에서 자기는 늘 실패할 거라는 생각에서 벗어나지 못할 수도 있다. 아들러(Adler)는 열등감이 인간 삶에 미치는 영향, 특히 열등감과 인간의 정신병리현상과의 관계를 밝혔다. 그는 인간의 심층심리에 자리 잡고 있는 열등감이 모든 병리현상의 일차적 원인이라고 해석하고, 많은 정신병리현상은 열등감에 대한 이차적인 반응이라고 보았다. 인간은 누구나 열등한 존재로 태어나기 때문에 인간이 된다는 것이 곧 열등감을 갖게 된다는 것이라고 말하였다. 아들러(1979)는 모든 인간에게 필연적으로 생기는 열등감의 근원을 인류학적이고 발달심리학적으로 두 가지 면에서 설명하였다. 첫째는 계통발생학적(phylogenetisch)으로 인간은 육체적으로 약한(열등한) 종족에 속한다는 것이다. 연약한 인간에게 엄청난 힘을 지닌 자연은 두렵고 무서운 존재로 인식되며, 이러한 적대적인 환경을 극복하고자 집단을 형성하고 지능을 비롯한 다양한 능력을 발달시켜 결국 자연의 지배자가 될 수 있었음을 지적하였다. 둘째는 개체발생학적(ontogenetisch)으로 인간은 생애 초기에는 육체적으로 아주 약한 존재로서 다른 사람의 도움 없이는 생존조차 할 수 없는 무력한(열등한) 존재라는 사실에 주의를 기울였다. 이 때문에 무력감과 열등

1300

감이 인간의 기본 감정을 이룬다고 보았다. 열등감은 신체적 열등감(용모, 체격, 체력, 성기, 성적 기능에 관한 열등감), 심리적 열등감(지적, 성격적 열등감), 사회적 열등감(가족, 가정의 생활수준, 소속집단의 조건을 둘러싼 열등감)으로 구분할 수 있는데, 어느 것이라도 단순한 열성의 자각이나 의식만의 열등감은 아니고 그것을 원인으로 고민하고 있는 경우나 원인을 확실하게 의식할 수 없고 막연한 자기장애감(부전감), 무력감, 무의의감(無意義感)을 느끼는 경우를 말한다. 현대 개인심리학에서는 인생목표와 현상인식의 격차에 따르는 불쾌감이라고 정의하고 있다. 인간은 목표를 추구하며 살아가는 것이 아들러 심리학의 기본 전제이기 때문에 인간은 열등감을 갖고 있는 것이다. 열등감은 다음과 같은 특징이 있다. 첫째, 객관적인 원인보다는 주관적으로 느끼는(subjective empfunden) 것으로서 모든 인간행동에 결정적인 영향을 미친다. 여기서 주관적 감정이 개인심리학의 열등감을 이해하는 데 중요한 역할을 한다. 이런 맥락에서 아들러는 열등성과 열등감의 차이를 분명히 할 것을 강조하면서, 느낌(Gefühl, 감)이란 항상 주관적 해석이고, 일정한 가치판단에 의존하며, 객관적으로 실제 지니고 있는 열등함과는 전혀 다른 것이라고 하였다. 객관적으로는 열등하지 않아도 본인이 그렇게 생각하고 있기 때문에 요구수준의 고저에 따라 좌우된다. 둘째, 열등감은 자존심에 상처를 받은 영역에 한정된다. 셋째, 열등감은 자아의식에 눈을 뜬 청년기에 심각하다. 넷째, 열등감의 반대편에 있는 것이 우월감으로 이 둘은 뿌리가 같다. 다섯째, 열등감은 사회가 계층적으로 입신 출세주의의 경쟁을 하는 경우 일어나기 쉽다. 또 성공과 실패, 적군과 아군, 모두이든가 아니면 무(無)라고 하는 식의 이분법이 지배하는 곳에서 일어나기 쉽다. 한국에서 많은 열등감을 갖던 아이가 미국에 가서는 열등감을 느끼지 않게 되는 것이 그 예다. 여섯째, 열등감을 어느 정도 경험하느냐에 따라서 열등감을 갖는 것은 필요

하고 바람직하기도 하다. 아들러(1973a)는 "열등감은 연약한 인간에게 자연이 준 축복이다."라고 하면서 열등상황을 극복하여 우월의 상황으로 밀고 나가게 하는 힘을 지닌 강한 열등감은 인간의 잠재능력을 발달시키는 자극제 또는 촉진제로서의 역할을 한다고 강조하였다. 아들러는 인간의 모든 문화사도 인간의 불안과 열등감을 극복하고자 노력했던 역사로 보았고, 교육의 기초와 그 가능성도 열등감에서 찾았다. 아이는 자신의 약함을 극복하고자 하는 욕구에서 교육적 도움을 받아들이게 된다. 그래서 자신의 환경적 요구에 적응하여 약함을 가능한 빨리 극복하는 노력을 한다는 것이다. 이와 같이 아들러에게 열등감은 인간의 성장과 발전, 나아가 인류 문명의 발전에 매우 중요한 개념이다. 일곱째, 열등감이 있으면 보상행동(補償行動)이 일어난다. 그 때문에 적절한 열등감은 인간을 향상시키고 진보시키지만, 지나친 열등감은 위축되게 하고 비행, 나쁜 생각, 반항, 퇴행, 공격, 도피 등의 방어행동을 일으킨다. 인간관계의 알력, 기타 정서적 갈등에 기인하는 행동이상이나 정서적 교류의 결여가 있는 경우를 정서장애라고 부른다면 열등감은 그 원인도 되고 결과도 된다.

관련어 │ 보상, 열등 콤플렉스, 우월, 우월추구, 우월 콤플렉스

열등기능
[劣等機能, inferior function]

융(C. G. Jung)은 사람의 정신에는 사고, 감정, 직관, 감각의 네 가지 기능이 있다고 주장했는데, 이 같은 심리적 기능과 관련하여 가장 분화되지 않은 기능으로서 인간성격의 어두운 측면. 분석심리학

융의 모델을 살펴보면 열등기능은 우월기능과는 반대되는 개념으로, 우월기능의 그림자라고도 할 수 있다. 열등기능은 각각의 기능이 외향적으로 작동하든지 내향적으로 작동하든지 간에 콤플렉스와 같이 자동발생적으로 일어난다. 열등기능은 정서에

따라 활동하고, 기능의 통합에 저항하며, 합리적 기능과 비합리적 기능에서 모두 나타난다. 예를 들어, 사고기능이 가장 발달되었을 때 또 다른 이성적 기능인 감정기능은 열등해진다. 만약 감각기능이 우월하면 직관기능은 또 다른 열등기능이 되는 것이다. 인간의 기능이 너무 한 측면으로만 발달하면, 열등기능은 점차 문제를 일으키게 된다. 지나친 우월기능은 열등기능의 에너지를 빼앗으며, 열등기능에 대한 인식을 무의식으로 밀어 넣어 버린다. 무의식의 열등기능은 의식에 대한 보상작용을 일으켜 의식을 자극하여 의식의 일반성을 제지하거나 외부로 투사한다. 자신의 열등기능에 대해 인식하거나 판단해야 하지만, 일반적으로 우위에 나타나는 우월기능 때문에 이러한 인식과 판단이 쉽지 않다. 만약 열등기능을 그대로 방치해 두면 고태적(古態的)인 양태를 보이거나 그림자 원형과 같은 성격을 띤다. 하지만 열등기능은 의식화될 수 있고, 자기실현을 위해서는 분화되어야 하는 기능이다. 열등기능을 의식화한다는 것은 자아가 즐겨 사용하는 우월기능을 잠시 누르고 열등기능을 의식하고 개발하는 것이다.

관련어 | 우월기능

열린 질문
[- 質問, opened question]

닫힌 질문과는 반대되는 개념으로, 내담자 자신의 생각과 감정, 의미 등을 자신의 방식대로 자유롭게 말할 수 있도록 도와주는 질문의 형태. **이야기치료**

열린 질문은 내담자중심치료, 이야기치료와 같은 비지시적 상담에서 주로 쓰이는 질문기법이다. '예' '아니요'의 대답만을 유도하는 닫힌 질문(closed question)과 반대되는 질문기법인 열린 질문의 가장 큰 특징은, 내담자가 자신의 이야기를 자신만의 방법으로 할 수 있도록 유도하는 데 있다. 예를 들어, 내담자에게 "남편의 외도 때문에 많이 힘드신가요?"라는 닫힌 질문을 하면, '예/아니요'의 구조화된 대답을 할 수밖에 없을 것이다. 또한 질문을 통해서 내담자가 남편의 외도 때문에 힘들 것이라고 생각하는 상담자의 의견이 알게 모르게 내담자에게 전달되어 어떤 형태로든 영향을 미칠 수 있을 것이다. 하지만 "남편의 외도에 대해서 어떻게 생각하시나요?"라고 열린 질문으로 물어보면, 내담자는 남편의 외도에 대한 자신의 생각을 외부의 지시적인 영향을 받지 않은 채 자신만의 다양한 방식으로 자유롭게 말할 수 있다. 또한 치료자는 내담자의 이러한 답을 통해서 보다 많은 자료를 얻고, 풍부한 자료를 바탕으로 더욱 다양한 상담을 전개할 수 있다. 따라서 치료자가 상담과정에서 열린 질문을 사용하려면 내담자의 이야기 방향을 지시한다거나 특정한 생각을 강요해서는 안 되며, 내담자가 이야기하고 싶어 하는 것을 자유롭게 이야기함으로써 보다 풍부한 정보를 얻을 수 있도록 노력해야 한다.

관련어 | 닫힌 질문, 해체 질문

열반과 해탈
[涅槃 – 解脫, nirvāna and vimoka]

불교에서 수행을 통해 도달할 수 있는 궁극적 경지. **동양상담**

해탈(vimoka)은 결박이나 장애로부터 벗어난 해방, 자유 등을 의미하고 열반(nirvāna)은 불을 끄는 것, 즉 번뇌의 뜨거운 불기를 끄고 고요한 상태에 이르는 것을 말한다. 그리고 경전에서 열반은 탐 · 진 · 치가 영원히 끊어진 상태라고 설명하고 있다. 그런데 반 열반(般涅槃)이라는 말도 쓰고 있는데, 석가모니의 죽음을 그렇게 부른다. "생노병사를 버리고 번뇌를 버리며 마음이 해탈하면 이것을 반 열반을 얻었다고 한다." 『잡아함경(雜阿含經)』 또한 해탈에는 혜 해탈(慧解脫, prajna-vimukti)과 심 해탈(心解脫, citta-vimukti)이 있다. 혜 해탈은 오온이나 십이연기에 실체가 본래 없다는 것을 알아차림으로써 지적으로 해탈하는 것을 말한다. 그래서 이것을 알고 바른 선정(禪定)을 통해 모든 번뇌를 멸해야 하는데 이것이 심 해탈이다. 열반은 이러한 두 가지 해탈이 갖추어질 때 비로소 완전해진다. 열반은 생사의 괴로움을 벗어난 세계다. 그곳에는 생하고 머무르고 멸하는 무상함이 없다. 바로 그곳이 모든 행이 적멸한 열반이다.

염색체 이상
[染色體異常, chromosomal aberration]

감수분열이라고 하는 세포분열 단계에서 일어나는 비정상성.
특수아상담

장애의 생물학적 원인 가운데 두 번째 중요한 원인으로 염색체 이상이 거론된다. 1950년대 말에 시작된 염색체 연구는 1960년대 들어서 점차 전형적 또는 비전형적 염색체 유형에 대한 그림을 제공하기 시작했고, 이러한 패턴은 1번부터 22번 쌍까지의 염색체 배열을 통해 밝혀졌다. 염색체의 배열과 정렬과정에서 일어나는 특정 비정상성은 너무 많거나 혹은 너무 적은 염색체 구성물질의 생성에 영향을 끼치는데, 그 결과 정상적인 쌍이 아닌 3개의 염색체가 한 그룹을 형성하는 비분리, 염색체 구성물질 조각의 위치가 바뀌거나 다른 염색체 쌍과 바뀌는 등의 전좌(translocation), 특정 염색체 쌍에 기본적인 유전자 물질의 양이 결여되는 결실(deletion), 그리고 서로 다른 세포들의 불균형적인 패턴을 일컫는 모자이크형 등을 야기한다. 다운증후군은 세 가지 염색체 이상이 원인이 되어 발생하는 것으로 알려져 있다. 첫 번째는 비분리에 의해 47번째 염색체를 갖는 삼염색체형 21, 두 번째는 보인자가 유전적으로 전달하는 전좌형에 의한 것, 세 번째는 가장 드문 형태로 모자이크형에 의한 다운증후군이다. 이

밖에도 성염색체 이상이 발달에 영향을 미치는 경우로, 남성이 여분의 X염색체를 받아 XXY 배열을 이루는 클라인펠터 증후군, X염색체 하나가 부족한 데서 기인하는 여성 성염색체 장애인 터너 증후군 등이 있다. 전자의 경우 임상적으로 사회성 지체, 불임과 발육부전, 2차 여성 성징 등을 나타내며, 후자의 경우 동작성 검사와 전체 지능검사의 낮은 점수(언어성 검사 제외)와 함께 수리력, 기억력, 주의집중 및 사회성의 문제를 보인다. 이러한 성염색체 이상에 따른 공통적인 특징은 읽기나 수학의 어려움, 시 지각의 문제, 추상적 사고력의 결함, 청각 변별의 어려움 등을 나타낸다는 사실이다. 게다가 염색체의 이상은 학습장애와도 관련이 있는 것으로 보이는데, 지금까지 연구에 따르면 염색체 6번과 15번이 관여되어 있는 것으로 알려져 있다.

관련어 유전적 요인

영상요법
[映像療法, image therapy]

이미지 치료라고도 하는데, 내담자의 과거에 대한 여러 내용의 기억을 자연스럽게 회상하도록 이끌어 내담자 기억력 향상, 심적 즐거움과 정서적 안정 등을 꾀하는 방법. 심상치료

영상요법은 브라이언 와이스(Brian Weiss)의 『나는 환생을 믿지 않았다(Many Lives, Many Masters)』에서 소개된 치료법이다. 최면상태에서 나타난 영상으로 최면유도자가 피유도자와 암시나 대화를 주고받으면서 영향을 받은 내용을 구체화하는 방법으로, 일단 피유도자에게 떠오른 영상은 구체화 과정을 거치면서 내용이 펼쳐진다. 이때 전개되는 내용들은 피유도자의 의식과 무의식에 담긴 것들이다. 여기서 말하는 영상은 곧 심상현상과 같은 것이다. 영상요법은 청각, 시각, 문자 언어 등을 동원하여 내담자의 지각에 긍정적인 영향을 미친다. 헤슬리와 헤슬리(Hesley & Hesley)는 여섯 가지 영상치료의 효과를 언급하였다. 첫째, 치료계획에 도움을 준다.

둘째, 희망과 용기를 불러일으킨다. 셋째, 내적 자원 파악 및 강화를 촉진한다. 넷째, 정서를 확장시킨다. 다섯째, 의사소통능력을 강화시킨다. 여섯째, 내담자가 자신에게 중요한 가치들에 우선순위를 정할 수 있도록 도와준다.

영성
[靈性, spirituality]

인간의 삶의 가장 높고 본질적인 부분이며 진정한 자기초월을 향하는 본질적으로 인간의 역동성을 통합하려는 고귀하고 높고 선한 것을 추구하는 삶의 실제. 목회상담

영성은 20세기의 문화적 발달을 거치면서 그 중요성이 부각되기 시작하였다. 신성, 초자연적 존재, 자연, 우주 혹은 인간 존재를 뛰어넘는 다른 신성한 영역 간에 초월적인 실존과의 관계에 대한 논의에서 종교라는 말은 점차 영성이라는 용어로 대치되는 문화적 풍토가 조성되었다. 따라서 영성은 인간의 내적인 자원의 총체로서, 개인으로 하여금 자신, 타인 및 상위 존재와의 의미 있는 관계를 유지시키며 신체, 영혼, 마음을 통합하는 에너지, 존재에 대한 의미와 목적을 주관하게 하고, 당면한 현실을 초월하여 앞으로 나아가게 하는 힘 등을 의미한다. 최근 들어 영성은 심리사회적 건강을 포함한 개인의 전인적 건강에 영향을 주는 차원 높고 핵심적인 개념으로 간주되고 있다. 영성에 대한 연구분야에 따라, 학자에 따라 다양하다. 영성을 인간의 고차적 의식수준이라고 했던 그리피스(Griffiths, 1984)는 "우주 전체를 지배하며 관통하는 보편영과 인간이 일치되는 지점으로, 인간초월의 지점이며, 무한과 유한이 일시적인 것과 영원한 것이, 다수와 하나가 만나고 접촉하는 지점"으로 영성을 정의 내렸다. 그룸(Groome, 1998)은 "모든 인간의 머리, 가슴, 손을 쓰는 통전적인 일이며, 온전한 삶의 방식"으로 영성을 정의하였고, 울프(Wolf, 1996)는 "인간의 보이지 않는 정수로서 인간 육체에 생기를 주며 지성, 상상

력, 감정, 요구, 의지를 포함하는 능력들 중의 하나"로 정의하였다. 헬미니악(Helminiak, 1996)은 "진정한 자기초월을 향하는 본질적인 인간의 역동성을 통합하려는 특히 고귀하고 높고 선한 것을 추구하는 삶의 실재"라고 정의하였다. 특히 사티어(Satir)의 영성은 총체적이며 경험적이라는 현대적 영성의 특성을 충분히 드러내고 있다. 그는 자기 안에 이미 존재하는 것과 자기 밖에서 내 안으로 유입된 것들은 과거-현재에서 관계를 맺는다고 하였다. 즉, 안과 밖이 관계를 맺고 나와 초월자가 관계를 맺음으로써 새로운 삶의 경험이 열린다는 것이다. 영적인 것과 육적인 것, 이성과 감정, 거룩한 것과 세속적인 것, 긍정적인 것과 부정적인 것, 내세와 현세의 이분법적인 구별에서 벗어나 어느 한쪽에 치우치지 않는 총체적인 경험의 영성을 구가하는 것이 사티어의 영성이다. 이처럼 종교가 영성이라는 단어로 교체되었다는 것은 신성한 실재적 심리태도가 전환되었다는 신호이며, 종교와는 다르게 전체성이나 안녕과 관련되어 있는 초월적인 차원에 대한 독특하고 의미 있는 개인의 경험과 인간의 삶에 대한 의미 있는 능동적 탐색과정으로 해석되기 시작함을 의미한다고 할 수 있다. 따라서 영성은 두 가지로 나누어 정의할 수 있다. 첫째, 영성은 '아래로부터의 영성이해'를 추구한다. 아래로부터의 영성이란 영성을 각 개인이 처한 구체적이고 특정한 상황 속에서 맺는 초월적인 존재와의 관계성으로 규정하는 것으로서 기존의 개인주의적, 내면 중심적, 내세 중심적인 영성이해를 넘어선다. 둘째, 영성은 '초월적 존재에 관한 의식의 확장'이다. 이것은 현세적 삶과 연계된 영성을 강조하여 사람들에게 사회적 책임수행의 필요성과 그 실천 가능성을 예시하고, 과거의 지나친 신비주의적 입장이나 합리주의적 시각에서만 영성을 해석하려는 편협한 인식에서 벗어나는 근거가 된다. 즉, 영성은 과학적으로 설명할 수 없는 신비한 어떤 것을 의미하기보다는 지금의 객관적인 상황을 초월해서 새로운 차원으로 볼 수 있는 능력, 다

시 말해 현재의 자기 자신과 환경 너머를 보고 현실을 뛰어넘는 의미와 가치를 찾는 능력을 말한다.

관련어 | 종교

영아 돌연사 증후군
[嬰兒突然死症候群, sudden infant death syndrome: SIDS]

영아가 뚜렷한 이유 없이 수면 중에 사망하는 것. 정신병리

한 살 이하의 건강한 영아가 아무런 사전징후나 원인 없이 갑작스럽게 사망했을 때 내려지는 진단이다. 대부분 잠들기 전까지 건강하던 영아가 전혀 예상치 않게 몇 시간 후에 죽은 상태로 발견된다. 세계적으로 1,000명의 영아 중 1~3명이 영아 돌연사 증후군으로 사망한다. 미국에서는 1.3/1,000의 생존 출생 빈도를 나타내며, 매년 약 6,000명이 영아 돌연사 증후군으로 사망한다고 보고되었다. 선진국에서는 생후 1개월~1년 연령에 해당되는 전체 영아 사망률의 40~50%를 차지하며, 약 95%가 생후 6개월 미만의 영아에게서 발생한다. 정확한 원인은 규명되지 않았지만, 수면성 무호흡이 주요 원인으로 추정된다. 심장, 폐의 기능조절, 수면 및 각성 조절, 주야 주기 리듬 등과 관련된 뇌간의 발달이상 또는 성숙지연이 관련되어 있을 것으로 보고 있다. 영아 돌연사 증후군의 호발 월령은 생후 2~4개월경인데, 이 시기에는 대뇌피질이 발달함에 따라 호흡반사가 의식적이고 자발적인 행동으로 대체되게 된다. 그러나 일부 영아의 경우 이러한 대체과정이 순조롭지 못해 방어적 반사를 대체할 수 있는 자발적인 행동을 미처 습득하지 못하고, 이에 따라 영아 돌연사 증후군이 나타나기도 한다. 수면 중 호흡에 이상이 발생했을 경우 잠에서 깨어나 자세를 바꾸거나 울지 못하고 그대로 사망해 버리는 것이다. 최근에는 엎드려 재우는 체위나 너무 덥게 재우는 환경과 관련이 있다는 보고가 있으며, 그 외 산모의 임신

중 혹은 출산 후 흡연과의 관련성도 제시되고 있다.

관련어 | 영아기

영아기
[嬰兒期, infancy]

인간의 발달에서 출생 후 1개월부터 2년까지. 발달심리

이 시기는 인간의 일생에서 사춘기와 더불어 신체적 발달이 가장 급속도로 이루어지는 시기로서, 제1성장 급등기라고도 한다. 출생 후 1년 동안 신장은 출생 시보다 1.5배, 체중은 3배 정도 증가한다. 두 돌이 되면 신장은 성인 시기의 절반, 체중은 출생 시보다 4배가 된다. 신체의 비율에도 변화가 나타나는데, 두 돌이 될 무렵에는 머리가 신장에서 차지하는 비율이 5분의 1이 된다. 골격, 근육, 치아 등이 점점 단단해지고 두미 원리와 중심 말초 원리로 신체가 발달한다. 완전한 뇌간의 기능, 대뇌피질의 발달, 시냅스 밀도의 변화, 수초화 등으로 뇌와 신경계도 급속하게 발달하며 뇌는 부위에 따라 발달속도가 다르다. 신체발달과 더불어 운동기능도 급격하게 발달하는데, 이러한 발달은 신경계의 정상적 기능을 알려 주는 중요한 지표가 된다. 이 시기의 신체발달은 크게 이행운동(locomotor) 발달과 협응기능(coordination) 발달로 나누어진다. 이행운동은 일정한 계열적 순서에 따라 발달하는데, 1개월 턱을 든다, 2개월 가슴을 든다, 3개월 닿았다가 놓친다, 4개월 받쳐 주면 앉는다, 5개월 무릎에 앉고 물건을 잡는다, 6개월 유아용 의자에 앉고 매달린 물건을 잡는다, 7개월 혼자 앉는다, 8개월 잡아 주면 선다, 9개월 가구를 잡고 서 있는다, 10개월 기어간다, 11개월 잡아 주면 걷는다, 12개월 가구를 잡고 일어선다, 13개월 계단을 오른다, 14개월 혼자 선다, 15개월 혼자 서고 걷는다, 22개월 걸어 올라간다, 24개월 공을 앞으로 찬다 등이다. 이와 같은 이행운동의 발달은 영아의 지각, 정서, 주의, 동기, 자율

신경계, 외부자극 등의 여러 가지 요인이 작용한다. 협응기능은 시각, 청각 등의 감각기능과 잡기, 걷기 등의 운동기능과 협응하는 능력을 말하며, 이 시기에는 자발적인 연습과 숙달로 협응기능을 발달시켜 나간다. 즉, 4~6개월이면 물체를 손으로 잡아 한 손에서 다른 손으로 옮기고 만지작거리며, 16개월이면 크레용으로 낙서를 하고, 18~19개월이면 수직선과 수평선을 따라 그리면서 블록을 쌓을 수 있다. 이 시기의 영아는 형태를 지각하고 4개월이 되면 색깔을 변별하며 6~7개월이 되면 깊이를 지각하고 특히 소리 변별능력이 뛰어나며 출생 후 2세경이 되면 지각능력이 더욱더 정교해진다. 인지는 여러 가지 감각기관을 통해 받아들인 정보를 이해하고 기억하여 발달되며, 재인기억과 회상기억이 가능하다. 언어발달의 첫 단계는 울음이며 울음을 통하여 자신의 욕구를 표현한다. 4~5개월경이면 언어와 유사한 최초의 말소리인 옹알이를 시작하고, 1년경이 되면 자신의 생각을 표현하고 분명하게 이해할 수 있는 한 단어 문장을 사용하며, 24개월경에는 두 단어 이상을 활용하는 문장을 사용할 수 있다. 영아기 초기에는 행복, 분노, 놀람, 공포, 혐오, 슬픔, 기쁨 등의 일차적 정서가 발달하고, 12개월이 지난 후에 부러움, 수치, 죄책감, 자부심과 같은 이차적 정서가 나타난다. 그리고 6개월경에 얼굴표정을 보고 감정을 구별하여 정서를 이해하는 능력을 보이며, 18개월경이 되면 부정적 정서를 숨길 수 있고, 3세가 되면 더 잘 숨길 수 있게 된다.

관련어 감각운동기

영아살해
[嬰兒殺害, infanticide]

유아를 죽이는 일. **이상심리**

옛날부터 여러 나라에서 다음과 같은 이유로 널리 행해져 왔다. 첫째, 출산을 제한하거나 기형아 혹은 성장에 큰 장애를 지닌 영아를 제거하는 수단으로 사용되어 왔다. 둘째, 근친상간, 혼전임신과 같이 부적절하거나 비정상적인 관계에서 태어난 영아를 제거하기 위해 행해진 일로서, 어떤 문화권에서는 관습적으로 허용되는 일이었다. 셋째, 종교의식의 제물로 영아를 바치는 풍습으로 행해졌다. 현대에는 원치 않은 임신일 경우에 낙태를 하는 경우가 있는데, 이 같은 활동도 엄밀한 의미에서 영아살해라 할 수 있지만 우리나라는 낙태가 합법화되어 있다. 그러나 산모가 분만중이거나 분만 직후에 영아를 살해한 경우는 범죄이며 10년 이하의 징역에 처한다.

영웅신화
[英雄神話, hero myth]

장애를 극복하고 목표를 성취하는 데 기반을 둔 원형적 주제를 지닌, 플라톤의 동굴신화에서 일어나는 것처럼 투사에서 보이는 무의식적 드라마. **분석심리학**

영웅의 주된 위업은 어둠 속의 괴물을 이기는 것이다. 이것은 오랜 소망으로, 무의식을 극복한 의식의 승리를 예상하도록 해 준다. 영웅은 인간의 무의식적 자기를 상징하고, 이는 모든 원형의 전체 합으로서 경험적으로 자신을 드러낸다. 영웅신화에는 아버지의 원형과 현명한 노인의 원형이 나타난다. 자신을 더욱 영웅으로 드러내기 위해 영웅은 자신의 아버지나 현명한 노인보다 뛰어나게 표현한다. 영웅의 목표는 보물, 공주, 반지, 황금달걀 등을 찾는 것이다. 심리학적으로 이것은 개인의 진실한 감정이나 독특한 잠재적 상징이다. 개성화 과정에서 영웅적 과업은 그들에게 제압당하기 위해 반대되는 것으로써 무의식적 내용을 동화시킨다. 잠재적 결과는 무의식적 콤플렉스를 억압시켜 왔던 에너지를 해방시킨다. 신화에서 영웅은 일반적으로 배를 타고 여행하고, 괴물을 만나서 싸우며, 괴물에게 삼켜졌다가 배 속에서 투쟁하거나 죽음과 맞서고, 요나처럼 고래의 배 안에 들어가 고래의 내장기관을 찾아내 잘라 버려 결국 승리를 쟁취한다. 마침내 영웅은 고향으로 돌아오고, 자신의 약점을 극복한다. 남성의 개성화 관점에서 볼 때, 고래나 용은 엄마 또는 엄마의 아니마이며, 내장기관은 탯줄이 된다. 여성의 심리학에서는, 영웅의 여정은 속세와 인연을 끊고 사는 아니무스의 공훈이나 남성 파트너와의 관계에서 투사를 통해 나타난다.

관련어 | 아니마, 아니무스

영원의 철학
[永遠 – 哲學, perennial philosophy]

동서고금을 막론하고 모든 문화에서 반복적으로 나타나는 모든 시대의 인간정신, 즉 위대한 영적 스승, 철학자, 사색자들이 거의 보편적으로 합의한 세계관. **초월영성치료**

헉슬리(A. Huxley)가 주창하면서 많이 알려진 용어로서, 그는 "신성 또는 근원적 실재는 모든 성질, 묘사, 개념을 뛰어넘으며 기존 종교 전통에서는 이것을 브라만, 도 또는 신 등 다양한 용어로 부르고 있다."라면서 세계의 모든 주요 종교의 최대 공통요소는 영원의 철학이라고 하였다. 영원의 철학이 주로 관심을 갖는 부분은 사람과 신이 만나는 인간정신에 내재한 심층구조로 인간은 이를 통하여 보편적인 진리와 궁극적인 의미를 발견한다. 영원의 철학의 핵심은 세계와 자아가 계층적 성질을 가진다는 것이다. 즉, 존재론의 주제인 '실재'는 외면과 내면 모두 층을 이루고 있으며 세계와 자아는 서로 다른 수준(level)을 포함하면서 다른 등급의 존재, 힘, 가치를 갖는다. 여기서 높은 수준의 계층은 낮은 수준보다 더 '실재적(real)'이며 인과론적으로 더 강한 효력을 가지고 더 '선(good)'하다. 이 원리에 따르면, 높은 수준은 낮은 수준에서의 성취를 어떤 방식으로든 통합하고 낮은 수준에서 발생한 체계적 구조의 문제를 극복함으로써 높은 수준들을 특징짓는 새로운 구조로 차별화한다. 낮은 수준으로의 퇴

행에는 일반적으로 수직적 인과관계의 개념이 있으며, 높은 수준은 인과관계에서 낮은 수준의 원인이 된다.

관련어 | 존재의 대 사슬

영유아 발달선별검사
[嬰乳兒發達選別檢查,
Korean Children Development Review-
Revised: K–CDR–R]

부모나 양육자가 영유아의 발달 기능과 수준을 평가하는 발달선별검사. **심리검사**

0~6세 영유아의 발달수준을 측정하여 발달지연, 건강문제, 행동문제 등을 선별할 목적으로 아이어튼(Ireton, 2004)이 개발한 것을 김정미와 신희선(2006)이 번안 및 수정하고 표준화하였다. 부모나 양육자가 영유아의 발달, 건강, 행동에 대한 정보를 제공하고 그들 자녀의 발달문제를 확인하는 부모보고형 검사다. 영유아 발달선별검사의 대부분 문항은 아이어튼(1992)의 아동발달검사(Child Development Inventory: CDI)에서 추출하였으며, 일부 12개월 이하 영아를 위한 문항은 영아 발달검사(Infant Development Inventory: IDI)에서 선별하였다. 총 100개의 문항으로 구성되어 있으며, 한 장의 앞뒷면에 부모 질문지와 영·유아 발달표가 포함되어 있다. 부모 질문지에는 자녀에 관한 6개의 질문과 25개의 행동문제 항목으로 구성되어 있으며, 영·유아 발달표는 전체 100개 문항이 사회성, 자조행동, 대근육 운동, 소근육 운동, 언어 등 5개 발달영역으로 연령의 성숙에 따라 나열되어 있다. 하위영역별 척도의 내용과 문항수를 살펴보면 다음과 같다. 사회성은 부모를 비롯한 양육자와 집단에서 아동의 상호작용을 평가하는 것으로 20개 문항으로 구성되어 있다. 자조행동은 먹기, 옷 입기, 씻기, 화장실 가기, 독립성, 책임감 등을 포함하며 19개 문항으로 구성되어 있

다. 대근육 운동은 걷기, 뛰기, 구르기와 같은 큰 움직임을 포함하는 것으로 20개 문항으로 구성되어 있다. 소근육 운동은 물체를 쳐다보는 것을 포함하여 낙서하는 것처럼 눈-손 협응을 평가하는 것으로 18개 문항으로 구성되어 있다. 마지막으로 언어는 말하기, 언어이해 등 언어능력을 포함하며 23개 문항으로 구성되어 있다. 검사문항 전체 신뢰도 계수는 .93이었고, 하위영역별 신뢰도 계수 크론바흐 알파값은 사회성 .94, 자조행동 .91, 대근육 운동 .91, 소근육 운동 .91, 언어 .92로 나타났다. K-CDR은 표준화를 거친 뒤 학지사 심리검사연구소에서 출판되고 있다.

관련어 아동발달검사, 영유아발달검사

영유아심리학
[嬰幼兒心理學, infant psychology]

영아기, 유아기에 속하는 인간의 신체적, 정서적, 인지적 변화의 특징, 발달과정, 발달변화의 기제를 밝히고자 하는 심리학의 한 분야. 발달심리

발달심리학의 한 분야로 최근 급속하게 발달하고 있는 분야이며, 이 학문의 진보로 영유아에 대한 생각도 바뀌고 있다. 영유아기의 감각, 운동능력, 정서, 성격, 사회적 행동 등의 발달과정이 이 학문의 주요 연구영역인데, 여기서 사용하는 연구방법은 아이에게 직접 질문하는 자기보고, 실험연구, 행동관찰, 어머니와 같은 주양육자나 교사 등 주변인의 진술과 같은 타인보고 등이 있다. 이 시기의 특징은 다른 발달단계와 비교해 볼 때 발달이 무척이나 빠른 시기이므로 각 연령단계에 속하는 영유아를 대상으로 비교연구, 즉 횡단적 연구를 하거나 같은 대상을 다른 시기의 발달과정을 추적하는 종단적 연구가 이루어진다. 영유아 심리학의 등장은 인간은 결정론적 존재가 아니라 환경에 능동적으로 대처하고 주체적으로 삶을 영위하여 궁극적으로 자아실현

경향성이 있다는 견해에 기초한다. 영유아기는 신체적 발달이 급속도록 변화되는 시기이므로 인간의 전 생애발달과정 중에서 가장 중요한 시기에 속한다는 관점에서 인간의 발달을 포착하여 그 후 발달과정과의 상호관련성을 밝혀 가는 것도 중요하다.

영재교육진흥법
[英才敎育振興法, promotion of education for the gifted and talented law]

재능이 뛰어난 사람을 조기에 발굴하여 잠재력을 계발할 수 있도록 능력과 소질에 맞는 교육을 실시함으로써 개인의 자아실현을 도모하고 국가·사회의 발전에 기여하도록 함을 목적으로 만든 법. 특수아상담

이 법은 2000년에 제정되어 「교육기본법」 제12조 및 제19조에 규정하고 있는데, 「영재교육진흥법」 및 동법 시행령의 교육적 함의는 다음과 같다. 첫째, 영재성의 범위를 폭넓게 정의함으로써 영재교육 대상 영역에 수학, 과학뿐 아니라 정보과학, 예술, 언어, 외국어 분야까지 포함될 가능성을 열어 두고 있다. 둘째, 국가와 지방자치단체의 의무 영재교육에 대한 국가적 책임을 강조하는 조항을 신설(제3조)했으며, 2005년 12월 개정을 통하여 지방자치단체 역시 지역 영재교육에 관한 세부 실천계획 수립의 주체가 되어야 함을 역설하고 있다. 그리고 영재교육 시책이 부진하거나 예산이 부족하다고 인정되는 지방자치단체에 대하여 예산확충 등 필요한 조치를 하도록 권고할 수 있도록 함으로써 영재교육에서 국가와 지방자치단체 간의 협력과 견제의 역할이 중요함을 강조하였다. 교육과학기술부에는 중앙영재교육진흥위원회를 신설하고 영재교육 정책 및 제도 관련 사항을 심의하도록 하여 관련 기관 간의 연계체제구축에 도움이 되도록 하였다. 셋째, 영재교육 대상자 선발 및 교육기관에 대하여 '영재교육진흥법'에서는, 제5조의 영재교육 대상자의 선정을 통하여 영재 판별기준(일반 지능, 특수 학문 적성, 창

의적 사고능력, 예술적 재능, 신체적 재능, 기타 특별한 재능)을 포괄적으로 제시하고 있다. 2005년 12월 개정에서 재능과 잠재력이 충분한 영재교육 대상자가 영재교육기관에서 이수한 일부 과정을 정규교육과정을 이수한 것으로 인정하는 이수인정 및 위탁교육 실시를 허용하였다. 영재교육기관으로 '영재학교' '영재학급' '영재교육원'을 운영하되, 각 기관을 특성화한다. 영재학교는 고등학교 급의 정규교육과정을 운영하는 학교로서, 특정 분야별 소수 영재의 창의성 계발에 초점을 두고 분야별로 관계 부처가 집중 지원한다. 영재교육원은 대학, 교육청, 정부출연기관 등에서 운영하며 각 분야 영재의 잠재력 및 창의성 계발에 초점을 둔다. 대학 영재교육원, 교육청 영재교육원은 각기 주어진 여건에 적절한 교육대상자를 선발하고, 그에 걸맞은 교육 프로그램을 제공한다. 영재학급은 방과 후, 방학, 주말의 시간을 활용하여 일반 학교에서 지역 공동 영재 학급을 운영함으로써 각 학교의 부담을 줄이면서도 영재들이 적절한 교육을 받을 기회를 제공해야 한다. 넷째, 영재교육을 담당하는 교원의 전문성을 제고하기 위해 영재학교에는 국내외 전문가를 계약제로 임용할 수 있도록 하며, 반드시 영재교육 관련 연수를 받은 교사들이 영재교육을 담당하도록 한다. 또한 종합영재교육연구원을 설치·운영함으로써 판별도구 개발, 프로그램 개발, 교사 연수, 교수-학습방법에 관한 연구개발 업무를 수행하도록 한다.

관련어 | 영재교육, 영재교육기관, 영재교육진흥법 시행령

영재아상담
[英才兒相談, counseling of gifted and talented children]

뛰어난 재능을 가진 아동들이 겪는 어려움을 심리적으로 도와주는 과정. 특수아상담

영재 아동을 위한 상담은 크게 영재 아동 개인에 대한 개입과 영재 아동과 가족 사이의 관계에 대한 개입, 그리고 영재 아동과 학교 사이의 관계에 대한 개입 등으로 영역을 구분할 수 있다. 영재 아동이 겪는 어려움은 그들이 가지고 있는 '문제'나 '병리적'인 요인 때문에 발생하는 것이 아니라 그들의 '독특성'과 그 '독특성'을 가진 사람이 평범한 사람들에게 적합한 환경 속에서 살면서 겪는 불화에 따른 어려움이다. 따라서 영재 아동의 '독특성'은 '병리적'인 사람이 가진 문제처럼 고쳐지거나 제거되어야 하는 것이 아니라 그들의 삶에서 하나의 도전으로 받아들이고 때에 따라서는 그 '독특성'을 최대한 발휘할 필요가 있다. 상담자는 이 점을 고려하여 영재 아동을 위한 상담에 참여해야 하는데 이때 가장 중요한 것은 상담에 대한 관점의 전환이다. 상담은 병적인 문제나 부정적인 상태를 변화시켜 평균적인 상태, 정상으로 만드는 것뿐 아니라 정상적인 상태 또는 잠재력을 가진 사람의 잠재력을 최대한 계발하는 것도 목표가 된다. 특히 영재 아동을 상담할 때는 그들에게 병리적인 문제가 있다기보다는 그들에게 문제가 발생하기 이전에 문제를 예방하고 그들이 가진 잠재력을 충분히 발휘하도록 도움을 주는 발달상담의 관점에서 접근할 필요가 있다. 영재 아동을 돕기 위해서는 우선 그들이 가지고 있는 지적·정의적·신체적·사회적 특성을 잘 이해하고, 그러한 특성 때문에 경험할 수 있는 문제의 유형과 특징을 파악하여 영재 아동과 그들의 부모에게 적절한 개입을 해야 한다. 영재 아동에게 상담자가 제공할 수 있는 서비스 유형에는 부모상담, 영재성의 확인, 아동의 배치에 대한 개입, 아동의 자아개념에 대한 개입, 아동의 부적응적 감정에 대한 개입, 부모의 부적절감에 대한 개입, 부적응적 가족역동에 대한 개입, 학습부진에 대한 개입, 아동의 진로선택에 대한 개입, 아동의 잠재력 계발을 위한 개입 등이 있다.

관련어 | 상담, 영재아, 특수아상담

영적 우회
[靈的迂廻, spiritual bypassing]

영적인 개념이나 수행으로 기본적인 인간의 욕구, 감정, 발달과제를 회피하거나 조급하게 초월하려는 시도 또는 그 같은 경향. 초월영성치료

　카르마, 조건화, 몸, 형상, 물질, 인격의 틀 등 자신을 옭아매는 세속의 틀로부터 자유로워지고자 하는 욕망은 수천 년 동안 영적인 탐구의 가장 근본적인 동기로서, 자신을 짓누르는 수많은 혼란과 해결되지 않은 감정적, 개인적 문제에서 벗어나기 위한 방법으로 영적 수행을 택하는 것은 흔히 발견되는 경향이다. 영적 우회는 삶의 발달과제를 수행하는 데 어려움을 겪는 사람들을 유혹하는데, 영적인 가르침과 수행은 오래된 방어를 합리화하고 강화하는 수단이 될 수 있다. 영적인 우회는 시시때때로 변하는 나약한 자아와 같이 어렵고 불쾌한 것을 외면하는 성향이다. 자신이 어려운 세상사를 감당할 수 있을 만큼 강하다고 느끼지 않기 때문에 개인적인 감정마저 모두 초월할 수 있는 방법을 찾는 것이다.

영적 위기
[靈的危機, spiritual crisis]

종교적 · 신비적 · 영적 요소를 동반하여 나타나는 위험한 상태. 초월영성치료

　인간은 살아가면서 갑작스러운 사건이나 사고와 같은 불수의적 일이나 명상 또는 종교적 실천과 같은 수의적 활동으로 종교적 · 신비적 · 영적인 형태의 체험을 하는 경우가 있다. 이러한 체험이 너무나 강렬하여 일상생활에 어려움을 가져오기도 하고 불안, 두려움, 혼란 등의 감정을 느끼기도 한다. 한편으로 이러한 위기는 장기적으로 전반적인 건강과 기능의 향상을 가져올 수도 있다. 이러한 관점에서 융학파는 영적 위기경험을 심리적 · 종교

적 성장에 필요한 요소로 보았으며, 가끔은 분석과정에서 의도적으로 유도할 만큼 중요하다고 하였다. 이와 관련한 위기는 샤먼적 위기, 쿤달리니 각성, 영적 출현, 쇄신과정, 빙의, 심령적 열림 등이 있다.

관련어 | 빙의, 쿤달리니 요가

　샤먼적 위기 [－危機, shamanic crisis] 신내림이나 굿과 같은 자발적 영적 활동을 통하여 경험하는 변성의식상태를 말한다. 이 위기는 입문의 위기와 샤먼의 여행이라는 두 가지로 구분하여 설명할 수 있다. 입문의 위기는 우리나라에서 무당이 되기 위하여 신내림을 받으려는 예비 무당이 행하는 여러 가지 훈련과정에서 주로 경험하는 것으로 일상과 멀어지고 환각이나 환청과 같은 현상이 나타난다. 샤먼의 여행이란 무당이 환자의 병을 치료하거나 공동체의 이익을 위하여 행하는 의식에서 체험하는 변성의식상태다. 이 경우에 무당은 변성의식상태에서 자유롭게 여러 세계를 날아다니고 여러 종류의 영혼이나 악마를 만나 많은 시련을 겪으며 죽음과 환생을 경험하고 통찰이나 힘을 얻은 뒤에 자신으로 돌아온다. 따라서 샤먼적 위기는 큰 어려움을 겪은 뒤 사람들을 치유하고 새로운 삶으로 이끄는 잠재력을 가지고 있다.

　쇄신과정 [刷新過程, renewal process] 환각과 영적인 요소를 함께 체험하여 그 체험이 몹시 격렬해져 압도된 상태를 말한다. 이는 융학파의 정신분석가인 페리(Perry)가 제시한 개념이다. 즉, 아주 강렬한 환각과 영적인 체험이 파괴적일지라도 적절하게 대처를 한다면 파괴나 죽음의 이미지는 사라지고 부활이나 재생의 이미지가 나타나는 것을 말한다.

　심령적 열림 [心靈的－, psychic opening] 자기 자신도 모르는 사이에 갑자기 혹은 영적 실천과정

에서 예기치 않게 나타나는 심령적 능력을 말한다. 이와 관련되는 체험으로 체외이탈, 영매행위, 텔레파시, 예지능력 등이 있다. 이러한 체험은 매우 강렬하기 때문에 그에 압도당하여 일상생활이 어려워질 가능성이 많다.

영적 출현 [靈的出現, spiritual emergence] 개체의 경계가 사라지고 다른 사람, 자연, 우주 전체와 일체감을 얻은 듯한 변성의식상태를 말한다. 이는 매슬로(Maslow)의 절정경험(peak experience)과 비슷하다.

영향권
[影響圈, wheel of influence]
개인이 성장하면서 지적 · 정서적 · 신체적 · 사회적으로 영향을 받은 사람이나 사건을 바퀴모양의 그림으로 표시한 것.
경험적 가족치료

사티어(V. Satir) 모델에서 스타에게 지적 · 정서적 · 신체적 · 사회적으로 영향을 준 사람이나 사건을 그림으로 나타낸 것이다. 스타(star)와 주위 인물 및 사건과의 관계를 선의 두께와 모양으로 표시함으로써 관계의 친밀도나 관계수준을 나타낸다. 이 그림은 가족생활연대기처럼 전지에 그려 가족재구성치료를 할 때 활용할 수 있다. 영향권의 작성방법은 다음과 같다. 첫째, 스타를 중앙에 그린다. 둘째, 스타를 중심으로 스타에게 영향을 준 사람과 사건을 적는다. 셋째, 스타와 그들 간의 친밀감과 갈등의 정도를 선으로 표시한다. 넷째, 영향을 준 사람과 사건을 묘사하는 형용사를 3개씩 적고 어휘의 수용 정도에 따라 형용사에 긍정(+) 또는 부정(-) 표시를 한다.

관련어 | 가족생활연대기, 스타

영혼돌봄
[靈魂 -, care of soul]
목회상담의 전통적인 개념으로 인간의 영혼을 돌보아 회복을 도모하는 일. 목회상담

영혼돌봄이라는 용어의 라틴어를 보면, 'cura animarum'인데, 'cura'는 '치료(healing)'의 의미를 포함하는 '돌봄'을 뜻한다. 'animarum'은 히브리어인 'nephesh(호흡, 생명)'와 그리스어인 'psyche(영혼)'라는 단어의 대역으로 가장 많이 사용되는 단어다. 영혼이라는 개념이 성경에서는 매우 다양하게 사용되는데, 창세기 2장 7절은 "여호와 하나님이 땅의 흙으로 사람을 지으시고 생기를 그 코에 불어넣으시니 사람이 생령이 되니라."라고 되어 있다. 여기서 사람이 생령이 된, 즉 생명력을 지닌 존재가 되었다는 단어로 'nephesh'가 사용된다. 신약에서는 인간의 초월적인 영역을 영혼이라고 말하고 있다. 따라서 영혼돌봄이라는 개념은 인간을 돌보는 영역 중에서 특별히 구분된 독특한 형태의 돌봄이라고 할 수 있다. 영혼돌봄의 구체적인 의미는 세 가지로 나누어 볼 수 있는데, 첫째 교회에서 목회자가 하는 폭넓은 돌봄의 행위를 의미한다. 즉, 예배를 인도하고, 설교를 통해 하나님의 말씀을 전하고, 아프거나 어려움에 처한 성도를 방문하고, 교구를 돌보는 다양한 형태의 영혼돌봄을 의미하는 것이다. 목회자는 이러한 영혼돌봄의 행위를 통해 성도들이 구원의 올바른 길로 갈 수 있도록 도와주며, 평안하고 행복한 삶을 유지하는 데 도움을 주는 역할을 한다. 둘째, 좁은 의미에서의 영혼돌봄은 교회에서 목회자가 사람들과의 대화를 통해 그들이 생각하고 행동해야 할 방향을 제시해 주면서 격려하고, 하나님이 원하시는 올바른 삶을 살 수 있도록 도와주는 특정한 영역의 활동만을 의미하기도 한다. 셋째, 영혼돌봄은 목회상담의 특정 활동을 의미하기도 한다. 즉, 기독교적 원리와 믿음에 동조하는 기독교인 상담자가 삶의 궁극적인 어려움에 처해 있

는 내담자를 돕고 치료하는 것이 목회상담인데, 목회상담자가 내담자를 돕는 활동을 영혼돌봄이라고 한다.

관련어 | 목회상담

영화정신의학
[映畵精神醫學, movie psychiatry]

영화를 임상교육의 자료로 쓰면서 정신의학에 대한 교육이나 환자교육에 활용하는 것. 철학상담

영화정신의학은 주로 극영화에 등장하는 인물의 정신병리를 진단적 관점에서 바라보는 정신의학 교육이나 질병에 대한 환자교육에 활용되고 있다. 영화정신의학에서는 영화의 형식·양식이나 영화의 지향점이 아니라 영화의 서사에 등장하는 인물의 병리를 중요시한다. 이와 같이 영화정신의학은 영화를 임상에 활용하여 정신병리학을 논하는 만큼, 영화 자체가 지니는 복합적이고 다양한 요소는 간과하고 있다. 다시 말해 영화정신의학은 영화에 대한 관심보다 영화 속에 설정된 요소에만 집중하는 것이다. 국내 정신의학계의 경우, 정신병리나 정신질환과 관련된 영화목록을 만든 다음 의학도를 교육하는 자료로 활용하고 있으며, 정신질환을 소재로 한 영화는 동일한 질환을 가진 환자와 그 가족을 교육하는 데 이용하고 있다.

예기불안
[豫期不安, anticipatory anxiety]

집단상담과정에서 앞으로 일어날 일에 대해 예상하면서 겪는 심리적 불안. 집단상담

집단구성원이 집단상담을 시작하기 전에 경험하는 예기불안의 예로는, 새로운 집단상황에 들어가는 일과 새로운 사람을 만나는 일 자체, '내가 이 집단에서 집단 사람들과 집단상담자에게 이해받고 수용될 수 있을지' '어느 정도 자신을 개방할 것인지' '집단에서 공격이나 압력 또는 상처를 받지는 않을지' '내가 다룰 수 없는 나의 문제를 발견하면 어떻게 할지' '자신이 변화될지, 그 변화를 좋아하게 될지' 등을 들 수 있다. 집단상담의 첫 회기에는 집단구성원뿐만 아니라 집단상담자도 긍정적 기대와 함께 예기불안을 경험한다. 집단상담자가 갖는 대표적인 예기불안은 '집단구성원이 어떤 성격의 사람들인지' '집단상담자로서 이번 집단을 효과적으로 이끌 수 있을지' 등이다. 특히 예기불안에서 발생하는 집단구성원의 부정적인 자기독백은 불안감을 더욱 고조시키는 작용을 한다. 따라서 불안감소를 위해서는 불안의 요소를 파악해야 한다. 집단상담자는 집단구성원의 자기독백을 감정표현형식으로 나타내도록 도와야 한다. 집단 내에서 불안이나 두려움을 표출하는 것은 집단구성원에게는 중요한 학습과정이면서 학습효과를 얻을 수 있는 기회가 되기 때문이다. 이처럼 감정표현경험을 통해 집단구성원은 자기이해의 폭을 넓히고 비현실적인 요소를 걸러냄으로써 불안을 감소시킬 수 있다. 또한 집단상담자는 예기불안을 효과적으로 다루기 위해 구성원들에게 간략하게 인사한 다음 예기불안에 대해 진솔하게 자신을 개방하면서 시범을 보여야 한다. 예기불안을 다루는 것은 인사 또는 소개활동에 포함시킬 수도 있고, 소개가 끝난 다음 전체 집단에서 별도로 다룰 수도 있다. 집단 첫 회기에 예기불안을 다루기 위해 흔히 2명씩 짝을 이루어 집단에 참여한 현재의 기분과 느낌, 집단시작 시점에 자신이 갖는 불안이나 걱정, 집단에 적극적으로 참여하는 것을 어렵게 만든다고 보는 자신의 특성 등에 대하여 이야기를 나누도록 한다. 때에 따라 2명씩 이야기가 끝난 다음 두 조가 합쳐 총 4명이 같은 주제에 관하여 이야기를 나누도록 한다. 아주 작은 집단에서 점차 큰 집단으로 접근하면 전체 집단에서의 상호작용에 대한 불안을 감소시킬 수 있다. 또한 집단구성

원이 예기불안을 감소시킬 수 있도록 상담자는 집단 초기에 집단구성원의 어떠한 반응이든 개방적으로 수용하는 모범을 보여 신뢰할 만한 집단이라는 분위기를 조성해야 한다.

관련어 | 저항

예방
[豫防, prevention]

잠재적인 문제나 질환, 그로 인한 후유증 등을 피하거나 최소화하도록 하는 일련의 노력. 위기상담

최근 학교나 기업 등에서는 개인의 문제행동이나 심리적 어려움의 발생빈도 또는 유병률을 감소시키기 위한 상담적 교육이나 훈련을 강조하고 있는데, 이를 예방적 상담이라 할 수 있다. 미국 정신과의사 마이어(Meyer, 1915)는 정신장애의 예방을 위하여 병원, 약국, 전문기관의 강화, 학교의 지원, 지역단위 공동체 조직, 환자의 가족상담 등이 필요하다고 강조하였다. 단, 이러한 노력에 대한 지나친 기대는 금물이라고 하였다. 예방 정신의학자 캐플란(Caplan, 1964)은 예방을 1차, 2차, 3차 예방으로 구분하고 있다. 1차 예방(primary prevention)은 문제나 질환이 발병하지 않도록 미리 방책을 세우는 것이다. 따라서 주변의 유해한 환경을 조작하거나 조절하여 문제 발생률을 최소화한다. 이를 위한 노력은 세 가지로 구분할 수 있다. 첫째, 심리적 어려움이나 문제상황을 견디거나 대처하는 능력을 강화한다. 예를 들어, 정신건강 교육 프로그램, 부모교육, AIDS 확산 예방 교육 프로그램, 성폭력 예방 프로그램, 성교육 프로그램 등 위기상황에 대한 안내 프로그램, 진로탐색 프로그램과 자아성장 프로그램과 같은 잠재력 발견을 위한 프로그램 등을 실시한다. 둘째, 스트레스를 유발하는 요인을 제거하거나 예방하는 것으로서 스트레스 강도를 감소시킨다. 예를 들어, 부모의 심리치료, 정신장애의 위험요소 제거 및 조

정 등이다. 셋째, 유전질환에 관련된 상담, AIDS, 매독과 같이 정신장애 후유증을 남기는 전염성이 강한 질환의 확산을 막는다. 그러나 이러한 1차 예방은 문제나 장애의 원인과 환경과의 복잡한 관계 때문에 조정에 어려움이 있어서 예방적 효과를 얻기가 힘들다. 2차 예방(secondary prevention)은 질병이나 장애가 발병한 다음 신속하게 발견하여 즉각적인 치료를 함으로써 질병의 경과를 단축하고 후유증을 최소화하거나 제거하는 것이다. 예를 들어, AIDS 환자가 확인되면 그 사람과 성적으로 접촉한 사람들의 신원을 확인하고 치료를 하면서 지속적으로 관리하는 것 등이다. 정서장애, 불안장애, 급성 정신병과 정신장애는 즉각적으로 치료할 경우 질환의 경과가 단축된다. 2차 예방을 위한 노력에는 심리검사, 약물복용, 가출재발을 방지하는 가족상담 프로그램, 쉼터 제공, 희생자 지원 프로그램 등이 있다. 3차 예방(tertiary prevention)은 심리적 어려움이나 정신장애 때문에 개인의 기능이 상실되지 않도록 만성적 질환을 감소시키는 것이다. 이와 관련된 질병으로는 성격장애, 정신분열증, 조울증, 그리고 치매 등이 있다. 이러한 환자에게는 사회적 기술, 문제해결기술, 의사소통기술 등의 습득이 필요하며, 자살이나 폭력 방지를 위한 긴급전화서비스 등도 제공한다. 예방은 먼저 위험요인을 확인, 질환 치료, 관리, 유지의 단계로 이루어진다. 위험요인을 확인하는 방법으로는 불규칙 비(odds ration: OR), 상대 위험도(relative risk: RR), 귀인위험도(attributable risk: AR) 등이 있다. 불규칙 비와 상대 위험도 방법은 단일 위험요인과 단일 질환이나 장애 사이의 상관관계 정도를 측정하는 것이다. 이 방법들은 위험 요인을 지닌 사람들 중에서 발병한 환자 수와 위험 요인을 지니지 않은 사람들 중에서의 환자 수 비율을 측정한다. 추출 자료 수집에서 불규칙 비 방법은 출생연도가 같은 집단이나 사례 통제집단에서, 상대 위험도 방법은 모집단에서 추출한다. 귀인 위험도 방법은 모집단의 위험요인빈도를 측정하여 특정

위험요인으로 유발된 장애의 사례 비율을 확인한다. 예방의 임상적 모형(clinical logics)으로는 범주적 모형(또는 이분법적 모델), 차원적 모형(또는 연속적 모델)이 있다. 범주적 모형은 특정 조건의 유무가 확인될 때 사용하는 것으로서 생물학적 정상성에 근거를 둔 것이다. 예를 들면, 의학의 골절, 심장발작, 정신건강에서는 정신분열증, 양극성장애, 치매 등을 말한다. 차원적 모형은 모집단 내에 보편적으로 지니고 있는 특성을 Gaussian 방식(정상분포곡선)으로 측정하는 것이다. 즉, 한 개인을 모집단의 평균에서 떨어져 있는 정도나 수치로 표현하는 것인데, 성격, 슬픔, 스트레스반응성, 혈압, 키 등이 여기에 속한다. 범주적 모형이 장애 여부를 확인하는 것이라면, 차원적 모형은 모든 사람에게 있는 것으로서 개인에 따라 편차가 있는 것을 확인한다. 따라서 정신건강의 예방을 위해서는 차원적 모형으로 모든 사람의 행동방식을 변화시키는 것이 더 효과적이다. 예방 전략에는 보편적 전략, 고위험군 전략이 있으며, 전자는 모집단에 속하는 인원을 가능한 한 많이 모아서 예방을 실시하는 것이다. 후자는 질환의 발병위험이 높은 사람을 대상으로 예방하는 것이다. 이 같은 예방전략의 선택은 질환의 유병률, 임상적 모형, 질병의 사망률, 위험요인에 대한 과학적 이해에 따라 결정된다. 보편적 전략을 사용하는 경우에는 높은 유병률, 차원적 모형, 일반적이면서 낮은 사망률을 보이는 질환이다. 고위험군 전략은 낮은 유병률, 범주적 모형, 심한 병적 질환인 정신분열병, 양극성장애, HIV 질환에 취약하거나 주변환경 때문에 심리적 위험도가 높은 사람들에게 유용하다.

관련어 | 예방상담

예방상담
[豫防相談, preventive counseling]

문제가 심각해지기 이전에 문제의 가능성을 미리 발견해서 사전에 방지하는 상담활동. **학교상담**

상담은 치료적 기능뿐만 아니라 예방적 기능을 가지고 있으며, 상담의 예방적 기능은 개인의 자기이해를 증진시키고 자기이해의 증진은 사회적 적응력을 향상시키며 긍정적인 대인관계를 촉진하여 개인이 성숙해지는 데 도움이 된다. 특히 학교상담장면에서 주로 이루어지는데 약물남용, 음주, 흡연, 성폭력, 집단 따돌림 등에 대한 주제로 예방상담 및 교육을 시행한다.

관련어 | 예방

예비연구
[豫備研究, pilot study]

본격적인 연구에 착수하기 전에 제안된 방법론을 검증하기 위하여 준비개념으로 실행하는 작은 규모의 실험연구. **연구방법**

예비연구는 종종 상담연구에서 표본선정절차, 측정도구 혹은 평가 프로토콜, 중재 등 어떤 연구방법 측면에서의 여러 요소를 보다 작은 규모로 검토하기 위하여 수행한다. 예를 들어, 새로운 교수전략에 대한 학생들의 관점에 관심을 갖고 있는 연구자는 면접, 관찰 혹은 기록물 분석을 통한 그들의 관점에 관한 질적 자료의 수집, 큰 척도로 조사를 실시하기 전에 교수전략의 효과에 관한 새로 개발된 조사 도구의 실시와 문항검증(문항 편파성, 검사 사용의 용이성, 신뢰도와 타당도 추정, 반응의 비율 등), 두 집단(전략을 받는 집단과 받지 않는 집단) 내 학생들의 관점비교 등 여러 측면에서 예비연구를 수행할 수 있다. 이처럼 큰 조사, 중요한 실험 등을 하기 전에 간단한 연구를 수행하여 이후 연구를 위한 예비적 자료를 얻는다든지 연구방법의 정확성을 조사해 두는 연구가 예비연구다. 이를 통하여 철저한 문헌 탐색을 바탕으로 한 합리적인 연구계획을 고안해 내고, 또 실제 연구에 어떤 종류의 재료와 도구가 필요한지 알아내는 데 도움을 받는다. 일반적으로 예비연구에서는 연구절차에서 혹시라도 있을지 모르는 문제점이 모두 제거되었는지 확실히 하기 위해 적은 수의 참가자를 대상으로 검사를 시행한다. 여기서 실험참가자들이 지시를 이해하고 있는지 알아볼 수 있다. 실험시간이 얼마나 걸릴지, 선택된 과제가 너무 쉬운지 또는 어려운지 알 수 있는 것이다. 연구자는 이 과정을 거치면서 도구와 재료를 사용하는 방법을 연습하고, 자신이 관심 있는 행동을 관찰하고 측정하는 연습을 할 수 있다. 흔히 예비연구는 종속변인에 대한 효과를 분명하게 하는 독립변인의 수준을 평가하는 데 사용된다. 만일 독립변인의 어떤 수준이 갈등적인 숫자를 거꾸로 뒤집어 제시하는 것일 때, 숫자가 똑바로 제시될 때보다 이 경우에 갈등이 적은지를 사전에 확인해 보아야 하는 것이다. 이러한 예비연구의 한 가지 어려움은 연구절차를 단지 소수의 참가자에게 적용해 본다는 것이다. 어떤 이유에서든 작은 표집의 사람들은 관심을 두고 검증하려고 하는 일반 사람들의 모집단의 대표가 아닐 수 있다. 예비연구자료가 요행에 의한 것인지를 알아내기 위해서는 독립변인의 각 수준에 따라 많은 수의 관찰을 하는 완전한 실험을 할 필요가 있다. 그러나 비록 작은 검사 표본이 문제가 되더라도, 예비연구는 결함이 없는 연구 프로젝트를 개발하는 데 중요한 역할을 한다.

예술
[藝術, art]

넓은 의미에서 예술이고, 좁은 의미에서는 미술. `미술치료`

'art'의 넓은 의미에서의 예술에는 동서양을 막론하고 어원적 의미에 '기술'이 포함되어 있다. 먼저,

한자어 '예술(藝術)'에서 '藝'는 손에 벼를 쥐고 땅에 심는다는 것을 뜻하는 회의문자로서, 여기에는 농부가 농사를 짓기 위해 농경술이 필요하다는 뜻을 품은 기술이라는 의미가 있다. '術'은 읍중도(邑中道), 즉 나라 안의 길이며, 이 길(道, way 또는 method)이 실행하는 방도로서의 기술(technique 또는 art)을 의미한다. 다시 말해, 술은 형이상학적인 원리를 형이하학적으로 실행하는 방법이다. 이와 같이 '예술(藝術)'이라는 글자에는 원래 기술이라는 의미가 있었다. 다음으로 오늘날 예술을 의미하는 서양어 'ars' 'art' 'Kunst'의 근원은 모두 넓은 의미의 기술을 의미하였다. 그리스어 '테크네(techne, τεχνη)'는 기술을 뜻하는 근대어 'technique'나 'technik'의 어원이며, 라틴어의 '아르스(ars)'는 'art'의 의미 외에 'skill(기술)' 'way(길)' 'method(방법)' 'knowledge(지식)' 'theory(이론)' 등의 의미를 포함하고 있다. 테크네나 아르스는 기술이라는 의미뿐만 아니라 학문, 이론, 지식, 지혜 등의 의미가 담긴 것이었다. 그리고 독일어 'Kunst'도 기술의 의미를 가지고 있으며, 이 말의 어원은 '할 수 있다'를 뜻하는 'koennen'이다. 말하자면, 이러한 용어들은 모두 특수하게 숙련된 기술을 의미하는 말로서, 일반적으로 일정한 생활 목적을 유효하게 달성하기 위하여 특정 재료를 가공하여 객관적 성과를 산출해 낼 수 있는 능력 또는 활동으로서의 기술을 총칭한다. 즉, 테크네는 모방 기술로서의 예술의 의미뿐만 아니라 마술, 의술, 건축술, 요리술, 전술, 정치술, 처세술, 웅변술, 경작술 등을 포함하는 기술 일반을 의미하였다. 그러나 인간의 여러 활동 가운데 미를 규범이나 목표로 하고 있는 활동으로서의 예술이라는 개념은 근대에 와서 이루어졌다. 따라서 기술(art)과 미(beauty)가 결합됨으로써 예술은 미의 추구라는 등식이 성립된 것은 근대적 사고의 소산이라고 할 수 있다. 고대의 예술개념으로부터 근대적 의미에서의 예술개념의 성립은 다음과 같은 과정을 거쳤다. 먼저, 고대인들은 예술을 교양예술(liberal arts)과 대중예술(vulgar arts)로 구분하였다. 중세인들은 고대의 예술개념을 계승하여 기능술을 일곱 가지로 분류하였다. 즉, 리버럴 아트는 학예(arts and sciences)를 의미하고 여기에 문법, 수사학, 논리학, 산술, 기하학, 천문학, 음악의 7과목을 상정하였고, 이에 대응하여 기예(mechanical arts)를 실용성에 근거하여 식량제조술, 직조술, 건축술, 운송술, 의술, 교역술, 전투설의 일곱 가지로 상정하였다. 그 후 르네상스 시대는 고대의 개념을 고수했으며, 계몽주의 시대에 근대적 의미에서의 예술(beaux-arts, fine arts)이라는 개념이 확립되었다. 이것은 바퇴(Batteux)가 1747년에 출간한 『하나의 동일한 원리로 환원되는 예술』에 기인하는데, 그는 여기서 예술을 음악, 시, 회화, 조각, 무용 등으로 구성된 것이라고 하였으며, 이들의 공통된 목적은 자연을 모방하고 즐거움을 제공하는 것이었다. 이렇게 하여 근대적 의미의 예술이라는 용어 개념과 체제가 성립되었다. 요컨대, 예술은 미를 규범이나 목표로 하고 있는 활동이며, 그것은 음악, 미술, 문학, 무용 등으로 구성되어 있다는 것이다. 그리고 바로 이것이 'art'의 넓은 의미에서의 예술의 개념이다. 그러나 좁은 의미에서의 'art'는 미술, 즉 조형예술 내지 조형미술과 같은 의미다. 이러한 맥락에서 'art'를 심리치료에 적용한 'art therapy'는 'art'를 넓은 의미로 사용하면 예술치료, 즉 미술치료, 음악치료, 연극치료, 문학치료, 무용치료 등을 포괄하는 개념이고, 좁은 의미로 사용하면 미술치료를 지칭하는 것이다.

관련어 | 예술치료

예술심리학
[藝術心理學, art psychology]

심리학과 미학이론의 경계 연구영역으로서, 예술이나 예술 작품에 대한 지각, 인지, 통찰에 관한 것을 연구하는 학문.
무용동작치료　미술치료

예술심리학은 시각·지각·운동기능과 같은 기제(mechanism) 영역, 상상·통각(統覺)·창조성과 같은 인지과정영역, 동기·분위기·기호(嗜好)와 같은 성격영역, 표현·상징화·도식화와 같은 실천영역으로 이루어져 있다. 예술심리학에서는 인간이 예술을 인지하고, 이해하고, 반응하는 과정을 이해하기 위해 심리학의 업적이나 방법론을 사용한다. 예술심리학은 예술에 대한 인간 고유의 의식을 분석하고 다룬다. 예술에 대한 인간 고유의 의식이란 예술작품에 대한 인간의 정신적인 의식을 의미한다. 예술심리학은 예술사적 지식을 중요시한다. 예술심리학이 채택하는 방법에는 페히너(G. T. Fechner)의 전통을 이어받은 실험적·통계적인 방법이 있고, 프로이트(S. Freud)와 융(C. G. Jung)의 전통을 이어받은 해석적인 방법이 있으며, 게슈탈트(Gestalt) 심리학의 전통을 이어받은 시지각적인 분석·실험의 방법이 있다. 또한 거의 모두 통계적인 방법으로 확률적인 판단을 한다. 예술심리학의 방법은 경험적인 방법이지만, 필연성을 추구하며, 피타고라스(Pythagoras)의 수의 이론을 빌려서 그리고 아누비스(Anubis)의 측정의 방법을 이용해서 인간의 정신적인 예술의식을 연구한다. 또한 다양한 심리학의 이론을 응용해서 인간의 예술의식을 분석한다. 이러한 모든 접근에서 공통된 전제는 예술의식은 정신의 한 본질이라는 것이다.

관련어 | 예술, 표현예술치료

예술적 과정
[藝術的過程, artistic process]

음악치료의 세 과정 중 하나로, 음악의 예술적 본질을 체험하는 음악활동과정.　음악치료

음악치료는 예술적 과정, 창조적 과정, 과학적 과정의 세 과정으로 되어 있다. 그중에서 음악활동과정을 예술적 과정으로 본다. 음악치료는 근본적으로 음악이라는 예술 장르를 매개로 하여 내담자가

예술을 즐기거나 체험하는 과정을 거친다. 이 과정을 경험하면서 내담자는 자신의 욕구를 만족시키는 독특한 체험을 하게 되고, 치료사는 내담자에게 이러한 예술적 과정을 통해서 라포 형성, 방어 제거 등의 효과를 얻을 수 있다. 인간은 본질적으로 미적인 존재이기 때문에 음악의 예술적 속성으로 아름다움에 관한 반응을 유발하고, 그 과정을 통해서 음악, 치료사, 내담자가 의미 있는 관계를 형성하게 된다. 임상장면에서 경험하는 연주, 작곡, 즉흥적 음악과 같은 음악치료의 예술적 과정은 치료과정의 깊이와 가치를 더하여 내담자의 호소문제나 욕구 및 필요에 더욱 가까이 다가갈 수 있도록 한다.

예술치료
[藝術治療, art therapy]

미술, 음악, 연극, 문학, 무용 등 예술활동을 통해 말로써 표현하기 힘든 감정이나 내면세계를 표현하고 기분의 이완과 감정적 스트레스를 완화시키는 심리치료의 방법. 미술치료

예술치료는 예술과 심리학의 결합이다. 특히 말로써 감정이나 경험을 표현하기 어려워하는 내담자는 음악이나 미술, 연극, 무용, 시 등 예술이라는 방법으로 정서를 표현할 수 있다. 심리적 충격을 안겨 주는 사건들을 경험한 내담자들에게 큰 도움이 될 수 있다. 고통스러운 일을 겪은 아이들은 그림을 그리거나 노래를 부르거나 춤을 통해 심리적인 안정을 얻을 뿐만 아니라 자신이 경험한 것에 대해 더 자세히 전달하고 정리할 수가 있다. 학대를 받거나 폭력적인 사건을 경험했을 때 말하는 것 자체가 공포나 불안을 일으킬 수 있는데, 예술은 그러한 내담자의 불안을 감소시키면서 감정을 표현할 수 있게 한다. 예술치료는 정신장애인이나 자폐증, 노인 치매 등 장애를 갖고 있거나 우울증이나 외상 후 스트레스 증후군, 불안, 적응의 어려움을 경험하는 사람들의 심리치료에 유익하다. 일반 정상인도 자아의 건

강과 자신의 삶을 풍요롭게 하기 위하여 예술치료를 받을 수 있다. 예술치료의 역사는 선사시대로까지 거슬러 올라간다. 융(C. G. Jung)의 집단무의식이라는 이론을 빌리지 않더라도 선사시대의 동굴벽화만 보더라도 인간은 원시시대부터 바닥이나 벽 등 두드릴 수 있는 모든 것을 두드리면서 춤추고 즐기는 등 자신을 표현하면서 심신의 건강을 도모해 왔다. 제사장을 겸한 치료사는 음악이나 동작 등을 이용하여 당시 미친병이라고 불렸던 정신병을 고친다고 악령을 쫓는 의식을 행하였다. 그러나 예술치료가 학문적으로 연구되고 검증되기 시작한 것은 최근의 일이다. 유럽이나 미국 등에서 제1차 세계대전 이후 병원에 입원한 환자들을 대상으로 음악이나 미술, 레크리에이션 등을 실시한 결과 병에 대한 적응과 회복이 빨라져 서서히 관심을 갖기 시작하다가 제2차 세계 대전 직후인 1940년대에 음악치료학과 등 예술치료 관련 학과가 설립되면서 본격적인 예술치료가 이루어졌다. 우리나라에서는 1980년대에 들어와서 한국임사예술학회 등의 활동으로 예술치료에 대한 연구가 진행되고 일부 병원에서 실시되다가 1990년대에 들어와 한국음악치료학회와 한국미술치료학회 등의 활동으로 저변의 확대가 되기 시작하였고, 2000년대에 들어서서 한국예술치료학회가 설립되어 왕성한 활동이 이루어지고 있다. 예술치료는 비언어적 의사소통이 가능하고 자발적이고 즉흥적이기 때문에 언어적인 구사를 회피하고 자신의 마음을 열지 않는 자폐아동이나 장애를 갖고 있는 사람들에게 매우 유용하다. 예술치료는 창조적인 표현치료이기 때문에 경직된 근육과 마음을 이완시켜 역할을 한다. 심리적으로 무기력하거나 위축된 사람에게는 활력을, 자신감이 없거나 결정력이 부족한 사람에게는 자신감 회복을, 그리고 자아가 심하게 손상되어 있는 사람에게는 건강한 자아감을 갖도록 도와주는 역할을 한다. 또한 예술치료는 대소근육의 향상, 언어발달, 대인관계의 개선, 우울이나 불안의 극복, 병에 대한 면역력을 높여 주

기도 한다.

관련어 | 무용치료, 미술치료, 예술, 예술심리학, 음악치료

예언기법
[豫言技法, crystal ball technique]

내담자에게 만족스러운 미래의 모습을 그려 보도록 하는 해결중심상담의 한 기법. 수정 공 기법이라고도 함. **해결중심상담**

예언기법은 에릭슨(M. H. Erickson)의 저술 개념을 기초로 몰나르와 드세이저(Molnar & de Shazer, 1987)가 확대 적용한 기법이다. 기적질문에 대한 내담자의 답에서 제시된 문제의 해결방법을 구체적으로 실천할 수 있도록 도움을 주는 데 목적이 있다. 해결중심과 같은 포스트모더니즘을 배경으로 하는 심리치료접근법에서는 내담자의 문제에는 항상 그 문제가 일어나지 않는 예외적인 상황이나 사건이 존재한다고 믿는다. 따라서 내담자가 자신의 삶에서 더 이상의 해결책이나 변화의 가능성이 없다고 느끼는 것은 단지 이러한 예외를 인식하지 못하는 것뿐이라고 설명하였다. 심리치료의 가장 중요한 목표 중 하나는 예외상황을 인식하고 강화하는 것이다. 하지만 치료자의 치료적인 개입으로도 이러한 예외를 내담자가 잘 인식하지 못하면, 내담자에게 "문제가 해결될 경우에 당신 혹은 당신의 삶이 어떤 모습이 될지 머릿속에 그려 보시겠어요?" "당신이 문제에 잘 대처하고 있는 상황에서 어떤 모습을 하고 있을지 생각해 보시겠어요?" "지금의 문제가 해결된다면 무엇이 달라지고, 무엇을 해야 하는지 생각해 보시겠어요?"라고 요청함으로써 잠재적인 예외를 확인하는 예언기법을 사용할 수 있다. 이러한 예언기법은 "문제가 해결되는 기적이 일어난다면 어떤 일이 일어날 것이라고 생각하나요?"와 같은 기적질문에서 한 단계 더 나아가, 기적이 일어나서 내담자의 문제가 해결된 것처럼 생각하고, 행동하도록 자극함으로써 기적이 일어나는 것이 가능하도록 하는 요소가 무엇인지 확인할 수 있도록 하는 효과가 있다. 따라서 치료자는 예언질문을 통해서 내담자가 문제가 해결된 자신의 모습을 예측해 보도록 하고, 실제 삶에서 이러한 기적이 일어난 것처럼 행동하고 생각하며 느끼도록 요구한다. 이때 내담자는 '자신의 실제 삶에서 기적이 일어난 것처럼' 행동하는 것이 주된 초점이 아니라, '그러한 기적이 삶에서 일어나도록 하는 요소'와 '변화를 통해서 나타나는 긍정적인 요소'가 무엇인지에 초점을 맞추는 것이 중요하다. 이를 시행하고 변화를 가능하게 하는 요소를 발견한 내담자는 다음 회기에서 치료자와 함께 이러한 실천과 변화의 가능성에 대해 보다 자세하게 이야기할 수 있게 된다.

관련어 | 기적질문

예언자적 사고
[豫言者的思考, fortune telling]

인지적인 오류 중 하나로 충분한 근거 없이 미래에 일어날 일을 단정하고 확신하는 것. **아동청소년상담**

미래의 일을 미리 볼 수 있는 예언자처럼, 앞으로 일어날 결과를 부정적으로 추론하고 이를 굳게 믿는 오류다. 예언자적 사고는 단순한 예감이나 예측과는 달리 나름대로의 논리적인 근거를 가지고 예측을 하기 때문에 확신이 매우 분명하다는 특징이 있다. 하지만 논리적인 근거라는 것이 과거의 몇 가지 경험을 바탕으로 한 것이거나, 혹은 부정확하고 주관적인 몇 개의 정보를 말하는 것이다. 예를 들면, 미팅에 나가면 보나마나 호감 가는 이성과 짝이 되지 않거나 호감 가는 이성에게 거부당할 것이 분명하다고 믿는 경우다. 과거 이와 유사한 몇 번의 경험에 근거하여 이렇게 단정하고 미팅에 나가지 않는 것이 예언자적 오류를 범하는 상태라고 할 수 있다. 따라서 미팅에 나가지 않았기 때문에 자신의 예언이 잘못되었다는 것을 확인할 방법이 없다. 또

미팅에 나간다 하더라도 반두라(Bandura)의 자기 이행적 예언과 마찬가지로 스스로 거부당할 것이라는 기대에 맞추어 적극성을 보이지 않기 때문에 상대방에게 거부를 당하게 된다. 이에 따라 자신의 예언이 맞았다는 확신을 갖게 되는 오류를 범하는 것이다. 이러한 인지적인 오류들은 왜곡의 정도가 다양한데, 대인관계에서 많은 사람들이 흔하게 범하고 있다. 예언자적 사고로 인한 인지적 오류는 대인관계 상황이나 사건을 사실과 다르게 왜곡하거나 과장함으로써 오해가 발생한다. 또한 그 오해 때문에 상대방의 의도를 잘못 파악하게 되고, 그에 따른 잘못된 반응을 하여 대인관계 갈등이 초래된다.

관련어 | 감정적 추리, 과잉일반화

예외
[例外, exception]

내담자가 심리치료과정에서 이야기하는 문제가 일어날 수 있었는데도 불구하고 그 문제가 일어나지 않은 상황. 해결중심상담

예외는 밀워키(Milwaukee) 팀이 1970년대 후반에 발전시킨 개념으로, 해결중심접근의 치료를 체계화하는 데 중요한 토대가 되었다. 이들은 내담자의 삶에는 특정 문제가 일어날 수도 있는데도 불구하고 그 문제가 일어나지 않았던 예외적인 상황이 반드시 있다고 보았다. 해결중심상담에서는 내담자의 삶에서 예외를 집중적으로 찾아내고, 그 예외가 언제, 왜, 어디서, 누가 그리고 어떻게 일어났는지에 주목하기보다는 '어떻게' 예외상황이 발생하게 되었는지에 주목하였다. 이렇게 '어떻게'에 집중하는 것을 통해서 그러한 예외가 생긴 요인을 파악하는 것은 내담자의 문제에 대한 해결방법을 구체화하는 데 중요한 자료가 된다.

관련어 | 단기코칭, 예외를 증폭시키기, 예외 질문

예외 질문
[例外質問, exception question]

내담자의 삶 속에서 우연적이거나 무의식적으로 실시한 성공의 경험을 강화하여 이를 의도적이고 의식적인 삶의 방법으로 바꾸는 기법. 해결중심상담

예외란 내담자의 삶에서 문제라고 생각하는 행동이나 사건이 일어나지 않은 때를 말한다. 이러한 예외적 행동이나 사건은 내담자의 삶에서 주로 무의식적 혹은 우연히 일어나는데, 예외 질문을 통해서 예외를 발견하고 구체화하여 강화할 수 있다. 이 접근방법은 내담자가 가지고 있는 자원을 활용하여 의도적이고 의식적으로 예외가 계속 일어나도록 격려해 줌으로써 내담자의 자아존중감을 강화하는 효과가 있다. 또한 내담자는 예외 질문을 통해서 상담을 시작할 때 가졌던 자신의 문제에 대한 불평불만 등의 부정적인 생각, 느낌, 가치 등이 긍정적인 것으로 바뀌게 된다. 예외 질문을 사용하는 예는 다음과 같다. "보통 집에 안 들어오는 것은 큰 싸움을 일으키지요. 그런데 어제는 어떻게 해서 큰 싸움이 일어나지 않았나요?" "지난밤에 평소와 다르게 행동한 것이 무엇이었나요?" "어떻게 그것이 다시 일어나도록 할 수 있을까요?" "그런 일이 다시 일어나려면 무엇이 필요한가요?"

관련어 | 예외

예외를 증폭시키기
[例外 – 增幅 – , amplifying exceptions]

내담자의 문제를 통해 발견한 예외적 상황이나 사건을 확대하고, 의미를 부여하여 강화하는 기법. 해결중심상담

예외를 증폭시키기는 내담자에게 문제가 일어날 때와 일어나지 않을 때의 차이를 명확하게 함으로써, 문제가 발생하지 않는 예외적인 상황을 발견하여 이를 강화하는 기법이다. 이를 적용하기 위해서는 먼저 내담자의 문제가 일어났을 때와 그렇지 않

을 때의 차이를 정확하게 인식해야 한다. 즉, 두 가지 경우에 대한 차이를 내담자가 인식하게 되면, 문제가 일어나지 않을 때의 특징을 파악할 수 있게 되고, 이로부터 문제가 더 이상 일어나지 않도록 할 수 있는 문제해결의 가능성을 발견할 수 있다. 이때 발견하는 문제해결의 가능성을 가진 상황을 '예외'라고 할 수 있는데, 이러한 예외적 상황에 집중하고, 의미를 부여하여 강화하는 작업이 예외를 증폭시키는 것이다. 예외를 증폭시키는 또 다른 방법은 내담자에게 예외적 상황이나 사건을 가능하게 했던 어떤 변화에 대해 심층적으로 설명할 수 있도록 도움을 주는 것이다. 이러한 작업을 통해 내담자는 자신의 문제에 대해서 새롭게 인식하고, 변화를 위한 새로운 의미를 부여할 수 있다. 예외를 증폭시키기 위한 기법을 적용할 때 내담자에게 사용할 수 있는 질문은 다음과 같다. "어떻게 그 일이 일어났나요?" "그 때문에 당신의 생활이 어떻게 달라졌나요?" "과거에 그 문제를 다루던 방법과 어떻게 다른가요?"

예외적인 것에 초점 맞추기
[例外的 - 焦點 - , focus on exceptions]

내담자의 문제가 그들의 삶에서 항상 일어나는 것이 아니며, 그러한 예외가 자주 일어나도록 현재 행동과 변화를 만들어 내는 힘은 내담자 자신에게 있다는 것을 인식하도록 하는 기법. 해결중심상담

해결중심단기치료자들이 사용하는 예외 질문으로는, "언제 문제가 발생하지 않는가?" "문제가 발생하지 않았다는 것을 어떻게 알았는가?" "문제가 발생하는 상황과 발생하지 않는 상황의 차이점은 무엇인가?" "문제가 발생하지 않을 때 무엇을 하는가?" "다른 가족은 무엇을 하는가?" "어떻게 하면 문제가 발생하지 않을 것 같은가?" "문제가 해결된다면 어떻게 알 수 있겠는가?" 등이다. 이와 같은 질문을 통해 내담자의 삶에서 문제가 일어나지 않고 성공했던 경험이나 현재 잘하고 있는 것, 즉 '예외'를 발견하도록 하는 것이 가능해진다. 예외적인 것에 초점 맞추기는 이처럼 문제증상이 발생하지 않는 예외적인 상황을 찾아내서 밝히고, 내담자가 가지고 있는 자원을 활용하여 우연적인 성공을 의도적으로 계속 실시하도록 함으로써 내담자의 자아존중감을 강화하고 문제해결에 초점을 맞추는 일련의 노력과 과정을 의미한다. 이는 기존의 상담심리치료의 접근법들이 내담자의 부정적인 문제를 제거하고 감소시키는 것에만 집중하는 사고방식에서 탈피하여, 문제의 해결방안을 모색하는 것에 관심을 모으도록 해야 한다는 해결중심접근법의 기본 개념이기도 하다.

관련어 | 예외, 예외 질문

예정된 독자
[豫定 - 讀者, intended reader]

글을 쓸 때 누가 읽을 것인가라는 물음에 떠오르는 독자.
문학치료(글쓰기치료)

글을 쓸 때는 그 글을 누가 읽을 것인가에 따라 글이 달라지는데, 그때 떠오르는 독자가 바로 예정된 독자다. 누가 읽을 것인가에 따라 글의 길이, 내용, 어투 등 모든 것이 달라진다. 예를 들어, 교수가 요구한 과제물을 쓸 때 예정된 독자는 그 과제물을 낸 교수가 되고, 연애편지를 쓸 때 예정된 독자는 연인이 된다. 두 글은 목적도, 글의 내용도, 어조도, 모든 것이 다를 수밖에 없다. 예정된 독자는 의식 속에서 실제적으로 떠오르는 인물이다.

관련어 | 상상 속의 독자, 숨은 독자

예측과제
[豫測課題, prediction charts]

내담자 자신이 한 일에 대해서 스스로 평가하게 함으로써 자신에 대한 확신을 도와주기 위해 사용하는 기법. `해결중심상담`

'예측하기'를 내담자에게 적용할 수 있는 방법은 두 가지인데, 하나는 동전을 이용하는 것이고, 다른 하나는 예측차트를 이용하는 것이다. 동전을 이용하는 방법은 내일이 좋은 날이 될지, 나쁜 날이 될지 동전을 던져 예측하고 그 예측이 맞는지 확인한다. 예측차트를 이용하는 방법은 보다 일반적이고 효율적인데, 이는 차트를 통해 가시적으로 어떤 예측을 했고 그 결과가 어떠했는지 보여 줄 수 있기 때문이다. 예를 들어, 인터넷 중독에 빠진 내담자에게 잠자리에 들기 전 다음 날 자신이 인터넷을 언제 어느 정도 사용할 것인지에 대해 예측하고 이를 기록하도록 한다. 그리고 다음 날 하루를 보낸 뒤 예측한 것과 얼마나 일치했는지 평가하여 기록한다. 이러한 예측과제는 내담자가 자신에 대해 지나치게 긍정적인 예측을 하거나, 자신의 문제행동이나 삶에서 일어나는 부정적인 사건들이 통제하려는 의지와는 상관없이 우연히 일어난다는 믿음이 있을 때 유용한 접근법이다. 또한 '예측하기'는 다음 날이나 혹은 다음 주에 어떤 일이 일어날지 알아야 안심을 한다거나, 자신의 실제 능력보다 훨씬 더 떨어진다고 생각하는 내담자에게 객관적으로 자신을 평가할 수 있는 기회를 주는 효과가 있다. 동전을 사용하여 예측과제를 부여할 때는 미래의 일이 좋을지 혹은 나쁠지의 두 가지만 예측이 가능한데, 예측차트를 이용하면 미래의 일이 어느 정도 만족스럽게 이루어질 수 있을지 점수화할 수 있다는 장점이 있다. 예측차트에는 미래의 일에 대해 예측하는 정도와 그 일이 있어난 정도를 표시하기 때문이다. 예측하기 기법을 사용하는 목적은 내담자가 아직 깨닫지 못한, 자기 스스로 바람직한 선택을 할 수 있는 능력이 얼마나 많은지를 확인할 수 있도록 해 주는 데 있다.

이러한 목적을 더욱 효과적으로 달성하기 위해 예측하기 과제를 내담자에게 부여한 다음 그 결과에 따라 치료자가 이후 회기를 이끌어 나간다.

관련어 │ 동전던지기

예측효율성
[豫測效率性, predictive efficiency]

사건을 정확하게 예측하는 정도. `개인적 구성개념이론`

켈리(G. Kelly)의 개인적 구성개념이론에서 구성개념은 사건을 이해하거나 해석하기 위해 사용된다. 어떤 사건을 해석하는 데 개인은 사건에 대해 무엇인가를 예측하기 위해서 구성개념에 근거한 가설을 세우고, 그런 다음 구성개념이 지시하는 것처럼 행동함으로써 그 가설을 검증한다. 이때 구성개념의 타당성은 사건에 대한 예측성공, 즉 예측효율성으로 측정한다. 사람들은 사건을 잘 예측하는 구성개념은 유지하고, 사건을 정확하게 예측하는 데 실패한 구성개념은 버리거나 수정한다. 인간은 사건을 반복되는 주제(recurrent themes)라는 관점에서 관찰하고 예측한다. 즉, 환경이 달라지거나 시간이 흘러도 비교적 안정적인 사건의 특성을 찾는다. 이것은 완전히 동일한 사건은 없기 때문에 필요한 것이다. 예를 들어, 각각의 강의에 출석하는 학생들은 서로 다르지만 학생, 교사, 수업, 시험이라는 것의 역할(반복되는 주제)이 있기 때문에 학생은 새로운 강의실이라도 그곳에서 무슨 일이 일어날지 충분히 예측할 수 있고, 따라서 적절한 행동이 무엇인지도 예측할 수 있다. 사건을 효율적으로 해석하기 위해서는 서로 비슷한 주제를 모두 확인해야 한다. 주제의 차이는 어떤 개념을 이해하는 데 필수적 대조의 여지를 제공해 주는데, 대조 혹은 반대되는 것에 대한 지식이 없다면 사건은 아무 의미가 없다. '맛있는 음식' '쓴 포도주' '좋은 친구'는 그것과 대조되는 '맛없는 음식' '달콤한 포도주' '나쁜 친구'를 말할 수 있을 때만이 우리에게 어떤 의미를 부여한다. 우리는 매일 예측해야만 하는 수많은 사건에 직면하며, 그럴 때마다 개인적 구성개념 중 하나를 선택하고, 사건을 해석하기 위해 2개의 극단 중 하나를 선택한다. 이러한 선택을 할 때 기준이 되는 것이 예측효율성이다. 우리는 편의성을 확장함으로써 구성개념의 예측효율성을 증진시킨다. 이러한 편의성 범위(range of convenience)는 하나의 구성개념이 유용하게 사용되는 일련의 사건을 의미한다. 예측효율성은 정의(definition)나 확장(extension)을 통해 개선될 수 있는데, 정의는 과거에 적용했던 방식으로 구성개념을 유사하게 적용하는 것이다. 현재의 예측이 정확하다면 이 구성개념은 또 다른 새로운 사건을 성공적으로 예측할 수 있기 때문에 보다 정확하고 정밀해진다. 확장은 구성개념의 편의성 범위를 증가시켜 구성개념의 유용성을 확대시키는 선택을 말한다. 구성개념을 확장시키는 한 가지 방법은 친숙한 사건을 예측하기 위해 새로운 방식으로 구성개념을 사용하는 것이다. 정의는 적당한 이득이 있는 비교적 안전한 내기로 생각할 수 있다. 예측이 정확하다면 구성개념은 보다 더 정확해질 것이다. 반면에 확장은 보다 큰 이득을 노리는 위험한 도박이다. 또한 예측이 정확하다면 구성개념은 아주 포괄적이다. 안전과 모험 간의 차이처럼 정의와 확장 간의 차이에 대해서 켈리(1955)는 "사람은 보다 적은 것에 대해 확실해지려고 노력하거나(정의), 또는 불명확한 영역에 대해서 더 많은 것을 알려고 노력함으로써(확장) 사건을 예측할 수 있다."라고 하였다.

관련어 | 개인적 구성개념이론, 구성개념, 편의성 범위

옛 습관을 벗어 버림
[-習慣-, dehabituation]

인간 삶의 문제를 일으키는 원인이 되는 잘못된 습관을 버림으로써 긍정적인 변화를 위한 첫 시작을 하는 것. **목회상담**

권면적 상담에서는 인간 삶의 문제가 나타나는 이유는 인간의 죄악 때문이라고 보고, 내담자의 생활 가운데서 나타나는 우울함과 거짓말을 하는 것 등의 문제적인 행동 또는 감정, 생각 등은 죄악된 행동들이 습관으로 굳어져 드러나는 것이라고 보았다. 따라서 이러한 죄악된 삶을 변화시키기 위해서는 죄악된 행동습관(sinful habit patterns)을 버리고 완전히 새로운 습관으로 바꾸는 변화가 일어나야 한다고 설명하였다. 죄악된 습관의 특징은 욕구 지향적(desire-oriented)인 삶의 태도다. 개인적인 욕심과 욕구에 대한 지나친 추구 때문에 생긴 습관들은 죄성을 지니고 있으며, 이러한 죄악된 습관으로 인해 삶에 문제가 생기는 것이므로 그 습관을 버릴 때 문제가 해결된다고 하였다.

관련어 | 권면적 상담, 변화, 새로운 습관을 입음, 죄

오늘의 주제
[-主題, Topics du Jour]

하루에 하나씩 주제를 정해 주는 기법. **문학치료(글쓰기치료)**

오늘의 주제는 한 번에 돌을 하나씩 옮겨 산을 옮길 수 있게 하는 저널기법이다. 원래는 너무 바빠서 모든 것을 처리할 수 없는 기업 임원들의 요구에 부응하기 위해 설계한 것이다. 인생의 연대기를 한 달 간격으로 유지하도록 해 준다. 이 기법은 인생의 각 영역을 모니터링하기 위한 31개의 주제와 사업 목적상 약간의 조절이 가능한 16개의 주제가 있다. 빈 종이에 1부터 31까지 숫자를 적어 내려간다. 각 숫자 옆에 모니터링하고 싶은 사생활 또는 직장에서

의 삶을 써넣는다. 매일 오늘의 날짜와 일치하는 숫자의 주제를 쓴다. 오늘이 25일이라면 목록에서 숫자 25를 찾는다. 그것을 스프링보드로 활용한다. 다음 달 25일에 오늘 적은 것과 동일한 주제에 관하여 적는다. 해야 할 중요한 일, 연락처 등을 강조하기 위해 행동지침을 사용한 것에 주목한다. 지난달의 기록을 검토해서 완료하지 못하고 이번 달로 이월해야 할 행동지침이 있는지 살펴본다. 목록을 작성할 때는 자신의 한 달 리듬을 염두에 둔다. 16개 주제도 마찬가지로 1부터 31까지 숫자를 적고, 한 달이 아니라 매 15일마다 주제를 반복하면서 모니터링한다. 16개 주제의 저널은 하루에 15분 안팎으로 쓸 수 있고, 시간이 지나면 세금, 마케팅, 관리, 인사 등 다양한 목적에 사용할 수 있는 유용한 사업 역사가 된다. 2주간 계획에 열다섯 번째 항목과 서른 번째 항목을 할당하면 앞으로 다가올 시간계획을 강조할 수 있다. 31일까지 있는 달은 전반적인 업무와 프로젝트를 검토해 본다.

오르가슴
[–, orgasm]

성교 시에 성적 흥분이 최고조에 달하면서 느끼게 되는 쾌감으로 사정을 수반함. 　성상담

오르가슴은 흥분기, 상승기, 오르가슴기, 쇠퇴기의 4단계 성반응주기에서 성적 흥분이 절정에 이르는 세 번째 단계로, 성적 쾌감이 최고조에 오르면서 불수의적인 생리반응이 나타나는 현상이다. 오르가슴 단계에 이르면 남녀 모두 간대성 근육수축이 일어나 뇌에 전달되어 쾌감이 지각된다. 여성은 오르가슴 시 질 입구에서 3~4센티미터 정도 되는 부위에서 불수의적 수축이 일어나고 자궁도 강하게 수축된다. 남성의 경우는 사정이 수반되면서 절정감을 느끼고, 여성은 음핵, 질, 자궁을 둘러싸고 있는 조직과 골반 등에서 근육이 반사적으로 수축되면서

쾌감을 느낀다. 남녀가 모두 성반응주기를 거치지만, 몇 가지 차이가 있다. 첫째, 오르가슴기에 도달하기까지 여성과 남성은 시간적 차이가 있다. 오르가슴 도달까지 여성이 남성보다 준비시간이 더 필요하다. 둘째, 쇠퇴기에서 해결상태에서도 여성과 남성의 차이가 있다. 남성은 사정 이후 일정 기간 다시 각성하기 힘들지만, 여성은 쇠퇴기에서 계속되는 자극에 오르가슴을 반복해서 경험할 수 있다. 셋째, 오르가슴을 확인하는 데는 남성은 사정으로 명확하게 확인할 수 있지만 여성의 경우는 강도뿐만 아니라 오르가슴 유지시간이나 기간에서도 남성과는 달리 유형이 매우 다양하다. 게다가 여성은 자신들의 경험이 오르가슴인지 아닌지를 판별하지 못하는 경우도 있다. 오르가슴은 문화적 금기나 풍속과 같은 사회적 문제, 후부 요도염, 신경 마디와 같은 신체적 문제, 엄격한 유아기 양육, 동성애적 성향, 부부불화 등의 정신적 문제 때문에 경험하지 못하는 경우가 있을 수 있다. 이는 병리로 간주하고, 이때는 성적 상대자의 협력을 구하여 전문 치료사의 도움을 받는 것이 좋다. 우리나라의 경우는 여성의 오르가슴 부전은 문화적 세태로 인해 경시되는 경우가 많다.

오르곤 치료
[–治療, orgone therapy]

근육긴장 속에 저장된 억압된 정서를 호흡기법과 함께하는 근육압박기법으로, 자극하고 해소시켜 생물학적 에너지의 막힘인 근육무장을 풀고, 에너지의 흐름을 얻게 하는 신체심리치료기법. 　무용동작치료

정신분석학자였으나 심리학적 사고에 신체개념을 복원시킨 라이히(W. Reich)는 프로이트의 리비도 에너지의 성적 개념을 부인하고 유기체의 생물학적 에너지 개념으로 대체하여 오르곤 에너지(orgone energy)라고 불렀다. 그는 인간의 총체적 경험은 기억, 이미지, 정서들을 근육 속의 긴장형태

로 저장하고 그것이 만성적으로 축적되어 오르곤 에너지 흐름을 막는다고 하였다. 오르곤 에너지 흐름의 막힘은 두 가지로 대별되는데, 하나는 눈, 입, 항문, 성기 등의 성감대 영역과 또 다른 하나는 그 외 신체 어느 곳에서든지 일어날 수 있는 비성감대 영역이다. 이를테면 눈 영역이 막히면 편집증이나 정신분열증이 생긴다는 것이다. 오르곤 치료는 마음의 에너지가 막히면 근육이 뭉치기 때문에, 반대로 근육을 풀면 마음이 풀려 심적 장애가 치유된다는 원리를 기초로 치료하는 것을 말한다. 이 치료에서는 환자가 치료자에게 자신을 감추지 않기 위하여 최소한의 옷을 입고 치료자 앞으로 저항을 가지고 와서, 저항의 내용을 제시한다. 그 후 신체부분을 7개로 나누어 각 부분의 근육이 호흡과 호흡 소리, 경련 등을 통해 깊은 정서를 방출하게 한다. 우선 가슴부분을 선택하여 호흡으로 에너지 수준을 높여서 에너지를 움직이게 하는 일부터 시작한다. 라이히는 7개의 신체부분인 눈, 입, 경추, 목, 흉곽, 복부, 골반과 관련하여 원시적 수준의 정서들을 이끌어 내어 해소하는 치료를 하였다. 오르곤 치료에서 사용하는 주요 기법으로는 호흡기법, 근육압박기법, 성격분석기법이 있고, 또한 호흡 및 근육 압박 기법을 함께 사용하는 기법이 있다.

관련어 근육무장, 성격무장

오르프 음악치료
[-音樂治療, Orff Music Therapy]

20세기 근대음악교육을 대표하는 방법 중 하나인 오르프 슐베르크(Orff-Schulwerk)의 기본 원리와 특징적 요소를 특수교육과 음악치료현장에 적용한 음악치료기법. **음악치료**

오르프 음악치료는 독일의 작곡가이자 음악교육자인 카를 오르프(Carl Orff)가 독일의 무용가인 귄터(D. Gunther) 및 위그먼(M. Wigman)과 함께 음악교육에 관한 연구를 하게 되면서 기반을 다진 음악치료로서, 나중에 슐베르크(O. Schulwerk)가 보

완·정리했고, 게르투르투 오르프(Gertrud Orff)가 이들의 이론을 바탕으로 하여 음악치료 프로그램으로 개발하였다. 게르투르투 오르프는 음악을 언어, 소리, 동작이 통합된 전체적 표현방법이라 보고, 음악과 동작을 즐겁게 연주하는 경험을 통해서 내담자의 증상을 개선하고 그들의 욕구를 해소시키는 데 중점을 두었다. 내담자는 이러한 음악적 경험으로 환경 및 타인과 상호작용을 하면서 사회생활 속에서 필요한 기술을 습득할 수도 있다. 이와 같은 오르프 음악치료는 아동을 대상으로 하여 출발하였다. 게르투르투 오르프는 뮌헨의 유치원에서 발달지체 및 장애가 있는 아동을 대상으로 하여 30여 년간 임상연구를 한 결과, 사회소아과학과 카를 오르프 슐베르크의 음악교육이 음악치료적 임상환경에서 큰 영향력을 발휘하는 것을 관찰할 수 있었다. 이를 계기로 게르투르투 오르프는 발달 지체 및 장애가 있는 아동을 대상으로 한 소아사회과학 임상환경을 구축하여 새로운 음악치료를 만들었다. 그는 임상적 환경과 음악적 배경을 핵심으로 한 치료에서 아동들이 언어, 소리, 동작 등의 통합적 표현을 통해서 발전해 나가는 모습을 지켜볼 수 있었다. 여기에 제2차 세계 대전 이후 아동의 발달 지체 및 장애 진단과 연구를 하던 독일의 헬브뤼게(T. Hellbruegge)가 약물의 한계를 인식하고 소아과 의사, 심리학자, 직업치료사, 몬테소리 치료사, 교육학자, 사회복지사, 간호사 등과 함께 발달장애나 지체가 있는 아동을 위한 해결책을 모색하다가 게르투르투 오르프를 초청하게 되었고, 이들의 협력으로 오르프 음악치료라는 새로운 치료방법이 세상에 소개되었다. 게르투르투 오르프는 항상 발달장애가 있는 아동의 잠재적 발달능력을 강조하면서 인본주의적 입장에서서 치료사와 내담자 간의 관계를 중요시하였다. 반응적 상호작용(responsive interaction)을 중요시하는 오르프 음악치료는 발달심리학과 인본주의 철학이 조합된 이론을 기반으로 한다. 따라서 치료사는 아동의 눈높이에 맞추어 아동의 생각과 아동의

직관적 능력을 기꺼이 수용하고, 아동이 충동적 상황에서 보여 주는 새로운 생각까지 지지하는 자세를 취해야 한다. 이러한 반응적 상호작용은 치료사들이 아동의 발달수준에 맞추는 융통성을 가질 수 있도록 하며, 아동이 새로운 능력을 습득할 때마다 그에 유연성 있게 대처할 수 있도록 해 준다. 오르프 음악치료는 카를 오르프의 기본 개념과 음악교수방법을 치료적 환경에 적용하여 내담자가 음악적인 환경에서 자신을 표현하고, 자신을 한 개인으로서 경험하며, 다른 사람들과 함께 음악 만들기를 경험하는 것을 목표로 하였다. 또한 그것을 통하여 사회적 상호작용에서의 표출이 가능해지도록 하는 데 중점을 두었다. 즉, 음악적 자극을 통하여 자신의 감각을 지각하고 인지하며 자신을 느끼고, 자신을 둘러싼 주위 환경과 사물, 공간을 인식하고, 타인과의 음악적 경험을 통하여 사회적 상호교류를 경험하고, 사회적 기술을 학습해 가는 과정이라고 할 수 있다. 더 나아가, 오르프 음악치료는 각 대상의 발달단계와 특징에 따라 체계화된 단계별 치료목표를 설정하여 특정 과제를 가르치는 과정을 제시한다. 오르프 음악치료는 사람들의 참여를 유도하고 결집시키는 음악으로 여러 가지 요소를 가지고 있다. 음악적 요소, 악기 요소, 말 요소, 동작 요소 등이 결집된 기초 음악의 형태와 개념을 가진 '기초 음악'이라고 설명할 수 있다. 오르프 음악 교육의 '기초 음악'을 토대로 하여 리듬과 노래, 말과 동작, 그리고 놀이 등으로 치료 대상자가 스스로 자신의 문제를 해결하도록 도와주는 접근이다. 따라서 오르프 음악치료에서는 지적인 이해보다는 감각을 우선으로 하는 신체의 동작을 수반하는 음악을 주로 사용한다. 즉, 리듬을 통한 체험을 중요시하기 때문에 지속적인 반복과 리듬악기를 기본으로 하는 오르프 악기를 사용하여 직접적이고 종합적인 음악경험의 기회를 제공하는 것이 중요한 치료방법인 것이다. 오르프 기법의 치료적 특징을 살펴보면 다음과 같다. 첫째, 음악적 재능을 가진 아동만을 위한 것이 아니라

모든 아동을 위한 교육으로, 음악적 능력의 차이와 무관하게 아동 모두가 각자의 능력에 따라 참여할 수 있는 공간과 역할이 있다. 오르프 수업은 소규모의 그룹형태로 진행되며 음악적 능력과 관계없이 모든 아동이 참여하고, 상호협력하여 다양하고 재미있는 음악적 경험을 유도한다. 둘째, 탐색과 경험을 강조한다. 오르프에서 음악교육은 아주 쉽고 자연적인 활동에서 점차 음악적으로 발전된 학습으로 전개된다. 오르프 교수법은 아동들이 좋아하는 활동 중에서 노래, 낭송, 박수, 춤, 사물 두드리기 등을 활동의 기초로 삼고 있다. 이러한 활동은 먼저 음악을 듣는 것(music listening)에서 시작하여 음악을 만드는 과정(music making)으로 유도되고, 그다음 음악을 읽고 작곡(music reading & composing)하는 학습으로 연계된다. 오르프 음악치료는 이러한 오르프 교수법의 특징에 따라 아동들이 좋아하는 활동을 기초로 다양한 표현양식을 활용하면서 아동의 직접적인 체험을 부분에서 전체로, 단순한 것에서 복잡한 것으로 전개하는 원리를 따른다. 셋째, 오르프 음악 학습의 기초는 리듬이라 할 수 있다. 리듬은 가장 원초적이고 자연적인 특성을 가지고 있으며, 음악, 동작, 언어에 모두 내재되어 있는 음악의 기본 요소다. 따라서 오르프에서는 음악교육이나 훈련경험이 없는 아동에게 신체소리(physical sound)와 몸짓을 통한 리듬교육을 선행하고, 사람의 음성(voice)을 가장 근본적이고 자연스러운 악기로 이용하고 있다. 오르프 음악치료에서도 리듬은 인간의 뛰는 심장으로 간주된다. 오르프 수업에서 사용되는 오르프 악기는 음악수업에 중요한 도구가 되며, 아동들이 쉽게 음악을 만들 수 있도록 제작되었다. 오르프 타악기는 두드리거나 치기를 좋아하는 인간의 본능적 특성과 부합하며, 신체적 발달 특징에 적합하고 연주기능을 최소화하여 아동들이 쉽게 연주하면서 음악을 만들 수 있도록 고안되었다. 또한 오르프 교수법의 창시자인 카를 오르프가 악기 제작자의 도움을 받아 개량한 오르프 선율 악기들은 아

름다운 음색을 즉각적으로 제공하여 아동들의 음감 발달과 감수성 계발에 효과적이다. 이러한 악기들은 소규모 합주형태로 연주되기 때문에 아동을 민감하고 주의 깊게 청취하는 감상자가 되도록 하며 지속적으로 음악 만들기에 참여하도록 동기를 부여한다. 오르프 악기의 사용은 매우 효과적인 치료도구로서, 특히 게르투루투 오르프가 강조하는 다감각적 경험을 제공하는 유용한 매개체로서 오르프 음악치료에서 가장 적극적으로 활용되는 방법이다. 악기의 서로 다른 재질과 재료를 통하여 악기의 온도, 표면의 느낌, 강도, 무게, 탄력, 진동 등을 촉각적 자극제로 활용할 수 있고, 악기들의 모양과 크기, 색깔 등을 시각적 자극제로 사용할 수 있다. 또한 악기의 서로 다른 음색과 톤, 소리 등은 청각적 자극으로 제공할 수도 있다. 이러한 다감각적 경험은 신체 특정 감각기관의 결함이나 손상이 있는 사람에게 특히 효과적인데, 악기는 손상된 감각기관을 대신하여 다른 감각을 통하여 자극을 전달하고 반응을 유도하는 데 치료적으로 사용될 수 있다. 오르프는 즉흥연주와 창작으로 아동이 즐거운 음악적 경험을 하고, 평생 음악을 사랑하고 즐겨 할 수 있는 기회를 주는 것이다. 모든 학습은 학습자에게 만족감을 심어 줄 때 비로소 유의미하다는 긍정적인 결과를 산출한다. 만족감은 자신이 습득한 지식을 사용하여 새로운 무엇을 창조할 때 더욱 크게 느낀다. 오르프는 생동감 있고 창의적인 즉흥연주 및 창작 활동을 함으로써 아동의 창의성과 창조적 표현능력을 발달시킨다. 이러한 창의적인 즉흥연주와 창작 활동은 오르프 음악치료에 적용되어 내담자가 자신을 느끼고 표현하고 타인과 함께할 수 있는 기회를 제공한다. 이와 같은 음악 만들기를 통하여 만족감과 성취감을 느낄 수 있고, 자아실현의 기회를 얻을 수 있다.

관련어 | 오르프 즉흥연주, 음악치료

오르프 즉흥연주
[-卽興演奏, Orff Improvisation Models]

동작이나 말에 담겨 있는 본래의 리듬을 바탕으로 하여 음악을 창조하는 활동으로, 오르프(G. Orff), 비트콘(C. Bitcon), 레러카를(I. Lehrer-Carle) 등이 중심이 된 음악치료기법.

`음악치료`

오르프 즉흥연주는 20세기 작곡가였던 오르프가 처음 사용한 개념인 '오르프 슐베르크(Orff-Schulwerk)'라는 음악교육 철학에서 비롯되었다. 오르프와 비트콘, 레러카를 등이 오르프의 철학 중 핵심 개념인 '기본적 음악능력(elemental music)'을 활용하여 이를 음악치료에 접목시켰다. 기본적 음악능력이란 개인 내면에 잠재되어 있는 음악을 창조하고 향유할 수 있는 본래적 능력으로 인류의 음악적 진보의 단계를 개인 내적으로도 행한다는 개념이다. 종의 진화와 개체의 진화처럼 인간이 기본적 음악능력을 지니고 있기 때문에 동작과 말에 담겨 있는 자연적 리듬으로 즉흥적으로 음악을 창조할 수 있는 보편적인 성향을 지닌다. 따라서 음악치료에서는 내담자가 지니고 있는 이 기본적 음악능력을 얼마든지 활용할 수 있다. 내담자가 이미 지니고 있는 소리, 언어표현양식, 다양한 동작형태 등의 개인적 경험으로 음악을 창조해 내는 것이다. 이러한 경험들은 지극히 개인적이어서 표현양식이 각자 다르고 서로 다른 매체를 사용하기 때문에 다중 지각적 경험을 하는데, 이들을 집단활동으로 활용할 때는 창의성, 청취, 음악적 및 대인적 의사소통, 집단기능 등이 요구된다. 오르프 즉흥연주를 치료적 장면에서 적용하면, 내담자가 사회 및 물질적 세계에서 자아를 충분히 경험하도록 도움을 주고, 개인의 정체성과 개인 간의 정체성을 개발할 수 있으며, 창조력 및 즉흥성과 같은 자질을 개발할 수 있도록 도울 수 있다. 오르프 즉흥연주는 앞서 말한 기본적 의사소통능력을 지니고 있을 경우, 아동 및 청소년을 비롯한 성인, 노인 등 대상에 연령 제한이 적은 편이다. 그뿐만 아니라 내담자가 지니고 있는 개인적 경험을 바탕으로 한 음악적 능력을 기반으로 하기 때문에 매우 다양한 활동과 기술을 적용할 수 있어서 어떤 치료적 목표에도 적용이 가능하다. 구체적 목표설정은 내담자의 특성과 요구에 따라서 결정한다. 오르프 즉흥연주에서는 음성, 악기, 동작, 언어, 미술 그 외의 여러 정서적 활동 등을 매체로 활용할 수 있다. 정해진 규정은 없지만 대개 치료절차는 준비(warm-up), 자극(stimulate), 조정(coordinates), 탐색, 공식화(formalize), 종료의 단계로 진행된다. 준비단계에서는 활동을 시작하고자 하는 내담자가 집단 간의 상호작용을 잘할 수 있도록 서로 마음과 몸을 푸는 작업을 한다. 별칭을 정하고 서로 인사를 하고 활동에 참여할 수 있도록 정서, 인지, 사회적인 준비를 한다. 준비단계가 지나고 나면 치료사는 주활동을 할 수 있도록 '자극'을 준비한다. 이는 개인과 집단이 즉흥연주를 할 수 있도록 단서(germinal idea)를 주는 단계로, 소리·리듬·선율·동작과 같은 것을 이용한다. 그에 대해 내담자들이 자기만의 반응을 하게 되고, 각 구성원들의 반응이 서로 섞이면서 조정단계로 들어간다. 이를 탐색하여 즉흥연주를 조직화하고 구성원들 각각의 역할을 정비할 수 있도록 한다. 이 같은 활동과 매체를 통해서 음악 및 대인적 관계가 향상된다. 치료사는 이러한 활동의 역동적 흐름을 잘 파악하여 원활하게 진행되도록 도움을 주어야 한다. 주어진 단서로 즉흥연주를 충분히 실행하고 나면, 이를 공식화하여 구성원들이 실행한 즉흥연주의 형식을 구조적으로 살펴 활동 내에서 발견한 것들을 정리한다. 이 단계에서는 즉흥연주에 관한 토론도 할 수 있고, 여러 가지 방법으로 다시 즉흥연주를 할 수도 있다. 오르프 즉흥연주는 자극, 조정, 탐색, 공식화 등의 단계를 계속 반복하면서 회기를 구성해 나간다. 치료목표가 달성되고 종료단계에 들어서면, 지금까지의 활동을 정리하고 그에 대한 서로의 의미를 확인한 다음 회기종료에 필요한 활동들이 치료사의 주재하에 수행된다. 오르프 즉흥연주는 내담자의 반응에 따라서 구성되고

연주를 실행하기 때문에 성공적인 음악경험을 쉽게 할 수 있고, 이는 개인의 긍정적 경험을 증대시켜 발전적 사고를 할 수 있도록 도와준다. 오르프 즉흥연주는 공식화 단계까지 가는 과정을 치료사가 도와주기 때문에 기본적 형식을 일단 제시하며 론도형식(A-B-A-C-A-D)을 중시한다. 반복적 진행으로 음악의 완성도가 높아지면서 내담자가 경험하는 성취 경험도 매우 높아지고 있다.

관련어 | 오르프 음악치료

오염
[汚染, contamination]

교류분석

⇨ '구조적 병리' 참조.

오온
[五蘊, panca khandha]

불교의 개념으로서 인간을 구성하는 다섯 가지 요소. 동양상담

초기 경전에서 부처는 '나는 누구인가?'라는 질문에 대하여 간단명료하게 "'나'는 오온이다."라고 말씀하셨다. 오온은 '다섯 가지 무더기'라는 뜻인데, 즉 인간이란 존재는 색(色), 수(受), 상(想), 행(行), 식(識)의 다섯 가지 요인으로 구성되어 있다는 것이다. 색은 물질 또는 육체를 말하고 수는 느끼는 감각을 말한다. 상은 지각된 표상을 말하는데, 일종의 정신작용으로 마음을 말하기도 한다. 행은 이 마음의 의지 및 작용의 전부를 일컫는다. 식은 마음속에서 우리의 내부에 진행되고 있는 것을 명료하게 의식하고 있는 능력을 말한다. 식은 육체와 연결됨으로써 수로서 이루어지는 느낌, 즉 괴로움과 즐거움 등의 감정이 발생한다. 따라서 오온은 물질계와 정신계의 양면에 걸치는 일체의 인연으로 생긴 것이

다. 그래서 오온은 몸과 마음의 환경을 일컫는다. 육신은 구체적인 하나하나의 사물 모두가 인연에 따라 오온이 잠정적으로 모여 이루어진 것에 지나지 않는다. 오온은 항상 그대로 있는 실상이 아니고 시간에 따라 또는 보는 각도에 따라 변하는 거짓의 화합인 것이다. 이와 같은 오온은 중생에게 여러 가지 잘못된 생각을 일으키기 때문에 다섯 가지 망상이 된다. 동시에 이에 의거해 존재하는 나는 진실한 내가 아닌 것이다. 그래서 일체 모든 현상은 무상이며 괴로움이다.

오용
[誤用, misuse]

어떤 물질을 처방 혹은 규정대로 사용하지 않고 임의로 사용하는 행위. 중독상담

오용은 치료를 목적으로 하지 않고 감정이나 행동에 변화를 일으키기 위해 물질을 부적절하고 불법적으로 사용하는 행위인 남용(abuse)과는 구별되는 개념으로서, 약물을 의학적인 목적으로 사용하기는 하되 의사의 처방에 따르지 않고 임의로 그 사용법과 용량을 정하여 사용하는 것을 말한다.

관련어 남용, 의존, 중독

오위
[五位, mental factors]

불교의 교학에서 일컫는 것으로 정신과 물질세계를 구성하는 다섯 가지 구성요소. 동양상담

정신과 물질세계는 색법(色法), 심왕법(心王法), 심소법(心所法), 심불상응행법(心不相應行法), 무위법(無爲法)으로 구분할 수 있는데, 이를 오위라 한다. 이 중 색법, 심왕법, 심소법, 심불상응행법을 유위법(有爲法)이라 칭한다. 색법이란 물질적 존재를

말하고 심왕법은 마음작용의 주체를 말한다. 심소법은 심왕과 상응해서 일어나는 개별적인 현상을 말하며, 심불상응행법은 정신도 물질도 아니면서 정신과 물질에 의거하여 발현되는 일종의 세력 또는 잠재력을 말한다. 이렇듯 유위법은 선악의 작용으로 나타나는 현상인 것에 비해 무위법은 절대의 진리로 어떠한 것에도 조작됨이 없이 초연하게 존재하는 것을 말한다. 그리고 오위는 또한 칠십오법 혹은 백법으로 구분되기도 하는데, 즉 색법의 열한 가지 법, 심왕법의 한 가지 법, 심소법의 마흔여섯 가지 법, 심불상응행법의 열네 가지 법, 무위법의 세 가지 법으로 세분하여 오위칠십오법(五位七十五法)으로 설명하고 있다. 이를 불교의 유식파 법상종에서는 세친의 『대승백법명문론(大乘百法明門論)』에 근거하여 색법의 열한 가지 법, 심법의 여덟 가지 법, 심소법의 쉰한 가지 법, 심불상응행법의 스물네 가지 법, 무위법의 여섯 가지 법으로 하여 오위백법(五位百法)으로 설명하고 있다.

오이디푸스콤플렉스
[-, Oedipus complex]

남근기에 남아와 아버지 그리고 어머니 사이에 만들어지는 삼각관계 때문에 나타나는 남아의 갈등현상. 정신분석학

프로이트(S. Freud)가 제시한 심리성적발달단계의 남근기에 나타나는 현상이다. 그리스 신화 속에 등장하는 오이디푸스 왕의 이야기에서 유래된 용어로서, 그리스 신화에 나오는 오이디푸스는 테베의 왕자로 태어났지만 출생 시 불길한 신탁(神託)을 받고 산중에 버려졌다. 그러나 다행히 구출되어 건강하게 성장했으며, 그 후 자신의 생부인 부왕을 살해하고 스핑크스의 수수께끼를 풀게 되면서 생모인 왕비와 결혼하였다. 후일 이러한 진실이 밝혀져 어머니이자 아내인 왕비는 스스로 목숨을 끊었고, 오이디푸스는 스스로 두 눈을 빼내고 방랑하게 된다.

이에 따라 이성인 어머니에게 성적 욕구를 갖고 자신과 동성인 아버지를 미워하게 되는 남아의 무의식적 갈등을 오이디푸스콤플렉스라고 한다. 여아의 엘렉트라 콤플렉스(Electra complex)에 대칭되는 개념이다. 남아는 남근기에 접어들면서 어머니의 애정을 독점하고 싶어 하며, 자신과 어머니 사이를 방해하는 아버지를 경쟁상대로 인식하고 적의를 품는다. 아버지를 제거하고 어머니를 자신의 소유로 만들고 싶어 하는 오이디푸스적 소망을 갖는데, 이에 따른 죄의식으로 거세불안을 느낀다. 이때 남아는 근친상간적 소망을 억압하고 아버지와의 방어적 동일시를 통해 오이디푸스콤플렉스를 극복해 간다. 남아는 아버지의 행동과 태도, 가치 등을 동일시함으로써 어머니를 간접적으로 소유하고 거세불안에서 벗어날 수 있으며, 적절한 성역할을 모방하게 된다. 이러한 동일시 과정을 통해 남아는 부모의 가치와 사회적 규범을 내면화하고 자아와 초자아가 발달하며, 적절한 성역할 정체감 형성을 통해 자신감 있는 성인으로 성장한다. 아버지와 동일시하면서 아버지에 대한 적의가 점차 억압되어 잠복기로 들어가는 것을 양성 오이디푸스콤플렉스가 해결되는 과정이라고 한다. 오이디푸스콤플렉스는 두 유형으로 분류된다. 음성 오이디푸스콤플렉스(negative Oedipus complex)는 남아가 아버지를 사랑한 나머지 어머니를 질투하여 제거하고 싶어 하는 것 혹은 여아가 어머니를 사랑한 나머지 아버지를 제거하고 싶어 하는 것이다. 반면에 양성 오이디푸스콤플렉스(positive Oedipus complex)는 남아가 어머니를 사랑한 나머지 아버지를 질투하여 제거하고 싶어 하는 것 혹은 여아가 아버지를 사랑한 나머지 어머니를 제거하고 싶어 하는 것이다. 일반적으로 오이디푸스콤플렉스라고 일컬으며, 음성 오이디푸스콤플렉스에 상반되는 개념으로 설명될 때에는 양성 오이디푸스콤플렉스라고 부른다.

관련어 | 거세불안, 남근기, 엘렉트라 콤플렉스

오전-오후과정집단
[午前-午後過程集團, a.m.-p.m. process group]

해결중심접근법을 사용하는 집단치료의 한 형태로서, 단기간의 치료목표를 세워 진행상황을 확인하고 그다음 계획을 세우는 방식으로 치료를 진행하는 집단. 중독상담

해결중심접근법을 기본으로 하는 집단치료에서는 문제의 해결을 보다 집중적으로, 그리고 단기간에 성취하기 위해서 오전-오후과정집단을 운영하기도 한다. 이 집단에서 상담자들은 내담자들과 하루의 일정한 시간을 정해 두고 여러 차례 만나서 정해진 목표를 서로 점검하고 격려하는 일을 한다. 이러한 작은 만남을 통해 보다 집중적으로 문제해결을 위한 목표를 점검할 수 있고, 그 성취 여부를 즉각 확인할 수 있다는 장점이 있어서 주로 알코올 관련 문제나 약물 관련 문제를 다루는 중독상담 분야에서 많이 사용한다. 오전-오후과정집단을 실시할 때는 매일 혹은 하루에 두 번(주로 오전, 오후) 만나서 내담자와 문제해결을 위해 함께 작업을 하게 된다. 예를 들어, 병원의 외래환자나 입원환자를 위해 매일 모이는 치료집단을 구성한다거나, 학교생활을 하는 학생들을 위해 학교가 시작하기 전 오전에 한 번 모이고, 학교생활이 끝난 후의 시간인 오후에 다시 모여서 그날의 목표를 세우고 하루의 경과와 문제해결을 위한 목표의 성취 여부를 보고하는 시간을 가질 수도 있다. 오전-오후과정집단에서 상담자가 집단활동에서 사용할 수 있는 질문은 다음과 같다. "자신을 위해 학교에서 어떤 일을 하나요?" "과거 학교생활에서 당신이 그러한 일을 조금이라도 수행할 수 있었던 적이 언제였나요?" "만약 당신의 학교생활에 대해서 1점부터 10점까지의 점수를 매긴다면 현재 학교생활은 몇 점인가요?" "우리가 다시 만날 때는 이 척도상의 어느 점수에 있기를 원하나요?" "다음 모임까지 당신이 그 점수에 도달하기 위한 간단한 행동이 있다면 무엇일까요?" 등이다. 오전-오후과정집단에서 보통은 치료과정에서 세웠

던 문제해결을 위한 목표, 그것을 성취하였는지의 여부, 그리고 그 성취에 대한 자기평가 등을 작업용지에 기록하고, 이를 내담자들에게 제공한다. 내담자들은 작업용지를 읽고, 자신의 치료목표와 과정을 기억함으로써 치료과정에서 했던 것처럼 치료 이외의 일상생활에서도 동일한 효과를 유지할 수 있게 된다.

관련어 │ 가족역동집단, 과정집단, 분노관리집단, 해결중심치료

오직 하나의 모델
[- , nothing buttery model]

신학과 심리학을 통합하는 데 심리학적 지식을 전혀 인정하지 않고 오로지 기독교적 원리만 취하는 입장.　목회상담

래리 크랩(Larry Crabb, 1977)은 신학과 심리학의 통합에 대해서 여러 가지 입장으로 유형을 분류한 모델을 제시했는데, 그중 오직 하나의 모델은 기존의 분리되었지만 동등한 모델과 던져진 샐러드 모델의 입장을 취한 학자들에 대한 반등으로 등장하였다. 즉, 오직 하나의 모델은 심리학적인 지식을 전혀 인정하지 않고 오직 성경적인 신학의 원리만 인정하고 있다. 이들은 인간의 정서적인 문제를 해결하기 위해서는 오직 은혜(nothing but grace)와 그리스도(nothing but Christ), 그리고 믿음(nothing but faith)만 필요하며, 이것으로 모든 문제를 해결할 수 있다고 주장하였다. 따라서 기독교상담을 하는 과정에서 심리학적 지식은 오히려 방해만 된다고 보았다. 이 같은 입장에 대해서 크랩은 심리학의 적용을 전적으로 거부하는 것은, 우연적으로라도

출처: 김용태(2006). 기독교상담학-배경, 내용 그리고 모델들. 서울: 학지사. p. 129.

성경적인 원리에 부합하는 과학적인 지식을 배제할 가능성이 매우 높다고 지적하였다.

관련어 │ 던져진 샐러드 모델, 래리 크랩, 분리되었지만 동등한 모델, 이집트인에게서 빼앗기 모델

오티스 – 레논 학업능력검사
[- 學業能力檢査,
Otis-Lennon School Ability Test: OLSAT]

학업능력을 알아보는 집단용 지능검사.　심리검사

지적인 능력을 알아보기 위해 1912년에 오티스가 개발한 검사로, 대상은 유치원에서 고등학생까지다. 1912년 제1차 세계 대전 징집병사의 배치를 위해 시작되어 1917년 본격적인 집단검사로 개발되면서 현재에는 가장 대중적으로 활용되는 집단용 일반 지능검사이다. 이 검사는 10~15명의 소규모로 시행하며, 학교 성공과 관련된 인지적 능력을 측정한다. 목록의 분류, 언어적·수적 개념의 이해, 일반적인 정보표시, 지시사항을 따르는 과정을 통하여 검사하는데, 학생에게 가장 적합한 교육 프로그램 기획에 이용할 수 있는 정보를 교사에게 제공한다. 모두 객관식 문항으로 이루어지고, 검사시간은 엄격히 제한한다. OLSAT는 언어적 이해, 언어적 추리, 사진 추리, 그림 추리, 양적 추리의 5개 영역에 10~15개 문항의 군집을 가진, 각각 다른 학년을 검사하는 7개 수준으로 구성되어 있다.

오퍼레이션 시스템
[- , operational system: OS]

컴퓨터에서 필요한 기능을 실현하기 위하여 관련 요소를 특정 법칙에 따라 조합한 집합체.　사이버상담

오퍼레이션 시스템은 컴퓨터 프로그램의 관리체계로서, 소프트웨어를 컴퓨터에서 구동시키기 위한 기본적인 구조역할을 하는 상위개념의 소프트웨어

다. 보통 모니터라고 불리는 제어 프로그램과 컴파일러나 서비스 프로그램으로 구성되는 처리 프로그램 등 하드웨어에 부속해서 개발되는 프로그램의 총칭이지만, 제어 프로그램을 중심으로 한 관리 프로그램 부분만 운영체제라고 하는 경우가 많다. 운영체제 성능이 컴퓨터 시스템 성능을 크게 좌우하는 것으로서, 이 프로그램은 여러 개의 일을 병행해서 처리하는 기능 등에 따라 컴퓨터의 성능을 충분히 발휘하는 것으로 존재 가치를 나타낼 수 있다.

옥스퍼드 그룹
[-, oxford group]

알코올중독자를 치료하기 위한 모임인 치료적 공동체(TC)의 기원이 되는 치료그룹. **중독상담**

옥스퍼드 그룹이 처음 만들어질 당시에는 인간의 정신적 재탄생을 통한 치료를 목적으로 하는 종교적인 모임이었다. 당시 이 모임의 명칭은 'First Century Christian Fellowship'이었다. 프랭크 부크먼(Frank Buchman) 박사가 형성한 이 모임은 중독자들의 정신적인 변화를 통해서 중독의 문제를 치료하고자 하였다. 또한 정직, 절대적인 순수성, 절대적인 이타심, 절대적인 사람의 네 가지를 강조함으로써 알코올중독자의 행동을 강하게 통제하였다. 나중에는 이러한 엄격한 통제가 지나치게 이상적이라는 비판이 있어서 좀 더 순화되고 현실적인 형태의 AA(알코올중독자 모임)가 생겨나게 되었다.

관련어 | 알코올중독자 모임, 자조모임

옥시코돈
[-, oxycodone]

테바인에서 합성된 아편계 합성물. **중독상담**

테바인보다 훨씬 더 강한 효능을 가지고 있는 옥시코돈은 1916년 독일 프랑크푸르트대학의 프로이트(M. Freud)와 슈파이어(E. Speyer)가 합성한 것이다. 당시 모르핀, 헤로인, 코데인과 같은 아편계 약물류를 진통제로 사용하였지만 그 의존성과 중독성에 의한 오남용의 심각한 문제를 감소시킬 수 있는 약물을 합성하기 위해 개발한 것이 옥시코돈이다. 옥시코돈은 매우 강력한 진통 작용과 중독성이 있지만 모르핀과 헤로인처럼 즉각적으로 강력한 효과가 나타난다거나 효과가 오랜 기간 지속되지 않는 특징을 가지고 있다. 주로 말기 암환자나 만성 통증 환자를 치료하는 데 쓰이는데, 체내에서 12시간에 걸쳐 서서히 용해되도록 고안된 정제된 알약(서방성 정제)을 복용하면 부작용이 그리 크지 않다. 그러나 가루형태로 만들어서 복용하거나 주사하는 경우에는 중독성과 오남용으로 인체에 위해를 가할 위험성이 매우 커진다. 옥시코돈의 사용에 따르는 일반적인 부작용으로는 건망증, 변비, 피로, 어지럼, 메스꺼움, 두통, 입마름, 가려움증 등이 나타날 수 있는데, 일부 환자에게서는 식욕감퇴, 신경과민, 복통, 호흡곤란, 딸꾹질 등이 나타나기도 한다. 이러한 부작용은 옥시코돈을 복용하는 환자의 5% 미만에서 나타나므로 모르핀의 부작용에 비해서는 미미하다고 할 수 있다. 하지만 옥시코돈을 과다하게 오남용하면 얕은 호흡, 서맥, 축축한 피부, 무호흡, 동공축소, 순환허탈, 호흡정지, 사망 등의 증상이 발생할 위험이 있다.

관련어 | 아편, 테바인

온라인 수퍼비전
[-, online supervision]

이메일, 전화, 화상 대화, 메신저 등의 도구를 사용하여 시행하는 수퍼비전. **상담 수퍼비전**

온라인 수퍼비전은 주로 인터넷을 매개로 하는 다양한 도구를 이용하여 수퍼비전이 이루어지기 때문에, 수퍼바이저와 상담수련생이 어느 공간에 위치해 있든지 수퍼비전이 가능하다는 장점이 있다. 하지만 인터넷은 일반적으로 보안성과 사생활 보장이 되지 않기 때문에 비밀보장의 문제를 가장 중요하게 취급해야 한다. 따라서 온라인 방식을 이용하여 수퍼비전을 제공하는 수퍼바이저들은 내담자의 정보를 온라인상에서 논의하여 발생할 수 있는 윤리적 결과에 대해서 심각하게 고려해 보고, 이에 따른 대책을 강구해야 한다. 이에 대해 칸즈(Kanz, 2001)는 온라인 수퍼바이저를 위해 다음과 같은 제언을 하였다. 첫째, 윤리규칙에서 구체적으로 온라인 수퍼비전 형태를 언급하고 있지는 않지만 온라인 수퍼비전에 따라 파생될 수 있는 윤리적 결과에 대해 고려해야 한다. 둘째, 온라인 수퍼비전을 시작하기 전에 수퍼비전 관계가 면대면으로 이루어져야 한다. 셋째, 내담자에게 온라인 수퍼비전의 성격과 가능한 위험성에 대해 알리고 서면동의를 받아야 한다. 넷째, 수퍼바이저와 상담수련생은 온라인 수퍼비전에서 내담자의 신원이 밝혀질 수 있는 정보는 각별하게 주의해야 한다. 다섯째, 수퍼바이저와 상담수련생은 온라인 수퍼비전 사용에 대한 평가를 해야 한다. 현대사회의 복잡성과 다양성 때문에 온라인 수퍼비전의 필요성이 증대되고는 있지만, 아직까지는 그 효율성에 대한 연구결과가 많이 나와 있지는 않은 실정이며, 현재는 매우 소수의 수퍼바이저가 이용하고 있는 방법이다. 하지만 빠르게 진보하는 현대의 기술과 더불어 수퍼비전 분야에서 수요는 계속 증가할 것으로 전망된다.

관련어 모델링, 역할극

이 발생하는 때 적절하게 대처하면 현저한 감소를 기대할 수 있다는 가정하에 출발하였다. 따라서 많은 비용과 노력 없이 쉽게 적용하여 학생들의 태도, 지식, 행동 및 관습을 긍정적으로 변화시키고자 하는 것이다. 이 프로그램의 핵심 요소는 성인의 인식 수준을 제고하고, 참여를 독려하는 것이며, 학교 차원에서는 설문조사, 학교협의회, 쉬는 시간이나 점심시간의 효율적인 감독, 교사협의회 운영, 조정자 집단형성 등이 있다. 학급 차원에서는 학교폭력을 반대하는 학급규칙 수립, 학생들과의 학급모임, 학부모와의 모임 등이 있다. 개인적으로는 가해학생이나 피해학생과의 진지한 대화, 관련 학생의 학부모와의 진지한 대화, 개별적인 처방계획 마련 등이 있다. 이러한 활동들은 세 가지 수준으로 진행된다. 1수준의 개입은 학교폭력의 가능성을 감소시키기 위한 노력이 우선이다. 이를 위해 학교는 정기적으로 설문조사를 실시하고 학교 협의회는 학교폭력에 대한 학교정책이나 행동규칙을 수립한다. 이를 학생, 교직원, 학부모 등에게 공지하고 또래중재, 상담, 학교-가정 등을 연계하여 이 같은 노력을 강화한다. 2수준의 개입은 학교폭력이 발생하였을 경우 적극적으로 처리하는 것이다. 이는 문제제기, 내담자의 문제인식, 내담자 상담 및 치유, 관계회복, 가해자의 처벌 및 징계방법의 고려 등으로 이루어진다. 3수준의 개입은 사건에 관여된 사람을 돕기 위한 과정이다. 학생, 교사, 가족 및 지역사회를 대상으로 사건을 관리·감독하고, 전문가의 상담서비스를 제공한다.

관련어 괴롭힘, 학교폭력

올베우스 프로그램
[-, Olweus program]

학교폭력 예방을 위하여 성인의 인식수준을 제고하고, 참여를 독려하기 위한 프로그램. **위기상담**

학교폭력이 학교의 가장 큰 문제이므로 학교폭력

옴니버스 검사
[-檢査, omnibus test]

문제구성의 시각에서 분류할 때의 카테고리의 하나. **심리검사**

지능검사 등을 문제구성이라는 시각에서 분류하

는 경우 하나의 카테고리로 옴니버스 검사가 있다. 이는 비네식 지능검사처럼 언어성, 동작성의 여러 종류의 문제가 하나의 검사 중에 혼재해 있는 것이다. 이에 대하여 웩슬러식 지능검사처럼 등질적(等質的)인 문제를 잘 정리하여 몇 가지 하위검사로 구성한 다음 하나의 검사로 만든 것을 배터리(battery) 검사라고 한다.

완곡대칭법
[婉曲對稱法, kennings]

까다로운 은유의 형태로, 예를 들면 배(boat)를 물결 나그네 (wave traveler)로 표현하는 것. 문학치료

완곡대칭법은 친숙한 사물을 새로운 방법으로 묘사하는 명사의 쌍을 말한다. 이는 고대 영국이나 노르웨이의 시에서 많이 쓰였는데, 예를 들면 바다 (sea)를 고래의 길(whale-road)이라고 하거나 전쟁(battle)을 검의 폭풍(storm of swords)이라고 한 것 등이다. 글쓰기치료에서 완곡대칭법을 사용하면 유쾌하고 위협적이지 않게 글을 쓸 수 있다. 현대 학자들은 완곡대칭법이라는 용어를 수사적 표현 (figures of speech)과 비슷하게 적용한다. 학자에 따라서 둘 이상의 단어로 하나의 명사를 대체하는 것이라고 정의하기도 하지만, 대부분 은유적인 경우로 국한시킨다. 대표적인 학자는 스노리(Snorri) 를 들 수 있다.

완곡어법
[婉曲語法, euphemism]

불쾌하고 부정적인 것을 표현하는 데 직접적으로 하지 않고 좀 더 부드러운 다른 표현을 사용하는 것. 목회상담

완곡어법은 '가정불화'를 '가정에 어려움이 있다.' 라고 한다든지, '주의집중력 장애'를 '집중하는 데 어

려움을 느끼는'이라고 하는 등 좀 더 부드러운 표현을 사용하여 원래의 부정적이고 불쾌한 감정을 줄이려는 목적으로 사용하는 언어표현이다. 권면적 상담에서는 상담자가 완곡한 표현을 하는 것이 오히려 내담자가 자신의 죄를 올바르게 인식하지 못하게 하는 결과를 만든다고 보았다. 상담자가 내담자에게 "당신은 정서적으로 어려움을 겪고 있습니다."라고 완곡한 표현을 사용하면 내담자가 자신의 죄를 깨닫고 회개하여 변화를 일으키는 것을 방해할 수 있다는 것이다.

관련어 │ 권면적 상담, 죄, 회개

'왜' 피하기
[-, avoiding 'why']

해결중심접근의 단기코칭에서 치료자가 '왜'라는 단어를 내담자에게 사용하는 것은 내담자가 어떤 실수를 하였고, 그에 따른 죄의식을 느끼게 하는 언어이므로 피해야 한다는 개념. 해결중심상담

내담자의 문제해결을 치료의 주요 목적으로 하는 해결중심의 치료적 접근에서 치료자는 당연히 내담자에게 문제를 일으키는 생각과 행동방식이 무엇인지 알아내고 싶어 한다. 이것은 대부분의 해결중심 접근을 하는 치료자가 내담자의 행동의 실수나 잘못된 사고방식을 알아내어 그것을 없애는 방향으로 해결의 목표를 설정해야 문제가 다시 발생하지 않는다고 믿기 때문이다. 이 같은 생각 때문에 내담자의 대화 중에 '왜'라는 단어를 종종 사용하게 된다. 베르크와 서보(Berg & Szabo, 2011)는 '왜'라는 말을 사용한 질문은 치료자가 원하는 변화를 만들어내는 데 도움이 되기보다는 내담자를 방어적으로 만들어 자신이 한 실수에 대해 말하는 것을 꺼리게 만드는 결과를 가져온다고 지적하였다. 따라서 치료자는 내담자와의 대화에서 '왜'라는 단어를 사용하지 말고 '어떻게'라는 단어를 이용하여 질문할 것을 제안하였다. 치료자가 이러한 질문을 하게 되면,

내담자가 무엇인가 비생산적이거나 부정적인 일을 했을 때 무슨 생각을 하고 있었는지 설명하도록 권유하는 효과가 있다. 또한 이때 치료자가 적절한 어조와 억양을 사용하면, '왜'라는 질문으로 전달하고자 하는 내용과 동일한 의미를 내담자에게 전달할 수 있고 동시에 비난이나 공격적인 느낌은 완화시켜 주는 효과를 거둔다. '왜'라는 질문 대신 '어떻게'의 질문을 사용하는 예는 다음과 같다. "어제 아이들에게 왜 화를 내셨습니까?" 대신 "어제 아이들에게 어떻게 화를 내게 되었습니까?" "당신은 왜 항상 그런 식으로 생각을 하시나요?" 대신 "당신은 어떻게 그런 식으로 생각을 하게 되었나요?" "그런 행동을 하지 않는 것이 왜 힘이 드나요?" 대신 "그런 행동을 하지 않는 것이 어떻게 해서 힘이 드나요?" 등이다.

관련어 그 대신에, '그러나' 피하기

왜 – 회전목마
[– 回轉木馬, why-merry-go-round]

게슈탈트 치료에서 내담자가 발견할 수 있도록 도와주는 대화 기법. 게슈탈트

내담자들은 이야기를 하면서 '왜냐하면~'이라는 말 다음에 자신을 정당화하고 합리화하는 말을 일반적으로 한다. 이러한 합리화는 내담자가 자신의 책임을 회피하고, 역사적 선행사건과 인과적 요소에 대한 추론을 개입시킨 결과로 볼 수 있다. 따라서 치료자는 합리화의 신호가 되는 '왜, 왜냐하면, 그러나, 그것, 할 수 없어' 등의 단어를 더러운 말로 분류하고, 이런 단어를 사용할 때마다 내담자의 주의를 환기시켜 주어야 한다. 그래서 내담자의 알아차림 밖에 있었던 어떤 행동, 즉 특정 단어의 사용을 알아차리도록 해 준다.

관련어 알아차림

외국인 혐오증
[外國人嫌惡症, xenophobia]

자신과 다른 민족이나 국외 사람 또는 다른 종교나 문화를 가진 사람이나 집단에 대하여 강하고 지속적으로 배척하고 증오하는 상태. 이상심리

'xenophobia'는 낯선 것 혹은 이방인을 뜻하는 'xeno'와 두려움이나 공포를 뜻하는 'phobia'의 합성어다. 솔다토바(G. Soldatova)에 따르면, 이 증상은 두려움이나 혐오의 대상에 따라 다음과 같은 세 유형으로 분류된다. 첫째, 인종적·민족적 혐오증으로, 다른 인종과 민족 집단에 대한 편견 또는 집단에 속해 있는 구성원에 대한 차별로 생긴 것이다. 여기에는 흑인 차별, 반유대주의, 중국 혐오증 등이 해당한다. 둘째, 종교적 혐오증으로, 특정 종교를 믿는 사람들에 대한 편견과 두려움 때문에 생긴 것이다. 여기에는 이슬람 혐오증이 해당한다. 셋째, 사회적 혐오증으로, 문화·신체·나이 등의 특징으로 주류와는 다른 집단을 형성하는 사람들에 관계된 것이다. 여기에는 피난민·망명자들에 대한 이주자 혐오증, 신체장애를 가진 사람들에 대한 장애 차별, 나이 차별, 성차별 등이 해당한다.

외부증인집단
[外部證人集團, outsider witness group]

이야기치료에서 정의 예식이나 재저작의 단계에 함께 참여하여 내담자의 이야기를 더욱 풍성하게 만들고 강화하는 역할을 하기 위해 선택된 집단. 이야기치료

외부증인집단은 이야기치료의 정의 예식이나 재저작의 단계에서 내담자의 대안적 이야기(alternative story)를 더욱 풍성하게 만드는 데 도움을 주고, 재구조화된 대안적 이야기를 확장·강화해 주는 역할을 한다. 외부증인은 둘 이상의 사람들로 구성되어 있으며, 내담자가 초대하고 싶은 사람으로 구성할 수도 있고, 관련이 있는 가족이나 친구로 구성할 수

도 있으며, 또는 내담자가 모르는 전문가나 비슷한 경험을 가진 사람으로 구성할 수도 있다. 이러한 외부증인집단은 치료자와 내담자가 합의하여 구성한다. 외부증인집단을 활용한 상담과정에서는 내담자와 외부증인집단 간의 효율적인 반영작업을 위해서 서로의 이야기에 끼어들거나 평가하지 않도록 주의해야 한다. 이를 위해 치료자는 내담자와 외부증인집단 사이에서 반영을 촉진하는 역할을 한다.

관련어 | 대안적 이야기, 외부증인집단활동, 정의 예식

외부증인집단활동
[外部證人集團活動, outsider witness practice]

이야기치료의 정의 예식이나 재저작의 과정에서 내담자의 대안적 이야기를 강화하려는 목적으로 적용하는 활동.
이야기치료

이야기치료의 과정에서 내담자의 대안적 이야기를 더욱 풍성하게 하고, 이를 강화하기 위해서 외부증인집단을 활용하기도 한다. 외부증인집단활동에서는 치료자가 내담자와 외부증인집단 사이를 오가면서 서로의 이야기를 듣고, 이를 반영하는 과정을 반복적으로 유도한다. 이렇게 외부증인집단과 내담자 사이에서 반영을 통한 말하기(telling)와 다시 말하기(retelling)의 과정을 반복하면서 내담자의 대안적 이야기를 더욱 풍부하게 만들고 실제의 삶에서 영향력을 발휘할 수 있도록 그 의미를 강화해 준다. 이때 말하기와 다시 말하기의 과정을 치료자가 어떻게 이끌어 가느냐가 성공적인 외부증인집단활동의 중요한 변수가 된다. 내담자의 대안적 이야기(alternative story)에 대해 외부증인집단으로부터의 충고나 지시가 주어지지 않도록 주의하면서 올바른 '반영(reflection)'이 일어나도록 대화과정을 유도해야 하는 것이다. 좀 더 효과적인 외부증인집단활동을 위한 4단계 흐름은 다음과 같다. 첫째, '표현(expression)'에 집중하도록 한다. 내담자의 이야기 중에서 일반적인 관점에서가 아니라 자신에게 특별하게 느껴졌던 혹은 주목했던 표현에 대해 이야기하도록 한다. 표현은 이야기의 한 부분이 될 수도 있고, 하나의 단어나 표현방식, 혹은 그 이야기를 하는 사람의 표정이나 어느 순간의 분위기 등이 될 수도 있다. 둘째, '이미지(image)'에 집중하도록 한다. 이 단계에서는 주목할 만한 표현을 들었을 때 떠올랐던 이미지를 서술하도록 도와준다. 이미지는 그 표현을 들었을 때 느꼈던 자신의 감정이나 은유적인 표현(metaphor), 혹은 과거 자신의 경험 중에서 어느 한 장면 등이 해당된다. 이러한 이미지가 어떤 것인지에 대해 서술하도록 하며, 그럼 그 이미지는 이야기한 사람의 의도나 가치, 신념, 희망과 같은 것을 어떻게 반영하고 있는지를 추측하게 해 준다. 셋째, 개인적인 '공명(resonance)'에 집중하도록 한다. 이 단계에서는 앞서 이야기했던 주목할 만한 표현과 이미지에 대한 근거를 제시하도록 한다. 왜 그러한 표현을 주목하고 그런 이미지를 떠올렸는지 이유를 묻는 것이다. 이때는 학술적이거나 대중적인 규범이나 규칙에 관한 것이 아니라, 개인적인 견해와 개인의 삶의 역사 속에 그 표현들이 어떠한 가치를 지니는지에 대해 말하는 것이다. 넷째, '이동(transport)'에 집중하도록 한다. 이 단계에서는 지금까지 이야기한 것들이 현재(present)의 시간을 살아가는 화자에게 어떠한 영향력을 주었는지에 대해 묻는 것이다. 여기서 이동이라는 것은 그 특별한 표현에 집중하고 어떤 이미지를 떠올리고 그 근거를 이야기하고 있는 과정을 통해서 화자의 생각이나 느낌, 혹은 가치관 등이 어떻게 바뀌었는지를 뜻하는 것이다. 이러한 대화를 통해서 자신의 생각, 느낌, 가치관 등이 처음에는 어떠했고, 지금은 어떤 방향으로 어떻게 이동했는지를 물어볼 수 있다. 지금까지 설명한 4개의 단계를 기본 구조로 하여 외부증인집단활동이 이루어지는데, 여기서 가장 중요하게 생각해야 할 것은, 외부증인집단과 이야기를 할 때 항상 대화의 중심은 내담자가 되도록 유도해

야 한다는 것이다. 외부증인과의 대화 속에서 그들이 내담자의 이야기를 시작으로 하여 자신의 개인적인 이야기를 서술하는 시간이 아니라, 내담자의 이야기를 자신의 삶 속에서 반영하고 강화하여 다시 내담자에게 돌아가야 한다는 것을 주지시켜야한다.

관련어 | 공명, 반영, 외부증인집단, 정의 예식

외상
[外傷, trauma]

억압이나 성격의 분열이 수반하는 격렬한 정신적 쇼크상태.
분석심리학

심리적 외상은 충격적인 경험적 사건의 결과로 발생되는 심리손상의 유형이다. 외상적 사건은 하나의 경험이나 반복되는 사건과 관련 있고, 개인의 대처능력이나 경험과 관련된 생각과 감정의 통합을 완전히 상실하도록 한다. 상실된 감각은 몇 주, 몇 년, 몇 십 년에 걸쳐 진행된다. 심리적 외상은 신체적 외상을 수반하거나 독립적으로 존재한다. 외상이 외상 후 스트레스 장애가 될 때 뇌 화학반응으로 생리적 변화가 생기고 스트레스에 적절히 대처하는 능력이 감소한다. 심리적 외상의 전형적인 원인으로는 성적 남용, 왕따, 가정폭력, 알코올중독, 특히 어린 시절의 학대가 있다. 지진, 화산폭발, 전쟁과 같은 비극적 사건도 심리적 외상을 야기한다. 극도의 가난이나 언어적, 신체적 학대에 오랜 기간 노출되었을 때도 외상이 될 수 있다. 그러나 모든 사람들은 유사한 사건에 다르게 반응한다. 한 사람은 어떤 사건을 외상처럼 경험하는 반면, 다른 사람은 동일한 사건에 대해 외상을 경험하지 않는다. 즉, 잠재적으로 외상을 야기할 만한 사건을 경험하는 모든 사람들이 실제로 심리적 외상을 겪는 것은 아니다.

외상 스트레스에 대한 전문가학회
[外傷-專門家學會, American Academy of Experts in Traumatic Stress: AA ETS]

www.aaets.org **학회**

외상 스트레스는 개개인이 감정적·인식적·습관적·생리적으로 노출된 경험이나 목격자로서의 그들의 대처와 문제해결능력이 압도되어 버린 사건을 말한다. 이에 외상사건의 영향에 대한 인식을 증가시키고, 궁극적으로 생존자들에게 개입을 통하여 삶의 질을 향상시키려는 목적으로 외상 스트레스에 대한 전문가학회(AAETS)를 설립하였다. AAETS는 대규모 재해나 대참사 등의 압도적인 사건으로 인한 외상경험의 영향에 대해 보다 올바른 인식을 가질 수 있도록 도움을 주는 활동을 하고 있다(만성질병, 사고, 가정폭력 및 손실). 또한 생존자들을 위하여 헌신하는 전문가(비영리단체 국제센터, 위기관리 국가센터)와 종합적인 네트워크를 구축하여 이들로부터 전문지식을 확인하고, 학문 이상으로 외상 생존자에게 개입하여 기준을 마련해 주는 역할을 하고 있다. 회원은 200여 개 직종의 건강 관련 분야, 응급실, 범죄재판, 과학 수사, 법률, 비즈니스와 교육 등의 전문직 관련 사람들로 구성되어 있는데, 미국을 넘어 30개국 이상의 여러 국가의 전문직 종사자다. 학회에 속한 회원의 경우 상위기관인 비영리단체의 국제센터회원이 될 수 있으며, 전문의사나 법적 단체가 지원할 수 있는 기회를 클라이언트에게 제공해 줄 수 있다. AAETS에서는 전문적인 외상 스트레스와 위기관리 프로그램 관련 자격증을 취득할 수 있는데, 국제센터의 회원이 되면 DAAETS와 DNCCM의 전문가 자격을 부여받는다.

외상 후 스트레스 장애
[外傷後-障礙,
post traumatic stress disorder: PTSD]

충격적인 외상 사건을 경험하고 난 후 불안 증가, 외상과 관련된 자극 회피, 정서 반응의 둔감과 같은 다양한 심리적 부적응 증상이 나타나는 장애. **이상심리**

외상 후 스트레스 장애는 DSM-IV에서는 불안장애의 하위 유형으로 소개되었으나, DSM-5에서는 '외상 및 스트레스 관련 장애(trauma-and stress-related disorders)'에 포함되었다. 외상 사건(traumatic event)이란 죽음 또는 죽음의 위협, 신체적 상해, 성폭력과 같이 개인에게 심각한 충격을 주는 다양한 사건들(예: 지진이나 화산폭발과 같은 자연재해, 전쟁, 살인, 납치, 교통사고, 화재, 강간, 폭행 등)을 의미한다. DSM-III(1980)에서 처음 소개한 진단명이다. 미국에서는 전쟁, 종군 생활, 재해, 폭력, 고문, 성폭력, 학대, 재해 등으로 심리적 고통이 오랜 기간 지속될 수 있는 극단적인 외상 경험들을 원인으로 본다. 이때 외상은 직접적으로 경험하는 것부터 간접적으로 목격하는 것에 이른다. 외상 후 스트레스 장애는 이러한 외상 사건을 경험한 후에 다음과 같은 4가지 유형의 심리적 증상을 특징적으로 나타낸다. 그 첫째는 침투 증상(intrusion symptoms)으로서 외상 사건과 관련된 기억이나 감정이 자꾸 의식에 침투하여 재경험되는 것을 말한다. 즉, 과거가 현재 속으로 끊임없이 침투하는 것이다. 외상 사건에 대한 고통스러운 기억이 자꾸 떠오르거나 꿈에 나타나기도 한다. 외상 사건과 관련된 자극을 접하게 되면 그 사건이 실제로 발생하고 있는 것 같은 착각(flashback)을 하거나 강렬한 심리적 고통이나 과도한 생리적 반응을 나타낸다. 둘째, 외상 사건과 관련된 자극을 회피한다. 외상 사건의 재경험이 매우 고통스럽기 때문에 그와 관련된 기억, 생각, 감정을 떠올리지 않으려고 노력한다. 외상 사건과 관련된 생각이나 대화를 피할 뿐만 아니라 그와 관련된 사람이나 장소를 회피한다. 셋째, 외상 사건과 관련된 인지와 감정에 있어서 부정적인 변화가 나타난다. 예를 들어, 외상 사건의 중요한 일부를 기억하지 못하거나 외상 사건의 원인이나 결과를 왜곡하여 받아들임으로써 자신이나 타인을 책망한다. 또는 자신, 타인 및 세상에 대한 과도한 부정적 신념(예: 나는 나쁜 놈이야, 아무도 믿을 수 없어, 세상은 완전히 위험 천지야, 내 뇌는 영원히 회복될 수 없어 등)을 나타내기도 한다. 공포, 분노, 죄책감이나 수치감과 같은 부정 정서를 나타내거나 다른 사람에게서 거리감과 소외감을 느끼기도 한다. 마지막으로 각성과 반응성의 현저한 변화가 나타난다. 평소에도 늘 과민하며 주의 집중을 잘 하지 못하고 사소한 자극에 놀라는 반응을 보이며 짜증을 내거나 분노를 폭발하기도 한다. 잠을 잘 이루지 못하거나 쉽게 잘 깨는 등 수면 곤란을 나타내기도 한다. DSM-5에서는 외상 사건을 경험하고 난 후 이러한 4가지 유형의 증상들이 1개월 이상 나타나서 일상생활에 심각한 장해를 받게 될 때 외상 후 스트레스 장애로 진단한다. 이러한 장애는 외상 사건을 경험한 직후에 나타나는 경우가 대부분이지만 사건을 경험한 후 한동안 잘 지내다가 몇 개월 또는 몇 년 후에 이러한 증상이 뒤늦게 나타나는 경우도 있다. 외상 후 스트레스 장애의 두드러진 특징은 사건을 재경험한다는 점이다. 예를 들어, 과거에 경험한 끔찍한 일들이 기억나거나 꿈이나 악몽으로 되살아나서 고통스럽고 힘들다. 또한 과도한 자율신경계 각성, 외부 자극에 대한 과민성, 낮은 수준의 주의집중력으로 과제 수행의 어려움과 수면장애를 나타낸다. 외상적 사건에 과도하게 몰두하는 것은 사회적 관계 형성, 친밀감 그리고 성적 관계 형성에 대한 흥미를 저하시킬 수 있다. 고통스러운 죄책감, 우울, 안절부절못하는 행동, 성마름과 같은 반응이 일반적으로 나타난다. 또는 폭력적인 형태로 충동적인 행동을 표출하기도 하며, 술 등의 물질남용이나 물질의존을 나타내기도 한다. 이 증상을 감소시키기 위해서는 외상의 재경험을 방지하고 보호적이며 지지적인 환경에 근거한 심리치료적 개입을 하면서 신경 안정제와 항우울제 등의 약물치료를 병행하는 것이 도움이 된다. 일반적으로 아동은 성인에 비해 외상 사건을 겪게 되면 외상 후 스트레스 장애로 이어질 가능성이 더 높다. 또한 아동이 나타내는 외상 후 스트레스 장애는 성인과 다소 다른 양상을 나타내는데, 예를 들어 아동은 외상 사건의 기억을 떠올리기보다 외상 사건과 관련된 주제를 놀이 형식으로 재현할 수 있다. 또한 외상 사건과 직접 관련된 꿈을 꾸기보다 괴물이 나타나거나 다른 사람을 구출해 내는 내용의 꿈을 꾸는 경향이 있다. 아동은 성인과 달리 외상을 회피하거나 부인하지 못하는 경향이 있으며, 심리적인 충격을 분리불안, 신체화 증상, 비행행동 등으로 나타낼 수도 있다.

외상기억
[外傷記憶, traumatic memory]

인생의 트라우마가 있었던 시기의 경험을 이후에도 계속해서 재경험하는 것. `기타 가족치료`

트라우마를 경험한 피해자의 기억은 일반 사람들과는 다르다. 성인의 기억은 계속 전개되는 인생의 이야기 안에 일련의 언어적인 이야기로 흡수되는데, 외상기억은 언어적인 이야기와 맥락이 끊어져 있다. 대신에 생생한 감각과 심상의 형태로만 이루어진다. 따라서 트라우마를 경험한 피해자는 생각이나 의식 속에서 트라우마를 처음 경험했을 때의 순간을 재경험하게 된다. 외상기억의 독특성은 중추신경계의 변화를 기반으로 하고 있을 가능성이 있다. 아드레날린과 여타 스트레스 호르몬이 다량 순환할 때 기억의 흔적이 깊숙하게 각인되는데, 트라우마 사건은 피해자에게 기억을 각인시킬 수 있다. 트라우마의 기억은 잊히지 않고 우리의 무의식 속에 남아 있으며 우리 몸에 신경생물학에서 엔그램(engram)이라고 불리는 일정한 각인을 남긴다. 트라우마의 흔적인 엔그램은 아무 고통을 유발하지 않고 오랜 시간 잠잠히 '겨울잠'을 잘 수 있다. 그러다가 몇 년 혹은 몇 십 년이 흐른 뒤 심한 정신적 스트레스를 받으면 트라우마 기억이 갑자기 되살아나면서 저장되어 있는 트라우마 증상이 다시 나타날 수 있다.

외상동일시
[外傷同一視, traumatic identification]

상대방이 느끼는 신체적 고통과 유사한 증상이 자신에게도 나타나는 현상. `기타 가족치료`

심리치료의학에서 오래전부터 알려진 사실은 한 사람이 사랑하는 가까운 사람의 고통을 보고 안타까워하면 상대방의 신체적 고통이 나중에 그 사람의 몸에서 유사한 증상으로 나타날 수 있다는 것이다. 심리학에서는 이를 '동일시'라고 표현한다. 고통을 호소하는 환자가 검사결과 아무 이상이 없지만 통증을 느낀다면 동일시의 가능성을 생각해 볼 수 있다. 요아힘 바우어(Joachim Bauer)가 설명한 사례를 보면 다음과 같다. 40대 중반의 남성이 원인을 모르는 심장통증을 호소하였다. 환자를 진찰한 심장전문의도, 정형외과 전문의도 신체에서 눈에 띄는 점을 찾아낼 수 없었다. 폐에도 이상이 없고 면역성 질환이나 종양 질환일 가능성도 없었다. 통증은 5개월 전부터 시작되었다. 통증이 일어나기 직전 어머니가 암으로 세상을 떠났다. 병든 어머니를 정성껏 돌보아 온 그는 어머니가 돌아가시는 때에 외국출장 중이어서 어머니의 임종을 지키지 못하였다. 그는 이후 심한 죄책감에 시달렸고, 얼마 후 심장통증이 발생하였다. 왜 죄책감은 심장통증을 유발했을까? 그는 아버지와 매우 친밀한 사이였는데 아버지는 52세였던 당시 그와 숲에서 산책을 하던 중 갑자기 심근경색으로 세상을 떠났다. 그는 자신이 사랑하던 아버지가 고통스럽게 죽는 것을 지켜보았다. 이 트라우마가 깊이 저장되어 '겨울잠'을 자던 중에 어머니의 임종을 지키지 못한 죄책감에 활성화되어 사랑하던 아버지의 신체증상을 자신의 것으로 받아들인 것이다. 이와 같이 다른 사람의 신체증상만이 아니라 다른 사람의 트라우마 경험과 이것으로 발생하는 증상도 동일시를 통하여 자신의 것으로 받아들이는 현상을 외상동일시라고 한다. 가족세우기 치료와 트라우마 가족치료의 선구자인 헬링거(Hellinger)는 가족 안에서 트라우마가 발생하면 가족 중 한 사람이 트라우마를 경험한 사람과 무의식적으로 연결되어 자신의 삶 속에 트라우마를 경험한 사람의 운명과 감정을 받아들인다고 말하였다. 자신도 모르게 고통스러운 삶을 살았던 가족과 동일시하여 자기 스스로를 제한하고 고통스러운 삶을 살아가는 것이다. 이러한 예는 홀로코스트의 생존자들 삶 속에서 잘 나타난다. 홀로코스트의 생존자들이 고통스러운 수용소 생활에서 벗어난 뒤에도 그들 대부분은 수용소에서 비참하게 죽은 가족과 자신을 동일시하여 자기 삶을 제한하고 스스로를 비참하게 고독과 절망에 내버려 두었다. 헬링거는 외상동일시로 나타나는 문제는, 문제가 현재가 아닌 과거에 있으며 자신의 문제가 아니라 동일시된 대상에 속한 문제라는 것을 파악할 때 그것에서 벗어날 수 있다고 하였다.

외상성 애착
[外傷性愛着, traumatic bonding]

가해자를 구세주로 여기고 자신을 학대하는 사람에게서 벗어나지 못하는 반면, 구조자를 두려워하고 미워하게 되는 현상.

기타 가족치료

인질사건에서 인질로 잡힌 사람이 범인에게 정신적으로 동화되어 그를 사랑하게 되거나, 그에게 위로받고자 하는 욕구가 생기는 스톡홀름 증후군(Stockholm syndrome)의 심리상태와 연결된다. 외상성 애착은 '심리적 유아기'로의 강요된 퇴행이며, 자신의 생명을 위협하고 자신을 파괴하고 있는 가해자에게 매달리도록 강요된 심리상태다. 이 같은

현상은 아동학대를 하는 부모와 아동과의 관계에서 나타나며, 가정폭력 피해 여성들에게서도 나타난다. 피해 여성은 전지전능한 권위를 갖는 가해자에게 전적으로 의존하여 가해자가 삶의 원천이자 가해자를 떠나서는 생존할 수 없다고 믿는다. 피해자가 다행히 트라우마의 속박관계에서 벗어났다고 하더라도 속박 이전의 관계 유형을 재건하기는 어렵다. 피해자의 관계 유형은 상당히 제한되어 누군가는 가해자, 또 누군가는 구조자, 또 다른 누군가는 수동적인 목격자 등으로 한정된다. 모든 인간관계가 이러한 유형으로 단순화되어 관계 맺기에 어려움이 있다.

외상성 역전이
[外傷性易轉移, traumatic countertransference]

트라우마 피해자를 상대하는 상담자가 정도는 덜하지만 내담자와 비슷한 공포, 분노, 절망을 경험하는 현상.

기타 가족치료

트라우마는 대단히 강력한 정서적·심리적·신체적 증상을 동반하며, 이는 전염성이 있다. 상담자는 내담자의 트라우마 경험을 들으면서 과거에 자신이 개인적으로 받았던 트라우마를 회상하게 된다. 상담자는 자기 자신이 만든 환상이나 꿈속으로 내담자의 트라우마와 관련된 심상이 침투하는 경험을 한다. 이렇게 되면 상담자는 심리적인 건강을 위협받고, 동시에 상담자의 중립성을 상실할 수 있다. 트라우마를 다루는 상담자의 트라우마가 이해되거나 다루어지지 못하면 상담을 위한 내담자와의 관계 맺기가 원활하게 이루어지지 않는다. 상담자는 내담자가 경험한 트라우마와 그 때문에 고통스러워하는 내담자를 보면서 자신도 모르게 트라우마에 반복적으로 노출되는 것이다. 내담자가 보이는 인간에 대한 기본 신뢰의 약화를 동반적으로 경험한다. 이처럼 역전이가 되어 무력감에 휩쓸리면 상담

자는 무력해지고 치료적 희망을 상실해 버린다. 트라우마를 다루는 상담자는 이러한 심리적 전염성을 처리하기 위해 지속적인 지지체계를 가지고 있어야 한다. 어떠한 트라우마의 피해자도 혼자서 극복할 수 없듯이 상담자 역시 혼자서 트라우마를 다룰 수 없기 때문이다.

외상성 전이
[外傷性轉移, traumatic transference]

트라우마로 고통받는 내담자를 치료하는 과정에서 상담자와 내담자 사이에 형성되는 독특한 치료관계. 기타 가족치료

트라우마 때문에 고통을 받는 피해자들은 치료관계 안에서 독특한 유형의 전이를 형성한다. 트라우마를 경험한 피해자들의 전이는 단순히 상담자와 내담자의 두 사람 사이의 관계를 반영하는 것이 아니다. 즉, 세 사람의 관계를 반영하는데 내담자의 가해자가 더해지는 것이다. 상담현장에서 내담자는 상담자 앞에서 가해자를 인식하고 느끼고 있으며, 이것은 상담을 방해하고 내담자와 상담자와의 관계를 계속해서 해친다. 트라우마 경험은 다른 사람을 신뢰하는 능력을 파괴시키기 때문에 상담자와의 관계에서도 어려움을 겪는 것이다. 외상성 전이는 두려움과 공포의 감정뿐 아니라 무력감을 포함한다. 버림받고 무기력하다는 확신에 정서적인 강렬함이 더해질수록 전지전능한 구조자에게 더 의존하는데, 내담자는 상담자를 이상화하고 강하게 의존하려고 한다. 상담자를 이상화하는 환상에 의지하지만 기대했던 것을 얻지 못하면 내담자는 상담자에게 가해자로부터 느꼈던 분노를 전이하게 된다.

외상신경증
[外傷神經症, traumatic neurosis]

심각한 신체적 혹은 심리적 외상을 경험한 결과로 유발되는 신경증의 한 형태. 정신병리

스트레스와 관련된 불안장애의 유형으로, 어린 시절의 심리적 상처, 범죄자로부터의 공격, 사고, 전쟁 후유증, 일상적 범위를 넘어서는 끔찍한 사건 등을 경험한 후에 주로 발생한다. 심각한 심리적 외상의 결과로 발생하는 신경증은 개인의 발달에 매우 혼란스럽고 파괴적인 영향을 미친다. 공황 상태에 빠질 정도로 심각할 수도 있으며, 급성적이거나 만성적인 형태로 나타난다. 외상신경증의 주된 증상은 외상적 사건의 반복적 재경험, 무감각한 반응, 외부환경으로부터 위축, 불쾌한 생각의 자율적 출현 등이다. 특히 꿈에서 외상적 사건이 반복적으로 출현하는데, 그 결과 불안과 초조감을 느끼고 불면증에 시달리게 된다. 반복적인 꿈은 부인(denial)이라는 기제를 사용하여 외상을 극복하려는 시도라고 볼 수 있다. 이러한 상황이 반복되면 성마름, 사회적 고립, 소외, 타인에 대한 불신 등이 팽배해지고 따라서 대인관계 갈등이 유발되고 사회적 상호작용이 악화된다. 또한 하나의 생각을 지속적이고 강박적으로 반추하거나 임박한 상황에 대해 과거장면을 회상하는 삽화적 행동을 나타내기도 한다. 이러한 회상은 갑작스럽고 소모적인 현상으로서 개인에게 고통스러운 경험을 다시 겪도록 만든다. 치명적인 외상적 사건을 경험한 후부터 자신이 변했다고 느끼고 자기감을 상실하기도 한다. 이때 막연하게 자신이 변했다고 느끼기는 하지만 그러한 변화가 왜, 그리고 어떻게 일어났는지에 대해서는 쉽게 이해하지 못한다. 자기 자신을 믿지 못하며, 자신에 대해 불확실하고 불안해하며, 정상적인 사회적 기능을 수행하기 어렵다.

관련어 외상

외설증
[猥褻症, coprolalia]

욕설, 반사회적 표현, 성에 관한 음란한 말, 배설물과 관련된 말 등 지속하고 모욕감을 주는 말이나 표현을 조절하지 못하고 충동적이며 반복적으로 사용하는 증상. **이상심리**

'copro'의 어원은 그리스어의 대변을 뜻하는 'kopros'와 말하다를 뜻하는 'lalia'의 합성어에서 찾을 수 있는데, 외설증은 'kopros'의 의미가 시사하듯 대변처럼 지저분한 말과 관련이 있다. 즉, 저급한 말이나 비속하고 외설적인 말을 발작적으로 하는 것을 의미한다. '빌어먹을, 제기랄, 거지같은, 똥 같은, 똥구멍, 개새끼'와 같이 통상은 틱의 한 증상으로 나타나며, 초등학교 고학년 아이에게 많다. 외설증은 발작적이기 때문에 아이도 스스로 억제할 수가 없는데, 부모나 주위에 있는 사람들이 강하게 제지나 금지를 하기 때문에 아이로서는 더욱 정신적인 압력이 가해져 악화되는 경향이 있다. 외설증이 있는 틱은 치료하기 어렵다고 한다. 틱에 수반하기 때문에 틱의 진단이 확실하면 특별히 감별을 요하는 장애는 아니다. 틱이 심인성이라고 생각되므로 심리적 억압이 가해져 있는 것은 당연하다. 가족, 특히 부모 중 어느 쪽이 불결하거나 정돈을 잘 하지 않는 것을 한쪽 배우자가 의식하면 상대방을 엄격하게 길들이기 위해 외설을 쓰는 경우가 많다. 엄격함은 완전주의에 가까우며, 이미 아이들이 1~3세 때부터 이 같은 버릇이 시작된다. 억압이 강하기 때문에 아이들의 자주성은 지체되고 이로 인해 자주성을 요구받는 장면에 놓이면 불안해지면서 틱이 일어나기 쉽다. 틱 증상이 있는 아이에게서 외설증이 보이는 이유는 명확하지 않다. 정상적인 발달 중에서 4~5세경에 일시적으로 저급한 비속 외설을 말하면서 즐기는 시기가 있는데, 그 시기에 강한 억압이 가해지는 것이 관계된 것은 아닌지 추정해 볼 수 있다. 치료는 틱 치료법과 같지만 저급하고 비속한 외설적인 말을 해도 그것을 금지하지 않도록 해야 한다. 아이들에게는 놀이치료를 행하고, 치료자 자신도 저급 비속 외설적인 언어를 써서 아이들과 더불어 즐기면서 아동의 억압을 해소시킨다. 부모에 대해서는 상담을 통하여 아이에 대한 가정에서의 억압을 제거하도록 한다.

관련어 | 틱장애

외재화 대화
[外在化對話, externalized conversation]

이야기치료의 치료과정 중에서 문제의 외재화 기법을 적용하기 위해 사용하는 대화의 방법. **이야기치료**

외재화 대화는 내담자 안에 내재되어 있는 문제를 밖으로 끌어내어 객관화시킴으로써, 새로운 시각으로 문제를 바라보고 가능성을 찾고자 하는 문제의 외재화 기법(externalizing the problem)을 상담에 적용할 때 사용하는 대화법이다. 하지만 외재화 대화를 단순히 이야기치료의 과정에 사용되는 하나의 기법이나 기술만을 의미하는 것으로 생각할 것이 아니라, 이야기치료의 전 과정을 통하여 치료자가 내담자의 문제를 어떻게 다루어야 하는지에 대한 기본 태도와 기본 대화의 원리라는 좀 더 넓은 시각에서 이해할 필요가 있다(White, 1999). 즉, 치료자는 치료의 전 과정을 통해서 내담자가 호소하는 문제적 이야기를 대할 때, 그 문제가 내담자의 정체성을 대표하는 것이 아니라 내담자와 문제 간의 상호작용 속에서 서로 영향을 주고받아 정체성을 형성하고 있다는 것을 바탕으로 내담자와 그가 호소하는 문제에 대해 이해하고 대화해야 한다. 치료자의 이 같은 문제의 외재화 태도는 내담자의 부정적인 영향으로 가득 찬 문제적 이야기로부터 변화와 희망의 가능성을 제시하는 새로운 이야기들과 해석을 발견할 수 있다. 외재화 대화를 위해서는 가장 먼저 치료과정 중에서 치료자와 내담자가 사용하는 언어에 획기적인 변화를 줄 것이 요구된다. 이야기치료사는 먼저 내담자가 자신의 문제적 이야기에 대해서 이야기하는 서술의 방식을 집중해서 들어야 한다. 그리고 내담자의 서술 중에서 "아무도 나를 좋아하지 않아요." "나는 아무 희망이 없어요." "나는 더 이상 살고 싶지 않아요." 등 부정적인 영향력으로 가득 찬 표현에 집중해야 한다. 이 같은 표현은 내담자가 문제를 자신의 내면에 내재화시킴으로써 나타나는 결과이며, 내담자의 정체성과 삶의 방식에 부정적인 영향을 미칠 수 있다. 이야기치료사는 내담자의 문제가 내재화된 표현에 관심을 보이면서, 그 문제가 내담자의 삶과 정체성에 부정적인 영향을 미치고 있는 구조화된 방식을 새롭게 전환시키기 위해 여러 가지 기법을 시도할 수 있다. 문제에 이름을 붙여 의인화하여 새로운 시각으로 문제와 내담자 사이의 관계와 상호 영향력을 이야기하는 기법을 사용하거나, "'아무도 당신을 좋아하지 않는 것'이 당신에게 어떤 의미가 있나요?"라고 서술형의 표현을 명사화하여 질문함으로써 내담자가 자연스럽게 자신의 문제를 분리된 개체로 인식하고 그와의 관계를 생각해 볼 수 있도록 유도할 수도 있다. 이렇게 이야기치료과정에서 이루어지는 외재화 대화는 내재화된 문제를 내담자에게서 분리시키고, 이러한 문제가 내담자의 정체성을 표현하는 것이 아니라 여러 가지 사회문화적 요소와 영향을 주고받는 연관성 아래에 있다는 것을 인식할 수 있도록 도와준다. 또한 내담자의 이러한 인식은 문제의 부정적인 영향력에서 벗어나 대안적 이야기(alternative story)를 발견하는 시작점이 될 수도 있다.

관련어 | 내재화, 대안적 이야기, 문제의 외재화, 이야기치료

외적 대화
[外的對話, external dialogues]

부부간에 이루어지는 대화 중 언어적 의사소통의 도구인 음성언어를 사용한 의사소통. 부부상담

외적 대화란 서로가 귀로 듣는 명백한 언어적 대화를 의미한다. 외적 대화를 통해 부부간에 의사소통이 이루어지면 서로의 생각과 행동에 대한 정확한 이해와 소통이 가능하다는 특징이 있다. 하지만 외적 대화는 각각의 배우자 내부에서 이루어지는 내적 대화에 영향을 받는 경향이 있다.

관련어 | 내적 대화

외적 인격
[外的人格, external personality]

인간이 외부세계와 접촉할 때 외부세계에 적응하기 위해 다양한 행동과 태도를 지니게 되는 것. 분석심리학

외적 인격은 페르소나와 동일한 의미다. 일부에서는 외적 인격을 사회적 자아로 표현하기도 하며, 외적 인격은 자아와 외부세계를 연결한다. 외적 인격은 사회적 역할로서 하나의 인격체와 같은 특징을 지닌다. 이는 외부세계에 적응하기 위해 필수적이다. 인간은 외적 인격을 통해 사회 속에서 자신의 역할을 이행할 수 있고, 자신의 내적 세계와 사회적 요구 간의 타협점에 도달할 수 있다. 융(C. G. Jung)은 외적 인격과 자기를 구분할 줄 알아야 한다고 말하였다. 인간이 외적 인격만이 자신의 본성을 반영하고 있다고 믿는다면 매우 해로울 수도 있다. 이럴 경우 결과적으로 자아가 오로지 외적 인격 하나와 동일시하여 정신의 다른 측면들이 충분히 발달하지 못하기 때문이다. 그러면 진정한 자기로부터 멀어져 팽창된 외적 인격과 축소된 다른 정신 측면들 사이에 간격이 생긴다. 외적 인격은 사회적 적응을 위한 필요 수단으로만 여길 뿐 맹목적인 절대성을 부여해서는 안 된다. 프란츠(Franz)는, 인간은 자기가 지닌 열등기능과 무의식으로부터 도피하기 위해 외적 인격이 발달한다고 언급하였다.

관련어 | 내적 인격, 페르소나

외적 타당도
[外的妥當度, external validity]

실험의 결과를 다른 대상, 다른 시기, 다른 상황에 일반화할 수 있는 정도. **연구방법**

실험의 과정에서 자칫하면 독립변인 이외의 다른 변인들이 체계적으로 실험의 결과에 영향을 주어 그 결과를 전혀 믿을 수 없게 되는 경우가 많다. 이와 같은 잘못을 미연에 방지하려면 실험설계를 구상할 때부터 실험의 타당성을 위협하는 여러 요인을 충분히 감안하여 실험결과의 내적 타당도와 외적 타당도를 높이도록 노력해야 한다. 여기서 실험의 외적 타당도란 현재의 실험조건을 떠나서 다른 대상이나 상황에 실험결과를 일반화할 수 있는 정도를 말하며, 이러한 일반화의 정도가 크면 클수록 그 실험의 외적 타당도가 높다고 할 수 있다. 실험의 외적 타당도를 높이기 위해서는 외적 타당도를 위협 혹은 저해하는 요인을 최소화해야 한다. 외적 타당도를 위협 혹은 저해하는 요인이란, 특정 실험에서 얻은 결과를 그 실험이 수행된 맥락과는 다른 대상, 다른 상황, 다른 시기에 일반화하는 데 제약을 주는 요인을 말한다. 이에 해당하는 몇 가지 요인을 살펴보면 다음과 같다. 첫째, 사전검사와 실험처치 간의 상호작용 효과다. 사전검사 때문에 실험처치에 대한 피험자의 관심이 증가하거나 혹은 감소됨으로써 실험결과에 영향을 미치는 현상을 말한다. 이 같은 현상은 특히 흥미나 태도 같은 정의적 특성을 연구할 때 나타나기 쉽다. 예를 들어, 다른 인종에 대한 편견을 연구한다고 할 때 특별한 처치를 가하기 전에 단지 인종편견에 대한 사전검사를 실시하는 것만으로도 피험자의 태도에 큰 영향을 미칠 수 있다. 피험자들에게 사전검사를 실시한 뒤, 실험처치로서 인종편견을 주제로 한 영화를 보여 주고 나서 영화관람이 인종편견의 감소에 미친 효과를 평가한다고 한다면, 처치의 효과만이 아니라 먼저 실시한 사전검사의 효과도 평가결과에 반영될 가능성이 높다. 둘째, 피험자 선발과 실험처치 간의 상호작용 효과다. 피험자의 특성이나 유형에 따라 실험처치의 영향이 서로 다르게 나타나는 현상을 말한다. 예를 들어, 새로운 상담 프로그램의 효과를 알아보기 위하여 A중학교 학생을 대상으로 삼았다고 하자. 그 상담 프로그램은 저소득층의 학습부진 학생들에게 매우 적합한 것이었고, A중학교 학생들 또한 다른 중학교 학생들에 비하여 가정의 사회경제적 수준이 낮고 학습이 부진한 학생이 많았기 때문에 상담 프로그램의 효과가 크게 나타났다. 이때 효과가 크게 나타났다고 해서 그 상담 프로그램이 전국의 모든 중학생에게 효과적일 것이라고 생각하는 것은 성급한 판단이다. 고소득층 학업 우수 학생이 많은 B중학교 학생들에게 동일한 상담 프로그램을 실시했을 경우 A중학교에 실시했을 때와 마찬가지로 큰 성과를 거둘지는 알 수 없다. 왜냐하면 피험자의 특성이 현저하게 다르기 때문이다. 즉, 같은 실험이라 해도 피험자가 달라지거나 실험상황이 바뀌면 실험결과도 달라질 수 있다. 셋째, 실험에 대한 반동효과다. 실험상황과 일상적인 실제 생활장면 사이의 이질성 때문에 실험의 결과를 그대로 일반화하기가 어려워지는 현상을 말한다. 피험자 실험도구와 실험자를 보면서 자신이 지금 실험의 대상이 되고 있다는 점을 크게 의식하면, 실험상황에서 피험자의 행동은 일상의 자연스러운 행동과는 크게 다를 수 있다. 실험상황이 인위적일수록 반동효과가 크게 나타날 가능성이 있다. 넷째, 중다처치에 의한 간섭효과다. 동일 피험자에게 여러 가지 실험처치를 계속해서 실시할 경우 처치들의 효과가 상호간섭을 일으켜 처치효과가 축소 혹은 확대되는 현상을 말한다. 즉, 이전의 처치에 따른 경험이 이후의 처치를 받을 때까지 잔존함으로써 일어나는 효과를 중다처치 간섭이라고 한다. 중다처치실험의 경우, 새로운 처치를 할 때 이전에 받은 처치효과를 완전히 제거할 수 없기 때문에 그 처치효과는 단지 일정한 순서로 여러 가지 처치를 받은 사람에게만 기대할 수 있는 독특한 것이 될 가능성이 있다. 그러므로 그러한 실험의 결과를 일반화하는 데에는 한계가 있다. 한편, 실험집단이나 통제집단에 속한 연구대상이 처치변인의 투입과 상관없이 스스로 어떠한 의미를 부여하여 종속변인의 변화를 발생시킬 수 있는데, 실험집단에서 나타나는 호손(Hawthorne) 효과, 통제집단에서 나타나는 존헨리(John Henry) 효과, 연구자에 의한 효과가 있다. 호손효과는 연구대상이 연구의 목적을 알고 있거나 알게 될 때 평상시와는 다르게 행동함으로써 연구결과에 영향을 미치는 것이고, 존헨리 효과는 호손효과와 반대되는 현상으로 통제집단에 있는 연구대상이 실험집단에 있는 연구대상보다 더 나은 결과가 나타나도록 노력하는 현상이며, 연구자 효과는 연구자가 연구결과에 영향을 미치는 말이나 행동을 함으로써 연구대상이 평상시와 다르게 행동하는 것이다. 이러한 효과들이 연구결과를 일반화하는 데 지장을 초래할 수 있다.

관련어 | 내적 타당도

외적 태도
[外的態度, external attitude]

정신적 에너지의 방향이 외부세계로 향하는 것. `분석심리학`

융(C. G. Jung)은 정신적 에너지의 방향에 따른 태도를 외적 태도와 내적 태도로 구분하였다. 외적 태도는 외부세계에 대한 반응을 지향하는데, 외부 환경에 따라 동기화되고, 집단적 규준에 영향을 받고, 외적 세계에 기반을 두고, 사물에 의해 동기화되는 특성을 띤다. 태도의 유형은 생활현상에 따라 결정되고, 정신재현으로 동기화되며 변화될 수 있다. 이는 자극을 주는 생물학적 요소나 분석을 통하여 획득된다. 무의식적 수준에 기초한 기능유형의 주된 특징은 고대적이고 심리학적 형성의 기본 요소를 나타낸다. 전인성은 주기능과 함께 기능의 혼합

으로 표현될 뿐 아니라 일반적 태도로 표현할 수 있다.

관련어 | 내적 인격, 내향성, 외적 세계, 외적 인격, 외향성

외향성
[外向性, extroversion]

객관적 현실인 외부세계 지향적이며 외부세계에 가치를 두는 성격 경향. `분석심리학`

선천적으로 사람은 삶을 영위해 나가는 데 서로 다른 두 가지 태도와 입장을 취한다. 내향적 태도와 외향적 태도 중 어떤 태도를 더 많이 의지하고 선택하느냐에 따라 내향성 또는 외향성으로 구분할 수 있다. 외향성은 정신에너지가 객관적인 외부세계의 여러 표상으로 몰리는 것이다. 외향성의 특성을 지닌 사람은 주체에 입각한 가치보다 객체 중심의 가치를 중요시한다. 자신과 타인 및 사물과의 상호작용에 관심을 가지고 몰두한다. 외부적인 성과, 눈에 보이는 결과, 많은 사람의 평가를 중요시하는 경향이 있고, 탁월한 사교성과 적극적 행동을 보인다. 사람은 누구나 외향적인 면과 내향적인 면을 모두 가지고 있는데, 외향성의 메커니즘이 우위에 있을 때에만 그 행동양식을 외향적이라고 말할 수 있으며 절대적인 외향성은 없다고 할 수 있다. 우세한 의식의 태도는 그 반대 극의 무의식의 태도로 보상된다. 따라서 외향형의 무의식에는 열등한 내향적 경향이 있다. 만약 외향적 태도가 지나치면 무의식에 내향적 경향이 억제되고 열등한 상태로 있다. 내향적 경향이 열등하기 때문에 보통 내향형이 지닌 건전한 자기성찰보다는 자기 말만 옳다고 우기고 다른 사람들이 모두 자신을 위해 헌신해야 한다고 믿는 것처럼 유아적이고 자기중심적인 경향을 보인다. 외향형이 자신의 열등기능에 대해 알지 못한다면 내향형에게 자신의 그림자를 투사하며 '비현실주의자' '고집불통 독선가' 등으로 비난할 수도

있다. 그렇기에 열등기능의 의식화 작업은 중요하다. 자기실현이 진행될수록 각 유형 간의 차이는 점점 줄어들고, 내향성을 존중하는 외향성이 될 수 있다.

관련어 ┃ 내향성, 외향형

외향적 감각형
[外向的感覺型, extroverted sensation type]

융(C. G. Jung)이 분류한 여덟 가지 성격유형의 하나로, 외계의 사물에 대한 감각이 발달했기 때문에 현실주의적 경향이 많고 때로는 쾌락주의적이고 때로는 평범한 습관신봉자가 되는 사람. 분석심리학

융은 사물을 판단하는 기능을 설명하기 위해 감각형과 직관형의 개념을 사용하였다. 그중 감각형을 태도에 따라 외향적 감각형과 내향적 감각형으로 구분하였다. 외향적 감각형의 사람은 감각을 주로 사용한다. 이때 감각은 개인이 직면하고 있는 객관적인 현실에 따라 결정된다. 외부세계에 대한 사실들을 수집하는 데 흥미를 느끼고, 외부의 감각자극에 영향을 받아 그 자극을 주는 객체를 향해 시선을 돌린다. 예를 들어, 화려한 의상, 독특한 액세서리를 착용한 사람에게 관심을 보인다. 그런데 그들보다도 더 새롭고 더 강한 감각자극을 주는 사람이 나타나면 곧 대상을 바꾸어 새로운 자극을 제공한 사람에게 접근한다. 여기서 자극을 주는 대상이 사람에 한정되지는 않는다. 현실주의적이고 실제적이지만 정작 그 사물이 무엇을 의미하는지에 대해서는 별로 관심이 없다. 또한 직관형이 대화의 두서가 없고, 말의 내용과 의미를 다른 사람에게 잘 전달하지 못하는 반면, 외향적 감각형은 빈틈이 없어서 행사의 프로그램을 명확하게 만들고 회의진행도 매우 매끄럽게 한다. 발표를 할 때 시청각 기구를 적절하게 이용하고 시간도 정확히 잘 맞추며 설명도 요령 있게 하는 능력을 가지고 있다. 이 유형의 사람은 주로 남성이 많다. 외향적 감각형이 극

단적인 경우에는 유치한 호색가 혹은 과시적인 탐미주의자가 될 수도 있다. 이러한 관능적인 지향성 때문에 중독, 도착에 빠질 수도 있다. 감각형의 그림자는 그의 열등기능인 직관기능의 성격을 띤다. 외향적 감각형은 열등기능 때문에 비합리적인 강박증, 종교적 신념과 관련된 공포증에 사로잡힐 수도 있다.

관련어 ┃ 내향적 감각형, 외향적 직관형

외향적 감정형
[外向的感情型, extroverted feeling type]

융(C. G. Jung)이 분류한 여덟 가지 성격 유형의 하나로, 외계의 사물에 대한 감정에 따라 규정되고 주위 사람들의 기대에 맞추어 행동하는 사람. 분석심리학

융은 감정형을 외향적 감정형과 내향적 감정형으로 구분하였다. 외향적 감정형인 사람은 주체보다 객체에 관심이 많고, 내향적 감정형인 사람은 주체에 관심이 많기 때문에 같은 감정형이라 할지라도 나타나는 특징은 매우 다르다. 외향적 감정형인 사람은 쾌활하고 다른 사람의 감정을 잘 이해하며 적절한 환경에서 누구나 느낄 만한 보편적인 감정가치에 입각하여 표현을 한다. 이를테면 파티의 여주인공처럼 사람들 사이를 누비고 다니면서 사람들에게 감흥을 일으키고, 사람과 사람을 이어 주거나 적당한 감정적 지지를 표현한다. 감정형인 사람들은 '사고'를 싫어한다. 어떤 주제를 놓고 논리적으로 따지고 심각하게 분석하는 것은 무의식에 있는 열등기능에 속하기 때문이다. 사고기능이 열등하면 사물의 뜻을 깎아내리는 경향을 가진 이른바 부정적 사고의 특징이 나타난다. '책을 쓰는 것은 돈벌이 수단에 불과하다.'는 식이다. 혹은 그럴싸한 사이비 과학적 신앙에 빠지기도 한다. 물론 이런 경향은 자아의식이 지나치게 그들의 감정기능에 의지할 때 뚜렷하게 나타나며, 열등기능을 의식화해 나가면 상

당히 분화시킬 수 있다. 그러나 판단과 행동을 결정할 마지막 근거는 역시 감정에 있다. 감정형이 여성인 경우 열등한 사고기능은 부정적 아니무스의 특성을 닮는다. 감정형에게 중요한 것은 인간관계와 그 사람과 나 사이의 감정반응이다. 그에게는 그 사람이 대인관계가 좋은지, 정서적으로 안정되어 있는지가 중요하다.

관련어 | 내향적 감정형

외향적 사고형
[外向的思考型, extroverted thinking type]

융(C. G. Jung)이 분류한 여덟 가지 성격유형의 하나로, 외계의 자료를 사용하여 경험적, 귀납적으로 생각하는 사람.
분석심리학

융은 사고형을 외향적 사고형과 내향적 사고형으로 구분하였다. 외향적 사고형인 사람은 주관적 기준보다 일반적이고 객관적인 기준이 중요하다. 외부세계에서 누구에게나 통용될 만한 일반 법칙에 따라 생각한다. 이들은 객관적 사실을 종합하고 거기에서 일반적 법칙을 만들어 내는 능력을 가지고 있다. 외향적 사고형의 가장 열등한 무의식 기능은 내향적 감정이다. 분화가 덜 되어 있으므로 자기중심적 · 유아적 감정의 특성을 보인다. 예를 들어, 바깥에서는 사회정의에 투철하고 매사에 무사 공정하지만 집에 돌아오면 잔소리가 많고 요구가 많아 가족들이 시달린다. 외향적 사고형이 볼 때 주관적 사고는 객관성이 없어서 '단지 주관적'인 것에 불과하고, 때로는 '위험한 사고'로 보인다. 그러나 내향적 사고형이 볼 때 외향적 사고형의 주장은 오직 객관적 사실의 무수한 나열일 뿐 줏대가 없는 주장처럼 보인다. 누구나 인정할 만한 평범한 가치판단에 불과하고 개성이 없다고도 생각한다.

관련어 | 내향적 사고형

외향적 직관형
[外向的直觀型, extroverted intuition type]

융(C. G. Jung)이 분류한 여덟 가지 성격유형의 하나로, 미래에 일어날 예측에 대해 예민한 감각을 가지고 있는 사람.
분석심리학

융은 사물을 판단하는 기능을 설명하기 위해 감각형과 직관형의 개념을 사용하였다. 그중 직관형을 태도에 따라 외향적 직관형과 내향적 직관형으로 구분하였다. 외향적 직관형의 사람은 직관을 주로 사용하고, 다른 사람 속에 들어 있는 가능성, 외부세계에 미치는 영향을 파악하는 직감이 있다. 예를 들어, 어떤 상품이 장차 대박상품이 될 것이라든가, 무명의 심리학자가 장차 노벨상을 수여할 것이라든가 하는 가능성을 보는 눈이 있다. 이처럼 진취적으로 사업계획을 추진하거나 사회적 이상을 실현하기 위해 노력하기도 하지만 이들은 흥미를 유지하기가 힘들다. 자신의 직관을 오랫동안 끈기 있게 추진하지 못하고 새로운 직관에 매달리기 때문이다. 외향적 직관형의 사람은 대화를 할 때 주로 비유적인 표현을 많이 하기 때문에 말에 두서가 없는 경향이 있고, 비약이 심해서 처음에는 그 뜻이 다른 사람에게 제대로 전달되지 않는다. 또한 직관기능은 감각을 무시하는 경향이 있다. 사람에 대한 평가를 예로 들면, 감각형은 그 사람의 생김새, 인상 등에 매료되지만 직관형은 그 사람이 잘생겼는지 못생겼는지, 어떤 옷차림을 하고 있는지에 대해 관심이 없다. 외향적 직관형은 그 사람의 속을 꿰뚫어보는 것이다. 따라서 외향적 직관형의 사람은 진실한 사람을 선택하게 되는데, 그 사람이 진실한 사람인지는 상당 기간이 지나서야 드러난다. 이 유형에는 일반적으로 여성이 많다. 외향적 직관형의 그림자는 그의 열등기능인 감각기능의 성격을 띤다. 직관형은 감각적 무질서를 견디지 못하지만 외향적 직관형의 의식적 특성은 사실 감각적 완벽주의에 개의치 않는 것이다. 이것이 직관형의 자연스러운 속성이다. 그러나 감각기능이 오랫동안 무의식에 억압되어 있으면 의식을 위협하기에 이르고 자아는 감각의 노예가 되어 버린다. 직관은 무디어지고 감각의 가장 원초적인 신체감각에 강박적으로 집착하여 병적인 신체 감각, 공포증, 건강에 대해 필요 이상으로 예민해질 수 있다.

관련어 | 내향적 직관형, 외향적 감각형

외향형
[外向型, extroverted type]
융(C. G. Jung)이 제안한 개념으로 심리적 에너지 방향이 외부세계로 향하는 태도유형. 분석심리학

융은 성격의 일반적 태도유형에 대해 외향형과 내향형으로 구분하였다. 융에 따르면, 인간에게는 외향성과 내향성이 공존하지만 서로 다른 양상으로 보완적 태도를 지닌다. 외향형은 외향성이 상대적 우위로 의식화된 것이다. 외향형 사람들은 외부 사건, 사람, 사물에 대해 자기인식과 판단을 사용하려는 경향성을 나타낸다. 그들은 외적 세계에 관심을 보이고, 관계를 맺고 의존하는 등 외적 태도를 지닌다. 또한 외부 요소와 환경에 따라 주로 동기화되고, 사교적이며, 낯선 주위 환경에 대한 두려움이 없는 경향이 있다. 외부세계의 자극을 추구하고, 행동 지향적인 특성을 가지고 있기도 하다. 일반적으로 외향형 사람들은 외부세계를 호의적으로 지각하며, 자신의 행동이 외부세계와 많은 관련이 있다는 것에 동의하지 않을 때에도 외부세계에 대해 관심을 많이 가지고 있다. 외향형 사람들은 논쟁이나 싸움을 하는 것보다는 자신만의 패턴에 따른 재형성을 시도한다. 마이어스-브리그스 성격유형검사(MBTI)에서는 외적 태도에 대해 상대적으로 높은 선호 경향성을 보일 때 피검자를 외향형 또는 E로 분류한다.

관련어 | 내향형, 외적 태도, 외향성

요가
[- , yoga]
고대 인도에서 전해져 온 것으로서, 개인 자신을 조절하여 그것으로부터 자유로워지도록 하는 심신 단련법의 하나. 명상치료

산스크리트어 'yuj'에서 유래된 말로서, 동사일 경우에는 '말을 마차에 결합시키다' 또는 '말에 멍에를 씌우다'라는 뜻이고, 명사일 경우에는 '결합, 억제'를 뜻한다. 한자는 유가(瑜伽)로 표기하고 뜻은 상응(相應)이라고 한다. 요가가 명상을 뜻하는 개념으로 사용하기 시작한 것은 기원전 500~300년경에 쓰인 인도의 고대 문헌 『우파니샤드(Upanisad)』부터다. 인간의 육체는 마차, 마음은 말, 영혼은 말을 탄 사람으로 비유하여 사람(영혼)이 말(마음)을 잘 조절하여 마차(육체)를 바른 길로 나아가게 하는 것, 즉 심신을 조절하여 진정한 자아를 자유롭게 하는 것이 요가라고 정의하였다. 마음작용을 억제하려는 명상적 실천뿐만 아니라 철학적 사색, 윤리적 실천, 종교적 헌신 등을 모두 포함하는 사상적 의미를 제시한 문헌은 기원전 2세기경에 쓰인 요가의 경전 『바가바드기타(Bhagavadgita)』다. 또한 기원전 4~5세기경에 파탄잘리(Patanjali)가 쓴 『요가 수트라(Yoga sutra)』로 요가는 다른 철학적 사상과 구별되어 고유한 철학적 사상의 체계를 갖추게 되었다. 13~17세기에는 육체적, 생리적인 수행을 강조하는 하타요가(hatha yoga)가 크게 발달하였고, 이론이나 수행방법이 다른 여러 유파가 형성되었다. 요가는 불안정한 의식을 억제하고 잠재된 초월적인 지혜와 진정한 자아를 발현시킬 수 있으므로 모든 종교나 철학에서 받아들이고 있다. 요가사상은 힌두교, 불교, 자이나교, 도교의 근간이 되었고 유태교, 기독교, 회교의 발달에도 중요한 영향을 미쳤다. 이에 따라 요가는 여러 유파가 형성되기가 더욱 쉬웠고, 명칭은 달라도 근본 사상이나 수행방법이 같은 경우도 있다. 전통적으로 대표적인 요가는 라자 요가(raja yoga), 즈나나 요가(jnana yoga), 카르마 요가

(karma yoga), 박티 요가(bhakti yoga)다. 여기에 현대의 인도 철학자들은 쿤달리니 요가(kundalini yoga)를 포함하여 대표적인 요가의 유파로 분류한다. 이외에 주문을 염송하는 만트라 요가(mantra yoga), 육체적 단련과 호흡을 중심으로 하는 하타요가(hatha yoga), 고행과 주문과 신에 대한 헌신을 중심으로 하는 크리야 요가(kriya yoga), 명상을 중심으로 하는 댜나 요가(dhyana yoga)와 사마티 요가(samadhi yoga) 등이 있다. 이들 요가는 대부분 『요가 수트라』의 팔실수법(ashtanga)을 포함하므로 넓은 의미에서는 라자 요가에 해당한다. 그리고 샥티 요가(sakti yoga), 얀트라 요가(yantra yoga), 탄트라 요가(tantra yoga) 등은 밀교적 요소를 포함하고 있지만 힌두교의 우주관과 생리관에 따라 인체의 신비한 힘과 구조를 강조하는 쿤달리니 요가에 포함시킬 수 있다. 이렇듯 요가의 유파는 사상이나 수행법 등이 서로 관련되어 있어서 명확하게 구분하기 어려운 점이 있다. 요가수행의 목표는 인간의 참된 자아가 물질적인 세계와 육체에 영원한 자유를 얻는 것이다. 인간 존재의 모든 고통이 마음의 동요에서 비롯되기 때문에 무엇보다도 마음의 동요를 멈추거나 통제함으로써 삼매(samadhi), 즉 해탈에 이른다. 삼매에 이른다는 것은 마음 자체를 완전히 비우고(空), 없으며(無), 대상만이 빛을 발하는 상태를 말한다. 마음의 동요가 조금이라도 남아 있으면 유상삼매(有想三昧) 또는 유종삼매(有種三昧)라 하며, 마음의 동요가 완전히 사라진 상태를 무상삼매(無想三昧) 또는 무종삼매(無種三昧)라 한다. 삼매의 경지에 이르게 하는 요가의 과정은 8단계로 이루어져 있는데, 이를 팔실수법이라고 한다. 이 과정 중 앞의 제계, 내제, 좌법, 조식, 제감은 준비단계로서 이 다섯 단계의 요가를 외부적인 요가라 하여 바히랑가 요가(bahiranga yoga)라 하고, 나머지 집지, 정려, 삼매의 세 단계는 내부적 요가로서 안타랑가 요가(antaranga yoga)라 한다. 제계와 내제 단계는 윤리적 수련단계로서 욕망적·감각적인 것 또

는 옳지 못한 것에 마음이 동요되지 않도록 제지하는 수련이다. 좌법, 조식, 제감 단계는 자세, 호흡, 감각과 같은 고도의 신체적 수련단계다. 요가는 윤리적 태도와 마음가짐을 지니고 신체를 안정시키고 편안하게 하며 호흡을 조절하고 감각수용을 제한한 다음 집지, 정려, 삼매의 세 단계에서 본격적인 명상 수련을 하는 것이다. 이 세 단계에서는 마음을 하나의 대상에 두고 집중하는 훈련을 하며 경험을 있는 그대로 고요히 관찰하는(照見) 수련을 한 후에 최종적으로 해탈, 즉 삼매에 이른다. 이러한 과정을 통하여 삼매의 최종 목표에 도달하는 것이 절대적 의미의 명상 수련이다. 삼매에 이르게 되면 초인적 지혜와 능력을 갖추어 과거, 미래, 전생을 알며 타인의 마음도 알아차릴 수 있고(他心知), 신체를 감추어 버리는 능력을 얻는다. 이러한 능력의 단계를 대상(大想) 또는 초상(超想)이라 한다.

관련어 | 라자 요가, 만트라 요가, 명상, 박티 요가, 즈나나 요가, 카르마 요가, 쿤달리니 요가, 팔실수법, 하타 요가

요나 콤플렉스
[–, jonah complex]

실패에 대한 공포감 때문에 자신의 성장 가능성을 스스로 포기하는 상태. 성격심리

매슬로(A. H. Maslow)가 제안한 것으로서, 성경의 인물인 요나가 자신의 운명에서 도망가려는 특성에 비추어 인간의 회피성향을 설명하고 있다. 매슬로는, 인간의 내부에는 크게 두 가지 유형의 힘이 있다고 하였다. 하나는 안정과 방어를 추구하여 비교적 퇴행적이고 과거 지향적이어서 성장과 모험을 두려워하고 새로운 시도를 하지 않으려는 힘이다. 다른 하나는 자신의 모든 능력을 완전히 발휘하면서 외부세계에 자신감을 가지고 맞서고자 하는 힘이다. 인간은 두 유형의 힘 사이에서 갈등하고, 때로는 딜레마에 빠지는 존재다. 그래서 높은 성공 가

능성이 있음에도 불구하고 성공했을 때의 두려움과 실패에 대한 공포감 때문에 자기 능력을 과소평가하며 성장을 회피하는 경향을 보이는데, 이를 요나 콤플렉스라고 한다.

요람기법
[搖籃技法, cradle scene]

사이코드라마의 기법으로 주인공이 자신의 의존성과 욕구를 경험하는 데 사용하는 방법. 사이코드라마

유아침대(crib) 기법 혹은 아기침대 장면으로도 불리는데, 사이코드라마에서 잉여현실의 도움으로 주인공이 소망하는 경험을 창조하는 방법 중 하나다. 이 기법은 주인공을 포함하여 관객까지 집단 전체에 적용할 수 있다. 실시방법은 다음과 같다. 참여자가 유아침대 속의 아기가 되었다고 가정하고 마루에 눕게 한 다음, 연출자가 유모가 되어 돌아다니며 쓰다듬거나 가상의 이불을 덮어 준다. 때로는 관객들이 모두 유모가 되어 아기를 돌보는 행위화를 하도록 할 수 있다. 다시 말해, 주인공을 부드러운 융단 바닥이나 매트 위에 이불을 덮고 편안한 자세로 눕게 한 다음, 연출자가 무대 위를 돌아다니면서 잠자고 있는 사람들에게 부드럽게 다음과 같이 말한다. "자, 엄마는 아기를 사랑합니다. 엄마는 아기에게 젖을 주고, 아기를 무릎에 올려놓고 토닥거리기도 합니다. 이제 아기를 눕히고 자장가를 불러 줍니다. 우리 아기 착한 아기……." 등으로 진행한다. 10분 정도 지나면 주인공은 그 역할에서 천천히 깨어난다. "자, 이제 아기는 잠에서 깨어났습니다. 몸을 조금씩 뒤척이며 움직이고 있습니다." 마침내 주인공은 그 역할에서 벗어나 원래의 상태로 돌아온다. 이와 같이 진행되는 요람기법은 최면기법과 유사하다. 참여자에게 잠을 자고 깨는 것을 반복하게 한 뒤, 성인으로 돌아와서 역할을 벗고 나누기를 하면서 아기가 되었을 때의 상황이나 느낌과 관련

하여 다음과 같은 질문에 답하도록 한다. 즉, "아기가 되었을 때 가장 먼저 생각나는 사람이 누구였습니까?" "아기인 자신에게 젖을 준 사람은 누구입니까?" "깨어났을 때 옆에 있는 사람은 누구였습니까?" 등이다. 이 기법은 시간퇴행의 상황으로 들어가서 주인공이 많은 집단원에게 무조건적인 돌봄이라는 상황을 직접 경험함으로써 의존성이라는 거부하고 억압되었던 정서를 주인공의 정서경험에 의식화된 자아로 통합시키고 카타르시스를 경험하도록 해 준다.

관련어 | 관객, 시간퇴행, 연출자, 주인공, 카타르시스

요소하위이론
[要素下位理論, componential subtheory]

학교상담

⇨ '삼원지능이론' 참조.

요술 쓰레기통
[妖術 -, magic dustbin]

사이코드라마의 준비단계에서 주로 사용하며, 개인이 가지고 있는 감정, 생각 등을 버리는 활동. 사이코드라마

이 기법은 주인공을 선정하는 데 효과적으로 활용되며, 실시방법은 다음과 같다. 먼저 무대 위에 쓰레기통을 상징하는 물건을 올려놓고, 그것을 요술 쓰레기통으로 상상하게 한 다음, 다음과 같이 말한다. "이 쓰레기통은 요술 쓰레기통입니다. 보통 쓰레기통에는 쓸 수 없는 것을 버리지만 이 쓰레기통에는 무엇이든지 다 버릴 수 있습니다. 우리 마음 속의 타인에 대한 미움, 화, 분노, 좋지 않은 생각들, 이기심 등 버리고 싶지만 버릴 수 없던 것들을 버릴 수 있습니다. 이제 눈을 감고 여러분 마음속에 있는 것 가운데 가장 버리고 싶은 것 한 가지를 생각하세요." 그런 다음 생각한 사람들은 눈을 뜨게 하여 얼마나 진행되었는지 확인한다. 마지막으로 대부분의

사람들이 눈을 떴을 때 모두 눈을 뜨도록 한 뒤, 관객 중에서 자신이 생각한 것을 버리고 싶은 주인공이 될 사람을 나오게 한다.

요약
[要約, summary]

광범위한 내담자 진술 내용을 초점을 맞춘 정보로 함축하는 것. **개인상담**

요약은 재진술(restatement)과 본질은 유사하지만 구분되는 개념이다. 재진술이 전형적으로 한 두 문장 정도로 내담자의 말을 그대로 반복하는 것이라고 한다면, 요약은 하나의 문단에 더 가깝다. 상담에서 요약은 마치 작성된 하나의 문서를 정리하는 것과 비슷하다. 내담자의 포괄적인 진술 내용을 증류하여 핵심적인 정보로 만들어 내는 것이다. 즉, 장황하게 확대된 대화들에 걸쳐 있는 주제들을 함께 묶어낸다. 내담자의 여러 가지 생각과 감정을 간략하게 묶어 정리한다. 예를 들어, 내담자와 그의 부적절한 감정에 대해 대화를 나눈 후 상담 회기가 끝날 무렵 '당신이 가정이나 현재 직장 생활에 대해 말한 것을 들어 보면 모든 생활에서 깊은 좌절과 실패감을 느끼고 있는 것 같군요.'라고 요약할 수 있다. 상담자가 직접 요약해 주는 능력 그리고 내담자로 하여금 상담 중에 나눈 내용에서 중요한 점을 요약하도록 돕는 능력은 내담자로 하여금 자기 문제에 초점을 맞추고 도전하게 하는 중요한 조력 기법이다. 브램머(Brammer, 1973)는 적절한 요약을 통해 얻을 수 있는 몇 가지 효과를 제시했다. 즉, 요약을 통해 내담자가 상담에 적극 참여하도록 워밍업시키고, 산발적으로 드러낸 생각과 감정에 초점을 맞추게 하고, 특정 주제를 종결짓게 하고, 특정 주제를 보다 심층적으로 탐색하도록 조력할 수 있다. 또한 요약은 새로운 상담을 시작하는 도입 부분, 상담이 막다른 골목에 도달했을 경우 그리고 내담자가

어떤 말을 해야 할지 잘 모르는 경우 적절하게 활용될 수 있다. 지난 회기에 이어 새로이 상담을 시작할 때, 특히 내담자가 무슨 말부터 시작해야 할지 모를 때, 지난 회기의 상담 내용을 요약해 주면 지난번에 했던 말을 단순히 반복하는 것을 예방할 수 있다. 또한 상담을 어떻게 진행시켜 나가야 할지 모를 때 요약을 사용하면 상담의 초점을 찾는 데 도움이 된다. 상담의 방향이 막히는 이유 중 하나는 제자리에서 맴돌도록 내버려 두기 때문이다. 즉, 내담자로 하여금 자신의 이야기를 더 깊이 탐색해 들어가도록 돕거나, 내담자가 한 말을 통해 앞으로의 상담 방향을 찾게 하지 않고 같은 이야기를 반복하도록 내버려 두기 때문이다. 또한 내담자가 특정 주제에 대해 할 말이 더 생각나지 않아 당황해 할 때에도 상담자가 지난 회기의 내용을 요약해 주면 상담 진행에 도움이 된다. 그러나 상담자만 항상 요약해 주는 것은 아니다. 경우에 따라서는 내담자에게 주요 쟁점들을 요약해 보도록 요청함으로써 내담자가 상담 과정에 더 적극적으로 참여하게 만든다. 요약도 탐색처럼 내담자의 도전 의식에 영향을 미친다. 요약은 내담자로 하여금 단순히 이야기만 하도록 내버려 두는 것이 아니라 더욱 초점을 맞추도록 일종의 압박을 가하는 것이기도 하다. 따라서 요약은 내담자로 하여금 더욱 큰 그림을 보도록 하여 본질적인 문제를 찾게 하고 다음 상담 단계로 발전해 나갈 수 있도록 해준다. 내담자의 말을 효과적으로 요약하기 위해서는 말의 내용, 말할 때 드러나는 감정, 그가 한 말의 목적, 요약의 시기 및 효과 등에 대해 주의를 기울여야 한다. 따라서 요약할 때 다음 네 가지 요소를 고려한다. 첫째, 내담자의 말 중에서 중요한 내용과 감정에 주의를 기울인다. 둘째, 상담자가 요약하는 것이 더 좋을지 내담자로 하여금 요약하도록 하는 것이 더 좋을지를 결정한다. 셋째, 파악된 주된 내용과 감정을 통합해서 전달한다. 넷째, 상담자 자신의 새로운 견해를 추가하지 않는다.

관련어 │ 관심 기울이기

요인분석
[要因分析, factor analysis]

알지 못하는 특성을 규명하는 데 문항이나 변인들 간의 상호 관계를 분석하여 상관이 높은 문항이나 변인을 모아 요인으로 규명하고 그 요인의 의미를 부여하는 통계적 방법.
통계분석

요인분석은 인간의 심리적 특성을 규명하기 위하여 개발된 통계적 방법으로 지능을 밝히는 데 사용되었으며, 최근에는 구조방정식모형에서 잠재변인을 밝히는 데에도 사용되고 있다. 요인분석을 통하여 스피어만(C. Spearman)은 지능을 일반 요인과 특수 요인으로 구분하였고, 서스톤(L. Thurstone)은 지능이 어휘력, 수리력, 공간력, 지각력, 추리력, 암기력, 언어 유창성 등 일곱 가지 기본 정신능력으로 구성되어 있다고 주장하였다. 요인분석은 문항 또는 변인 간 상관계수에 근거한다. 즉, 관계가 높은 문항들이나 변인들을 묶어 하나의 요인으로 의미를 부여한다. 그러므로 요인분석은 관찰된 변인들을 설명할 수 있는 몇 개의 요인으로 요약하는 방법이라 할 수 있다. 요인분석의 절차는, 첫째, 문항점수를 얻거나 변인들을 측정하고, 둘째, 문항이나 변인들 간의 상관계수 행렬을 구하고, 셋째, 회전하지 않은 요인을 추출하고, 넷째, 요인을 회전시키며, 다섯째, 회전된 요인과 관계있는 요인 부하량이 큰 문항이나 변인들의 내용에 근거하여 요인을 해석하고 이름을 부여한다. 알지 못하는 잠재적 특성을 측정하기 위하여 검사를 실시하거나 변인을 측정하여 그들 간 상관계수를 구하면 관계가 깊은 문항이나 변인들이 묶이게 된다. 묶인 문항이나 변인들은 요인이 되며, 해석을 쉽게 하기 위하여 요인들을 회전하고 그 결과에 따라 요인을 분석한다. 요인분석은 목적에 따라 탐색적 요인분석(exploratory factor analysis)과 확인적 요인분석(confirmatory factor analysis)으로 나눌 수 있다. 탐색적 요인분석은 이제까지 이론상으로 구조가 확립되어 있지 않아 그 자료의 기본 구조가 알려져 있지 않을 때 사용하며, 확인적 요인분석은 변인들 간의 기존 관계를 가설로 설정하고 요인분석을 통하여 그 관계를 입증하는 데 사용한다. 탐색적 요인분석을 실시할 때는 요인의 수를 결정하기 위하여 고윳값(eigen value)을 참고한다. 고윳값은 자료행렬을 요약하는 낱개의 수치로 고유치 또는 특성치라고도 한다. 일반적으로 고윳값이 1 이상일 때 하나의 요인으로 간주한다. 예를 들어, 자아탄력성을 규명하는 하위구인이 무엇인지 탐색적으로 밝히고자 할 때 고윳값이 1 이상인 요인을 추출한 결과, 5개의 요인으로 추출되었다면 연구자는 각 요인에 속하는 문항의 공통적인 속성을 분석하여 각 요인의 의미를 부여한다. 문항이나 각 변인이 어떤 요인과 관련이 있는지는 요인부하값(factor loading)으로 결정된다. 일반적으로 요인부하값은 .3 이상인 문항이나 변인을 해당 요인과 관계가 있다고 해석한다. 한편, 공통 요인분석 시 축소상관행렬에서 추출한 공통 요인의 수를 결정하는 방법 중 하나가 스크리 검사(scree test)다. 축소상관행렬의 고윳값을 살펴볼 때 앞의 것과 현저하게 차이가 나면서 작은 값으로 평준화되는 현상을 보이면 평준화되기 직전까지의 고윳값들의 수만큼 공통 요인을 추출하기로 결정하는 방식이다. 이것으로 요인분석의 적합성을 점검할 수 있고 요인의 수를 결정할 수 있다.

욕구
[欲求, needs]

개인이 느끼고 있는 어떤 것의 결핍상태를 충족하기 위해 무엇인가를 필요로 하거나 원하는 상태 또는 상황.
성격심리

무언가를 바라거나 얻고자 하는 행동의 원동력으로서 현재의 상태와 바라는 상태 사이에 존재하는 격차 또는 조건의 차이를 말하며, 필요한 무언가가 결핍되면 그것을 만족시키는 방식으로 행동하도록 동기화된다. 사람이 구별되는 요인 중 하나는 욕구의 차이라 할 수 있다. 욕구는 분류하는 방식에 따라 다양하게 나눌 수 있는데 기본적으로 생리적 욕구와 심리적 욕구로 구분된다. 즉, 평형상태의 깨어짐이나 생리적 불균형으로 발생하는 1차적 욕구와 1차적 욕구를 충족시키려는 과정에서 경험되고 습득되는 2차적 욕구로 분류한다. 1차적 욕구는 생리적 욕구로서 수면욕, 성욕 등 생명유지와 종족의 보존이라는 생물학적 의미를 가지고 있다. 2차적 욕구는 심리적 욕구로서 인정, 지배, 관심 등 인간관계에 관한 행동의 원동력을 말한다. 1차적 욕구는 모든 인간이 공통적으로 지니고 있지만 2차적 욕구는 문화, 역사, 사회에 따라 다른 양상을 보인다. 이러한 욕구들이 충족되지 않은 경우를 좌절 또는 욕구불만의 상태라고 한다. 욕구는 많은 심리학자들의 관심의 대상이 되어 왔다. 예를 들면, 정신분석학의 심리성적 욕구, 매슬로(Maslow)의 욕구위계, 프롬(Fromm)의 기본적 욕구(basic needs), 로터(Rotter)의 심리적 욕구, 호나이(Horney)의 신경증적 욕구(neurotic needs), 머리(Murray)의 욕구목록(needs list), 인간중심상담이론의 자기실현의 욕구, 교류분석 이론의 자극, 시간구조, 생활자세의 욕구, 현실치료이론의 인간 기본욕구 등으로 연구되어 왔다.

관련어 | 욕구목록, 욕구-압력가설, 프롬의 기본적 욕구

욕구-압력가설
[欲求壓力假說, need-press hypothesis]

개인적 욕구와 외부압력의 상호작용을 통해 나타난 행동의 주제로 성격의 체계를 설명하는 논리적 틀. 성격심리

머리(H. A. Murray)는 개인의 성격체계를 개인과 환경의 상호작용으로 나타나는 행동의 주제로 설명하고자 이 가설을 제안하였다. 개인적 요인은 욕구라 하고 환경적 영향을 압력이라는 개념으로 설명하고 있다.

관련어 | 욕구, 주제통각검사

1차적 욕구 [一次的欲求, primary needs] 음식, 물, 공기와 같이 생존에 필요한 욕구를 말한다. 기본적으로 생존을 위한 욕구로서, 머리(Murray)가 제시한 욕구목록에서는 성욕과 감각 욕구가 해당된다.

2차적 욕구 [二次的欲求, secondary needs] 1차적 욕구를 달성하는 과정에서 파생되는 욕구를 말한다. 정서적 만족과 관련되는 욕구로서 심리적 욕구라고도 한다. 머리(Murray)가 제시한 욕구목록의 대부분의 욕구가 여기에 해당한다.

반응적 욕구 [反應的欲求, reactive needs] 환경에서 특별한 사물에 반응하고 대상이 존재하거나 자극이 생겼을 때 나타나는 욕구로서 텔레비전 시청 중 햄버거 광고를 보는 순간 그것이 먹고 싶다는 욕구가 발생하는 경우를 말한다.

발생적 욕구 [發生的欲求, proactive needs] 자극이나 대상이 없어도 욕구가 일어나는 것을 말한다. 환경으로부터 독립되어 발생하는 것으로 적절한 행동을 이끌어 내는 자발적인 욕구다. 예를 들면, 배고픔을 해소하기 위하여 음식을 만들거나 찾으려는 행동을 말한다.

보조욕구 [補助欲求, subsidiation need] 특정 욕구를 충족하기 위해 다른 욕구를 활성화시키는 욕구로서 다른 욕구충족에 기여하는 욕구다. 예를 들면, 양육욕구를 충족하기 위해서 다른 사람으로부터 의존욕구를 불러일으키는데 이때 의존욕구는 양육욕구의 보조욕구가 된다.

욕구의 융합 [欲求-融合, need fusion] 단일 행동으로 여러 욕구를 만족시키거나 여러 행동이 통합되어 욕구를 충족하는 것을 말한다. 여러 욕구는

서로 보완적 관계에 있기 때문에 가능한 것으로, 예를 들면 경제적 힘을 가지면 지배, 과시, 방어, 성취, 자율 등의 욕구를 만족시킬 수 있고, 지배욕구를 충족시키기 위하여 많은 지식을 갖고 명예를 획득하는 것이다.

주제 [主題, thema] 욕구와 압력이 서로 상호작용, 결합, 융합하여 형성된 것을 말한다. 초기 아동기 경험은 주제를 형성하는 데 큰 영향력을 미친다. 욕구-압력가설에 근거하여 성격을 이해하고자 주제통각검사(thematic apperception technique: TAT)가 개발되었다.

욕구목록
[欲求目錄, needs list]
인간의 행동을 활성화하고 방향을 결정하는 요소들을 구분하여 인간의 욕구를 대략 스무 가지 이상으로 열거한 것.
성격심리

머리(H. A. Murray)는 인간의 심리적 욕구는 대부분 2차적 욕구라고 하면서 이러한 욕구들을 스무 가지로 제안하고 있는데, 이를 욕구목록이라 한다. 즉, 비하(abasement), 성취(achievement), 소속(affiliation), 공격(aggression), 자율(autonomy), 반작용(counteraction), 방어(defense), 존경(deference), 지배(dominance), 과시(exhibition), 위해회피(harmavoidance), 열등회피(infavoidance), 양육(nurturance), 질서(order), 유희(play), 거절(rejection), 감각(sentience), 성욕(sex), 의존(succorance), 이해(understanding) 등이다. 비하는 외부압력에 수동적으로 복종하는 것으로서 운이나 다른 사람의 비판, 비난, 체벌 등을 받아들이고 자신의 실수, 잘못을 인정하면서 좌절감이나 열등감을 느낀다. 성취는 목표를 수행하고자 하는 욕구로서 그것을 수행하기 위한 여러 가지 문제나 장애들을 이해하고 해결해나가는 것이다. 소속은 다른 사람이나 집단과 유대

관계를 형성하고자 하는 욕구로서 친구를 사귀거나 이웃과 사이좋게 지내는 것이다. 공격은 힘으로 다른 사람을 이기고자 하는 욕구로서 다른 사람과 싸우거나, 비난하고 상처를 입히는 행동을 한다. 자율은 억압이나 억제에서 벗어나 주변의 간섭과 강압에 저항하면서 자유롭고 독립적으로 지내고자 하는 욕구다. 반작용은 부끄러움, 나약함, 실패 등을 극복하기 위해 새롭게 시도하고 도전하여 성취감과 자존감을 얻고자 하는 욕구다. 방어는 자신의 행동이나 생각을 정당화하여 자신을 보호하고자 하는 욕구다. 존경은 사회적으로 영향력 있는 사람을 따르거나 지지하는 것, 또는 관습에 따르고자 하는 욕구다. 지배는 다른 사람의 행동, 생각, 감정 등에 영향을 미치거나 자신의 행동, 생각, 감정을 정당화하려는 욕구다. 과시는 다른 사람들의 관심과 주의를 이끌어 내어 자신에 대한 좋은 인상을 남기려는 욕구다. 위해 회피는 고통, 신체적 상해, 질병, 죽음을 피하고자 하는 욕구로서 이러한 위해 상황에서 벗어나고자 예방책을 강구하는 행동을 말한다. 열등 회피는 수치심에서 벗어나고자 하는 욕구로서 난처한 상황에서 벗어나거나 실패의 두려움에서 벗어나기 위해 행동을 억제하는 것이다. 양육은 무기력한 사람을 돕고 보호하고자 하는 욕구로서 자신보다 심리적, 물리적 힘이 약한 사람들에게 동정을 베풀고 도와주는 행동을 하는 것이다. 질서는 일이나 사물 등을 정리정돈하는 욕구로서 이를 위해 물건을 순서대로 놓거나 깨끗하게 하면서 조직하고 균형을 이루도록 한다. 유희는 편안함과 즐거움을 추구하는 욕구로서 흥밋거리를 찾거나 일탈행동을 하는 것이다. 거절은 자신보다 열등한 사람과 관계를 하지 않으려는 욕구로서 열등한 사람을 소외시키거나 무관심하게 대하는 것이다. 감각은 감각적인 느낌을 추구하고 즐기고자 하는 욕구다. 성욕은 성적 관계를 추구하고 형성하며 유지하고자 하는 욕구다. 의존은 도움, 보호, 동정심을 구하려는 욕구로서 다른 사람에게서 보살핌, 지지, 격려, 보호, 관심 등을

얻고자 하며 헌신적인 보호자와 밀접한 관계를 유지하는 것이다. 이해는 보편적인 문제들을 제기하거나 답을 얻고자 하는 욕구로서, 이를 위해 사건이나 상황을 분석하고 논박하여 이유와 논리를 밝히는 것이다.

관련어 | 욕구 – 압력가설

욕구보상성 이론
[慾求補償性理論, Complementary Needs Theory]

결혼을 위한 배우자 선택이 상호보완적인 특성에 의해 결정된다고 보는 배우자 선택에 관한 단일요인이론 중 하나.
부부상담

욕구보상성 이론에서는 배우자 선택을 위해 대개의 경우 사람들은 자기가 갖지 못한 면을 가지고 있는 사람에게 호감을 느끼고 이러한 호감이 배우자로 선택하는 데 결정적인 영향을 미치는데, 이는 상대방이 자신의 부족한 점을 보상해 줄 것으로 기대하기 때문이라고 설명하였다. 예를 들어, 지배성이 강한 사람은 순종형의 사람에게, 모성적이고 양육적인 사람은 의존적인 사람에게 매력을 느낀다는 것이다. 이 이론의 핵심은 배우자가 서로 상대방으로부터 최대의 만족을 얻을 때는 자신과 유사한 사람과 관계 형성을 할 때가 아니라, 자신이 할 수 없는 것을 가진 상대방이 자신의 욕구를 보상해 줄 때라는 점이다. 이 이론은 윈치(Winch)가 주장했는데, 몇 가지 한계점이 지적되고 있다. 서로가 상대방을 통해 자신의 욕구를 충족한다고 할지라도 기본적인 인생관과 가치관은 서로 공유해야 한다는 점이다. 즉, 상호보완하는 관계라 해도 인생관이나 가치관 같은 성격의 큰 틀을 공유하지 못한 상태에서는 상반된 성격의 사람을 배우자로 선택하지 않는 현상을 효과적으로 설명하지 못한다.

욕구상보성 가설
[欲求相補性假說, need complementarity hypotheses]

자신의 개인적 특성을 보완해 줄 상대를 좋아한다는 가설.
교류분석

상보성 원리는 자신의 개인적 특성을 보완해 주는 사람을 좋아하는 것을 의미한다. 친밀한 사람들은 양립적이면서 서로 유사하지 않은 욕구를 가지고 있는 경향이 있다. 개인의 사회적 욕구를 소속, 통제, 애정욕구로 구분해 볼 때, 이것들의 크기가 비슷한 경우도 있지만 특정 욕구가 큰 사람이 이를 받아주려는 사람을 좋아하는 경향성도 있다. 이를 욕구의 상보성이라고 한다. 한 연구에 따르면, 부부 관계에서 관계성 욕구는 유사한 경우에, 자율성 욕구는 상보적인 경우에 부부 친밀성이 큰 것으로 밝혀졌다. 부부가 아니더라도 관계 속에서 욕구의 상보성이 서로 맞을 때 관계의 만족감이 크다고 할 수 있다.

욕구우세성
[欲求優勢性, need prepotence]

행동을 유발하는 욕구의 긴급성 정도. **성격심리**

욕구우세성의 정도에 따라 욕구충족의 우선순위가 결정된다. 예를 들면, 갈증이 심하여 입이 마르면 신체적 위협이 따라 물에 대한 욕구충족이 더 긴박하기 때문에 다른 욕구보다 선행되어 물을 찾는 행동을 한다.

관련어 | 욕구 – 압력가설

욕구잠재력
[欲求潛在力, need potential]

동일하거나 유사한 강화를 얻게 되는 행동이 동시에 일어날 수 있는 가능성 또는 인간의 동기. 성격심리

인간의 행동, 욕구, 목표는 서로 관련되어 있고 기능적으로도 관련된 체계 내에 존재한다. 이 체계 내에서 같거나 유사한 강화를 야기할 수 있는 관련된 행동이 동시에 일어날 수 있는 가능성을 욕구잠재력이라고 한다. 이때 기능적으로 관련된 행동이란 관찰할 수 있는 행동에서부터 내현적인 인지영역까지를 말한다.

욕동
[慾動, drive]

사고와 감정을 유발하는 원동력. 정신분석학

프로이트(S. Freud)는 초기이론에서 인간행동이 내부로부터 생겨나는 동기의 힘, 즉 욕동에 의해 형성된다고 보았다. 심리적 에너지는 욕동에서 비롯되는데, 그는 욕동을 지칭하기 위해 'Trieb'라는 독일어를 사용하였다. 욕동을 정신과 신체 사이의 접경 개념으로 보았으며, 유기체의 내부에서 생겨나 마음에 도달한 자극들에 대한 표상으로 정의하였다. 본능을 특정한 행동유형을 만들어 내는 동기적 힘으로 간주한 행동주의 심리학자들과 달리, 프로이트는 동기적 힘이 특정한 표현 양식과 상관없이 작용할 수 있다고 가정하였다. 즉, 신체생리적 과정에서 생긴 자극들의 정신적 표상이라고 보았다. 욕동은 선천적이고 유전적으로 결정된 잠재력에 근원을 두고 있다. 욕동은 동물의 본능과 유사한 기능을 하지만 프로이트는 본능과 욕동을 구분하였다. 본능이라는 개념은 생물학적 자극으로 인한 행동과 활동을 포함하지만, 인간의 욕동은 어떤 목표를 향한 강박감이나 추진력으로서 행동이나 활동과는 구분되는 개념이다. 욕동은 의식적으로 무엇인가를 하도록 몰아가지만 욕동 그 자체는 의식적 자각을 초월한다. 또한 욕동은 생물학적으로 유발되는 충동인데, 미워하는 사람에 대한 공격성과 사랑하는 사람에 대한 이끌림은 욕동이 겉으로 드러난 하나의 표현물, 즉 욕동의 파생물에 불과하다. 동물의 본능은 직접 행동이나 활동을 하게 만들며 모든 본능적 충동은 만족되거나 포기된다. 그러나 인간의 욕동은 순수한 정신적 실체다. 인간의 모든 사고, 감정, 환상은 리비도와 공격욕동이 혼합되어 나타난다. 만약 욕동자극이 직접적으로 만족될 수 없을 경우 개인은 긴장상태나 흥분상태에 머물러 있게 되는데, 이러한 전체적인 동요는 의식영역 밖에서 일어난다. 예를 들어, 한 여성 내담자는 아동기 초기에 리비도 및 공격욕동과 관련된 강렬한 감정을 경험하였다. 그녀는 폭력적인 아버지로부터 농락당했으며 이러한 사실을 알고도 모른 체하고 있는 어머니에 대해 분노하였다. 특히 발달 초기단계에서는 이러한 강력한 감정을 자신의 내면에 수용하기 어렵다. 따라서 그녀는 이러한 기억의 흔적을 무의식으로 밀어 넣었고, 그 결과 자신의 초기 삶의 대부분을 회상하지 못하게 되었다. 프로이트는 정신분석이론 체계 내에서 욕동에 대한 개념을 여러 차례 수정하였는데, 최종적으로 리비도와 공격욕동이라고 하는 두 가지 욕동을 제시하였다. 리비도와 공격욕동이 출생 시에는 분리된 형태였지만 나중에 발달과정에서 융합되는 것인지 혹은 두 욕동이 처음에는 융합되어 있었지만 나중에 분리된 실체로 각각 발달되는 것인지에 관해서는 분명하지 않다. 리비도는 생물학적 본능을 모방하고, 욕동이 성적 만족을 얻기 위해 이용하는 신체영역, 기관, 과정 등을 설정한다. 또한 리비도는 생리적이든 혹은 심리적이든 통합을 향해 나아가는 모든 과정에서 작용한다. 인간활동을 시작하게 하는 건설적 요소이며, 관계의 모든 긍정적인 측면에 존재한다. 협의의 개념으로, 리비도는 성적(sexual) 목표를 지닌 심리적

에너지를 의미하기도 한다. 한편, 공격욕동은 환경이나 자신을 향한 공격적이고 파괴적인 행동의 근원이다. 다른 사람을 정복하거나 이기기 위해 사용하는 물리적 혹은 언어적 분투나 전쟁과 스포츠 경기에서 사용되는 격렬한 공격적 행동 등은 공격욕동이 직접적으로 표현된 대표적인 예다. 그러나 화난 부모가 자녀를 과잉보호하는 경우나 농담과 같이 간접적이며 위장된 형태로 표출되는 경우도 있다. 본능적 욕동은 표면적인 문화현상으로 나타나지 않는다. 일반적으로 개인의 행동은 이미 내면화된 조절을 담당하는 초자아의 영향을 받으며, 자신과 환경과의 관계에 따른 영향을 받을 뿐만 아니라, 리비도와 공격욕동의 영향을 받는다. 그러므로 욕동은 개인의 과거 경험과 현재 환경의 영향을 받아 조절된 결과로 표현된다.

관련어 공격욕동, 리비도

욕동이론
[慾動理論, drive theory]

욕동에 관한 개념적 체계. 정신분석학

개인의 내면의 힘이 인간행동에 미치는 영향을 설명하는 이론적 틀이다. 프로이트(S. Freud)의 초기 정신분석이론은 한 개인이 외적 환경에 적응해 가는 과정을 설명하는 데 집중되었다. 그러나 자신의 이론을 구축해 가면서 이후 내적인 본능욕구에 적응해 가는 개인의 정신적 현상을 설명하는 욕동이론으로 전환하였다. 성적 외상을 신경증의 원인으로 보는 견해를 포기하고 그 원인을 내면적 욕동에서 찾았다. 욕동과 그것의 변화가 성격발달의 결정적 요인이며, 정신의 기능은 긴장감소를 통한 욕구충족을 목적으로 하는 욕동이나 생물학적 긴장상태의 산물로 간주하였다. 욕동이론에 따르면, 인간행동의 동기는 생물학적 욕동의 압력에서 비롯된다. 생물학적 욕동은 심리적 기능을 작동시키는 소

망의 형태로 드러나며, 정신병리는 외적 외상에 대한 기억 때문이 아니라 소망을 억압한 결과다. 또한 심인성 갈등은 의식적 사고에 대한 전의식의 검열과 본능의 만족에 대한 무의식적 소망 간의 갈등이다. 초기의 외상이론에서 욕동이론으로 전환되면서 정신분석의 목표는 무의식적 소망을 드러내는 것으로 변화되었다.

관련어 공격욕동, 리비도, 욕동

용돈관리
[- 管理, allowance management]

개인이 자유롭게 쓸 수 있는 돈의 사용을 조절하는 것. 학교상담

용돈은 개인의 흥미와 기능을 신장하기 위한 개인적 활동, 또래관계 형성 및 대인관계 활동에 필요한 요소다. 아동기의 용돈관리 형태는 청소년이나 성인기의 경제생활에 영향을 미치기 때문에 성인기에 효율적이고 현명한 소비자가 될 수 있도록 바람직한 금전관리능력을 키워 놓아야 한다. 용돈관리능력은 학습과 경험에 따라 획득되는 것이므로 용돈관리훈련은 시기가 빠를수록 좋다. 아동의 효율적인 용돈관리를 위해서는 다음 사항을 고려하는 것이 도움이 된다. 첫째, 용돈지급은 정기적으로 행하는 것이 효과적이다. 둘째, 자신의 책임과 계획하에 자유롭게 쓸 수 있는 범위의 액수만큼 지불한다. 셋째, 용돈의 사용처와 액수를 기록하도록 하고 부모가 검토한다. 넷째, 용돈이 부족하다고 해서 추가적으로 용돈을 주지 말아야 한다. 다섯째, 바람직한 행동을 하였을 때 강화물로 돈을 사용할 때는 극히 조심스러워야 하고 함부로 사용하지 말아야 한다. 부득이하게 강화물로 사용해야 한다면 매우 드물게 사용해야 한다. 왜냐하면 바람직한 행동을 하도록 하는 가장 큰 힘은 스스로 해낼 수 있다는 만족감과 자신감인데, 돈의 강화는 그러한 느낌과 생각을 경험할 수 있는 기회를 감소시키기 때문이다. 한편, 가

먼과 포르그(Garman & Forgue)는 청소년의 효율적인 소비행위를 위한 지침으로 용돈 벌 기회 제공하기, 자율적으로 용돈을 쓸 권리 갖기, 주도적 용돈관리로 용돈에 대한 책임감 기르기, 실패 허용하기, 가정의 경제상태 공유하기 등을 제시하였다.

우범소년
[虞犯少年, status offender]

학교폭력, 가출, 불순한 이성관계 등의 비행을 하며, 가까운 장래에 절도나 매춘 등의 범죄를 저지를 가능성이 있는 소년. 위기상담

「소년법」에 따르면, "죄를 범한 소년, 형벌 법령에 저촉되는 행위를 한 10세 이상 14세 미만인 소년, 그리고 집단적으로 몰려다니며 주위 사람들에게 불안감을 조성하는 성벽(性癖)이 있는 것, 정당한 이유 없이 가출하는 것, 술을 마시고 소란을 피우거나 유해환경에 접하는 성벽이 있는 것에 해당하고 성격이나 환경에 비추어 앞으로 형벌 법령에 저촉되는 행위를 할 우려가 있는 10세 이상 소년"을 말한다. 우범소년은 여자에 비해서 남자가 많으며 때로는 가출하는 동안 폭력단 등에 연루되어 피해자가 되기도 한다. 우범사유 중 하나는 청소년기 발달과정에서 부모-자녀관계의 역기능적인 상호작용에서 촉발하기도 한다. 우범소년 중 보호자가 없거나 보호자에게 감호되기가 부적합하다고 인정될 때는 선도단체에 의뢰하여 감호하거나 가정법원 소년부에 보호·조치한다.

관련어 위기청소년

우연한 발견
[偶然 – 發見, serendipity]

삶의 표면 아래 존재하는 의미로 영문 그대로 세렌디피티라고도 함. 문학치료

'우연히' 흥미롭고 귀중한 것을 만나거나 찾거나 창조하게 되는 것을 말한다.

우울성 자기평가척도
[憂鬱性自己評價尺度, self-inventory of depression]

개인의 우울 정도를 알아보는 자기보고검사. 심리검사

우울 정도를 평가하는 검사로, 억울상태의 다양한 증상에 대한 질문에 스스로 기입하고 우울의 깊이를 점수화해 가는 것이 우울성 자기평가척도다. 이때 억울상태란 감정면의 장애로서, 특히 기분이 가라앉고 우울한 상태를 말한다. 지금까지 몇 가지 자기평가척도가 개발, 사용되었지만 현재 가장 널리 사용되고 있는 것은 1961년에 처음으로 개발된 벡의 우울 자기평가척도(Beck depression self-inventory)다. 이 검사는 슬픔, 눈물을 흘리는 유무(有無)나 식욕, 최면상태 등에 대해서 21항목에 걸친 질문으로 구성되어 있으며, 각 항목 내에서 0점 내지 3점의 가중치를 부여한다. 총점을 계산했을 때 대개 13점 이내는 정상, 20점대는 중(中) 정도 억울상태, 30점 이상은 중증 억울상태로 구분하고 있다. 이 자기평가척도는 의사나 상담가 앞에서 쉽게 긴장하는 사람이나 치료장면에서의 치료효과 판정에 유용하다.

우울자리
[憂鬱 – , depressive position]

파괴적 충동이 사랑하는 대상을 손상시킬 수 있다는 죄책감으로 대치되면서 우울불안을 느끼는 상태. 대상관계이론

클라인(M. Klein)의 성격발달에서 편집-분열자리에 뒤이어 나타난다. 생후 4개월경에 시작되어 약 2세까지 지속되는 대상관계 발달양상이다. 클라인은 성격발달을 편집-분열자리와 우울자리로 구분했는데, 우울자리에서 유아는 자신이 증오하고 파

괴하고 싶은 대상이 자신이 사랑하고 자신에게 만족을 주는 바로 그 대상이라는 사실을 인식하게 된다. 이때 대상관계는 부분 대상 수준에서 전체 대상 수준으로 확대된다. 유아는 부분 대상이 아닌 하나의 완전한 대상으로서의 어머니와 상호작용하면서 좋고 나쁨이 동일한 대상에게서 생겨날 수 있다는 것을 이해한다. 보다 더 안정되고 통합된 자기경험을 통해 더욱 현실적인 태도로 세상을 볼 수 있다. 유아는 이제 어머니를 좋은 존재 혹은 나쁜 존재라고 하는 이분법적인 사고에서 벗어나 어머니를 좋을 수도 있고 나쁠 수도 있는 현실의 존재로 받아들인다. 그러나 아직 환상과 현실 간의 경계가 명료하지 못한 유아에게 이러한 분열의 역전은 또 다른 불안을 초래한다. 유아는 편집-분열자리의 특징적 역할이었던 수동적 희생자에서 벗어나 우울자리에서는 사랑하는 대상을 손상시키고자 하는 욕망을 지닌 행위자로 자기 자신을 경험한다. 자아보다는 대상이 박해를 받고, 파괴의 위험은 외부가 아닌 자기 내부에 있는 것으로 인식된다. 따라서 파괴적 충동이 사랑하는 대상을 손상시킬 수 있다는 죄책감으로 대치되면서 편집-분열자리에서 공격성에 기인하던 박해불안이 이제 우울자리에서 우울불안으로 바뀌게 된다. 클라인은 오이디푸스콤플렉스를 우울자리와 관련지었다. 우울자리에서 나타나는 좋은 대상의 상실에 대한 두려움을 오이디푸스적 갈등의 근원이라고 보았다. 유아가 사랑과 미움을 통합하고자 애쓰는 것처럼 오이디푸스적 욕동은 우울적 불안과 연결되어 있다. 만약 유아가 환상 속에서 손상된 대상을 고쳐 주고 회복시킬 수 있는 능력이 자신에게 있다고 느끼면, 죄책감은 장애를 유발하지 않는다. 이러한 보상경험은 이 단계의 고통스러운 죄책감과 우울불안을 극복하는 데 중요한 역할을 한다. 손상된 것을 고쳐 줄 수 있다고 느끼는 능력은 이전 발달단계인 편집-분열자리에서 좋은 대상의 내사와 좋은 신체 다루기 경험에 의존한다. 좋은 대상과의 긍정적인 경험은 유아에게 자신의 공격성

이 사랑하는 대상에게 치명적인 상처를 입히지 않았다고 느낄 수 있는 기회를 제공하며, 그러한 느낌은 죄책감을 완화시킨다. 부모의 사랑과 좋은 돌봄은 아동의 파괴적 환상과 공격성이 좋은 어머니를 파괴시키지 않았다는 것을 보여 줌으로써, 그러한 파괴적 환상과 공격성에 대한 불안을 경감해 준다. 성인기의 좋은 대상관계는 우울자리의 보상경험에 달려 있다. 한편, 유아는 대상에 대한 염려와 지나친 죄책감에서 벗어나기 위해 조증방어(manic defense)라고 하는 방어기제를 사용하기도 한다. 클라인에 따르면, 유아는 조증방어를 통해 자신이 사랑하는 대상을 전혀 중요하지 않은 대상처럼 여긴다. 대상이 입은 상처와 손상을 별로 대수롭지 않은 것으로 여기고 문제가 되지 않는다고 무시한다. 그리고 자신은 상상 속에서 우월감을 느끼며 대상을 통제하고 그 위에 군림하는 전능한 존재라는 환상을 갖는다.

관련어 편집-분열자리

우울장애
[憂鬱障礙, depressive disorder]

> 지속적으로 기분이 우울하고 모든 활동에 대한 흥미나 즐거움이 상실된 상태로 주된 증상은 기분장애이지만 다양한 심리적 문제가 동반되는 정신장애. **이상 심리**

증상은 우울, 슬픔, 희망이 없음, 만사가 귀찮고, 느낌이 없고, 불안, 신체적 통증, 쉽게 화를 내고, 분노하고, 다른 사람을 비난하고, 사건에 매우 민감하고, 공격적으로 반응하고, 작은 문제에 대해서 쉽게 좌절감을 느끼고, 어떤 일에 대해서도 흥미가 없고, 즐거움이 없고, 사회적으로 위축되고, 매사에 무관심하고, 식욕이 감퇴되거나 증가하고, 불면증, 계속 앉아 있지 못하는 등의 정신 운동 초조성이나 지체를 보이고, 에너지가 저하되고, 피곤하다. 우울한 사람은 심리적으로 비현실적이고, 부정적인 자기평가를 하고, 죄의식에 집착하고, 과거의 실패를 되

새기고, 주의를 집중하기가 어렵고, 결정을 어려워하고, 기억력이 떨어진다. 또한 죽음에 대한 생각과 자살을 생각하거나 자살을 시도하기도 한다. 이외 부수적 특징으로는 잘 울고, 과민한 기분 상태, 생각을 많이 함, 강박적 반추, 불안, 공포, 신체 건강에 대한 과도한 걱정과 고통을 호소한다. 때로는 공황발작, 대인 관계 형성의 어려움, 성 기능 장애, 이혼, 직업 상실, 무단 결석, 학업 실패, 알코올이나 약물 남용, 자살 시도나 자살 성공 등의 증상을 나타낸다. DSM-5에서의 우울장애는 우울 증상의 심한 정도나 지속 기간 등에 따라 다양하게 구분하며, 우울장애의 하위 유형으로 주요 우울장애, 지속성 우울장애, 월경전기 불쾌 장애, 파괴적 기분조절곤란 장애 등을 제시하고 있다. 진단에는 두 가지 일차적 준거가 있다. 하나는 우울한 기분이고 다른 하나는 대부분의 활동에 대한 관심이나 즐거움이 없는 것이다. 적어도 이러한 증후들 중에 어느 하나가 최소 2주간 지속될 때 우울장애로 진단한다. 이차적 준거로는 식욕이나 체중의 급격한 감소 혹은 증가, 수면 곤란, 운동 기능적 혼란이나 지체, 피로 혹은 에너지 감소, 무가치감이나 죄책감, 주의력 혹은 집중력 감소, 죽음 혹은 자살에 대한 생각이 머리에서 떠나지 않음 등의 증후가 포함된다. 일부 우울장애를 가진 사람들 중에는 환각 혹은 망상과 같은 정신 이상을 보이는 경우도 있다. 대체로 이러한 증후는 우울 증세가 심하고, 오래 지속되며, 무능감이 클 때 나타나기 쉽고, 치료가 더욱 힘들어진다. 우울장애와 자살 행동의 발생률이 성인기에서는 물론 청소년기에서도 증가하고 있는 추세다. 의학적인 장면에서 보면 여러 정신 질환 가운데서도 우울장애가 가장 많다. 정신 질환 환자 중 10~20%가 우울장애를 가지고 있다. 남성의 5~12%, 여성의 10~25%가 우울장애를 경험하는 것으로 보고되고 있다. 발병 시기는 모든 연령대에서 나타나고 있기는 하지만 여성의 경우 15~19세에, 남성의 경우 25~29세에 많이 발병하고 있다. 우울장애는 가족력이 있을 때 유병률이

5~15%로 높게 보고되고 있으며, 신체적으로 대사장애나 내분비 장애, 소화 기관계 및 심혈관계 질환 때문에 발병할 수도 있다. 우울장애는 세로토닌, 도파민 등의 신경 전달 물질과 성장 호르몬의 이상인데, 여성이 남성보다 상대적으로 많은 것은 여성이 남성과는 다른 스트레스 유발 인자(예, 신체 및 성적 학대)에 직면하게 되고 스트레스에 대한 반응이 더욱 민감하기 때문이다. 또한 남성과 여성은 인지 대처 양식(cognitive coping style)과 자기 보고 전략(self-reporting strategy)이 서로 다르기 때문이기도 하다. 여성의 월경 주기와 산후 기간과 관련된 호르몬 변화에 대한 민감성과 같은 생물학적 요인이 역할을 하기도 한다. 이 외에도 우울장애를 유발하는 위험 요인으로는 별거나 이혼, 과거의 우울 경험, 신체 건강의 허약, 의학적 질병에 대한 취약성, 낮은 사회 경제적 지위, 실직, 사랑했던 사람과의 이별 등 스트레스를 유발하는 생활 사건과 관련되어 있다. 우울장애가 심하면 의학적 질병에 취약하여 신체 건강이 손상되고, 집중력과 사고력 및 문제해결력이 감소하며, 유쾌하고 보상적인 활동에 대한 참여가 줄어들고, 대인 관계 곤란 문제를 가져오는 등의 정상적인 기능 저하를 초래한다. 우울장애를 심하게 경험하면 장차 우울장애를 다시 경험할 가능성이 커질 뿐만 아니라 불안 장애, 알코올 남용과 같은 다른 정신 질환 문제를 초래하기 쉽다. 주요 우울장애(Major Depressive Disorder)는 가장 심한 증세를 나타내는 우울장애의 유형으로서 우울한 기분을 주된 증상으로 하는 기분장애이지만 다양한 심리적 문제가 동반된다. 우선, 우울장애 상태에서는 우울하고 슬픈 감정을 비롯하여 좌절감, 죄책감, 고독감, 무가치감, 허무감, 절망감 등과 같은 고통스러운 정서상태가 지속된다. 우울하고 슬픈 감정이 강해지면 자주 눈물을 흘리며 울기도 한다. 심한 우울장애 상태에서는 무표정하고 무감각한 정서상태를 나타낼 수도 있다. 또한 아동이나 청소년의 경우에는 우울장애 상태에서 분노감이나 불안정하고 짜

증스러운 감정을 나타내기도 한다. 이러한 우울한 기분과 더불어 일상활동에 대한 흥미와 즐거움이 저하되어 매사가 재미없고 무의미하게 느껴진다. 또한 어떤 일을 하고자 하는 의욕이 현저하게 저하되어 생활이 침체되고 위축된다.

우울장애 상태에서는 부정적이고 비관적인 생각이 증폭된다. 자신이 무능하고 열등하며 무가치한 존재로 여겨지는 자기비하적인 생각을 떨치기 어렵다. 또한 타인과 세상은 비정하고 적대적이며 냉혹하다고 생각된다. 인지적 기능도 저하되는데, 주의집중이 잘 되지 않고 기억력이 저하되면 판단에도 어려움을 겪게 되어 어떤 일에 결정을 내리지 못하고 우유부단한 모습을 보이게 된다. 이러한 사고력의 저하로 인해 자신의 능력을 발휘하지 못하고 학업이나 직업 활동에 어려움을 겪게 된다. 우울장애는 이처럼 개인을 매우 고통스러운 부적응 상태로 몰아넣는 무서운 장애이지만 전문적인 치료를 받으면 회복이 잘 되는 장애이기도 하다. 지속성 우울장애(Persistent Depressive Disorder)는 우울증상이 2년 이상 지속적으로 나타나는 경우를 말한다. 지속성 우루장애는 DSM-5에서 새롭게 제시된 진단명으로서 DSM-IV의 만성 주요 우울장애와 기분부전장애를 합친 것이다. 지속성 우울장애는 2년 이상 지속되는 우울한 기분을 비롯하여 ① 식욕부진, 과식, ② 불면이나 과다수면, ③ 활력의 저하나 피로감, ④ 자존감의 저하, ⑤ 집중력의 감소나 결정의 곤란, ⑥ 절망감 중 2가지 이상의 증상이 나타날 경우에 진단될 수 있다. 지속성 우울장애의 핵심증상은 만성적인 우울감이나 아울러 자신에 대한 부적절감, 흥미나 즐거움의 상실, 사회적 위축, 낮은 자존감, 죄책감, 과거에 대한 반추, 낮은 에너지 수준, 생산적 활동의 감소 등을 나타낸다. 지속성 우울장애는 비만성적 우울장애에 비해서 만성적인 경과를 보이기 때문에 실업, 재정적 곤란, 운동능력의 약화, 사회적 위축, 일상생활의 부적응이 더욱 심각하게 나타날 수 있다(Satyanaratana et al., 2009). 월경전기

불쾌장애(Premenstrual Dysphoric Disorder)는 여성의 경우 월경이 시작되기 전 주에 정서적 불안정성이나 분노감, 일상 활동에 대한 흥미 감소, 무기력감과 집중곤란 등의 불쾌한 증상이 주기적으로 나타나는 경우를 말한다. 가임기 여성의 70~80%는 월경이 시작되기 직전에 유방 압통, 더부룩함, 정서적인 불안정감, 짜증스러움과 같은 다양한 징후를 경험한다. 대부분의 경우, 이러한 징후는 경미한 것이어서 특별한 치료가 필요하지 않다. 그러나 20~40%의 여성들은 이러한 월경전기의 징후가 심하여 일상생활에 어려움을 겪게 되는데, 월경전기 증후군이라고 한다. 특히 정서적 불안정성, 우울감, 불안, 짜증이나 분노, 의욕 저하, 무기력감과 같은 다양한 정서적 증상이 나타나서 일상생활에 심각한 장해를 초래하게 되는 경우를 DSM-5에서는 월경전기 불쾌장애라고 지칭하고 있다. 월경전기 불쾌장애의 유병률은 여성의 3~9%로 보고되고 있다(Halbreich & Kahn, 2001). 월경전기 불쾌장애는 주요 우울장애, 양극성 장애 그리고 불안장애와 공병률이 높은 것으로 알려져 있다. 파괴적 기분조절곤란 장애(Disruptive Mood Dysregulation Disorder)는 반복적으로 심한 분노를 폭발하는 행동을 나타내는 경우를 말한다. 주로 아동기나 청소년기에 나타나는 장애로서 자신의 불쾌한 기분을 조절하지 못하고 분노행동으로 표출하는 것이 주된 특징이다. 파괴적 기분조절곤란 장애의 핵심증상은 만성적인 짜증과 간헐적인 분노폭발이다. 아동기의 만성적인 짜증은 성인기에 다른 우울장애로 진전되는 경향이 있다. 분노 폭발은 막무가내로 분노를 표출하며 공격적이고 파괴적인 행동을 나타내는 것으로서 아동의 경우 흔히 다리를 뻗고 앉거나 드러누워 사지를 마구 휘저으며 악을 쓰며 울어대거나 욕을 해대기도 한다. 이러한 분노 폭발은 어린아이에게서 종종 관찰되지만 만 6세가 되면 거의 사라지기 때문에 6세 이상의 연령에서 분노 폭발을 자주 나타내면 문제행동으로 간주된다(Potegal & Davidson, 1997). 파괴적 기분조절 장애

는 아동과 청소년의 경우 1년 유병률이 2~5%로 알려져 있다. 또한 남아의 유병률이 여아보다 더 높으면 연령이 증가할수록 유병률은 감소한다. 이러한 장애를 지닌 아동은 성인기에 양극성 우울장애가 아닌 단극성 우울장애로 발달할 가능성이 높은 것으로 보고되고 있다. 아울러 아동기와 청소년기에 흔히 나타나는 주의결핍 및 과잉행동 장애, 적대적 반항장애, 품행장애와의 공병률이 높은 것으로 알려져 있다. 우울증을 감소시키는 데 효과적인 치료 방법에는 크게 약리적 접근과 심리치료적 접근이 있다. 약리적 치료 방법은 삼환계 항우울제(tricyclic antidepressants), 모노아민 산화 효소 억제제(monoamine oxidase inhibitors), 선택적 세로토닌 재섭취 억제제(selective serotonin reuptake inhibitors, SSRIs), 비정형 항우울제(atypical antidepressants)와 같은 약물 복용이다. 효과가 있어 널리 사용되는 심리치료적 방법으로는 인지 행동적 치료(cognitive-behavioral therapy), 문제해결적 치료(problem-solving therapy), 대인 심리치료(interpersonal psychotherapy) 등이 있다. 이 증상을 평가하기 위해서 주로 자기 보고식 검사(self-report measures)를 사용하며, 이 외에 관찰법(observational methods), 비구조화 및 구조화된 면접(unstructured and structured interviews), 기능 분석(functional analysis) 등을 시행한다. 대표적인 자기 보고 검사는 벡(Beck)이 개발한 우울증 척도(Beck Depression Inventory: BDI)가 있다. 관찰법은 울기, 짜증, 흥분, 눈 접촉을 피함, 운동 기능의 지체, 오락 및 직업 활동에 대한 참여 감소, 수면 장애, 섭식 장애, 성적 행위 등의 우울 증후의 행동이 얼마나 자주 나타나고 지속되는지를 측정하는 데 사용한다. 기능 분석은 우울 증후의 원인 및 지속과 관련이 있을 수 있는 중요하고 통제할 수 있으며 인과적인 환경 요인을 알아내기 위한 과정이다.

관련어 | 기분장애, 양극성 장애, 조증

우울증
[憂鬱症, depression]
이상심리

⇨ '우울장애' 참조.

우원증
[迂遠症, circumstantiality]
생각을 중점적으로 뚜렷하게 말하지 못하고 우회적으로 세세하고 지루하게 이끌어 나가는 병적 증상. 인지치료

우회증이라고도 한다. 사고의 형식적 장애의 일종으로 사고의 최종 목표에는 도달하지만, 도중에 지엽 말단에 얽매어 요점이나 본질에 대한 통찰이 부족하고 목표에 이르는 데 시간이 걸린다. 전간이나 뇌의 기질성 질환이 있는 경우에 흔히 나타나며 점착 기질, 간질 성격, 지적장애, 치매, 뇌 기질 질환 등에서 볼 수 있다. 조증과 정신분열병에서도 관찰된다. 엉뚱한 연상으로 한참을 관련 없는 이야기를 하다가 다시 원래 자신이 목표한 이야기로 되돌아오는 경우다. 예를 들면, 여름휴가에 대해 이야기하는 중에 작년 여름 친구들과 함께 강릉에 가서 해수욕을 했다는 표현을 하고자 할 경우, "난 작년 여름휴가에 친구들과 함께 버스를 타고 강릉에 가서 해수욕을 했어."라고 말하는 것이 정상적이다. 그러나 우원증이 있는 사람은 "난 작년 여름휴가에 …… 그런데 나는 여름휴가라는 것에 대해 불만이 많은데, 우리 회사는 휴가를 여름에는 3박 4일만 가라는 거야. 그래서 내가 지난번에 우리 과장에게 꼭 그럴 필요가 있느냐고 물었지. 그 과장이라는 사람 말이야, 술을 얼마나 좋아하는지 술을 한번 마시면 정신 없을 때까지 마셔. 너 요즘 새로 나온 그 술 알아? 맛이 꽤 좋아. 어쨌든, 친구들하고 강릉을 갔었다고. 해수욕도 하고 재미있었어." 이처럼 결국에는 말하고자 하는 결론에 도달하기는 하지만, 그 과정에서 지엽적인 부분에 할애하는 시간이 많다.

우월 콤플렉스
[優越 -, superiority complex]

강한 열등감을 극복하거나 감추기 위해 자신이 다른 사람보다 우월하다고 믿는 병리적 신념. 개인심리학

아들러(Adler, 1973a)는 자신의 열등감에 강하게 사로잡혀 열등 콤플렉스에 걸린 사람이 절대적 안전과 우월성을 획득하기 위해 노력하며, 자신이 다른 사람보다 훌륭하거나 위에 있다고 생각하는 거짓신념을 구체화하는 것을 관찰했고, 이런 현상을 우월 콤플렉스라고 명명하였다. 우월 콤플렉스는 정상적인 우월성 추구와는 달리 현실을 무시한 과도한 목표설정이나 열등감을 감추기 위해 보이는 어색한 태도를 말하며, 자신이 우월하다는 착각에서 과장된 몸짓과 언어를 사용한다. 우월 콤플렉스는 강한 열등감을 극복하거나 감추려는 하나의 '위장술 또는 속임수'라고 할 수 있다. 이들의 왜곡된 보상노력은 열등감을 더욱 강화하는 악순환을 되풀이하며, 강화된 병리적 열등감은 우월 콤플렉스와 열등 콤플렉스의 발원지라고 할 수 있다.

관련어 | 보상, 열등 콤플렉스, 열등감, 우월추구

우월기능
[優越機能, superior function]

융(C. G. Jung)은 사람의 정신에는 사고, 감정, 직관, 감각의 네 가지 기능이 있다고 주장하였는데, 이러한 심리적 기능과 관련하여 가장 잘 분화된 기능. 분석심리학

융의 모델을 살펴보면, 우월기능은 열등기능과는 반대되는 개념으로서 가장 자연스럽게 나타나기 때문에 사람들이 자동적으로 사용하게 된다. 우월기능은 사고, 감정, 감각, 직관의 네 가지 기능 중에서 결정되며, 사람들은 이 중 어떠한 기능이 의식의 통제를 더 받고 있는지, 더 우연히 사용하는지를 면밀히 탐색해야 한다. 사람들이 주로 어떤 우월기능에

따라 살아가고 있는가에 따라 사고형, 감정형, 직관형, 감각형으로 부른다. 우월기능은 기능이 외향적이든 혹은 내향적이든 간에 항상 다른 기능보다 더 많이 발전되어 있고, 더 원시적인 특징을 가지고 있다. 우월기능은 항상 의식적인 성격의 표현이다. 우세한 의식의 태도나 기능은 그 반대 극의 무의식적 태도나 기능이 보상한다.

관련어 | 열등기능

우월성 이론
[優越性理論, superiority theory]

홉스(T. Hobbes)가 주장한 유머이론으로, 타인의 실수나 아둔함을 보고 자신의 우월성을 확인하게 될 때 웃음이 나온다는 이론. 웃음치료

우월성 이론은 부조화 이론, 이완이론과 더불어 세 가지 주요 유머이론의 하나로서, 내면에 숨은 자신의 열등감에 대한 보상이나 방어와 관련된다. 이 이론에서는 타인에 관한 뜻밖의 부족함이나 우둔함 등을 확인하고 승리감을 느낄 때 웃게 된다고 하였다. 사람은 주어진 상황을 잘못 이해하거나, 말도 안 되는 실수를 하거나, 예기치 못한 불행으로 빚어진 어리석은 결과 등이 타인에게서 일어나는 것을 보고 자신이 타인보다 우월하다고 느끼면서 웃는다. 이 이론의 출발은 플라톤과 아리스토텔레스였고, 홉스에 이르러 확립되었다. 아리스토텔레스는 자신보다 못한 이나 추한 이를 보았을 때 사람은 그들보다 우월한 자신을 확인하고 기쁨을 느낀다고 했고, 그 반대로 플라톤은 자신의 무지함을 드러내어 보이는 것이 타인의 웃음을 야기한다는 소크라테스의 말을 소개하였다. 홉스는 이들의 사상을 바탕으로 체계화된 우월성 이론을 제시하였는데, 웃음은 타인이나 과거 자신에 대하여 현재의 자신이 느끼는 우월감에서 비롯된다고 하였다. 이에 반해서 솔로몬(R. Solomon) 등은 유머에 관한 열등감

이론(inferiority)을 선보이기도 하였다.

관련어 부조화 이론, 이완이론

우월추구
[優越追求, striving for superiority]

아래에서 위로, 미완성에서 완성으로 나아가려는 인간의 동기. 개인심리학

아들러(Adler)는 인간행동의 동기를 긴장을 감소하고 쾌락을 추구한다는 프로이트(Freud)와는 달리, 열등의 감정을 극복하여 우월해지고 위로 상승하고자 하는 목표나 완전에 이르기 위해 더 많은 노력을 하며 긴장을 증가시키는 것을 인간행동의 동기로 보았다. 우월추구는 누구나 가지고 있는 향상 욕구로서 보상의 궁극적인 목적이라 할 수 있다. 마이너스에서 플러스로의 우월에 대한 충동은 끝이 없고, 이것은 완전을 위한 투쟁으로 이어진다. 우리 안에 있는 진리에 대한 추구, 삶의 문제를 해결하고자 하는 만족되지 않은 욕구는 완전을 향한 갈망을 보여준다(Ansbacher, 1982).

관련어 보상, 열등감, 힘의 의지

운
[韻, rhyme]

둘 이상의 낱말에서 유사한 소리가 반복되는 것. 문학치료(시치료)

'rhyme'이라는 용어는 고대 프랑크어 'rim'에 기원을 두고 있으며, 독일어로는 'series, sequence'라는 의미를 갖는다. 운이 영어로 'rhyme'이라는 철자로 나타난 것은 현대 영어에서다. 이는 그리스어 'rhythmos'와 연관성이 있다. 일반적으로 운은 두 낱말의 마지막 모음이 일치하거나 낱말 전체 발음이 일치하는 경우를 말한다. 우리나라에서는 운이 영어만큼 엄격하지 않다. 각 시행에서 처음이나 끝 음절 등 동일한 위치에 규칙적으로 같거나 비슷한 음조의 글자를 사용하는 운은 시 외에 노래에서도 주로 사용한다. 시치료나 글 쓰기 치료에서 주어진 형식에 맞추어 글을 쓰는 훈련을 할 때, 시에 익숙하지 않은 사람들에게 반복적인 운에 맞추어 쓰도록 하면 단계적으로 시 쓰기에 접근할 수 있어서 쓰기에 대한 두려움을 극복할 수 있다. 김소월의 「가는 길」중에서 "그립다 말을 할까 하니 그리워 그냥 갈까 그래도 다시 더 한번"에 반복되는 '그'라는 음절이 대표적인 운이 된다. 이것은 운 중에서도 두음을 사용한 운이기 때문에 두운이 된다.

운동과다증
[運動過多症, hyperkinesis]

고양된 기분에 이어 신체적 · 사회적 · 직업적 · 성적 활동 등 목표 지향적 행동이 증가하고 가만히 있지 못하는 상태. 중노년상담

과잉동작 혹은 다동(多動)이라고도 하는데, 조증 상태에서 나타나는 특징으로 늘 의욕에 차 있어서 새벽부터 밤늦게까지 잠시도 쉬지 않고 활동한다. 그러나 효율적으로 자신의 일을 해내기보다는 잡다한 일을 벌이고 일의 마무리를 하지 못하며 다른 사람의 일에 참견을 많이 하고 평소에는 만나지 않던 사람들을 찾아가 복잡한 사업계획을 이야기해서 사람들을 혼란스럽게 한다. 성욕이 항진되기도 해서 종종 억제하지 못하고 방탕해지는 경우가 있으며, 비싼 물건을 사거나 목적 없는 여행을 하는 등 지나친 소비를 하기도 한다. 이러한 행동에 반대하는 사람들에 대해 흥분하여 비난하고 구타까지 하는 때가 있어서 종종 형사 사건을 일으키기도 한다.

운동근육기술장애
[運動筋肉技術障碍, motor skills disorder]

특수아 상담

⇨ '발달성 운동 조절 장애' 참조.

운동기술장애
[運動技術障碍, motor skills disorder]

특수아상담

⇨ '발달성 운동 조절 장애' 참조.

운동성 실어증
[運動性失語症, motor aphasia]

이해력은 좋지만 복창능력이 적고 비유창성 언어를 사용하는 장애로, 표현성 실어증, 브로카 실어증이라고도 함. 재활치료

뇌의 브로카 영역의 피질 부위에 병소를 포함하고 있으며, 말이 유창하지 못하고 문법의 규칙을 잘 지키지 못하며, 문장을 이해하기는 하나 말은 잘 못하는 언어의 비유창성을 특징으로 한다. 글을 쓰는 능력도 손상되고 대부분 편측마비와 실행증이 동반된다. 1894년 독일의 신경학자 베르니케(C. Wernicke)는 실어증 환자를 대상으로 그들의 좌측 두부 영역의 뒤쪽 부위를 분석하였다. 그는 실어증에 대해 감각적이거나 수용적이라고 하였다. 반면, 브로카(P. Broca)가 말하는 실어증은 선천적이며 운동을 전하는 것이다. 베르니케는 실어증에 대해 신경망 모형에서 중추를 연결시키는 중추와 관에서 두뇌의 유전자 지도를 만든다. 실어증은 이런 관이 상처를 입음으로써 나오기 때문에 뒤쪽에 있는 뇌 부위 간의 연결에 대한 가설을 세울 수 있다고 하였다. 뒤쪽에 있는 뇌 부위의 역할은 단어의 감각적인 동화를 보장해 주고, 앞쪽에 있는 뇌 부위의 역할은 그것의 운동 전달의 동화를 담당한다. 이들 간의 단절은 환자가 이해하거나 산출할 수 있지만 반복할 수 없을 때 특별한 실어증이 유발된다. 운동성 실어증의 자연회복은 4주간 가장 두드러지며, 3~4개월 동안 계속 호전된다. 그러나 발병한 지 1년이 지나면 자연회복은 어렵다. 일부 환자의 경우 언어치료의 유무와 상관없이 약간씩 호전되며 때로는 몇 년간 계속된다. 중증 환자의 경우에는 언어치료로 큰 효과를 기대할 수 없다. 이에 오랜 시간을 가족과 협력하여 언어전달을 위한 환경을 만든 다음 상징적 제스처나 언어가 아닌 테크닉으로 의사전달을 하는 비언어성 의사소통을 유도한다. 중등도 실어증 치료에는 직접적인 훈련을 통한 언어치료를 하며, 자극을 계속 주어 환자가 만들 수 있는 언어 패턴을 되찾도록 한다. 또한 자극에 대한 반응을 중시하는 것보다 프로그램에 의한 접근법으로 interacting process를 권장하는 경향도 있다.

운동중독
[運動中毒, exercise addiction]

운동에 대한 관심과 실행이 습관에서 의무로 강화되고, 결국 중독의 상태에 이르러 운동의 욕구를 통제하지 못하며, 운동을 중단한 후 24~36시간이 흐른 뒤에 금단증상이 나타나는 심리적이고 생리적인 의존현상. 중독상담

운동을 하는 것이 삶에 활력을 주고 건강을 증진시키기 위한 목적이 아니라, 운동 그 자체가 목적이 된다는 것이 운동중독의 문제를 가진 사람들을 삶에서 운동을 즐기는 사람들과 구별 짓는 가장 큰 특징이다. 운동중독자들은 운동에 과도하게 몰입함으로써 심한 경우 자신의 의지와 상반되는 불쾌한 압력에 통제되는 강박적 행동을 보인다. 또한 운동수행에 대한 자기조절능력이 저하되고, 운동을 하지 못할 경우 무기력해지는 현상, 집중력의 감소, 피로, 사회적 활동 저하, 판단력 저하, 그리고 업무수행능력의 저하 등이 나타난다. 하지만 운동중독을 긍정

적인 면에서 살펴보면 개인의 육체적, 심리적 활력 증가 및 안녕과 기능의 상태를 개선시키는 삶의 보완제가 되고, 자신감의 부여, 컨디션 회복의 만족, 스트레스 및 긴장감의 해소, 이미지 개선, 에너지 충전 등의 효과를 기대할 수도 있다. 이렇게 운동중독이라는 용어가 약물중독처럼 부정적인 것으로 인식되는 것에 대한 대안으로 운동의존(excercise dependence), 과도한 운동(excessive exercise), 강박적 운동(compulsive exercise), 의무적 운동(obligatory exercise) 등의 용어를 사용하기도 한다.

관련어 | 금단증상, 내성, 중독, 행동중독

운명신경증
[運命神經症, fate neurosis]

스트레스를 야기하는 사건들을 운명의 탓으로 돌려 삶의 비극을 반복하는 신경증. **정신분석학**

반복강박과 관련 있는 신경증이다. 살아가면서 괴롭고 고통스러운 과거상황을 반복하고자 하는 강박적인 충동을 지닌 환자는 자신이 그와 같은 사건이나 경험을 유발하는 주체라는 사실을 미처 인식하지 못하는 경향성이 있다. 자신의 부정적인 상황을 불운이나 운명의 탓으로 돌림으로써 비극적인 상황이 반복되게끔 하는 악순환이 계속된다.

관련어 | 반복강박

웃음
[-, laughter]

특정 자극에 의한 생리학적 반응으로, 즐거움이나 기쁨, 행복감 등에 관한 시각적 표현. **웃음치료**

웃음이란 간단히 말해서 웃는 행위와 표정, 소리 등을 아울러 이르는 말로, 만족이나 기쁨의 일시적 표현이다. 이는 사람의 마음을 나타내는 방식 중 하나로, 사회적 존재로서의 인간이 지닌 생존본능 중 하나다. 동물은 안면근육이 제대로 발달되어 있지 않을 뿐만 아니라 생존을 하는 데 웃음이 필요하지도 않다. 광의로 볼 때 웃음은 심상적 표현, 관점의 전환까지 포함된다. 웃음은 고정관념이 깨지는 순간, 놀라움, 기쁨 등에 수반되는 소리와 표정 반응으로, 횡격막의 단속적인 경련적 수축과 함께 깊은 흡기에서 일어나는데, 사람이 지닌 650개의 근육 중 231개, 얼굴의 80개 근육 중 15개, 206개의 뼈를 동시에 움직이는 운동이다. 웃음은 생리적 반응보다는 심리적 반응이 더 크게 차지하며, 사회적 존재인 인간이 만들어 낸 문화적 의미를 지님으로써 동물과는 다른 인간만의 특성이라고 볼 수 있다. 웃음은 뇌에서 반응을 하는 행위로, 사회적 상호작용과 대화를 통한 정서적 맥락에서 발생한다. 신경생리학에서 볼 때, 웃음은 뇌의 복내측 전전두엽 피질(ventromedial prefrontal cortex) 부분의 활동과 관련되어 엔도르핀을 생산한다. 또 정서를 주관하고 인간 생존에 필수적 기능을 하는 대뇌변연계가 웃음과 관련되어 있기도 하다. 웃음은 신체자극에서 비롯되는 생리적 웃음에서, 기쁨이나 우스꽝스러움, 겸연쩍음과 같은 정상 심리상태에서 비롯되는 것과 병적인 상태에서 비롯되는 것 등이 있다. 1천억 개의 뇌세포를 고르게 자극하는 오케스트라와 같은 역할을 하는 웃음은, 한 번 웃는 것이 윗몸일으키기 25회와 같은 효과를 낸다. 웃음은 마음과 서로 교감한다. 마음에서 비롯되는 표현이 웃음이지만, 계속 웃는 행위가 마음을 바꾸기도 하고 사고의 관점을 바꾸기도 한다. 또한 웃음은 인간 심신의 건강과도 연관이 깊다. 연구에 따르면 웃음은 고통을 완화하고 행복감을 증대시키며 면역력을 높인다. 긍정심리학에서는 웃음과 유머감각을 매우 중요한 요소로 꼽는다. 웃음은 코르티솔, 에피네프린, 도파민 등의 스트레스 호르몬 수준을 경감시키고, 엔도르핀 같은 건강 강화 호르몬 수준을 높여 주며, 항체생산세포의 수를 늘리고, 세포면역에서 주된 역할을 하는 T세포의 효능성을 강화시키며, 혈압에도 긍정적인 영향을 미친다. 이 같은 신체적 영향뿐만 아니라 정서적 긴장을 감소시켜 주는 데도 큰 영향을 미치고, 횡격막·복근·어깨 등을 활발하게 움직여 신체적 건강과 근육이완에도 도움을 주며, 심장에도 긍정적인 영향을 미친다. 지친 뇌를 쉬게 하여 분노, 죄의식, 스트레스와 같은 부정적 정서를 완화시키는 효과도 있다. 이외에도 타인과의 관계에 긍정적인 영향을 미쳐, 잘 웃는 사람이 대인관계도 더 좋은 것으로 나타난다. 웃음 유발의 원인으로는 신체반응, 심리반응, 감정반응 등을 들 수 있다. 유아기 때는 신체적 자극에 의한 생리적 웃음이 지배적이지만, 성장을 하고 대인관계를 경험하면서 사회적 웃음과 정서적 웃음의 자리가 점점 커지고, 지적 발달과 함께 유머로 인한 웃음이 발달한다. 웃음은 답답하고 힘든 현실의 일상에 에너지를 제공하여 정신생활에 좋은 영양소를 공급하는 활동으로서 스트레스 해소 및 기분 전환의 계기가 된다.

웃음명상
[– 冥想, humor meditation]

온몸으로 웃음을 쏟아 내고 난 뒤 자세를 정리하고 고요한 상태를 유지한 채 그 웃음을 느끼면서 자신의 호흡과 같은 신체반응에 집중하여 내면의 에너지를 강화하고 긴장을 해소하는 치료법. 웃음치료

스트레스, 우울, 불안 등을 조절하는 데 매우 효과적인 웃음명상은 운동, 호흡법, 명상법 등이 혼용된 치료방법이다. 사람의 얼굴에 있는 근육은 화가 나거나 두려움을 느끼면 긴장감 때문에 뭉쳐 버리는데, 이는 마음의 긴장으로 이어진다. 반대로 호흡을 동반한 웃음은 얼굴의 모든 근육을 이완시켜 긴장이 사라지고 기분이 좋아지게 만든다. 따라서 웃음이라는 외적 현상이 내면으로 긍정적인 에너지를 전달해 줄 수 있다는 데서 출발하는 웃음명상은 깊고 진정한 웃음상태에서 깊은 명상을 체험하는 과정이다. 일반적인 명상법은 변화가 없는 단일 대상이나 반복적인 자극대상에 주의를 집중하는 집중명상과 마음에서 나타나고 사라지는 모든 변화를 면밀하게 관찰하는 통찰명상으로 구분하는데, 웃음명상에서는 이 둘을 모두 사용한다. 웃음명상은 여러 가지 다양한 웃음기법으로 웃음운동을 하고 난 다음, 조용한 분위기의 음악이나 포옹 등으로 기분 좋은 상태를 유지하는 것을 골격으로 한다. 이외에 눈물 흘리기, 분노 표출하기, 용서하기 등을 활용하여 자기 스스로의 슬픔, 고통, 분노와 같은 감정표현을 함으로써 조절이 가능해지도록 한다. 이 같은 과정으로 내면의 즐거움과 기쁨을 체험하도록 유도한다. 대개 웃음운동을 마친 후 웃음명상시간이 10분 정도 주어진다. 베트남 출신의 세계적인 승려 틱낫한은 이를 입요가(mouth yoga)라고 하였고, 우리나라에서는 단학에서 많이 활용하는 방법이다.

관련어 | 웃음치료

웃음소리
[– , laughing voice]

사람의 마음과 같은 정신활동에 수반된 감정적 반응이 표정 변화나 소리와 같은 신체반응으로 표현된 웃음치료의 구성요소 중 하나. 웃음치료

웃음소리는 쾌적하고 즐거운 감정에서 수반되어 나타나는 신체반응의 일부로, 감정반응이 원인이 된 신체의 변화 중 명랑하게 웃을 때 나는 소리를 뜻한다. 웃음은 마음의 긴장이 풀리고 심적 대상에게서 심리적 거리가 생길 때 소리를 내면서 지속적으로 발현되는 행위로, 유머자극의 자연스러운 반응이다. 이는 인간의 일상에 필수적인 요소로, 생활 내 안녕감에 지대한 영향을 미친다. 웃음 유발요인으로는 신체적 자극, 기쁨, 우스꽝스러움, 겸연쩍음 등의 정상적 요인과 병적 요인이 있다. 웃음소리는 사람의 마음상태를 나타내는데, 마음의 상태에 따라 웃음표현이 달라지는 것이다. 예를 들어, 만면에

웃음을 띠고 싱글벙글한 표정이 되는 것은 만족감과 연관되어 있고, 능글능글한 표정으로 웃음을 띠는 것은 비밀을 감추고 있다는 것이며, 히죽거리며 웃는 것은 악의적인 요소를 담고 있다고 보고, 큰 소리로 호탕하게 웃는 것은 대범함을 표현하는 것이라고 여긴다. 웃음은 또 그 사람의 성격에 따라 다르게 나타나고 성별, 나이, 웃음 유발원 등에 따라서도 웃음소리나 표현이 달라진다. 웃음치료에서의 웃음소리는 얼굴표정 변화로 웃음이라는 것을 알 수 있는 미소, 작은 웃음소리, 온몸으로 표현하는 박장대소 혹은 파안대소 등에 이르는 모든 종류의 웃음소리를 포함한다.

웃음운동
[－運動, laughter exercises]

웃음치료사의 개입하에 의도된 웃음을 10초 이상 지속하는 행위로, 웃음치료의 구성요소. 웃음치료

웃음운동은 인간 내면과 정신활동에 자극을 주는 수없이 많은 행위로서, 이를 통해서 재치와 기지를 키우는 것은 물론, 건강도 증진시킨다. 콘블라트(S. Kornblatt)는 『A Better Brain at Any Age: The Holistic Way to Improve Your Memory, Reduce Stress, and Sharpen Your Wits』에서 웃음을 통한 여덟 가지 건강 유익에 대해 기술하면서, 뇌를 자극하는 일곱 가지 웃음운동을 소개하였다. 첫째, 즐거운 것 찾기, 둘째, 농담 없이 웃기, 셋째, 유머에 빠져 보기, 넷째, 웃음 유발하기, 다섯째, 웃기는 책 읽기, 여섯째, 웃음명상 해 보기, 일곱째, 웃음모임이나 웃음요가반에 참여하기다. 웃음운동을 유발하기 위해서 웃음과 관련된 이미지의 사진이나 그림을 카드로 만들어 사용하기도 한다. 웃음운동은 심장 박동수를 증가시키고 호흡에 변화를 이끌어 심폐기능을 강화시킬 수 있다. 처음에는 최대운동능력의 40~60% 정도로 해서 큰 웃음의 운동시간을 20분 정도로 하다가 점차 늘려 나간다. 웃음운동의 효과를 높이기 위해서는 전문가의 조언이 필요하며, 목표를 장기적으로 수립하고 서서히 시간을 늘리면서 몸이 힘들다고 느낄 때부터 10분 이상 웃음을 연장하는 것이 중요하다. 박장대소나 파안대소, 요절복통과 같은 큰 웃음은, 초기에는 두 번, 중기에는 서너 번, 후기에는 대여섯 번 이상 지속할 수 있도록 반복적으로 훈련을 한다. 웃음운동 초기에는 펜 테크닉을 활용하는 것도 좋다. 펜을 입에 물고 억지로 웃으려고 애쓰는 것만으로도 웃음효과를 낼 수 있다. 웃음운동도 다른 일반적인 운동처럼 얼굴근육을 비롯한 온몸 근육의 수축, 이완, 심지어 관절의 유연성까지 필요하기 때문에 강도조절이 필수적이다. 또한 얼굴근육 스트레칭과 같은 준비 운동도 철저하게 해야 한다. 웃음운동은 짧게는 최소 4주 이상, 길게는 12주 정도 지속적으로 이어져야 하는 치료활동이며, 과정을 모두 마치면 혼자 자연스럽게 큰 소리로 웃을 수 있게 된다. 주의할 점은 운동을 지속하기 위해서는 다른 운동과 마찬가지로 흥미를 잃지 않도록 유의해야 한다. 웃음운동의 순서를 보면 우선 호흡에서 시작한다. 웃음을 시작하기 전에 심호흡을 깊이 하면서 천천히 숨을 들이마시고 내쉰 다음, 하하, 호호 등의 소리를 내면서 웃기 시작하고, 이 운동을 반복하면서 점점 더 빨리 행하다가 나중에는 큰 웃음까지 이어간다. 마칠 때는 전신 유연운동, 얼굴 및 전신 마사지 등을 활용해서 마무리 운동을 하는 것도 잊지 말아야 한다. 웃음운동은 근육이완, 맥박과 호흡 수 증가로 산소 소비 촉진 등의 신체적 효과를 낼 수 있다. 특히 큰 소리를 내면서 온몸을 움직이며 웃는 박장대소는 우리 몸의 650개 근육 중 230여 개의 근육을 움직이는 활동으로 전신운동을 하는 것과 거의 비슷한 효과가 있고, 심혈관계, 호흡계, 근골격계 등 신체전반에 미치는 영향이 여타 신체 활동을 기반으로 하는 일반 운동과 효과가 거의 같다. 게다가 만성 호흡기장애 환자들의 환기에도 효과가 있고, 분비물 제거에도 효과적이며,

혈액 내 산소 공급, 박테리아 발생요소인 잔여 공기 배출로 인한 심폐기능 강화 등에도 효과가 있다. 웃음은 전 세계적인 공통 언어로, 심신의 건강을 위해 점점 더 다양하고 많은 분야에서 활용되고 있으며, 최근에는 다양한 웃음모임(laughter club)이나 요가 단체가 우후죽순으로 생겨나고 있는 추세다.

관련어 펜 테크닉

웃음치료
[－治療, laughter therapy]

다양한 방법으로 웃음을 활용하여 신체, 정서, 인지, 영 등 인간의 모든 면에서 고통과 스트레스를 줄여 주고, 치유와 건강 및 대처능력 증진을 목적으로 하는 치료법. 웃음치료

웃음이 스트레스 및 불안을 줄이고, 고통의 조절능력을 강화시키고, 면역력을 높인다는 전제로 행해지는 것이 웃음치료다. 웃음은 고통의 공포를 없애 주고, 혈압을 안정시키며, 스트레스 호르몬 수준을 조절하여 스트레스 상황에서 평정심을 유지할 수 있게 해 준다. 또한 근육의 유연성을 높이고, 항체능력을 키워 주는 T세포 수준을 높여 면역기능을 강화하며, 과거에 입었던 상처나 아픔을 해소시켜 안정감을 찾게 하고, 심각한 질환을 앓을 때도 스트레스 수준을 낮추는 효과가 있다. 이렇게 웃음은 정서적 반응이기 이전에 인간에게 필수적인 생존요소다. 웃음이 긍정적인 신체변화를 촉진하고 부정적인 정서를 완화하여 생의 만족수준을 높이는 강력한 수단이 되기 때문에 치료도구가 될 수 있다고 생각한 데서 출발한 것이 웃음치료인 것이다. 웃음은 인간의 역사와 더불어 치료에 사용되었으며, 13세기 초 몇몇 외과의가 수술 중 고통 경감의 목적으로 웃음을 사용하였다. 16세기에는 버튼(R. Burton)이 우울증 치료에 웃음을 활용했으며, 멀캐스터(R. Mulcaster)는 웃음을 신체운동의 일환으로 활용하기도 하였다. 17세기에 들어서면서 긴장완화의 방법으로 스펜서(H. Spencer)가 웃음을 도구로 사용했고, 19세기에는 후펠란트(G. Hufeland)가 웃음을 소화촉진에 이용하는 등, 웃음은 의학계에서도 지속적으로 연구되고 있다. 현대에 들어서는 미국 유명 잡지사 편집장이었던 카슨스(N. Carsons)의 우연한 발견에서 웃음이 치료에 본격적으로 활용되었다. 그는 뼈와 근육이 굳어 가며 엄청난 고통을 수반하는 강직성 척수염 환자였는데, 우연히 코미디 프로그램을 시청한 후 자신의 신체적 통증이 줄어드는 것을 느꼈다. 이것이 계기가 되어 카슨스는 캘리포니아대학교 부속병원에서 웃음치료에 대한 의학적 연구를 수행하였다. 이후 미국에서는 미국웃음치료협회(American association for therapeutic humor: AATH)가 설립되었다. AATH에서는 웃음치료를 일상의 즐거운 경험이나 표현을 이용하여 내담자의 건강과 안위를 증진시키는 활동이라고 정의하였다. 이 웃음치료는 인간의 몸과 마음은 유기적으로 연결되어 있다는 사실을 기반으로 하고 있다. 웃음은 정신적 조깅(internal jogging)으로, 인간의 고통스러운 감정이나 긴장에 대해 카타르시스의 효과가 있고, 보다 명확한 사고와 보다 나은 사리분별력과 상황에 맞는 적절한 행동을 할 수 있도록 도와준다. 웃음치료에서 핵심적인 요소 중 하나는 유머다. 유머는 웃음과 더불어 삶에 대한 긍정적이고 희망적인 태도를 심어 주기 때문이다. 웃음치료는 주로 질환을 앓고 있는 환자들의 고통 경감, 스트레스 수준 저하 및 정서조절 능력 함양, 의사소통 촉진 등이 필요할 때 사용되며, 때로는 비즈니스 웃음코칭처럼 경영의 수단으로 활용되기도 한다. 웃음치료를 행하는 데에는 매우 다양한 방법이 활용된다. 펜 테크닉을 활용하여 의도적으로 웃음을 유발할 수도 있고, 유머집이나 코미디 프로그램을 손쉽게 활용할 수도 있다. 또 전문적으로 웃음코칭의 방법을 활용하기도 하고, 단계별 훈련에 따르는 웃음을 만들어 내는 프로그램을 활용하기도 한다. 일반적으로 웃음치료는 웃을 수 있는 환경구성, 유머, 집단역할

등을 이용하는 것으로 구분하기도 한다. 소요시간은 상황에 따라 다르지만, 웃음치료과정이 단계별로 진행되어야 하기 때문에 최소 12주로 보고 있다. 미국 인디애나 주 메모리얼병원의 연구에 따르면, 웃음치료는 대표적인 스트레스 호르몬인 코르티솔 분비를 감소시키고, 병균을 막아 주는 항체인 감마 인터페론 분비를 증가시켜 바이러스에 대한 저항력을 높인다. 따라서 항암 환자, 기동성장애 환자, 혈액투석 환자, 정신질환자, 노인, 척추수술 환자 등 다양한 대상에게 적용할 수 있다. 웃음치료의 결과는 대상이나 기법에 따라 다르지만, 지속적인 연구로 신체 및 정신에 다양한 효과가 있음이 입증되고 있다. 그러나 웃음치료는 온전히 독립된 대체의학이라기보다는 기존의 치료법과 함께 시행하는 것이 안전하다고 볼 수 있고, 웃음치료가 어렵고 힘든 문제를 회피하는 수단으로 사용되는 것에 주의해야 한다. 웃음치료는 웃음소리, 웃음운동, 웃음명상, 자기표현 등으로 구성되는데, 웃음을 통하여 개인의 신체 및 정신적 상태를 자유롭게 표현함으로써 즐거움을 회복하고, 신체와 정신 기능을 최적화하여 긍정적인 변화가 나타나는 것이다. 따라서 궁극적으로는 인간 삶의 질을 높이고 행복을 찾을 수 있도록 도와주는 행동인지치료라 할 수 있다.

관련어 | 웃음명상, 웃음운동, 웃음소리, 펜 테크닉

웃음치료 자원봉사자
[-治療自願奉仕者, fun volunteer]

사회복지현장에서 자원하여 웃음치료 활동을 하는 전문적 봉사자. 웃음치료

웃음치료 자원봉사자는 웃음치료사의 자격을 갖춘 사람들이 사회복지현장에서 자원하여 수행하는데, 이들은 보수를 받지 않고 웃음기법을 활용하여 자원봉사활동 터전에서 모두가 즐겁게, 기분 좋게, 재미있게, 행복하게 봉사활동을 하는 전문적 자원봉사자다. 정신적인 서비스와 문화적인 서비스를 동시에 행하며 자발성, 우호성, 공익성, 무급성, 지속성 등의 기본적인 자원봉사 원칙을 지키면서 웃음치료를 행하고 있다. 일반 자원봉사자가 세탁, 청소, 반찬 제공, 나들이 보조 등의 일상적인 활동을 우선적으로 하는 집단이라면, 웃음치료 자원봉사자는 유머, 위트, 코믹, 게임, 오락, 악기 및 소품을 이용한 웃음치료기법, 웃음율동, 치매체험훈련 등을 행하면서 즐거움과 재미를 주는 전문적인 활동을 하는 특수화된 집단이다. 웃음치료 자원봉사자는 자원봉사에 대한 교육뿐만 아니라 웃음치료에 대한 전문적인 교육을 받고, 자발성과 무보수성을 바탕으로 하는 사회복지영역에서 활동을 한다. 또한 개인, 민간기관, 자조집단 등을 포함하는 광범위한 공공 및 민간 영역에서도 이들의 활동이 점차 확대되고 있다.

관련어 | 웃음치료

웃음치료에서의 자기표현
[-治療-自己表現, self-expression in humor therapy]

웃음치료 구성요소의 하나로, 웃음을 매개로 하여 드러나는 긍정적 감정의 발현. 웃음치료

웃음치료에서의 자기표현은 일상에서의 근심, 걱정, 불안, 우울과 같은 부정적 감정을 감소시키고 웃음을 통해서 모든 것을 긍정적으로 표현하여 내담자 스스로 즐거운 마음으로 일상생활을 할 수 있게 되었음을 언어를 비롯한 표현도구로 나타내는 것을 말한다. 이는 지속적으로 웃음이 반복되고 유지되어 기쁨과 즐거움이 온몸으로 표현되고, 감사 및 용서의 마음을 갖게 되는 것을 의미한다. 집단 웃음치료에서 가장 중요한 것은 집단 내에서 겪고 있는 어려움을 솔직하게 토로하여 감정을 환기시키고, 정화, 위로, 격려, 수용 등을 경험하도록 하며, 자기이

해 및 자기수용을 촉진하는 것이다. 이렇게 자신의 감정을 충분히 표현함으로써 우울, 불안과 같은 부정적 감정을 경감시킬 수 있다. 즉, 자기를 표현하여 일상에서의 스트레스 대처능력을 키우고, 집단 구성원 간의 상호 신뢰 및 지지를 주고받을 수 있으며, 이를 통해 불행감 및 외로움 등에서 벗어날 수 있다는 것이다. 이러한 자기표현기법은 웃음치료의 가장 기본적이면서도 강력한 치료적 구성요인이 된다. 유방암을 앓고 있는 환자를 대상으로 시행한 지지적 표현적 집단 웃음치료가 정서조절력을 함양하여 심리적 고통을 감소시키는 효과를 가져왔다는 연구결과도 있다.

관련어 | 웃음치료

웃음코칭
[- , laughter coaching]

웃음을 사용하여 내적, 외적으로 균형을 이루면서 기쁨을 조율할 수 있도록 심·신·혼 등의 연결에 대한 자각이 더욱 민감해지게 만드는 역동적이고 새로운 웃음치료방법. **웃음치료**

웃음코칭은 웃음치료기법을 활용하여 코칭의 목적을 실현하는 것을 말한다. 코칭이란 개인이나 조직이 일상 혹은 사업 및 직업 생활 등을 더욱 의미 있고 목적 지향적이 되도록 새로운 관점을 발견하고 거기에 힘을 부여하는 것을 도와주기 위해서, 훈련받은 전문가가 전문적 입장에서 영감과 도움을 주는 것이다. 코칭을 하는 사람을 코치라고 하는데, 코치는 코칭을 받는 사람들의 잠재력이 최대한 발휘되어 성장·발전할 수 있도록 해 주고, 그들의 자아실현에 도움을 주어 성공할 수 있도록 지지하는 역할을 한다. 코칭은 단순한 기술이나 방법론이 아니라 기술체계를 포함한 특정 사고방식의 하나이며, 특별한 인간관계이기도 하다. 이 같은 측면에서 웃음코칭은 개인적 기쁨을 발견하여 발전시키고, 호흡이나 신체조화 등을 발견하여 재생의 기쁨을

만끽하도록 하고, 자신감을 증대시키고, 생활계획 및 목표를 창출해 내고, 역동적 관계를 구축하고, 개인의 지도력을 개발하고, 임무와 목적과 전문성 등을 개발하여 증대시키는 데 큰 효과가 있다. 웃음은 인간의 생활과는 뗄 수 없는 요소로서, 인간관계를 원활하게 해 준다. 이런 웃음을 코칭하는 것은 인간의 무한한 잠재적 가능성, 성장발달 및 문제해결을 가능하게 만드는 내적인 에너지, 더 나은 생활을 지향하는 코칭의 필요성, 상호 코칭 가능성, 인간의 원윈(win-win) 시너지 창출 가능성, 인간문제의 해답이 자기 안에 있다는 것, 해답을 찾기 위한 파트너의 필요성 등의 철학적 기반을 갖고 있다. 코칭의 기본 원칙은 다음과 같다. 첫째, 코칭받는 사람은 원래 창의적이며 지적 능력을 지닌 완전한 존재라는 것을 인식하고 있어야 한다. 둘째, 코칭받는 사람의 생활 전반을 검토해야 한다. 셋째, 코칭받는 사람이 행동지침의 결정권을 갖는다. 넷째, 코치와 코칭받는 사람과의 관계는 맞춤식 협력관계여야 한다. 이 같은 기본 원칙 아래 웃음코칭은 코칭을 받는 사람뿐만 아니라 코치도 동작과 웃음소리를 크게 하고, 1.5초 이상 길게 온몸이 움직일 정도로 웃어야 한다. 웃음코칭은 실천방법이 매우 용이하고, 특별한 기술이나 장비 없이 가능하며, 스트레스 수준을 빠르게 떨어트릴 수 있고, 혈압 및 신진대사를 원활하게 하여 심박의 안정을 쉽게 찾을 수 있으며, 폐기능을 강화하여 호흡을 더욱 깊이 할 수 있도록 해 주고, 혈관 및 주요 신체 내부기관을 강화시켜 건강하게 기능하도록 돕고, 고통을 경감시키고, 우울증과 같은 정서장애에 효과적이며, 특별한 의료적 조치 없이 빠르고 강력하게 긍정적 정서를 함양할 수 있다는 장점이 있다. 그래서 코치와 코칭을 받는 사람의 상호작용으로 기쁨을 창출해 내어, 코칭을 받는 사람만이 아니라 코치까지 심신의 건강을 증진시킬 수 있다. 웃음은 사람을 더 행복하고 건강하게 만들어 주며 관점의 변화까지 일으킬 수 있는 강력한 도구이므로, 개인의 성장에도 밀접하게 관련되고 좌

뇌와 우뇌의 균형 있는 활동을 강화하여 보편적 균형과 건강한 정서를 창출함으로써 유지할 수 있는 힘을 길러 준다. 웃음코칭은 그 대상과 분야, 그리고 성격유형에 따라 비즈니스 웃음코칭, 퍼스널 코칭, 코칭 성격유형 등으로 구분한다.

관련어 | 웃음, 웃음치료, 코칭

워밍업
[- , warming-up]

사이코드라마에서 참여자의 몸과 마음을 드라마 세계에 몰입시키기 위한 준비단계로서 주된 행위, 기능, 활동을 하기 위한 준비행위 혹은 그 과정. **사이코드라마**

사이코드라마에서의 워밍업은 자발성을 위한 것으로서, 이것은 일상화된, 목적 지향적인 주된 행위를 위한 워밍업과는 방식과 목표가 다르다. 사이코드라마에서의 워밍업은 사이코드라마 세계로의 몰입만을 목표로 한다. 다시 말해, 이 워밍업의 구체적 목표는 자발성의 촉발이며, 이를 위하여 다양한 워밍업 기법을 활용하고 그 특징은 다음과 같다. 첫째, 개인이 아닌 집단을 위한 워밍업이며, 따라서 상호 신뢰감 형성이 우선되어야 한다. 둘째, 목표는 자발성의 고취다. 그것은 사이코드라마에 대한 이해를 밑바탕으로 한다. 셋째, 다양한 기법을 활용하며, 그 기법들은 상황에 적절해야 한다. 넷째, 일정한 시간 내에 이루어져야 하고, 시간이 짧을수록 성공적이다. 다섯째, 지금-여기에 초점을 맞춘다. 여섯째, 몸을 통해 이루어진다. 자발성은 행위로 표현되고 드러난다. 비록 침묵 속에 있더라도 그것은 겉으로 드러나며 숨겨지지 않고, 활력성과 적절성 및 독창성이라는 특성을 가지고 있다. 한편 사이코드라마에서 사용되는 워밍업 기법에는 네 가지가 있다. 첫째, 기초 워밍업은 집단이 처음 만나서부터 정식으로 워밍업 기법을 사용하기 직전까지의 워밍업 과정을 말한다. 이는 처음 시작이라는 의미뿐만 아니라 집단이 앞으로 나아갈 전반적인 분위기이

며, 자발성 정도를 점검할 수 있는 과정인 만큼 매우 중요하다. 여기서 고려해야 할 것은 지금 이 순간 집단의 특성은 어떠한가? 사이코드라마에 대한 이해는 어떠한가? 집단구성원들의 특성은 어떠한가? 진행방식과 시간의 배분에 대해서는 모두 알고 있는가? 비밀의 보장이 가능한가 등이다. 둘째, 만남을 위한 워밍업 기법에는 자리 바꾸기, 돌아다니기, 눈 감고 걷기, 분광기법, 몸 풀기, 역할 맡기, 행위사회측정학적 기법 등이 있다. 셋째, 일반적 워밍업 기법은 잠자고 있는 자발성을 일깨우고 증진시키는 것, 상호 만남과 이해를 촉진하고 집단의 결속력을 다지는 것, 역할놀이와 자기표현에 보다 익숙해지고 자유로워지는 것을 목적으로 한다. 넷째, 심층 워밍업 기법은 주인공을 선정하기 위한 마지막 단계의 워밍업으로서 눈 감고 상상하기, 주제 이야기하기, 보조인물기법, 죽은 자와의 만남, 수호천사되기, 인도된 환상, 요람기법, 빈 의자 기법, 자기표현 기법, 소시오그램 및 가족 조각, 마술가게 등이 있다. 워밍업의 가장 큰 목적은 참여자의 자발성을 높이는 것이며, 따라서 참여자가 어떤 체험을 할 때 자발성이 높아지는가는 중요한 문제가 된다. 그런데 사이코드라마의 워밍업은 어떤 기법을 사용하는가에 관계없이 드라마에 대한 참여자의 자발성을 높일 수 있다. 말하자면 사이코드라마의 모든 기법에는 참여자의 워밍업 체험을 높일 수 있는 요소가 공통적으로 존재하는 것이다. 요컨대, 사이코드라마의 워밍업은 근본적으로 현실세계에서 상상세계로의 이행을 준비하는 첫 번째 과정으로서 현실세계로부터 잉여현실세계로 뛰어드는 것을 의미하며, 현실세계에서 그것은 일탈, 도주 혹은 도피로 불릴 수 있다. 그리고 워밍업은 현실에서 어느 한순간 무관심하기 작업과정으로 현실의 찌든 관념을 벗겨 내고 닦아 내는 일이라고 할 수 있다. 즉, 나를 철저히 비워서 나를 있는 그대로 열고자 준비하는 단계다. 또한 워밍업은 그동안 믿어 왔던 제반 당위성에 의문부호를 붙이는 일이면서, 자신마저도 한순간 공(空)

으로 허(虛)를 향해 부정하는 일이다. 결국 일탈과 부정과 의문, 이 세 가지가 이미지를 현존하게 하고 상상력에 불을 붙이는 발화제다. 그런 만큼 워밍업 단계에서 중요한 것은 얼마만큼의 자유로움 가운데 어느 정도의 자발성으로 이미지를 생산해 내느냐 하는 것이다. 자발적 상상력은 인간 상호 간의 신뢰, 시공간에 대한 믿음에서만 그 빛을 충분히 발휘할 수 있다.

관련어 가족 조각, 너명상기법, 마술가게, 분광기법, 빈 의자 기법, 숲 속 거닐기, 역할 맡기, 요람기법, 인도된 환상, 잉여현실, 자기표현기법, 자발성

워크넷
[- , work-net]

고용노동부의 한국고용정보원이 1999년 4월 1일에 인터넷을 이용하여 구인자와 구직자를 연결시켜 고용안정을 강화하고자 개설한 웹사이트.　**진로상담**

고용노동부의 지방 노동관서, 시·군·구 취업알선센터, 중소기업청, 경영총연합 등의 취업정보망을 연계하여 국가적인 차원의 고용안정 인프라를 구축하는 데 목표가 있었다. 인터넷에 신청한 구인·구직 자료를 전문상담원들이 신뢰할 수 있는 인증절차를 거친 다음 등록하고 일자리 정보를 직종별, 지역별, 전공 계열별, 산업 단지별, 역세권별, 대기업, 단시간 근로, 일자리 통합, 청년 인턴, 개인회원, 기업회원 등으로 구분하여 서비스를 제공하고 개인과 기업을 유기적으로 연결한다. 이와 같은 일자리 정보뿐만 아니라 직업과 관련된 심리검사, 한국직업전망, 취업지원 프로그램, 서식 자료실 등 여러 가지 자료를 제공하고 있다.

관련어 노우, 커리어넷

원 북 원 부산
[- 釜山, One Book One Busan]

2004년부터 한 도시 한 책 운동의 하나로 부산에 있는 공공도서관이 주도가 되어 지속적으로 열리고 있는 독서운동.　**문학치료(독서치료)**

부산 시민은 2004년부터 원 북 원 부산 운동을 시작하여 현재까지 매년 한 권의 책을 선정하여 시민 전체가 독서에 참여하고 독서와 관련된 다양한 행사를 펼치고 있다. 책 선정에도 시민들이 직접 참여하는데, 2009년에는 책 선정에 약 44만 명이 참여하였다. 30여 명의 원 북 원 부산 선정위원이 10권의 후보도서를 먼저 정하고, 부산시민들이 사이버 투표 및 직접 투표 방식으로 투표를 해서 한 권의 책을 선정한다. 선정한 도서는 시민들이 연말까지 함께 읽고 독서감상문을 모집하는 방법으로 책에 대한 토의를 한다. 범시민적인 독서운동인 원 북 원 부산의 목적은 부산광역시 교육청의 범시민 독서생활화 운동의 확산이다. 그에 따른 독서감상문 선발로 시민의 독서의식을 고취하면서 원 북 원 부산 운동을 활성화하고 있다. 이 행사는 준비기간부터 거의 몇 개월에 걸친 대규모 행사다. 매년 5월 선포식을 가지고, 9월 말까지 선정한 도서에 대한 독서감상문을 공모한다. 그런 다음 10월 말에 열리는 부산 평생학습 축제 개막식에서 부문별로 시상한다.

원가족
[原家族, family of origin]

가족을 구조적인 측면에서 분류할 때 개인이 태어나서 자라 온 가정, 혹은 입양되어 자라 온 가족을 말하며, 근원가족 또는 방위가족이라고도 함.　**전략적 가족치료**

인간은 출생하여 성장하면서 두 번의 가족을 경험한다. 즉, 출생하여 부모 밑에서 자라 온 가족과 성인이 되어 결혼과 함께 새롭게 형성하는 가족이다. 이때 전자의 경우를 원가족이라 하고, 후자의

경우를 생식가족 혹은 형성가족이라고 한다. 심리학적 접근에서 볼 때 개인이 원가족에서 성장하면서 경험한 것들은 성격 형성과 대인관계 형성 등에 매우 강력한 영향을 미친다. 이것은 개인이 성장하면서 원가족의 습관과 가치관을 내면화하기 때문이다. 또한 이렇게 원가족으로부터 내면화된 습관과 가치관은 성인이 되어서 맺는 대인관계의 유형이나 결혼 후의 가족관계를 어떻게 맺을 것인가에 영향을 미친다. 가족치료에서 선구자의 한 사람인 보웬(M. Bowen)은 전통적 정신분석이론에 입각해서 양친의 부부관계가 얼마나 자녀에게 영향을 미치는가를 삼각관계를 통하여 이론화하였다. 보웬은 이 이론을 더욱 확대하여 부모자녀관계에 보이는 경향이 적어도 3세대에 걸쳐 계속 이어지는 것을 지적하면서, 그 결과로 3세대 후에 정신분열병을 가진 자녀가 태어나는 위험성을 경고하였다.

원가족 도표
[原家族圖表, family of origin map]

경험적 가족치료에서 사용되는 가족 도표로서, 가족의 역동성과 가족관계를 쉽게 이해하도록 작성된 것. 경험적 가족치료

경험적 접근의 가족치료에서 사용하는 원가족 도표는 원가족 삼인군 치료과정에서 주로 사용하는 도구다. 이 도표는 가족치료에서 흔히 사용하는 가계도와는 구성과 내용에서 차이가 있는데, 원가족의 맥락 속에서 각 구성원의 심리 내적 과정과 그 영향, 그리고 다른 가족구성원과의 상호작용 및 역동성 등을 조사하고 평가하여 원가족 도표 안에 기입한다. 원가족 도표에 기입하는 세부항목으로는 가족구성원들의 인구론적 정보와 성격 특성, 자아존중의 정도, 의사소통의 유형과 갈등의 대처방식, 가족규칙, 세대 간의 유사점과 차이점, 가족 간의 관계 양상 등이 있다. 원가족 도표를 그릴 때는 가족의 역사와 배경을 잘 아는 구성원이나 지인과의 면담

을 기초로 하여 작성한다. 만약 이러한 방법을 통해 스타(star) 가족에 대한 정확한 정보를 얻기 힘들다면, 내담자가 추리하거나 상상해서 적어도 된다. 원가족 도표는 스타 가족구성원들 사이에 존재하는 다양한 상호작용과 관계 양상, 역동성, 의사소통과 대처방식 유형 등을 한눈에 파악할 수 있는 효과가 있다. 원가족 도표를 그리는 방법은 다음과 같다. 먼저 첫 번째 단계로, 스타의 아버지를 도형 '□'로, 어머니를 도형 '○'으로 표현한 다음, 각 도형 안에 아버지와 어머니 이름, 출생 혹은 사망일, 연령 등의 기본 정보를 적는다. 부모가 사망한 경우 도형에 사선을 긋고 사망일을 적으며, 각 도형의 옆에는 출생지, 종교, 학력, 직업, 취미 등 인구학적 정보를 기입한다. 부모님의 관계를 나타내도록 각 도형 사이에 긋는 선에는 결혼 날짜 혹은 이혼이나 별거 날짜를 적는다. 그런 다음 같은 방법으로 스타와 그 형제들을 출생 순으로 표시하고, 각 구성원의 특성과 인구학적 정보 및 관계를 표시한다. 두 번째 단계는, 18세 이전에 가족구성원들이 스트레스 상황에서 벗어나기 위해 취했던 생존방식인 대처유형을 기억하여 이를 도표에 적어 놓는다. 대처 유형을 적을 때는 일차적으로 반응했던 유형과 이차적으로 반응했던 유형방식을 함께 기입한다. 그리고 18세 이전에 가족이 스트레스를 경험했던 특정 시기나 사건을 기억하여 그때의 가족관계를 다양한 선으로 표시한다. 구성원들 사이를 가는 선(──)으로 표시하는 것은 정상적이고 적응적으로 갈등이 적은 관계를 의미하며, 굵은 선(━━)으로 표시하는 것은 밀착된 관계를 의미한다. 또 물결선(〰〰)은 적대적인 관계를 의미하며, 점선(┄┄┄)은 부정적이며 무심한 관계를 의미한다. 가족관계를 이렇게 다양한 선으로 표시하고 관계의 방향은 선의 끝에 화살표를 만들어(──▶ ◀──) 표시한다. 마지막으로 스타인 가족구성원의 도형 주위에는 별표(★)로 표시한 뒤 원가족 도표상의 가족을 잘 표현할 수 있는 별칭을 생각하여 적는다.

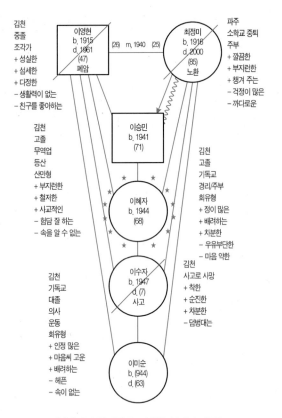

김천
중졸
조각가
+ 성실한
+ 섬세한
+ 다정한
− 생활력이 없는
− 친구를 좋아하는

이영현
b. 1915
d. 1961
(47)
폐암

(26) m. 1940 (25)

최정미
b. 1916
d. 2000
(85)
노환

파주
소학교 중퇴
주부
+ 깔끔한
+ 부지런한
+ 챙겨 주는
− 걱정이 많은
− 까다로운

김천
고졸
무역업
등산
산만형
+ 부지런한
+ 철저한
+ 사교적인
− 힘담 잘 하는
− 속을 알 수 없는

이승민
b. 1941
(71)

김천
고졸
기독교
경리/주부
회유형
+ 정이 많은
+ 배려하는
+ 차분한
− 우유부단한
− 마음 약한

이혜자
b. 1944
(68)

김천
기독교
대졸
의사
운동
회유형
+ 인정 많은
+ 마음씨 고운
+ 배려하는
− 헤픈
− 속이 없는

이수자
b. 1947
d. (7)
사고

김천
사고로 사망
+ 착한
+ 순진한
+ 차분한
− 덤벙대는

이미순
b. (944)
d. (63)

[이혜자의 원가족 도표(별칭: 부지런 가족)]

출처: 정문자, 정혜정, 이선혜, 전영주(2007). 가족치료의 이해. 서울: 학지사. p. 190.

관련어 | 원가족 삼인군 치료

원가족 삼인군
[原家族三人群, primary triad]

부모와 한 명의 자녀로 구성된 관계로 삼자관계라고도 함.
경험적 가족치료

두 사람이 결혼을 하면 각종 지각과 의사소통이 각 개인의 단일군(monad) 수준과 두 사람의 이인군(dyad), 즉 3개의 단위 속에서 이루어진다. 그러다가 아이가 태어나면 가족관계는 더욱 복잡해져서 삼인군 체계가 되는 것이다. 즉, 3개의 단일군, 3개의 이인군, 그리고 하나의 삼인군 관계를 형성하여 모두 7개의 구조적 단위를 형성하게 된다. 이러한

삼인군 관계는 부부 사이에 아이가 태어나면서 처음으로 발생하는데, 이 삼인군 관계에 전적으로 의지할 수밖에 없는 유아는 가장 큰 영향을 받게 된다. 다시 말해, 이 관계가 유아의 사회적 상호작용을 형성하는 기초가 된다. 사티어(Satir)는 삼인군에서의 관계경험이 개인의 자아정체성을 형성하는 중요한 초기 경험이라고 강조하였다. 따라서 원가족의 삼인군 관계에서 다양한 의사소통 유형과 방법을 배우며, 긴장에 대처하는 방법이나 다른 사람의 감정을 통제하거나 자신과 타인과의 경계를 구분 짓는 등 다양한 요소를 학습할 때 긍정적인 자아상을 가질 수 있고, 타인과 신뢰할 수 있는 관계를 형성할 수 있다고 설명하였다. 사티어에 따르면, 유아에게 긍정적인 영향을 미칠 수 있는 기능적인 삼인군은 각 구성원들이 언어와 감정이 일치되는 의사소통을 하고, 각각의 상호관계에서 발생하는 일에 대해 자유로운 언급이 가능한 관계다.

관련어 | 원가족 삼인군 치료, 학습삼인군

원가족 삼인군 치료
[原家族三人群治療, primary triad therapy]

경험적 가족치료에서 원가족 도표를 이용해 내담자가 원가족 삼인군에서 학습한 역기능적 대처방법의 집착에서 벗어나고, 가족규칙과 부모의 규제에서 벗어나 독자적인 개별성을 갖도록 하는 치료방법. 경험적 가족치료

경험적 가족치료에서 스타(star)는 원가족에서 형성된 삼인군의 관계를 통해 자아정체성을 형성하고, 다른 대인관계를 형성하는 데 많은 영향을 받는다. 따라서 역기능적인 삼인군의 경험은 개인이 왜곡된 자아개념과 대인관계를 형성하는 원인이 된다고 할 수 있다. 원가족 삼인군 치료의 목표는, 역기능적인 원가족 삼인군의 경험을 다양한 활동을 하면서 재인식하고 재경험함으로써, 부정적인 영향력을 이해하고 수용하는 과정을 통해 오히려 원가족 삼인군과는 분리된 개별성을 확립하도록 하는 것이

다. 원가족 삼인군 치료의 과정에서는 원가족 도표를 사용하며, 가족원들이 공동으로 원가족 도표를 작성하는 과정과 완성된 원가족 도표를 설명하고 재구조화하면서 가족 조각이나 학습삼인군을 이용한 역할극 등의 활동을 하는데, 이러한 활동 모두는 스타의 원가족 삼인군에서의 경험을 현재에 새롭게 구성하여 재경험함으로써 이를 재확인하고, 새로운 변화의 원동력으로 삼는 데 집중한다. 원가족치료 과정의 3단계는 다음과 같다. 제1단계는 원가족 도표 작성단계로, 원가족 도표를 통하여 가족구성원의 성격, 자존감 정도, 의사소통 유형과 생존 유형, 가족규칙, 가족의 역동성, 가족구성원의 상호관계, 세대 간 유사점과 차이점, 그리고 사회와의 연계성 수준을 파악할 수 있다. 이때 원가족 도표는 모두 3장을 작성하는데, 스타의 원가족, 아버지의 원가족, 어머니의 원가족을 나타내는 것으로 구성된다. 제2단계는 원가족 도표를 사용하여 다양한 탐색이 이루어지는 치료과정으로, 스타가 원가족 도표를 근거로 원가족 삼인군을 기술하는 과정에서 그 영향력을 인식하고 이해, 수용하여 앞으로 변화시키고 싶은 부분이 무엇인지 구체화하는 과정이다. 이 단계에서는 원가족 삼인군에서 발생한 부정적인 영향력이 제기될 뿐만 아니라, 내담자가 당시 상황에 대해 이해를 하게 됨으로써 이에 대해 수치심을 느끼거나 억압하는 것이 아니라 자신의 역기능적인 경험을 재조명하여 새로운 변화를 자극한다. 즉, 원가족 도표를 설명하고 탐색하는 과정에서 가족구조 전체에 대한 이해가 생기고, 부모의 입장과 위치 그리고 역할에 관한 이해, 부모와 자신과의 관계, 가족구조 내에서 자신의 존재 가치와 역할, 다른 가족의 의사소통 유형 등에 관해 체계적으로 이해하게 된다. 이러한 이해는 곧 원가족 삼인군의 부정적인 영향력에서 벗어나 독립적인 정체성을 형성하는 기초가 된다. 제3단계는 원가족 도표를 근거로 가족 조각과 같은 다양한 활동을 통해 원가족 삼인군에서의 경험을 현재의 시간과 공간 속에서 재경험하고 재평가하여, 미래를 위한 변화의 방향을 지각하는 과정이다. 이를 통해 원가족 삼인군의 부정적인 영향력 아래에 있던 스타는 오히려 이를 긍정적인 자신의 모습을 구성하는 요소로 재평가하게 되고, 독립적이고 개별적인 관계와 역할 속에서 살아갈 수 있는 도움을 받는다.

관련어 | 스타, 원가족 도표, 원가족 삼인군, 학습삼인군

원격보건
[遠隔保健, telehealth]

원격 의사소통과 컴퓨터 기술을 활용하여 원거리에서 행해지는 진료, 문진, 교육은 물론 의료—건강상 전반적인 활동. 사이버상담

원격의료, 원격진료라고도 부르며, 내담자를 위한 의료 및 건강 관련 서비스나 정보를 인터넷을 통해 전달하는 것이다. 대표적으로 행해지는 활동은 원격진료와 건강 모니터링 서비스다. 방법을 보면, 휴대형 측정기와 PC로 측정한 생체정보를 전송하면 결과와 처방을 휴대폰이나 이메일로 알려 준다. 원격으로 전달되는 서비스에는 의학영상 혹은 소리, 동영상, 환자 기록 등의 전자화된 의료 데이터 등이 있다. 데이터 전송은 전화선, 인터넷, 인공위성 등으로 이루어진다. 원격보건은 농어촌이나 도서벽지에 거주하는 이유 등으로 전문적인 진료서비스를 받기 어려운 환자들에게 좋은 대안이 될 수 있다.

원시치료
[原始治療, primal therapy]

사이코드라마의 기법 중 하나로, 아동기의 정서를 재경험하여 표현하는 것. 사이코드라마

야노프(A. Janov)가 개발한 이 기법은, 내담자에게 아동기의 뿌리 깊은 정서를 다시 체험해 보도록 만들어 강력한 카타르시스를 도와준다. 그러나 지

나치게 밀착되는 경향이 있기 때문에 격양될 수 있다는 단점이 있다.

원예복지
[園藝福祉, well-being through horticulture]
건강한 일반인들이 원예활동을 매개로 하여 삶을 더욱 풍요롭게 하고 보다 건전한 생활을 할 수 있도록 하는 활동 전반.
원예치료

원예복지 활동은 주로 지역공동체 내 사람들이 함께 모여 활동의 목적이나 목표를 공유하며 수행하는 원예활동을 일컫는다. 이는 여러 사람이 함께 식물에 관련된 다양한 활동을 함으로써 같이 즐기려고 하는 활동이라 할 수 있다. 여러 사람과 함께 하면서 공동체 활동을 권장한다는 측면에서 보면, 원예 가드닝(horticultural gardening)이나 개인적인 식물복지(well-being through plants)와는 구별된다. 원예복지 활동은 특히 인구밀도가 높고 자연환경에서 멀리 있어서 쉽게 자연환경에 접근할 수 없는 사람들을 위해 그 지역 내에서 실시하는 것이 일반적이다. 원예복지 활동은 농사, 원예 분야 외에 환경보전, 지역마을 조성, 지역공동체 재생, 정조교육, 생애학습, 장애자 및 고령자 복지, 건강, 의료 등 폭넓은 분야로 영역을 확대하여 시행할 수 있는데, 건조한 현대인들에게 삶의 보람을 느끼게 할 뿐 아니라 스트레스를 비롯한 개인 혹은 사회의 여러 문제해결에도 큰 역할을 할 수 있을 것으로 기대된다. 또한 최근에는 자연환경과의 접촉이 쉽지 않은 도시민의 주말 원예나 관광 원예 참여 등의 형태로 원예복지 활동이 도시인의 생활복지 향상에 큰 몫을 차지하고 있는 추세다.

관련어 원예치료

원예치료
[園藝治療, horticulture therapy]
식물 기르기, 꽃 장식 등 원예작업을 하면서 신체, 정서, 교육, 사회적 능력을 길러 심신의 갱생 및 재활을 도모하는 활동의 총칭. 원예치료

원예치료는 식물과 원예 작업, 정원조경 등을 활용하여 인간 생활의 안녕을 증진시키고자 하는 치유적 목적을 지닌 활동을 말한다. 원예치료라는 용어는 제2차 세계 대전 종전 해인 1945년 이후부터 영국에서 처음 쓰였고, 이 용어가 공식적으로 치료 분야에서 쓰인 것은 미국원예치료협회(American Horticultural Therapy)에서 전문치료사들이 특정 치료적 목적을 달성하기 위해서 수행하는 원예활동에 관련된 행위라고 정의한 것에서 비롯되었다. 원예치료는 심신의 불편함을 지닌 환자를 대상으로 하여 원예활동을 시켜 회복 및 치유를 꾀하는 것이 목적인데, 식물치료, 화훼치료, 향기치료 혹은 아로마 치료, 그 외 식물활용 예술활동 치료분야는 모두 속한다. 원예치료는 인간의 오감을 모두 사용하여 감각을 일깨우고, 자연과의 친밀도를 활용하여 치료대상자의 저항을 최소화하면서 인간 양육 및 발달의 특성을 자연 속에서 배울 수 있도록 함으로써 균형 잡힌 조화로운 삶을 유지해 나가는 원동력이 되도록 한다. 원예활동은 오감을 모두 자극하는 매체로, 여타의 심리치료에서는 얻을 수 없는 효과를 종합적으로 낼 수 있다. 또한 식물을 돌보는 과정에서 정서 및 사고를 촉진하여 심신이 자연의 순환 속에 녹아들도록 해 준다. 식물의 생태 및 변화 과정을 관찰하고 그 과정에 직접 관여하면서 참여자는 건전한 사고와 창조의 기회를 얻는데, 이는 생명체를 다루는 원예치료만의 특성이다. 꽃을 비롯한 식물의 향기, 정원 가꾸기나 식물 재배를 통한 운동, 생화 및 압화를 활용해서 만드는 작품, 파종에서 수확까지의 과정에서 느끼는 성취감 및 자신감 증진 등 종합적 효과를 기대할 수 있는 것도 원예치료만

의 특성이다. 원예치료의 효과는 지적·정서적·신체적·사회적 측면에서 종합적으로 발현된다. 원예활동에 필요한 기술을 습득함으로써 시야를 넓히고, 그에 따라 전체를 볼 수 있는 안목을 키워 식물의 발달과정에 맞추어 가면서 계획성을 높이고, 식물에 대한 자연과학적 관심 및 생명체들의 관계 인식 등을 통해서 관찰력과 지각능력을 증대시키며, 원예활동 전반을 통해서 자연과학 및 생활 관련의 어휘력과 대화의 폭도 넓혀 나가는 지적 효과가 있다. 정서적으로도 스스로 식물을 돌보면서 느끼게 되는 자아존중감 향상, 식물생장을 위한 자제력 증진, 원예활동과정에서의 창의력 및 자아표현 개발 등의 효과를 볼 수 있다. 원예활동은 대근육과 소근육의 발달을 촉진하여 손가락 및 손의 기능 회복에도 도움이 되고, 신체적 균형감각을 유지할 수 있도록 해 준다. 게다가 원예활동 전반이 자연현상 관찰 및 주위 환경에 관한 이해를 기반으로 하기 때문에, 자연스럽게 조화를 이루며 살아가는 사회적 가치를 습득하게 되고, 그 안에서 자신의 존재가치를 발견하여 살아가는 보람도 찾을 수 있으며, 여기서 비롯된 대인관계 향상, 사회구성원으로서의 책임감 신장 등의 효과까지 볼 수 있다. 원예치료는 참여방법과 관찰방법으로 나뉜다. 참여방법은 참여자가 직접 원예작업에 개입하여 활동하는 것이고, 관찰방법은 타인이 관리하는 경관, 실내환경, 식물재배 등을 관찰하고 인식하는 것이다. 원예치료 프로그램은 기간별로 단기, 중기, 장기형으로 나눈다. 단기는 주로 8주 이하, 중기는 12~16주, 장기는 16주 이상의 기간으로 구분한다. 이는 식물의 특징에 따라 번식과 재배, 판매 등의 과정을 고려하여 기간을 정한 것이다. 원예치료 1회기는 통상적으로 실외활동 1시간 30분, 실내활동 1시간 이내가 적절하다고 보고 있다. 원예치료는 모든 연령대에서 가능하며, 문화적 배경이나 성장 배경에 구애를 받지 않는다. 특히 심장질환이나 시야에 문제가 있는 경우, 초기 치매, 학습장애 등에 효과가 있다.

현재는 세계 각국에서 여러 형태의 원예치료가 단체 및 기관에서 활발하게 시행되고 있고, 전문원예치료사 양성에도 박차를 가하고 있다. 우리나라에도 한국원예치료복지협회가 사단법인으로 활동 중이다.

원장
[元帳, ledger]

맥락적 가족치료에서 부모로부터의 유산과 자신이 살아가면서 얻은 것들을 기록하여 계산해 놓은 장부. `맥락적 가족치료`

'공적과 부채의 청산 수첩(ledger of merit and indebtedness)'이라고도 한다. 모든 가족은 각 가족의 구성원이 준 것과 받은 것의 기록을 보관하고 있다고 한다. 가족의 심리적 유산은 여러 세대에 걸쳐 계승되며 각 가족구성원에게 특유한 권리와 의무의 구조를 만든다. 원장은 두 종류의 윤리적 요소로 구성되어 있다. 첫째는 심리적 유산에 따라 계승되는 부채와 권리에 관한 것으로, 형제간에도 큰 차이가 있을 수 있다. 예를 들면, 아들은 성공하지 않으면 안 되고 딸은 성공해서는 안 된다는 것이다. 이 같은 심리적인 유산을 가지고 있는 가족은 아들은 인정받지만 딸은 인정받을 수 없다는 불공평한 심리적 유산을 계승시킨다. 둘째는 다른 사람을 위해 공헌함으로써 공적을 거듭 쌓아 나가는 것에 관한 것으로, 부모-자녀로서의 의무와 공적을 결합한 것이다. 자녀를 버린 생모는 공적이 없지만 자녀의 충성심의 유산은 특별한 원장을 유치해 둔다. 예를 들면, 질병에 걸린 어머니의 말년을 간병한 사람은 자신의 딸이 자신의 간병을 해 줄 것을 기대하고 있다.

관련어 | 유산

원천 특질
[源泉特質, source trait]

행동을 설명하는 기능을 가지고 성격의 핵심을 구성하는 반응. 성격심리

커텔(R. Cattell)은 특질을 분류기준에 따라 크게 세 가지 방식으로 분류하는데, 그중 세 번째 분류방식으로 특질의 안정성과 영속성에 따라 표면특질과 원천 특질로 구분하였다. 원천 특질은 단일 성격을 구성하는 개념이므로 표면특질보다 더 안정적이고 지속적이다. 예를 들어, 소외를 받을지 모른다는 정서적 불안감 때문에 다른 사람들에게 친절하게 대하는 사람이 있는 반면, 공격적으로 행동하는 사람이 있다. 이 경우 친절한 행동은 표면특질이라고 하며 정서적 불안은 원천 특질이라고 한다. 하나의 원천 특질은 여러 표면특질에 관련되며, 표면특질보다 훨씬 더 수가 적은데 대략 열여섯 가지가 있다. 즉, 내성적-사교적(A), 낮은 지능-높은 지능(B), 불안정-정서적 안정(C), 복종적-지배적(E), 심각한-낙천적(F), 편의적-양심적(G), 소심한-대담한(H), 완고한-부드러운(I), 신뢰하는-의심이 많은(L), 실제적-공상적(M), 솔직한-약삭빠른(N), 자기확신적-걱정하는(O), 보수적-실험적(Q1), 집단 의존적-자족적(Q2), 충동적-통제적(Q3), 이완된-긴장된(Q4) 등으로 구성되어 있다. 이를 바탕으로 16PF 성격검사(Sixteen Personality Factor)를 개발하였다. 그리고 이러한 원천 특질은 다시 체질 특질(constitutional trait)과 환경조형 특질(environmental-mold trait)로 구분되며, 체질 특질은 타고난 것으로서 생물학적 조건에 근거를 둔다. 예를 들면, 지나친 음주로 나타나는 부주의함과 수다스러움 등이다. 또 환경조형 특질은 사회적·문화적 환경의 영향을 받아 형성된 것으로서 성격의 어떤 패턴을 강요하는 학습된 특성이나 행동을 말한다.

관련어 | 특질, 표면특질

원천의 부정
[源泉-否定, denial of source]

대화를 하는 사람 자신이 대화의 원천임을 부정하는 경우. 전략적 가족치료

대화는 대화를 이끌어 가는 주체와 듣는 사람의 객체로 이루어진다. 이때 대화의 주체가 어떤 이유로든지 자신이 대화의 주체임을 부정하는 것을 원천의 부정이라고 한다. 예를 들어, 정신분열증인 아들이 어머니에게 "집을 나가라고 하면서 집을 나가려고 하면 왜 화를 내냐."라고 말을 할 때, 어머니가 "내가 언제 화를 냈냐. 네가 환자니까 내가 화난 것처럼 보이지."라고 말을 한다면 이는 어머니가 자신의 신체언어를 부정하는 것이다. 즉, 자신이 아들에게 모순된 대화를 하고 있다는 모순의 원천을 부정함으로써 자신을 정당화하는 것이다. 다른 예로, 교회를 다니는 남편이 아내에게 "아내는 남편에게 복종해야지."라는 말을 했다고 하자. 이에 대해 아내가 반발하자 남편이 "성경에 그렇게 적혀 있어."라고 한다면 남편은 자신이 대화의 주체로서 대화의 원천임을 부정하는 것이다.

원초아
[原初我, id]

성격구조의 한 부분으로서, 출생 때 나타나며 지속적인 욕구 충족을 추구하는 성격의 생물학적 요소. 정신분석학

원초아란 원래 독일어의 3인칭 대명사인 그것을 의미하는 'Es'에서 유래된 용어로서 영어의 'it'과 같은 의미다. 프로이트(S. Freud)는 성격의 전체적 구조를 원초아(id), 자아(ego), 초자아(superego)의 세 요소로 구분하였다. 원초아는 무의식적인 심적 에너지의 근원이며 자아와 초자아에 필요한 에너지도 이곳에서 제공된다. 인간은 생물학적으로 규정된 무의식적이고 본능적인 역동을 가지고 있는데,

원초아는 바로 이러한 생득적 반사와 충동이 자리 잡고 있는 심리적 에너지의 원천이며, 본능적 에너지에 해당하는 리비도의 저장고다. 개인은 출생 당시 원초아 자체라고 할 수 있다. 원초아에는 인류가 계통발생적으로 계승해 온 원시적인 것뿐만 아니라 영유아기 이후 개체 발생적으로 억압해 온 것이 내재되어 있다. 프로이트는 원초아에 대해 "접근할 수 없는 우리 성격의 어두운 부분이다. 우리는 단지 원초아에 대해 유추할 수 있을 뿐 달리 접근할 방법이 없다. 그것은 마치 펄펄 끓는 흥분의 가마솥과도 같으며, 끓어오르는 자극과 흥분으로 가득 찬 혼돈 상태라고 할 수 있다."라고 표현하였다. 성격구조 중에서 가장 강력한 힘을 지니고 있으며, 쾌락원리에 따라 유기체의 고통을 최소화하고 긴장해소를 궁극적인 목적으로 한다. 쾌락원리는 욕구의 즉각적인 만족을 추구하는 원칙으로 쾌감을 추구하고 불쾌감을 회피하는 것이다. 원초아는 객관적인 현실세계와는 상관없이 주관적 경험의 내적 세계인 본능적 욕구나 충동만 나타내려고 한다. 식욕, 배설욕, 성욕, 수면욕 등 본능적 욕구를 즉각적으로 충족하기 위해 외부의 현실이나 도덕을 고려하지 않은 채 비논리적이고 맹목적으로 작용한다. 구체적으로, 원초아는 본능적 욕구를 충족하기 위해 반사작용과 일차과정이라고 하는 두 가지 방법을 사용한다. 눈 깜박임이나 재채기와 같은 생득적인 자동적 반응은 반사작용에 해당하며, 음식을 떠올리거나 꿈을 꾸는 것과 같이 욕구를 충족시켜 주는 대상의 이미지를 상상함으로써 긴장을 해소하는 것은 일차과정이다. 일종의 환각적 경험을 통해 소원을 실현하는(wish-fulfilling) 일차과정만을 통해서는 충분한 긴장해소가 불가능하며, 따라서 자아에 의한 이차적 심리과정이 발달하게 된다.

관련어 | 구조모형, 일차과정, 자아, 초자아, 쾌락원리

원초적 동일시
[原初的同一視, primitive identification]

유아가 좌절이나 어머니와의 분리 등 불쾌한 경험을 하는 경우 합일화를 통해 대상과 재결합하려는 환상. 대상관계이론

야콥슨(E. Jacobson)은 구강성애를 통해 자아가 어떻게 형성되고 대상관계가 어떻게 이루어지는지를 설명하였다. 초기 유아는 아직 대상과 충분히 분화되지 못했기 때문에 자신의 쾌감과 대상 사이를 거의 구분하지 못한다. 따라서 욕구가 좌절될 때 대상과 재결합하려는 소망을 갖는다. 예를 들어, 배고픈 유아는 음식과 리비도 충족을 갈망하며 동시에 어머니와의 신체적 융합을 소망한다. 이것이 원초적 동일시의 기원으로 자신과 대상 이미지의 재융합을 통해 성취된다. 유아의 인식기능은 일시적으로 약화되어 초기의 미분화 상태로 되돌아간다. 약 3세까지 이러한 퇴행적 재연합과 점진적 분화가 반복된다.

관련어 | 선택적 동일시

원형
[原型, archetype]

융(C. G. Jung)이 제안한 개념으로 인간의 꿈, 환상, 신화 및 예술에서 계속 반복해서 나타나는 우리 조상의 경험을 대표하는 원시적인 정신적 이미지 혹은 패턴. 분석심리학

원형은 근본 상징이나 무의식적 경험적 토대에서의 고유의 통합적 정신 기질을 일컫는다. 모든 인간 속성에 역동적 토대인 원형은 인간이 삶에서 자신만의 경험을 갖게 만드는 요인으로 심리학적인 독특한 특성이다. 그러므로 원형은 수많은 심상, 상징, 행동패턴에서 나타난다. 이렇게 나타난 심상과 형태는 의식적으로 파악되는 반면에, 기초 구조로 알려진 원형은 무의식적이고 파악되는 것이 불가능하다. 무의식에서의 원형의 존재는 오로지 행동, 심

상, 예술, 신화 등의 탐색에 의해 간접적으로 추정된다. 이처럼 원형은 심상으로서 의식화될 때 실현되거나 외부세계와의 상호작용을 통하여 드러난다. 융은 타불라 라사(tabula rasa) 시론을 발연하였고, 인간의 진화적 요소뿐 아니라 원형을 통한 인간 숙고에 주목하였다. 원형적 가설의 기원은 플라톤(Plato)까지 거슬러 올라간다. 플라톤은 순수한 정신상태는 세계에 태어나기 전에 영혼에 각인된다고 말하였다. 이러한 관점은 집단적으로 특정한 특성보다는 근본적 특성 구현화라고 할 수 있다. 원형이론은 형태의 철학적 사고와 독특성을 심리학적 동질성으로 여긴다.

관련어 | 아니마, 아니무스

월경 이상
[月經異常, menstrual disorder]

정신적 · 신체적 문제로 월경 시작 시기, 월경주기, 월경 시 출혈량 등의 이상 및 월경 시 수반되는 증상의 이상 등을 아울러 일컫는 말. **성상담**

월경불순 혹은 생리불순, 월경장애라고도 하는 월경 이상은 정상적인 여성의 임신이 되지 않은 자궁 내 혈액 및 점막 조직의 주기적 배출인 월경 제반에서 이상이 나타나는 것을 통칭하는 것이다. 대개 월경주기는 24~32일, 월경기간은 3~7일이고, 월경 시 출혈량은 대략 총 33밀리리터이고, 10~80밀리리터가 정상 범주에 속하며, 생리를 시작하고 첫 2일 동안 80%가 배출되는 것을 정상으로 본다. 이런 정상적인 월경중상에서 벗어나는 모든 증상을 월경 이상으로 볼 수 있으며, 이는 질환이나 병명이 아니라 하나의 증상을 일컫는다고 할 수 있다. 월경 이상의 원인은 나타나는 현상에 따라서 다르다. 첫 생리를 시작하는 초경에 이상이 생기는 초경 이상은 정상보다 빠른 조발 월경, 정상보다 늦은 지발 월경으로 구분한다. 조발 월경의 경우는 난소, 부신, 뇌의 송과체 등의 이상이 원인이 되고, 지발 월경의

경우는 결핵, 심장병, 영양장애, 매독 등이 원인이 된다. 월경이 없는 경우는 선천적으로 월경이 처음부터 없는 것을 원발성 무월경, 초경은 했지만 도중에 생리현상이 없어지는 것을 속발성 무월경이라 한다. 임신 및 수유 시의 정상적 무월경을 제외하면 모두 병적이다. 이는 하수체 및 난소 기능 이상, 호르몬 분비 이상, 자궁 내막 염증, 지나친 낙태수술, 발육부진 등이 주원인이라고 보고 있다. 이외에 부신, 갑상선 이상, 당뇨, 영양장애, 정신질환, 환경변화에 따른 정신적 영향 등도 원인이 될 수 있다. 월경량에 따라서는 과소월경과 과다월경으로 구분하는데, 과소월경은 무배란성 월경, 자궁발육 부진, 자궁 위축, 자궁 내막 유착 등이 원인이 되고, 과다월경의 경우 난소형은 다낭성 난포증과 같은 배란장애, 자궁형은 자궁근종, 자연유산, 자궁 내막 증식, 자궁경부 질환 등을 원인으로 본다. 또한 주기가 짧은 빈발월경은 자궁 외 임신, 유산 등의 임신 관련 질환이 원인이 될 수 있고, 임신과 관련 없는 젊은 여성의 경우는 호르몬 불균형이, 중년 이상 여성의 경우는 자궁근종과 같은 기질적 병변이 원인인 경우가 많다. 이와는 반대로 주기가 매우 긴 희발월경은 내분비 이상에서 기인하는 무배란 혹은 배란장애가 원인이 된다. 월경 시 수반되는 증상의 이상은 하복통, 요통, 정신 신경 증상 등을 들 수 있다. 증상이 어떠하든 월경 이상이 의심되는 경우는 수개월간의 기초 체온 측정 이후 수진하는 것이 바람직하다.

월드 와이드 웹
[- , world wide web: www]

문서 사이의 이동을 자유롭게 하는 일종의 정보교환망. **사이버상담**

현재 인터넷에서 하이퍼링크를 사용하여 문서 간 이동을 하는 기능을 많이 사용하는데, 그것이 바로 월드 와이드 웹(www)이다. 1990년 CERN에 근무하는 연구원들은 같은 분야를 연구하는 수많은 연

구원들끼리 서로 연구성과와 정보를 쉽게 공유할 수 있다면 연구성과가 훨씬 더 높아질 것이 분명하다고 확신하였다. 연구원들의 연구자료와 정보는 대개 텍스트와 그래픽이 혼합된 문서로 되어 있고, 한 가지 주제를 다룬 여러 개의 문서가 짝을 이루고 있다. 따라서 이들은 문서를 바탕으로 하면서 문서 사이의 이동이 자유로운 웹 서비스가 필요하였다. 이에 www 서비스를 만들어 냈고, 인터넷은 이로 인해 순식간에 폭발적인 인기를 끌었다.

웨이슨의 부부 미술 평가
[-夫婦美術評價, Wadeson's couple art evaluation]

가족 미술치료에서 부부나 커플을 대상으로 그림을 그리게 하는 미술치료기법. 미술치료

웨이슨(H. Wadeson)이 제안한 기법으로서, 커플치료에 주로 사용하며 용지와 그림도구가 준비물이다. 이 기법은 3장의 그림을 그리는데, 즉 말없이 그리는 협동화(joint picture without talking), 부부관계 추상화(abstract of marital relationship), 배우자에게 주는 자화상(self portrait given to spouse)이다. 3장의 그림을 반드시 순서대로 그릴 필요는 없으며, 각각의 방법은 다음과 같다. 먼저, 말없이 그리는 협동화에서는 부부가 언어적 대화를 하지 않고 한 장의 종이에 함께 그림을 그리도록 한다. 여기서는 말을 하지 않기 때문에 눈빛, 몸짓, 분위기 등 비언어적인 상호작용이 더욱 현저하게 나타난다. 다음으로 부부관계 추상화에서는 부부관계를 추상적으로 표현하여 그리도록 한다. 마지막으로, 배우자에게 주는 자화상에서는 종이에 자신의 초상화를 그린 다음 배우자에게 준 후, 거기에 배우자가 하고 싶은 것을 하도록 한다. 이러한 상징적인 행위는 대개 강렬한 정서와 극적인 상호작용을 불러일으킨다.

웰빙의 수준
[-水準, level of wellbeing]

생애기술치료에서 사용하는 설명의 개념으로, 인간의 심리적인 장애를 제외한 웰빙의 세 가지 단계. 생애기술치료

생애기술치료에서는 인간의 심리적인 요소를 제외한 부분에서 웰빙의 수준을 세 가지로 나눌 수 있다고 설명하였다. 또한 웰빙의 수준에 따라 적합한 인간관계 기술이 있기 때문에 내담자의 인생코칭을 하는 데에도 이에 따라 훈련이 이루어진다. 첫째, 불충분한 웰빙의 단계에 있는 사람들은 인간관계 기술에 대하여 전혀 배우지 못했거나, 하나나 둘 정도의 기술을 아주 힘들게 시행한다. 예를 들어, 자기 자신에 대한 표현을 거의 하지 않고, 쉽게 화를 내며, 인간관계에서 발생하는 여러 가지 어려움을 제대로 해결하지 못하는 특징을 보인다. 이러한 사람들은 대개 부족한 관계기술 때문에 자신감이 결여되어 있고, 자신감의 결여는 자신의 행복한 삶을 방해하는 결과를 낳는다. 이 수준의 사람들은 인생코칭이 가장 큰 효과를 발휘할 수 있는데, 상담과 훈련의 범주를 넘나드는 실제적인 개입을 통해 큰 효과를 기대할 수 있다. 둘째, 제일 많은 수의 사람들이 속해 있는 중간 단계의 웰빙에 해당되는 사람들은 좋은 관계기술과 빈약한 관계기술 모두를 소유하고 있다. 이들을 위한 인생코칭의 목적은 빈약한 기술을 감소시키고, 좋은 기술을 보다 향상시키는 데 있으며, 그 결과 인생의 불행함은 줄이고 더 나은 행복을 찾을 수 있다. 셋째, 적은 수의 사람들이 속해 있지만 아주 안정적이고 효과적인 인간관계 기술을 소유하고, 이를 행하고 있는 사람들이다. 이들은 다른 사람들을 대하는 데 관대하며, 상대방을 돕는 것에 능하다. 또한 자신의 분노를 잘 조절하고, 이것을 다른 건설적인 면으로 전환할 수 있다. 인생코칭의 최종적인 목표는 바로 이 단계의 사람처럼 훈련시키는 것으로서 다른 수준의 사람들도 충분히 다다를 수 있는 잠재력을 가지고는 있지만 완전히 같

은 수준에 이르지는 못한다.

관련어 인생코칭

웹 브라우저
[– , web browser]

www로부터 내용을 받고 요청하는 목적으로 만들어진 응용 프로그램. 사이버상담

웹 브라우저는 윈도우 기반의 소프트웨어로서 사용자의 컴퓨터에 웹 서버가 제공하는 정보를 검색하고 그래픽으로 화면에 나타내 주는 프로그램을 말한다. 문자는 물론 이미지와 사운드 파일, 동영상 등을 지원하는 멀티미디어 검색 프로그램으로서 마이크로소프트 인터넷 익스플로러, 넷스케이프, 모질라, 파이어폭스, 구글 크롬, 애플 사파리 등이 있다.

위 센터
[– , Wee center]

교육청에서 운영하며 '학교안전망구축사업(Wee project)'의 2차 안전망. 학교상담

위 센터의 위(Wee)는 청소년들의 감성을 세심하게 살펴서 위기극복을 돕는다는 뜻에서 우리들(We), 교육(education), 감성(emotion)의 영문 머리글자를 따서 지었다. 지역교육청에 위 센터가 있고, 일선 학교에는 위 클래스가 있다. 위 센터는 교육청 차원에서 운영되는 체계로서 전문상담교사, 사회복지사, 임상심리사, 정신과 의사 등의 전문인력으로 구성되어 있다. 단위학교에서 선도하거나 치유하기 어려운 위기학생을 대상으로 하며, 진단-상담-치료의 3단계로 운영되고 있다. 즉, 학교에서 의뢰한 위기학생은 먼저 진단단계에서 성격, 학습흥미도, 지능, 학업수행능력, 진로적성 또는 흥미, ADHD 등의 기본 검사와 성장환경, 성장력, 가정 결손, 방임

유무, 훈육방법, 경제력 등의 가정환경 검사를 통하여 심리적 특성을 진단한다. 상담단계에서는 진단을 통한 심리평가를 근거로 개인상담, 집단상담, 부모상담 등의 집중상담과 인성종합 및 행동장애 검사 등을 실시한다. 이 단계는 전문상담교사, 학생상담 자원봉사자, 사회복지사 등의 상담전문인력이 진행한다. 치료단계에서는 위탁형 특별 프로그램, 특기 및 적성 진로계발, 위 클래스 등의 대안교육지원, 그리고 학교폭력 SOS 지원단, 청소년상담실, 사회복지관, 청소년 수련관, 시군구 상담지원센터, 의료기관 등의 전문기관 연계과정으로 이루어진다. 이외에 위기학생은 교사, 전문상담교사, 사회복지사, 청소년상담사 등의 전문가, 그리고 학생상담 자원봉사자, 특별 범죄 예방위원 등의 자원봉사자의 멘토링 지원을 받을 수도 있다. 이와 같이 위 센터는 진단-상담-치료 단계와 멘토링 지원을 통하여 위기학생이 학교로 복귀할 수 있도록 도움을 준다. 위 센터의 운영방법은 전국 시도 교육청의 직영 또는 민간단체 위탁 등 다양하다.

관련어 위 스쿨, 위 클래스

위 스쿨
[– , Wee school]

학교에서 의뢰한 위기학생을 대상으로 교육, 치유, 적응을 도와주는 장기위탁교육기관. 학교상담

Wee는 'Wee+education+emotion'의 이니셜로 3단계 운영시스템이다. 위 클래스(Wee class)는 단위학교 내 상담실을 설치하고 전문상담교사나 상담사를 배치, 문제발생 가능성에 대한 초기진단 및 대처를 위한 1차 기능을 수행한다. 위 센터(Wee center)는 교육(지원)청 내에 전문상담교사나 상담사, 심리사, 사회복지사 등 전문인력을 배치해 위기학생에 대한 전문적인 진단·상담·치료와 심층적 심리검사 등 2차 서비스를 제공한다. 그리고 위 스쿨

(Wee school)은 기숙형 장기위탁교육기관으로 각 분야 전문가로 구성된 팀을 배치하고 고위기학생에 대한 장기간 치료 및 교육을 실시하는 등 3차 서비스를 맡는다. 위 스쿨은 학년이나 학급의 구분 없이 통합교육과정으로 운영되며, 원적 학교 학적을 유지하면서 감성과 실용교육을 중심으로 학교교육과 진로, 직업교육을 함께 지원한다. 이외에도 학생들의 사회 적응력 향상 프로그램, 자아존중감과 성취감을 향상시켜 주는 학습과정을 우선으로 진행하며 교사, 전문상담교사, 전문상담사, 임상 심리사, 사회복지사 등의 전문인력이 팀을 이루어 상주하면서 기숙하고 있는 학생들과 함께 생활해 나간다.

관련어 | 위 센터, 위 클래스

위 클래스
[- , Wee class]

단위학교 내에 있으며 '학교안전망구축사업(Wee project)'의 1차 안전망. `학교상담`

중도 탈락 학생들의 상담과 교육을 위하여 2009년도에 몇 군데의 지역교육청 단위의 위 센터(Wee center)와 학교 단위의 위 클래스(Wee class)를 마련하고 학교 부적응 학생을 위한 상담을 통한 인성지도에 들어갔으며, 이어 2010년에는 더욱 확대 실시하면서 위 스쿨(Wee school)이라는 명칭의 인성교육기관을 만들어 지역 교육청의 위탁을 받아 교육 프로그램을 구성하여 운영하고 있다. 위 클래스는 학교 내에서 주의산만, 대인관계 미숙, 미디어 중독, 학습흥미 상실 등으로 학교생활에 적응하지 못하는 학생들에게 별도의 프로그램을 제공해 주는 제도다. 2010년 3월에 1,530개 학교에서 운영되었고, 이후 전국의 모든 초·중·고등학교로 점차 확대되고 있다.

관련어 | 위 센터, 위 스쿨

위기
[危機, crisis]

위협적이거나 고통스러운 상태로서, 갑작스럽게 사건이나 상황에 직면하여 정서적 충격을 받아 적절하게 대처하지 못하는 상태. `위기상담`

제임스와 길리랜드(James & Gilliland)는 개인이 현재 지니고 있는 대처기제와 자원으로 해결하거나 감당하기 어려운 사건 또는 상황을 지각하거나 경험하는 것을 위기로 정의하였다. 브램머(Brammer, 1985)는 기대하지 않은 상황에서 갑작스럽게 충격적인 단일 사건이 발생하거나 반복적으로 사건을 경험하면서 정서적 충격을 받아 개인이 적절하게 대처할 수 없거나 대처방식이 붕괴되는 것이라고 위기를 정의하였다. 인간은 살아가는 동안 쉽게 해결할 수 있는 일부터 해결하기 어려운 일 또는 갑작스럽거나 미리 예견된 일 등을 겪는다. 예견하지 못한 상황에서 갑작스럽게 사건이 발생하여 빠른 시간 내에 해결해야 하는 일을 응급상황이라고 한다. 이에 반해 위기란 응급상황처럼 빠른 시일 내에 해결해야 하는 일이 아니라 시간적으로 24시간 이상 기다려도 되는 상황이다. 응급상황이 긴급하게 해결되지 않고 24시간 이상 지연된다면 위기상황이 된다. 위기는 보통 6주 또는 8주간 지속되는 사건을 말하는데, 흔히 이 시기를 지나게 되면 위기상황이 완화되어 문제를 해결하지 못하였다 하더라도 위기로 지각하지 않는다. 그 이유는 불안함과 고통과 같은 부정적 감정들이 시간이 지나면서 점차 옅어지거나 그 상황에 익숙해져서 제대로 의식하지 못하기 때문이다. 위기는 개인의 경험과 특성에 따라 다르게 지각하거나 반응하지만 타인의 지지나 지원이 가장 큰 영향을 미친다. 위기에 처한 사람은 다른 사람의 도움을 요청하면서 자신의 위기를 알리려고 한다.

관련어 | 위기상담, 위기개입

위기수준 [危機水準, crisis level] 위기의 정도를 말한다. 맥허터(McWhirter et al., 2004)는 위기수준을 최저 위기, 저 위기, 고 위기, 위기행동입문, 위기행동의 5단계로 구분하여 제시하였다. 최저 위기단계는 좋은 사회경제적 배경을 가지고 있고, 가족, 학교, 사회적 관계가 긍정적이어서 심리적·환경적인 스트레스 요인이 거의 없는 상태다. 저 위기단계는 최저 위기보다 조금 부족한 사회경제적 배경을 가지고 있고, 조금 부족한 가족, 학교, 사회적 관계에 있으며 몇 가지 스트레스 요인이 있는 상태다. 고 위기단계는 가족, 학교, 사회적 관계가 부정적인 상황에 놓여 있어 스트레스 요인이 많고, 부정적인 태도나 감정, 사회기술의 부족 때문에 개인적 위기로 발전되는 상태다. 위기행동 입문단계는 어느 한 가지 유형의 문제행동이 발현되는 상태이며, 위기행동단계는 입문수준의 행동에서 다른 범주의 위기행동으로 발전해 나가는 상태다.

위기유형 [危機類型, crisis type] 위기에 직면한 대상이나 상황에 따라 성격을 구분해 놓은 것을 말한다. 볼드윈(Baldwin)은 위기의 유형을 크게 개인위기와 집단위기로 구분하였다. 개인 위기는 각각의 개인이 위험상황이나 사건을 경험하는 것을 말한다. 이는 다시 소인적 위기(dispositional crisis), 변환기 위기(transitional crisis), 외상적 위기(traumatic crisis), 발달위기(developmental crisis), 정신병리적 위기(psychopathologic crisis), 정신병적 위급상황(psychiatric emergency) 등으로 구분하고 있다. 소인적 위기는 파혼, 보직해임, 강등과 같이 어떤 문제상황이 개인의 지위나 위치에 변화를 가져오는 위기를 말한다. 변환기 위기는 은퇴, 졸업, 결혼 등 인간의 발달과업에 따른 인생의 변화가 원인이 되는 위기를 말한다. 이 두 위기는 예견되고 대부분의 사람들이 겪는 생활사건이다. 외상적 위기는 전혀 예측하지 못하고 갑작스럽게 발생한 외부적 사건으로 불안, 두려움, 공포, 우울 등을 겪는 위기를 말한

다. 발달위기는 인간의 신체적·인지적·정서적 발달과정 중에 발생하는 위기로, 예측이 가능하며 개인 내적 요인에 따라 발생한다. 예를 들면, 사춘기 위기, 중년기 위기 등이다. 정신병리적 위기는 개인의 정신적 고통이나 정신병리적 특성이 원인이 되어 발생하는 것으로서, 극심한 우울증 때문에 자살을 시도하는 것을 예로 들 수 있다. 정신병적 위급상황은 망상적 사고와 자기조절력을 상실하거나 부적절한 기분 때문에 다른 사람들을 위험한 상황에 놓이게 하는 경우를 말한다. 집단위기는 여러 사람이 함께 위기상황에 직면하는 것을 말하는데, 예를 들면 홍수나 가뭄과 같은 자연재해, 대구지하철 방화사건과 같은 환경재해에 따른 위기, 그리고 IMF와 같은 경제 위기 등이 속한다.

위기개입
[危機介入, crisis intervention]

위협적이거나 고통스러운 상황에 직면하여 자기이해능력이 감퇴하고 지지자원에 대한 인지와 활용능력이 저하되어 스스로의 힘으로 해결하지 못할 경우 다른 사람이 신속하고 즉각적으로 문제해결을 다루는 것. 위기상담

위기 내담자의 주변환경을 변화시켜 위협적 상황이나 스트레스에서 벗어나도록 하는 것, 위기 내담자에게 정서적 안정감이나 위로 또는 보호 등을 제공해 주는 것, 심리적 문제와 문제해결행동을 함께 다루는 것 등으로 중재하는 방법이 있다. 상황위기와 발달위기가 동시에 위기의 원인이 되거나, 자살충동을 느끼거나 일반적인 접근에 반응이 없는 사람에게는 개인적 개입이 필요하다. 위기 내담자 주변 다른 사람의 적극적인 개입이 도움이 될 수 있고, 또한 위기상황에 빠진 사람이 위험에서 벗어난 뒤 그 상황에서 빠져나올 수 있도록 신속하고 즉각적인 대응을 하여 위기를 회피하도록 하면서 동시에 그 후의 적응에 도움을 주는 것이다. 예를 들면, 주벽으로 폭행이 심한 남편에 대해 위협을 느끼는 부

인을 시설기관에서 정서적 안정을 취하도록 지원하는 것이다. 위기란 그때까지 개인이 대응하고 있던 능력으로는 대응할 수 없다든가 개인의 붕괴를 초래할지도 모르는 위협이 존재하는 상태다. 그리고 자기이해능력의 감퇴, 주위의 자원에 대한 탐색과 활용능력의 저하를 초래한다. 따라서 타인의 적극적이고 적절한 개입이 필수적이며, 반대로 그 같은 상황에 빠진 사람이 혼란 중에서도 가볍게 즉석에서 이용할 수 있는 원조기관이 있는 것이 중요하다. 영국은 1953년에 자살방지를 위한 전화상담을 개설하였는데, 이는 현재 세계 여러 나라에서 실시하고 있다. 우리나라에서는 여성긴급전화 1366, 청소년전화 1388, 생명의 전화, 성폭력상담소, ONE-STOP 지원센터, 해바라기 아동센터 등의 기관이 위기개입 지원을 수행하고 있다. 하지만 위기상황에 대해 빠른 시간에 외부의 지원으로 문제를 해결하다 보면 근본적인 문제해결이 되지 않는 경우가 있고, 위기에 처한 사람은 또 다른 위기상황에서 혼자 힘으로 해결하기보다는 도움을 준 사람에게 정서적, 신체적으로 의지하려는 마음이 생긴다. 그러므로 위기개입을 통하여 신체적, 정서적 응급처치가 이루어진 다음에는 내담자의 독립성과 자율성을 향상시키기 위하여 위기상담이나 심리치료를 해야 한다.

관련어 | 위기, 위기상담

위기개입모형 [危機介入模型, crisis intervention model] 길리랜드(Gilliland)가 위기를 효율적으로 개입하기 위하여 제시한 모형이다. 사정하기, 경청하기, 활동하기로 크게 구분한 다음 경청하기를 다시 문제정의, 내담자의 안전확보, 지지제공의 3단계로 나누고, 활동하기를 다시 대안탐색, 계획수립, 참여유도의 3단계로 나누어 총 7단계로 구성되어 있다. 먼저 사정하기는 위기개입의 전 과정에서 실시되며 계속적이고 역동적으로 진행되는 과정이다. 내담자의 대처능력, 대인적 위협, 유동성 또는 비유

동성 측면에서 내담자의 현재 및 과거의 상황적 위기를 평가하여 위기개입 전문가의 활동을 선정하는 단계다. 경청하기는 위기개입 전문가가 공감성, 진실성, 존중, 수용, 비판단적으로 돌보는 태도를 지니고 관심기울이기, 관찰하기, 이해하기, 반응하기 등의 상담기술을 적용하는 과정이다. 이 과정은 다시 3단계로 세분화한다. 첫째, 문제 정의 단계로서 내담자의 입장에서 문제를 정의하고 이해한다. 둘째, 내담자의 안전확보단계로서 내담자 자신과 타인에 대한 신체적, 심리적 위험을 최소화하고 위험에 대한 치명성, 중요성, 비유동성, 심각성 등을 사정한다. 셋째, 지지제공단계는 위기에 처한 내담자가 스스로 자신을 돌보도록 강조하는 것이 아니라 내담자를 진정으로 돕고 관심이 있는 위기개입 전문가나 지원체계가 있음을 알려 주면서 도움을 제공한다. 이 과정에서 전문가는 긍정적·무비판적·비소유적·수용적인 자세를 언어적, 비언어적 태도로 충분히 표현하는 것이 바람직하다. 활동하기는 내담자로부터 사정된 욕구와 이용 가능한 환경적 지지를 사정하여 위기개입 전문가가 비지시적, 합리적, 지시적 등의 활동개입전략을 선택하고 실행하는 것이다. 활동하기의 첫 단계인 대안탐색은 내담자가 지금 이용할 수 있는 대안들을 탐색하도록 해 주고 지지하면서 대처기제, 긍정적 사고를 이끌어 내도록 촉진한다. 둘째, 계획수립단계는 자원을 명확히 하고 대처기제를 제공할 수 있는 현실적인 단기계획을 세우도록 지원하며 이러한 계획목표는 내담자가 이해할 수 있고 실천할 수 있는 명확한 활동이어야 한다. 셋째, 참여유도단계는 명확하고 긍정적이며 수용할 수 있고 실행 가능한 활동에 적극 참여하도록 내담자를 격려하고 지지한다.

위기상담
[危機相談, crisis counselling]

골치 아픈 일, 힘든 일, 슬픈 일 등의 위기상황에 놓인 사람들을 대상으로 이루어지는 상담. `위기상담`

자연재해나 극심한 심리적 고통과 같이 자신의 대처능력을 벗어나서 견디기가 매우 힘든 급박한 사건이나 상황처럼 특정 순간에 갑작스럽게 심각한 문제를 겪어 신속한 해결이 요구되는 상황 혹은 상태에서 이루어지는 상담이 위기상담이다. 갑작스러운 자살충동을 겪어 전화로 도움을 요청하면서 이루어지는 전화상담도 위기상담에 속한다. 예를 들면, 지하철 참사, 대형건물 붕괴, 지진, 허리케인과 같이 급박하고 매우 힘든 상황을 당해 갑작스럽고 강렬한 정서적 혼란을 겪고 매우 긴박한 상황에 놓인 사람들을 대상으로 신속한 해결이 필요한 주 호소문제를 다루어 생산적이고 건설적으로 대처할 수 있도록 도와주는 것이다. 위기는 보통 6주 또는 8주간 지속되는 사건이며, 이 기간 안에 문제해결을 위한 대처전략이나 기술이 효율적으로 활용되지 못하면 또 다른 시기의 위기상황을 적절히 대처하지 못하여 사회적 적응이 위태로워질 수 있다.

관련어 | 위기, 위기개입

위기추론 [危機推論, crisis corollaries] 버제스와 볼드윈(Burgess & Baldwin, 1981)이 제시한 것으로서, 위기상담에서 상담자는 다음 열 가지 사항을 유념해야 한다. 첫째, 정서적 위기는 정신적 병리현상과 상관이 없으며 성공적으로 잘 적응하고 있는 사람도 겪을 수 있다. 둘째, 정서적 위기란 적응적으로 해결될 수도 있고 부적응으로 해결될 수도 있는 자기 제한적 사건이므로 이를 해결하는 데는 대략 4~6주가 걸린다. 셋째, 개인이 위기상태에 직면하게 되면 심리적 방어기제가 약해지거나 없어질 수 있지만 위기상태 이전에 잘 방어했던 점과 힘들었던 주제에 관한 인지적 · 정서적 각성이 가능할 수도 있다. 넷째, 개인이 위기상태에 직면하게 되면 불균형적 상황을 평형화시키고자 하는 동기가 있기 때문에 적응을 위한 인지적 · 정서적 학습능력을 고양시키는 것이 도움이 된다. 다섯째, 개인의 기저에 있는 갈등은 정서적 위기를 가져올 수도 있지만 위기상황을 해결하는 데 지원을 해 주고 도움을 주면 성공적인 적응을 이끌어 낼 수 있다. 여섯째, 위기상태에서는 작은 외적 영향이라도 짧은 기간에 균형을 잃게 할 수 있다. 일곱째, 정서적 위기는 개인의 주관적 경험이나 성격구조보다는 현재 그가 속한 사회심리적 자원으로 해결될 가능성이 더 크다. 여덟째, 정서적 위기에 가장 큰 영향을 주는 것은 직장, 가족 및 친구 등으로부터의 상실감이다. 아홉째, 모든 정서적 위기의 근원은 중요한 타인과 관련된 대인관계적 사건이다. 열째, 효율적으로 위기를 해결하기 위해서는 과거의 취약성을 제거하고 사용 가능한 대처기술을 될 수 있는 한 많이 찾아내는 것이며, 이 같은 활동은 미래에 있을 위기를 예방하는 기능이 있다.

위기이론
[危機理論, crisis theory]

익숙하지 않고 감당하기 어려운 사건과 경험에 직면했을 때 나타나는 반응과 그에 관련된 개념에 관한 이론. `위기상담`

스트레스가 발생했을 때 중재를 통해 해소하도록 지원하는 것이 위기이론의 핵심이다. 스트레스 자체가 위기는 아니다. 스트레스를 받는 상황에서 일상적인 대처기제로 해결할 수 없을 때에만 위기로 연결된다. 즉, 위기란 개인이 현재 자원과 대처기제로는 감당하기 어려운 사건이나 상황을 지각하거나 경험하는 것을 뜻한다. 고통이 해결되지 않을 경우에는 심각한 인지적 · 정서적 · 행동적 역기능이 초래될 수 있다. 위기의 한자적 의미는 위험과 기회의 공존을 뜻한다. 위기는 타살이나 자살을 포함한 심

1386

각한 병리적 상태에 이를 수 있기 때문에 위험한 상황이다. 동시에, 위기에 수반되는 고통으로 인해 도움을 받고 이를 극복했을 때는 성장과 성숙의 계기가 되기 때문에 기회가 된다. 위기이론은 정신의학자들의 정신예방이론을 위해 정신분석학적 개념을 적용한 것에서 유래한다. 정신분석이론은 위기에 수반되는 불평형 상태를 이해하기 위해 과거의 정서적 경험과 무의식적 사고에 초점을 둔다. 아동기 고착을 위기의 원인으로 간주한다. 초기 위기이론이 개인적 사건을 위기로 만드는 사회적 · 상황적 · 환경적 요인에 대한 충분한 설명을 제공하지 못하면서 확장된 위기이론이 등장하였다. 린드먼(Lindemann, 1956)은 상실로 인한 애도경험을 이해하는 모델을 제시하였다. 사별한 사람에 대한 집착, 사별한 사람과의 동일시, 죄책감과 분노감의 경험, 일상생활에서의 혼란, 그리고 신체화 증상을 호소하는 것 등은 정상적인 애도 행동으로 보아야 한다고 하였다. 이러한 반응을 보이는 내담자를 비정상적이거나 병리적인 것으로 간주해서는 안 된다는 것이다. 캐플란(Caplan, 1964)은 위기를 외상적 사건 전체로 확장시킨 모델을 제시하였다. 삶의 목적에 방해가 되는 장애물은 발달적 사건이나 상황적 사건에서 모두 발생할 수 있다고 보았다. 심리적 외상에 따른 인지적 · 정서적 · 행동적 부적응 문제를 제거하기 위해 위기개입 전략을 소개하였다. 제임스와 길리랜드(James & Gilliland, 2008)는 위기의 네 가지 유형을 제시했는데, 발달적 위기, 상황적 위기, 실존적 위기, 그리고 환경적 위기다. 첫째, 발달적 위기는 개인이 성장하고 발달해 가는 과정에서 발생하는 변화나 전환으로 인해 부적응적인 반응이 나타나는 경우다. 결혼, 자녀출산, 대학졸업, 은퇴, 배우자 사별과 같은 사건은 발달적 위기에 해당한다. 모든 사람들이 일생에서 경험할 수 있는 정상적인 것이지만 그것을 극복해 가는 방식은 각 개인마다 독특한 차이가 있다. 둘째, 상황적 위기는 개인이 예측하거나 통제할 수 없는 이례적인 사건이 발생하는 경우

다. 자동차 사고, 유괴, 강간, 실직, 질병 등이 상황적 위기에 속한다. 갑작스럽고 충격적이며 비극적이라는 점에서 다른 유형의 위기와는 구별된다. 셋째, 실존적 위기는 내적 갈등이나 불안을 포함하는 것으로 삶의 목표, 책임감, 독립성, 자유의지와 같은 중요한 실존적 주제와 관련된 경우다. 조직 내에서 존재감의 상실, 노후에 자신의 인생을 회고하고 느끼는 무의미감 등이 이에 속한다. 넷째, 환경적 위기는 자연이나 인간이 유발한 재해가 어떤 잘못이나 행동을 취하지 않은 개인이나 집단에게 갑자기 발생하는 경우다. 홍수, 태풍, 지진해일, 유독성 물질 유출, 전쟁 등이 환경적 위기에 속하며, 같은 환경 안에 있는 모든 사람들에게 부정적인 영향을 미친다. 한편, 위기의 유형에 상관없이 마리노(Marino, 1995)는 위기가 4단계를 거쳐 진행된다고 보았다. 첫 번째는 일상적인 대처기제로 처리할 수 있는지를 결정해야 할 만큼 위험한 상황이 발생하는 단계, 두 번째는 개인의 대처능력을 넘어서 긴장과 혼란이 증폭되는 단계, 세 번째는 그 사건을 해결하기 위해 상담과 같은 특별한 자원이 필요한 단계, 네 번째는 혼란을 해결하기 위해 의뢰가 필요한 단계다. 위기는 복잡한 증상을 수반하기 때문에 이에 대한 개입도 다차원적으로 이루어진다. 문제를 해결하고 안정상태를 회복하는 데 개인, 가족, 지역사회 모두 직접적으로 혹은 간접적으로 개입하는 생태적인 지원체계가 필요하다.

위기전화
[危機電話, hot line]

위기상태의 내담자가 상담자에게 전화로 접근하여 도움을 받는 것. **위기상담**

전화를 통한 위기상담에서는 내담자의 문제를 해결하려는 전통적 상담 및 치료 모형과 달리, 내담자의 상황과 마음에 공감하고 그것을 수용하여 장점

과 가동이 가능한 잔여 에너지를 촉발해 주는 일이 급선무가 된다. 따라서 위기전화상담자는 대개 전문적인 훈련을 받지 않은 비전문가가 일정 수준의 교육을 받고 위기상황에 대한 적응을 한 다음 자원봉사의 형태로 상담을 진행한다. 어느 정도 효과적인 도움을 주기만 한다면 자살위기를 모면하게 하는 전화상담에서는 전문가와 비전문가 사이에 큰 차이가 없다고 보고 있다. 위기전화상담의 방향은 전화 내담자의 장점과 환경을 활용하여 내담자를 위기과정에서 벗어나도록 고양시키고 유지시키는 것이다. 위기전화상담의 목적은 위기를 겪고 있는 사람을 도와서 위기 이전 수준의 기능을 회복하도록 신속하게 개입하는 것이며, 더 나아가 이전보다 더 높은 수준으로 성장하는 것이다. 위기전화상담에서 상담자는, 첫째, 조용하고 안정된 마음으로 임해야 한다. 둘째, 내담자가 충분히 이야기할 수 있는 기회를 주어야 한다. 셋째, 즉각적인 상황을 다루어야 한다. 넷째, 이용 가능한 지역사회적 자원, 의료적 자원, 법적 자원 등의 자원체계를 확보해야 한다. 반면, 상담자가 주의해야 할 행동은, 첫째, 필요 이상의 안심을 시키려고 성급하게 내담자에게 "힘내세요."라는 말을 하거나 내담자가 제기한 문제가 그렇게 심각한 것이 아니라는 듯이 "괜찮습니다."라고 말해서는 안 된다. 둘째, 전인적 성격의 부적응 문제를 다루지 말아야 한다. 이외에도 정감 있고 침착한 어조와 부드러운 음성의 상담, 주관적 가치에서의 탈피, 내담자의 침묵이나 울음을 기다려주는 여유, 상담자 자신이나 동료 상담자의 신원과 근무시간에 대한 보안유지, 내담자와의 개별 접촉 금지, 다른 전문기관에 의뢰해야 할 경우 해당 기관 책임자와의 협의, 상담과정에서 취득한 사례에 관한 정보의 비밀보장, 상담시간과 교대시간의 준수 등이 있다.

관련어 | 위기상담

위기정리
[危機整理, debriefing]

위기가 되는 사건이 발생한 후 24~72시간, 즉 3일 이내에 이루어지는 것으로서 위기에 대한 대처능력을 향상시키기 위한 매우 구조화되고 지시적인 집단활동. 위기상담

위기사건의 영향을 감소시키고 위기사건에 대하여 정상적인 회복과정을 촉진하는 것을 목적으로 하는데, 감정을 환기시킬 기회제공, 스트레스 감소를 위한 교육, 잘못된 생각의 감소, 집단응집력 강화, 전문적인 상담연계 등으로 이루어진다. 위기정리를 받아야 할 대상자는 위기사건에 노출되었거나 현장에 있었던 사람, 위기사건에서 일하는 안전요원, 위기사건의 생존자, 위기사건을 목격한 교사나 같은 반 학생 등의 목격자, 성폭력 희생자와 그 가족, 자살사건의 목격자와 가족 및 동료, 이전에 비슷한 위기사건에 노출된 경험이 있는 사람 등이다. 그러나 이러한 대상자 중에서 극심한 외상의 1차적 피해자, 집단활동을 수용하기 어려운 정신병리적 사람, 피해자와의 동일시가 너무 강하여 집단활동에 참여하기 어려운 사람, 우발적 위기사건을 일으킨 당사자나 책임을 맡고 있는 관리자 등은 적극적인 위기정리 활동의 적용을 고려해야 한다. 위기정리는 소개(introduction), 사실(fact), 사고(thought), 반응(reaction), 증상(symptom), 교수(teaching), 정리(reentry)의 7단계로 진행된다. 첫째, 소개단계는 구성원과 집단규칙을 밝히는 과정이다. 둘째, 사실단계는 사건이 발생한 동안 어떤 일을 했는지, 사건과의 관련성이나 사건에 대한 정보수집방법 등에 대한 사실을 보고하는 과정이다. 셋째, 사고단계는 사건 후에 떠오른 생각, 사건이 자신에게 미치는 영향, 자신의 생각을 다른 사람에게 이야기할 수 있는가 등을 이야기한다. 넷째, 반응단계는 사건에 대한 자신의 정서적, 신체적 반응, 사건과 관련된 장면, 소리, 냄새 등을 탐색한다. 다섯째, 증상단계는 증상을 기록한 유인물을 배부하여 자신의 증상을 점

검한다. 여섯째, 교수단계는 사건에 대한 생각과 반응을 재교육하는 과정으로서 집단원은 자신에게 나타난 반응과 증상이 정상적인 반응이라는 것을 알리고 상호지지와 격려를 해 주도록 한다. 일곱째, 정리단계는 이 사건을 통해서 얻은 긍정적인 점을 확인하고 과정을 마친 다음의 생각이나 감정을 표현한다. 이러한 위기정리활동은 현장에서의 위기감을 최대한 빨리 감소시키려는 노력이며, 위기정리를 마친 뒤에는 전문적인 위기상담을 진행하기도 한다.

관련어 | 위기, 위기개입, 위기상담

위기해제 [危機解除, defusing] 위기사건이 발생한 후 1~8시간 내에 30~60분 정도 진행되는 작은 집단활동을 말한다. 강렬한 반응을 빠르게 감소시키고, 정상적 반응을 촉진하며, 집단적 영향을 최소화하고, 공식적인 위기정리의 필요성을 평가하려는 목적에서 행해진다. 위기해제활동을 통하여 사건에 대한 정보를 공유하고 정상적인 대처기술을 재확립하며 사건에 대처하기 위한 정보와 기술을 습득한다. 그리고 상담 등의 서비스에 대한 필요성을 평가하며 사건에 대한 여러 가지 반응을 다룰 수 있다는 자신감을 형성하는 데 도움이 된다.

위기청소년
[危機青少年, at-risk youth]

가출, 학업 중단 및 실업, 폭력, 성 매매, 약물 오남용 등의 비행 및 범죄, 불안·우울 등 심리적 장애, 자살의 위험이 높은 청소년. **위기상담**

OECD(1995)에서는 학교에서 실패하고 성공적으로 직업이나 독립적인 성인의 삶을 이어 나가지 못하면서 사회에 긍정적인 기여를 하지 못할 것으로 보이는 청소년을 위기청소년으로 규정짓고 있다. 위기청소년은 다음의 세 가지 범주로 나눌 수 있다. 첫째, 가출 청소년, 소년소녀 가장, 빈곤계층의 청소

년, 요보호 청소년과 같이 보호자가 없거나 보호자의 실질적인 보호를 받지 못하는 청소년, 둘째 학업을 중단한 청소년, 셋째 교육적 선도대상 중 비행예방의 필요성이 있는 청소년들로서 학교폭력 피해 및 가해 청소년, 집단 따돌림 피해 및 가해 청소년, 비행 청소년, 범죄 가해 및 피해 청소년, 우울 및 자살위험이 있는 청소년으로 구분된다. 따라서 위기청소년은 일련의 개인 및 환경적 위험에 노출되어 행동적, 심리적으로 문제를 경험할 가능성이 높고, 적절한 개입이 없이는 정상적인 발달을 이루기 어려운 상황에 놓여 있는 청소년을 말한다.

위기학생
[危機學生, at-risk students]

학교생활에 적응하지 못해 정책적, 교육적, 심리적으로 적절한 개입 없이 학교가 제공하는 긍정적인 교육경험을 하지 못하거나 교육목표를 달성하기 어려운 학생. **특수아상담**

위기 혹은 '위기에 처한'이란 용어는 1983년 미국의 교육수월성위원회에서 발행한 「위기에 처한 국가(A National at Risk)」라는 보고서 이후에 사용되어 왔다. 이 보고서에서는 미국이 경제적, 사회적으로 위험에 처해 있다고 기술하고 있다. 위기학생이란 어떤 이유로 말미암아 학업에 실패할 위험에 처한 학생, 구체적으로 말하면 소수민족집단에 속하는 학생, 학업에 불리한 조건을 가진 학생, 학업성적이 부진한 학생, 장애가 있는 학생, 사회경제적 지위가 낮은 가정의 학생, 결손가정의 학생, 또래에게 압력을 받고 있는 학생, 집행유예상태에 있는 학생들을 가리킨다. 오늘날에는 우울, 불안, 집단 따돌림과 괴롭힘 때문에 심한 정신적 고통을 받고 자살의 위험성이 있는 학생까지로 위기학생이라는 대상의 폭이 확대되고 있다. 이러한 위기학생은 가능한 한 빨리 확인하여 개입과 처치 프로그램, 개인교수, 아동보호서비스, 의학적 보살핌, 약물복용 방지 프로그램, 이중언어 교수, 고용훈련, 무단결석과 장기결

석의 예방, 위기에 처한 자녀를 도와주기 위한 부모교육, 위기상담 등 교육적 개입과 처방을 해 주어야 한다. 상담자는 현재 발달과정상 위기나 특수한 상황 위기를 겪고 있는 학생의 마음을 안정시키고, 신속하게 개입해서 개별적인 위기발생 원인과 특성을 정확하게 파악한 다음 체계적인 상담으로 문제를 해결해야 한다. 특수 교사 역시 학부모를 대상으로 하는 위기상담의 역할이 기대되며, 더불어 특수교육 내외적 환경에서 오는 소진현상의 극복을 위한 내담자로서의 위기상담이 필요하다.

위독약효과
[僞毒藥效果, nocebo effect]

진짜 약을 먹어도 효과가 없다고 생각하면 약의 효과가 나타나지 않는 심리적 현상. `성격심리`

원어 그대로 노시보효과 또는 노시보 이펙트라고 읽기도 하며, 위약효과와 반대되는 개념이다. 서인도 제도에 있는 아이티의 원시종교인 부두교의 의식에 잘 나타나 있는 현상인데, 부두교의 주술사가 저주를 내린 사람은 그 저주대로 죽음을 맞이하게 되는 상황이 나타난다. 이는 병이 아닌 것을 병이라고 믿음으로써 실제 없던 병이 생기거나 가벼운 병이 악화되는 심리적 현상이다. 이 현상은 처음 1942년 미국의 생리학자 캐넌(W. Cannon)이 '부두 죽음(Voodoo death)'이라고 명명하였다. 이후 1961년에 '나는 해를 입을 것이다.'라는 뜻을 지닌 라틴어 '노시보(nocebo)'를 인용하여 이 같은 현상을 노시보효과라고 정식으로 부르게 되었다. 이 현상은 종교적 의식이 아니라 일반인에게도 나타난다. 미국의 어떤 인부가 냉동차에 갇힌 다음 날 시체로 발견되었는데, 냉동고 차 안 내부에는 "나는 점점 얼어가면서 죽어 가고 있다."라고 적혀 있었다. 그러나 이 냉동차는 고장으로 실제 온도가 14도였으며, 내부의 산소도 숨을 쉬기에 충분하였다. 이 사건은 자

신이 위험에 처하지 않았는데도 불구하고 위기에 처한 상황으로 인식하여 그것에서 벗어나지 못한다는 믿음을 갖게 됨으로써 더욱 큰 위기를 맞게 되는 노시보효과가 잘 설명된 예다. 윤리적 이유로 노시보효과에 대한 연구는 많지 않지만, 대학생을 대상으로 이를 경험적으로 검증한 연구가 있다. 즉, 34명의 대학생에게 실제 전기가 흐르지 않는 한 전극을 머리에 붙이게 한 다음 전기가 머리로 흘러 들어가서 두통을 일으킬 것이라고 말하였다. 이 중 3분의 2 이상의 학생들이 실제 두통을 호소하였다. 이와 같이 개인의 신념은 인간의 행동과 감정에 큰 영향을 미친다.

위상가정
[位相假定, topographical assumption]

인간의 정신영역이 의식, 무의식, 전의식으로 이루어져 있다는 정신분석적 접근의 가정. `정신분석가족치료`

존스와 버트먼(Jones & Butman)이 정리한 정신분석의 철학적 가정 가운데 하나로, 인간의 정신영역이 세 층으로 이루어져 있다는 생각이다. 맨 위에 의식, 그 아래에 전의식, 가장 밑에 무의식이 자리하고 있으며, 각각의 의식은 마음속에서 일정한 위치를 차지하고 있다는 것이다. 인간의 정신영역을 크게 나누면 의식과 무의식의 두 부분으로 되어 있으며, 전의식은 그 중간 단계에서 무의식과 의식을 연결해 주는 교량역할을 한다.

위성가족
[衛星家族, satellite family]

자녀가 결혼을 해서 독립된 가족을 이루고 난 뒤에도 계속해서 부모와 가까이 살면서 육아 등의 도움을 받는 형태의 가족. `가족치료 일반`

위성가족은 맞벌이 부부가 증가하면서 육아 등의 문제를 해결하기 위한 대안으로 늘어나고 있는 가

족의 형태지만, 우리나라 이외의 나라에서는 찾아보기 힘들다. 위성가족에는 주로 출가하여 독립한 자녀들이 부모가 거주하는 공간 근처에 따로 살면서 도움을 받는 경우인데, 경제적으로 독립하지 못하고 부모에게 의존하며 살아가는 경우도 있다. 이러한 위성가족의 특성을 부각시켜서 '캥거루족' 혹은 '자라 증후군'이라고도 한다.

위성통신
[衛星通信, satellite communication]
중계소로 인공위성을 활용하는 장거리 통신방법. `사이버상담`

대기권 밖의 상공에 쏘아 올린 인공위성에 통신 중계 기능을 갖추어 지구상의 어떤 지점에서도 통신을 할 수 있도록 하는 통신방법을 말한다. 이 방법을 사용하면 통신 가능 구역이 넓어지고 고주파수대의 전파를 이용한 초고속 전송이 가능해진다. 지형에 구애받지 않고 넓은 지역에 동시에 전송할 수 있다는 장점이 있지만, 전파 왕복시간 때문에 통신이 지연되고 보안성이 떨어지며, 태양전지를 사용하므로 위성이 햇빛과 차단되면 순간적 통신두절 현상이 나타나기도 한다. 세계 최초의 위성통신인 에코 1호가 발사된 이래 위성통신은 국제통신, 국내 장거리 통신, 해상·항공 이동통신 등에 사용되어 왔다. 초기에는 고가의 위성 비용 때문에 국제 전화나 텔레비전 중계용으로 사용되다가 기술의 진보와 비용절감으로 위성통신의 특성을 활용하여 데이터 통신, 인터넷 통신, 종합유선방송 등 영상 프로그램 분배, 원격교육, 기업 내부통신, 전용회선, 원격영상 회의, 각종 행사 중계 등 다양한 형태로 응용되고 있다. 위성통신의 특징은, 첫째, 하나의 위성이 중계할 수 있는 통신구역의 광역성이다. 둘째, 전송거리와 비용의 무관계성이다. 셋째, 지리적 장애의 극복이다. 넷째, 고주파대의 전파사용에 따른 고속전송의 가능이다. 다섯째, 다지점으로 동시에 정보를 분배하는 동보 통신과 다지점 간에 회선을 설정할 수 있는 다원접속의 가능이다. 여섯째, 지구국을 이동시키면 어디에서나 자유자재로 신속하게 회선을 설정할 수 있다는 점이다.

위약효과
[僞藥效果, placebo effect]
의사가 환자에게 가짜 약을 투여하면서 진짜 약이라고 속이면 좋아질 것이라고 생각하는 환자의 믿음 때문에 병이 낫는 현상. `성격심리`

원어 그대로 플라시보 효과 또는 플라시보 이펙트라고 읽기도 한다. 위약, 즉 비활성 물질이 의학 분야 연구에서는 설탕 알과 같이 진짜 약의 형태로 주어진다. 이것은 제2차 세계 대전 중 약이 부족할 때 많이 쓰인 방법이다. 플라시보의 어원은 '만족시키는' 또는 '즐겁게 하는'이라는 뜻을 가진 라틴어다. 서양에서는 이 방면의 연구가 활발하며, 플라시보의 유효율은 약 30%로 알려져 있다. 과학적인 플라시보 효과 판정법에는 이중맹검(double blind)이 있는데, 이것은 투여하는 의사 쪽에도 플라시보인 것을 알리지 않고 결과를 조사하는 방법으로 서양에서는 일반화되어 있다. 예를 들면, 환자 또는 건강인을 두 집단으로 나누어 한 집단에는 시험하는 약품, 다른 한 집단에는 플라시보를 주어 감응결과를 비교하는 것이다. 연구에 따르면, 심리적 스트레스 상황에 놓인 사람들에게서 위약효과가 가장 크게 나타난다.

위축된 아동
[萎縮 - 兒童, withdrawn child]
또래와의 상호작용을 피하거나 사람들 앞에 나서는 것을 부끄러워하고 수줍음을 타는 등의 모습을 보이는 아동. `아동청소년상담`

또래로부터 거부당하는 것이 두려워서 또래와의

놀이를 적극적으로 피하는 아동을 위축된 아동이라 한다. 또래 아동과 어울려 놀고 싶은 마음은 일반 아동과 동일하지만 거부에 대한 염려 때문에 동기를 억제하고 있어서 결과적으로 또래관계에 어려움을 나타낸다. 이와 같은 아동의 위축행동은 아동기의 사회적 능력의 발달은 물론 인지능력의 발달을 저해할 뿐 아니라 성인기의 적응력 발달에도 큰 영향을 미친다. 즉, 위축된 아동은 자신감 결여나 우울과 같은 내적인 문제를 드러내며, 또래와의 관계에서 학습될 수 있는 언어, 사회생활 양식, 가치의 형성, 욕구와 감정의 표현 등 여러 발달영역에 부적응을 가져오며, 성인이 되었을 때 사회에 대한 공포로 발전할 수 있고, 신경증이나 병리적 현상으로 이어질 수도 있다. 아동의 위축은 다양한 원인이 복합되어 나타나는데, 기질과 관계되는 생리적 요인, 엄격한 가정환경이나 과보호하는 부모, 부당한 차별 등의 가족관계 요인, 새로운 환경이나 외모에서 오는 열등감 등 생활 속에서의 긴장요인, 행동억제 요인 등이 있다. 이 중 행동억제는 낯선 사람과 낯선 환경에 다가가기를 두려워하거나 회피하는 행동을 말하는데, 행동억제 성향이 높은 아동은 또래 간의 상호작용에서 사회적 기술이나 협상, 설득, 문제해결기술을 발달시킬 기회가 적으므로 집단에서 거부되기 쉽고 성장할수록 부정적인 자기지각을 발달시킨다. 따라서 위축아동은 행동억제요인 때문에 자기 표현에 소극적이거나 부적절하고 열등의식을 갖게 되어 자신을 부정적으로 바라본다. 위축된 아동은 지지관계를 지속적으로 유지시키지 못하고, 자신을 부정적으로 지각하면서 자아존중감이 낮은 특성을 보인다. 과도하게 억압된 아동, 복종적인 아동, 두려워하는 아동, 수줍어하는 아동, 의사소통이 안 되는 아동, 말끝을 흐리는 아동, 정신분열성(schizoid) 아동, 얌전한 아동 등이 위축된 아동에 속한다.

위험 무릅쓰기
[危險 -, risk-taking]

합리정서행동치료(REBT)의 행동적 기법 중 하나로, 정서적으로 건강한 사람이 변화를 이루고 싶어 하는 영역에서 고의적으로 계산된 압력을 받도록 하는 탈감각 기법.

관련어 합리정서행동치료

사회적 위험 감수 연습이라고도 한다. 이러한 종류의 연습을 통해 위험 무릅쓰기를 겪어 내도록 자기 자신을 밀어붙일 때, 내담자는 자신이 겪는 공포가 전혀 끔직한 것이 아니라는 결과를 얻을 수 있는 확실한 방법을 배운다. 평가적인 불안이 있는 내담자가 반복적으로 대중 앞에 서서 연설하도록 하는 압력을 스스로 가한다면, 청중이 자신을 인정하지 않을 수도 있다는 가능성에 대한 불안을 극복할 수 있을 뿐만 아니라 반복된 실습과 연습을 통해 더욱 훌륭한 대중연설가가 될 수도 있다. '수치심 공격하기(shame-attacking)'는 위험 무릅쓰기의 한 형태인데, 엘리스(Ellis)는 '여성에게 다가가는 공포'를 극복하기 위해 브롱크스(Bronx)의 식물원에서 한 달 동안 100명의 여성에게 다가가 말을 걸도록 스스로 강하게 밀어붙인 적이 있다. 그중 한 명만이 그와 데이트를 하는 것에 동의했고, 결과적으로는 그 한 명마저 약속한 장소에 나타나지 않았던 일화는 매우 유명하다.

관련어 정신건강기준

윌슨병
[-病, Wilson's disease]

구리 대사 이상으로 간, 뇌, 각막, 신장 및 적혈구에 구리가 침착되어 생기는 보통 염색체 열성유전질환으로서, 13번 염색체에 돌연변이가 발생한 병. 특수아상담

정확한 발생기전은 밝혀지지 않았으며, 빈도는 약 20만 명 중 한 명 정도다. 유전자의 돌연변이로 간 및 뇌에 구리가 축적되어 간 증상 혹은 신경학적

증상이 나타나고, 구리 축적에 따른 증상은 나이가 든 후에(5~15세) 나타난다. 간경변증을 동반한 진행성 만성 간염, 신경학적 손상, 신장의 세뇨관 기능 장애 및 각막의 염색된 고리모양의 병변이 함께 나타나는 것이 특징이다. 우리나라 대사성 간 질환 중에서 가장 흔한 질환이며, 조기 진단과 치료가 중요하다. 환자의 약 50%에서 안정과 운동 떨림 양상이 나타나는데 초기에는 손 떨림이 오고, 혀·얼굴·인후를 침범하는 근육 긴장 이상에 의한 운동 감소로 발음이 불분명하여 알아듣기 어려운 구음장애가 오며, 침 흘림 및 특징적인 얼굴표정이 나타날 수 있다. 점차 진행될수록 근 긴장 이상으로 인한 보행장애, 자세 이상의 신경장애 증상이 오고 정신이상, 정서장애, 행동장애도 나타날 수 있다. 학교 성적 저하가 첫 증상으로 나타나기도 한다. 치료는 축적된 구리를 제거하여 해독하는 것이며, 증상 여부와 관계없이 진단이 확정되면 가능한 한 빨리 치료를 시작해야 한다. 일단 구리의 체내 섭취를 적게 해야 하므로 구리가 많이 함유되어 있는 음식을 삼가야 하고, 구리를 제거해 내는 물질을 투여하여 혈중 구리농도를 낮추어야 한다. 또한 아연이 구리의 흡수를 방해하기 때문에 치료에 이용할 수 있고, 최종적으로는 간 이식으로 완치할 수 있다.

관련어 | 구리 대사 이상

유관강화
[有關強化, contingencies of reinforcement]

반복적으로 나타나는 행동을 강화함으로써 드러나는 특정한 패턴. 인지행동가족치료 학습상담

유관강화란 반응과 강화인자와의 관련성을 말한다. 유관강화가 드러났을 때에는 결과가 반응에 유관되어 있다고 말한다. 예를 들어, 쇼핑센터에 가서 장난감을 사고 싶은 아이가 떼를 쓰자, 마지못해 부모는 장난감을 사 주었다. 그러면 다음 번에 또 쇼핑센터에 가서 다른 장난감이 사고 싶은 아이는 다시 떼를 쓰는 반복적인 행동패턴이 나타나는데, 이러한 반응은 결과적으로 부모가 장난감을 사 주도록 만드는 결과를 유도한다. 이 경우 부모가 마지못해 장난감을 사 주는 행동은 아이가 떼쓰는 행동과 유관되어 있다고 할 수 있다. 행동주의 가족치료사들은 가족 안에서 발견되는 유관강화를 신중하게 관찰하면서 치료를 시작한다. 그들의 목표는 문제 행동의 선행요인과 그 결과를 밝혀내는 것이다. 그들이 일단 행동에 대한 기능적인 분석을 끝마치고 나면, 이번에는 교사가 되어서 가족들이 무심코 바람직하지 못한 행동을 어떻게 강화시키고 있는지 가르친다. 교사로서의 치료사가 가장 마음속 깊이 새기고 있는 지침은 긍정적인 통제를 활용하는 방식이다. 그들은 좋지 않은 행동을 보고서 벌을 주기보다는 좋은 행동에 대해 보상을 해 주는 것이 좀 더 효과적이라는 것을 부모들에게 가르친다. 또한 부부들에게는 일상적으로 상대방을 깎아내리는 말다툼 대신 상대방에게 잘해 주려고 노력할 것을 가르친다.

유관관리
[有關管理, contingency management]

가족구성원들 간의 긍정적인 행동을 강화시키기 위해 보상을 약속하는 치료기법. 인지행동가족치료

유관계약을 통하여 가족치료에 접근한 대표적인 학자는 리처드 스튜어트(Richard Stuart)다. 그는 가족구성원들의 부정적인 행동을 감소시키는 것보다는 긍정적인 행동을 강화시키는 데 초점을 맞추었다. 즉, 가족구성원들 간에 긍정적인 행동이 강화되도록 다양한 보상을 약속하고, 이를 시행하도록 함으로써 상호작용 강화가 일어나도록 유도하였다. 이러한 접근법은 가족구성원들의 긍정적인 행동 교환이 극대화되도록 하는 효과가 있다.

유기체적 가치화
[有機體的價値化, organismic value]

어떤 경험이 유기체로서의 자신을 유지시키거나 고양시키는 것으로 지각되면 그 경험을 긍정적으로 평가하여 더욱 추구하고, 반대로 해가 되는 것으로 지각되면 그 경험을 부정적으로 평가하여 피하는 것. `인간중심상담`

가치가 고정되거나 경직되지 않고 유기체적 가치화가 계속되는 과정 내에서 새롭게 가치를 부여받는 것을 유기체적 가치화 과정이라고 한다. 유기체적 가치화 과정이 원활하게 이루어지기 위해서는 유기체로서 자신을 신뢰하는 것(trust in his organism)이 필요하다. 이렇게 함으로써 실존적인 상황에서 유기체가 가장 만족스러워하는 행위를 선택할 수 있으며, 자신의 모든 감정, 생각, 충동이 자연스럽게 발전하도록 할 수 있고 모든 감정이나 생각이 허용된다. 따라서 인간중심상담에서 가장 성숙하고 바람직한 인간상이라 할 수 있는 충분히 기능하는 사람이 될 수 있다.

관련어 | 유기체

유뇨증
[遺尿症, enuresis]

5세가 지난 아이가 적어도 3개월 동안 최소한 주당 2회 밤이나 낮에 침구나 옷에 반복적으로 소변을 보는 증상. `특수아상담`

대부분은 불수의적이지만 때로는 의도적이기도 하다. 단지 밤에 잠잘 때만 오줌을 싸는 야간형이 가장 흔한데, 전형적으로 밤의 초기 3분의 1 기간에 일어난다. 종종 빠른 안구운동(REM) 수면단계 중에 일어나며, 아동은 소변보는 행위와 관련된 꿈을 기억하기도 한다. 주간 야뇨증은 남아보다 여아에게 흔하고 9세 이후에는 흔하지 않다. 주간 야뇨증은 두 부류가 있다. 한 부류는 충동성 실금으로 갑작스러운 충동증상과 방광검사에서 배뇨근의 불안정한 특성이 있는 유뇨증이다. 다른 한 부류는 회피성 지연형으로 실금이 있을 때까지 배뇨충동을 의식적으로 지연시키는데, 때때로 이는 사회적 불안이나 학업 또는 놀이에 열중하기 위해 화장실 가기를 꺼리는 유뇨증이다. 후자가 파괴성 행동 증후를 더 많이 보인다. 유뇨는 수업이 있는 날의 이른 오후에 가장 흔하게 일어난다. 유뇨증에 따르는 손상의 정도는 아동의 사회활동의 제한(예, 야영에 부적격함), 아동의 자존심, 친구들에 의한 사회적 배척, 돌보는 사람의 분노, 처벌 및 거부에 의해 영향을 받는다. 유뇨증의 유발원인으로는 가족적 원인, 방광의 기능장해, 중추신경계의 미숙, 수면의 이상, 심리사회적 스트레스(예, 동생 출생, 질병 때문에 입원, 입학, 부모의 이혼, 친척의 사망, 이사, 전학, 부모에 대한 불만이나 화가 억압된 경우), 타고난 기질(집중력이 짧고 노는 데만 정신이 팔림) 등이 추정되고 있다. 유뇨증은 대부분 시간이 지나면서 저절로 좋아지지만, 심리적 후유증이 동반되는 경우가 많으므로 조기에 중재해 주는 것이 좋다. 몇 가지 지도방법을 제시하면 다음과 같다. 첫째, 조롱하거나 창피를 주는 것을 피하고 화를 내거나 야단치지 않는다. 아이가 불안을 느끼고 위축될 뿐이다. 둘째, 조급한 태도를 버린다. 거의 대부분은 좋아진다는 생각으로 느긋하게 대소변 훈련을 시작한다. 셋째, 잘 가렸을 때 칭찬한다는 원칙을 가지고 대한다. 넷째, 신체질병이 원인이 될 수 있으므로 다른 신체증상이 있는지 잘 살펴본다. 다섯째, 최근의 생활사건이나 스트레스가 없었는지 알아보고, 있다면 구체적이고 실제적인 도움을 준다. 여섯째, 잠드는 침대나 이불 위에 이중으로 방수천을 깔아 주고 새 잠옷을 아이의 침상 곁에 미리 준비해 준다. 실수한 경우에 어떻게 스스로 이부자리를 정리하고 옷을 갈아입을 것인지 낮 동안에 미리 연습시킨다. 이렇게 함으로써 가족에 의한 스트레스가 많이 줄어들 수 있다. 일곱째, 행동의 결과에 대한 책임감을 부여한다. 나이 든 아이라면 젖은 속옷을 직접 빨래를 하도록 지

도한다. 어린아이라 하더라도 빨래통에 속옷을 가
져다 넣도록 한다.

관련어 | 유분증

유대관계
[紐帶關係, bonding]

어머니와 유아 사이에서 일어나는 신체적, 정서적 관계.
아동청소년상담

임신 29주에서 생후 1주 사이의 기간, 즉 분만을
경계로 하여 외계의 생활로 이행하는 시기에 형성
되는 모자간의 유대(maternal-infant bonding)를
말한다. 유대관계의 과정은 이미 태아단계에서 모
친의 애착(maternal attachment)이라는, 어머니에
게서 아이에게로 시작되었다고 생각된다. 클라우스
와 케넬(Klaus & Kennell, 1976)은 유대관계를 어머
니의 애착형성으로서 임신 중의 중요한 사건으로
임신을 확인하고 어머니 자신의 내부에 생기는 신
체적, 정서적인 변화를 수용하는 것, 태동의 지각 등
으로 대표되는 태아의 성장을 자각하고, 태아를 자
신과는 다른 존재라고 인정하는 것 등으로 분류하
였다. 나아가 클라우스와 케넬은 출산 직후에 유아
에게 접촉하고, 그 접촉시간의 길이, 조기 및 장기
접촉군의 어머니 쪽이 생후 6~8시간 때에 단기 접
촉을 하는 어머니보다 생후 1개월 후에 유의하게 많
은 모성적 행동을 나타내는 결과에서 어머니의 애
착형성에는 민감기가 있다고 보고하였다. 그러나
어머니의 애착은 태아의 움직임, 유아의 울음소리,
천사의 미소, 응시와 같은 아이로부터 어머니에게
로의 작동에 따라 강화된다. 유대관계는 출산 전후
의 어머니와 아기 간 상호작용을 통하여 급속하게
이루어지고, 이후 모자관계의 기반이 된다.

관련어 | 각인 부여, 기본적 신뢰감, 모자 상호작용, 애착

유도된 심상
[誘導 - 心像, guided imagery]

지시된 사고 및 암시를 따라 펼치는 상상을 통해서 심신을 이
완시키고 몰입상태로 만들어 나가는 프로그램으로, 심상치료
의 일종. 심상치료

유도된 심상은 심신이 분리되어 있는 것이 아니
라 서로 연결되어 있다는 생각을 전제로 하여 모든
감각을 활용하는 치료방법이다. 인간의 신체는 상
상만으로도 실제처럼 반응할 수 있다. 간단한 예로,
살구나 레몬 같은 신 과일을 머릿속으로 떠올리기
만 해도 입안에 침이 고이는 반응이 나타난다. 유도
된 심상은 내담자가 의식적으로 깨닫고 내적 과정
으로 접촉하여 그들과 대화를 하는 것으로 자신 속
에 이미 존재하는 자원으로부터 문제해결에 도움이
되는 힌트를 제시하도록 이미지를 활용하는 원조방
법이다. 이는 가장 일반화된 심상치료 중 하나로 이
완, 스트레스 조절, 증상완화 등을 목적으로 한다.
상상에 집중하고 지시하는 대로 따르는 유도된 심
상은 평온한 가운데 강력한 치료효과를 낼 수 있다.
유도된 심상은 심신의 연결(mind-body connection),
대체상태(altered state), 통제권(locus of control)
등의 세 가지 원칙하에 실행된다. 인간의 정신상태
나 사고작용은 신체와 분리되어 진행되는 것이 아
니라 신체와 밀접하게 연관되어 있으면서 신체에
지대한 영향을 미친다. 인간의 정신은 정상적인 상
태에서는 할 수 없던 일도 가능하게 할 수 있다. 위
급상황에서 발휘되는 인간의 믿을 수 없는 힘과 같
은 것이 바로 그 증거다. 또한 인간은 자신의 심신
을 통제할 수 있는 능력이 있고, 이 능력은 자긍심
신장이나 통증 극복, 스트레스 관리를 가능케 한다.
이런 세 가지 원칙을 기반으로 해서 인간 정신 내 역
동적 활동을 전반적으로 유도해 내는 것이 유도된
심상이라 할 수 있다. 유도된 심상은 유도주제심상
(guide mental thematic imagery)과 유도시각심상
(guide mental visual imagery)으로 구분된다. 유도

주제심상은 내담자 문제주제심상, 내담자 실제 문제심상 등으로 불리며, 인간의 의식, 생각, 감정 등의 내용이 의미화되어 나타나는 현상이다. 반면에 유도시각심상은 유도상징심상, 유도은유심상, 유도시각화심상 등으로 불리며, 의식, 생각, 감정 등의 내용이 일정한 시각적 내용으로 상징화되어 나타나는 현상이다. 또한 유도주제심상은 내담자의 심리적·정신적 문제를 그의 의식세계에 떠오르도록 인도하는 심상인 반면, 유도시각심상은 내담자의 심리적·정신적 문제가 그의 의식에 떠오르도록 인도하는 시각심상척도에 의한 심상이다. 유도시각심상은 시각적 유도 심상과 비시각적 유도심상으로 구분되는데, 전자는 형상적 유도심상 또는 유도시각심상으로 체험된 시각적 심상을 말하며, 후자는 비형상적 심상 또는 유도시각심상으로 체험된 모든 비시각적 유도 심상을 말한다. 유도시각심상은 또한 체계적이고 구조화된 유도시각심상과 비체계적이고 비구조화된 시각심상으로도 구분된다. 유도시각심상 가운데 가장 체계적이고 구조화된 시각심상척도는 KB 심상치료, GMIP 심상치료, 몇몇 정신분석적 심상치료와 행동주의적 심상치료 등에서 사용되고 있다. 유도된 심상은 치료사가 내담자에게 정해진 심상척도를 제공하고 이를 체험하도록 이끌어 내담자 문제를 진단 및 해결하는 과정이다. 이는 내담자가 자신의 내적 과정에 접촉하여 의식적인 깨달음을 얻을 수 있도록 이끌어 내담자가 이미 가지고 있는 자원을 찾아 문제해결을 할 수 있도록 단서를 제공하는 방법으로, 내적 지혜 원천에 가까이 접근하여 표출할 수 있도록 돕는 것이 치료사의 역할이다. 따라서 호흡이나 이완 등이 많이 활용된다. 호흡을 안정시키고 최대한 이완할 수 있도록 이끌어 유최면 상태로 나아간 뒤, 내담자의 목적에 적절한 체험이 이루어질 수 있는 장면을 구성하도록 유도하여 심상을 체험하도록 한다. 이때, 정해진 심상을 활용하더라도 내담자마다 체험하는 이미지 형태나 걸리는 시간은 모두 다르다. 유도된 심상체험을

마칠 때는 반드시 실행 전 최초 상태로 돌아가는 절차를 밟은 다음 종료한다. 유도된 심상의 효과를 극대화하기 위해서는 편안하고 안전한 장소를 선택하여 이완이 잘 일어날 수 있도록 편한 자세를 취하는 것에 유의해야 한다. 이완이 잘 되었을 때 치유뿐만 아니라 학습이나 창의성, 수행능력 등에도 도움이 된다. 유도된 심상을 통해서 정서 및 사고과정의 통제력을 경험할 수 있고, 혈압 안정, 스트레스 관련 질환, 체중조절, 금연, 통증조절 등에 긍정적인 효과를 보여 준다.

관련어 | 유도시각심상, 유도주제심상

유도시각심상
[誘導視覺心像, guided mental visual imagery]

심상치료에서 의식, 생각, 감정 등의 내용을 특정 시각적 내용으로 상징화해서 표현한 현상을 이르는 말. 심상치료

유도시각심상은 유도주제심상과 더불어 유도된 심상을 구성하는 심상으로, 내담자의 마음과 심리 및 정신적 문제들이 내담자 의식에 환기되도록 이끌어 주기 위해 심상치료가 제시하는 시각심상척도에 의한 심상을 뜻한다. 유도시각심상은 국내 GMIP뿐만 아니라 KB 심상치료, 정신분석적 심상치료, 행동주의적 심상치료 등 주요 심상치료 분야에서 연구개발한 것으로, 시각심상, 시각화 심상, 시각심상척도 등으로도 불린다. 이는 시각적 유도심상과 비시각적 유도 심상으로 나뉘는데, 시각적 유도심상은 형상적 유도심상 혹은 유도시각심상으로 체험된 시각적 심상이고, 비시각적 유도심상은 비형상적 심상 혹은 유도시각심상으로 체험된 모든 비시각적 유도심상을 뜻한다. 또한 체계적이고 구조화된 유도시각심상과 비체계적이고 비구조화된 시각심상으로 나눌 수도 있다. 독일 KB 심상치료, GMIP 심상치료, 일부 정신분석적 심상치료, 행동주의적

심상치료 등에서는 체계적이고 구조화된 시각심상 척도를 사용한다. 유도시각심상에는 고정적 시각심상과 가변적 시각심상이 있고, 다른 한편으로는 정적 시각심상과 동적 시각심상이 있다. 먼저 고정적 시각심상과 가변적 시각심상은 내담자가 체험한 유도시각심상의 모습과 내용에 관한 심상현상으로, 전자는 내담자가 한번 떠올린 심상의 내용 및 모습이 사라지지 않고 제자리에 계속 머물러 있는 것이며, 후자는 내담자가 떠올린 심상의 내용과 모습이 어떤 이유로든 이내 또는 점차 사라지고 다른 심상의 내용과 모습으로 체험되는 것이다. 다음으로 정적 시각심상과 동적 시각심상은 내담자가 체험한 심상의 속성을 강조한 심상현상으로, 전자는 내담자가 체험한 유도시각심상의 모습과 내용이 경직되고 매우 굳어 있고, 후자는 내담자가 체험한 심상의 모습과 내용이 속성상 매우 풍부하게 구성되어 있다. 유도시각심상치료 작업에서는 치료자가 유도시각심상을 내담자가 직접 체험할 수 있도록 인도하는데, 이때 내담자의 심리 및 정신적 문제, 마음세계의 실체 등을 바탕으로 심상을 체험할 수 있도록 하는 것이 중요하다. 유도시각심상치료는 체험, 진단, 문제해결, 분석작업 등으로 구성되어 있으며, 유도주제심상체험으로 진단된 내담자의 모든 문제점을 긍정적 수준의 심상구조로 전환하도록 만드는 것이 목표다. 현재 유도시각심상의 하위 치료작업은 320단계로 구성되어 있고, 이를 통해서 심상치료의 궁극적 목표인 긍정적 변화, 자아실현 등으로 나아가도록 이끌어 준다. 유도시각심상치료 작업은 유도주제심상작업으로 밝혀진 내담자의 모든 문제점을 재확인하고 더욱 확실한 진단을 하여 충분히 만족스럽게 해결하려고 실시하는 것이다.

관련어 | 가변적 시각심상, 고정적 시각심상, 유도주제심상

유도자기변화
[誘導自己變化, guided self-change]

내담자의 중독문제를 해결하기 위해서 개인상담과 집단상담의 형태로 제공되는 구조화된 단기상담의 하나. 중독상담

유도자기변화는 내담자가 자신이 어떻게 변해야 문제를 해결할 수 있는지에 대한 구체적인 사항에 대해 상담자에게 안내를 받는다면 문제를 해결할 수 있다고 믿는 것이다. 보통 4회기 정도의 단기상담으로 이루어져 있으며, 상담과정을 통해서 내담자 자신의 변화를 스스로 도울 수 있도록 동기화시키는 것이 목적이다. 이 같은 목적을 달성하기 위해서 상담과정 중에 내담자의 중독패턴을 알려 주고, 이를 변화시켜야 할 이유를 확인시켜 주는 것이 첫 번째 과정이다. 이후에는 내담자의 변화를 위한 여러 가지 정보와 가능한 대안을 통해 개인의 강점에 대한 조언과 함께, 문제를 변화시키고 그것을 유지할 수 있는 방법을 가르치는 과정으로 진행된다. 이러한 접근법은 시행하기 전에 반드시 내담자에게 충분히 설명하는 과정이 있어야 하는데, 이것은 내담자가 자신의 변화에서 가장 큰 영향력을 미칠 수 있는 존재라는 사실을 인식하도록 하는 효과가 있다.

관련어 | 중독

유도주제심상
[誘導主題心像, guided mental thematic imagery]

유도시각심상과 함께 유도된 심상에서 쓰이며, 인간의 의식, 생각, 감정 등의 내용이 의미화되어 표현되는 현상. 심상치료

유도주제심상은 내담자가 지닌 심리 및 정신적 문제나 마음에 담긴 것들을 내담자의 의식세계에 떠오를 수 있도록 인도하는 심상을 말한다. 이는 내담자 문제주제 심상 혹은 내담자 실제 문제심상이라는 명칭과 함께 사용된다. 유도주제심상은 유도시각심상과 함께 쓰이는 것이 원칙이며, 내담자가

지닌 부정적 마음을 직면, 관찰하도록 하여 그 마음의 올바른 의미를 내담자 스스로 이해할 수 있도록 만든다. 유도주제심상은 내담자의 마음을 한 부분으로서가 아닌 전체로서 경험하도록 한 뒤 내담자의 문제 전반을 진단하고, 그에 대처할 수 있도록 재구성하는 치료방법이다. 내담자 문제진술작업, 문제정리작업, 대표문제작업, 마음정리작업, 분석작업, 심상체험방법, 심상분석작업, 심상저항작업, 심상재구성작업 등의 과정을 거친다. 유도주제심상은 이와 같은 과정을 거치면서 내담자의 모든 심리 및 정신적 문제와 마음문제를 비롯한 신경증, 성격장애, 정신장애 등의 원인이 되는 내담자의 마음체계를 규명하고 이 구조를 개선하거나 재구성하겠다는 목적을 가지고 있다. 즉, 유도주제심상은 유도시각심상과 여러 단계에서 교차적으로 쓰이면서 유도심상에서 지향하는 마음 전반의 재구성 작업을 실행하는 방법이다.

관련어 유도시각심상

으로 올라오는지를 결정짓는 방식이기도 하다. 예를 들어, 축제일 광경을 내적 그림으로 떠올리다 보면 그와 관련된 모든 경험이 되살아날 수 있다. 이때 축제일 광경의 내적 그림이 바로 유도체계인데, 이 경우는 시각적인 것이다. 어떤 소리를 듣는 순간 축제일과 관련된 기억이 살아난다면 그것은 청각적인 유도체계라고 할 수 있다. 또 "어제 뭐 했어?"라고 누군가 내게 묻는 순간, 어제 일을 생각해 보면 편안한 기분으로 하루를 지냈다는 느낌을 의식할 수도 있고, 상대방으로부터 어제라는 말을 들었을 때 마음속에 어떤 장면이나 영상 또는 그림이 가장 먼저 떠오를 수도 있다. 이때의 유도체계는 시각이고 선호표상체계는 신체감각이라고 할 수 있다. 유도체계는 컴퓨터의 시작 프로그램과 비슷한 것으로, 사소한 것일지도 모르지만 컴퓨터의 작동에 반드시 필요한 것이다. 때때로 유도체계는 의식적으로 생각할 만한 자료를 제공해 주기 때문에 입력 시스템이라고 부른다.

유도체계
[誘導體系, lead system]

저장된 정보에 접근하기 위해 주로 사용하는 표상체계.
NLP

의식적인 사고에서 선호표상체계를 사용하듯이, 우리는 어떤 정보를 의식적인 생각으로 끌어올리기 위한 선호수단을 사용한다. 완벽한 기억 속에는 초기의 과거경험에 대한 시각, 청각, 신체 감각, 미각 및 후각적 정보가 포함되어 있다. 우리는 이들 표상체계 중에서 선호하는 한 가지 표상체계를 통하여 과거의 기억을 회상한다. 어제 있었던 일을 생각할 때 가장 먼저 떠오르는 것, 즉 그림, 소리, 느낌, 정서 등은 유도체계이며, 이것은 과거의 기억으로 되돌아가기 위한 핸들로 사용하는 내적 감각이다. 또한 정보가 어떤 표상체계를 통하여 의식적인 마음

유루와 무루
[有漏－無漏, sāsrava and asāsrava]

이 세상의 모든 것을 두 가지로 분류하는 방식으로서, 이는 번뇌가 있거나 없는 것으로 구분함. **동양상담**

산스크리트어로 유루는 'sāsrava'를 말하고 무루는 'asāsrava'를 말한다. 루는 샌다는 의미, 즉 누설되어 흘러간다는 의미로 번뇌를 뜻한다. 번뇌가 있는 것을 유루라 하고 없는 것을 무루라 한다. 유루는 오염에 물든 것, 다툼이 있는 것을 말한다. 세상에 물듦, 더러움, 말다툼 등은 모두 번뇌를 일으킨다. 사제(四諦)에서 미혹의 결과에 따른 원인으로 생겨난 고제와 집제는 유루법에 속하고 깨달음의 결과로 생겨난 멸제와 도제는 무루법에 속한다. 따라서 번뇌를 여읜 청정한 몸을 무루의 몸이라 하고 번뇌가 없는 맑은 깨달음의 경지를 무루의 길이라

칭한다. 일체의 세속법을 대상으로 일어나는 지혜를 유루지라 하며 사제의 이치를 깨달아 깨침[見性] 이후의 성자의 지혜를 무루지라 한다.

유리천장
[琉璃天障, glass ceiling]

조직 안에서 여성과 같은 비주류 구성원이 승진하지 못하는 현상. [여성주의 상담]

미국의 경제주간지인 『월 스트리트 저널』이 1970년에 만들어 낸 용어로, 충분한 능력을 갖춘 사람이 직장 내 성차별이나 인종차별 등의 이유로 높은 직위를 맡지 못하거나 장애가 있거나 나이가 많아 승진에서 차별을 받는 상황을 비유적으로 이르는 말이다. 유리천장이라는 용어에서 천장은 승진을 방해하는 상황을 비유적으로 표현한 것으로, 이러한 차별은 공식적인 정책 등에는 드러나지 않아서 존재하지 않는 것처럼 보이기 때문에 이러한 현상을 유리천장이라 일컫는 것이다. 즉, 소수집단이 직장에서 좋은 자리를 얻지 못하게 하는 직장규칙은 없지만, 그 이면에는 그러한 차별이 분명히 존재한다는 것이다. 결국 유리천장은 승진의 실패가 조직의 공정한 정책에 따른 것이 아니라, 불평등한 중심 세력의 영향으로 승진이 좌절되는 불평등한 경험을 의미하는 것이다. 이러한 현상은 더 확대된 개념으로 사회 내 계급과 계층에 따른 불평등, 비제도적인 차별을 뜻하기도 한다. 유리천장은 직장에서 승진하는 사람들보다 더 좋은 자격을 갖추었거나 동등한 상태라 하더라도 여성이나 소수자가 영향력 있고 수입이 많은 자리를 갖지 못하게 하는 장애물이다. 이 장애물은 많은 여성들이 자기 자신은 높은 자리에 오를 만한 능력이 없다고 생각하게 만들며, 자신의 상사가 나를 가볍게 여기거나, 잠재 가능성이 있는 후보 정도로 생각한다고 느끼게 만든다.

유머
[- , humor, humour]

웃음이나 즐거움을 유발하는 인지적 혹은 무의식적 경험으로, 웃음을 동반하는 유쾌하고 독특한 정서. [웃음치료]

유머의 사전적 의미는 다른 사람을 웃기는 말이나 행동으로, 우리나라 말로는 우스개, 해학, 익살, 골계 등으로 번역되는 우스꽝스러운 현상을 말한다. 유머에 수반되는 웃음은 냉소, 조소 등의 경멸이나 적의가 담긴 웃음과는 성격이 다르다. 유머는 적극적 형태의 웃음을 유발하는데, 이는 발화자나 청자 모두에게 동정과 관용을 전제하는 행위로, 공격성을 전제하는 풍자와 대비되는 무해한 웃음으로 정의할 수 있고, 특정 현상을 미적 가치를 지닐 정도로 희화화하여 인식과 관찰의 경향을 보인다. 이 용어는 고대 그리스 의학에서 주장한 4액체설(humorism)에서 비롯된 말로, 'humor'는 체액(body fluid)을 가리키는 말이었다. 그들은 인간 신체 내 체액의 배합과 균형이 체질이나 성격을 결정한다고 생각하면서, 이것은 사람의 기질, 기분 등을 뜻하는 말이 되었다. 그리고 더 나아가 웃음을 인식하고 표현하는 능력이라는 의미로 바뀌었다. 현대에서 유머는 정서와 인지적 요소가 결합된 정서표현의 도구로 정의되면서, 단순히 무엇인가를 보고 우스워서 나타나는 신체적 반응인 웃음이나 농담, 위트 등과는 구분된다. 즉, 유머는 정신적으로 건강하고 성숙한 인간의 필수적 특징으로, 인간의 인지적 과정을 통하여 자극내용의 특수성 및 독창성을 발견하고, 이 발견으로 정서적 반응이 수반되어 인지적·정의적 측면이 동시에 포함되는 포괄적 과정을 말한다. 유머는 즐거움, 웃음, 미소 등을 유발하는 자극 자체를 의미하며, 즐거움이나 웃음을 유발하는 자극을 적극적으로 사용하거나 창출해 내는 능력을 의미하기도 하므로, 자신과 타인을 웃게 하는 능력이라 할 수 있다. 또한 유머는 언어활용에서뿐만 아니라 시각적·신체적인 비언어적 형식의 의사소통수단으로도 활용된다. 이런 특성 때문에 현대 심리치료나 상담에서는 유머를 적극적으로 활용한다. 유머의 사용은 문제를 가볍게 보거나 문제점을 축소시키고자 하는 것이 아니라, 문제가 야기하는 고통의 결과로 생길 수 있는 또 다른 긍정적이고 건설적인 면을 다루어 내담자에게 희망을 주고자 하는 것이다. 경험적 가족치료에서는 문제를 긍정적 맥락에서 파악하도록 하기 위해 문제를 새로운 관점에서 보는 기법으로 유머를 사용한다. 또 유머는 긴장 해소 및 친밀감 형성과 같은 단계에서도 효과적으로 활용된다. 유머는 그 자원에서는 문화적인 제한을 받지만 모든 연령과 모든 문화권에서 활용할 수 있는 치료적 자원으로서, 의외의 시선으로 새로운 관점을 형성할 수 있는 치료적 도구가 되어 강력한 힘을 발휘한다.

유머의 대처
[－對處, coping of humor]

스트레스나 긴장 상황에서 유머를 대처 및 적응 기제로 사용하는 능력. 웃음치료

유머의 대처란 유머를 사용하는 능력 중 하나로, 개인적 유머감각의 한 요소이면서 가장 높은 수준의 유머가 사용된다. 조직 내 구성원들은 시시각각 변하는 상황 속에서 크고 작은 스트레스 유발상황을 맞이하게 된다. 그럴 때마다 개인은 스트레스를 경험하고 정신뿐만 아니라 신체도 불균형 상태가 되기 때문에 스트레스 유발요인을 통제하거나 대응하려는 방법을 모색하는데, 이것을 바로 대처라고 한다. 다시 말해서, 스트레스 요인 제거 혹은 수정, 지각된 스트레스 경험 통제에 수반되는 노력을 뜻한다. 대처라는 용어의 개념은 학자마다 다른데, 라자루스와 포크만(Lazarus & Folkman, 1984)은 개인이 작업을 하는 데 문제의 소지가 있을 수 있는 상황에서 사회적 경험을 발휘하여 심리적 피해로부터

자신을 보호하려는 행동이라고 정의하였다. 대처전략은 스트레스 요인을 감소시키고 당면 사건이나 문제 극복을 위한 일련의 과정으로 스트레스를 다스리는 노력이라고 할 수 있다. 따라서 유머의 대처는 여러 현장에서 맞닥뜨리는 다양한 문제에 대하여 유머나 웃음을 사용하여 대처하는 것이라고 볼 수 있다.

관련어 | 유머

유머의 선호
[－選好, liking of humor]

유머감각질문지(SHQ)의 유머감 척도 중 하나. 웃음치료

자신이나 타인의 유머를 긍정적으로 생각하고 유머러스한 상황을 좋아하는 정도를 나타내는 유머의 선호는, 유머감각질문지(the sense of humor questionnaire: SHQ)에서 유머감 척도 중 하나다. 유머에 대한 선호의 정도가 높다는 것은 그 개인이 유머를 개인 간 또는 조직 내에서 윤활유 같은 촉매역할로 활용할 수 있는 능력이 크다는 뜻이고, 이는 현대를 살아가는 개인에게 늘 기대되고 요구되는 중요한 부분으로 유머가 인식됨을 방증해 준다.

관련어 | 유머

유목화
[類目化, chunking]

NLP에서 언어 및 경험의 차원을 오르내리면서 지각을 변화시키는 방법으로, 특히 언어적 맞추기(matching) 기법, 메타 모형, 밀턴모형 등에서 사용되는 방법. NLP

덩어리 만들기라고도 하는데, NLP에서는 사람들의 경험을 파악하고 영향을 주기 위해 다음과 같은 세 가지 유목화 방법으로 언어를 사용할 수 있다고 보았다. 첫째, 하향 유목화(chunking down)라고

부르는 메타 모형 언어로서, 일반적이고 추상적인 차원에서 구체적인 차원으로 범위를 좁혀 가는 것이다. 메타 모형이란 사람들이 일상에서 흔히 사용하는 언어, 즉 표층구조(surface structure)에서 적용된 생략, 왜곡, 일반화 현상을 찾아냄으로써 숨겨진 심층구조(deep structure)를 드러나게 하는 것이다. 둘째, 상향 유목화(chunking up)는 구체적인 예에서 좀 더 일반적이고 추상적인 예로 가는 것으로서 밀턴모형에서 사용된다. 이것은 메타 모형과 반대로 의도적으로 많은 생략, 왜곡, 일반화로 이루어진 문장을 만들어 제시하는 방법이다. 에릭슨(Erickson)이 의도적으로 사용한 언어를 모방한 것에서 시작되었는데, 그는 매우 일반적인 언어로 현재 진행 중인 내담자의 감각경험을 묘사하면서 점차 그 내면의 실제 속으로 깊숙이 들어가 의식을 분산시키고 무의식의 자원에 접근하기 위해 상향 유목화 방법을 사용하였다. 하향 유목화는 탈최면 또는 탈트랜스(out of trace)를 위한 것이며, 상향 유목화는 최면 유도, 즉 트랜스로 이끌기 위한 것이기도 하다. 셋째, 동급 유목화(same chunk size)는 한 경험을 다른 것과 비교하기 위해 설명 혹은 인용을 하거나 또는 비교하는 은유를 사용하거나 이야기를 들려주는 것이다. 이것은 은유법(metaphor)에서 주로 활용된다. 기본적으로 은유법은 이야기를 통해서 활용되기 때문에 여러 가지 장점이 있고, 트랜스 유도의 효과적인 방법으로서 교육적 · 치료적 가치가 탁월하다(설기문, 2003). 은유법은 연설, 이야기, 비교, 직유, 우회의 형식으로 어느 하나를 다른 것과 서로 비교하거나 연결하는 것, 어떤 이야기를 간접적으로 커뮤니케이션하거나 비유적으로 표현하는 형식, 직유, 이야기, 풍자 등을 포함한다. 은유는 간접적인 방식으로 전달하기 때문에 내담자의 저항을 최소화하고 이야기라는 형식 때문에 흥미와 함께 트랜스 상태에서 자연스럽게 전달되는 효과가 있다. 직접적인 메시지 전달은 학습자나 내담자의 저항을 초래할 수 있지만, 은유는 자연스럽게 트랜스를 유도

하고 무의식차원에서 메시지를 전달하고 변화를 유도하며 문제와 그 해결책에 대한 각성을 촉진할 수 있다.

관련어 | 메타 모형, 밀턴모형

유물론
[唯物論, materialism]

물질을 제1차적 성질로 파악하고, 정신은 이 물질에 부차적인 것으로 보는 철학적 입장. 철학상담

정신론을 근본적 실재로 파악하는 유심론(spiritualism)과 대립되며, 통상적으로는 유물론과 관념론이 대립되는 것으로 이해되기도 한다. 사실 관념론과 대립되는 것은 인식론의 관점에서 볼 때 실재론이라고 보아야 한다. 그럼에도 불구하고 유물론을 관념론과 대립되는 것으로 보는 것은 실재론이 물질적 실체가 의식의 활동에 우선한다는 유물론에 근거하고, 관념론 역시 실재에 대한 인식이 의식의 활동에 의존해 있다는 관점에서 물질보다 정신을 우선하는 것으로 보는 유심론을 바탕으로 하기 때문이다. 어쨌든 유물론은 물질이 정신에 우선하는 것으로 보는 입장으로서, 이는 기원전 6세기 탈레스(Thales), 아낙시만드로스(Anaximandros), 아낙시메네스(Anaximenes), 헤라클레이토스(Heracleitos)로 이어지는 고대 자연철학 시대부터 시작되었다. 이들은 세계의 근원을 자연적 존재, 즉 물, 공기, 불, 바람 등에서 찾고자 하였다. 하지만 유물론이 본격화된 것은 데모크리토스(Democritos)부터라고 보아야 할 것이다. 그는 원자론(atomism)의 입장에서 모든 만물의 근원적인 요소를 원자(atom)로 보았다. 따라서 모든 물질은 원자의 결합으로 이루어진다고 파악하였다. 그에 따르면, 만물의 생성과 변화 역시 원자들의 만남과 흩어짐의 과정이다. 이런 입장은 오늘날 기계론적 유물론으로 알려져 있다. 기계론적 유물론은 에피쿠로스(Epicurus), 루크레티우스(Lucretius)를 거

처 근대에 이르러 본격적으로 확산되기 시작하였다. 프랑스의 가상디(Pierre Gassendi)는 에피쿠로스의 원자론을 되살려 원자의 기계론적인 만남과 흩어짐의 과정으로 세계의 원리를 설명하고자 하였다. 그는 신의 세계와 원자론을 새롭게 조화시키려고 하였다. 이후 홉스(Thomas Hobbes)도 기계론적 관점에서 자연과 사회를 설명하고자 하였다. 그는 자연이 작용과 반작용의 법칙에 따라 움직이듯이 인간 사회도 욕망의 법칙에 따라 기계적으로 움직인다고 주장하였다. 이런 흐름은 프랑스 계몽사상의 중심에 서 있었던 백과전서학파의 디드로(Denis Diderot), 라 메트리(La Metrie), 엘베시우스(Helvétius), 돌바크(d'Holbach) 등으로 이어졌으며, 이들은 모든 정신적 현상은 물질적 활동으로 환원될 수 있다고 보았다. 심지어 신조차 가스로 되어 있다는 주장에 이르렀다. 그러나 이러한 입장은 물질의 세계를 설명하는 데는 적합하겠지만 살아 있는 생명체, 특히 인간 존재를 설명하는 방식으로는 적합하지 않다는 비판이 제기되었다. 그중에서도 인간의 의지와 행동의 자발적인 부분을 지나치게 무시한다는 문제점이 지적되었다. 인간의 의식이 비록 물질적 조건에 영향을 받지만, 그래도 그 활동이 주체적으로 이루어지는 부분이 있음을, 이른바 인간은 과거의 법칙에 지배를 받기만 하는 존재가 아니라 미래를 주체적으로 개혁해 가는 존재임을 고민하는 새로운 유물론이 대두하였다. 그것이 바로 헤겔(Georg Hegel)의 변증법과 포이어바흐(Ludwig Feuerbach)의 인간학적 유물론을 결합한 마르크스(Karl Marx)의 유물론이다. 그는 비록 물질이 의식에 우선한다는 주장을 하였지만, 그럼에도 불구하고 실천이 진리의 규준이라는 입장에서 인간의 능동적인 실천적 활동도 중요하다고 주장하였다. 마르크스의 유물론은 변증법과 관련하여 확실한 입장을 충분히 드러내지 못했다는 평가를 받으면서, 이후 엥겔스의 자연변증법을 거치고 점차 스탈린, 레닌 등을 통해 변증법적 유물론으로 전개되었다. 이 유물론은 물질이 우선

적으로 존재하며, 이것이 의식에 영향을 주고, 의식은 물질의 반영임을 강조하는 역사적 유물론의 형태로 나타났다. 이들은 과학적 유물론을 표방하면서 '의식이 존재를 규정하는 것이 아니라 존재가 의식을 규정한다.'는 관점을 중점적으로 해석하여 물질적 결정론이나 경제적 결정론을 중시하게 되었다. 비록 변증법적 유물론이 기계론적 유물론과 달리 물질들 사이의 모순을 기초로 대립과 투쟁에 입각한 운동을 그려 내고 있지만, 유물론자들 내에서도 과학주의에 대한 지나친 강조가 오히려 실증주의로 귀착되고 있다는 비판이 일었다. 물질적 상황이나 경제적 상황이 인간의 의식과 활동에 일차적으로 영향을 미친다는 차원을 넘어 전자가 후자를 일방적으로 결정한다고 해 버리면 기계론적 유물론이나 인간학적 유물론이 비판받는 부분에서 자유로워질 수 없다. 만약 이러한 비판에서 벗어날 수 있다고 해도 역사법칙주의가 안고 있는 문제, 이른바 미래의 모든 일이 결정되어 있어 인간의 주체적 노력이 무의미하다는 비판에서는 자유로울 수 없다. 실제로 포퍼(Karl Popper)는 마르크스주의자의 역사법칙주의는 닫힌 사회를 만들어 냈고, 역사의 빈곤을 초래했다고 지적하였다. 그래서 유물론자 내부에서도 인간의 능동적인 실천적 활동의 중요성을 부각시키려는 움직임이 일어났다. 능동적인 계급투쟁을 통해 역사의 변혁을 추구할 수 있는 가능성에 대한 강조가 나타난 것이다. 이처럼 물질적 법칙이나 역사적 법칙을 강조하는 과학적 유물론과 주체의 계급투쟁을 강조하는 유물론으로 분리되어 서로에 대해서 비판하는 입장들이 존재해 왔다. 전자는 후자에 대해서 관념주의에 매몰되었다고 비판하고, 후자는 전자에 대해서 실증주의에 매몰되었다고 비판하였다. 심지어 20세기 후반 이후 오늘에 이르러서는 스피노자-마르크스주의자(알튀세르 Louis Althusser, 발리바르 Etienne Balibar, 네그리 Antonio Negri 등)나 포스트-마르크스주의자(리오타르 Jean Lyotard, 들뢰즈 Gilles Deleuze, 푸코 Michel Foucault

등)가 대거 출현하였다. 이들은 변증법적 유물론이 낳은 억압의 논리를 벗어나려는 시도를 하고 있다. 그래서 부정변증법이나 반변증법적 입장에 기초하여 '적대의 정치'에서 '차이의 정치'로 나아가고자 한다.

유분증
[遺糞症, encopresis]

4세가 지난 아이가 적어도 3개월 동안 최소한 월 1회 적절치 않은 곳(예, 옷 또는 거실)에 반복적으로 대변을 보는 증상.

특수아상담

대부분은 불수의적이지만 때로는 의도적이기도 하다. 배변이 의도적이 아니라 불수의적인 경우는 흔히 변비, 변 응고 또는 대량 변실금을 동반하는 변의 보유와 관계가 있다. 변비는 대변보기를 피하게 만드는 심리적 원인(예, 특정 장소에서 대변보는 것이 불안 또는 일방적인 불안 및 적대적인 행동) 때문에 생기기도 한다. 변비의 생리적 요인은 발열질환에 의한 탈수, 갑상선 기능 저하증 또는 투약의 부작용 등이 포함된다. 일단 변비가 발생하면 항문열, 배설 통증, 대변 보유의 합병증이 생길 수 있다. 대변의 점도는 다양한데, 어떤 경우는 정상 또는 거의 정상이지만 대변 보유에 의한 이차성 대량 실금이 뒤따르는 경우는 액체일 수도 있다. 유분증 아동은 수줍음이 많고 난처한 일이 일어날 수 있는 상황(예, 야영, 학교)을 피하려고 한다. 손상의 정도는 아동의 자존심, 또래의 놀림, 돌보는 사람들의 분노, 처벌, 그리고 거부의 영향을 받는다. 대변 실금은 고의적이거나 불수의적으로 흘러나온 대변을 깨끗이 하거나 숨기려는 시도로 인해 우연히 일어날 수도 있다. 실금이 분명히 고의적인 경우는 반항성장애나 품행장애의 특징이 나타나기도 한다. 유분증과 만성 변비가 있는 많은 아동은 유뇨증이 있고, 방광-요소 배설 억류와 만성 요도 감염과 관련될 수 있지만 치료 없이 사라지기도 한다. 유뇨증 아동은 대개

냄새 때문에 또래에게 놀림을 당하거나 실수 자체에 대해 부모에게 혼나는 것 때문에 위축되거나 화장실에 가는 자체를 두려워하는 등의 심리적 후유증이 발생한다. 낮은 자존심도 문제다. 부모나 교사가 조기에 개입해서 도와주어야 하는데, 몇 가지 지도방법을 제시하면 다음과 같다. 첫째, 일부 아이들은 적절하게 공격적 충동이나 감정을 배출하지 못하는 것과 연관되어 유분증이 나타날 수 있으므로 그때그때 건설적으로 표현하고 배출할 수 있는 기회를 준다. 둘째, 날마다 일정 시간에 배변을 할 수 있도록 훈련시킨다. 셋째, 골고루 먹도록 하되, 섬유질이 많은 야채와 과일을 권장하고 물을 충분히 마시도록 해 준다. 넷째, 지나치게 엄격한 대소변 가리기 훈련은 피하고 변은 더럽고 혐오스러운 것이라는 태도가 아이에게 전달되지 않도록 한다. 다섯째, 아이에게 스트레스가 될 만한 사건이나 환경을 잘 살펴보고 해결 가능한 부분은 조치한다. 여섯째, 아이에게 창피를 주거나 처벌을 해서는 안 된다. 일곱째, 일반적인 심한 변비를 일으키는 대장이나 항문 관련 질병이 있는지, 혹은 신경발달에 문제가 있는지 진료를 받도록 한다. 여덟째, 식사 직후 5~10분 변기에 앉아서 대변을 보도록 지도한다. 마냥 앉아만 있는 것이 아니라 대변을 하는 근육을 훈련시키는 것이다. 좌변기라면 아이의 발이 닿는 발판을 사용할 수도 있다. 성공하면 칭찬을 하고 상을 준다. 더러워진 속옷을 감추는 행동에 대해서는 스스로 속옷을 빨거나 아이가 좋아하는 활동을 금지하는 방식으로 가벼운 벌을 준다. 이 같은 노력에도 불구하고 개선이 없다면, 그리고 반항적인 행동의 하나로서 유분증이 나타난다면 전문의에게 진료를 의뢰한다. 약물치료나 심리치료, 부모상담 등을 시행해야 한다.

관련어 유뇨증

유산
[遺産, legacy]

자녀가 부모와의 상호작용에서 물려받게 되는 명령(imperative).

맥락적 가족치료

맥락적 가족치료의 개념 중 하나로 '심리적 유산'이라고도 한다. 유산은 가족의 기대가 여러 세대에 걸쳐서 독특한 형태로 계승된다는 개념에서 나온 것이다. 인간은 부모로부터 태어난다는 보편적인 사실에 의해서 기본적인 특정 기대가 본질적인 명령의 형태로 자녀와의 대화와 같은 관계적 상호작용 속에서 전달된다. 이렇게 자녀에게 전달된 부모의 명령은 자녀가 무의식적으로 그 기대에 맞는 행동을 하도록 하고, 평생에 걸쳐 다양한 영향을 미친다. 심리적 유산의 뿌리는 선조에 있기 때문에 각 가족은 그 가족 특유의 심리적 의무를 무의식의 형태로 자손에게 전하며, 이는 가족구성원 특유의 권리나 빚이 된다. 그것은 체계의 심리적 유산의 자원이 되어 자녀의 삶의 형태를 윤리적으로 속박하고 마치 운명의 쇠사슬처럼 작용한다. 자녀가 부모로부터 물려받은 유산은 전달된 명령에 따라 영향을 받는데, 이는 부정 명령과 긍정 명령으로 구분할 수 있다. 우선 부정 명령(negative imperative)이란 자녀에 대한 부모의 과도하거나 잘못된 기대로 발생하는 명령이다. 예를 들어, 부모가 정직하게 살지 못해서 겪는 괴로움을 자녀가 겪지 않도록 하기 위해 자신이 실천하지도 못하는 여러 가지 과도한 정직의 규칙을 따르도록 자녀에게 요구한다면 자녀는 이에 대해 심한 혼란을 경험할 것이다. 이러한 심리적 혼란은 다른 사람들과의 관계적 맥락에서 이중적으로 혹은 부정적으로 행동하도록 만든다. 긍정 명령(positive imperative)이란 부모가 자녀에게 올바른 기대와 적절한 보살핌을 잘 수행할 때 발생하는 명령이다. 예를 들어, 자녀에게 다른 사람을 도우며 살기를 바라는 부모가 자녀를 위해 다양하고 적절한 환경과 모범을 보이면서 상호작용을 한다

면, 자녀는 다른 사람들과의 관계에서 안정적이고 배려 깊은 행동을 할 것이다.

관련어 | 원장

유식
[唯識, vijñapti-matrata]

인간을 중심으로 정신과 물질 등 우주의 모든 것은 오직 심식(心識)에 의존하며 이를 떠나서 존재할 수 없다는 뜻.

동양상담

정신과 물질이 서로 분리되어 있는 것 같지만 사실은 서로 평등하게 불가분의 관계를 유지하고 있는데, 다만 정신이 주체가 되는 관계를 나타낸다. 정신의 소유자는 모든 법의 주인이 되고 선과 악 등 모든 법을 능히 창조할 수 있다는 뜻으로 일종의 정신주의적 요소를 지니고 있다. 유식사상의 중요한 내용은 중생의 현실, 중생의 본성, 보살의 수청 등 삼부로 나뉜다. 유식설에 따르면, 식이라는 것은 대상을 분별하여 아는 작용이다. 만유는 식에 의하여 현현(顯現)한 것에 불과한 것이라고 유식설은 주장한다. 이 동향을 식체의 전변이라고 한다. 식체가 전변하여 세 가지 종류의 식을 성립시킨다. 첫째로 아라야식은 근본식이라고도 하는 것인데, 이는 제법의 종자가 된다. 둘째로 사량의 작용을 하는 말나식으로서, 말나식은 아라야식에 의존하여 일어나지만 아라야식을 대상으로 하여 아집을 일으킨다. 셋째로 안식·이식·비식·설식·신식·의식의 6식인데 각각 색·성·향·미·촉·법을 인식한다. 그런데 자기의 대상을 공(空)이라고 깨달아 실재하는 것을 인정하지 않을 경우에는 마음은 유식성(唯識性)에 존재한다.

관련어 | 유식

유식무경설
[唯識無境說, consciousness only]

인간이 존재하고 또 그 존재가 존재로서 기능할 수 있는 것은 오직 인간의 의식, 즉 식으로 가능하다는 주장을 펼치는 불교 이론 중 하나. 동양상담

유식(唯識)이란 말은 인간을 중심한 정신과 물질 등 내외의 모든 것은 오직 심식(心識)에 의하여 창조되며 심식을 떠나서 존재할 수 없다는 뜻이다. 즉, 정신과 객관세계가 따로 떨어져 있는 것 같지만 평등하게 관계를 유지하고 있으며, 정신이 주가 되어 나타난 객관에 지나지 않는다는 것이다. 그러므로 정신의 소유자는 만법의 주가 되고 선악의 모든 법을 능히 창조할 수 있다는 순전한 정신주의 핵심을 밝혀 주는 것이다. 현상세계는 인식의 주체인 식(識)이 대상의 모습을 띠고 나타난 표상식으로 존재할 뿐이고, 대상세계는 결코 식을 떠나서는 존재하지 않으며, 지각된 그대로 외계에 실재하지 않는다는 이론을 유식무경설(唯識無境說)이라고 한다. 즉, 유식무경설은 오로지 마음만이 있으며 마음을 떠난 실체로서의 대상이나 외계는 없다는 주장이다. 그러나 이 주장은 모든 것이 공(空)이 된 경지와 일치하는 수준으로, 이것이 다시 색(色)으로 돌아오는 공즉색의 경지에는 돌아오지 못한 것과 같다. 즉, 색즉시공까지는 도달했지만 다시 공즉시색으로 돌아오는 자유자재의 경지에 도달하지 못한 것과 같다.

관련어 | 유식

유아 도형 창의성검사
[幼兒圖形創意性檢查, Korean Figural Creativity Test for Young Children: K-FCTYC]

유아의 창의성을 측정하기 위한 검사. 심리검사

도형 그리기를 통하여 창의성을 측정하기 위해 2001년에 전경원이 개발한 검사로, 대상은 만 4~6세다. 아동의 창의성 수준에 대한 조기진단과 조기교육 개입의 중요성, 표준화된 창의성검사의 필요성이 인식되고 있으며, 특히 유아의 경우 언어표현력의 부족으로 창의적 반응평가에 어려움이 있고 제한적인 반응만 측정할 수 있다는 문제점에 따라 유아의 언어발달상 특성을 고려, 언어보다 도형을 통한 창의성 측정이 적합하기 때문에 개발된 검사다. 또한 전통 문양뿐만 아니라 의생활 및 주생활과 관련된 사물의 형태 중 일부를 자극 도형으로 사용함으로써, 한국인의 생활정서나 의식이 독창적으로 반영된 창의성검사라 할 수 있다. 이 검사는 유창성, 독창성, 민감성, 개방성을 측정할 수 있기 때문에 유아의 창의적인 능력과 성향을 동시에 파악할 수 있어 효과적이다. 검사의 결과를 해석할 때는 개인의 수준에 적절한 지도방안 및 활동의 예를 제시해 주어 교육기관과 가정에서 아동의 창의성 발달을 위한 구체적인 역할을 수행하는 데 충분한 도움을 제공하고 있다. 이 검사는 논문작성자를 위해 각 척도 및 영역별 점수를 T점수로 환산한 자료를 제공한다. 특히 유아 도형창의성검사는 가형과 나형의 동형검사로 개발되어 사전·사후검사로 실시하였을 때 발생할 수 있는 연습의 효과를 최소화함으로써 보다 신뢰할 수 있고 타당한 검사결과를 제공한다. 하위검사는 소검사 1과 2로 구성되어 있는데 소검사 1은 으뜸도형으로 그리기로, 갓의 일부분을 선으로 제시한 다음 이를 이용하여 연상되는 모양을 완성하는 것이다. 총 18개의 같은 도형이 제시되어 있으며 유창성과 독창성을 측정한다. 소검사 2는 모듬 도형으로 그리기로, 제시된 5개의 도형(갓의 일부분, 之의 변형, 수막새 일부분, 태극무늬의 일부분, 점)을 이용하여 자유롭게 완성하는 것이다. 소검사 2에서는 개방성과 민감성을 측정한다.

유아 종합 창의성검사
[幼兒綜合創意性檢查,
Korean Comprehensive Creativity Test
for Young Children: K-CCTYC]

언어, 도형, 신체 영역의 창의성을 측정하기 위한 검사.
심리검사

유아의 창의성을 평가하기 위해 전경원이 개발한 검사로, 대상은 만 4~6세 유아다. 우리 고유의 전통적 특성과 유아기 발달적 측면을 잘 접목시킨 한국형 검사로서 전통놀이, 전래동화, 전통문양을 응용한 하위검사로 구성되어 있다. 언어, 도형, 신체의 다양한 측면에서 창의성을 평가하여 유아의 표현영역에 대한 선호도나 특성의 파악 및 측정 편파 오류를 최소화하였다. 또 측정요소를 차별화하여 창의성 척도를 유창성, 융통성, 독창성, 그리고 창의적 능력과 성향의 밑거름이라 할 수 있는 상상력을 추가하였다. 개인별 특성에 맞는 진로안내와 추후 지도방안 및 활동 예를 제시하여 실제적인 지도를 도와주고, 결과해석 시 단순한 점수의 양적인 나열이 아닌 부모와 교사에게 실질적인 도움을 주는 다양한 정보를 제공한다. 유아의 개인 프로파일을 제공하여 유창성, 융통성, 독창성, 상상력 및 언어영역, 도형영역, 신체영역에서의 창의성 수준을 한눈에 파악할 수 있다. 따라서 영역 및 특성별로 발달된 부분과 상대적으로 취약한 부분을 파악하고, 부족한 부분의 능력을 신장시킬 수 있는 구체적인 활동 예를 제시한다. 하위검사에는 빨간색 연상하기, 도형 완성하기, 동물 상상하기, 색다른 나무치기가 있다. 빨간색 연상하기는 빨간색을 보고 연상되는 물건이나 느낌, 생각을 적어 보게 하는 활동으로 창의력 개발에 중요한 연상활동이 구성되어 있다. 도형 완성하기는 태극기의 가운데 선만 9개를 제시하여 그 선을 이용해 그림을 그리게 한다. 동물 상상하기는 창의적 사고의 기초가 되는 상상력을 측정하기 위해 전래동화나 우화에 등장하는 동물 5개를 상상하게 한다. 색다른 나무치기는 전통놀이의 비석치기와 같은 형식으로 세워져 있는 나무조각을 색다른 방법으로 쓰러트리도록 한다.

유아 창의적 특성검사
[幼兒創意的特性檢査, Korean-Creativity
Traits Checklist: K-CTC]

인지적, 정의적 요인에 걸친 창의적 특성을 평가하기 위한 검사.
심리검사

일반적인 창의적 능력검사에서는 평가하기 어려운 창의적인 성격 특성에 대한 평가를 하기 위해 2002년에 전경원이 개발한 검사로, 대상은 만 4~6세 유아다. 평소 유아가 생활 속에서 보여 준 태도를 바탕으로 유아에 대해 잘 알고 있는 부모나 교사가 쉽게 평가할 수 있도록 행동관찰 체크리스트 형식으로 구성되어 있다. 이 검사는 유창성, 융통성, 독창성 등 인지적 요인과 독자성, 호기심, 다양성, 민감성, 유머감각, 개별성 등 다양한 정의적 요인까지 평가할 수 있다. 행동관찰검사로서 비교적 빠른 시간 안에 한 명 또는 여러 명의 유아에 대한 동시 평가가 가능하며, 일반 창의성검사결과의 해석을 보충해 주는 보조평가로 활용할 수 있다. 하위검사는 인지적 요인과 정의적 요인으로 나뉜다. 인지적 요인 중 유창성은 특정한 상황에서 얼마나 많은 양의 아이디어나 해결책을 산출해 내느냐 하는 아이디어의 풍부함과 관련된 양적인 능력을 측정한다. 융통성은 고정관념, 시각, 사고방식 자체의 틀을 깨고 변환시켜 다양하고 광범위한 아이디어나 해결책을 산출해 내는 능력을 측정한다. 독창성은 기존의 사고에서 탈피하여 희귀하고 참신하며 독특한 아이디어나 해결책을 산출해 내는 능력을 측정한다. 정의적 요인 중 독자성은 단순하고 지나치게 일반화된 생각이나 변하지 않는 행동을 결정하는 확고한 의식 또는 관념에서 벗어나 기존의 규칙이나 틀에 박힌

대로 행동하지 않으려는 경향성과 의지하거나 속박되지 않고 자립성이 높으며, 자신이 옳다고 생각하는 바를 주장하는 특성을 측정한다. 호기심·모험심은 새롭고 신기한 것을 좋아하거나 모르는 것을 알고 싶어 하는 마음, 위험을 무릅쓰고 어떤 일을 하는 마음으로 주변에서 일어나는 일이나 현상에 많은 관심을 가지고 새로운 것을 찾아 즐기는 경향을 측정한다. 다양성은 생각이나 행동양식 따위가 여러 가지로 많은 특성으로 어떤 것을 수집하는 것을 좋아하고, 다양한 취미활동을 즐기며 여러 가지 자료를 잘 활용하여 만들기를 좋아하고, 아이디어를 낼 때도 다른 사람들의 다양한 아이디어를 기꺼이 수용하는 경향을 측정한다. 민감성은 느낌이나 반응이 날카롭고 빠른 성질로 오감을 통해 들어오는 다양한 정보에 대한 민감한 관심과 이를 통해 새로운 영역을 탐색해 가는 능력으로 예리한 식별력과 관찰력을 가지고 있으며 사물을 자세히 관찰하는 특성 및 변화에 대해 민감하게 반응하는 경향을 측정한다. 유머감각은 남을 웃기는 말과 행동을 잘하는 감각으로 익살스럽고 재미있는 이야기를 잘 만들어 친구들을 웃기고, 재미있는 행동으로 주변 사람들을 즐겁게 하는 성향을 측정한다. 개별성은 여럿 중에서 하나씩 따로 나뉘어 행동하고 사고하는 특성으로 혼자서 생각하고 아이디어를 내고 시간을 보내는 것을 즐기며, 친구가 없어도 무료하지 않게 시간을 잘 보낼 수 있는 놀이나 활동을 즐기는 경향을 측정한다.

유아기 또는 초기 소아기의 급식 및 섭식장애 [幼兒期－初期小兒期－給食－攝食障礙, feeding and eating disorders of infancy or early childhood]

유아나 어린 아동이 비정상적으로 섭식활동을 하는 증상.
아동청소년상담

유아기 또는 초기 소아기의 급식 및 섭식장애는 DSM-5에서는 명칭이 사라지고, 급식 및 섭식장애의 하위유형으로 분류되어 있다. 급식 및 섭식장애는 유아나 아동이 비정상적인 급식이나 섭식 행동을 보이는 것으로, 지속적인 급식 및 섭식장애가 특징이다. 이 증세에 포함되는 장애는 이식증, 반추장애, 유아기 또는 초기 소아기 섭식장애 등이 있다. 첫째, 이식증은 먹을 수 없고 영양가도 없는 흙, 쓰레기, 그리고 머리카락 등의 물질을 1개월 혹은 그 이상의 기간 실제로 먹는 증상을 말한다. 이들은 우연히 손에 잡히는 것을 빨아먹는 정도가 아니라 적극적으로 그것을 집어 먹으면서 어머니가 보고 야단을 치면 몰래 집어 먹으려고 한다. 주로 24~36개월 시기에 많이 나타난다. 이식증이 있는 아동은 먹는 행위에 관심을 보이면서 음식을 좋아하기는 하지만, 먹을 수 없는 것까지 먹으려고 고집을 부리며 흔히 지적장애와 관련되어 나타난다. 이식증의 사례는 섭식장애 중에서 흔히 찾아볼 수 있는 증상으로 접착 풀을 먹는 아이, 책을 먹는 아이 등이 있다. 이식증은 병원에 입원하지 않은 아동이나 성인에게는 잘 진단되지 않기 때문에 일반적인 인구표본에서의 출현율과 역학추정치가 감소되어 있다. 성별에 따른 유병률의 차이는 없으며 대개 1~6세 아동의 10~32% 정도이고, 10세 이상에서는 약 10% 비율을 나타낸다. 또한 지적장애가 있으면서 병원에 입원한 사람들의 경우, 출현율은 9.2~16.7%로 추정된다. 이식증의 준임상적 유형(기준에 정확하게 맞지 않는 증상)은 임신한 여성이나 정상적으로 발달하는 취학 전 아동 등의 특정 표본에서 흔히 나타난다. 이 장애는 유아기에 시작되어 몇 달간 지속되며, 어느 순간 스스로 혹은 다른 자극이나 향상된 환경적 조건과 결부되어 점차 약해진다. 그러나 지적장애가 있는 사람의 경우에는 이식증이 청소년기까지 지속된 이후에 점진적으로 줄어든다. 이식증을 앓고 있는 아동은 창백함, 성급함, 발달지연과 같은 증상을 보인다. 또 이식증은 여러 가지 내과적 합병증을 보일 때 임상적 주의를 받게 되는데, 즉 페인트나 플라스틱을 섭취함으로써 오는 납 중독, 모발 결석 종양으로 오는 장 폐쇄와 창자의 이상이 나타날 수 있다. 또한 분변이나 오물의 섭취로 톡소플라스마증(toxoplasmosis) 등의 세균감염이나 장천공(腸穿孔) 등의 증상이 나타날 수 있다. 이식증의 특별한 원인은 밝혀지지 않았지만, 연구자들은 유용한 임상적 연구에 바탕을 두고 부모의 무관심과 지도감독이 소홀할 경우, 미신에 의한 경우, 지적장애가 있는 경우의 세 가지 구별되는 하위표본을 밝혀냈다. DSM-IV에서의 이식증 진단은 "적어도 1개월 동안 영양성 없는 물질을 지속적으로 먹거나, 영양성 없는 물질을 먹는 것이 발달수준에 부적절하거나, 먹는 행동이 문화적으로 허용된 관습이 아니거나, 만약 먹는 행동이 다른 정신장애(예, 지적장애, 광범위성 발달장애, 정신분열증)의 기간 중에만 나타난다면 이 행동이 별도의 임상적 관심을 받아야 할 만큼 심각한 것이어야 한다."라고 규정되어 있다. 치료방법으로는 아동이 방 안을 탐색하거나 물건을 가지고 노는 것 등 바람직한 대체 양육자가 강화를 주는 방법을 보여 주는 조작적 조건화 과정을 강조하고, 아동에게 안전한 환경을 조성해 주어야 하며, 아동과 부모가 적절하게 상호작용을 하는지 부모의 행위에 대해 평가한다. 부모의 행동이 바람직하지 않을 경우 부모상담과 아동치료를 통하여 이식증을 줄여 나간다. 둘째, 반추장애는 일부 소화가 된 위의 내용물을 식도, 구강 내로 역류시켜 다시 씹어 삼키는 반추행동을 보이는 장애다. 반추란 자발적으로 음식물을 다시 게워 내어 씹고 다시 삼키

는 것을 말한다. 체중감소, 탈수, 전해질 불균형, 성장지연, 영양부족, 충치 등이 생길 수 있으며, 반추와 연관되어서 흔히 손가락 빨기, 헝겊 빨기, 머리 부딪히기, 몸 흔들기 등의 자기 자극 행동이 나타난다. 비록 유아가 분명히 배고파 하고 많은 양의 음식을 섭취하지만, 먹은 후에는 즉시 게우므로 영양실조가 나타날 수 있다. 체중감소, 예상되는 체중획득의 실패, 그리고 심지어는 사망에 이르기도 한다. 반추장애는 발달지연 상황에서 발생할 수 있다. 지적장애가 있는 소아는 다소 늦은 발달단계에서 이 장애가 나타날 수 있는데, 이 경우를 제외하고는 발병연령이 3~12개월 사이다. 유아의 이 장애는 대개 자연적으로 완화되지만 일부 심한 경우에는 장애가 지속적이거나 삽화적일 수 있는데, 지속적으로 음식물을 게움으로써 나타날 수 있는 영양실조는 나이가 든 소아나 성인에게서 보다 적게 나타난다. 자극의 결여, 무관심, 스트레스가 많은 생활환경과 같은 심리사회적 문제와 부모-소아 관계의 문제가 소인될 수 있다. 잘못된 급식경험 또는 게운 물질의 역겨운 냄새 때문에 양육하는 사람이 낙담하거나 멀어지면 유아에게 자극감소가 초래될 수 있다. 어떤 경우에는 유아기 또는 초기 소아기의 급식장애가 나타날 수도 있다. 보다 나이 든 소아와 성인은 지적장애가 소인이 된다. DSM-IV 반추장애 진단기준은, 정상적으로 기능하는 기간이 있고 난 다음 나타나며, 적어도 1개월 농안 음식물의 반복석인 역류와 되씹기 행동이 있거나, 이 행동은 동반되는 위장상태 또는 일반적인 의학적 상태(예, 식도역류) 때문이 아니며, 이 행동은 신경성 식욕부진증 또는 신경성 폭식증의 경과 중에만 발생하지는 않는다는 것이다. 만약 증상이 지적장애 또는 광범위성 발달장애의 경과 중에만 발생한다면, 이 증상은 별도로 임상적 관심을 받아야 할 만큼 심각한 것이어야 한다고 규정되어 있다. 치료방법으로는 신체적 구조이상이 있는 경우에는 역류를 방지하기 위한 수술이 필요하다. 학습에 바탕을 둔 치료방법으

로는 만성적인, 혹은 심각한 반추장애에 대한 행동치료를 들 수 있다. 유아의 반추장애에 대한 효과가 입증된 치료방법은 없지만, 부정적인 강화(아이를 꾸짖고 2분 동안 내려놓기)와 반추하지 않는 데 대한 보상(씻기고 함께 놀아 주기와 같은 부모의 관심과 사회적 상호작용)을 함께 하는 것이 외래치료에서 성공적으로 사용될 수 있다. 화이트헤드(Whitehead) 등은 반추의 행동원인을 역류에 대한 증가된 관심을 통해 학습된 보상과 사회적 박탈의 두 가지로 분류하고, 첫 번째의 경우는 'time-out'을 통한 처벌이 필요할 수 있지만 두 번째의 경우는 식사 전후와 식사 중에 10~15분 동안 아이를 안아 주는 것을 가장 좋은 치료로 제안하였다. 전기충격, 혐오 맛 자극(예, 영아의 혀에 후추나 레몬을 놓는 것)과 같은 처벌을 제안하기도 하는데, 이는 빠른 증상억제를 가져오지만 대개 부모가 동의하지 않고 즉각적으로 일관되게 적용하기도 어렵다. 셋째, 유아기 또는 초기 아동기의 섭식장애는 6세 이하의 아동이 지속적으로 먹지 않아 1개월 이상 심각한 체중감소가 나타나는 경우를 말한다. 이러한 섭식장애가 있는 아동은 안절부절못하며 먹는 동안에 달래기가 어렵다. 이들은 정서적으로 무감각하거나 위축되어 있고 발달지체를 보이는 경우가 많다. 대부분 부모-아동의 상호작용 문제(예, 공격적이거나 배척적인 태도로 부적절하게 음식을 주거나 유아의 음식거부에 대해 신경질적으로 반응하는 경우)가 유아의 섭식문제를 일으키거나 악화시킬 수 있다. 이 장애를 나타내는 아동은 수면과 각성의 불규칙성과 빈번한 음식역류를 보이는 경향이 있어서 신경학적 결함이 관련된다는 주장도 제기되고 있다. 이 밖에 부모의 정신장애나 아동학대 및 방치도 이 장애에 영향을 미치는 것으로 보고되고 있다. 섭식장애는 흔히 생후 1년 이내에 발생하지만 2~3세의 아동에게도 나타날 수 있다. 대부분의 유아들은 시간이 지나면 섭식장애에서 벗어난다.

관련어 | 반추장애, 섭식장애, 영아기 섭식장애, 이식증

유아적 의존단계
[幼兒的依存段階, infantile dependence stage]

유아가 어머니와 전적으로 융합된 심리상태를 유지하는 시기.
대상관계이론

페어베언(W. Fairbairn)이 소개한 자기발달단계 중에서 첫 번째 단계다. 자기발달은 미숙한 대상관계에서 성숙한 대상관계로 발달해 가는 세 단계로 구성되는데, 유아적 의존단계는 유아가 어머니와 하나라고 느끼는 단계다. 유아는 최초의 주된 양육자, 즉 어머니와 심리적으로 합일화(incorporation)되는데, 자신과 세계는 하나의 대상으로 인식된다. 유아의 생존은 어머니가 존재해야 가능하며 존재하는 어머니가 어떻게 조율해 주는지에 달려 있다. 어머니와 전혀 분화되어 있지 못하며 의존대상과 완전하게 동일시한다. 유아는 어머니와 철저하게 합일화되어 자아와 대상 간의 구분이 희미하며 이러한 상태에서 대상과 동일시하는 현상이 나타나는데 이를 일차적 동일시(primary identification)라고 한다. 유아적 의존단계에서 의존대상인 어머니와 합일화되는 주된 통로는 바로 젖가슴이다. 대부분의 경우 어머니는 유아의 욕구를 충족해 주기 때문에 좋은 대상으로 경험되지만, 어머니가 유아의 접근을 거부하고 욕구를 충족해 주지 못할 때 젖가슴에 대한 욕망은 좌절을 경험한다. 대상이 나타나지 않을 경우 유아는 자신의 젖가슴 빨기 행동이 대상을 파괴시켰다고 여기며, 자신의 욕망이 대상을 사라지게 만들었다는 두려움에 빠진다. 대상에 대한 자신의 욕망은 대상의 존재를 위협하는 것이 되고 따라서 대상에 대한 갈망과 대상의 부재에 대한 두려움 사이에 갈등이 생긴다. 이러한 불만족스러운 대상을 경험하는 것에서 분열성 상태(schizoid state)의 갈등이 나타난다. 유아적 의존단계에서 만족스러운 대상관계를 확립하지 못할 경우 분열성 상태라고 하는 정신병리현상이 초래된다. 분열성 상태에 놓인 사람의 가장 큰 비극은 자신의 사랑이 대상을 파괴

하는 것으로 인식된다는 점이다. 외부의 실제 대상을 사랑하는 것이 두렵기 때문에 대상과 거리를 두고 거부한다. 대상으로부터 리비도를 철회하여 모든 신체적·감정적인 접촉을 포기하며, 나아가 외부세계에 대한 흥미를 잃고 모든 것을 무의미하게 여기게 된다.

관련어 | 과도기 단계, 성숙한 의존단계

유연성
[柔軟性, flexibility]

NLP의 네 가지 지혜 중 하나로, 결과 또는 성과를 이룩하기 위하여 다양한 사고와 행동을 선택적으로 할 수 있는 능력.
NLP

융통성이라고도 하며, 특정한 상황에서 기존의 행동이나 사고 대신 그와는 다르게, 즉 대안적인 방식으로 사고하고 행동할 수 있을 때 적용되는 개념이다. 유연성은 필수적 다양성의 법칙(law of requisite variety)과 결부된 개념인데, 이 법칙은 어떤 조직이나 기관이든 다양성이 있을 때 성공할 수 있으므로 반드시 다양성을 갖추어야 한다는 것을 말하고 있다. 이 다양성이 일종의 유연성이라고 할 수 있으며, 고정되고 불변하는 상태가 아니라 상황과 조건에 따라 다른 선택을 할 수 있는 능력이나 상태를 의미하는 것이다. 유연성의 법칙은 성공과 변화의 핵심 원리라고 할 수 있으며, NLP 성공의 4대 원리 중 하나다.

유운
[類韻, assonance]

구나 문장 내에 내적 압운을 만들기 위한 모음의 반복.
문학치료(시치료)

유운은 운율학에서 말하는 음보체계 중 하나로, 다른 자음으로 끝나는 낱말들이 가지는 강세모음의 반복을 일컫는다. 내적 유운은 보통 두운과 함께 사용하여 시행의 구조를 좀 더 풍요롭게 만들어 준다. 유운은 산문보다는 운문에서 많이 사용하고, 주로 고대 프랑스어, 스페인어, 켈트어 등에서 중요한 역할을 하였다. 홉킨스(G. M. Hopkins), 오언(W. Owen) 등의 작품에서 가끔 보이긴 했지만 19세기 후반부터 영어권에서는 잘 사용되지 않았다. 대표적 학자로는 오든(W. H. Auden), 스펜더(S. Spender), 토마스(D. Thomas) 등이 있다.

관련어 | 두운법, 자운

유위와 무위
[有爲 – 無爲, samskrta and asamskrta]

이 세상의 모든 것을 두 가지로 분류하는 방식으로서, 이는 인위적으로 만들거나 조작된 것과 항상 존재하는 진리로 구분함.
동양상담

산스크리트어로 'samskrta'라고 하는 유위는 꾸미거나 조작하는 것, 인위적으로 만든 것 등을 말하는데, 유위법이라 일컫는다. 이 세상의 모든 것인 일체(一切)는 인연의 화합에 의해 현상으로 나타난 모든 존재를 말한다. 일반적으로 색(色), 수(受), 상(相), 행(行), 식(識)의 다섯 가지가 일으키는 것이 유위법인데, 이것들에 의해 나타난 현상계는 항상 그대로 있는 것이 아니라 무상하게 변하는 것이므로 유위법이 된다. 즉, 나고, 머무르고, 이별하고, 멸해 없어지는 네 가지 모습을 지니고 있다. 무위의 산스크리트어는 'asamskrta'이며, 인연에 의해 나타난 현상이 아니라 생멸변화를 여읜 항상 그대로 있는 절대의 법이란 뜻에서 무위법이라 한다. 서로의 인연이 화합하여 만들어져 작용하는 그런 현상계의 모습이 아니라 이런 것들을 떠난 한없이 고요하고 멸한 허공과 같은 상태를 말한다.

유인
[誘引, incentive]

유기체의 행동을 불러일으키는 대상이나 자극. 성격심리

행동을 불러일으키는 원동력으로서의 추동(drive)의 목표가 되는 대상을 말한다. 체내의 수분이 부족하면 갈증의 동인이 생기지만 이 경우에 대상으로 되는 유인은 물이다. 이와 같이 굶주림의 동인에 대해서는 음식물이 유인이 된다. 이 동인으로부터 유인으로의 과정이 동기부여(motivation)다. 또 유인은 이끄는 힘으로써 유발성(valence)을 갖는다. 목마름이 강한 것은 같아도 사람마다 물과 밀크와 주스에 따른 유발성은 다르다.

유전자
[遺傳子, gene]

생물의 세포를 구성하고 유지하는 데 필요한 정보가 담긴 유전의 기본 단위. 뇌 과학

염색체에서 발견된 DNA 조각으로, 생명활동에 관여하는 거의 모든 생화학 반응과 신체구조 형성의 청사진 역할을 하며, 생식을 통해 자손에게 유전된다. 개체의 발생과 성장을 통해 발현되는데, 이때 자연환경과의 상호작용에 의해 발현이 조절된다. 발현된 특징은 유전되지 않으며 유전자 전체 서열을 게놈이라고 한다.

관련어 | DNA, 게놈

유전자 치료 [遺傳子治療, gene therapy] 기능에 문제가 있는 유전자를 건강한 유전자로 대체하거나 조작하거나 보충해서 유전적 결함을 치료하는 고등기술을 뜻한다.

유즈넷
[– , usenet]

인터넷에서 공통된 주제에 관해 이야기를 나눌 수 있는 서비스. 사이버상담

유즈넷은 인터넷에 속한 사용자들 간에 새로운 정보의 분배, 조회 및 송수신을 할 수 있는 환경을 제공하여 사용자의 활동에 도움을 주는 정보교환시스템이다. 이것은 뉴스그룹이라고 불리는 하나 또는 여러 개의 명칭을 가진 기사(article)들을 교환하는 기계의 집합체다. 유즈넷에 연결된 호스트 컴퓨터들은 정부기관, 학교, 기업체 등을 망라하고 있으며, 유즈넷 소프트웨어는 미니 컴퓨터부터 메인 프레임 컴퓨터까지 수많은 컴퓨터에 설치되어 있다.

유지
[維持, maintenance]

음악치료의 치료목적 중 하나로, 복원된 심신의 상태를 지속적으로 이어갈 수 있도록 하는 것. 음악치료

음악치료의 치료적 목적은 복원과 유지, 향상 등이다. 복원이 원기능 상태의 회복이라면 유지는 그 상태를 지속적으로 이어갈 수 있도록 하는 개념이다. 음악치료는 단계적이고 체계적인 과정으로 단계적 복원을 잘 이어갈 수 있어야 치료의 궁극적 목표에 이를 수 있다. 단계마다 현 상황을 지속적으로 이어갈 수 있도록 하는 것이 음악치료에서 중요한 과제다. 예를 들어, 노인질환자의 경우, 음악치료를 통해서 복원되고 있는 삶의 질을 유지할 수 있도록 해야 치료적 목적을 달성했다고 할 수 있다. 이는 정신적인 국면뿐만 아니라 신체적 국면까지 포함한다.

관련어 | 복원

유창성장애
[流暢性障礙, fluency disorder]

조음이나 발성 기관의 기질적인 이상이 없고, 주로 생리적·언어학적·심리적·환경적 요인 등으로 구어의 흐름에 어려움을 나타내는 구어장애(speech disorder)의 하위유형.
학습상담

대략 2~5세경에 나타나기 시작하는 장애인데, 이 시기의 유아는 언어습득이 급격하게 발달하고 자신의 생각과 느낌을 언어로 표현하는 기술을 습득한다. 하지만 그들이 사용할 수 있는 단어의 수와 표현능력이 한계가 있기 때문에 자신이 아는 단어를 반복사용하거나 표현을 주저하기도 한다. 이 경우 일시적으로 말더듬이 현상이 나타나며 대부분 성장하는 과정에서 자연스럽게 사라진다. 다만, 몇몇의 유아는 말의 속도가 너무 빠른 말빠름(cluttering)이나 말의 흐름이 매끄럽지 못하여 말이 중단되거나 지연되는 말더듬(stuttering) 현상이 지속되는데, 이를 유창성장애라 한다. 유창성장애를 나타내는 아동은 또래의 정상 아동에 비해 6개월 정도 학업지연을 보인다. 이 장애의 유병률은 전체 인구의 약 1%이며, 유아기에 가장 많고 여아보다 남아에게 많이 나타나는데 그 비율은 3, 4 대 1 정도다. 이 장애의 원인으로는 유전적 요인을 꼽을 수 있는데, 가족력이 있는 경우 더 높은 발병률을 보인다. 기질적 문제 이외에 학습이론에서는 주변환경에서 말더듬을 모방함으로써 형성된다고 보았으며, 공포나 초조함과 같은 부정적 정서와 사회적인 부적응적 태도가 원인이 된다. 또한 이 장애는 욕구불만이나 갈등과 같은 신경증적 증상의 하나로 간주한다.

관련어 | 말더듬, 말빠름 장애

육군인성검사
[陸軍人性檢查,
Korea Military Personality Inventory: KMPI]

군 입대자를 대상으로 정신이상 등의 정신과적 문제를 진단하고 정신이상자를 선별하여 핵심 직군 배치에서 배제하거나 사병들을 집중관리하기 위하여 육군에서 MMPI 검사를 근거로 삼아 우리나라 군인을 대상으로 표준화한 심리측정도구.
군상담   심리검사

육군인성검사는 입영장병의 정신과적인 문제를 진단하는 검사다. 즉, 입대자를 대상으로 정신이상자 집단을 분류하여 재심사를 실시하거나 핵심 직군에서 배제하며, 정신이상자로 분류되었지만 군 병원에서 군 입대 판정을 받은 병사들의 검사결과를 지휘관에게 보내 집중관리하도록 하기 위해 제작하였다. 이는 1992년에서 1993년까지 이루어졌다. 군은 간편 다면적 인성검사(Minnesota Multiphasic Personality Inventory: MMPI)의 383문항 중 우리나라 20대 군인에게 적절하지 않은 102문항의 내용을 수정한 뒤 규준을 재표준화하였다. 이 검사의 하위요인, 검사 실시 절차, 채점, 해석방법은 기존의 MMPI와 같다. 그리고 검사채점, 해석 및 결과출력에 관한 전 과정을 전산화하였다. 이렇게 제작한 KMPI를 1995년 1월부터 육군의 전체 입영 대상자에게 실시해 오다가 2006년 10월 군인성검사(MPI)로 대체하였다. 해군에서는 1995년 5월부터 부사관 및 병사를 대상으로 KMPI를 실시하고 있다.

관련어 | 군인성검사, 다면적 인성검사, 육군표준인성검사

육군표준인성검사
[陸軍標準人性檢查, Self-Mutual
Awareness & Recognition Test: SMART]

육군에서 대위급 이하 전 장병을 대상으로 연 2회에 걸쳐 대대급 이상 단위로 실시하는 심리측정도구. 군상담   심리검사

SMART는 한국무형자원연구소와 육군본부가 2001년 1월부터 6월까지 공동으로 개발한 심리측정

도구로서, 대위급 이하 장병을 대상으로 실시하는 검사다. 검사의 목적은, 첫째, 장병의 공동체 의식과 인성을 함양하여 각종 군기사고를 예방하고 과학적 병영관리를 위한 제도적 장치와 절차를 강구하기 위한 것이다. 둘째, 집단공동체 의식의 피폐로 개인 및 집단의 이기주의와 기회주의가 만연하고 보편적 사회규범이 붕괴되면서 사회계층 간의 갈등과 도덕성 해이가 심각한 사회문제로 대두됨에 따라 집단공동체 의식을 회복하고 시민정신을 함양하는 제도적 장치를 마련하기 위한 것이다. 검사의 특징을 살펴보면 다음과 같다. 첫째, 자기보고식과 상호보고식 측정방법 및 사회측정법을 동시에 사용하였다. 둘째, 기대이론, 형평이론, 교환이론 및 동기부여이론 등을 근거로 다면적 평가방법을 사용하였다. 셋째, 정서적 심리상태나 행동현상 그 자체만을 진단하는 다면적 상호평가방법을 사용하였다. 넷째, 정신연령이 10세 이상인 남녀, 그리고 7~33명으로 구성된 집단에 적용 가능하다. 검사의 구성은 인성검사, 성 윤리관 진단, 화합성향 진단, 상·하 인성평가 척도로 되어 있다. 인성검사는 자기인식과 상호인식으로 평가되며, 책임/준법성, 적응성, 협력/봉사성, 단결/복종심, 정서안정성, 성장환경, 사회성, 검사태도, 지도성의 9개 하위척도와 114개 문항으로 구성되어 있다. 성 윤리관 진단도 자기인식과 상호인식으로 평가하며 대상인식, 정도인식, 환경인식, 유형인식, 성향 인식, 성 도착증 인식의 6개 하위척도와 14개 문항, 가해/피해 우려자 선택, 성폭력 유형 분류하기, 성폭력 성향 등급 부여하기의 성폭력에 관한 3개 하위척도와 3개 문항으로 구성되어 있다. 화합성향 진단은 상호인식척도로서 내가 닮고 싶은 사람 선택, 부대에서 파악하고 싶은 주제를 자유롭게 선정하는 2개 하위척도의 2개 문항으로 구성되어 있다. 상·하 인성평가는 지휘관 인식평가로서 지도성, 적응성, 정서안정성, 조직기여도, 사회성의 5개 하위척도로 구성되어 있다. SMART는 군과 같은 단체생활에 필요한 인성요소

를 측정하며, 자기평가와 타인평가를 함께 적용하여 우수병사와 지휘관심병사를 확인하기 위한 객관성 향상, 성의식과 성 문제를 다루고 있다는 장점이 있다. 그런 반면에 다음과 같은 제한점도 있다. 첫째, 단체생활에 요구되는 인성요소에 관한 정보를 제공해 주지만 정신적 문제나 부적응 병사를 관리하는 데 가장 필요한 정보를 주지 못한다. 둘째, 타인 평가를 통하여 신뢰할 수 있는 결과를 얻기 위해서는 최소 4명 이상이 3개월 정도 함께 근무해야 하는데, 실제 군 지휘관들에게는 군 생활을 막 시작한 병사나 소수의 관심병사이므로 검사실시에 상당한 한계가 있다. 셋째, 채점방식과 결과처리방식이 명료하지 않아 결과해석에 어려움이 있다. 넷째, 개인별로 제공되는 검사결과에 대한 해석이 검사결과와 매우 동떨어지는 사례가 많아 해석의 근거가 충분하지 않다. 다섯째, 검사결과 중 일부만을 총평에 기재함으로써 지나치게 유사한 결과가 많고, 개인별 결과가 서로 비슷비슷해서 활용도가 낮다. 여섯째, 검사의 판권을 국방부가 가지고 있지 않아 매년 많은 예산이 지출되어 비경제적이다.

관련어 군인성검사, 육군인성검사

육바라밀
[六波羅密, sat-paramita]

일상생활 중 실천하거나 해탈을 위해 수행해야 하는 여섯 가지 덕목. 동양상담

육바라밀은 부처의 생활을 말하는데, 이를 수행함으로써 해탈에 이르는 부처의 삶을 살 수 있다는 것이다. 여섯 가지 수행덕목은 다음과 같다. 첫째는 보시바라밀로 널리 자비를 베푸는 미덕을 말한다. 둘째는 지계바라밀로 부처님이 말씀하신 규범을 준수하는 것을 말한다. 개인적으로 5계와 스님의 계율 250가지가 있다. 셋째는 인욕바라밀로 욕됨을 참는 인내심과 그로 인한 관용의 마음을 말한다. 넷째는

정진바라밀로 게으름 없이 불도를 닦으며 일체 중생을 구원하려는 서원을 성취하기 위해 노력하는 마음을 말한다. 다섯째는 선정바라밀이며 선정에 들어 참나를 찾아가는 수청을 말한다. 여섯째는 지혜바라밀로 반야바라밀이라고 하며 참나를 찾은 다음에 오는 불별 없는 지의 세계를 말한다. 이러한 여섯 가지 수행덕목은 상구보리 하화중생(上求菩提 下化衆生), 즉 위로는 깨달음을 구하고 아래로는 중생을 교화하라는 대승불교의 교육이념이자 보살의 도(道)라고 할 수 있다.

관련어 반야바라밀다

윤리원칙
[倫理原則, ethical principles]

상담활동의 의사결정에서 상담자가 마땅히 지키거나 행해야 할 도리나 규범. **상담윤리**

상담자는 기초적인 윤리원칙에 따라 사고해야 일관성 있게 의사결정을 할 수 있다. 키치너(Kitchener, 1984)와 메라, 슈미트, 데이(Meara, Schmidt, & Day, 1996)는 미국상담학회(ACA), 미국심리학회(APA), 미국사회복지사협회(NASW) 등의 윤리지침을 인용하여 상담자가 알아야 하는 여섯 가지 윤리원칙을 제시하였다.

공정성 [公正性, justice] 내담자의 연령, 성별, 인종, 경제적 수준, 문화적 배경, 종교 등에 상관없이 모든 내담자에게 동등한 수준의 서비스를 제공하는 것이다. 공정성은 곤란을 겪고 있는 사람들에게 추가적인 서비스를 제공하여 차별당하지 않도록 도와주는 것과 함께 모든 사람들이 상담서비스를 제공받을 수 있어야 한다는 점도 포함한다. 이와 관련하여 미국심리학회(APA, 2002)에서는 다음과 같은 윤리지침을 제시하고 있다. 즉, "심리학자는 공정성이라는 것을 제대로 인식하고 있어야 한다. 공

정성은 심리학 서비스에 쉽게 접근할 수 있고 서비스로부터 이익을 얻는 것이라고 할 수 있는데, 모든 사람이 그 과정에서 심리학자로부터 제공되는 양질의 서비스를 공평하게 받아야 한다(Principle D.)."

무해성 [無害性, nonmaleficence] 내담자에게 고통이나 피해를 줄 수 있는 위험한 행동이나 활동을 하지 않는 것이다. 이는 의사들이 환자를 치료할 때 절대 그들에게 상처를 입히거나 해를 끼치지 않아야 한다는 의학적 윤리를 바탕으로 한다. 상담전문가는 내담자에게 해를 끼치지 않을 것이라고 확신할 수 있는 개입방법만 사용할 의무가 있다. 내담자를 위한 치료의 위험성을 인식하고 평가해야 하며, 그에 맞게 행동해야 한다.

선행 [善行, beneficence] 내담자의 안녕, 복지, 이익을 추구하고 증진시키는 것을 강조하는 것으로서, 심리상담이 내담자에게 이익이 되도록 해야 한다는 것이다. 치료목표, 기법, 결과는 내담자에게 유익해야 한다. 상담중재법이 어떤 내담자에게는 유익하지만 또 어떤 내담자에게는 유익하지 않을 수 있으므로, 각 내담자에게 맞는 치료목표와 기법을 사용해야 한다. 이와 관련하여 미국상담학회(ACA, 2005)는 "상담자의 일차적 책임은 내담자의 존엄성을 인정하고 복지를 증진시키는 것이다(A.1.a.)."라고 윤리규정을 제시하고 있다.

성실성 [誠實性, fidelity] 상담자는 전문가로서 지킬 수 있는 정직한 약속을 하고 신뢰관계를 형성하여 자신의 책임을 다해야 한다는 것이다. 한국상담심리학회는 다음과 같이 상담자의 성실성에 관한 윤리강령(2009)을 제시하고 있다. 즉, "① 상담심리사는 자신의 신념체계, 가치, 제한점 등이 상담에 미칠 영향력을 자각하고, 내담자에게 상담의 목표, 기법, 한계점, 위험성, 상담의 이점, 자신의 강점과 제

한점, 심리검사와 보고서의 목적과 용도, 상담료, 상담료 지불방법 등을 명확히 알린다. ② 상담심리사는 개인의 이익을 위해 상담전문직의 가치와 권위를 훼손하는 행동을 해서는 안 된다. ③ 상담심리사는 능력의 한계나 개인적인 문제로 내담자를 적절하게 도와줄 수 없을 때에는 상담을 시작해서는 안 되며, 다른 상담심리사나 정신건강전문가에게 의뢰하는 등 내담자를 도와줄 수 있는 방법을 강구한다. ④ 상담심리사는 자신의 질병, 죽음, 이동, 또는 내담자의 이동이나 재정적 한계와 같은 요인에 의해 상담이 중단될 경우, 이에 대한 적절한 조치를 취해야 한다. ⑤ 상담을 종결하는 데 어떤 이유보다도 우선적으로 내담자의 관점과 요구에 대해 논의해야 하며, 내담자가 다른 전문가를 필요로 할 경우에는 적절한 과정을 거쳐서 의뢰한다. ⑥ 상담심리사는 내담자나 학생, 연구 참여자, 동료들이 피해를 입지 않도록 적절한 조치를 취한다. ⑦ 상담심리사는 자신의 기술이나 자료가 다른 사람들에 의해 오용될 가능성이 있거나 개선의 여지가 없는 활동에 참여해서는 안 되며, 이런 일이 일어난 경우에는 이를 바로잡거나 최소화하는 조치를 취한다(1.나.)." 그리고 한국상담학회(2011) 윤리강령에서는 충실성으로 표현하면서 다음과 같이 기술하고 있다. 즉, "① 상담자는 내담자를 보다 효과적으로 도울 수 있는 방법에 관하여 꾸준히 연구·노력하고, 내담자의 성장촉진과 문제의 해결 및 예방을 위하여 최선을 다한다. ② 상담자는 자신의 능력한계나 개인적인 문제로 내담자를 적절하게 도와줄 수 없을 때에는 상담을 시작해서는 안 되며, 다른 전문가에게 의뢰하는 등의 적절한 방법으로 내담자를 돕는다. ③ 상담자는 자신의 질병, 사고, 이동, 또는 내담자의 질병, 사고, 이동이나 재정적 한계와 같은 요인에 의해 상담을 중단할 경우, 이에 대한 적절한 조치를 취해야 한다. ④ 상담자는 상담을 종결하는 데 어떤 이유보다도 우선적으로 내담자의 관점과 요구에 대해 고려해야 하며, 내담

자가 다른 전문가를 필요로 할 경우에는 적절한 과정을 통해 의뢰한다. ⑤ 상담자는 자신의 기술이나 자료가 다른 사람들에 의해 오용될 가능성이 있거나 개선의 여지가 없는 활동에 참여해서는 안 되며, 이런 일이 일어난 경우에는 이를 시정해야 한다(1.나.)."

자율성 [自律性, autonomy] 내담자가 자신의 삶의 방향을 스스로 선택하고 결정할 수 있는 자유를 누릴 수 있도록 상담자가 행동하는 것을 말한다. 사람들은 타고난 존엄성을 갖고 있기 때문에 모든 개인의 선택은 타인으로부터 강요되어서는 안 되며, 스스로 선택할 수 있는 자유를 보장받아야 한다. 따라서 상담자는 전문가로서 내담자의 자유와 존엄성을 유지할 수 있도록 행동해야 한다. 이와 관련하여 미국상담학회(ACA, 2005)는 다음과 같이 기술하고 있다. 즉, "상담자는 내담자의 이익과 복지를 촉진하고 건전한 관계형성을 장려하는 방향으로 내담자의 성장과 발전을 격려해야 한다. 상담자는 서비스 대상인 내담자의 다양한 문화적 배경을 이해해야 한다. 또한 상담자는 자신의 문화적 정체성을 탐색하고 그것이 상담과정에서 자신의 가치관과 신념에 어떻게 작용하는지 알아야 한다(A.)."

진실성 [眞實性, veracity] 상담관계에서 내담자가 신뢰성을 갖도록 하는 것이다. 상담자는 정직과 신뢰의 태도로 내담자에게 믿음을 주어 바람직한 상담관계를 형성해야 한다. 이와 관련하여 미국심리학회(APA, 2002)는 다음과 같이 기술하고 있다. 즉, "심리학자는 연구를 할 때나 가르칠 때, 그리고 심리적 서비스를 제공할 때 정확한 근거에 입각하고 정직과 신뢰를 도모해야 한다(Principle C.)."

윤리위반
[倫理違反, ethical violation]

상담자가 윤리규정을 어기거나 지키지 않는 것. `상담윤리`

상담 및 심리치료 활동에서 상담자가 윤리규정을 위반하는 일은 아주 심각하고 법에 저촉되는 점이 아니라 대부분 사소한 부주의에서 발생한다. 상담자가 이러한 위험에 처했을 때도 무엇보다 중요한 것은 자신의 전문성을 향상시키고 내담자의 이익에 공헌하기 위해 아무리 작은 윤리적 위반이라 하더라도 그것을 심각하게 받아들이고 정직하게 재조정하는 것이다. 비윤리적 행동을 바로잡기 위해서는, 첫째, 상담자는 자신의 윤리적 위반행동을 깨닫고 인식하는 것이 우선되어야 한다. 만약 그런 행동을 깨닫지 못한다면 그 행동은 그대로 내담자에게 전달되어 고통을 안겨 줄 수 있다. 둘째, 이러한 행동을 깊이 생각하여 손상된 부분을 회복하는 행동 계획을 세운다. 따라서 상담자는 자신의 생각을 항상 점검하고 자신의 행동이 내담자의 안녕과 복지를 위해 최상인지, 직업윤리 규정에 적합한지를 검토하여 행동지침을 따라야 위반행동의 함정에서 벗어날 수 있다. 한편, 동료의 비윤리적 행동을 알게 되거나 목격한 경우에, 먼저 그 동료와 직접 이야기를 하고 비공식적으로 다룬다. 그런 다음 수퍼바이저의 자문을 통해 내린 결론과 논의에 따라 윤리위원회에 보고하는 것을 선택할 수 있다. 한국상담심리학회는 "① 상담심리사가 윤리적으로 행동하는지에 대한 의구심을 유발하는 근거가 있을 때, 윤리위원회는 적절한 조치를 취할 수 있다. ② 특정 상황이나 조치가 윤리강령에 위반되는지 불분명할 경우, 상담심리사는 윤리강령에 대해 지식이 있는 다른 상담심리사, 해당 권위자 및 윤리위원회의 자문을 구한다. ③ 소속기관 및 단체와 본 윤리강령 간에 갈등이 있을 경우, 상담심리사는 갈등의 본질을 명확히 하고, 소속기관 및 단체에 윤리강령을 알려서 이를 준수하는 방향으로 해결책을 찾도록 한다. ④ 다른 상담심리사의 윤리위반에 대해 비공식적인 해결이 가장 적절한 개입으로 여겨질 경우에는, 당사자에게 보고하여 해결하려는 시도를 한다. ⑤ 명백한 윤리강령 위반이 비공식적인 방법으로 해결되지 않거나, 그 방법이 부적절하다면 윤리위원회에 위임한다(9.2.)."라고 명시하고 있다. 한국상담학회는 "① 상담자가 윤리적인 문제에서 의구심을 유발하는 근거가 있을 때, 윤리위원회는 본 윤리강령 및 시행세칙에 따라 적절한 조치를 취할 수 있다. ② 상담자는 윤리강령을 위반한 것으로 지목되는 사람에 대해 윤리위원회의 조사, 요청, 소송 절차에 협력한다. 또한 자신이 연루된 사안의 조사에도 적극 협력해야 한다. 아울러 윤리문제에 대한 불만접수로부터 불만사항처리가 완료될 때까지 본 학회와 윤리위원회에 협력하지 않는 것 자체가 본 윤리강령의 위반이며, 위반 시 징계 등 상응하는 조치를 취할 수 있다. ③ 상담자는 윤리적 책임이 법, 규정, 또는 다른 법적 권위자와 갈등이 생기면 본 학회 윤리규정에 따른다는 것을 알리고 갈등을 해결하기 위한 조치를 취한다. 만약 갈등이 그러한 방법으로 해결되지 않으면 법, 규정, 다른 법적 권위자의 요구사항을 따른다. ④ 상담자는 명백한 윤리강령 위반이 비공식적인 방법으로 해결되지 않거나, 그 방법이 부적절하다면 윤리위원회에 위임한다. ⑤ 상담자는 그 주장이 그릇됨을 증명할 수 있는 사실을 무모하게 경시하거나 계획적으로 무시해서 생긴 윤리적 제소를 시작, 참여, 조장하지 않는다(8.나.)."라고 규정하고 있다.

윤리적 수퍼비전
[倫理的 -, ethical supervision]

수퍼바이지의 상담진행에 윤리적인 민감성을 갖도록 수퍼비전을 실시하는 것, 혹은 수퍼비전 관계에서 윤리적인 민감성을 가지고 수퍼비전을 실시하는 것. `수퍼비전`

수퍼비전에서는 수퍼바이지의 윤리적 행동과 결

정에 대한 민감성을 가지고 지켜보아야 한다. 수퍼바이지가 내담자와 사전동의를 충분히 하였는지, 자살 사고나 충동에 대하여 어떻게 대처하고 있는지 확인할 필요가 있다. 또한 수퍼바이지가 내담자와 이중관계를 가지고 있는지, 상담내용 중 경찰이나 학과 담당교수에게 알려야 할 사항인지의 여부에 대하여 윤리적 결정을 내릴 수 있도록 도와주어야 한다. 이러한 윤리적 결정을 내릴 때는 내담자에게 선한 의도를 가지고(beneficience), 내담자와 관련된 사람들에게 해가 되지 않으며(non-malevolence), 내담자가 자율성을 가지고 결정하게 하는지, 윤리적 문제가 발생할 때 공평하게 적용하는지(justice), 그리고 내담자에게 신실하게 대하는지(fidelity)를 점검한다. 한편, 수퍼바이지의 상담과정에서는 윤리적인 문제가 발생하지 않는지 민감성을 가지고 상담내용과 자료를 점검한다. 윤리적인 상담이 진행되도록 하기 위해 수퍼바이지가 너무 지나친 의욕을 가지고 진행하는 것은 아닌지, 자신의 뜻대로 내담자를 조정하고 있지 않은지, 성숙하지 않은 조언을 하고 있는지, 사전동의 작업을 충분히 하였는지, 비밀보장과 한계를 말하였는지, 내담자의 사생활을 존중하는지 등을 점검한다(최해림 외, 2010).

관련어 | 사전동의, 수퍼비전 내용, 윤리적 행동

윤리학
[倫理學, ethics]

일상생활 장면에서 상식으로 파악되는 규범의 총체를 자각적으로 이론화하고 명확히 한 것. 상담윤리

우리는 매일매일 여러 가지 일을 스스로 결정하며 생활하고 있다. 그때 반드시 행위의 선택이 보이는데, 그 선택의 궁극적 기준이 바로 윤리이며 도덕이다. 우리는 유아가 아닌 한 사회생활을 행하는 데 일반적으로 승인되는 습성, 습관, 넓게는 여러 가지 규범에 따르고 있다. 윤리도덕은 이러한 규범의 총체로서 일상생활에서 그것은 상식으로 알고 있지만 반드시 명확하지는 않다. 이에 상식으로서의 윤리도덕을 자각적으로 이론화하고 명확히 한 것이 윤리학이다. 따라서 윤리학의 중심 과제는 잘 행하는 데 필요한 지식을 주는 것이다.

윤회
[輪廻, samsara]

불교의 중심 사상 중 하나로서 모든 생명은 죽은 후에 완전히 소멸되는 것이 아니라 다시 생명을 갖고 태어남으로써 생사가 계속 반복된다는 것. 동양상담

수레바퀴가 끝없이 굴러가듯이 모든 생물은 번뇌와 업에 의해 삼계 육도의 미혹한 생사를 끊임없이 돌고 돌아 계속되는 것을 말한다. 윤회설은 기원전 5세기경 브라만교의 우파니샤드에서도 볼 수 있으며, 불교에서는 지옥, 마귀, 축생, 아수라, 인간, 하늘의 육도가 있다고 설하고, 인간은 자신이 지은 업에 따라 그 과보로 장차 그에 해당되는 형태로 태어난다는 것이다. 그러므로 이 육도 중에 자신이 어떤 세계에 태어나는가 하는 문제는 전적으로 자신의 행위, 즉 업에 달려 있다고 한다. 선업의 결과로 선계, 악업의 결과로 악계에 태어나는 것이다. 그러나 선사들처럼 도를 깨치면 다시는 이 윤회에 떨어지지 않는다. 윤회설은 그리스 철학에서도 볼 수 있는데, 소크라테스 이전의 철학자, 예를 들어 밀레토스학파에서도 찾아볼 수 있다.

관련어 | 업

융연구소
[-研究所, Jung Institute]

분석심리학과 심리치료에 대한 연구를 수행하고 교육하기 위해 융(C. G. Jung)이 스위스 취리히에 재단형식으로 설립한 연구소. **분석심리학**

융연구소는 스위스와 해외에 있는 여러 심리학회와 대표적인 유명한 과학자들이 주동이 되고, 융의 개인적인 지도 아래 1948년 스위스 취리히에 설립되었다. 당시 프란츠(Franz)와 야코비(Jacobi)가 융연구소를 설립하는 데 적극 기여했고, 그 연구소에서 초창기 연구를 수행한 대표적인 인물들이다. 융은 1961년 사망할 때까지 융연구소 소장을 맡으며 운영해 왔다. 융연구소는 분석심리학과 콤플렉스 심리학을 가르치고 연구하는 중심지로서, 융 자신의 견해에 따라 이론을 더욱 발전시키고 이러한 일에서 시작되는 모든 연구를 위한 하나의 센터를 구성하여, 응용분야를 넓혀 가면서 제대로 교육받은 제자들과 후배를 양성하는 것이 목표였다. 교수진은 융이 친히 교육한 경험이 풍부한 심리학자로 구성되어 있고, 사용하는 언어는 독일어이며, 세계 모든 국가에서 연구학자들과 학생들을 받아들이고 있다. 융연구소는 연구활동의 결과를 책으로 엮어 『취리히 융연구소 연구(Studien aus dem C. G. Jung-Institut Zurich)』라는 시리즈를 통해 기록으로 남긴다. 융연구소의 도서관에는 융학파의 심리학에 관한 1만 5천 권의 도서와 정기간행물이 소장되어 있다. 로스앤젤레스를 비롯한 세계 도처에 융연구소라 불리는 많은 조직이 만들어져 활동을 계속하고 있다.

융연구소(스위스 취리히)

관련어 | 분석심리학

융학파 무용동작치료
[-學派舞踊動作治療, jungian dance movement therapy]

정신의 양극성 및 심층 무의식, 적극적 상상, 그 자기(the Self) 등 융 심리학에서 사용하는 개념들을 무용동작치료에 수용하여 기존의 무용과는 다른 개념의 상징과 의미를 띤 자기표현과 자기발견을 하도록 하는 접근방법. **무용동작치료**

융의 분석심리학을 무용치료 분야에서 실천한 최초의 무용동작치료자는 화이트하우스(Mary Starks Whitehouse)였고, 그 뒤를 이어 아들러(J. Adler, 1996), 초도로(J. Chodorow, 1991)가 대표적 융학파 무용동작치료자다. 이들이 실천한 기법은 다음과 같다. 첫째, 운동감각적 자각(알아차림)으로, 자신의 물리적 신체의 내적 감각을 사용하여 특정한 방법으로 동작할 때 그 동작과 자신의 주관적 느낌을 연결하도록 하는 것이다. 둘째, 직관의 치료적 관계맺기로, 상담자 및 치료자 모두가 자신들의 직관을 신뢰하고 존중하도록 동작표현을 할 때 비지시적이고 비비판적 구조를 형성하는 것이다. 셋째, 동작의 양극성 기법에서는 신체와 동작 자체가 가진 양극성(곡선 동작/직선 동작, 닫힌 동작/열린 동작, 무거운 동작/가벼운 동작, 위 동작/아래 동작)의 충동을 자발적으로 사용하게 한다. 정서의 양극성 및 생명의 양극성은 어느 한쪽이 선택되어 표현될 때, 반대쪽이 무의식 속에 위장되어 묻혀 있다가 억압과 갈등으로 나타난다는 융의 생각을 따른 것이다. 넷째, 적극적 상상 적용하기로, 정신의 양극성 사이에서 에너지가 왔다 갔다 하는 댄스 같은 흐름인 생명에너지의 본질적 역동을 이해하기 위해 동작충동이 일어나기까지 눈을 감고 알아차림의 명상과 탐색을 한다. 적극적 상상의 기본 목적은 신체조직, 근육, 관절 속에 묻힌 무의식적 정서들을 해소하기 위해서다. 이렇게 상상기능을 이용하여 심층 무의식을 의식화하고, 그 자기(the Self)를 경험할 수 있다. 다섯째, 진정한 동작기법은 융의 무의식차원을 정신 내적 원천으로 삼아, 여기서 나오는 동작들로 의식과 무의식의 연속적 통합을 이룩하는 것이다.

관련어 | 그 자기, 적극적 상상, 진정한 동작

융합
[融合, confluence]

다른 사람이 경험하는 것을 자신도 정확하게 똑같이 경험할 수 있다고 믿음으로써 자신과 타인을 혼동하는 것. 게슈탈트

융합은 접촉경계혼란을 일으키는 다양한 원인 중 하나로, 자신과 타인과의 경계가 분명하지 않고 흐려진 경계지점에서 타인의 의견이나 감정에 동의하는 것을 의미한다. 다시 말해, 유기체와 환경의 구별이 모호하여 경계가 제대로 형성되지 않아, 서로의 경계가 다르다는 것을 인식하지 못하는 것이다. 연애를 할 때 처음에는 연인과 하나라고 느낄 수도 있지만 시간이 지나면서 점차 자신과 다른 점이 보인다. 그러나 건강하지 못한 관계에서는 친밀한 연결에 대한 위협을 느끼기 때문에 그런 차이를 부정하거나 가볍게 여기곤 한다. 이러한 관계는 겉으로는 서로 지극히 위해 주고 보살펴 주는 사이인 것처럼 보이지만, 내면적으로는 서로 독립적으로 행동하지 못하고 의존관계에 빠져 있는 경우가 많다. 서로의 개성과 자유를 포기하고 그 대가로 얻은 안정을 지키려고 한다. 펄스(Perls)는 서로 다른 개체가 완벽하게 일치된 감정과 욕구를 가지는 것은 불가능하기 때문에 융합관계를 유지하기란 쉽지 않으며, 이러한 융합관계를 유지하기 위해서는 각 개체

가 자신의 정체성을 포기할 수밖에 없다고 설명하였다. 따라서 이렇게 해결되지 못한 각 개체의 욕구나 감정들은 결국 미해결 과제로 남고, 삶의 활기를 잃게 만든다. 이렇듯 융합관계에 있던 어느 한쪽이 안정을 깨트리려는 행위를 하면, 서로에 대한 암묵적인 계약을 위반하는 것이므로 상대편의 분노와 짜증을 사게 되고 결국 융합관계를 깨트리려는 사람은 죄책감을 느낀다. 융합은 인간이 원래 지니고 있는 실존적 고독, 죽음, 공백에 대한 두려움을 직면하지 않기 위한 방어로 볼 수 있다. 그리고 새로운 것 혹은 서로 다른 것을 경험할 때 만나게 되는 당혹감을 완충하기 위해 서로의 차이를 줄이고 싶은 사람이 시도하는 환상과 같은 것이라 할 수 있다. 하지만 좋은 접촉은 서로의 심오한 연합(union)을 경험하면서도 접촉대상에 대한 명확하면서도 깊이 있는 타자성을 인식할 수 있어야 한다. 융합은 경계선 성격장애가 있는 사람들에게 나타나는 경우가 많다.

관련어 | 내사, 반전, 자기중심성, 접촉경계혼란, 탈감각화, 투사, 편향,

은둔형외톨이
[隱遁形 –, hikikomori]

방이나 집 등 특정 공간에서 나가지 못하거나 나가지 않는 사람 또는 그러한 현상을 가리키는 말로, 도지코모리(閉じこもり)라고도 함. 아동청소년상담

'히키코모리'란 '틀어박히다'라는 뜻을 나타내는 일본어 '히키코모루(ひきこもる)'의 명사형으로, 일본 후생노동성의 정의에 따르면 '여러 가지 이유로 사회적 참가영역이 좁아져서 취직이나 취학 등 자택 외에서의 생활의 장이 장기간에 걸쳐 상실된 상태'와 그런 상태에 있는 사람을 의미한다. 사이토 다마키(斎藤環, 1998)는 정신질환 때문에 나타나는 은둔과 구별하기 위해 '사회적 히키코모리'라는 용어를 사용하고, 이를 '20대 후반까지 문제로 나타나면서 6개월 이상 자택에 틀어박혀 사회에 참여하지

않는 상태가 계속되고, 정신장애를 제1의 원인이라 볼 수 없는 경우'로 정의하였다. 히키코모리는 단일 질환이나 장애 개념이 아니며, 그 실태가 다양하여 생리학적 요인이 깊이 관여하는 경우도 있고, 명확한 장애가 없는 경우도 있으며, 장기화된다는 것이 특징이다. 일본 후생노동성에서 제시하는 판정기준은 정신분열이나 조울증, 기질성 정신장애가 없을 것, 초진 시점에서 3개월 이상의 무기력, 히키코모리 상태일 것, 치료관계가 6개월 이상 계속되고 있을 것, 적어도 본인이 5회 이상 병원을 방문했을 것, 평가표에 해당 사항이 충분히 갖추어져 있을 것 등이다. NHK 네트워크에 따르면 일본의 히키코모리 인구는 2005년 현재 160만 명 이상이었고, 가끔 외출을 하기도 하는 준히키코모리 인구를 합하면 약 300만 명을 넘을 것으로 추정하였으며, 주로 남성에게서 많이 나타난다고 하였다. 또한 종래에 히키코모리는 등교거부와 동일시되기도 하여 히키코모리 지원에서는 10대에서 20대를 대상으로 상정하는 경우가 많았지만, 근년에는 히키코모리의 장기화나 사회진출 후의 히키코모리가 나타나면서 30대, 40대 연령층에도 히키코모리가 증가하고 있다고 한다. 일본에서 히키코모리 현상이 사회문제로 부각되기 시작한 것은 1980년대 후반으로, 서구에서는 이를 일본 특유의 사회문화적 현상으로 보는 경향이 있었다. 미국의 저널리스트이자 캘리포니아대학교의 객원연구원 마이클 질렌지거(Michael Zielenziger)는 『히키코모리의 나라』라는 책에서 히키코모리를 일본 특유의 현상으로 규정하고, 이를 일본의 사회문화적 병리로 다룬 바 있다. 일본인들의 명품 선호 경향이나 '오타쿠(특정한 일이나 대상에 지나치게 집착하여 폐쇄적 경향을 보이는 사람)'의 증가, 일본 경제의 추락이나 정치적 정체, 자살률의 증가, 국제적 고립 등이 히키코모리와 맥락을 같이한다고 보고 있다. 그러나 이러한 현상은 우리나라를 비롯하여 대만, 홍콩, 미국, 오스트리아, 이탈리아, 영국 등 많은 선진국에서도 존재한다는 사실이 보고되고 있다.

2010년 8월 옥스퍼드 영어사전 제3판에는 'hikikomori'를 수록하고, 그 의미로 "사회와의 접촉을 이상할 만큼 피하는 일, 일반적으로는 젊은 남성이 많다."라고 적고 있다. 히키코모리가 되는 원인에는 여러 가지가 있을 수 있다. 첫째, 학교나 회사에서 당하는 육체적ㆍ정신적 고통(왕따 등)의 피하기 위해서다. 둘째, 가족과의 관계에서 발생한 트라우마나 가족으로부터의 지나친 간섭 때문에 자신감을 갖지 못해서다. 셋째, 사회에 압도되어 인생에 대한 절망으로 일으키는 자해행위의 일종이다. 넷째, 자신이 보기 싫어하는 현실, 사람(들), 장소 등을 보지 않기 위해서다. 다섯째, 속마음을 겉모습이라고 합리화시켜 사회나 어떤 상황이 기대하는 역할을 찾아내는 것이 어렵기 때문이다. 사회생활을 시작하면서 책임감이 주어지는 청소년부터 젊은 성년의 시기에 히키코모리가 된 사람은 사회로 복귀하지 못한 채 중년이 되기도 한다. 진학이나 취직 적령기에 놓인 사람들 외에 사회인으로서 자립한 사람들도 히키코모리가 될 수 있다. 성인 히키코모리들은 부모가 죽은 뒤가 걱정되어 부모의 죽음을 숨기고 연금을 부당하게 수급하는 등의 사건을 일으키기도 한다.

은유
[隱喩, metaphor]

사물의 본뜻을 숨기고 주로 보조관념들만 간단하게 제시하는, 직유보다 한 단계 발전된 비유법. `경험적 가족치료` `분학지료`

은유는 연상이나 대조, 유사 등을 통해서 효력을 발생시키는 언어의 수사적 비유법이다. 'metaphor'라는 영어는 16세기 고대 프랑스어 'métaphore', 라틴어 'metaphora(미루다, 연기하다, 다음으로 넘기다, carrying over)', 그리스어 'metaphero'에서 나온 'metaphorá(전달하다, transter)' 등에서 유래했는데, 'meta'는 둘 사이(between), 'phero'는 나르다 혹은 품다(to bear), 전달하다(to carry)라는 의미를 지니고 있다. 은유는 직유법과 같이 '~처럼' '~듯'

등의 연결어는 사용하지 않는다. 예를 들어, '그대의 눈은 샛별 같다.'라는 표현은 직유지만 '그대의 눈은 샛별이다.'라는 표현은 은유다. 은근한 비유로 직유보다 더 인상적인 표현이 가능한 은유는 하나의 사물을 다른 말로 이해하는 개념이라고 할 수 있다. 이것은 일종의 수사법으로 2개의 사물이나 관념 간의 유비로 구성된다. 이 유비는 특정한 다른 말의 자리에 은유적 어휘를 사용하여 전달한다. 심리치료에서는 은유가 어떤 것을 다른 것으로 표현한다는 정의와 숨겨서 표현하는 기법에 입각해서, 자신의 경험이나 병증을 직접 표현하지 않고 다른 매개적인 이야기나 대상을 통해 표현하는 것을 통칭해서 쓰인다. 은유를 심리치료에 적용한 대표적인 학자는 에릭슨(M. Erickson)과 번스(G. Burns) 등이다. 한편, 사티어(Satir)는 가족치료과정에서 구성원들이 서로에게 표현하고자 하는 것을 직접적으로 하지 않고 은유를 사용하여 간접적으로 의사소통이 일어나는 기법을 즐겨 활용하였다. 그녀는 은유를 가족구성원들이 사용하는 것을 파악하여 가족체계의 변화를 증진시키고, 가족역동의 수단으로 이용하였다. 또한 치료자가 내담자에게 은유를 사용함으로써 단순하고 명료한 지시를 하는 것이 아니라 내담자가 자신만의 방식으로 해석하고 받아들일 수 있는 자리를 확보해 주었다. 이는 치료자가 사용한 은유를 내담자가 받아들이고 해석하는 데에는 어느 정도의 차이가 있음을 활용하는 것이다. 이 기법은 내담자의 자발적인 참여를 자연스럽게 유도하고, 대안을 확장시키는 효과가 있다.

은유적 과업
[隱喩的課業, metaphoric task]

가족의 문제와 관련이 없어 보이지만 해당 문제를 상징하고 있는 과업을 시행하도록 지시하고, 가족과 함께 은유적으로 문제에 대해 논의하는 기법. 전략적 가족치료

치료자가 가족들이 자신의 문제와는 상관이 없는

행동이나 대화를 하게 만들어 특정 거부감 없이 문제에 대해 논의하고 탐색할 수 있도록 하는 은유적 기법을 활용하는 방법이다. 예를 들어, 헤일리(Haley)는 개를 무서워하는 소년이 어렸을 때 입양되었다는 것을 알게 되었다. 그래서 그 가족에게 개 한 마리를 입양할 것을 과업으로 지시하였다. 이후 소년과 그 가족은 입양한 개를 키우면서 경험한 일을 자신들의 상황과 연결시켜 은유적인 언어로 대화하면서, 치료자와 함께 다양한 탐색을 해 볼 수 있었다.

관련어 은유

은유치료
[隱喩治療, metaphor therapy]

이야기나 그 외의 병치로 환자와 연관된 전체 상황과 병치할 수 있도록 제시한 인지적 은유의 유형을 사용해서 심리치료사가 실행하는 치료방법. 문학치료(은유치료)

은유치료는 새롭게 등장한 개념이 아니다. 수천 년 전에 이미 세계 혹은 인간 자신이 서로 다른 은유를 통해서 사물에 대해 변화된 인간의 감정을 알아왔을 것이다. 기존에 있던 관념에서만이 아니라, 최근의 심리학자들도 은유치료라는 용어를 사용하면서 실제로 더 나은 은유를 선택하여 내담자에게 도움을 주고 있다. 치료사의 지도에 따라, 은유라는 개념을 치료적 장에서 쓸 때 그 매체는 매우 다양해진다. 장미나 찰흙덩이로 자신을 말할 수도 있고, 치료사와 함께 엮어 가는 바람직한 미래에 대한 이야기도 은유가 된다. 또한 각 문화권마다 전해 내려오는 민족 특유의 신화나 민담 속의 은유도 치료가 된다는 사실은 이미 많은 정신분석학자들과 분석심리학자들에 의해서 증명되었다. 은유는 이해를 하기 위한 최선의 혹은 유일한 방법이라고도 한다. 훌륭한 은유는 그 자체로, 혹은 과정에서 야기되는 것보다 훨씬 더 많은 것을 선사해 주며 이는 은유치료에서 매우 중요한 요소가 된다. 은유가 많은 '여분의 의미'를 전달해 주기 때문이다. 은유적 이해를 탐색

하면서 이 '여분의 의미'를 통찰하게 되는 것이다. 은유는 우리 삶에서 가장 중요하고 복잡한 국면에 의미를 부여하는 방법이다. 조지 레이코프(George Lakoff)와 마크 존슨(Mark Johnson)은 『삶으로서의 은유(Metaphors We Live By)』에서, 은유는 단순히 시적이거나 수사학적인 장식이 아니라 우리가 인지하고 사고하고 행위하는 방식에 영향을 미친다고 하였다. 실재는 그 자체로 은유에 의해서 정의된다. 은유치료라는 이름은 데이비드 그로브(David Grove)가 개발하였다. 그는 내담자의 문제를 그들만의 상징적 재현 내에서 작업함으로써 심오한 변화를 촉진시킬 수 있는 과정을 은유치료라고 보았다. 내담자의 언어, 몸짓, 호흡, 시선, 그 외 모든 비언어적 단서가 의식적 인식을 벗어난 상징적 세계로의 진입을 도와준다. 그로브는 은유가 의식과 무의식 간의 접점이 되도록 한다고 말하였다. 내담자가 '막다른 골목으로 뛰어가고 있다.'는 말을 하면, 그로브는 이 은유가 그 사람의 경험에 대한 정확한 묘사이면서 동시에 내담자가 그 순간에 할 수 있는 최선이자 최고의 완전한 묘사라고 하였다. 따라서 막다른 골목과 같은 것이 내담자의 공간 내에 있음이 드러나고, 그 크기나 형태, 뛰어가는 방향 등은 그 사람이 막다른 골목으로 뛰어가는 것을 묘사하는 특정 행위를 계속해서 반복하고 있음을 대치하고 있는 기제의 상징이 된다. 치료적 은유의 목적은 내담자가 당면한 상황에서 명백하게 인식할 수 없거나 그에 대한 새로운 개관을 제시할 수 없을 때 사용할 수 있는 예외적인 방편이 있다는 것을 인식시키는 것에 중점을 둔다. 치료사는 갑작스러운 배우자의 죽음에 대해서 언급할 때, 정원에 있는 두 송이 장미 중 한 송이가 뽑힌 것으로 말할 수 있다. 마샤 리네한(Marsha Linehan)에 따르면, 은유는 변증법적인 사고를 가르치고 새로운 행위의 가능성을 열어 놓는 대안적 수단이 된다. 은유는 내담자뿐만 아니라 치료사에게도 면밀한 자료조사하에서 사건에 대한 참고사항이나 그 의미를 대안적으로 탐색하고 만들어

내도록 한다. 내담자가 만드는 은유의 총체는 내담자 은유의 전체 그림이 되고, 이는 내담자가 보여 주는 상징이 치유되고 변화하는 영역 내에서 그 맥락을 형성한다. 은유의 과정은 열려 있기 때문에 새로운 정보를 내담자에게 쓸 수 있고, 내담자가 갇혀 버린 상태에서 벗어날 수 있도록 해 주며, 새로운 선택을 하고 행동을 변화시킬 수 있도록 한다. 은유와 상징은 계속해서 열린 맥락을 창조해 내면서 함께 엮이며 우리 존재의 원단을 짜는 실과 같다. 은유는 인간의식 이외에 담겨 있는 사고, 언어, 행동 등에 근본적이고 만연하게 구현되는 것이다. 상징적 모델링을 통해서 은유가 우리의 경험을 정의하는 방법을 알게 된다. 이 같은 상징적 세계를 탐색하면서 진화하고 변화하는 상황을 창조하고, 우리 자신과 우리가 맺어 가는 관계를 인식하는 방법을 변화시켜 간다. 은유치료라는 용어를 처음 사용한 그로브는 흔히 겪는 감정, 문제, 장해, 질병 혹은 감각 등에서 은유를 다음과 같이 단순하게 도출해 내었다. '만일 X(고통, 문제, 감정, 위기, 한계, 장해 등)가 색깔을 가지고 있다면 어떤 색일까요?' '만일 X가 형태를 가지고 있다면 어떤 형태일까요?' 이런 이미지를 구현하기 위해서 처음 두 가지 속성이 반복된다. '파란색이고, 삼각형이고…….' 은유적 묘사가 나올 때까지 치료사가 여러 속성을 질문하면서 이미지를 구현할 수 있도록 도와준다. 그런 뒤에 "그다음에는 어떻게 되나요?"라는 질문으로 내담자의 인식의 전환을 유도한다. 그로브 외에도 밀턴 에릭슨(Milton Erickson)은 최면상황에서 은유의 강력한 치료적 힘을 증명하였다. 그는 은유가 무의식을 발현하는 매개체가 되기 때문에 내담자의 숨겨진 욕구나 자원을 찾아내는 데 매우 유용하며, 내담자의 경험에 대한 새로운 이해를 줄 수 있어서 내담자의 과거, 일상적 활동, 당연하다고 믿고 있던 모든 것에 대해서 새롭고 변화된 의미를 부여할 수 있다고 하였다. 또한 내담자가 자신의 경험을 은유적 관점으로 이해할 때, 새로운 실재 혹은 현실을 창조할 수 있는 힘

도 생길 수 있다고 하였다. 에릭슨은 목표설정, 감정패턴의 재구조화, 내담자에 대한 이해, 관계맥락 파악 등에서 은유를 활용할 수 있다고 하였다. 또한 많은 스토리텔링이나 이야기들이 지닌 은유적 성격을 치료에 활용하기도 하였다. 한편, 호주의 조지 번스(George Burns)는 은유치료라는 이름으로 내담자와 함께, 혹은 치료사의 주관이나 내담자의 주관으로 이야기를 만들어 가는 과정을 은유라고 정의하면서 내담자의 증상이나 문제를 우회적으로 다루는 은유적 이야기가 치료적 힘을 지니고 있음을 보여 주기도 하였다. 그는 PRO 접근법이라는 새로운 기법으로 문제(problem), 자원(resource), 결과(outcome)로 구성된 은유적 이야기 만들기를 선보이면서 내담자와 치료사가 서로 힘을 모아 은유적으로 대화하면서 이야기를 통해 증상 및 문제를 개선해 나가는 실제 사례를 보여 주었다.

관련어 PRO 접근법

은퇴
[隱退, retirement]

직장이나 일을 그만두고 퇴직연금을 받거나 수입이 없는 상태 또는 1년 내내 직업이 없는 상태. 은퇴상담

전통적으로 은퇴는 직업이나 일의 종결을 의미하였으나, 최근에는 은퇴 후에 시간제 일을 가짐으로써 부분적 은퇴, 처음부터 실업상태에 있어서 은퇴하지 않은 은퇴, 자신이 하던 일이나 직업에서 물러난 완전한 은퇴, 보다 최근에는 정년에 앞서 조기에 은퇴하는 명예퇴직 등을 모두 포함하는 의미로 정의하고 있다. 한편, 사회적 측면에서 은퇴는 하나의 사회적 역할에서 다른 사회적 역할로 이동하는 것이라고 본다. 은퇴란 인간의 발달과정에서 발생하는 자연스러운 현상이며, 생애주기의 주요한 변화이자 노년기의 생활과 역할에 큰 변화를 가져온다. 노년기의 생활을 풍요롭고 활동적인 삶으로 이끌기

위해서 50대 이후에는 노동에 집중했던 노력과 시간을 줄이고 여가활동을 준비하는 자세가 필요하다. 은퇴는 단절된 사건이 아니라 점진적이고 역동적인 과정을 거쳐 변화되는 것으로서, 그 과정을 이해하는 것이 은퇴 이후의 성공적인 적응을 도울 수 있다. 즉, 은퇴가 개인에게 어떤 의미를 갖는지, 어떻게 느끼는지, 어떤 생각을 하는지, 무엇을 상징하는지, 자신과 가족과 친구에 대해 어떤 감정을 느끼는지에 대해 이해해야 한다. 이러한 측면은 개인마다 다르며 개인적으로도 시간이 지남에 따라 은퇴의 의미가 계속 바뀐다. 예를 들면, 적응을 잘한 은퇴자는 은퇴가 많은 시간적 여유를 주어 편안하고 안락한 생활을 가져오며 자신이 선택한 여러 가지 여가생활을 즐기는 시기이고, 새로운 일정 직업을 갖는 여유로운 시기로 받아들인다. 반면 적응을 제대로 하지 못한 은퇴자는 은퇴로 인한 일상의 변화로 우울감, 대인관계 단절에 따른 외로움, 역할의 변화에 따른 자기정체감의 혼돈, 고립감 등을 느끼면서 은퇴를 부정적으로 받아들인다. 이외에도 은퇴 때문에 재정적 어려움을 겪는 은퇴자, 새로운 일을 구할 때 느끼는 여러 가지 어려움에 직면하여 낙심한 고령 구직자, 전일제 등을 구하여 일을 하고 있는 은퇴자 등이 있으며, 이들은 객관적인 준거와 주관적인 경험에 따라 은퇴를 다르게 받아들이므로 은퇴는 개인의 현상적 경험에 비추어 이해해야 한다.

관련어 노화, 은퇴적응이론

은퇴결정상담
[隱退決定相談,
retirement decision counseling]

언제, 어떤 방법으로 은퇴를 할 것인가를 선택할 때 이루어지는 상담활동. 은퇴상담

이 상담의 목적은 비자발적으로 은퇴를 하더라도

스스로 선택하고 결정하여 주도적으로 이루어진 일이라고 인식하면서 최선의 선택을 할 수 있도록 도움을 주는 것이다. 은퇴를 결정할 때 심사숙고하여 스스로 선택하고 결정하지 않았다고 여기는 내담자는 은퇴 후 적응에 어려움을 겪는다. 은퇴결정을 고려하는 내담자는 생애전환기를 맞게 되는데, 이러한 변화에 대한 불확실성으로 불안함과 슬픔 등의 부정적인 감정을 느낀다. 이러한 부정적인 감정을 표현하도록 하고, 불안감 감소를 위하여 상담에서는 체계적 둔감법, 기분전환 기법, 스트레스 해소 훈련 등을 사용한다. 특히 가족을 돌보거나 신체적 건강, 구조조정 등의 이유로 비자발적 은퇴를 하는 내담자에 관심을 기울여야 한다. 이들은 자발적 은퇴자에 비하여 충격과 슬픔이 더 크고, 실의에 빠지거나 죄책감, 무기력감, 상실감을 더 많이 느낀다. 경청단계에서 비자발적 은퇴자의 커다란 고통과 그에 따른 여러 가지 부정적인 감정들은 지극히 정상적인 반응이라는 것을 파악하도록 해 준다. 부정적 감정을 충분히 이해하고 수용하면 은퇴를 결정할 때 필요한 재정적 계획, 법률적 문제, 대인관계, 여가활동, 직업적 활동, 정서적 어려움 등에 관한 문제를 평가하고 검토하는 평가단계를 거친다. 그리고 개입단계에서 상담자는 내담자의 은퇴상황을 재해석하고 주도적으로 결정하여 통제하도록 도와준다. 이때 상담자는 내담자의 선택을 지원하고 안내하는 지지적인 자세를 취하는 비지시적 접근방법을 활용해야 효과적이다. 그러나 은퇴 후 생활양식 전반에 대한 정보와 해결책을 스스로 점검하고 결정하는 데 어려움을 보이면 협력적 접근방법을, 극도의 우울증이나 약물중독 등의 위기상황에 처한 내담자에게는 지시적 접근방법이 효과적이다.

관련어 은퇴과정, 은퇴상담

은퇴과정
[隱退過程, retirement process]

직장이나 일에서 물러나 일상생활로 돌아가는 경로. **은퇴상담**

은퇴과정은 은퇴전단계, 은퇴결정단계, 은퇴적응단계의 세 단계로 구분할 수 있다. 은퇴 전 단계는 친구, 가족, 동료에게 은퇴에 대하여 언급하는 시기를 말하며 자신이 동경하는 집단의 은퇴에 대한 가치관을 수용하면 예상적 사회화가 발생한다. 이 사회화는 은퇴 후 적응을 하는 데 준비해야 하는 활동으로 노후자금 마련, 여가시간 활용, 배우자와의 은퇴 시기와 방법 논의 등을 말하고 있다. 이 같은 활동은 은퇴 후에 동료관계의 단절에 따르는 고립감을 극복하고 성공적인 적응생활에 도움을 준다. 일반적으로 48세 정도가 되면 노후자금 마련에 관하여 본격적으로 관심을 가지게 되고, 은퇴가 점점 가까워질수록 은퇴에 대하여 많이 생각하면서 현실적으로 받아들이게 된다. 그러나 대부분의 사람은 은퇴 후 적응을 위한 준비활동에 관심을 기울이지 않는다. 은퇴를 준비하고 계획하는 일을 회피하는 첫째 이유는 재정적 문제다. 충분한 재정자원이 없는 직업인은 현실적으로 노후를 위한 자금을 따로 마련해 둘 수 없기 때문에 노후계획을 하지 못한다. 둘째 이유는 일에만 전념하는 것이다. 이는 일이나 직업을 통하여 자존감과 친화감을 얻을 수 있지만 가족이나 친구로부터 이러한 개인적 욕구를 충족하지 못하는 개인은 일을 떠난다는 생각을 하는 것조차 위협이 될 수 있으므로 은퇴 준비활동을 회피하려고 한다. 셋째 이유는 은퇴가 죽음과 노화로 연상되기 때문이다. 대부분의 사람들은 중년기에 겪게 되는 신체적·심리적·환경적 변화를 두려워하여 자기반영을 회피함으로써 은퇴 이후를 위한 준비활동을 계획하지 않으려 한다. 은퇴 결정 단계는 은퇴의 시기와 방법을 결정하는 시기다. 전통적으로 은퇴시기는 50대 후반에서 60대 중반이었지만 최근에는 기업의 구조조정과 같은 외적 요인과 건강악화와 같은 내적 요인 등으로 조기에 이루어지는 경우가 있다. 일반적으로 은퇴시기를 결정하고 예측할 수 있는 요인은 재정적 자원의 정도, 은퇴에 대한 직업인의 태도, 가족부양 등이다. 재정적 측면에서 연금의 지급조건이 은퇴시기에 영향을 미치는데, 수입이 많은 사람은 은퇴 전후 수입의 큰 차이 때문에 쉽게 은퇴를 결정하지 못하여 은퇴가 지연되기도 하지만 은퇴 후에 대한 생활은 전반적으로 긍정적이다. 태도적 측면에서 은퇴에 대하여 긍정적으로 받아들이는 사람은 은퇴를 실험하고 은퇴를 계획하여 은퇴를 성공적으로 이끌어 나간다. 그리고 은퇴에 대해 더 많이 알수록 은퇴에 대한 생각과 기대가 현실적이고, 실재적일수록 은퇴를 긍정적으로 받아들이면서 은퇴 후 생활의 성공을 예측할 수 있다. 가족부양은 여성의 은퇴시기를 예측하는 요인이다. 일반적으로 가족이나 건강상 이유로 퇴임한 경우에는 은퇴 후 적응에 어려움을 겪는다. 그리고 은퇴는 자발적 은퇴, 비자발적 은퇴로 구분할 수 있는데, 자발적 은퇴는 정년퇴임, 명령에 의한 퇴임, 가족이나 건강상 퇴임, 명예퇴임 등이 있다. 자발적 은퇴와 비자발적 은퇴에 대한 구분은 개인의 주관적 경험에 따르며, 자발적 은퇴자가 비자발적 은퇴자보다 좀 더 성공적인 적응을 보인다. 은퇴적응단계는 은퇴 후 안정된 일상생활을 하기 전의 적응시기를 말한다. 이 단계에서는 가족, 친구, 동료와 은퇴시기에 대하여 의논하거나 은퇴날짜를 선택하고 연금수당을 신청하면서 새로운 여가생활을 경험하는 등의 활동을 한다. 따라서 은퇴 후 성공적인 적응에는 은퇴준비 정도, 사회경제적 지위, 신체적 건강, 배우자의 유무, 친구와 동료 등의 사회적 지원체계 등이 도움이 된다.

관련어 | 성공적 노화, 은퇴상담, 은퇴적응이론

은퇴상담
[隱退相談, retirement counseling]

맡은 직업이나 직책에서 물러난 내담자가 겪고 있는 상황, 문제, 은퇴과정, 주관적 경험의 정도 등에 관하여 도움을 주고자 하는 상담활동. 은퇴상담

아츠리(Atchley, 2004)는 은퇴상담의 과정을 다음과 같이 제시하였다. 먼저, 경청단계로서 언어적 의사소통을 통하여 은퇴자와 친밀감과 신뢰감을 갖는 라포를 형성한다. 그리고 은퇴자의 감정을 이해하고 수용하며 감정을 조절하도록 도움을 주고 은퇴에 대한 내담자의 주관적 의미를 발견하여 그 시각을 수용하도록 해 준다. 이 단계에서 상담자는 공감적 경청, 진실성, 무조건적 수용, 촉진적 요약, 재진술 등의 기법을 적용하여 부적응적 문제나 사건을 확인하고 이해하며 수용한다. 이 과정에서 은퇴 내담자가 자신의 감정을 충분히 언어로 표현하면 상담은 평가단계에 이른다. 평가단계에서는 의도적 질문기법을 사용하여 은퇴문제, 은퇴위기의 심각성, 내적·외적 자원, 은퇴과정에 대하여 평가한다. 즉, 은퇴문제와 은퇴위기의 지속기간, 문제와 위기를 바라보는 내담자의 시각, 문제나 위기에 대한 내담자 사고의 적절성, 적합한 해결책 모색 등에 관한 인지양식, 문제나 위기로 인한 우울, 불안과 같은 정서적 어려움의 정도, 지나친 음주, 자살과 같은 자기파괴적 행동 등의 경향을 객관적으로 평가한다. 또한 내담자가 은퇴의 어느 단계에 있는지 평가해야 한다. 이는 은퇴과정의 각 단계에서 발생할 수 있는 어려움의 상황을 확인하고 대처하는 데 도움이 되기 때문이다. 끝으로 상담자는 내담자의 내적·외적 자원을 조사하고 평가하여 내담자의 강점과 자존감, 그리고 대처전략들을 확인한다. 지금까지의 단계에서 얻은 평가내용과 내담자 문제의 심각성, 문제의 종류, 개인적 자원에 따라 상담자는 개입 전략과 방법을 선택한다. 개입단계에서는 주로 개인적 강점과 사회적 지지체계를 지니고 있는 내담자

에게는 개방형 질문, 공감적 지지, 반영적 진술과 같은 비지시적 접근방법의 질문을 하여 스스로 해결책을 찾도록 한다. 좀 더 문제가 심각한 내담자는 스스로 해결책을 찾는 것이 무척 어려운 일이므로 내담자와 함께 작업을 하는 협력적 접근방식을 적용한다. 즉, 해결책을 찾도록 촉매제 역할을 하면서 내담자에게 잘못된 점이나 수정해야 될 문제에 대해 이해하고 정정할 수 있도록 격려해 주는 등의 협력적 상호관계를 형성하여 문제와 해결책을 평가하고 해결을 돕는다. 약물사용과 신체기능의 이상으로 즉각적 입원이 필요한 은퇴자, 심한 우울을 경험하고 있는 은퇴자, 심각한 정신이상을 겪고 있는 은퇴자, 가족의 죽음과 같은 상실감으로 고통을 받는 은퇴자, 불안수준이 지나치게 높은 은퇴자, 현실적 접촉을 하지 않는 은퇴자, 자신 또는 타인에게 위협이 되는 은퇴자, 자살 가능성이 있는 은퇴자 등 은퇴위기를 스스로 통제하지 못하고 해결할 수 없는 은퇴자에게는 지시적 상담접근이 도움이 된다.

관련어 | 성공적 노화, 은퇴, 은퇴적응이론

은퇴위기
[隱退危機, retirement crisis]

맡은 직업이나 직책에서 물러나기 전부터 시작해서 은퇴 이후에 발생하며, 직업이나 일에서 떠난 상황에 성공적으로 적응하지 못하거나 일상적인 생활에서의 문제를 적절히 해결하지 못하여 무기력, 불안, 우울, 혼돈 등의 부정적인 정서를 느끼는 상태.   은퇴상담

은퇴위기는 정신병리와는 관련이 없고, 이를 위기로 볼 수도 있지만 변화의 계기가 될 수도 있다. 모든 노인은 은퇴위기에 취약할 수 있다. 은퇴위기는 대략 4~6개월이 되면 회복되지만 드물게는 은퇴 후 1년 동안 초기 적응기간을 거치기도 한다. 은퇴자들이 위기에 직면하면 여러 가지 어려운 환경에 잘 대처하지 못하는 경우도 있지만 과거에 수용하지 못했던 자신의 단점을 인정하고 수용하면서

유익한 자기성장의 기회로 만들기도 한다. 사람은 위기상황에 직면하면 불균형 상태를 회복시키려는 동기를 지니고 있기 때문에 은퇴위기는 새로운 환경의 적응학습능력을 향상시킨다. 은퇴 이전의 갈등이나 위기가 은퇴 이후의 문제해결이나 적응에 도움이 될 수도 있다. 은퇴위기 상황에서는 작은 문제를 외면하거나 회피하게 되면 해결에 더 오랜 시간이 걸린다. 그러나 친구나 동료, 가족 등의 사회적 지지체계가 견고하다면 은퇴위기 상황에 더 잘 적응하게 된다. 은퇴는 생애변화 중의 한 과정이지만 대부분의 사람들에게 상실감을 안겨 준다. 은퇴는 직업이나 일에서 벗어날 뿐만 아니라 대인관계의 단절을 뜻하기도 하기 때문이다. 은퇴를 한 후 지금까지 해 온 일 외에도 자신이 참여할 수 있는 많은 일과 여가활동이 있다는 것을 발견한다면 현실에 좀 더 잘 적응할 수 있을 것이다.

관련어 | 은퇴, 은퇴상담, 은퇴적응이론

은퇴적응이론
[隱退適應理論, theories of retirement adaptation]

개인이 은퇴 이후 어떻게 일상생활에 적응해 나가는가를 설명하고 이해하려는 원리.   은퇴상담

은퇴적응을 설명하는 이론에는 역할이론, 사회유리이론, 활동이론, 지속이론, 위기이론 등이 있다. 이러한 이론들 중에서 은퇴 적응을 가장 일반적으로 설명하는 이론은 역할이론이며, 대표 연구자는 스트라이브와 슈나이더(Streib & Schneider, 1971)다. 이 이론에서 개인은 사회적 역할을 상실하고, 그와 더불어 자아정체감의 혼란, 자아존중감의 위축, 거부감, 버려짐, 배반감, 인정받지 못한 데서 오는 우울감, 고립감, 외로움을 느끼게 된다. 또한 은퇴가 자의적인지 타의적인지에 따라 적응에 영향을 미치기 때문에 은퇴 후 성공적인 적응을 위해서는

적어도 은퇴하기 전 3~4년간 은퇴 준비기간이 필요하다고 강조하였다. 그런데 역할이론은 각 개인의 주관적 경험을 무시하고 남자의 직업적 역할과 나이든 사람의 은퇴를 고려한 경향이 강하다는 비판을 받고 있다. 사회유리이론은 이전까지 해 오던 직업적 일이나 사회적 활동에서 물러나 삶의 활동 수준과 소속감을 줄여 나가는 사건으로 은퇴를 정의하였다. 은퇴는 인간발달의 한 과정인 노화과정과 함께 생물학적·사회적 능력을 인식하고 자연스럽게 점진적으로 이탈해 나가는 과정으로 이해하여 준비하는 시간을 갖는 것이 심리적 안정과 적응에 도움이 된다고 보았다. 이 이론의 대표 연구자는 커밍과 헨리(Cumming & Henry, 1961)다. 활동이론은 은퇴 이후에도 은퇴 전과 같이 활동수준을 높이고 비슷한 참여를 계속하는 것이 적응에 도움이 된다고 강조하였다. 즉, 중년기의 생활과 활동을 유지하고 사회적 역할에 참여함으로써 성공적인 적응을 가져올 수 있다고 본 것이다. 그러나 은퇴 이후 높은 활동수준을 유지할 수 없는 은퇴자들은 비현실적 기대감으로 인하여 오히려 패배의식을 갖는다. 어떤 은퇴자는 은퇴 전의 활동수준보다 더 낮은 수준의 활동을 원하고 좀 더 여유로운 삶을 원할 수도 있다. 따라서 은퇴자들이 적응을 잘하기 위해서 높은 활동수준을 유지하는 것이 도움이 된다고 본 것을 비판하기도 한다. 지속이론에 따르면, 인간은 오랫동안 추구해 온 가치, 자아존중감 수준, 생활양식을 유지하려는 경향이 있으므로 이들을 유지하는 것이 곧 은퇴적응이라 할 수 있다. 가치, 자아존중감 수준과 같이 개인의 기억에 근거한 이념체계를 내적 지속이라 하며, 친숙한 환경과 친숙한 사람들과의 상호작용을 유지하는 것을 외적 지속이라 한다. 지속은 노년기의 생활적응을 나타내지만 지나치게 과거를 강조하면 새로운 환경이나 사람에게 적응하는 능력이 감소될 수 있다. 한편 지속이 지나치게 적으면 오히려 불안을 야기할 수도 있다. 이러한 지속을 유지하는 방법 중 하나는 은퇴 전에 가졌던 활동적이고 열정적인 직업관을 은퇴 후에는 분주한 삶으로 변화시키는 것이다. 예를 들어, 급여를 받는 일에서 자원봉사, 시간제 일, 주요 민생사업, 교제, 시민활동 등 사회에 공헌하는 삶을 하는 것이 적응에 도움이 된다. 그러나 이 같은 삶을 지속하는 데 필요한 개인의 경제적 자원과 신체적 건강, 그리고 사회문화적 지위가 갖추어지지 않은 은퇴자들은 적응에 어려움을 보인다. 또한 장애가 있거나 경제적으로 궁핍하여 자신의 욕구를 충족하지 못하게 되면 병리적 노년을 보낸다고 보았다. 그러나 수입이 감소했다고 하여 모든 은퇴자가 반드시 병리적 경험을 하지는 않는다. 이 이론에서는 다양한 은퇴자의 유형을 설명하는 데 부족함이 있다. 이와 달리 은퇴 이후 여러 가지 어려움으로 인한 위기는 병리적인 것이 아니며, 발달의 한 과정으로서 개인과 환경을 이해하고자 하는 위기이론이 은퇴 후 적응을 설명하는 데 가장 적절한 이론이라고 할 수 있다. 이 이론에서는 은퇴가 개인에게 신체적·심리적·정신적 건강을 위태롭게 하는 위기가 되지만 내적 지속성을 유지하고 환경의 변화에 적응하려는 노력, 대처능력, 그리고 여러 가지 성격적 특성 등의 심리적 요소를 강조하고 있다.

관련어 | 성공적 노화, 은퇴, 은퇴상담

은퇴전상담
[隱退前相談, preretirement counseling]

맡은 직업이나 직책에서 물러나기 전에 직업인들이 언제 은퇴할 것인지, 은퇴방법, 여가 등에 대하여 생각하기 시작할 때 수행되는 조력활동. 은퇴상담

은퇴를 생각하는 시기는 대략 은퇴하기 15년 전이며, 나이로는 40~60세로 발달단계에서는 중년기에 해당한다. 그들은 노후자금을 위한 계획, 은퇴에 대한 긍정적인 사고와 태도에 대해 가족이나 친구, 그리고 동료들과 논의하게 되며, 심리적·신체적·

생리적 변화를 경험한다. 상담자들은 이 시기의 인지적·신체적·정서적 발달과정과 문제상황을 충분히 이해하여 경청단계, 평가단계, 개입단계의 과정으로 도움을 주어야 한다. 상담의 목표는 과거와의 소외감, 젊음 등에서 벗어나 나이가 들어 가는 것과 은퇴를 긍정적으로 받아들일 수 있도록 하는 것이다. 이러한 목표를 달성하는 데 필요한 상담전략으로는, 그들이 이러한 과정을 맞이하게 되는 비통함이나 슬픈 마음을 표현하도록 만드는 애도작업이 있다. 은퇴 때문에 일어나는 변화에 대한 부정적인 감정들을 충분히 표현하고 정리해야만 은퇴 후에 새로운 일과 역할 등에 성공적으로 적응할 수 있다. 따라서 상담자는 상실감, 불안, 우울, 죄책감, 슬픔, 분노 등의 부정적인 감정을 표출할 수 있도록 내담자와 친밀감과 신뢰를 형성하고, 공감하기, 수용하기, 지지하기, 주의 깊게 경청하기, 은퇴와 노화에 대해 정보 제공하기, 은퇴가 생애발달의 한 과정임을 이해시키기 등의 여러 기법을 사용한다. 감정을 충분히 표현한 후에는 내담자의 은퇴 준비능력에 대하여 사정하는 평가단계를 갖는다. 이러한 능력에는 노후자금 마련에 대한 계획, 은퇴에 대한 사고와 태도, 신체적 건강, 자신이 통제할 수 없는 환경이나 사건, 비자발적 은퇴에 대한 정보 등이 포함된다. 내담자는 자신이 지니고 있는 문제의 심각성, 감정, 적응력, 경제적 능력 등의 개인적 욕구에 맞추어 지시적·비지시적·협력적 접근방법으로 개입하는 개인 또는 집단 상담에 참여한다. 은퇴 전 집단상담 프로그램의 내용에는 은퇴준비이론, 경제적 계획(연금, 퇴직금, 저축 등), 법적 정보, 노화, 생활유형, 여가활동, 가족 및 친구 관계, 은퇴 후 심리적 적응, 취업, 봉사활동 등이 있다. 성공적인 은퇴전 상담이 이루어지려면 직장인의 자발적 참여, 배우자 동참, 정확한 관련 자료 제공, 24명 이하의 집단구성원, 고용주의 초청 등이 필요하다. 은퇴 전 프로그램의 모형은 계획, 상담, 성인교육모형, 인간발달모형의 네 가지로 구분할 수 있다. 계획모형과 성인교

육모형은 교육적이고 교훈적이면서 가장 일반적으로 실행되는 프로그램이며, 주로 재정적 계획, 신체적 변화, 법적 문제를 강조하고 있다. 상담모형은 은퇴에 대한 태도, 생각, 감정 등의 심리적 변화와 가족관계 등의 사회적 변화에 대하여 자유롭게 표현하는 모형이다. 또 인간발달모형은 은퇴에 대한 감정을 인식하는 과정으로서 개인의 잠재력을 발휘하여 은퇴를 자기회복의 기회로 만들 것을 강조하고 있다.

관련어 은퇴상담, 은퇴적응이론

음색
[音色, timbre, tone color]

음성이나 악기가 지니고 있는 소리의 질을 나타내는 용어로, 음성이나 악기가 내는 소리의 성분 차이에서 발생하는 감각적 특성. **음악치료**

음색이란 음질(音質)이라고도 하며, 동일한 높이, 동일한 크기로 소리를 냈을 때 그 소리를 내는 도구나 음성, 진동방법 등의 차이에 따라 음에서 발생하는 감각적 성질의 차이를 말한다. 즉, 같은 음고, 세기, 길이의 음들을 구분해 주는 음의 특성이 바로 음색이다. 음색에 따라서 음성이나 악기들이 지닌 특성을 구별할 수 있다. 예를 들면, 같은 음을 내는 피아노와 기타는 각 악기의 특성으로 인해서 전혀 다른 소리가 나는데, 이것이 바로 음색의 차이가 된다. 음악치료에서 음색의 사용을 예로 들면, 두 가지 단순한 악기소리를 구분하는 것은 환경에 대한 인식을 일깨우는 첫걸음이 된다. 청각능력을 향상시키기 위해 악기소리를 구분하고 각 악기에 따른 그림이나 동작 또는 글씨를 인지하도록 훈련하는 능력은 환경에서 나는 소리와 다양한 사람들의 목소리를 구별하고 인지하는 능력, 즉 인간과 그 외 환경에 더욱 민감해지는 능력으로 전환될 수 있다. 또, 내담자가 호감을 가지고 있는 특정 악기에 치료사가 관심을 보이면 그와 악기와의 관계가 긴밀해

지고 나아가 치료사와의 관계도 긴밀해져 눈맞춤을 하거나 타인과의 관계개선에도 도움이 된다.

음성녹음
[音聲錄音, audio recording]

상담자와 내담자 간 상담과정의 음성기록. 상담 수퍼비전

상담과정에서 음성녹음의 방법을 사용하는 것은 상담의 수퍼비전을 통해서 더욱 효과적으로 내담자를 돕고 상담자의 기술을 발달시키는 역할을 할 수 있다. 음성녹음테이프로 상담과정을 녹음하여 이를 향후 상담목표를 세우는 데 활용하는 방법은 로저스(Rogers, 1942)와 코브너(Covner, 1942)가 시작하였다. 최근에는 비디오 녹화나 직접 살펴보면서 보다 직접적인 관찰을 하기도 하지만, 상담과정의 음성을 녹음하는 것은 여전히 수퍼비전에서 가장 널리 이용되는 도구에 속한다. 왜냐하면 보다 저렴한 비용으로 상담의 전 과정을 정확하게 전달할 수 있고, 장비를 사용하는 데 특별한 전문지식이나 기술, 혹은 공간이 없어도 가능하다는 장점이 있기 때문이다. 상담과정이 녹음된 음성녹음테이프를 나중에 참고하면 상담과정을 직접 관찰하지 못한 수퍼바이저나 다른 동료들이 보다 정확하고 용이하게 실제 상담과정을 이해할 수 있다. 상담과정을 녹음할 때 주의할 점은, 상담을 시작하기 전에 내담자의 동의를 반드시 구해야 한다는 것이다.

관련어 과정노트, 사례노트, 자기보고

음성장애
[音聲障礙, voice disorder]

호흡기관 등의 구조적 혹은 기능적 문제 때문에 음성의 음도, 강도 및 음절에 비정상적인 변화를 가져오는 말 장애. 특수아상담

음성장애는 기능적 음성장애와 기질적 음성장애

로 분류한다. 구조적 원인으로는 구개마비, 구개파열, 후두의 질병, 귓병, 코의 질병 등이 해당되고, 기능적 원인으로는 기분이 불안정하다든가 학교생활에 익숙하지 못하여 그 결과가 소리의 이상으로 나타나거나 변성기 때 나쁜 호흡습관, 부자유스러운 높은 소리의 사용 등이 해당된다. 이외 음성장애의 원인은 성대의 장애, 신경마비, 청각장애, 후두염 질병, 중추성장애, 편도선 비대증 등이 있다. 음성장애의 증상을 간추려 보면 다음과 같다. 첫째, 음성의 고저를 분간 못함, 둘째, 음성의 강약을 분간 못함, 셋째, 음성이 단조롭고 명료하지 못함, 넷째, 음성의 지속을 조정 못함, 다섯째, 말소리가 숨이 막히는 소리를 함, 여섯째, 말소리가 목쉰 혹은 거친 소리임, 일곱째, 어조가 단조로움 등이다. 음성장애는 성대결절, 폴립(polyp), 파킨슨병 등의 신경계 질환과 동반하여 나타날 수 있다.

관련어 음성언어장애

음악 콜라주
[音樂-, music collage, collage in music]

곡의 일부를 잘라서 그 자른 부분을 곡의 다른 부분으로 이동, 재배열하여 악곡에 변화를 주는 기법. 음악치료

원래 콜라주는 시각예술에서 쓰이는 용어였지만, 20세기 중반을 넘어서면서 녹음기술이 혁신적으로 발달함에 따라 기존의 악곡을 재편집하여 새롭게 배치함으로써 악곡에 변화를 가하는 방법으로 음악에서도 쓰이게 되었다. 이는 아방가르드 예술가들이 첫발을 떼면서 확산된 방법이다. 1960년대 조지 마틴(George Martin)은 비틀즈 음반을 제작하면서 녹음 중에 콜라주를 사용하고, 1967년에는 팝아티스트 피터 블레이크(Peter Blake)도 비틀즈의 음반에 콜라주를 적용하였다. 1970년대와 1980년대에는 크리스티안 마클레이(Christian Marclay)와 같은 시각 예술가가 음악적 요소들을 이용하여 음악 콜라주

를 만들기도 하였고, 그룹 네거티브랜드(Negativland)는 여러 가지 콜라주 방법을 이용해서 새로운 길을 개척하기도 하였다. 1990년대에 들어서면서 이러한 음악 내에서의 콜라주 기법이 대중음악의 한 요소로 자리 잡고 음악 콜라주(musical collages)라는 이름을 얻게 되었다. 특히 랩, 힙합, 전자음악 등에서 음악 콜라주를 많이 활용한다. 간단히 말하면, 음악 콜라주란 원곡을 잘 쪼개서 하나의 새로운 몽타주를 만들어 내는 작곡기법이라 할 수 있다. 음악치료에서는 내담자들이 스스로 주어진 악곡의 소리, 멜로디, 마디 등을 선택하고 재배열하여 새로운 음악을 만들어 내는 방법으로 음악 콜라주를 이용하여 내담자들의 자전적 혹은 치료를 요하는 문제 등을 연구할 수 있다.

음악아동
[音樂兒童, music child]

> 창조적 음악치료의 핵심 개념 중 하나로, 모든 아동은 자아 안에 음악적 자아가 존재하며, 음악적 자극이 주어지면 내면에서 일어나 음악적 표현을 할 수 있는 음악적 능력을 지닌 자아를 일컫는 말. **음악치료**

음악아(音樂兒)라고도 부르는 음악아동은 인간이 지닌 어떤 장애나 문제와는 상관없이 음악 안에서 자기를 발견하고 표현하여 자아를 실현하는 능력을 지닌 내적 존재 혹은 가능성을 뜻하는 말이다. 이는 창조적 음악치료에서 사용하는 개념으로, 모든 인간은 내재된 음악성이 존재하며 이는 개인의 성숙 및 성장을 활성화시킬 수 있는 기반으로 작용한다는 전제를 가지고 있다. 창조적 음악치료에서 즉흥연주 기법을 치료에 활용하는 이유가 바로 이 전제 때문이다. 개인에게 음악적 자극이 주어지면, 자기실현적인 잠재능력을 지닌 내면의 음악아동이 깨어나 내적 창조성을 발휘할 수 있게 된다. 창조적 음악치료를 만든 노도프와 로빈스(Nordoff & Robbins)는 모든 인간은 음악에 반응하고 타인의 감정에 공감하고, 인간이 지닌 인성의 이면을 반영하는 음악적 자기가 있다고 전제하면서, 이렇게 선천적으로 인간에게 내재된 개인적 음악성을 음악아동이라 칭한 것이다. 노도프와 로빈스에 따르면, 정신 및 정서적 장애가 생기는 것은 어떤 조건 때문에 음악아동이 차단되어서다. 그러므로 차단된 요소를 제거하여 음악아동을 깨워 개인의 자기자각(self-awareness) 능력을 증대시키고 음악적 반응을 사용한 치료적 경험으로 삶의 의미와 즐거움을 발견할 수 있도록 할 때 건강이 회복된다.

관련어 │ 창조적 음악치료

음악적 동작
[音樂的動作, music-movement]

> 음악치료에서 말하는 세 가지 음악적 활동 요소 중 하나로, 음악과 관련된 동작을 통칭하는 말. **음악치료**

음악적 동작은 노래부르기, 악기연주와 더불어 음악치료 내 음악활동 중 하나로, 리듬 있는 근육 운동, 기본적 이동, 구조화되고 자유로운 정신 관련 운동동작, 지각 관련 운동동작, 창조적 동작, 노래부르기 및 악기연주에 관련된 동작 등을 모두 포함하는 포괄적 활동을 말한다. 음악적 동작은 리듬에 맞추어 물건을 두드리는 신체운동, 악기연주 중의 손가락 자극과 같이 뇌 속의 음악적 작용을 두 가지 이상 함께할 수 있도록 만들기 때문에 여러 뇌기능 및 운동기능을 활성화할 수 있다. 음악치료에서 말하는 음악적 동작은 단순히 음악에 맞추어 움직인다는 개념을 넘어서는 활동으로, 치료목적과 내담자 기능수준 및 상태에 따라서 그 쓰임이 달라진다. 음악치료사는 음악적인 자료의 사용뿐만 아니라 아동의 기능에 적합한 비음악적인 요소들을 사용하여 음악적 동작을 도울 수 있다. 발달장애인의 경우, 운동 및 동작의 장애는 대근육 운동, 소근육 운동, 지각-운동장애로부터 보행능력이 결여된 경우까지 여러 수준으로 나눌 수 있으며, 심한 지적장애인이나 중복장애인의 경우 앉고 서고 머리를 지탱하고 팔·다리를 의도한 대로 협응적 방식으로 움직이는 능력 면에서 그 수준이 다양하듯이 감각운동장애도 정도가 다양하고, 모방과 자발적인 동작 역시 지체와 사회심리적 결핍 때문에 발달하지 못하거나 자극받지 못해 다양한 수준을 보인다. 모든 기능영역에 영향을 미치며 사람과 환경과의 상호작용을 제한하는 이러한 장애들은 음악적 동작이라는 감각운동적 자극을 통하여 직접적으로 다룰 수 있다. 신체를 움직임으로써 음악을 경험하는 것과 음악을 통하여 신체 움직임을 경험하는 것은 주의, 집중, 기억, 공간과 신체의 지각, 타인과의 접촉, 사회적 상호작용, 상상력, 민감성, 그리고 창의력 증진에 도움이 된다.

관련어 | 노래부르기, 악기연주

음악적 자기
[音樂的自己, musical self]

슈타이너(R. Steiner) 사상의 주요 개념 중 하나로, 모든 인간 내면에 존재하는 음악적 부분을 일컫는 말. 음악치료

음악적 자기는 발도르프학교 설립으로 세상에 이름을 알린 슈타이너가 설명한 개념 중 하나로, 인지학과 인본주의 심리학에 근거를 두고 있다. 슈타이너는 인간의 본질 속에 예술적인 면을 중시하면서 누구나 음악적인 내면의 자기가 있으며, 건강한 자아는 이러한 음악적 자기에 의해서 정서를 표현할 수 있는 능력을 가진다고 하였다. 그는 두 번째 아내인 마리 슈타이너 폰 시버스(Marie Steiner von Sivers)와 함께 많은 예술활동을 하면서 보는 말과 보는 노래(visible speech and visible song)로서 '유리드미(eurythmy)'라는 교육예술을 개발하였다. 슈타이너는 소리, 리듬, 문법적 기능과 같은 말의 요소들이 인간이 지닌 기쁨, 절망, 안락과 같은 인간의

정서와 음의 고저, 간격, 리듬, 화성 등 음악적 요소와 일치한다고 말하면서, 인간이 지닌 음악적 자기가 내면의 본질적 측면이라고 하였다.

음악지능
[音樂知能, musical intelligence]

음악분야의 독특한 능력. 인지치료

음악지능은 음악 애호가와 같은 지각력, 음악 비평가와 같은 변별력, 작곡가와 같은 변형능력, 연주자와 같은 표현능력을 말한다. 즉, 리듬, 음의 높이, 멜로디에 대한 민감성과 악곡의 음색에 대한 지각을 모두 포함한다. 음악에 대한 전반적인 이해와 분석적이고 기능적인 능력 모두를 의미하는 것이다. 음악지능은 다중지능의 여러 능력 중에서 가장 초기에 나타나는데, 생후 2개월부터 영아는 엄마의 노래에서 가락, 음량, 음의 윤곽 등을 알 수 있으며, 이 시기 언어보다 더 빠르게 반응한다. 인간의 음악적 능력에 대한 철학적 입장은 시대에 따라 변해 왔는데, 음악적 능력을 향상시키려는 20세기 후반 음악교육의 관심사는 심리학적 관점의 변화와 더불어 발전하였다. 가드너(Gardner)의 다중지능 개념 안에 있는 음악지능은 특성론적 입장과 총체론적 입장의 양극단 사이를 절충하면서 음악교육은 음악적인 사고를 강조하고 실생활 맥락을 중시해야 한다는 면에서 인지심리학적 견해를 가지고 지금까지의 음악능력의 개념을 보완하였다. 그는 『마음의 틀(Frames of mind)』을 발간하여 음악지능을 설명하였다. 여기서 그는 신체나 언어, 수학 및 공간적인 능력, 그리고 정서 등의 다른 지적 능력과는 독립적이면서 동시에 관련성을 가지고 있으며, 음악적인 상징체계를 파악하는 데 다른 영역에서의 상징과는 다른 독특한 발달과정을 거친다고 주장하였다. 부모를 포함한 가정에 있는 심리적 자원의 음악적 수준과 관심은 유아의 음악지능과 상관이 있다고 보

았다. 또한 닥시와 라이트(Doxy & Wright)는 아버지의 음악적 태도, 가정에 있는 악기의 유무, 음악지도를 받는 형제의 유무, 유아의 창의성 등과 음악지능 간에 의미 있는 관계가 있다고 하였다.

음악치료
[音樂治療, Music Therapy]

체계적인 음악활동을 매개로 하여 인간 심신의 기능개선 및 자기능력 향상을 추구하고, 이를 통해서 개인 삶의 질을 신장시켜 보다 나은 행동과 삶의 양식 변화를 꾀하는 예술치료분야. `음악치료`

음악치료는 음악을 치료도구로 삼아 아동부터 성인 및 노인에 이르는 다양한 사람들을 대상으로 한 학제 간 연구 및 임상 분야로서 행동, 심리분석, 실존 및 인본주의, 의학과 같은 다양한 이론적 기반을 통합하여 이를 음악에 접목시킨 정신치료라 할 수 있으며, 개인의 음악적 경험이 기반이 될 수도 있다. 음악치료는 음악에 관련된 기술이나 지식 습득을 목적으로 하는 음악교육과는 달리 음악을 매개로 하여 음악 이외 정신, 사회, 신체 관련 생활기술 습득을 목적으로 한다. 따라서 개인의 음악적 능력이나 지식은 음악치료에서는 중요하게 취급되지 않는다. 음악치료는 즐거움이나 건강에 도움을 준다는 단순한 개념과는 차이가 있다. 음악치료는 제한된 인원을 대상으로 구체적인 목적을 가지고 특정 문제에 관한 진단을 내리고 그 문제해결을 목적으로 하여 단계적 과정을 적용한다. 음악치료는 음악을 수단으로 삼아 자아감 고취, 감정 인식 및 표현 능력 향상과 같은 경험을 할 수 있다. 여기에는 보니 모델 GIM(Bonny Model GIM), 노도프 로빈스(Nordoff-Robbins)의 창조적 음악치료, 프리스틀리(Priestley)의 분석적 음악치료, 오르프 모델(Orff Model) 즉흥연주 등의 종류가 있다. 현재 행해지고 있는 근대 음악치료는 20세기 초에 미국에서 발생한 음악요법을 근간으로 한다. 20세기 초 미국정신

병원의 격리병동에서 만성 정신질환자를 위한 위문 음악활동 중에 만들어진 '치료 음악회'가 근대 음악요법의 출발점이라 할 수 있다. 이후 1950년 국립음악협회(National Music Council: NMC)에서 음악치료라는 용어를 공식적으로 채택하였다. 정신치료를 위한 음악치료에는 조정적 음악치료(Regulative Music-therapie: RMT)가 많이 적용된다. 이는 독일의 슈바베(C. Schwabe)가 불안 관련 신경증 치료를 위해 개발한 것으로 이완요법, 요가, 선 등의 영향을 받았다. 훈련을 목적으로 하는 음악치료에서는 이미지 유도법(Guided Imagery and Music)을 많이 사용한다. 이는 심상치료와 음악을 함께 적용한 것이다. 이외에도 기악이나 성악, 즉흥연주 등을 사용하는 내담자 참여적인 음악치료기법들도 있으며, 프리스틀리는 분석적 음악치료를, 오르프는 창의성과 창조적 표현능력을 중시하는 음악치료를 개발하였다. 음악치료사들은 음악치료학회에서 정한 자격기준을 이수한 자들로서, 내담자의 음악적 반응을 통한 정확한 진단평가, 내담자 행동변화를 추구하는 치료목적 및 목표 설정, 치료계획 수립, 과정 중 환자 상태 평가 등을 행한다. 음악치료는 심리뿐만 아니라 신체, 사회, 영적인 면까지 아우르는 치료를 행하며, 심신의 건강을 오랜 시간 유지할 수 있도록 하는 데 힘을 쏟는다. 이 같은 음악치료는 정신질환, 발달장애, 치매, 알코올이나 약물중독, 급·만성 통증, 신체장애, 스트레스, 신경증 등으로 고통을 받는 사람이 대상이 된다. 음악치료를 대표하는 학자로는 개스턴(E. Gaston), 시어스(W. Sears), 프리스틀리(M. Priestley), 브루시아(K. Bruscia) 등을 꼽을 수 있다. 음악치료는 체계적인 행위로 치료목표와 계획을 설정하고 그에 따른 활동을 목표 지향적으로 행해야 한다. 음악치료가 음악교육이나 음악을 매개로 하는 다른 레크리에이션과 차별을 두는 이유가 여기에 있다.

관련어 | 예술치료

음악치료공인위원회
[音樂治療公認委員會, Certification Board for Music Therapists: CBMT]

미국 내 음악치료전문가 공인자격 수여기관. **기관**

음악치료공인위원회는 미국에서 국가적으로 인정하는 음악치료사 공인기관으로, 1986년 국가자격기관위원회(National Commission for Certifying Agencies: NCCA)에서 음악치료사 훈련 프로그램을 공식 인증받았다. CBMT에서 수여한 자격을 유지하기 위해서는 이 기관에서 진행하고 있는 질적, 양적 소정의 교육을 계속해서 받는 것이 원칙이다. 5,300명이 넘는 음악치료사들이 현재 음악치료사 과정을 수료하고 인증을 받아서 활동 중이다. CBMT는 음악치료전문가들이 실무를 행할 수 있는 경쟁력 함양을 위해 필요한 지식을 규정하고 그에 따른 프로그램을 개발하여 음악치료사들의 전문성 신장을 위해 노력하는 것을 사명으로 삼고 있다. 1970년대부터 시작된 공인자격 국가적 기준에 부합하는 프로그램 및 방법을 지속적으로 개발해 오면서, 1983년 CBMT를 설립하고 국가자격기관위원회의 조건에 부합하는 전문 자격을 음악치료사들이 갖출 수 있도록 노력해 온 것이다. CBMT는 음악치료에서의 질적 우수성, 통합성, 전문가로서의 의무 등을 갖추기 위해 힘쓰고 있다. 이와 같이 CBMT는 국가자격기관위원회의 기준에 부합하는 공인 및 자격 훈련 프로그램을 지속적으로 개발하고, 국가자격시험에 맞는 현재 규범을 유지하여 음악치료사가 되고자 하는 이들이 미국음악치료협회(American Music Therapy Association: AMTA)가 요구하는 이론 및 임상기준을 갖출 수 있도록 노력하고 있다. 또한 임상 및 이론에 관한 정보를 모아 공유하고, 위원회 회원들의 활동을 지원하고, 지속적인 경쟁력을 확보할 수 있도록 보수 교육 프로그램을 개발 및 운용하여 음악치료의 질적 향상과 보급을 위해 노력하고 있다.

음악치료평가양식
[音樂治療平價樣式, music therapy assessment forms]

음악치료에 대한 내담자의 능력 및 내담자의 반응 정도에 관한 객관적 정보를 수집하기 위해서 실행하는 체계적 과정의 통칭. **음악치료**

음악치료에서 평가는 내담자와 치료사가 처음 대면했을 때 내담자에 대한 정보를 모으기 위해 치료사가 행하는 체계적 활동을 말하며, 음악적 능력을 비롯한 내담자의 전반적 능력을 파악하기 위해 실행하는 도구를 뜻하는 개념이라 할 수 있다. 기관이나 학자에 따라서 음악치료에서 사용하는 평가의 개념은 매우 다를 수 있다. 어떤 경우는 음악치료를 실행하기 전 그 과정을 받아들일 수 있는지에 관한 능력을 평가하는 것을 뜻하기도 하고, 또 어떤 경우는 내담자의 강점과 약점을 파악하기 위한 정보수집을 뜻하기도 하며, 또 다른 경우는 치료진행과정 중 발전단계를 기록하는 것을 뜻하기도 한다. 이렇게 볼 때 음악치료평가양식은 대상과 치료목적에 따라서 유동적으로 변하기 때문에 도구가 매우 다양할 수밖에 없다. 청소년이 대상인 경우는 정서 곤란 아동을 위한 음악치료 평가척도(Music Therapy Assessment for Emotionally Disturbed Children)를 사용하는데, 이는 주로 청소년의 행동장애, 분열, 정동 및 기분장애, 자폐, 불안장애, 애착장애 등을 평가하는 데 쓰인다. 이 평가는 발달기술에 관한 평가뿐 아니라 정동적 행동의 특성, 내용, 발달수준까지 평가할 수 있는 도구다. 이는 사전면접, 음악 관련 가족배경 조사, 내담자의 사회 및 정서적 기능 발달 적합성, 내담자 음악적 경험구성능력 평가, 변인 중 가능한 의미탐색, 내담자 음악적 행동해석, 내담자의 특정 병력에서 비롯된 음악적 반응평가라는 7개의 주요 영역으로 나누어져 있다. 이 평가를 실시할 때는 반드시 내담자의 가족력, 현재 행동문제, 정동적 발달수준, 내담자가 현재 진단에서 보여 주는 것 등을 먼저 조사해야 한다. 이외에도 비치브룩 음악치료평가(Beech Brook Music Therapy Assessment)라는 평가도구가 있다. 이는 내담자의 행동적 사회적 기능, 정서적 반응성, 언어 및 의사소통 기술, 음악적 기술 등을 평가하는 데 사용한다. 원래 이 평가는 아동이 음악치료를 시작할 때 아동에 대한 평가를 하기 위해서 개발된 것으로, 숫자로 점수화된 체계를 사용하여 내담자가 보여 주는 전반적인 행동양상을 평가한다. 이러한 음악치료평가양식들은 음악치료사가 내담자 치료과정에 관한 계획을 수립하고 내담자에 대한 정보를 충분히 얻어 신뢰관계를 구축하는 데 필수도구로 활용된다. 미국음악치료협회(American Music Therapy Association)에서는, 음악치료평가는 내담자의 현재 기능, 치료계획 및 과정을 구성하기 위한 정보수집, 치료에 대한 평가와 같은 목적으로 사용한다고 말하면서 음악치료에서의 중요한 영역임을 인정하였다. 한편, 음악치료평가양식은 실행 시기, 목적 등에 따라서 사전평가, 과정평가, 사후평가, 종합평가, 탄력성 평가 등으로 나누기도 한다.

음운인식
[音韻認識, phonological awareness]
단어를 구성하는 음절 또는 음소를 분석해 내고, 이를 하나의 소리로 조합할 수 있는 인지적 능력. 특수아상담

문장이나 낱말은 음절이나 음소(말소리)와 같이 더 작은 단위로 나누어질 수 있다는 것을 지각하며, 말소리를 조작할 수 있는 능력이다. 예를 들어, '국어책'이라는 단어의 경우 음절 수준에서는 '국' '어' '책'이라는 세 부분으로, 음소 수준에서는 'ㄱ' 'ㅜ' 'ㄱ' 'ㅇ' 'ㅓ' 'ㅊ' 'ㅐ' 'ㄱ'이라는 구성요인으로 분석해 내고, 이것을 하나로 결합하여 '국어책'이라는 단어를 말할 수 있는 것을 말한다. 이때 단어를 구성하는 소리를 분석해 내는 능력을 음운분절(phoneme segmentation) 능력이라고 하며, 분석된 소리를 하나로 결합하는 것을 음성혼성(sound blending) 능력이라고 한다. 아동이 가지고 있는 음운인식 능력은 이후 문자해독과 관련한 읽기 능력과 밀접한 관련이 있다고 알려져 있는데, 이는 구어를 문어로 표현해 주는 기호체계인 자모(字母)의 기능에 대한 이해하는 데 중요한 역할을 수행하기 때문이다. 다시 말해, 아동이 학습을 통하여 획득하는 자모와 음소의 대응관계에 대한 지식, 그리고 이들 자모를 결합하여 하나의 소리 단위로 만들어 낼 수 있는 능력은 문자해독과 관련한 중요한 기초적 읽기 능력이 된다.

관련어 음운

음운적 모호성
[音韻的模糊性, phonological ambiguity]
NLP의 밀턴모형에서 말하는 모호성의 하나로, 발음이나 소리는 같지만 의미가 다른 단어들로 모호한 상태. NLP

"배는 먹는 것이지만, 배는 타는 것이며, 또 다른 배는 사람의 신체부위를 말한다."라고 할 때 동일한 배가 모두 세 가지 다른 의미로 사용되었으므로 음운적 모호성에 해당한다. "나는 눈이 좋아 눈을 소중히 여긴다."라고 할 때도 음운적 모호성을 발견할 수 있다. 영어의 경우에는 'there/they're, nose/knows, right/write' 등을 들 수 있다. 말의 뜻을 정확하게 이해하기 위해서는 문장의 앞뒤에 숨은 맥락을 이해해야 하며, 그 말을 하는 사람의 발음이나 억양을 들어 보아야 한다. 이처럼 밀턴모형의 문형은 우세한 대뇌 반구에 계속해서 과중한 부담을 주어서 의식적으로 마음을 혼란시킨다. 밀턴 에릭슨(Milton Erickson)은 복합적이고 다층적인 말을 내담자에게 구사하였다. 그렇게 하면 내담자는 자신의 모든 유목화(chunking) 활동을 에릭슨이 던진 말의 의미를 탐색하고 그의 애매한 표현을 이해하는 일에 집중할 수밖에 없다. 그 결과 좌뇌는 혼란상태에 빠져 좌뇌적 분석기능을 수행하지 못하게 되면서 트랜스

에 들어간다. 즉, 자신 안에 숨어 있는 자원을 찾아내기 위하여 트랜스를 유도하고 그 상태를 유지하기 위한 언어를 사용한다. 절묘할 정도로 애매한 언어는 내담자를 위한 가장 적합한 방법을 가지고 자신의 말에서 필요한 것을 그들 스스로 받아들이도록 한다. 그것은 실제적으로 자세한 설명 없이 무언가에 내담자가 주의를 기울이도록 만든다.

관련어 밀턴모형

음위
[陰痿, impotence]

성욕은 있지만 성교 시 음경의 발기상태가 부족 혹은 불능인 상태, 발기된 상태라 하더라도 발기 유지가 성교 중에 충분하지 못한 상태의 남성 성적 장애로 발기불능증(勃起不能症)이라고도 함. 성상담

음위는 남성의 성적 장애로, 음경의 발기가 성교 진행 및 사정에 충분하지 못한 상태를 말한다. 이는 발기가 아예 되지 않는 발기장애, 사정에까지 미치지 못하는 사정지연, 흔히 조루라 일컫는 조기사정 등을 포함한다. 음위 때문에 성욕결핍, 두려움, 분노, 수치 등의 정신적 문제를 일으키기도 하지만 고환 질병, 방사 과도, 수음, 만성 임질, 방광염, 척수로, 당뇨병과 같은 신체적 질환을 일으킬 수도 있다. 또한 부부관계 회피, 동성애 등의 관계 문제를 수반할 수도 있다. 음위의 원인에 대한 설은 다양한데, 기질성장애와 기능성장애로 나누어 볼 수 있다. 약물, 알코올, 담배 등 외적 원인으로 인한 음위는 문진을 통해서 제외한다. 음위의 원인이 신체적인 것인지 심리적인 것인지 구별하기 위해서는 수면발기검사(nocturnal penile tumescence: NPT)를 실행한다. 가장 큰 심인적 병인은 예기불안이라 할 수 있다. 음위상태에 있는 남성은 심리적 부담감이 크기 때문에 장기간에 걸쳐 단계별로 치료를 해야 한다. 기질성장애인 경우는 동정맥 수술치료나 프로스테시스(Prosthesis, 보철물) 이식법, 보조기구 치

료 등으로 문제를 해결할 수 있다. 기능성장애인 경우는 심인성인 경우가 많기 때문에 의사소통훈련, 감각집중 훈련, 논 엘렉트법, 자율훈련 등 심리치료를 반드시 병행해야 한다. 효과적인 약물로는 요도 좌제, 시트르산 실데나필(상품명은 비아그라) 등이 있다. 직접적인 음위치료는 불안을 줄여 나가는 것을 우선적으로 행한다. 상대방에 대한 불안감의 경우는 상대방과의 물리적 거리를 두고 남성 혼자 수음을 통해서 사정하는 단계를 거친 다음 서서히 가까이 다가가는 형태로 치료를 행한다. 부부가 함께 치료에 참여하는 것이 효과적이며, 캐플란(Kaplan)이 제시한 심리성적 치료와 같은 혼합 치료법이 많이 사용된다. 매스터스와 존슨(Masters & Johnson)이 제시한 부부가 함께하는 치료법에서는 쾌감단계, 성기자극단계, 성교훈련단계 등으로 나누어 치료를 행한다.

음정
[音程, interval]

두 음을 동시적 혹은 연이어 소리를 낼 때 나타나는 두 음의 높이 차이. 음악치료

음정이란 한 음과 다른 한 음 간의 높이가 갖는 서로의 거리를 뜻한다. 음정은 진동수에 의해 생기며, 도수(degree)라는 단위로 표시한다. 동시에 울리게 하는 두 음의 높이 차이는 화성적 음정이라고 하고, 연속하는 두 음의 높이 차이는 선율적 음정이라고 한다. 진동수가 많으면 높은 음, 진동수가 적으면 낮은 음이 난다. 대개 높은 음은 자극적이고, 낮은 음은 이완적인 효과를 갖는다. 음정의 이런 현상들을 이용해서 신경의 긴장과 이완을 유도할 수 있다. 긴장으로 인한 불편을 호소하는 사람들에게 진동수가 적은 낮은 음이 주를 이루는 저음의 음악을 들려주었을 때 긴장이완의 효과를 얻을 수 있고, 반대로 생활에 활력이 없고 지속적인 무기력을 호

소하는 사람들에게는 고음의 소리가 주를 이루는 음악을 활용해서 삶의 활력을 되찾는 데 도움을 줄 수 있다. 음정이라는 요소가 치료적으로 사용되는 예를 들면, 음의 높낮이에 따라 신체의 위아래를 지시하는 활동이 있다. 이러한 음정의 대조는 청각 변별력의 발달, 주의집중, 방향성의 제시 등을 목적으로 사용될 수 있다. 또, 음의 높낮이는 언어를 발달시키기 위해 치료적으로 이용된다. 이는 말을 하기 전 발성을 촉진하는 목적으로도 사용이 되고, 한편으로는 말을 할 수 있거나 분절된 낱말을 사용하는 내담자의 언어장애를 개선하기 위해서 '안녕' 또는 내담자의 이름과 같이 둘 이상의 음절로 이루어진 낱말에 3도 또는 5도로 오르내리는 간격으로 목소리에 억양을 붙이는 것으로 시작할 수 있다.

응석받이
[- , spoiled child]

잘못된 양육으로 어리광을 부리거나 버릇없이 구는 아이.
개인심리학

아들러(Adler, 1973a, 1974, 1976)에 따르면, 응석은 심리적인 발달을 방해하는 가장 중요한 근원이다. 아들러는 부모가 자녀에게 과도한 사랑과 관심을 주어서 응석받이가 되는 것이 아니라 자녀가 해야 할 삶의 과제를 부모가 빼앗아 가기 때문에 응석받이가 된다고 보았다. 스스로 해야 할 숙제를 부모가 대신해 주고, 친구와의 갈등을 부모가 대신 풀어 주는 등 부모가 자녀의 문제를 대신 해결하는 것은 자녀의 독립심과 자발성을 빼앗고 부모나 주위 사람이 자신의 생존수단을 보장해 줄 것이라는 생각을 갖게 한다. 또한 자신감이 부족해져서 인생의 고비에 맞닥트렸을 때 해결할 능력이 없다고 믿고, 깊은 열등감에 빠져 강한 열등 콤플렉스를 심화시킨다. 그 결과 응석받이는 정서적으로 기가 죽어 있고, 생활문제에 머뭇거리면서 실제 문제해결에는

불안과 공포 증상을 보인다. 응석받이는 다른 사람을 믿지 못하고 인간관계를 단지 다른 사람을 이용하려는 것으로 본다. 그들은 자신의 업적을 이룰 용기가 부족하여, 자기 삶의 책임을 부모, 가족, 다른 사회적 기관에 지우기를 좋아한다. 응석받이는 자신의 노력으로 자기 삶의 과제를 해결하는 기회를 부모에게 박탈당함으로써 열등감이 심화되고 공동체감의 형성에 장애가 생긴다. 개인심리학적 관점에서 볼 때 응석받이가 추구하는 세상은 매우 비현실적이다. 성장환경에 상관없이 그들은 생활의 유익한 측면에서의 기여를 배우지 못했고, 공동체에 어떠한 기여도 할 줄 모른다. 버릇없이 길러진 사람들은 인생에서 언제나 자신이 불리하고 손해를 본다는 느낌을 갖는다. 응석받이의 버릇없음은 심화된 열등감에서 오는 심리적 고통과 공동체감의 결핍에서 오는 사회기술 부족의 결과일 수 있다. 응석받이의 성격적 특성에 대해 아들러(Adler, 1973a)는 다음과 같이 묘사하였다. "응석받이는 자기애가 되기 쉽고, 이기적이고, 질투가 많고, 인색하다. 그들은 발달 정도가 개인마다 차이는 있지만, 과잉 예민하고, 인내심이 없고, 참지 못하고, 감정이 쉽게 폭발하는 경향이 있고, 충동적이고, 탐욕스러운 면이 있다. 일반적으로 뒤로 물러나거나 과잉 조심하는 경향을 보이기도 한다." 응석받이는 자신의 열등상황을 극복하고, 생활의 안전감을 확보하는 데 두 가지 행동방식을 나타낸다. 첫째는 공격적 우월추구 경향의 응석행동이고, 둘째는 후퇴의 방법을 동원하는 응석행동이다. 공격성향을 띤 응석행동은 우세하고 폭력적인 형태나 매우 심약한 형태로 나타난다. 응석이 더 이상 받아들여지지 않으면 허영의 성격을 나타내 끊임없이 다른 사람을 욕하고 폭력을 행사한다. 이런 유형의 응석받이를 카우스(Kaus, 1926)는 "애정의 치마폭 뒤에 고삐 풀린 독재자"라고 표현하였다. 회피의 수단을 사용하는 응석받이는 주로 '연약함을 통한 지배'라는 수단을 많이 사용한다. 응석받이는 용기, 안전감, 자존감을 발달시킬

기회를 갖지 못했기 때문에 그들은 삶의 과제에 당면해서는 부족하다는 것을 느낀다. 이 불안전감은 아동이 자신의 약함을 무기로 사용하는 데서 두드러진다. 아들러(1974)는 동생이 태어난 후 야뇨증세를 보이는 아이들도 동생에게 빼앗긴 부모의 관심과 사랑을 되돌려 받으려는 목적으로 응석을 부린다고 보았다. 아들러는 오이디푸스 콤플렉스를 응석받이 교육의 예술적 산물이라고 비난하였다. 프로이트는 엄마의 사랑을 혼자 독차지하고자 아버지를 제거하려는 아들의 소망으로 아버지에 대한 미움을 나타내는 것이라 했지만, 아들러는 엄마에게 버릇없이 길들여져서 유약해진 아이의 욕구에 관한 것으로 해석하였다.

관련어 | 응석의 생활양식

응석의 생활양식
[－生活樣式, spoiled life style]

응석을 부리고 싶은 아동이 가지고 있는 생활양식으로서 신경증적 생활양식이라고도 함. 개인심리학

아들러(A. Adler)는 응석의 생활양식을 개인은 물론 사회의 정신병리화 현상을 유발시키는 가장 위험한 요인으로 지적하였다. 아들러의 후기 저술에서는 신경증적 생활양식과 생활태도를 응석의 생활양식으로 대치할 정도로 아동기 응석의 생활양식이 한 개인의 성격형성에 미치는 악영향을 강력하게 경고하였다. 그는 응석받이와 응석의 생활양식 간의 차이를 구별하였다. 응석의 상황에서 응석의 생활양식이 자동으로 형성되는 것이 아니라, 응석적 대응, 즉 아동의 창조적인 힘이 작용해야 응석의 생활양식이 형성된다는 사실을 강조한 것이다. 즉, 생활양식이 개인의 유전적 기질이나 사회적 환경 등에 영향을 받지만 궁극적으로는 개인이 창조해낸다는 것이다. 응석의 생활양식은 반드시 부모에 의해서 생겨나는 것은 아니다. 전혀 응석이 받아지

지 않는 상황, 무시를 받는 아동이나 무시를 받는다고 느끼는 아동에게서 더 많이 발달할 수 있다. 즉, 응석의 생활양식은 실제로 응석받이 아동보다는 응석을 부리고 싶은 아동에게서 나타난다고 한다. 응석의 생활양식 형성에 영향을 미치는 요인으로는 부모의 과잉보호적 양육태도, 냉담, 무시, 방임적 태도와 외동이나 막내에 해당하는 형제서열, 기관열등 등이 있다. 아들러(Adler, 1972)는 공동체감이 결핍된 응석받이는 성인이 되어 신경증으로 재배치된다고 하면서, 신경증적 생활양식은 근본적으로 응석의 생활양식이라고 하였다. 또 다른 저서에서는 "사례를 깊이 연구하면 할수록 응석의 사실이 분명하지 않은 신경증자가 없다는 것을 보다 분명히 볼 수 있게 된다."라고 하였다(Adler, 1930). 응석받이는 청소년과 성인이 되어도 어릴 적 응석의 생활양식을 계속 유지하려고 한다. 어린 시절 파라다이스로 돌아가고 싶은 소원을 가지고 있는 응석받이 청소년이나 성인들은 마치 자신이 아기인 것처럼 행동한다. 어릴 적 상황으로 돌아가서 그 시절에 고착되어 그때 파라다이스에서 느꼈던 좋은 감정을 느끼고 싶어 하기 때문이다(Adler, 1974). 아들러는 범죄자들도 많은 수가 응석의 생활양식을 지니고 있다는 것을 발견하였다. 범죄자는 "나는 어렸을 때 불공정하게 취급받았어. 그래서 지금 내가 원하는 것을 받을 수 있어야 해."라는 잘못된 논리를 펴며 자신의 범죄적 행동을 합리화한다. 이러한 응석의 요구를 충족시키는 잘못된 논리 또는 개인의 사적인 논리를 펴며 잘못된 방법을 사용하는 사람들은 신경증자 외에도 약물중독, 알코올중독, 과식중자, 자살, 범법, 성도착증, 정신병자들에게서 발견된다. 아들러는 또 다른 저서(Adler, 1973a)에서 "우리는 응석받이를 범죄자, 자살자, 노이로제 환자, 중독자 등 흔히 서로 다른 환자들에게서 발견한다."라고 말하면서 신경증적·정신병적 생활양식을 아예 응석의 생활양식으로 바꾸어 말하였다. 응석의 생활양식을 지닌 사람들은 생활과제를 건강하게 수행하지

못한다. 사랑을 받기만 했지 주는 것을 모르는 이들은 사랑과 결혼의 과제에서도 어려움을 겪는다. 공동체감을 발달시키지 못한 응석받이는 이성친구나 결혼상대를 선택하는 것부터 문제에 봉착한다. 사랑해야 할 배우자도 이들에게는 사랑의 대상으로 동등한 상대가 아니라, 자신을 지지하고 보호해 주는 또 다른 어머니와 누이, 아니면 하인의 역할을 해줄 사람으로 인식한다. 배우자가 자기 자신보다 다른 것에 열중하면 응석받이는 시기와 질투를 느낀다. 이들은 쉽게 배우자에게 무시당한다는 느낌을 갖고, 불쾌감을 자주 드러내면서 비난을 하거나 폭력을 행사한다. 이들은 자신이 불완전한 사람이라는 두려움 때문에 자위, 조루, 성 불능, 성도착 등 부부간 성생활에서도 많은 문제를 나타낸다. 직업이라는 과제를 수행하는 데에도 응석의 생활양식을 지닌 사람들은 어려움을 겪는다. 아들러에 따르면, 직업문제를 해결하는 최고의 방법이 협동인데, 항상 다른 사람의 보조를 원하고 자신의 기여 없이 다른 사람의 덕으로 살고자 하는 응석의 생활양식을 가진 사람들은 직업문제에서 벗어나거나 공동의 인간-관심 밖에서 일하고자 한다. 직업문제에서 그들은 직업선택을 계속 미루거나 직장을 자주 바꿈으로써 직업문제 해결에 대해 거리감(distance)을 표한다. 자신의 지배에 복종하지 않는 직업이 마음에 들 리가 없다. 그래서 그들은 직장에서도 불만이 많고 만족하지 못한다. 우정과 공동체에서의 과제도 이들은 공동체에 어떤 기여를 하기보다는 자신을 위해 공동체를 이용하려는 특성을 보인다. 특히 공동체감과 사회적 관심이 부족한 응석받이의 어려움을 분명하게 볼 수 있는 곳이 학교다. 자율성과 책임감, 공동체감이 강조되는 학교는 응석받이에게는 낯선 곳이고, 어머니에의 기생적인 무의식적 태도, 공동체감 부족, 비자율적, 협동심 부족, 자기 자신의 업무능력에 대한 낮은 신뢰도, 친구와 교사에 대한 불안 등 학교라는 공동체는 응석받이에게는 긴장과 불안을 유발하는 곳이다. 아들러(Adler, 1973b)는 아

이 중 50~60%가 응석받이 교육으로 비자율적이 되었고, 학습 부적응 문제아의 원인도 응석의 생활양식에 근거한다고 하였다.

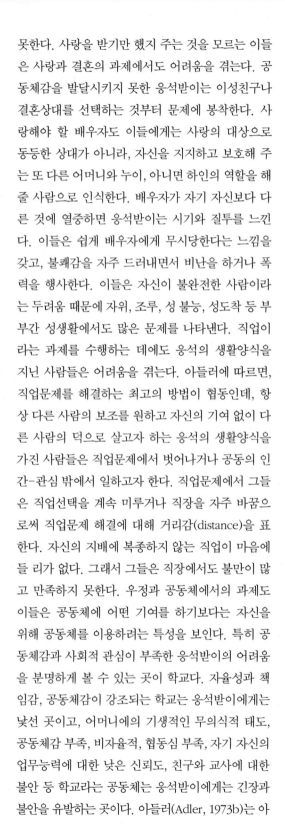

관련어 | 삶의 과제, 신경증적 생활양식, 응석받이

응집성
[凝集性, cohesiveness]

집단 내에서 함께하는 느낌 또는 공동체라는 느낌으로서, 집단구성원의 조화된 노력으로 집단에 남아 있기 위하여 활동하는 모든 힘의 산물. 집단응집력 혹은 집단응집성이라고도 함. **집단상담**

응집력이 있는 집단은 소속감이나 유대감을 나눈다. 집단상담에서 응집성은 집단에 대한 매력의 정도와 집단구성원에게 나타나는 동기의 수준을 보여 준다. 사회심리학에서 1950년대에 페스팅거(L. Festinger) 등은 '구성원이 집단에 남도록 작용하는 장 전체'를 응집성이라고 불렀으며, 그 집단 및 구성원이 갖는 매력과 그 집단이 구성원에 대한 중요한 목표를 매개하는 정도에 영향을 받는다고 하였다. 응집성의 측정은 보통 표출된 행동을 관찰하고 구성원에게 어느 정도 좋아하고 있는가(대인매력)의 소시오메트릭(sociometric)을 보고하게 하는 방법으로 이루어진다. 이는 다양한 활동의 관점에서 집단구성원이 가장 선호하는 사람의 이름을 말하도록 하고, 집단 내에서 선택되는 사람의 수가 그 집단의 응집성을 반영하는 방법이다. 이 측정법은 집단구성원 간의 매력의 정도에 근거를 두고 있으며, 집단에 남아 있거나 집단을 떠나려는 생각과 같은 다른 힘은 무시한다. 긍정적인 선택의 수만 셀 수 있는데, 각자에게 가장 좋아하는 사람과 가장 좋아하지 않는 사람을 물어본 다음 자료를 비교하여 응집성을 측정할 수도 있다. 이 밖에도 집단구성원들이 토론하는 자리에서 '우리'와 '나'라는 용어를 사용하는 빈도로 응집성을 측정하거나, 집단에 출석하는 정도 혹은 집단구성원에게 집단에 얼마나 남아 있고

싶은지를 직접 확인하여 측정할 수도 있다. 응집성이 낮은 집단의 구성원은 응집성이 높은 집단의 구성원과 비교하여 의사소통을 덜 하며, 개별적으로 행동하고 다른 구성원을 배려하지 않는다. 반면, 응집성이 높은 집단에서는 구성원들이 상호협조적이며, 친밀하고 집단의 통합을 증진시키는 방향으로 행동하는 경향이 있다. 집단 내에서 일어나는 저항과 갈등을 생산적으로 처리하고 나면 집단은 점차 응집성을 발달시킨다. 집단 초기에 집단구성원은 어느 정도 어색한 느낌을 가지고 있다. 공식적으로 보여 줄 수 있는 정도만 나누고 개인적인 측면은 잘 드러내지 않는다. 진정한 의미의 응집력은 대체로 집단에서 갈등을 경험하고 고통을 나누며 의미 있는 정도의 위험을 감수하겠다고 마음먹은 이후에 형성된다. 즉, 사람들이 마음을 열고 위험을 받아들여 아주 의미 깊은 개인적 경험과 노력을 정직하게 나눌 때 집단은 결속을 이룬다. 집단응집력은 초기 단계부터 발달한다. 진정한 응집성은 자동적으로 도달되는 고정된 지점이 아니고, 집단구성원이 다른 집단구성원과 함께 감당하는 위험을 통해 점점 더 다져지는 지속적인 과정이다. 응집력은 집단을 앞으로 나아가게 하므로 집단이 성공하기 위해서는 응집력이 반드시 존재해야 한다. 응집력이 없는 집단은 구성원 각자가 개별적으로 활동하고, 참가자들이 방어기제에 매달리게 되어 결국 집단상담은 피상적이 된다. 응집력은 자기지향적인 행동—드러내기, 친밀성, 상호관계, 직면, 모험해 보기, 통찰을 행동으로 옮기는 것 등의 활동—으로 다져진다. 일반적으로 효과적인 집단상담이 되려면 응집성이 필수적이기는 하지만, 경우에 따라서는 집단의 발달에 장애가 될 가능성도 없지 않다. 집단구성원은 응집성을 저해하는 부정적인 감정의 표현을 자제하고 보다 가볍고 유쾌한 대화나 상호작용에 빠져들어 거짓형태의 응집성을 발달시킬 뿐 아니라 갈등 뒤에 얻은 응집성이기에 이를 즐기다 보면 다음 단계로 나아가기 싫어하는 경향을 띨 수 있다. 더욱 발

전해 나가려는 참가자와 지도자의 도전정신이 수반되지 못하는 집단은 응집력이 만들어 낸 안락과 안전에 빠져 더 이상 진전을 못한다. 초기 응집력의 수준을 알 수 있는 지표는 집단구성원 사이의 협동심, 즉 집단 출석하기, 시작 시간 엄수하기, 신뢰감이 없다거나 신뢰할 수 없다는 등의 감정을 포함해서 집단을 안전한 장소로 바꾸려고 노력하기, 다른 사람이 하는 말에 경청하고 있는 그대로 수용하는 등의 지지적 관심 나타내기, 지금-여기 맥락에서 다른 사람에 대한 반응을 인식하고 표현하기 등이 될 수 있다. 집단 응집력은 집단 내 활동에 전반적인 영향을 미치고 특히 집단의 유지에는 더 큰 영향을 미친다. 집단의 응집력은 여러 가지의 집단과정 변인과 관계가 있으며, 그중에서 상호작용, 사회적 영향, 만족도 등은 집단의 응집력과 밀접한 관련이 있는 중요한 변인이다. 응집성을 촉진하는 방법은, 첫째, 집단의 초기단계에 신뢰감이 형성되어야 한다. 둘째, 집단구성원이 자신들에게 중요한 측면을 서로 나누면 위험을 감수하고 응집성을 높일 수 있는 방법을 알게 된다. 셋째, 집단목표와 개인의 목표는 집단구성원과 지도자가 협력하여 설정한다. 넷째, 모든 집단구성원이 집단의 적극적인 참가자가 되도록 종용함으로써 응집성을 높인다. 다섯째, 지도자가 자신의 역할을 집단구성원과 함께 나눌 때 응집성이 높아진다. 여섯째, 집단구성원끼리 갈등이 발생했을 때 갈등의 근원을 인식하고 그것을 개방하는 태도를 갖는 것이 바람직하다. 일곱째, 집단구성원의 관심사를 다루고 집단구성원이 존중된다는 분위기가 지지되면, 집단이 매력적으로 보여 응집성이 높아진다. 여덟째, 집단구성원의 생각과 느낌을 드러내도록 하여 긍정적이고 부정적인 반응 모두 격려되어야 한다. 그렇게 되면 솔직한 상호작용이 일어나 응집성이 높아진다. 집단의 응집성은 집단구성원과 집단지도자의 협력적 노력으로 발달된다. 따라서 집단지도자는 집단의 응집성을 높이기 위하여 스스로 모범을 보이는 동시에 신

뢰성과 응집성을 높이는 데 도움을 주는 집단구성원의 반응과 행동을 강화해야 한다. 응집성은 구성원에게 그 집단의 일원으로 계속 남아 있고, 집단의 규범을 지키도록 만들어 준다. 그리고 구성원 간의 상호작용과 협동이나 영향을 증가시켜 자타의 집단의 판별을 높이도록 한다. 응집성은 집단상담에서 작업단계를 위한 전제조건에 불과하기 때문에 집단지도자는 준비단계에서 응집성을 높인 다음 행동의 변화를 위해서 집단을 작업단계로 이끌어야 한다.

의례
[儀禮, ritual]

교류분석

⇨ '시간구조화' 참조.

의뢰
[依賴, referral]

내담자를 도와주는 한 가지 방법으로서 내담자에게 도움이 되는 다른 지역기관에 보내는 일. 개인상담

상담자가 자신이 할 수 있는 범위를 넘어서는 경우, 예를 들어 정신질환, 자살기도, 알코올중독, 법률문제 등으로 복잡한 것이나, 자신과 이해관계가 있는 경우에는 망설이지 않고 관계기관에 의뢰한다. 여기서 중요한 것은 상담자가 자신의 역량과 한계를 인지하여, 내담자의 상황에 따라 의뢰를 할 것인가 하지 않을 것인가를 판단하는 것이다. 그리고 요인에 상관없이 의뢰할 때 주의해야 할 점은 내담자에게 거부감을 주지 않는 것이다. 상담자는 내담자에게서 "상담자가 싫어한다. 중증이기 때문에 받아 주려고 하지 않는다."라는 오해를 받지 않도록 유의해야 한다. 예를 들어, 내담자에게 "당신의 문제에 대해서는 나보다도 ○○○ 선생님이 더 전문가이시니, 그 선생님을 소개해 드릴까요? 만약 만나 보고 만족스럽지 않으면 이쪽으로 다시 와도 상관없습니다만, 어떻습니까?"라고 물으면, 대부분의 내담자는 오해 없이 승낙할 것이다. 또한 정신질환이나 알코올중독 문제 등 긴급하게 전문의료기관에 의뢰해야 할 때 소개할 기관을 모르고 있으면 내담자를 도울 수가 없기 때문에, 상담자는 평소 의뢰할 수 있는 기관에 대한 정보를 갖고 있어야 하고, 그 기관들과 관계를 맺어 두어야 한다. 의뢰의 과정은 다음의 4단계를 따른다. 첫째, 의뢰의 필요성을 확인한다. 둘째, 가능한 의뢰기관을 평가한다. 셋째, 의뢰를 위하여 내담자를 준비시킨다. 넷째, 이동을 조절한다.

관련어 | 알코올중독

의료가족치료
[醫療家族治療, medical family therapy]

심리정서장애를 치료하기 위해 의료적인 약물치료와 심리교육적 가족치료의 형태를 결합한 치료방법. 기타 가족치료

일반적으로 심리교육적 가족치료는 정서장애를 가진 환자와 그 가족이 문제적 상황을 잘 이해하고 긍정적으로 대처할 수 있도록 미리 교육하는 것을 주요 목표로 삼는다. 이에 반해 의료가족치료는 정서문제와 그것이 가족체계에 미치는 영향과 역동과정에 대해 관심을 가지고, 이를 이용하여 의학적 문제에 대해 통합적 접근을 하려는 적극적인 치료방법이다. 의료가족치료사는 소아과 의사, 가정 주치의, 재활전문가, 그리고 간호사와 협력하여 치료에 임하며, 가족관계와 가족 건강 사이의 복잡한 역동관계를 다루고 대처하는 것이 주목적이다.

관련어 | 심리교육적 가족치료

의료사회복지사
[醫療社會福祉士, medical social worker: MSW]

의료·보건 기관 등에서 환자의 심리·사회적 가치(생활상의 여러 문제)를 원조하는 복지사. `중노년상담`

의료사회복지사는 환자와 그 가족을 둘러싼 심리적 문제와 생활문제(의료비, 생활비)에 대해, 또는 각종 사회자원(복지기관, 시설, 사회복지제도, 사회보장 등)을 활용할 수 있도록 소개하여 이들 문제를 해결하도록 지원하는 역할을 한다. 이들은 의료팀과 협력하여 환자와 가족이 마음 놓고 의료를 받을 수 있도록 하기 위해 오늘날의 보건의료에서는 없어서는 안 되는 일을 담당하고 있다. 첫째, 경제적 문제해결, 조정원조, 둘째, 요양 중의 심리적·사회적 문제해결, 조정원조, 셋째, 진찰, 진료 원조, 넷째, 퇴원(사회 복귀) 원조, 다섯째, 지역활동의 다섯 가지 사항에 대하여 의료와 복지연대를 도모하는 일을 병원 등 관리자의 감독하에서 맡고 있다. 의료사회복지사가 처음으로 등장한 것은 1895년 영국에서이며, 이어 1905년에 미국에서 나타났다. 일본에서의 발족은 영미 양국보다 상당히 늦은 1919년에 이츠미바시자선병원(현 미쓰이기념병원)에 두 사람의 부인 상담원을 배치하면서 설립된 후 1925년에 도쿄 시 요양소 안에 사회부와 결핵 상담소가 개설되었다.

의미 있는 느낌
[-, felt sense]

포커싱(focusing) 과정 중에 신체 내부에서 발생하는 특별한 감각. `심상치료`

의미 있는 느낌은 포커싱 과정에서 일어나는 것으로, 특정 문제 및 상황에 관하여 몸이 느끼는 포괄적이면서도 막연한 감각적 느낌을 일컫는다. 포커싱(focusing)이란 신체 상부에 집중하여 몸이 느끼는 감각(bodily felt sense)을 통해서 자각과 감정치유에 이르는 상담기법을 말한다. 이처럼 의미 있는 느낌은 '몸의 반전'이라 칭하는 '쉬프트(shift)'와 함께 포커싱의 주요 개념이다. 의미 있는 느낌이 시작되는 지점에서는 어떤 감각인지 실제 존재적으로 느껴지는 것은 없다. 그 존재조차 너무 미미해서 전혀 깨닫지 못한 상태에서 형태도 없이 막연하게 어렴풋한 느낌으로만 감지되는데, 이것이 중대한 의미를 지니고 있다는 감이 올라온다. 특정 어휘나 상으로는 표현이 불가능한데도 신체감각으로는 그것을 감지할 수 있는 것이다. 몸과 마음이 분리된 것이 아니라 연결된 상태라는 전제에서 몸과 마음이 분화되기 이전의 상태, 심신이라는 단일체로 느껴지는 신체적 체험이다. 이는 몸이 느끼는 경험, 특정 상황, 대상, 사건 등에 대한 마음이나 정서가 아닌 몸의 자각반응이라 할 수 있다. 특정 시기나 특정 주제에 관해서 느끼고 아는 전반적인 것들을 모두 포괄하는 내적 기운으로, 그 안에 각각의 요소가 분리되어 느껴지는 것이 아니라 즉석에서 모든 요소를 한꺼번에 전달받는 기운이 의미 있는 느낌이다. 처음에는 불명확하고 애매한 상태에서 어렴풋이 느껴지지만 그것을 느끼는 사람에게는 의미가 신체적으로 전달된다.

`관련어` | 쉬프트 포커싱

의미귀속
[意味歸屬, meaning attribution]

특정 사건이나 경험에 가치와 중요성을 부과하는 것. `집단상담`

의미귀속은 참가자가 겪은 특정 상황에 대해 중요한 의미를 부여하여 소중히 여기는 것이다. 집단상담자는 집단에서 일어나고 있는 사건을 인지적인 방식으로 참가자에게 설명하여 이해시키는 능력이 필요하다. 참가자들이 무심코 흘려보낸 과거의 사건에 대해 집단상담자가 충분히 노출을 시키고, 그 사건에 대한 의미를 통찰할 수 있도록 도와주어야 한다. 예를 들어, 침울했던 시간들을 집단에서 노출시킴으로써 진정한 행복의 의미를 새롭게 발견하고 이해하는 데 도움이 되어 그 사건이 참가자 자신에게 가치 있게 여겨지는 경우가 있다.

의미변별척도
[意味辨別尺度, semantic differential scale]

측정하려고 하는 어떤 대상과 관련된 각 쌍의 형용사를 활용하여 나타내는 심리척도. 심리검사

오스굿(C. E. Osgood)과 그의 동료들이 1957년에 창안한 의미변별화법은 개념의 함의를 의미 공간(semantic space)의 위치로서 측정하는 방법으로, 의미분석법 혹은 의미차별화법이라고 일컫기도 한다. 의미공간에서 각 개념의 위치를 상대적으로 비교분석하기 위해 사용되는 척도가 의미변별척도인데, 이것은 측정을 하고자 하는 대상과 관련된 각 쌍의 형용사를 양 극단에 적고 그 사이에 정도를 표시할 수 있는 난을 만들어 피검자의 반응을 이끌어내는 척도다. 여기서 모든 형용사는 공통적인 평가의 의미를 가지고 있어야 한다. 예를 들면, 친구들에 대한 감정을 확인하려는 평가에서는 좋은 · 나쁜, 친절한 · 잔악한, 정직한 · 부정직한 등이 대표적인 형용사가 될 수 있다. 검사에서는 각 형용사의 쌍에서 자신의 위치가 어느 정도인지를 V표로 표시하도록 한다. 각 형용사 쌍 사이에 있는 각각의 칸마다 미리 수치가 부여되어 있어서 반응자의 점수는 V표가 된 칸에 해당하는 수치를 합산하여 얻은 결과로 알 수 있다. 대개 다음과 같은 절차를 밟아 제작한다. 먼저 분석하고자 하는 개념을 결정한다. 다음에 의미 공간의 축을 구성하는 요인을 선정한다. 평가요인, 능력요인, 활동요인 가운데 세 가지 요인을 모두 사용할 것인지 아니면 그중 어느 하나

또는 둘만을 골라서 사용할 것인지를 결정해야 한다. 그런 후에 척도의 단계를 어떻게 나눌 것인지를 결정하는데, 대체로 5단계 혹은 7단계를 많이 사용한다. 이와 같이 분석하려는 개념과 의미 공간의 축, 그리고 척도의 단계를 결정했으면 그다음에는 이러한 결정에 따라서 상반되는 형용사들을 짝지어 척도를 구성한다. 의미변별척도에서 변산을 초래하는 주요 원천은 개념, 척도, 피검자의 세 종류다. 따라서 의미변별척도에서 얻은 점수를 분석하는 데 있어서도 이러한 변산의 원천을 중심으로 개념 간, 척도 간, 피검자 간 상호 비교할 수 있다. 의미변별척도의 자료는 집단적으로 묶어서 분석할 수도 있고 개인별로도 할 수 있다. 일반적으로 의미변별척도의 결과를 분석하는 방법에는 평균치를 비교하는 방법과 거리군집(distance-cluster) 분석의 방법이 있다.

의미치료
[意味治療, Logotherapy]

오스트리아의 정신과 의사인 빅토 프랑클이 창시했으며, 실존적 의미를 찾고자 하는 인간의 의지와 욕구를 다룸으로써 정신장애 등과 같은 인간의 심리적·정신적 문제를 극복하고자 하는 심리치료 이론이자 기법. 집단상담

프랑클은 인간을 결정론적 관점에서 보는 것을 반대하고 현상학과 실존주의에 철학적 기반을 두는 인본주의적 관점에서 이해하려고 했다. 또한 인간을 최악의 상황과 조건에서도 생존할 수 있으며, 존재에 대한 의미를 갖고 있는 성장하는 존재라고 보았다. 그는 인간이 삶에서 의미를 찾고자 하는 주요 동기를 가진 존재, 즉 '의미에의 의지(willing to meaning)'를 원동력으로 살아가는 존재이고, 무엇을 행하고 무엇을 사고하며 어떻게 반응할 것인지에 대해 개인적으로 선택할 자유와 그에 따른 개인적 책임을 가진 존재라고 보았다. 한 인간이 삶의 의미를 상실한 상태를 '실존적 욕구좌절(existential frustration)'이라 부른다. 프랑클에 의하면 삶에 의미가 없는 것은 일종의 신경증이며 이러한 상태를 개인 내부의 어떤 심리적 갈등에서 생기는 일반적 신경증과 구분하기 위해 '심령적 신경증(noögenic neurosis)'이라 명명했다. 심령적 신경증은 종교적 의미에서가 아니라 인간 실존의 척도로서 영적 핵심에 속하며, 특히 영혼적인 문제, 도덕적인 갈등 혹은 실존적 위기에 관한 것이다. 심령적 신경증의 상태는 무의미, 무익함, 무목적, 공허감이 특징이다. 이런 심령적 신경증을 가진 사람은 삶의 충만감과 설레임 대신에 '실존적 공허(existential vacuum)' 속에서 살아가며 인생을 가치 있게 만들어 주는 인간의 실존에 대한 궁극적 의미의 전체적인 결여나 상실의 경험이다. 실존적 욕구좌절은 그 자체로는 병이 아니다. 즉, 삶의 무가치에 대한 회의나 절망은 절망적 불안이기는 하지만 정신병은 아니며, 따라서 의미치료는 정신질환의 치료뿐만 실존적 욕구좌절을 겪고 있거나, 실존적 공허 속에서 살고 있거나, 심령적 신경증에 시달리고 있는 사람들에게 다시금 삶의 의미를 재발견하여 자기 인행의 의미와 가치를 깨닫게 하고 인생의 목표와 책임을 가지게 하는 것을 주된 목적으로 하고 있다. 프랑클은 삶의 의미를 가져다줄 수 있는 세 가지 방법을 제시하고 있는데 창조적 가치, 경험적 가치, 태도적 가치가 그것이다. 프랭클의 의미치료 과정은 증상을 확인하는 것으로 시작하며 삶에 대한 의미를 자각하도록 도와준다. 의미 자각에는 삶과 죽음의 의미, 일의 의미, 사랑의 의미, 고통의 의미 등이 있으며 이들을 재발견 함으로써 자신의 증상으로부터 거리를 유지하게 되고 자신이나 자신의 삶에 대한 새로운 태도를 가지게 된다. 태도의 수정이 이루어지면 증상을 약화시키거나 증상 자체를 통제할 수 있다는 사실을 받아들이도록 하며, 미래를 향한 정신건강의 예방적 측면에서 의미 있는 활동과 경험을 하도록 도와준다. 프랑클이 치료과정에서 강조한 기법으로는 '역설적 의도(paradoxen intension)'와 '탈숙고(dereflexion)'가

있다. 역설적 의도는 강박적이고 억압적인 공포증에 걸린 내담자들의 단기 상담과 치료에 도움이 되는 기법으로, 내담자가 두려워하는 일 자체를 하도록 하거나 일어나기를 소망하도록 촉진하는 과정이다. 보통 내담자는 두려워하는 사건에 대한 재발을 두려워하고 사건에 대한 두려운 기대는 예기불안을 야기하며, 예기불안은 지나친 주의나 지나친 의도의 원인이 된다. 따라서 내담자들은 자신이 원하는 것을 하지 못하기 때문에 불안이나 공포의 자기 유지적인 악순환이 반복되어, 불안에 대한 불안은 불안을 증가시키게 된다. 의미치료에서는 내담자에게 불안에 대한 불안으로부터 도피를 유도한다는 것을 가르쳐 이러한 악순환에서 탈피하도록 하기 위해서 불안이나 공포로부터 도피가 아닌 직면을 하도록 한다. 이것이 바로 역설적 의도다. 탈숙고는 비반영이라고도 불리며 내담자가 자신의 문제에 대해 지나치게 숙고하면 자발성과 활동성에 방해가 되므로 지나친 숙고를 상쇄시킴으로써 내담자의 자발성과 활동성을 회복시켜 주는 것이다. 무시 혹은 방관 자체는 부정적인 면과 긍정적인 면을 함께 내포하고 있는데, 내담자는 이 무시나 방관을 통해 자신의 관심을 다른 곳으로 돌림으로써 문제를 극복할 수가 있다. 역설적 의도가 그릇된 수동성에서 올바른 수동성(right passivity)으로 대치시키는 것이라며, 탈숙고는 그릇된 능동성에서 올바를 능동성(right activity)으로 대치시키는 것이다.

의사결정의 관계
[意思決定 – 關係, the decision making bond]

형성된 인간관계 속에서 친밀하고, 서로 만족스러운 의사결정이 이루어지는 유형의 관계. 생애기술치료

인간관계를 형성하고 유지해 나가는 동안에는 언제, 어디서, 무엇을, 어떻게 해야 하는가 등에 대한 수많은 결정을 해야 하며, 이렇게 결정해야 할 것들

은 시간이 지남에 따라 더욱더 늘어난다. 이때 상대 방과의 관계 속에서 상대방과 함께 의사결정이나 규칙을 정하는 일이 순조롭다면, 상호만족을 위한 긍정적인 의사결정의 관계에 있다고 할 수 있다. 또한 긍정적인 의사결정의 관계는 친밀하고 건강한 관계를 형성하고 있다는 증거가 되기도 한다. 전통적으로 의사결정에 대한 권한은 남성이 소유하거나 남성과 여성이 의사결정을 할 수 있는 분야가 구분되어 있는 경향이 있었지만, 최근에는 이러한 구분이 없어지고 있다. 하지만 의사결정을 하는 데 동등한 권한을 행사한다는 것이 모든 결정을 똑같이 나누어서 해야 한다는 의미는 아니며, 가능하다면 모든 권한을 동등하게 나누는 것을 포함하거나 권한을 나누는 데 상호 동등한 영향력 아래에서 조화롭게 이루어지는 것을 말한다.

관련어 | 기쁨의 관계, 돌봄의 관계, 동료로서의 관계, 신뢰의 관계, 친밀한 관계

의사소통 및 대처 유형
[意思疏通 – 對處類型, communication and coping stances]
사람들이 긴장했을 때 보여 주는 대처방식과 의사소통 유형을 분류한 것. `가족상담` `경험적 가족치료`

가족치료사인 사티어(V. Satir)는 임상활동을 통해 사람들이 긴장상태에서 보이는 의사소통 방식과 대처방식에 대해 관심을 가지고 연구를 하였다. 그녀는 인간과 인간 사이에 오가는 모든 언어적, 비언어적인 것을 의사소통으로 보았으며, 긴장상태에서 나타나는 이러한 메시지에 유형이 있다는 것을 발견하게 되었다. 이것은 사람들이 긴장과 스트레스에 대처하는 생존유형(survival stance)이라고 할 수 있다. 주목할 점은 대처방식이 개인의 성향이나 기질을 알아내기 위한 것이 아니라, 개인이 다양한 상황에 대해 어떻게 생각하고 행동하는지를 설명하고

이해하기 위한 것이다. 인간은 누구나 환경과 다른 사람들과의 관계 속에서 반응하고 대응하는 방법이 있다. 여러 방법 중에서 자주 쓰이는 것도 있고, 드물게 쓰이는 것도 있다. 사티어는 이러한 인간의 대처방식은 스트레스와 같은 긴장상황에서 더욱 명확하게 드러난다고 하였다. 다양한 대처방식의 유형 중 역기능적인 생존유형은 주로 자아존중감이 낮고 불균형 상태에 있을 때 나타나는데, 이 유형이 나타난다는 것은 자아존중감에 문제가 있는 상태로서 긴장상황에서 역기능적인 의사소통을 주로 한다는 것을 의미한다. 사티어는 의사소통 및 대처 유형을 비난형, 산만형, 일치형, 초이성형, 회유형으로 분류하여 설명하였다.

관련어 자아존중의 3요소

비난형 [非難型, blaming] 사티어의 역기능적 의사소통 유형 중 하나로 자신을 보호하기 위해 다른 사람을 무시하고 결점을 지적하며 독재자처럼 타인을 통제하고 명령하는 유형이다. 회유형과는 정반대 유형이라고 할 수 있다. 이들은 일이 잘못되면 다른 사람의 잘못으로 돌린다. 주로 하는 말은 '네가 제대로 하는 것이 있느냐.' '너 때문이야.' '당신이 문제야.' '나에게 잘못된 것은 하나도 없어.' 등이다. 이들의 비난행위는 다른 사람과 가까워지고 싶은 자신의 욕구를 숨기기 위한 것이라고 할 수 있는데, 내면적으로는 외롭고 소외감을 느끼며 스스로를 외로운 실패자로 생각하여 심리적으로 분노, 짜증, 반항, 적대감, 편집증, 폭력, 반사회적 특성을 가지고 있다. 긴장의 상황에서 외형적으로 드러나는 행동 특성으로는 다른 사람을 탓하고 소리치고 위협하며, 명령하고 주장하는 행동 등이다. 이러한 행동은 다른 사람을 손가락질하는 외형으로 대표될 수 있다. 비난형의 사람들이 가지고 있는 신체적 증상으로는 근육긴장, 통증, 혈액순환 장애, 고혈압 등이며, 이들의 자원은 자기주장과 에너지, 지도력이다. 비난형은 자아존중의 3요소 중 자기와 상황의

두 요소는 존중되지만 타인은 무시되는 유형이며, 상대방이 회유형일 때 비난형의 역기능적 의사소통은 극대화되는 경우가 많다.

산만형 [散漫型, irrelevant] 사티어의 역기능적 의사소통 유형 중 하나로 생각과 말, 행동이 자주 바뀌고 동시에 여러 가지 행동을 하려고 하는 유형이다. 초이성형과는 반대유형이라 할 수 있다. 주제에 관심을 두지 않고 계속 다른 사람의 관심을 분산시키며 상황에 적절하게 행동하지 않고 분주하면서 바쁜 척한다. 또한 심각한 상황에서도 가볍게 생각하는 경향이 있어 농담이나 딴전을 피워 그 상황을 모면하려 한다. 이들이 주로 하는 말은 '날 내버려 둬.' '그대로 둬.' '무슨 상관이야.' '왜 그렇게 심각해.' 등이다. 내면적으로는 '아무도 나에게 관심이 없어.' '내가 설 곳이 없어.' '내게 적절한 곳이 아니야.'라고 느끼며, 이로 인해 혼돈과 부적절감을 경험한다. 지나치게 활동적이거나 지나치게 소극적인 행동을 하고 불안한 행동을 하며, 바보스럽거나 피상적이거나 주의를 끄는 행동을 한다. 심리상담현장에서는 산만형의 사람들을 대하기가 가장 어려운데, 상담대화 도중 주제에 집중하지 못하고 외형적으로 산만한 특성이 쉽게 드러나기 때문이다. 하지만 이러한 특성들 때문에 때로는 내담자가 그렇게 행동하고 말하는 배경과 상황을 잘 파악하지 않은 채 산만형의 사람이라고 진단해 버리는 실수를 범하기도 한다. 신체적으로는 신경계통의 장애나 변비, 위장장애, 메스꺼움, 당뇨, 편두통을 호소한다. 이들의 자원은 유머, 즐거움, 자발성, 창의성이다. 산만형은 자아존중의 3요소 중 자기, 타인, 상황 모두 무시되고 있는 상태다.

일치형 [一致型, congruent] 사티어의 기능적인 의사소통 유형으로 의사소통의 내용과 감정이 일치하는 유형이다. 의사소통 및 대처방식의 다른 유형과는 달리 기능적인 유형으로서 치료의 목표로 삼고 있는 것이다. 이 유형의 사람들은 말하는 신체 자세와 음조, 표정이 자연스럽고 말과 일치되어 있다. 또한 긴장상황에서 자신의 감정을 잘 알아차리고, 이를 적절하게 표현한다. 정보를 전달하는 방법에서 말과 정서가 일치되게 균형을 이루어서 언어적 메시지와 비언어적 메시지가 동일하며, 다른 사람들과의 관계가 편안하고, 개인의 특성을 존중하면서 자신과 타인을 존중하고, 변화에 대해 융통성이 있다. 음성은 따스하고 상대방의 눈을 바로 볼 수 있다. 이들의 내면은 무엇에나 진실하고 원만함, 충만감, 생동감, 그리고 활력이 있다. 자기가치감이 높고 자신과 타인을 신뢰하기 때문에 특별한 심리적·신체적 증상이 없다. 이들의 자원은 높은 자아존중감과 건강한 관계성이고, 자아존중의 3요소 중 자기와 타인, 상황 모두가 존중되는 상태다.

초이성형 [超理性型, super reasonable] 사티어의 역기능적 의사소통 유형 중 하나로 자기와 타인을 무시하고 상황만 지나치게 중시하는 유형이다. 원칙과 규칙, 옳은 것만을 절대시하는 극단적 객관성을 보이며, 자료와 논리를 중요하게 생각한다. 초이성형의 반응을 하는 사람들은 자신의 논리가 실제 상황에 적용될 수 있는지의 여부보다는 일반적인 이론이나 규칙을 주장하는 데 관심을 기울인다. 따라서 자신의 논리를 설명하기 위해 추상적인 단어를 사용하여 긴 설명을 하고, 정서적으로는 냉담하고 완고하며 경직되어 있다. 그럼에도 불구하고 내면적으로는 약해서 쉽게 상처받고 소외감을 느낀다. 이것은 일반적인 논리나 규칙을 주장하는 심리 이면에는 자신의 능력이 부족하거나 혼돈상태에 있음을 감추기 위해 초이성적인 반응을 하기 때문이다. 이 같은 성향 때문에 초이성형의 사람들은 신체적으로 암, 심장마비, 건조성 질병, 임파조직 질병이 발생할 가능성이 있다. 이들이 가진 자원은 지성과 지식의 추구, 끈기 있는 문제해결력이다. 초이성형은 자아존중의 3요소 중 상황은 존중되지만 자기와 타인은 무시되고 있는 상태다.

회유형 [懷柔型, placating] 사티어의 역기능적 의사소통 유형 중 하나로 자신의 느낌이나 생각을 무시하고 다른 사람의 기분을 맞추기 위해 애쓰는 유형이다. 회유형의 사람들은 역기능적인 대처방식으로 자신의 가치나 존중보다 다른 사람의 기분을 상하지 않도록 하기 위해 무조건 남에게 동조하거나 비굴한 자세를 취하며, 만약 문제가 생기면 설사 그 잘못의 원인이 자신이 아니라 하더라도 무조건 자신의 잘못으로 생각하여 잘못을 빌고 자기비난도 감수한다. 이들이 주로 사용하는 말은 '모두가 나의 잘못이다.' '죄송합니다. 용서해 주세요.' '나는 너를 행복하게 하기 위해 존재한다.' 등이다. 이런 말을 하는 사람들에게는 '나는 힘이 없다.' '나는 아무것도 아닌 것과 같다.'는 생각이 내재해 있다. 회유형의 행동은 지나치게 착해서 모든 사항을 좋게만 처리하려 하고 이를 위해 사죄하고 변명하고 우는 소리를 한다. 회유형의 대처방식은 자신은 갈등 상황을 해결하는 데 어느 정도 기여를 했다고 느끼지만, 실제로는 자신과 타인에게 많은 상처를 입히는 결과를 가져온다. 그 결과 회유형의 사람들은 신경이 과민되어 있으며 우울증, 자살적 경향, 자멸적 경향을 나타내기도 한다. 신체적으로는 소화기관의 고통과 위장장애, 당뇨, 편두통, 변비를 호소한다. 회유형은 자아존중의 3요소 중 타인과 상황의 두 요소는 존중되지만, 자기는 무시되고 있는 상태다.

의사소통의 선형적 모델
[意思疏通 – 線型的 –,
linear model of communication]

대인 간의 의사소통 과정을 단순화하여 직선적·연쇄적으로 개념화한 것. 부부상담

의사소통의 선형적 모델은 대인 간 발생하는 의

사소통 과정을 쉽게 파악하도록 해 준다. 즉, '그가 말한다. 그녀가 ~라고 말한다. 그 말에 그가 ~라고 대답한다.'는 식으로 실제 의사소통 과정을 묘사하는 것으로 그것을 관찰할 수 있지만, 실제 의사소통의 과정에서는 언어적 메시지와 비언어적 메시지가 동시 다발적으로 발신자와 수신자 사이에 교류되기 때문에 이러한 복잡한 과정을 묘사하기는 쉽지 않다. 따라서 단순성과 지도의 용이성 때문에 선형적 모델을 사용한다. 선형적 모델은 발신자, 수신자, 경로, 피드백 순환고리로 구성되어 있고, 발신자가 메시지를 창출하고 그것을 수신자에게 특정 경로를 통해 보내는 것을 표시하는 것이 핵심이다. 경로란 발신자가 어떤 메시지를 암호화하는 방식을 말하며, 이러한 암호화된 정보를 보내고 이를 해석하는 데에는 일반적으로 개인이 과거에 경험한 것들의 영향을 받는다. 따라서 부부간의 의사소통으로 갈등이 발생하는 경우에는 의사소통의 선형적 모델을 통해 피드백 고리와 암호화의 패턴을 인식하고, 그러한 것들이 어떤 영향력 아래에서 형성된 것인지를 이해하는 것이 갈등해결에 큰 도움이 된다.

의사소통이론
[意思疏通理論, communication theory]

대인(對人) 간에, 혹은 가족구성원들 간에 상호교환하는 의사소통에 관한 이론. 기타 가족치료

상담 및 심리치료 역사상 인간의 의사소통활동을 구성하여 그것을 치료적으로 이용하려고 했던 것은 특히 체계적인 입장을 취하는 가족치료의 제학파(諸學派)다. 베이트슨(G. Bateson)을 리더로 하여, 시(市) 이름을 따서 팔로알토그룹이라고 부르는 연구자들은 1950년대에 정신분열증 환자가 있는 가족의 언어적·비언어적인 가족 내 교류를 실증적으로 기록하고 관찰하였다. 그 성과로 나타난 것들 가족에게서 관찰되는 이중구속(double bind)적인 의

사소통이론이다. 또 팔로알토그룹의 피쉬(R. Fisch) 박사는 이 연구에서 사용된 연구방식인 일방경(one way mirror)의 이용, 관찰실의 사용, 테이프 기록, 복수의 관찰자 등이 나중에 가족치료를 시행하고 이를 연구하는 방법으로 계승되어 왔다고 설명하였다. 또 다른 의사소통이론가로서 팔로알토그룹 외에 리츠(T. Lidz)나 보웬(M. Bowen) 등이 있지만, 이들 또한 공통적으로 정신분열병 가족에게 나타나는 특수한 의사소통 양식을 찾아내려고 하였다. 의사소통이론은 가족치료이론 외에도 섀넌(C. Shannon), 위너(N. Wiener), 애쉬(R. Ash)와 같은 정보이론가나 코지프스키(A. Korzybski)의 일반 의미론, 베르탈란피(L. Von Bertalanffy)의 일반체계이론의 영향을 크게 받았다.

관련어 이중구속이론

의사소통장애
[意思疏通障礙, communicative disorders]

사람 간에 생각이나 의견, 감정 등의 의사를 교환하는 언어적 · 비언어적 행동인 의사소통에서 어떠한 원인으로든 어려움을 겪는 상태. 특수아상담

의사소통장애는 원인에 따라, 장애 대상자가 보이는 문제증상에 따라, 혹은 증상을 유발한 원인에 따라 분류할 수 있으며, 장애 대상자의 연령에 따라 분류하기도 한다. 가장 일반적인 분류방법은 증상을 중심으로 말 장애와 언어장애로 나누는 것이며, 이 경우 말 장애에는 조음 음운 장애, 유창성장애, 음성장애, 운동 말 장애 등이 포함된다. 언어장애에는 언어발달장애와 단순 언어장애가 있으며 성인의 경우 실어증 등이 포함된다. 청각장애는 말 · 언어발달장애에 직접적인 영향을 끼치지만 별도의 영역으로 구분하여 분류하는 경우가 많다. 의사소통장애의 원인으로는 유전, 질병(중이염 등), 사고(뇌병변 등) 등의 기질적 요인과 환경적 · 언어적 자극의

결함, 모델의 부재, 의사소통 시도 무시 등의 기능적 요인이 있다. 의사소통장애의 특성은 표현언어 및 수용 언어의 결함과 같은 언어적 특성, 또래보다 성취도가 낮은 인지 및 학업적 특성, 낮은 자존감, 사회성 기술의 부족 등의 사회 · 정서적 특성이 있다. 그러므로 의사소통장애 아동의 교육을 위해서는 말 · 언어 기술 촉진을 위한 치료적 중재와 함께 모델 제공 및 의사소통기술 연습기회의 제공처럼 사회성 증진을 위한 중재도 이루어져야 한다.

관련어 언어장애, 언어치료

의사소통적 가족치료
[意思疏通的家族治療, communicative family therapy]

가족의 체계 속에서 고유의 구조와 기능을 유지하기 위해 구성원 간 정보의 상호교환이 이루어지는 의사소통의 유형과 특징에 관심을 기울이는 가족치료접근법. 경험적 가족치료

가족구성원들 사이에 상호교환적으로 이루어지는 의사소통의 특징과 유형에 관심을 기울이기 시작한 것은 가족에 대한 체계론적 접근이 시작된 초기 가족치료의 접근법이다. 체계론적 사고는 가족구성원 개인에게 집중되었던 관심을 가족 전체 체계로 돌리면서 가족의 외부에서 가족체계를 객관적으로 관찰하고 역기능적인 부분을 조절하고자 하였다. 이에 따라 가족의 체계 안에서 이루어지는 정보처리와 의사소통에 관심을 기울이게 되었는데, 그에 관한 연구를 통해 가족을 이해하고자 하는 시도가 의사소통적 가족치료로 발전하게 되었다. 이 접근법에서는 가족 간에 상호 교환적으로 이루어지는 의사소통의 내용이 무엇인가보다는 그 의사소통 '과정'이 어떻게 이루어지고 있는가에 관심을 집중하였다. 즉, 역기능적인 가족문제는 왜곡된 의사소통의 형태에서 기인한다고 보는 것이다. 따라서 가족의 문제를 해결하기 위해서는 잘못된 의사소통구조를 가족들에게 이해시켜 그 특징적인 의사소통구조의

개선을 통해 해결하고자 한다. 의사소통적 가족치료는 1950년대 베이트슨(Bateson)이 주도한 정신분열증 환자와 그 가족에 대한 연구를 통해 제시한 이중구속에 관한 연구와, 잭슨(Jackson)이 이끄는 MRI 연구팀이 정립한 의사소통이론에 근거를 두고 발달하였다. 특히 MRI 연구팀의 사티어(Satir)와 헤일리(Haley)의 초기 생각은 의사소통이론을 형성하는 데 많은 영향을 주었다. 이 치료이론은 1950년대 이후 30년 동안 발전해 오는 과정에서 학자에 따라 다양한 모델로 분화·발전되었다. 즉, MRI를 중심으로 한 상호작용적 의사소통모델, 사티어의 경험적 가족치료모델, 헤일리와 마다네스(Madanes)가 발전시킨 전략적 가족치료, 팔라촐리, 보스콜로, 체킨과 프라타(Palazzoli, Boscolo, Cecchin, & Prata, 1978) 등의 체계론적 모델 등으로 발전되었다. 의사소통이론의 대표적 인물로는 잭슨, 사티어, 위크랜드(Weakland), 바츠라비크(Watzlawick) 등을 들 수 있다.

관련어 | MRI, 사이버네틱스, 체계적 접근

의사소통코칭
[意思疏通 - , coaching a communication in couple therapy]

부부간의 의사소통이 효과적으로 이루어지는 방향과 기술을 지도하는 일. **부부상담**

부부관계에서 의사소통이 기능적으로 원활하게 이루어지도록 도움을 주는 일은 관계를 향상시키는 일에 긍정적인 영향을 미칠 수 있다. 의사소통코칭는 크게 모델링, 교육, 실행, 피드백의 4단계로 구성되어 있다. 첫째 단계인 모델링은 치료자가 직접 적절한 의사소통기술을 보여 주는 것으로서, 치료자는 치료과정 내내 행동의 모델이 되어야 한다. 모델링의 또 다른 방법은 오디오나 비디오에 녹화되어 있는 실제 모델이나 상징적 모델을 보여 줌으로써 문제해결에 필요한 단계와 특정 행동을 제시하는 것이다. 효과적인 모델링은 다음의 절차로 진행한다. ① 바람직한 행동에 대한 명확한 윤곽 세우기로 관계기술을 좀 더 세분화하여 기술을 보고 들을 수 있는 것으로 정의한다. 그런 다음 치료자는 모델이 말하는 것과 행동하는 것을 설명하고 부부에게 그들이 따라 해야 할 것을 말해 준다. ② 부부의 관심이 지속적으로 유도될 수 있는 행동모델을 세우는 것이 효과적이다. 대개의 경우 모델이 동성일 때, 나이와 외모 또한 다른 것들이 유사할 때 가장 효과적이다. ③ 관찰한 것을 논의하도록 부부에게 요청하는데, 치료자는 부부에게 모델이 시연한 행동에 대한 주요 특성이나 일반적인 규칙을 요약하는 것으로 부부의 이해 정도를 평가할 수 있다. ④ 모델링한 행동을 강화하는 것인데, 치료자는 부부가 모델링한 행동을 수행하도록 강화해 주어야 한다. 강화를 받은 만큼 시도해 보려는 행동이 증가하기 때문이다. 이를 위해 치료자는 모델링에 대해 긍정적인 말로 반응을 해 주어야 한다. 둘째 단계인 교육은 부부가 모델의 행동에 대해 관심을 기울이고 행동에 대해 이해한 다음 부부가 새로운 행동을 실행하기 전에 실시해야 한다. 치료자는 모델의 행동 중 가장 관련성이 높고 필요한 측면에 초점을 맞추어 말이나 글로 교육한다. 교육은 다음의 방법으로 진행한다. ① 부부가 노력할 수 있는 특별한 행동을 촉진하는 것으로, 치료자는 부부가 노력할 만한 구체적 행동에 대해 '하라'와 '하지 마라'를 가르쳐 준다. ② 언제 피드백을 할 것인지 부부가 결정하도록 하는 것으로, 치료자는 언제 피드백을 할 때 가장 효과적인지에 대해 함께 이야기를 나눈다. 셋째 단계인 실행은 앞에서 교육을 받은 부부가 행동을 실제 행할 준비를 하는 것이다. 실행은 학습에 필수적인 부분으로서 부부는 새로운 관계에 대해 또는 문제해결 행동에 관해 역할극을 할 수 있어야 한다. 실행은 다음의 단계로 진행한다. ① 실행을 준비하는 단계로, 치료자는 부부에게 직접적 실행이 새로운 대처양식이나 문제해결 행동을 발달시키는 데 적합한 방식이라는 것을 받아들이도록 한다. 경험, 반복적 연습, 시연, 암송, 과제 및 연습 등이 모두 실행에 포함되는 것이다. ② 부부가 어려움 없이 실행할 수 있는 상황으로의 시작단계로서 실행의 첫 상황이 부부에게 익숙한 것이면 성공확률이 높다. 처음에는 부부에게 비위협적인 상황으로 시작해야 한다. ③ 작은 단계로 행동을 분류하는 것으로서 단순한 행동에서부터 완전히 새로운 행동까지 복합적으로 포함되어야 한다. ④ 부부가 무슨 말을 해야 할지 무엇을 해야 할지 생각해 내지 않으면 치료자는 실마리를 제공해 주어야 한다. 이러한 과정에 따라 부부가 치료자의 도움 없이도 행동을 연습하게 되면 더 이상 실마리를 제공하지 않아도 된다. 마지막 단계인 피드백은 부부가 기술을 수행할 때 각자 자신의 기술에 대해 피드백을 받아야 하는 것이다. 피드백은 행동의 개선에 도움이 되며, 이를 제공하는 데 중요한 지침은 다음과 같다. ① 실행에 앞서 부부에게 피드백을 준다는 것에 대해 미리 말하고 동의를 구한다. ② 부부의 행동을 평가하기보다는 설명해 준다. 치료자는 부부가 말하거나 언급한 것을 다시 더 나은 방법으로 말하도록 고쳐 주되 평가나 비난으로 받아들이지 않도록 주의해야 한다. ③ 상대방의 반응을 강화하고 동시에 유사한 반응을 유도해 내도록 한다. 이는 배우자가 질문을 많이 사용하도록 도울 뿐 아니라 다른 상황이나 사람에게도 이러한 질문을 하도록 일반화를 촉진하기 위해서다. 치료자는 부부가 실행한 기술을 가정에서 할 수 있는 기회를 주고 실행을 촉진하는 지침이나 과제물을 제시해야 한다. 부부가 일상생활의 상호작용 속에서 이와 같은 기술을 성공적으로 수행할 때 치료는 더욱 효과적이 된다.

관련어 부부상담

의상도착증
[衣裳倒錯症, transvestic fetishism]

성적 흥분을 위해 이성의 옷을 수집하거나 이성의 옷을 직접 입는 것을 뜻하는 성도착증의 일종. 성상담

의상도착증은 여성이 남장을 하거나 남성이 여장을 하는 것을 즐기면서 성적 흥분을 구가하는 증상을 말하며, 주로 이성애자 남성에게서 발현된다. 이러한 증상을 지닌 남성은 심리적 안정감 및 성적 흥분을 얻으려고 실제 혹은 상상 속에서 여성의 옷을 입거나 그 옷을 입은 것처럼 행동한다. 어떤 때는 여성의 의상이나 가발 같은 것을 모으기도 한다. 옷이라는 무생물을 대상화한다는 측면에서 절편음란증과 유사하지만 실제 이성의 옷을 입어 본다는 측면에서 차이가 있다. 이들은 이성의 옷을 입고 자위행위를 할 때 극치감을 경험하며, 옷 입는 것을 금지당하면 심한 좌절감을 느낀다. 이성의 옷으로 바꿔 입는 동안 자신이 상상하고 있는 남성과 여성이 되어 자위하는 것이다. 대개 어린 시절이나 초기 청년기에 시작되며, 이성애적 남성에게서 볼 수 있고, 일단 발병하면 만성적이다. 시간이 경과하면서 일부 남성은 영원히 여성의 옷을 입고 살기를 원하기도 한다. 이들은 자신의 성정체성 자체에 대해 고민하는 성전환자와는 구분된다. 처음에는 의상도착증으로 발현되었다가 성전환자로 변모하는 경우는 성전환자로 본다. 정신분석학적인 면에서의 의상도착증의 원인은 모성과의 왜곡된 동일시로 본다. 즉, 남아의 거세불안과 무의식적인 어머니 동화욕망이 원인이 되어 의상도착증으로 나타난다는 것이 정신분석학적 입장이다. 그 외 기질적 원인으로 성호르몬 장애, 대뇌 장애 등이 거론되고 있지만 과학적으로 입증되지는 않았다. 이들은 어린 시절 적절하고 정상적인 사랑을 받지 못한 경험이 많다. 부모의 적절한 사랑과 정상적인 관심, 건강한 부모-자녀관계 등을 통하여 예방할 수 있다.

의식
[意識, conscious]

현재 인식되고 있거나 쉽게 인식될 수 있는 마음의 부분.

정신분석학

정신분석에서 설명하는 정신영역의 세 가지 수준 가운데 하나다. 인간의 심리세계는 곧 의식수준뿐이라는 관점이 지배적이다가 프로이트(S. Freud)의 정신분석과 지형학적 모형(topographic model)이 소개되면서 심리학의 관심은 의식에서 무의식으로 옮겨 가게 되었다. 지형학적 모형은 프로이트가 1900년에 출판한 『The Interpretation of Dreams(꿈의 해석)』에서 구체적으로 소개되었는데, 인간의 정신영역을 의식, 전의식, 무의식이라는 세 영역으로 구분하였다. 의식은 개인이 현재 각성하고 있는 모든 사고, 지각, 감정, 기억 등을 포함한다. 정신분석에서는 의식적 과정이 철학이나 일상생활에서 사용되는 의식의 개념과 동일하지만 의식이 정신적 삶의 본질은 될 수 없다고 주장한다. 의식은 심리의 표면층에 불과하며 심리의 가장 깊은 곳에 자리 잡고 있는 무의식이 바로 본질적인 것이라고 보았다. 생리적 욕구나 심리적 욕구가 존재할 때 혹은 외부자극이 존재할 때 그 욕구나 자극 대상에게 관심을 집중함으로써 의식작용이 발생한다. 무의식이나 전의식에 비해 의식영역은 전체 정신세계 중에서 극히 일부에 불과하다. 의식 속에 있던 내용은 주의나 관심이 다른 곳으로 향하면 곧 전의식이나 무의식 속으로 사라진다. 전의식 및 무의식과 더불어 의식은 마음의 영역이며 동시에 심리적 기능이 작용하는 형태다. 의식은 자아의 전체가 기능하는 곳이며 동시에 초자아의 일부가 기능하는 곳이다. 따라서 현실검증, 인식, 관찰, 평가 등 자아의 기능은 전적으로 의식의 활동이다. 단지 자아의 방어기제와 검열기능만이 의식의 영역 밖에 놓여 있다. 초자아의 비판적인 기능과 양심의 작용은 주로 의식영역에서 이루어진다. 의식은 그 자체로는 연속적인 연결성을 형성하지 못하므로 무의식의 과정을 의식의 과정으로 해석해 주는 정신분석을 통해 결과적으로 의식의 틈을 채워 줄 수 있다.

관련어 | 무의식, 전의식, 지형학적 모형

의식의 발달구조
[意識 – 發達構造, developmental structure of consciousness]

윌버(Wilber)의 의식발달모형의 주요 개념으로, 존재와 의식의 지속적인 전일적 형태를 의미하는 의식의 홀론.

초월영성치료

다른 전체의 일부가 되는 전체를 홀론(holon)이라 하는데, 예를 들어 전체로서의 원자는 전체 분자의 일부가 되고, 전체로서의 분자는 전체 세포의 일부가 되며, 전체로서의 세포는 전체 유기체의 일부가 되는 것과 같다. 윌버는 본질적으로 동일한 의식 홀론을 지칭하기 위해 수준(level), 구조(structure), 파동(wave)이라는 세 가지 용어를 혼용하고 있지만 각각은 중요한 정보를 전달하는 약간씩 다른 함축적 의미를 가지고 있다. '수준'은 존재의 대 둥지(great nest of being) 내 홀론들을 초월하고 내포하면서 점차 증가하는 전일적 포섭을 나타내는 원환을 드러내므로 그 각각은 전(all) 위계인 홀라키(holrarchy)로 배열된 조직이 질적으로 서로 다른 것임을 강조한다. '구조'는 수준들이 존재와 의식의 영속적인 전일적 패턴(holistic pattern)이라는 사실을 강조한다. '파동'은 의식의 기본적인 수준을 의미하는데, 이러한 수준들이 서로 경직되고 분리되고 고립된 것이 아니라 무지개 빛깔처럼 각각 서로의 속으로 무한정 변하면서도 구별된다는 사실을 강조한 개념이다. 의식의 발달구조라는 개념은 몇 가지 다른 관점으로 구분할 수 있다. 그중 하나가 '영속성' 관점에서의 구분인데, 즉 의식이 상승해 가면서 앞단계의 하위구조를 유지하느냐 혹은 부정하느냐로 구별한 것이다. 의식의 발달구조는 기본 구조와 이행구조로 구분할 수 있는데, 이 중에서 영속적이고 전일적인 특성을 가진 구조를 기본 구조라 한다. 즉, 기본 구조란 성장과 변형을 거쳐 지속되는 발달단계인 반면, 이행구조는 성장이 진행되면서 사라지고 임시적 단계로 기여하는 구조들을 말한다. 변형(transformation)의 각 단계에서 전 단계의 기본구조는 새롭고 더 확장된 홀론 내에 유지되고 보존되는 반면, 앞단계에서 생성된 세계관과 같은 이행구조는 이어지는 발달에 포함되지 않고 부정되며 현 단계의 새로운 세계관으로 대체된다. 즉, 전조작기의 마술적(magic) 세계관은 상실되거나 부정되거나 사라진 후에, 구체적 조작기의 신화적(mythic) 세계관으로 대체된다. 예를 들면, 감각·지각·정서·인지·원형(stereotype)과 같은 심리적 현상들은 기본 구조인 반면, 도덕성·자아양식·매슬로의 욕구위계 등은 이행구조라고 할 수 있다. 이 두 구조는 구조적 속성과 단계적 속성을 함께 보여 주지만 강조점은 서로 다르다. 발달구조에 대한 또 다른 관점은 구조의 형식이냐 내용이냐에 따른 구분으로, 의식발달의 각 구조는 심층구조와 표층구조로 구성된다. 심층구조는 일종의 패러다임으로, 표층구조가 구체적으로 드러나는 근거가 되는 모든 '기본적 한정 원리(basic limiting principle)'를 포함한다. 다시 말해서 의식발달의 각 수준에 포함되는 일체의 잠재적인 가능성이 심층구조를 구성하게 된다. 표층구조는 심층구조의 특정한 형태의 발현이며 심층구조의 한계와 형식의 제약을 받으면서도 내용 선택에서는 자유롭다.

관련어 | 홀론

의식의 스펙트럼
[意識-, spectrum of consciousness]

다차원적 계층을 이루는 인간의 의식. 초월영성치료

미국의 통합 이론가인 윌버(K. Wilber)의 대표작인 『의식의 스펙트럼(The spectrum of consciousness)』에서 언급한 개념으로, 그는 의식을 인간의 시각이 가시광선만을 보고 그 외의 것을 지각하지 못하는 것처럼, 의식도 우리가 평소에 지각하지 못하는 부분이 있다고 하였다. 이 가설에 따라 인간의 의식에 관한 동서의 각각 다른 접근법을 상호 대립의 관계로 보지 않고 스펙트럼의 각각 다른 영역에 초점을 두고 있기 때문에 각각 다른 이론이 나오는 것은 당연하다고 보았다. 즉, 다양한 종교사상이나 심리학의 학파가 각각 부분적 진리만을 말해 주고 있으며, 각 이론과 방법의 적용 범위와 영역을 명확하게만 정의한다면 각 부분을 절충적으로 통합하여 인간의식의 계층구조적 전체상을 부각시킬 수 있다는 것이다. 윌버는 의식의 전체상을 '영원-무한-우주-마음'의 수준, 초개인의 대역, 실존의 수준, 생물적·사회적 대역, 자아의 수준, 철학적 대역, 그림자의 수준 등으로 7개의 계층구조모델로 설명하였다.

의식의 작도
[意識-作圖, cartography of the human psyche]

인간의 심층체험의 영역인 무의식을 크게 네 가지로 구분한 인간정신의 지도 만들기. 초월영성치료

체코슬로바키아 출신의 정신의학자인 그로프(S. Grof)가 제안한 개념으로, 크게 개인의 발달사, 출생, 초개인적 수준이 포함되는데, 이는 심층심리학 분야의 혼란과 다양한 학파 간의 갈등을 의미 있게 통찰하고 있다. 전체적인 측면에서 본다면 의식의 작도는 기존의 어떤 접근방식에서도 그 유사점을 찾아볼 수 없지만 각각의 수준은 다양한 현대심리학적 체계와 고대의 영적인 철학으로 설명될 수 있다. 그로프는 환각제인 LSD(lysergic acid diethylamide) 복용상태와 홀로트로픽 치료(holotropic therapy) 상태의 의식상태를 관찰하여 이 개념을 제안하였다. 연구결과에 따르면, 의식의 상태는 프로이트(Freud)

식 단계에서 랭크(Rank)-라이히(Reich)-실존주의적 단계로, 또 융(Jung)식 단계로 옮겨 간다는 사실을 발견하였다. 그로프가 정의한 각 단계의 명칭은 단계마다 그에 상응하는 기존 심리학의 개념적 체계들을 반영하고 있는데 그는 각각의 체계는 치료기간에 관찰된 현상을 설명하는 가장 유용한 틀이 된다고 보았다. 그리고 이 연구결과에 따라 인간의 심층영역을 크게 네 가지로 구분할 수 있다. 첫째, 감각적 장벽영역(sensory barrier realm)은 LSD에 대한 가장 피상적 수준의 반응으로서 모든 감각적 영역을 포함하는 심미적 체험들로 구성되며 신체적 이완이 시작되는 초기단계에 일어난다. 그러나 그로프는 이러한 효과에 정신역동적 중요성은 거의 없으며 그것은 LSD의 단순한 생리적 효과일 뿐임을 지적하며 외형상의 현란한 황홀감에 빠져 버리는 것을 경계하였다. 이 같은 현상은 인간이 자신의 내면을 향해서 깊숙이 들어가는 자기 탐구나 이해의 활동을 감각이 저지하기 때문에 생기는 것으로 무의식적 정신에 이르는 여정이 시작하기 전에 통과하지 않으면 안 될 감각적 장벽이다. 둘째, 전기적 영역(biographical realm)에서는 자신의 과거, 특히 유아기의 불만, 고통, 마음의 상처, 장애물, 갈등이나 억압된 기억, 심리적 앙금과 같은 것이 무의식으로부터 떠오른다. 이 영역은 프로이트의 개인적 무의식과 많은 부분 일치한다. 셋째, 출산 전후의 체험영역(perinatal realm)에서는 탄생에 수반했던 심리체험의 영역이 자리 잡고 있다. 출생 전후의 체험영역이 중요하다는 것을 발견한 점은 그로프의 가장 큰 연구업적 중 하나로 태교의 이론을 간접적으로 뒷받침해 주는 것이다. 즉, 자궁-산도-탄생의 과정 등 출생 전후의 체험에 수반했던 기억들이 한 인간의 인격형성에 결정적인 기초적 원형이 된다는 가설이다. 그로프의 임상적 자료에 따르면, 각종 심리적, 심신증적 문제를 가지고 있었던 피험자의 대부분은 자신의 탄생과정을 철저하게 재경험함으로써 극적인 치유효과를 보여 주었다고 한다. 이러한 견해는 정신분석의 흐름에서 이단으로 여겨졌던 오토 랭크(Otto Rank)의 '출생 외상(trauma of birth)' 이론에 바탕을 두고 있다. 넷째, 초개인적 영역(transpersonal realm)은 더욱 심층으로 들어가서 상식이나 과학으로 상상할 수 없는 체험을 하게 되는 영역이다. 인간에게는 시공의 한계와 개인성을 초월한 체험을 할 수 있는 무한한 가능성이 있다는 것이다. 이러한 의식의 작도에서 설명하고 있는 홀로트로픽 상태는 인간의 본질과 관련된 괄목할 만한 역설을 드러내고 있다고 볼 수 있다. 그것은 인간의 개별 정신이 필연적으로 전체 우주와 존재의 전체성에 일치한다는 사실을 반영한다. 전통적으로 훈련받은 과학자나 우리의 상식에는 부조리하고 불확실한 것으로 보일 수 있지만 그로프는 그것이 상대적으로 쉽고 다양한 과학적 학문분야에서의 새로운 혁신적인 발달과 통합될 수 있다고 보았다. 그는 확장된 의식의 작도가 샤머니즘, 통과의식, 신비주의, 종교, 신화주의, 초심리학, 임사체험, 환각적 상태 등의 현상에 대하여 학문적으로 접근하는 데 매우 중요하다고 강조하고 있다. 또한 이러한 정신에 대한 새로운 모델은 단지 학문적 관심의 문제가 아니며, 그것은 이전에는 정신병으로 진단되어 왔던 정서적, 정신·신체적 장애에 대하여 이해하고자 한다는 깊은 의미와 새로운 혁신적 치유 가능성을 제시한다.

관련어 | 홀로트로픽 치료

의식의 흐름 글쓰기
[意識 -, stream of consciousness writing]

의식의 흐름을 글쓰기치료에 적용하여 생각과 느낌이 떠오를 때 그것들을 그대로 좇아 종이 위에 써 내려가는 기법.

문학치료(글쓰기치료)

의식의 흐름 글쓰기는 반자동글쓰기처럼 글쓰기를 어렵게 하는 내면의 검열관으로부터 해방되는 데 도움을 주는 글쓰기치료 또는 저널치료기법이다. 즉, 꼬리에 꼬리를 무는 생각과 의식의 흐름을 자연스럽게 따라가면서 느끼고, 듣고, 인지하고, 감각하는 대로 글을 쓰는 것이다. 끊임없이 생성, 변화하는 의식의 연속성을 강조한 용어인 '의식의 흐름'은 심리학 분야에서 제임스(W. James)가 『Principle of Psychology』에서 처음 사용하면서, 심리치료와 관계를 맺었다. 처음 이 용어가 사용되었던 1884년에는 '사고의 흐름(stream of thought)'이라고 했다가 1892년부터 '의식의 흐름'이라고 사용하게 되었다. 1910년대부터 1920년대에 걸친 영국 문학 중 소설의 실험적 방법으로, 프로이트(S. Freud) 정신분석의 영향을 크게 받은 의식의 흐름기법은 19세기 말엽부터 개척되기 시작한 대화적 기법(narrative technique)이다. 의식의 흐름이라는 용어 속에는 사고나 의식이 고정적인 것이 아니라 움직이고 옮겨 다닌다는 의미가 포함되어 있다. 이 기법은 소설방법론에 커다란 기여를 했는데, 프로이트의 '의식과 무의식 이론', 베르그송(Bergson)의 '지속으로서의 시간(time as duration)' 및 '불가분한 유동체(flux)로서의 의식설'에 영향을 받으면서 발전을 가속화하였다. 의식의 흐름기법은 글쓴이의 직접적 언급이나 해설 없이 작중인물의 사상, 감성, 반작용 등이 거의 말을 사용하지 않은 채로 표출된다. 이는 의식적인 사고의 계선(界線)에서 인물의 심리과정 중에 일어나는 자유로운 흐름을 표현하기 때문에 정해진 구문 및 문법에 구애받지 않고 상징적 동기(symbol-motifs)를 사용하여 심리세계를 생생히 그려 낸다. 이 기법은 제임스 조이스(James Joyce)가 『율리시스(Ulysses)』에서 아주 효과적으로 활용했고, 미국의 윌리엄 포크너(William Faulkner)가 『The Sound and the Fury』에서, 영국의 버지니아 울프(Virginia Woolf)가 『To the Lighthouse』에서 사용하였다. 당시 이 방법은 매우 실험적이었지만 1930년대까지 주요 작가들의 작품에서 자주 사용되었으며, 현대 소설의 방법론에 지대한 영향을 미쳤다. 이를 글쓰기치료에 적용한 것이 의식의 흐름 글쓰다. 의식의 흐름 글쓰기는 의식을 주도하고 있는 내러티브를 표현하는 것이 목적이다. 이 기법은 떠오르는 생각과 느낌을 그대로 좇아가며 글을 쓰는 것으로, 유의할 점은 반드시 쉬지 말고 계속해서 쓰는 것이다. 글을 쓰면서 자신이 쓰고 있는 글을 수정하거나 어떻게 쓰고 있는지 살펴보는 행위를 하면 안 된다. 다시 말해서 검열을 하지 말라는 것이다. 글을 쓰는 동안 떠오르는 생각에 다른 것을 더하거나 빼지 말고, 그대로 따라가면서 단순하게 사고의 흐름만을 기록하는 것이다. 이때 문법이나 철자법, 문맥 등은 전혀 고려하지 않는다. 이 기법도 반자동글쓰기와 마찬가지로 다른 사람에게 공개하지 않기 때문에 글쓰기를 마친 다음 얼마든지 버릴 수 있다. 특정 주제에 관한 표현에서 스스로 뭔가 문제를 느낄 때는 그 주제에 초점을 맞추어 집중적으로 의식의 흐름 글쓰기를 할 수 있다. 주제는 무엇이든 상관없지만, 주제를 정해 두고 의식의 흐름 글쓰기를 할 때는 1주제에서 벗어나면 안 된다. 일반 글쓰기와는 달리 글쓰기의 어떤 규칙에도 구애받지 않고 자유로운 상태에서 자신의 마음이나 정신, 감정, 외적 자극 등에 관해 자유롭게 글을 쓰기 때문에 검열관의 간섭을 배제하여 의식하지 못하고 있었거나 회피하고 있던 문제들을 노출할 수 있다. 하나의 주제로 이 기법을 실행했을 때는 평소 드러내지 못한 깊은 정서적 경험을 할 수 있다.

관련어 자동글쓰기

의식적 마음
[意識的 - , conscious mind]

로렌스 크랩(Lawrence Crabb)이 설명한 인간의 성격구조 중 하나로, 인간의 삶 속에서 발생하는 사건에 대한 평가에 따라 감정과 행동이 결정되는 영역. 목회상담

성경적 상담을 주장한 크랩은 인간의 성격구조(personality structure)에 대하여 다섯 가지로 구분

하였다. 의식적 마음은 그중 하나로, 인간의 감정을 결정하는 것은 삶 속에서 일어나는 사건 자체가 아니라 그 사건에 어떤 평가를 내리는가에 따라 감정이 결정된다고 보는 견해다. 예를 들어, "오늘은 비가 오니 기분이 우울하다."라고 표현하는 것은 비가 와서 기분이 우울한 것이 아니라 '비가 온 사건'에 '우울하다'라는 평가를 내림으로써 감정이 우울해지는 것이라고 설명한다. 즉, 사건에 대해 마음이 내리는 평가에 따라서 감정과 그에 대응하는 행동이 결정된다는 것이다. 의식적 마음에서 '마음'은 영어 단어로 'mind'인데, 이는 희랍어로 'nous(마음, 이성)'라고 한다. 이를 바인(W. Vine, 1966)은 지각과 이해, 판단능력을 포함하는 반영적인(reflective) 의식이라고 설명하였고, 크랩이 이를 사건에 대한 인간의 의식적인 반응이라는 의미에서 '의식적 마음'이라고 표현하였다.

관련어 기본적인 방향, 무의식적 마음, 성경적 상담, 의지, 정서

토의, 심리극 등을 이용하여 목적을 달성하고자 한다. 의식향상집단에서는 남성과 여성의 생물학적인 차이 때문에 사회적으로 강요되는 여러 가지 불평등에 맞서기 위한 인류평등이라는 여성주의 이념에 따라, 집단을 이끄는 지도자를 따로 두지 않고 모든 구성원이 동등한 권위와 책임감 속에서 서로를 격려하고 해결점을 찾기 위한 전문가로서의 역할을 담당한다. 따라서 집단모임에서 구성원들은 서로의 경험을 함께 나누는 것이 매우 중요하며, 집단토의를 통해서 자신이 혼자가 아니라 함께하는 동료들이 있다는 것을 분명하게 확인한다. 또한 자신의 문제해결에 필요한 정보를 얻기도 하고, 새로운 행동과 의식을 학습하는 등 기존에 주변인으로 머물러 있던 삶의 자세에서 바뀌어 의식향상집단에 참여한 결과로 자기 삶의 주체로서 적극적이고 능동적인 의식향상을 보인다.

관련어 문화분석, 주장훈련, 여성주의 상담, 여성주의 역량강화상담

의식향상집단
[意識向上集團, consciousness raising group: CR]

심리적·사회적인 고립감을 극복하기 위하여 4~12명 정도의 여성들이 정기적으로 모여서 서로의 경험을 나누고, 고정적인 성역할을 강조하는 사회·문화·정치적 영향력을 찾아내어 문제해결을 돕기 위해 서로 격려하는 토의집단 혹은 재사회화집단. 여성주의 상담

CR 집단이라고도 부르는 의식향상집단은 여성주의 역량강화상담에서 사용하는 기법으로서, 여성이 자신의 삶에 관한 토론을 하기 위해 정기적으로 만나는 것이다. 여성들은 의식향상집단활동을 하면서 남성 위주의 성역할이 구조화된 사회에서 여성의 위치를 인식하고, 이러한 삶에 직면하여 문제를 해결할 용기를 서로 북돋는다. 의식향상집단활동은 주로 서로의 경험을 나누는 토의활동으로 진행되며, 이외에도 강의, 영화관람, 독서, 역할놀이, 집단

의인화
[擬人化, personification]

사람이 아닌 것, 즉 인간 이외의 무생물, 동물, 사물 등을 사람에 비기어 사람처럼 표현하는 수사법. 문학치료

의인화는 인격화라는 용어와 혼용되기도 한다. 이는 존재론적인 은유다. 현대에 와서 의인화는 사전적 혹은 문학적 의미에서 벗어나 현상이나 특성에 인격을 부여하기도 한다. 상담이나 심리치료의 장에서 의인화는 현대에서는 아주 중요한 기법이다. 상담자 혹은 심리치료사들이 중요하게 처리해야 하는 문제 중 하나가 내담자와 문제를 분리시키는 것이다. 이 같은 분리작업은 내담자와 상호 공유하는 언어사용에서 특별한 주의가 필요하다. 이때 내담자가 지니고 있는 문제나 문제가 되는 대상(그것이 물질이든, 정서든, 자신의 생활습관이든, 어떤

현상이든)을 의인화시켜 내담자가 자신과 동일시하지 않도록 하는 것은 상담자 혹은 심리치료사의 의도이자 지향하는 바가 된다. 문제를 의인화시킬 때는 내담자의 선택이 중요하다. 상담자 혹은 심리치료사는 내담자가 하는 이야기에 주의를 기울이고, 그들이 활용하는 하위 감각양식을 참고하도록 한다. 이때 상담자 혹은 심리치료사가 쉽게 활용할 수 있는 방법은 질문하기다. 내담자가 자신의 문제나 문제가 되는 대상에 대해 이야기를 할 때, "그런 생각을 할 때, 처음 떠오르는 것은 무엇입니까?" 혹은 "문제를 손에 잡히는 구체적인 존재로 그린다면 어떤 것이 될까요?" 등의 질문으로 추상적이고 막연한 성질의 내면적인 문제나 문제가 되는 대상을 구체적이고 현상학적인 형태를 지닌 객관적인 상으로 만들어 내담자와의 거리를 확보한다. 물론 상담자 혹은 심리치료사가 먼저 의인화를 제안할 수도 있다. 하지만 이 경우에는 내담자의 반응과 호응을 잘 살펴 내담자의 의도에 부합할 수 있도록 주의를 기울여야 한다. 의인화를 시킬 때 그 과정을 더 용이하게 할 수 있는 중간 과정은 명사화다. 내담자가 지니고 있는 문제나 문제가 되는 대상들을 명사로 바꿀 수 있으면 그것에 형태나 인격을 부여하여 하나의 캐릭터로 만들기가 더욱 쉽다. 단, 이 경우에 상담자 혹은 심리치료사가 특정한 이름이나 명사를 주도적으로 지시하거나 강요해서는 안 된다. 문제나 문제가 되는 대상에 이름을 붙이는 것이 의인화에 들어서는 본격적인 작업의 시초가 된다. 이름이 붙은 문제나 문제가 되는 대상은 은유화가 되어 내담자와 거리를 유지하게 된다. 이런 명명하기가 내담자가 주관하는 생산적인 자기 이야기 생성에 중요한 힘을 실어 준다. 일단 이름이 붙고 나면 이미 자기 안에서 자신과 동일시되던 문제나 문제가 되는 대상은 자신과 분리되어 자신과는 별개의 어떤 것이 되므로 내담자는 그것에 대해 이야기하고, 그에 대한 해결책을 찾는 데 부담이 훨씬 줄어든다. 이런 견지에서 볼 때, 상담이나 심리치료의 장에서

쓰이는 의인화는 문학에서 사용되는 협의의 의인화를 벗어나 문제나 문제가 되는 대상에게 생명력을 부여하고, 그것이 내담자 자신과는 동떨어진 외부적인 요소가 되어 자신을 괴롭히는 객관적인 대상이 되도록 한다는 점에서, 사람처럼 표현한다는 범주를 벗어나 활유법까지 그 범위를 넓히고 있음을 알 수 있다. 상담 혹은 심리치료에서 의인화는 은유치료뿐만 아니라 인지치료 및 그 외 다른 상담분야에서도 문제의 객관화를 위해서 매우 유용하게 쓰이고 있는 기법이라 할 수 있다.

관련어 활유법

의존
[依存, dependence]

다른 사람의 도움, 신체적 접촉, 승인 등을 구하거나 다른 사람의 주의를 끄는 것 등과 관련된 반응. **개인상담**

의존은 크게 두 가지 유형으로 구분할 수 있는데, 도구적 의존과 정서적 의존이 있다. 전자는 목표를 달성하기 위해 행해지는 의존을 말하며, 후자는 보호, 관심이나 애정, 승인의 욕구와 관련된 것을 말한다. 의존의 대상은 나이에 따라 바뀐다. 시어즈(W. Sears)에 따르면 발달의 초기단계에서 어머니는 아이의 1차적 욕구와 밀접하게 관련되어 있으므로 아이는 어머니의 애정이 풍부하고 양호한 환경에서 의존적 동기를 발달시킨다. 청년기에는 의존이 부모에 대한 공손이나 복종의 형태로 나타난다. 그러나 시어즈의 설명을 반증하는 연구가 증가하면서 '의존'이라는 개념보다 '애착(attachment)'이라는 개념으로 주로 사용하게 되었다. 의존이 높은 사람은 의존이 낮은 사람에 비해 자신의 판단을 다른 사람의 판단에 일치시키기 쉽다. 또한 의존이 높은 아이는 의존이 낮은 아이에 비해 칭찬받을 수 있는 학습장면에서 빨리 학습을 성취하는 경향이 있다. 그러나 스스로 할 수 있는 일을 다른 사람의 지시나 원

조가 없는 경우 하지 않는 것은 의존이 바람직하지 않은 방향으로 나아가는 것이며, 정서장애의 한 요인이 되는 경우도 있다. 한편, 의존성은 집단상담의 과정에서 나타나기도 하는데, 상담의 도입단계에서 집단상담자는 거의 주도적으로 오리엔테이션을 실시한다. 그 결과 집단원은 준비단계에서도 집단상담자에게 의존하려는 경향을 보인다. 집단원은 집단상담자에게 집단을 주도하고, 지시하고, 충고하고, 평가해 주기를 기대한다. 상호작용을 할 때도 집단상담자를 향하여 말함으로써 그로부터의 시인과 수용을 바란다. 그러나 지도성의 원리에 따르면, 집단상담자는 집단활동의 책임을 점차 집단에 이양하는 것이 바람직하다. 이를 위해 집단상담자는 의존성을 나타내는 집단원의 질문에 직접 응답하는 대신 반응의 방향을 집단원에게 돌리도록 한다.

관련어 애착, 집단상담

의존성 우울증
[依存性憂鬱症, anaclitic depression]

눈물을 잘 흘리거나 염려, 위축, 식사 거부, 잠을 자지 못해 결국에는 혼수상태에 빠지는 증상. **이상심리**

이 증상은 태어난 첫해 후반부에 영양과 보육의 결핍 때문에 나타난다. 처음에는 유아 우울증으로 생각했지만, 현재는 좀 더 심한 형태의 성장실패나 반응성 애착장애와 행동학적으로 상관이 있는 것으로 해석하고 있다.

의존성 인격장애
[依存性人格障礙, dependent personality disorder]

주위 사람들로부터 돌봄을 받는 것에 대해 과도한 요구를 지니는 인격장애의 한 형태. **정신병리**

의존성 인격장애를 지닌 사람들은 열등감, 자기

불신, 독립심 부족, 인내심 결여, 피암시성 등의 다양한 임상적 특징을 나타내는데, 기본적으로 두 가지 특징으로 요약될 수 있다. 첫째, 자신감이 결여되고 독립적으로는 기능할 수 없다고 느끼기 때문에 자신의 삶에서 모든 중요한 결정을 다른 사람이 내리게끔 수동적으로 묵인한다. 자신이 어디에서 살고, 어떤 일을 하고, 누구와 교류해야 하는지를 결정하는 책임을 다른 사람에게 맡겨 버린다. 다른 사람의 재확신과 충고가 없이는 어떠한 결정도 내리지 못한다. 책임에 대한 불안이 크며 책임을 맡는 상황을 회피한다. 자신의 주요 생활영역에 대해 다른 사람이 책임질 것을 요구한다. 판단이나 능력에 대한 자기확신이 결여되어 있기 때문에 자신의 뜻대로 일을 시작하거나 유지해 나가는 데 어려움을 겪는다. 혼자 있는 것에 대해 불안과 절망감을 느끼며, 자기 스스로를 독립적으로 돌보아야 하는 상황을 두려워한다. 둘째, 대인관계에서 이러한 의존적인 위치를 상실하지 않기 위해 자기 자신의 욕구보다는 다른 사람의 욕구를 우선시하고 그것에 맞춘다. 돌봄을 받고자 하는 전반적이고 과도한 욕구로 인해 이별을 두려워하며, 그 결과 복종적이고 매달리는 형태의 대인관계를 맺는다. 주변의 인정과 지지를 상실할 수도 있다는 두려움 때문에 다른 사람이 옳지 않다는 것을 인식하면서도 그들에게 동조하며, 자발적으로 행동을 시작하거나 의사결정을 하는 데 곤란을 겪는다. 자신의 욕구가 다른 사람에게 달려 있기 때문에 왜곡된 대인관계를 맺는다. 친밀한 관계가 종료되면 자신을 돌보아 주고 지지해 줄 근원으로 또 다른 관계를 급히 찾아 나선다. 또한 자기주장이 약해서 신체적 · 정신적 학대를 받기 쉽다. 공유 정신병의 경우 한쪽은 일반적으로 의존성 인격장애인 경우가 많다. 자신이 의존하고 있는 상대방의 자기주장적인 망상을 수동적으로 받아들인다. 예를 들어, 애착을 유지하기 위해 자신을 학대하는 알코올중독 남편을 견디면서 살아가는 아내의 경우가 이에 해당된다. 전반적인 유병률은 약

1.5%이며, 여성이 남성보다 더 높다. 의존성 성격장애의 원인에 대해서는 다양한 관점이 있다. 소아기에 만성적인 신체장애를 경험한 사람일수록 후일 인격장애를 가질 가능성이 높다는 의견이 있다. 정신역동적인 관점에서는 구강기에 과도한 욕구충족이 이루어졌기 때문이라는 가설과 혹은 욕구충족이 지연되었거나 일관되게 이루어지지 못했기 때문이라는 가설이 있다. 한편, 부모의 양육태도와 관련하여, 의존적인 사람들은 부모가 과잉보호를 한 결과 그들 스스로 대처기술을 학습할 기회를 갖지 못했을 수도 있다고 본다. 혹은 주요 양육자에 대한 애착이 불완전하거나 다른 사람들과 신뢰할 만한 관계를 경험하지 못했기 때문일 수도 있다.

의지
[意志, will]

로렌스 크랩(Lawrence Crabb)이 구분한 인간의 성격구조 중 하나로, 실제적인 행동을 선택하는 영역. `목회상담`

성경적 상담을 주장한 크랩은 인간의 성격구조에 대하여 다섯 가지로 구분하였는데, 의지는 그중 하나다. 의지는 사람들이 의식적·무의식적 마음과 기본적인 방향을 바탕으로 하여 어떤 행동을 할지를 선택하는 능력을 말한다. 그리고 이러한 선택의 범위 안에서 인간은 자신의 행동을 제어한다. 하지만 인간의 행동을 변화시키기 위해서 이러한 의지만 변화시키려는 노력은 오히려 마음과의 갈등 속에서 고통을 가져오는 결과를 낳을 수 있다고 하였다. 따라서 인간의 의식적이고 무의식적 마음을 변화시킬 수 있는 성령의 능력으로 마음의 진정한 변화가 일어날 때 삶에서 나타나는 행동이 변화할 수 있다고 하였다.

관련어 기본적인 방향, 무의식적 마음, 성경적 상담, 의식적 마음, 정서

의지박약
[意志薄弱, weak-willed]

막연하게 의지가 약한 것. `이상심리`

슈나이더(K. Schneider)가 제안한 정신병질의 특성 중 하나로 의지결여(willenlose)라고도 한다. 의지박약자는 지구력과 결단력이 부족하고 주위 환경의 영향에 취약하다. 그래서 장애를 극복하여 목표에 도달하기 어렵다. 좋은 환경에서는 욕심이 없고 순종하며, 사람이 좋아 보이며 결점이 눈에 띄지 않는다. 그러나 환경으로부터 유혹을 받기 쉽고 알코올, 마약 중독에 빠지거나 절도 등의 범죄를 저지르는 경우가 있다. 의지박약은 유전적인 것이 크게 작용한다고 알려져 있지만, 유아기에서의 지나친 보호와 간섭 등 부적절한 양육태도의 결과로 생기는 경우가 있다. 의지박약자는 주위의 영향을 받는 성향이 높기 때문에 적절한 환경을 마련하는 것이 중요하다. 예를 들어, 감독을 강화하거나, 의지가 강한 사람과 결혼하거나, 신앙생활을 한다면 건전한 생활을 기대할 수 있다.

이 테라피
[-, e-therapy]

대면상담이 힘든 경우에 활용되는 아웃리치 프로그램의 하나. `기타`

이 테라피는 심리치료과정 중에서 상담자와 내담자 간에, 혹은 도움이 필요한 사람들 간에 문서로 정보와 피드백을 주고받는 의사소통방식이다. 일반적으로 이메일을 주고받거나 토의항목들을 만들고, 웹상의 대화방 등에서 의견교환을 하며, 화상대화 등의 다양한 방법을 사용한다. 이 테라피를 행하는 경우는 크게 세 가지로 분류한다. 첫째, 상담자와의 접촉이 힘든 물리적 환경일 때 활용한다. 즉, 회기 진행 중에 내담자가 먼 곳으로 이사를 하거나, 입원

을 하는 등 어쩔 수 없는 사유로 대면하여 치료를 진행하기 힘들어졌을 때 다양한 매체를 활용하여 치료를 계속 진행할 수 있다. 둘째, 전이 혹은 역전이가 심해져서 대면상황에서 내담자를 다루기 힘들 때 대안으로 활용한다. 전이나 역전이로 내담자 혹은 상담자가 대면상황에서 적절한 관계를 유지하기 힘들 때 이 테라피를 활용하여 어느 정도의 거리를 유지하면서 평정을 찾을 수 있다. 셋째, 매체활용을 통한 의사소통 외에 다른 직접적인 방법의 사용이 곤란한 환경일 때 활용한다. 내담자가 언어곤란을 겪고 있는 경우, 언어적 저항이 심한 경우에는 이 테라피를 사용하는 것이 효과적이다. 이외에도 상담 종결 이후 내담자의 분리불안을 극복시켜야 할 때처럼 치료적 효과를 회기의 종결 이후에도 유지하고자 하면 이 테라피를 사용할 수 있다. 이러한 경우에는 상담자와 내담자 사이의 상호관계뿐만 아니라, 비슷한 문제를 가지고 있는 내담자들끼리 이 테라피 활동을 통한 상호작용을 함으로써 서로 긍정적인 효과를 주고받을 수 있다.

시를 하지 않는 경우는 상담관계에 손상을 가져온다. 한편, NLP(Neuro-Linguistic Programming)에서는 내담자와 충분히 라포를 형성한 다음 의도적으로 내담자에게 변화된 행동을 도출하기 위하여 적용하는 기법이다. 이것은 보조맞추기(pacing)나 거울반응하기(mirroring) 등 일치시키기(matching)와 함께 사용하는데, 충분한 맞추기가 이루어지면 자연스럽게 이끌기가 유도된다. 그래서 '맞추기-맞추기-이끌기(pace-pace-lead)'의 공식이 성립한다. 이끌기가 적용되는 예를 들어 보면, 내담자가 이야기를 하면서 머리를 자주 만지작거리고 산만한 모습을 보일 때, 직접적으로 그에게 머리를 못 만지게 하기보다는 상담자도 함께 머리를 만지거나 다른 신체부위를 만지는 형식으로 적절한 맞추기를 시도해 나가다가 적당한 때에 머리 만지기를 중단함으로써 이끌기를 시도하면 내담자도 상담자를 따라 머리 만지기를 중단한다.

관련어 | 거울반응하기, 보조맞추기, 일치시키기

이끌기
[–, leading]

상담자가 내담자에게 의도적으로 변화된 행동으로 유도해 나가는 일. 개인상담

상담자가 내담자의 변화를 돕기 위하여 프란시스 로빈슨(Francis Robinson)이 제안한 개념이다. 로빈슨은 미식축구의 쿼터백과 리시버로 비유하여 설명했는데, 뛰어난 쿼터백은 리시버가 운동장 어디에 있을지를 예상하고 그 지점으로 공을 던진다. 이와 같이 상담자도 내담자가 어디에 있는지, 어디로 가고 싶어 하는지 등을 예측한 다음 그에 맞게 반응함으로써 내담자를 이끌어 나간다. 만약, 잘못 판단하여 상담자가 지나치게 설득하거나 지시함으로써 너무 앞에서 이끈다거나, 너무 개입을 하지 않고 지

이데오키네시스
[–, ideokinesis]

무용동작치료에서 개인의 신경과 근육의 바람직한 변화를 창출하기 위해 움직임을 시각화하고 상상하여, 그 이미지를 신체동작과 함께 사용하는 방법. 무용동작치료

이데오키네시스는 생각 및 관념이란 뜻의 'idea'와 신체동작이란 뜻의 'kinesis'가 결합된 말이다. 즉, 이데오키네시스는 근육과 관련된 사고, 관념, 기억, 정서들을 자각(알아차림)하고 의식화하는 방법을 말한다. 개인 내담자에게 새로운 신경–근육 패턴을 만들어 내도록 신경체계를 훈련시키는 과정에서, 실제로 움직임을 하지 않아도 움직임을 시각화하고 상상하기 과정을 통해 뇌에서 근육에 이르는 신경전달회로로 보내는 습관적 패턴의 신경 메시지 및 충동에 변화를 일으킬 수 있다. 이 같은 방법으

로 새로운 패턴의 움직임이 활성화될 때, 내담자의 스트레스는 감소하고, 새로운 패턴의 움직임이 향상되어, 습관적으로 과도하게 사용했던 긴장된 근육들이 이완되는 한편 잘 사용하지 않아 맥이 없어진 근육들은 발달하고 융통성(flexibility)을 갖는다. 소토(Soto, 1988)는 1970년대에 버나드(Andre Bernard)에게 이데오키네시스를 안내받은 뒤, 표현예술치료 분야에서 실제적으로 적용해 나가며 발전시켰다. 이데오키네시스를 사용하기 위해서는, 첫째, 심신의 상태를 잘 받아들이는 안정위(constructive rest position: CRP)에 있어야 한다. 즉, 등을 바닥에 대고 누운 채 두 무릎을 모아 수직으로 세우고, 두 팔은 가슴 중앙에서 서로 엇갈리게 교차시킨다. 안정위는 땅의 중력이 근육 스트레스와 긴장을 감소시키고, 이완된 근육이 균형을 얻는 데 도움을 준다. 둘째, 이데오키네시스 훈련에서 시각화된 이미지에 집중(attention)하고, 그 강한 이미지를 신체의 특정 부분으로 가져와 움직임을 만들려는 의도(intention)를 가지는 것이다. 이때 상담자는 내담자의 신체 특정 부분에 촉각적 접촉을 하여 이미지 동작을 시각화하도록 돕는다. 중요한 것은 접촉부분의 변화 자체를 창출하기보다 내담자가 그 이미지를 볼 수 있도록 이해시키는 것이다. 예를 들어, 견갑대에 문제가 있어서 어깨의 움직임을 융통성 있게 하기 위해 견갑대의 해부학적 지점을 손으로 접촉하면서, 버터가 자신의 견갑대에서 녹아내리는 이미지에 집중하도록 한다. 셋째, 촉각적 손 접촉 과정이 끝난 다음에는 누운 바닥에서 일어나 직립 자세로 바꾸어서 걷는다. 걷는 과정에서 이전과는 다른 중력과의 관계에 재적응하기를 실행한다. 이것은 이데오키네시스의 손 접촉(hands on) 기법 이후에 척추/머리와의 관계 및 균형감이 중력과 새로운 관계 맺기에 적응하는 일이다. 소토는 성공적인 이데오키네시스 경험에 필요한 네 가지 요인에 대해 다음과 같이 설명하였다. 첫째, 신체 속 특정 위치에 이미지를 가지고 있고, 둘째, 움직임의 구체적 방향이 있고, 셋째, 그 이미지는 움직임이 있고, 넷째, 이것은 무의식적/자발적 움직임이 아니라 의식/무의식의 통합 상태에서 움직인다.

이동 시
[移動詩, poetry on wheels]
바깥 공간에서 장소를 이동해 가며 시를 쓰는 방법.
문학치료(시치료)

도움이 필요한 사람의 집까지 식사를 배달하는 봉사활동인 이동식사(meals on wheels)나 트레일러로 이동해 가며 전시하는 이동미술관 혹은 이동화랑(art mobile) 등에서 착안하여 거리에서 시장, 골목길, 공원 어디든지, 또한 도시든 시골이든 옮겨 가면서 눈으로 시각적이면서도 음악적인 공연처럼 시 창작을 할 수 있도록 하는 것이다. 이는 존슨(Johnson)이 치료회기로 한정된 시에서 벗어나 이혼, 학대, 정신질환, 중독 등의 문제에 대해 직접적인 시를 쓴다고 말로 보여 준 표현예술치료의 목표와 방향에서 나온 관점에서 앞으로 연구되어야 할 시치료의 한 분야로 언급되었다. 갇힌 공간과 정해진 틀에서 벗어나 시각적으로 다양한 정보를 접하면서 시를 쓸 때 더 많은 표현이 나올 수 있다.

이마고
[-, imago]
어린 시절 다양한 경험으로 형성된 보호자에 대한 이미지.
이마고치료

라틴어 어원으로 '이미지(image)'를 의미하는 용어다. 이마고 부부관계치료(imago couple relationship therapy)에서는 부부의 어린 시절의 다양한 경험을 통해 보호자에 대한 긍정적 혹은 부정적인 이미지, 곧 이마고(imago)가 형성되는데 이는 성인이 되어 자신의 배우자를 선택하는 동기에 영향을 미친다고 한다. 즉, 어린 시절 형성된 이마고의 긍정적 혹은 부정적 이미지와 비슷한 사람에게 끌리는 경향이 생긴다는 것이다. 개인이 배우자를 선택할 때 긍정적인 이마고뿐만 아니라 부정적인 이마고의 영향도 받는 것은 이러한 과정이 무의식적으로 일어나기 때문이다. 따라서 어린 시절에 경험한 상처가 치유되지 않으면 성인이 되어 어릴 때 형성된 부정적인 이마고와 비슷한 배우자를 선택할 가능성이 높아지는 것이다. 이마고 부부관계치료에서는 결혼 생활에서 부부갈등의 원인이 되는 다양한 배우자의 특성이 사실 본인의 어린 시절 상처로 형성된 이마고가 배우자 선택의 당시에는 상대방에 대한 무의식적 이끌림으로 나타난 결과임을 설명하고 있다. 이마고치료에서는 이처럼 무의식적으로 이루어지는 이마고의 영향이 배우자 선택과 부부생활에 미치는 과정에 대해 구뇌(paleoencephalon)로 설명한다. 구뇌는 뇌의 중심부로 크게 파충뇌(reptilian)와 포유뇌(mammalian)로 구성되어 있다고 한다. 파충뇌는 심장박동이나 소화기관, 호흡기관과 같이 우리가 의식하지 못한 채 몸의 기능을 통제하는 곳에 위치해 있다. 또한 안전과 관계된 생존기제가 작동하는 곳이다. 위험이 다가올 때 숨거나 싸우는 것은 파충뇌의 작용이다. 포유뇌는 욕구와 감정, 생활방식 등이 저장되어 있으며 포유동물과 함께 진화되어 왔다. 동물이나 인간은 집단 안에서 이루어지는 삶, 즉 어린 것들을 먹이고 양육하고 감정을 경험하는 것 등 구뇌에서의 기능은 똑같이 존재하고 기능한다. 인간이 다른 동물과 다른 것은 제3의 뇌라 부르는 대뇌층이며, 이는 논리적 사고의 뇌다. 대뇌층은 구뇌보다 5배나 크고 구뇌에 둘러싸여 있다. 대뇌층은 주로 인간의 기계적 모험에 대한 반응으로 의식을 담당한다. 하지만 인간은 많은 부분 의식되는 부분보다 무의식적인 부분이 많다. 이 무의식적 관점은 부부에게 아주 중요하다. 부부가 처음 만나 사랑에 빠질 때 안전감을 경험한다. 이 에너지로 창

의적인 일을 하기도 하고 특정한 일에 열정을 쏟기도 한다. 이는 구뇌가 안전감을 느낄 때 하는 활동이다. 그러다가 낭만적 사랑이 식어 가면 부부는 위기를 느끼면서 서로 싸우거나 도망치려고 한다. 이때 이마고가 형성된 구뇌는 어린 시절에 겪은 아주 무서운 감정적 상처나 빼앗김, 당혹감을 현재의 상황과 연결시켜 생각한다는 것이다. 구뇌는 시간에 대한 감각이 없으므로 현재의 감정과 과거의 어떤 사람에게 받은 감정을 구분하지 못한다. 이것이 부부관계에서 문제를 악화시키는 원인이 되는 것이다. 따라서 치료사는 부부가 구뇌의 파충뇌 부분이 작동하여 방어하지 않고 안전감을 느낄 수 있도록 하는 것이 치료의 시작에서 중요하다.

이마고 부부관계치료
[－夫婦關係治療, imago couple relationship therapy]

하빌 헨드릭스(Harville Hendrix)와 그의 아내인 헬렌 헌트(Helen Hunt)가 개발한 것으로, 부부 각자의 어린 시절 미해결 과제의 치유를 통해 부부관계에 대한 긍정적 변화를 이끌어 내고자 하는 치료적 접근법. 이마고치료

1980년대 말 헨드릭스 박사와 헌트 박사가 처음으로 개발한 부부치료다. 이들의 부부문제에 대한 치료적 접근은 1988년 출판된 『Getting the love you want-a guide for couples』와 『Keeping the love you want: a guide for singles』를 통해 처음으로 소개되었다. 이마고 부부치료의 이론은 발달단계의 미해결된 과제가 자극제가 되어 지속적으로 성인생활에 영향을 준다는 에릭슨(Erikson)의 영향과 인간과 신의 사랑을 다룬 큐피드와 사이키 이야기 등 다분히 신화적 아이디어와 융(Jung)의 이론, 그리고 대상관계 심리학자인 마거릿 말러(Margaret Mahler)의 분리개별화 이론과 사이코드라마, 게슈탈트 기법 등을 이론적 배경으로 하고 있다. 이마고란 라틴어로 '이미지(image)'를 뜻하며 우리의 마음에 자리 잡은

어떤 형상에 대한 생각을 의미한다. 헨드릭스 박사의 설명에 따르면, 개인의 어린 시절 경험을 통해 형성되는 보호자에 대한 긍정적 혹은 부정적 이미지가 성인이 된 후 배우자를 선택할 때 영향을 미친다. 그리고 어린 시절 부정적인 경험의 영향력은 결혼생활에서 다시 다양한 문제와 갈등을 반복하도록 하는 순환적 구조를 형성한다. 즉, 부부관계에서 발생하는 다양한 부정적인 갈등은 각 개인의 아직 치유되지 않은 어린 시절의 상처(unhealed childhood wound)로부터 영향을 받은 것이다. 이러한 치유되지 못한 상처 때문에 부부는 서로에게 상처를 주는 무의식적인 힘겨루기(unconscious power struggle)로 자신들의 분노를 표출한다. 따라서 부부관계의 다양한 갈등을 해결하기 위해서는 어린 시절의 경험에 따른 다양한 영향을 깨닫고, 배우자의 사랑에 대한 욕구를 인식함과 동시에 서로를 만족시킬 수 있는 다양한 관계 기술을 학습하고 훈련해야 한다고 이마고치료에서는 설명한다. 이마고 부부관계치료에서는 특히 '이마고 부부대화법'이라는 부부관계 기술을 학습, 훈련하여 부부관계에 적용하도록 하였다. 부부대화법은 부부간에 지속적으로 반복되는 부정적인 패턴의 영향력에서 벗어나 배우자에 대한 새로운 이미지(imago)를 형성하도록 만드는 효과가 있다. 즉, 무의식 속에 형성되어 있는 어린 시절의 정서적 경험들을 부부가 서로 확인하고 그 심리적 역동을 인식함으로써 어린 시절의 상처를 오히려 치료적 도구로 활용하여 건강한 이미지를 재창조하는 데 도움이 되는 것이다. 따라서 심각한 갈등을 가진 부부가 서로를 부정적인 시각으로 바라보는 이마고를 변화시켜 어린 시절의 상처 때문에 부정적인 영향력을 받고 있는 상처 입은 사람으로 바라보는 '배우자에 대한 이미지 재형성' 과정을 통해 손상된 부부관계를 회복하고 역기능적인 관계를 향상시킬 수 있도록 도와준다. 이를 위해 배우자가 자신의 상실된 자아(lost self)이자 자기 성장의 청사진을 깨닫게 하여 부부 초기의 낭만적 사랑을 회복하도록 한다. 이러한 이마고 부부치료의 과정을 간략히 정리하면, 첫째, 부부 각자가 어린 시절 부모와의 관계경험으로 형성된 이마고를 발견하도록 도와주고, 둘째, 부부대화법과 부모-자녀 대화법 훈련 등을 통해 어린 시절의 상처를 서로 이해하며, 셋째, 부부가 서로의 치료를 돕는 협력관계를 맺도록 이끈다.

관련어 │ 이마고, 이마고 부부대화법

이마고 부부대화법
[-夫婦對話法, imago couple conversation]

이마고 부부치료에서 서로에 대하여 이해하는 것을 촉진하기 위해 치료과정 중 치료사가 부부에게 가르치는 대화법.

이마고치료

이마고 부부치료에서는 부부의 문제를 연결의 단절로 보고 있다. 인간에게는 누군가 자신의 이야기를 들어 주고 이해해 주기를 바라는 욕구가 있다. 이 같은 욕구가 어린 시절에 충족되지 못했을 때 그것이 무의식에 남아 있다가 성인이 되어 부부관계 안에서 자신의 방어기제로 사용되어 문제를 확대시킨다고 보는 것이다. 이처럼 이마고치료에서는 부부문제의 원인을 연결의 단절로 보기에 적절한 대화를 통해 단절이 회복될 때 관계가 다시 회복된다고 보고 있다. 그렇다고 부부간에 일치된 생각을 추구하는 것이 목표는 아니다. 다만, 같은 상황에 대해 부부 각자가 보는 현실이 다르고 관점이 다르다는 것을 인정하는 것이 중요하다. 부부대화법에서는 화자가 충분히 자신의 생각과 감정을 말하도록 한다. 청자는 반드시 화자의 말에 동의하지 않더라도 진심으로 귀 기울여 들어 준다. 이를 통해 그동안 힘겨루기에 사용했던 에너지를 서로를 이해하고 서로의 상처를 치유하며 친밀한 상호관계를 만드는 데 사용함으로써 부부관계 향상을 도모할 수 있다.

부부대화 과정에서 제일 중요한 것은 말하는 사람이 자신의 감정과 말이 충분히 받아들여지고 있다는 안전감을 갖는 것인데, 그 과정은 크게 반영하기, 인정하기, 공감하기의 세 부분으로 구성되어 있다. 첫째, 반영하기는 부부대화의 첫 단계로 청자가 화자의 말을 그대로 반복하는 것이다. 대개의 경우 사람들은 화자가 말을 하는 동안 자신이 할 말을 생각하느라 화자의 말에 집중하지 못하는 경향이 있다. 반영하기는 청자가 화자의 말을 잘 들었음을 표현하는 것이고 화자와 청자 간의 연결점을 만드는 중요한 기능을 한다. 따라서 청자는 자신이 듣고 싶거나 표현하고 싶은 식으로 이야기하는 것이 아니고 화자가 말한 그대로를 되풀이하는 것이 중요하다. 예를 들면, "그러니까 당신은 ~했단 말씀이죠?"와 같은 식으로 표현할 수 있다. 둘째, 인정하기는 화자의 생각에 대한 인정을 의미한다. 이는 화자의 생각에 대해 반드시 동의한다는 것만을 의미하지는 않는다. 내 입장에서는 이해가 가지 않지만 당신의 입장에서는 그렇게 생각할 수도 있다는 것을 받아들인다는 의미다. 인정하기는 관계 안에서 상대방과 내가 다르다는 것을 알려 주는 일종의 개별화 과정이며, 이를 통해 건강한 분화가 이루어질 수 있다. 이를 위해 청자는 자신을 방어하지 않고 상대방의 관점이 타당하다고 인정해 주는 적극적인 경청이 필요하다. 예를 들면, "나는 당신이 그런 관점으로 볼 수 있다고 생각해요." 혹은 "그렇게 생각할 수도 있겠네요."와 같은 식으로 상대방을 인정했음을 표현할 수 있다. 셋째, 공감하기는 청자가 화자의 생각을 인정하게 되면 감정이나 느낌도 이해할 수 있음을 의미한다. 청자가 감정이입을 통해 화자의 감정을 충분히 이해했다고 해도 때로 부정확하게 느낄 수 있다. 그러나 이것 역시 반영하기를 통해 화자가 수정함으로써 화자의 감정을 정확하게 읽는 것이 가능하다. 부부대화법은 감정을 정확하게 읽기 위한 훈련이다. 따라서 화자의 생각과 감정이 충분히 이해되고 있다고 느낄 때까지 의도적으로 훈련해야 한다. 이를 위해 서로 정기적으로 연습하고 의식적, 의도적으로 대화하며 상대방을 이해하려는 노력을 할 때 부부관계가 성장한다. 이 같은 부부대화의 연습으로 서로 연결되어 있다는 느낌을 갖게 되고 부부가 독특성을 인정하면서도 분화되어 갈 수 있다. 또한 서로의 어린 시절 성장과정에서 멈추어 버린 부분을 찾아 부부대화의 기술을 습득함으로써 그동안 고통받았던 상처가 치유되며, 이 경험을 통해 남녀 간 대화 방식의 차이와 성 차이를 이해하는 데 도움을 받을 수 있다. 부부대화법이 자연스러워지기까지 부부는 3단계를 경험한다. 첫 번째는 기계공 단계다. 다른 사람의 말을 반복하는 것이 기계적이고 딱딱하게 느껴지는 것으로, 우리가 처음 다른 기술을 배울 때처럼 어색하고 몸에 익지 않은 단계다. 다음은 장인 단계다. 조금 더 능숙하고 자연스러운 단계로, 대화의 과정 속에 계속 머무를 때 가능하다. 마지막은 예술가 단계다. 이때는 자신들만의 방식으로 창조적으로 세련되고 진실하게 대화할 수 있다.

관련어 | 이마고, 이마고 부부관계치료

이마고 짝
[– , imago match]

이마고 부부치료에서 배우자 선택의 과정을 무의식적 관점에서 설명한 것. **이마고치료**

이마고치료에서는 인간이 사회화 과정에서 잃어버린 자아를 회복하기 위해 자신의 잃어버린 자아를 소유하고 있는 사람을 사랑하게 된다고 설명하였다. 이러한 사람들은 서로 상처가 비슷한 사람, 특히 부모의 부정적인 성격과 이미지를 많이 가지고 있는 사람을 배우자로 선택하는 경향이 있다고 한다. 이는 부모에게서 채워지지 않았던 미해결된 과제를 배우자를 통해 충족하고자 하는 무의식적인 동기에 따른 것이라고 설명하였다. 즉, 우리의 의식적인 노력과 전혀 상관없이 무의식은 양육자와의 관계경험에서 형성된 이마고와 가장 맞는 대상인 이마고 짝을 배우자로 선택한다는 것이다. 이마고의 발달단계에 맞추어 이를 다시 설명하면, 발달단계의 같은 지점에서 상처를 입은 두 사람이 서로 반대쪽의 상처를 입은 사람을 그리워하면서 잃어버린 자아를 찾아 또다시 발달단계적 욕구충족에 애를 쓴다고 할 수 있다.

관련어 | 이마고치료의 발달단계

이마고치료의 발달단계
[- 治療 - 發達段階, developmental stage in Imago therapy]

이마고치료에서 개인과 그 보호자와의 관계에 초점을 맞추어 설명한 발달단계. 이마고치료

이마고치료에서는 마거릿 말러(Margaret Mahler)의 분리개별화 발달이론과 에릭슨(E. H. Erikson)의 심리사회적 발달단계 이론을 통합하여 생후부터 7년 혹은 10년까지의 과정이 전 생애를 통해 반복되는 것으로 보았다. 마거릿 말러와 에릭슨은 분리와 개별화를 발달단계에서 성취해야 할 아주 기본적이면서도 중요한 것이라고 하였다. 그러나 이마고치료에서는 발달단계의 과업이 보호자와의 관계에 연결되어 있는 것으로 파악하였다. 즉, 어린아이가 각 발달단계의 과업을 성취하는 데 양육자에 의해 일관성 있게 감정의 손상 없이 성취할 수 있다면 이것이 성격발달에 좋다고 보았다. 이마고치료의 발달단계는 5단계로 구분되어 있다. 각 단계에서 과업이 성취되지 못하면 두 가지의 반대적인 성격유형을 형성하게 된다. 1단계는 애착단계로 이 시기는 애착의 욕구가 나타나 다른 사람의 도움과 따뜻함이 필요하다. 아기에게는 필요할 때마다 언제나 옆에 있어 주는 의지하고 신뢰할 만한 부모가 필요하다. 부모를 통해 아기의 애착욕구가 채워지면 아기는 이 세상에 존재하는 모든 것에 대해 어느 정도의 안위감과 안전감을 얻을 수 있다. 하지만 부모가 고의든 아니면 상황적 요인으로 아기의 욕구를 채워 주지 못하면 아기는 냉정함을 경험하고 상처와 고통 또는 거부감을 느끼게 된다. 상처를 입은 아기는 자신을 보호하기 위해 밀착형 또는 회피형의 성격유형 중 하나를 형성한다. 밀착형은 필요한 사랑과 욕구가 충족되지 못했기 때문에 자신의 그러한 욕구를 충족해 주는 사람을 만나면 그 사람에게 매달리거나 그가 절대 떠나지 못하도록 한다. 회피형은 거부당하는 데 대한 고통을 줄이기 위해 접촉하지 않고 피하는 것이 더 안전하다고 생각하는 사람이다. 이들은 다른 사람이 자신을 붙잡거나 보호하는 것을 원하지 않으며 대부분 혼자 지내고 싶어 한다. 2단계는 탐험단계로 생후 만 18~24개월의 시기다. 애착이 형성된 유아는 그들의 세계를 탐험하기 시작한다. 또한 다리근육이 발달하여 자신이 원하는 대로 갈 수 있기 때문에 양육자에게서 벗어나 조심스럽게 세계를 탐험하는 것이다. 하지만 안전한 장소에서 멀리 왔다고 생각되면 불안을 느끼게 된다. 유아가 자신이 돌아갈 안전한 장소가 있다는 것을 알게 되면 이 탐험의 욕구 때문에 유아는 독립심과 세상을 향한 건전한 호기심을 가지고 생활한다. 이 단계에서 유아는 두 가지가 필요하다. 첫째는 탐험할 수 있는 기회와 둘째는 탐험 후 돌아와 탐험에 대해 나눌 수 있는 누군가다. 이 단계의 욕구가 충족되지 못하면 융합형이나 격리형 중 하나로 발달하게 된다. 융합형은 다른 사람을 만났을 때 자신과 자신의 취향을 좋아하도록 만들려는 노력을 한다. 격리형은 자신을 위해 열심히 사는데, 일이 관심의 중심이기 때문에 사업이나 직장에서 성공을 거둔다. 3단계는 정체성을 확립하는 시기로 만 2~4세까지가 해당한다. 이 시기의 아동은 아기의 시기에서 벗어나 자아감을 찾기 시작한다. 자신의 정체성 형성을 위해 노력하며 이를 위해 자신의 모습을 실험해 보고 부모의 반영에 영향을 받는다. 이 경우 부모가 아동의

여러 역할 시도를 인정해 주면 기분이 좋아지겠지만 부모가 아동에게 창피를 줄 수도 있다. 그러면 아동은 수치심을 경험하고 그 역할뿐 아니라 다른 것도 시도하지 않게 된다. 이러한 아동은 자신이 무언가를 반드시 해야 한다는 매우 엄격한 생각을 가지고 삶을 살아가며 경직형의 성격을 띤다. 경직형은 자신이 믿는 일에 확고하고 고집스러우며 엄격한 행동을 나타내는 것이다. 반면, 부모가 아동의 어떤 역할적 시도에도 반응해 주지 않으면 산만형이 된다. 산만형은 자신이 마치 눈에 보이지 않는 사람인 듯한 느낌을 지니고 살면서 선택에서는 갈등, 결정에서는 어려움을 가지고 있다. 4단계는 힘과 경쟁의 단계로 만 4~6세의 시기다. 이 시기의 아동은 자신이 얼마나 힘과 능력이 있는지를 시험하는데, 유치원에 다니고 집 밖의 활동을 시작하면서 주변에 흥미를 보이며 경쟁력을 발달시킨다. 이때는 아동에게 부모의 칭찬, 지지, 반영이 필요하다. 그러나 부모가 아동의 행동에 대해 부분적 반영이나 비판 또는 아무 언급을 하지 않으면 경쟁형 또는 수동, 조종형의 성격 중 하나로 발전하게 된다. 경쟁형은 일을 아주 잘하며 출세의 방법을 확실하게 알고 있고 사업에서도 성공적이다. 반면, 수동, 조종형은 어느 곳에서나 자기 위치를 찾는 데 어려움을 가지고 있으며 실패에 대한 두려움 때문에 다른 사람에게 보이는 것, 앞에 서는 것을 싫어한다. 5단계는 관심의 단계로 6~9세의 시기다. 이 시기의 아동은 또래 친구와 우정을 발달시킨다. 아동이 친구를 사귀며 어려움을 경험할 때 부모의 적절한 모델링을 받지 못하면 고독형이나 보호자형의 성격 유형을 형성하게 된다. 즉, 아동은 친구를 사귀기 위해서는 보호자가 되어야만 한다고 배움으로써 보호자형이 되거나, 친구를 사귀는 일은 너무 고통스러운 일임을 경험하고는 고독형이 된다. 이마고 이론에 따르면, 이 같은 다양한 유형의 사람들이 성인이 되었을 때 대부분 서로 반대유형의 사람과 사랑에 빠진다고 한다. 이마고이론은 발달단계에서 특정의 같은 지점에서 상처받았던 두 사람이 서로 사랑에 빠지는 특성을 가지고 있다고 설명하고 있다.

관련어 | 이마고

이메일 상담
[- 相談, e-mail counseling]

전자우편을 이용한 상담. 사이버상담

전자우편상담이라고도 부르며, 가장 보편적인 사이버상담의 유형이다. 내담자가 사이버상담자에게 자신의 고민이나 걱정거리를 적어서 이메일로 보내면 상담자가 내담자에게 답장을 보내는 방식으로 상담이 진행된다. 대부분의 경우 내담자와 상담자 간에 한 번씩 메일을 주고받는 단회상담으로 이루어지지만 내담자와 상담자의 필요와 판단에 따라 반복상담도 가능하다. 전자우편상담 혹은 이메일 상담은 신속하고 즉각적으로 정보를 전달할 수 있고, 송신과 수신이 동시에 이루어지지 않는 비실시간 상호작용 시스템으로 메시지는 데이터의 형태로 옮겨져 전자우편함에 저장되었다가 수신자가 편한 시간에 수시로 받아보고 편한 시간에 답장을 보낼 수 있다. 따라서 내담자는 스스로 자신의 심정을 먼저 정리해 볼 수 있으며 상담자도 이러한 내담자의 생각을 여러 번 읽어 보고 내담자를 깊이 있게 이해할 수 있다. 또한 자신의 상담 답변 역시 신중하게 여러 번 생각하고 정보를 검색, 참고하여 정리된 상담 답변으로 작성하여 보낼 수 있다. 전자우편상담은 다른 사람의 사서함은 열어볼 수 없고 자신의 사서함만 열어 볼 수 있기 때문에 비밀이 보장되며, 24시간 원하는 어떤 시간에도 사용 가능하여 시간적 제약을 받지 않는다는 장점이 있다. 그러나 상담 시간 내에 자연스럽게 떠오르는 느낌과 생각 그대로를 나누는 기존의 상담에 비해 정돈되고 압축된 글을 주고받으며, 편지를 주고받는 데 시간 간격이 있다는 점에서 다소 현장감이 떨어지고, 섬세하고 즉각적인 반응이 필요한 전문적인 심리상담을 하기에는 한계가 있다. 다만 진로상담이나 실제적인 정보가 필요한 내담자에게는 효과적인 상담방법이다.

이면교류
[裏面交流, ulterior transaction]

교류분석

⇨ '대화분석' 참조.

이모티콘
[–, emoticon]

컴퓨터 통신에서 자신의 감정을 나타내기 위해 사용하는 기호. 사이버상담

감정(emotion)과 아이콘(icon)을 합성한 말이며, 키보드에 있는 각종 기호와 문자를 조합하여 만든 것이다. 1980년대에 카네기멜론대학교 학생인 펠만(S. Fahlman)이 최초로 사용했다고 알려져 있다. 이모티콘이 사용되기 시작한 초기에는 웃는 모습이 대부분이었기 때문에 초기에는 스마일리(smiley)라고 부르기도 하였다. 스마일리 혹은 이모티콘은 인터넷 채팅이나 이메일을 주고받을 때 자주 등장하는데, 의미를 모르면 상대방의 의도를 알 수 없다. 청소년들 사이에서 주로 이용되며, 사람의 얼굴표정에서부터 인종, 직업, 인물, 동물에 이르기까지 종류와 형태가 다양하다. 이모티콘은 자칫 딱딱해지기 쉬운 컴퓨터 통신을 부드럽고 재미있는 분위기로 이끌 수 있다. 예를 들어, 웃는 얼굴은 :) 또는 :-)로 나타낼 수 있는데, 시계방향으로 90도 돌려 보면 웃는 얼굴이 나타난다. 일일이 글로 쓰기에는 쑥스럽거나 부끄러울 때 사용하면, 받아 보는 쪽에서는 재미도 느끼고 뜻도 빠르게 이해할 수 있다. 또 다른 예로는, ^_^(웃는 얼굴), *^^*(반가운 표정), ^^;

(쑥스럽게 웃는 모습), ^0^(크게 웃는 표정), ?.?(황당하다는 표현), :-)(기분이 좋다는 표현), :-((기분이 나쁘다는 표현) 등이 있다.

이미지
[–, image]

어떤 사물이나 대상에 대하여 개인의 내면에서 떠오르는 직관적 인상 혹은 표상이나 심상. 미술치료

미술에서 이미지는 구체적인 재료와 작업과정을 통하여 표출되는 독립적이고 자율적인 개체(auto-nomous entities), 살아 있는 것으로 간주되어 중요시된다. 미술작품에서 이미지는 이미 알고 있는 것이 다른 형태로 나타나거나 전혀 모르는 것이 나타나는 경우가 있는데, 전자는 머리로 그린 그림이고, 후자는 마음으로 그린 그림이다. 머리로 그린 그림은 메시지가 분명하여 천천히 살펴보면 전달하려는 의미를 쉽게 파악할 수 있고, 그림을 그린 사람에게 물어보아도 그에 관한 설명을 쉽게 들을 수 있다. 반면에, 마음으로 그린 그림은 그림을 그린 사람조차 왜 그렇게 그렸는지 잘 알지 못하는 경우가 많고, 그에게서 분명한 대답을 들을 수 없다. 그럼에도 불구하고 마음으로 그린 그림이 설명할 수는 없지만 마음에 와 닿는 경우가 있다. 이러한 그림은 보는 사람의 경우에도 머리가 아니라 마음으로 보아야 하는 것이다. 하지만 미술치료과정에서 나타나는 작품의 이미지는 머리로 그린 것이든 마음으로 그린 것이든 모두 중요하다. 게다가 미술치료사가 작품을 통하여 내담자의 진실에 다가가기 위해서는 머리뿐만 아니라 마음으로 작품을 바라보고 느끼며 통합해야 한다. 내담자의 미술작품에 나타난 이미지를 머리로 분석하는 데 그친다면, 그것은 단편적인 지식으로 작품을 해부하거나 비판하는 것을 의미하며, 그것이 내담자에게는 별로 도움이 되지 않는다. 따라서 미술치료사는 내담자의 작품에 나타

난 이미지를 마음으로도 느껴야 한다.

이미지 살인 [-殺人, imagicide] 미술작품의 이미지를 지나치게 확대하거나 단정적으로 해석하려는 경향을 일컫는다. 작품의 이미지를 지나치게 확대하여 해석하는 것은 내담자가 자신을 현실적으로 바라보는 것을 방해하거나 이상화시킬 가능성이 있다. 단정적인 해석은 내담자가 자신을 충분히 탐색하거나 자각할 기회를 박탈해 버려 내담자의 성장을 저해한다. 이 같은 이유로 치료자는 작품의 이미지를 지나치게 확대하거나 단정적으로 해석하는 것을 피해야 한다.

이분법적 사고
[二分法的思考, all or nothing thinking]
모든 사물이나 상황에 대하여 흑이 아니면 백으로 생각하는 것. 개인상담 · 합리정서행동치료

벡(A. T. Beck)의 인지치료에서 부정적 사고를 야기하는 인지적 오류(cognitive error)의 한 유형이다. 이분법적 사고를 나타내는 주된 단어는 '누구나 ~' '누구라도 ~' 또는 '절대 ~' '전혀 ~' 등이 있다. 이 사고의 특징은 다음과 같다. 첫째, 모든 경험을 양극단 중 하나로 평가한다. 예를 들면, '순결하지 않으면 더러운 것' 혹은 '착하지 않으면 사악한 것'으로 나눈다. 둘째, 완전한 실패 아니면 대단한 성공으로 구분한다. 즉, 경험을 극단으로 범주화한다. 셋째, 지금 일어나지 않는 일이라면 앞으로도 일어나지 않을 것이라고 생각한다. 예를 들어, 배우자가 올해 자신의 생일을 기억하지 못하면 앞으로도 계속 기억하지 못할 것이라고 생각하는 것과 같다. 이러한 사고는 모든 일을 '좋은 것' 또는 '나쁜 것'으로 평가한다. 이 같은 인지는 평가의 중간 영역을 무시하여 극단적 사고를 유발하고 자동적으로 부정적인 신념을 이끌어 내어 낮은 자존감을 불러일으킨다. 안정

된 상태라면 이런 형태의 사고를 깨닫는 것이 쉽지만 격렬한 대인관계의 상호작용에서 이를 알아차리기는 힘들다. 예를 들어, 남편이 자신의 생일을 한 번 챙겨 주지 않았다고 해서 앞으로도 계속 챙겨 주지 않을 것이라는 믿음은 부부간에 부정적인 상호작용을 하도록 하며 타협점을 발견하는 데 어렵게 만든다. 결과적으로 상대 배우자에게 공격당한 느낌을 가지게 되어 더욱더 강렬하게 방어하도록 만들고 또다시 비생산적인 논쟁에 말려들어 버린다.

관련어 | 인지적 오류

이분척추
[二分脊椎, spina bifida]
척추발생상의 결함으로 척추의 융합이 완전하지 않은 신경관 형성의 선천기형. 특수아상담

하반신의 근육과 감각을 조절하는 척수와 신경이 정상적으로 발달하지 못하여 척추 손상부위가 많을수록 신체기능에 미치는 영향이 크다. 이분척추는 크게 세 가지 유형으로 나눌 수 있다. 첫째, 잠재 이분척추(spina bifida occulta)의 경우 척수나 수막의 탈출이 없이 척추의 추골궁 융합의 결손만 있으며, 발생빈도가 5~10%의 매우 흔한 기형이다. 대부분 환자에게 임상증상이 없고 신경학적 이상소견을 보이지 않는다. 둘째, 수막류(meningocele)의 경우는 후추골궁의 결손된 부위로 수막이 탈출하여 발생한다. 일반적으로 척수는 정상이며 척수관 내에 정상적으로 위치하고 있다. 수막류는 하요부 중앙에 출렁거리는 낭성 덩어리로 나타나는데 대부분의 환자는 정상 피부로 잘 덮여 있다. 간혹 천골의 결손을 통하여 앞쪽으로 수막류가 발생하기도 하는데 이 같은 경우는 변비나 방광 기능부전의 증상을 나타낼 수 있다. 셋째, 척수 수막류(myelomeningocele)는 수막류와 달리 수막과 함께 신경조직이 탈출하여 결손 부위의 척수와 신경근에 이상을 나타내는, 척추에서 발

생하는 융합 부전 중 가장 심각한 형태의 기형이다. 발생빈도는 생존 출산아 1,000명당 한 명이며 발생 원인은 다인자성 유전이고, 임신 중 약물복용과 관련이 있다. 모양은 보통 부분적으로 상피화된 얇은 막으로 덮인 주머니 모양의 낭종으로, 막 밑으로 신경조직의 일부가 보이고 때로는 막이 터져서 뇌척수액이 새어 나오기도 한다. 보통 요천골 부위에서 약 75% 정도 발생한다. 신경학적 증상은 결손부위에 따라 다양하게 나타나는데, 다양한 정도의 하지마비와 방광과 항문의 괄약근 기능부전이 가장 흔한 증상으로서 대체로 결손부위가 높을수록 신경학적 증상이 심하게 나타난다. 치료는 출생 직후에 감염의 방지를 위한 항생제를 투여하고, 출생 후 수일 이내에 척수 수막류에 대한 수술적 교정을 하며, 수두증에 대해서는 뇌실 복강 단락술을 시행한다. 예후는 좋지 않은 편이며, 특히 출생할 때 하지와 방광 괄약근의 완전 마비, 현저한 수두증, 척추 측만증 또는 다른 기형을 동반하는 경우에는 신경학적 예후가 매우 좋지 않다. 집중적 치료를 받은 환자의 사망률은 10~15% 정도이며, 이 경우 대부분 4세 이전에 사망한다. 생존자는 70%가 정상 지능을 갖지만 학습장애와 경련성 질환이 비교적 흔히 발생한다.

관련어 | 척추 분리증

이분추론
[二分推論, dichotomy corollary]

켈리(G. Kelly)가 제시한 11개의 정교한 추론의 하나로, 한 사람의 구성개념체계는 유한한 수의 이분적 구성개념으로 되어 있다는 것. 개인적 구성개념이론

만약에 어떤 사람이 A와 B가 유사하고 C가 대조적이라고 할 수 있는 측면을 선택하면 A, B, C 모두가 구성개념의 기초가 된다. 제각기 독특한 측면을 지니고 있다 해도 A, B, C는 모두 Y라고 할 수 있는 공통의 측면을 지니고 있는 것이다. 다시 말하면, A와 B는 Y라는 점에서 비슷하고, C는 A나 B와 Y라는 점에서 대조적이 되는 것이다. 이러한 구성개념의 이분적 성격 때문에 하나의 구성개념이 형성되기 위해서는 적어도 2개의 요소가 비슷하고 다른 하나의 요소는 이와 대조가 되어야 하는 등 3개의 요소가 필요하다. 구성개념의 이 같은 성격은 개인적 구성개념체계를 과학적으로 제시할 수 있게 해 주어 기술적 절차를 드러내는 데 유용하다.

관련어 | 개인적 구성개념, 구성개념

이상심리학
[異常心理學, abnormal psychology]

일반 사람들에게서는 보기 힘든 행동이나 신경증 혹은 정신병과 같은 심리장애를 연구하여 그 구조나 원인을 과학적으로 밝히는 심리학의 한 분야. 이상심리

이상심리학은 심리학과 의학에 걸쳐 있으며, 임상심리학이나 정신의학과 깊이 관련되어 있다. 좁은 의미로는 신경증이나 정신병 등의 정신질환을 대상으로 하는 정신병리학과 같은 의미로 사용되기도 한다. 이상심리학에서는 주로 이상행동과 심리장애의 기술과 분류, 원인과 발생과정, 치료와 예방을 다룬다. 이상행동과 심리장애에 대한 관점으로는 생물학적 관점, 정신분석적 관점, 행동주의적 관점, 인지주의적 관점, 통합적 관점이 있다. 이상행동 평가와 심리장애의 진단에서 주로 사용되는 분류체계는 세계보건기구(WHO)에서 발표한 국제질병 분류(International Classification of Diseases: ICD)와 미국정신의학회에서 발표한 정신장애진단 및 통계편람(Diagnostic and Statistical Manual of Mental Disorders: DSM)이 있다. 20세기 초반에는 주로 정신의학자들의 활동이 많았고, 중반부터 미국을 중심으로 심리학자들의 활동이 급증하였다. 현대에는 이상행동과 심리장애에 대한 임상심리학적 관점뿐만 아니라, 지각심리학이나 학습심리학, 발달심리

학, 사회심리학의 관점에 따른 연구가 활발하다. 정상과 이상을 구분하는 데는 인권의 문제가 관심을 끌고 있다.

하면 사람은 완성된 존재가 아니라 '되어 가는 존재 (becoming being)'이기 때문이다.

관련어 │ 실제 자기

이상적 자기
[理想的自己, ideal self]

희망하거나 기대하는 자기상. 인간중심상담

로저스(C. Rogers)가 인간중심상담에서 제시한 자기유형의 하나다. 로저스는 자기(self)를 실제 자기와 이상적 자기로 구분하였다. 실제 자기가 현재의 자기 모습 혹은 자신이 현재 가지고 있는 특성을 말한다면, 이상적 자기는 자신이 어떤 존재가 되어야 하는지, 또 어떤 존재가 되기를 원하는지에 대한 인식을 말한다. 이상적 자기는 자신의 진정한 모습을 토대로 하여 현실적으로 규정되기도 하지만, 대개 주변의 중요한 사람들이 자신에게 거는 기대나 사회적 기대에 따라 만들어진다. 로저스는 현재의 경험이 자기개념과 일치할 경우 적응적이고 건강한 성격을 갖는 반면, 불일치할 경우 불안을 경험하고 부적응적이며 병리적인 성격을 갖게 된다고 보았다. 불안은 현재 경험이 자기구조와 불일치할 때 경험하는 것으로, 이러한 불일치가 심한 경우 부적응적이고 병적인 성격이 형성된다는 것이다. 세상 사람들로부터 존경받고 성공한 인물로 인정받는 사람들 가운데 자신을 보잘것없는 패배자라고 지각하는 경우가 있는데 바로 이때문이다. 반대로 이상적 자기와 현재 경험이 심하게 불일치할 때도 불안하고 부적응적인 성격이 된다. 따라서 자기구조와 주관적 경험 사이의 일치가 매우 중요하며, 양자가 일치하는 경우에는 적응적이고 건강한 성격이 형성된다. 적응적인 사람은 실제로 행동, 사고, 경험 방식에 대해 보다 정확한 지식을 갖고 있는 사람이다. 그러나 적응적인 사람이라고 해서 반드시 자기실현을 완성하거나 훌륭한 삶을 사는 것도 아니다. 왜냐

이상적 자아심상
[理想的自我心像, ego ideal]

KB 심상척도 중 하나로, 내담자의 정체성, 자아상, 인격 형성 관련 문제 등을 파악하는 심상척도. 심상치료

이상적 자아심상은 내담자가 미처 깨닫지 못하고 있었던 자신의 정체성이나 자아상, 자존감 등을 자각하도록 하는 심상척도로, 어린 시절부터 꿈꾸어 온 자신의 이상적인 상을 떠올리는 심상작업이다. 때로는 자신의 모습이 아니라 자신이 평소 존경하거나 닮고 싶었던 인물에 자신의 긍정적인 상이 투사되어 심상으로 나타나기도 한다. 이상적 자아심상은 내담자가 바라던 인격형성에 방해나 장애가 되었던 사건이나 경험을 함께 보여 준다. 이상적 자아심상 체험작업은 우선 내담자에게 이상적인 인물의 모습을 떠올리도록 한 다음, 그 상에 집중하여 내담자가 잘 관찰할 수 있도록 하는 과정을 거친다. 이상적 자아심상이라는 용어에서 나타나는 바와 같이 내담자들은 자신이 어린 시절 장래희망으로 떠올린 모습을 주로 심상화하는데, 이 같은 속성 때문에 이상적 자아심상작업에서 내담자의 정체성 관련 문제를 다루게 된다. 이상적 자아심상척도는 내담자의 한계로 인한 문제해결과 새 마음 형성단계에서 활용한다.

이상행동
[異常行動, abnormal behavior]

보편적인 행동범위에서 벗어나며 사회적 부적응을 발생시키는 행동을 계속하는 것. 이상심리

이상행동을 판단하는 주요 기준은 적응적 기능의

손상, 주관적 불편감, 사회문화적 규범에서의 이탈, 통계적 규준에서의 이탈을 들 수 있다(Davison & Neale, 2001). 적응적 기능의 손상이란 환경의 요구에 맞추어 가는 능력이나 자신의 욕구를 충족시킬 수 있도록 환경을 바꾸는 능력이 부족한 행동을 말한다. 주관적 불편감이란 개인에게 심각한 고통이나 불편함을 초래하는 행동을 보이는 것을 말한다. 사회문화적 규범에서의 이탈이란 다양한 사회장면에서 주어지는 역할을 수행할 때 따라야 할 규범에서 벗어나거나 맞지 않은 행동을 하는 것을 말한다. 일반적으로 학교에서 학생들은 선생님에게 높임말을 쓰는 것으로 기대되는데, 학생이 선생님에게 반말을 하는 경우 이는 이상행동으로 볼 수 있다. 통계적 규준에서의 이탈이란 일반인들이 보통 보이는 평균적인 행동에서 크게 벗어난 행동을 말한다. 예를 들어, 하루에 한두 번 샤워하는 것은 정상 행동으로 보지만, 열 번 이상 샤워를 한다면 이상행동으로 볼 수 있다.

이상화 전이
[理想化轉移, idealizing transference]

분석가를 이상적인 대상으로 인식하는 현상. 대상관계이론

코헛(H. Kohut)의 자기심리학 정신분석에 있어서 이상화 전이는 내담자가 자신을 치료해 주는 분석가를 전지전능한 사람으로 받아들이는 것이다. 이상화 전이를 통해 내담자는 분석가를 매우 과장되게 바라본다. 유아의 노출증적 자기과장에 대해 어머니가 반사반응을 제공하지 못하고 공감해 주지 못할 때 유아가 상처를 받을 수 있는 것처럼, 자신의 어머니를 이상화하려는 유아의 욕구에 대해 어머니가 공감해 주지 못하고 이상적인 가치를 지닌 모델 역할을 제공하지 못할 때 유아는 어머니로부터 상처를 받는다. 유아는 자신의 부모가 강하고 어떤 공격에도 동요되지 않는 이상적인 인물이기를 바란

다. 부모의 힘을 동일시해서 자신의 것으로 만든 유아는 좌절이나 고통의 상황에서도 자기를 유지해 나갈 수 있게 된다. 그러나 이러한 이상적인 대상을 갖지 못한 유아는 좌절의 상황에서 자기가 쉽게 붕괴되어 버린다. 치료초기에 분석가는 내담자로 하여금 관계의 유아적 수준에 머무르도록 한다. 그러나 치료가 진행되면서 전이의 자기애적이고 유아적인 측면은 점차 사라지고 내담자는 보다 더 성숙한 방식으로 관계를 맺을 수 있게 된다. 전이의 해결, 즉 내담자가 분석가를 긍정적이고 건강한 자기대상으로 바라볼 수 있게 되면서 긍정적인 변형적 내면화가 가능해진다.

관련어 거울전이

이상화된 자기
[理想化 – 自己, idealized self]

실제 경험이나 사실과는 다른 자기상 혹은 굳게 믿고 있는 자기상. 인간중심상담

사람은 누구나 '자신은 ……이다.' 혹은 '자신은 ……여야 할 것이다.' 와 같은 자기 자신에 대한 견해 혹은 자기상을 가지고 있다. 이 자기상은 성장하는 과정에서 부모, 교사, 친구 등 다른 사람에게서 받은 평가를 받아들여 만든 경우가 많다. 그러나 이처럼 만들어진 자기상에는 일상생활에서 실제로 체험하는 것과는 다르거나 사실과 맞지 않는 경우가 있다. 이때 실제 경험이나 사실과는 다른 자기상 혹은 굳게 믿고 있는 자기상을 이상화된 자기라 한다. 일상생활에서는 자신이 생각하는 대로 되지 않는 경우가 많다. 따라서 지나치게 굳게 믿고 있는 자신에 속박되어 있으면 자기 자신을 곤경에 빠트리게 된다. 예를 들면, "나는 일을 매우 잘하는 사람이다." 라고 자신을 굳게 믿고 있는 사람은 자신의 일에서 실패를 허용하지 않고, 따라서 실패를 하면 계속 후회하거나 번민에 빠진다. 이와 같은 경우에는 "나는

때로는 실패도 하는 인간이다."라고 신념을 사실에 맞도록 바꾸어 가는 것이 필요하다.

이성애
[異性愛, heterosexuality]

동성애의 상반된 개념으로서 자신과 다른 성에게 성적 매력을 느끼는 이성적, 성적 지향성. 성상담

이성애는 두 남녀 사이의 성적 이끌림을 말하며, 사람들 사이에서 가장 일반적인 성적 본능이다. 이러한 관점에서 동성애나 양성애는 비정상적이고 죄악시되는 것임에 반해 이성애는 정상적이고 도덕적이고 자연스러운 것이 된다.

관련어 동성애

이성애 중심주의 [異性愛中心主義, heterosexualism] 동성애의 상반된 개념으로서 자신과 다른 성에게 성적 매력을 느끼는 성적 지향성을 당연한 것, 정상적인 것으로 여기는 사회적 인식과 태도를 의미한다. 이성애 중심주의는 1970년대 서구의 레즈비언 래디컬 페미니스트가 그들의 생존을 위협하는 사회적 조건과의 투쟁을 통해 이룩한 하나의 성과라고 본다. 이들에게 이성애 중심주의는 모성애나 이성애가 사회적으로 구성되는 제도와 현실로서 제반 영역에서 남성의 권력이 작동되는 방식을 보여 준다. 이성애는 단순히 이성 간에 이루어지는 성적 관계를 의미하는 것이 아니라 여성의 억압을 재생산하는 문화적 구성물로 간주되었다.

이야기
[- , narrative]

인간이 삶에서 경험하는 여러 가지 다양한 실제 사건, 혹은 허구적인 사건을 개인 고유의 방식으로 의미를 부여하고 해석한 것을 언어나 다양한 매체를 활용하여 표현한 것. 서사(敍事) 또는 그대로 내러티브라고도 함. 이야기치료

실제 혹은 허구적인 사건을 설명하기 위해 이야기, 문학, 연극, 영화 등에 표현되어 있는 이야기적인 성격을 가리키는 말이다. 내러티브(narrative)라는 용어는 라틴어 동사 'narrare(자세히 말하다, 이야기하다, recount)'에서 나왔으며, 형용사 'gnarus(알고 있는, 숙련된, knowing, skilled)'와 관련이 있다. 이야기(narrative)는 동일한 용어로 번역되어 사용되는 story와 혼용되기도 하지만, story는 보다 한정된 개념으로 사건(events)을 그대로 서술하는 것만 뜻한다. 이에 반해 narrative인 이야기는 보다 포괄적인 개념으로 시간과 공간에서 발생하는 인과관계로 엮인 실제 혹은 허구적 사건의 연속적인 연결을 의미하며, 그 속에는 다양한 시각, 관습, 체계, 가치, 담화, 형식을 포함하고 있는 것이 특징이다. 문학작품이나 예술작품, 혹은 영화나 연극 등의 매체를 통해 드러나는 내러티브는 펼쳐지는 내용에 대해서 관객에게 합리적으로 설명하고, 이를 기초로 어떤 사건이 벌어질 것인지를 예측하게 해 준다. 이러한 예측은 어떤 사건이나 감정의 발생이 어떻게 가능했는지에 대한 전개과정을 말해 줄 수 있다. 심리철학, 사회과학, 의학 등 여러 임상적인 분야에서 관심을 기울이는 내러티브는 인간 삶의 사건을 해석하고 의미를 부여하는 방식이다. 인간은 삶 속에서 수많은 경험을 하게 되지만, 그중에서 몇 개의 사건만 선택적으로 기억하여 각자 자기만의 독특한 방식으로 의미를 부여하고 해석하여, 이러한 의미와 해석을 언어라는 매개체를 활용하여 이야기로 표현하는 과정을 거친다. 이렇게 표현된 이야기들은 개인의 삶에서 일어난 과거에 관한 경험일 수도 있고, 현재 혹은 미래에 관한 경험일 수도 있다. 또

한 개인에 관한 이야기일 수도 있고, 집단으로서의 공동체 이야기일 수도 있다. 이러한 삶의 이야기들에는 개인과 사회문화적인 담화, 정체성, 가치관 등이 포함되어 있다. 이야기(narrative)는 다음의 몇 가지 독특한 특징을 지닌다. 첫째, 삶의 이야기는 다른 외부요인에 아무런 영향을 받지 않고 단독으로 존재하는 것이 아니라 인간의 다양하고 복잡한 삶 속에서 여러 가지 인간관계, 종교, 인종, 지역, 정치 등의 사회문화적 요소와 상호 관련되어 영향을 주고받으며 형성된다. 둘째, 인간이 자신의 삶 속에서의 경험을 이야기로 말하는 것은 정보전달을 하기 위한 것뿐만 아니라 경험된 여러 가지 사건에 의미 있는 해석을 부여하는 작업이기도 하다. 경험된 사건들이 시간의 흐름 속에서 계속해서 인간의 언어를 매개로 말해질 때, 삶에서의 단편적인 사건들은 의미 있는 해석의 틀 안에서 구조화(constructing)된다. 이렇게 구조화된 개인의 이야기들은 삶의 경험을 해석하는 틀이 되고, 개인의 정체성을 형성하는 근거가 된다. 셋째, 인간의 삶 속에서 구조화된 이야기는 과거와 현재의 정체성을 말해 주면서, 동시에 미래의 경험을 해석하는 데 영향을 미치는 역동적인 힘을 가지고 있다. 개인이 가지고 있는 구조화된 이야기의 영향으로 미래에 경험할 수많은 사건 중에서 그 이야기와 비슷한 경험을 선택하고 비슷한 방식으로 해석하려는 가능성이 커지는 것이다. 넷째, 구조화된 이야기는 정형화된 것이 아니라 시간이 지남에 따라 얼마든지 변할 수 있는 가변적(可變的)인 특성을 가지고 있다. 인간의 삶은 끊어진 채 각각 단독의 사건들이 존재하는 단편적인 것이 아니라, 시간의 연속성 안에서 계속해서 수많은 사건이 이어지는 특징을 가지고 있다. 그러한 삶의 연속성 가운데서 인간은 수많은 경험을 하게 되는데, 여러 가지 다양한 요인의 영향력으로 이전에 가지고 있던 이야기의 구조가 더 구체화되고 강화될 수도 있으며, 다른 의미를 부여하여 이야기의 구조가 바뀌는 재구조화가 일어날 수도 있다. 다섯째, 각각의 경험된 사건에 단독의 의미만 부여하여 하나의 이야기만 존재하는 것이 아니라, 하나의 경험된 사건에는 하나 이외의 다른 여러 가지 다양한 시각으로 의미 부여와 해석이 가능하다.

관련어 구상, 대안적 이야기, 독특한 결과, 이야기치료, 지배적 이야기

이야기 그리기
[-, draw a story: DAS]

실버(Silver, 1988)가 개발한 투사적 그림검사. 미술치료

DSM-IV의 진단기준에서 우울증에 기초를 두고, 우울 여부를 선별할 목적으로 개발되었지만 최근에는 우울뿐만 아니라 공격성의 사정도구로도 사용된다. 이 검사는 그림에 대한 내용을 직접 창작하게 하여 보다 효과적으로 내담자의 무의식을 저항 없이 표출할 수 있다. 이러한 과정은 내담자에게 창작에 대한 부담을 덜어 주고 좀 더 편안하게 그림으로 접근할 수 있게 하는 장점이 된다. 더불어 검사절차를 비구조화하여 내담자의 저항을 최소화하고 채점체계가 구조화되어 있어 개인이나 집단으로 검사를 실시할 수 있다. DAS의 적용범위는 5세부터 성인에 이르기까지 다양하다. 검사카드는 A형과 B형의 두 가지인데, A형은 현실적인 사람 자극과 유럽의 고성과 같은 배경으로 동화적 환상을 불러일으키는 구성이고, B형은 여자와 남자 4명 모두 왕관을 쓰고 부엌과 같은 현실적인 장소를 배경으로 하고 있다. A형 카드는 B형 카드에 비하여 부정적인 상상을 자극하는 그림이 더 많이 포함되어 있어, 사전에는 B형 카드를 사용하고 사후에는 A형 카드를 사용하여 내담자의 정서적 변화를 측정한다. B형 자극 그림은 침대, 개, 냉장고, 생쥐, 텔레비전, 뱀, 칼, 거미, 음료수, 전신 남자, 전신 여자, 왕관 쓴 여자 상반신, 남·녀 얼굴 각각 한 장씩, 고양이의 총 15장이며, 이것으로 표현할 수 있는 그림은 총 91가지로

조합되며 범주별로는 인간 대 인간, 인간 대 동물, 인간 대 무생물, 동물 대 동물, 동물 대 무생물, 무생물 대 무생물의 총 여섯 가지로 구분된다. A형 카드 그림의 내용은 다음 그림과 같다. 준비물은 검사용지와 연필, 지우개이고, 실시시간은 정해져 있지는 않지만 대개 10~20분 정도 소요된다. 검사는 집단

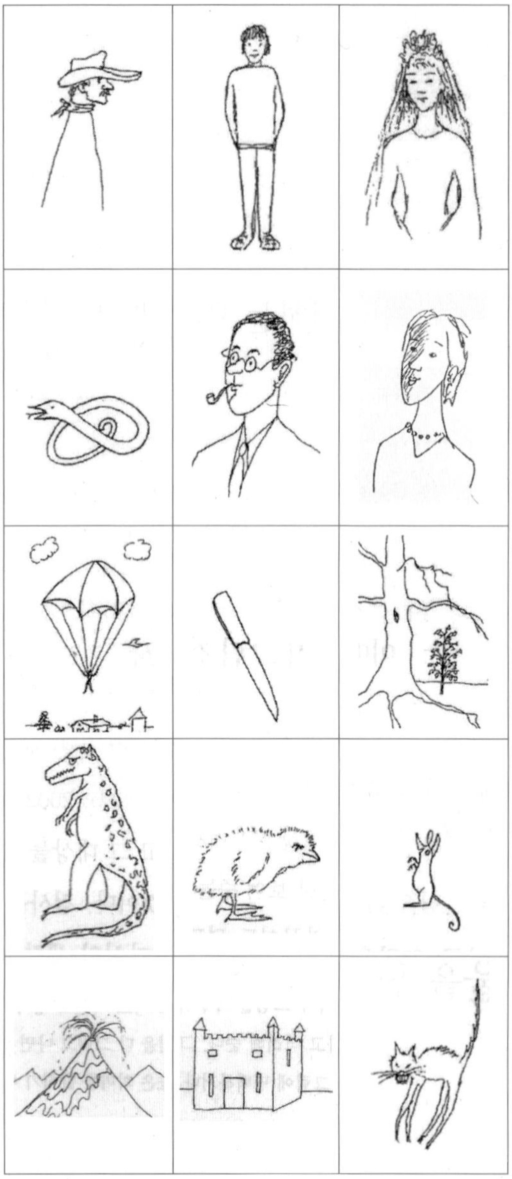

이나 개별로 실시할 수 있고, 지시를 이해하는 데 어려움이 있는 아동이나 성인, 7세 미만의 아동과 임상적 시험이 필요한 내담자의 경우는 개인적으로 실시한다. 실시방법은 다음과 같다. 먼저, 내담자에게 DAS 검사지를 주고, 열다섯 가지의 자극그림을 주고 두 가지를 선택하도록 한다. 다음으로 선택한 주제들 사이에서 일어나는 일을 상상한 뒤, 어떤 일이 일어났는지 그리도록 한다. 이때, 선택한 그림 외에 자신의 생각이나 주제를 더할 수 있다. 마지막으로 그림이 완성된 다음 질문을 하여 이야기를 추가하고 그림에 대해 대화를 한다. 검사에서 주의사항은 검사를 하는 동안 대화를 최소화하여 내담자가 집중해서 그릴 수 있도록 배려하는 것과 그리기를 어려워하는 내담자에게 그림을 완성할 수 있도록 격려하고 지지해 주는 것이다. DAS 평가척도는 5점 척도, 즉 매우 부정적인 주제를 표현한 1점에서 매우 긍정적인 주제를 표현한 5점까지의 리커트식 척도로 매겨지며, 낮은 점수는 우울의 위험이 높다는 사실을 암시한다. 그리고 하위 요소로 정서 내용(emotional content), 자기상(self-image), 유머 사용(use of humor)의 척도가 있다. 정서 내용 척도와 자기상 척도는 점수가 높을수록 긍정적인 정서 내용과 자기상을 갖는다.

관련어 │ 실버 그림검사

[이야기 그리기의 자극 그림 A형]

출처: Silver, R. (2007). 세 가지 그림검사(이근매 외 공역). 서울: 시그마프레스.

이야기 만들기
[-, storytelling prove: SP]

미국의 존스(Jones)가 개발한 것으로, 미리 제시된 이야기를 가지고 4개의 모험담을 만들어 그리게 하는 미술치료기법.
미술치료

이 기법의 목적은 내담자가 스트레스와 고통을 이겨 내는 방법을 찾고, 무의식 속에 잠재되어 있는 자신의 능력을 깨달아 자신에 대한 긍지감을 갖도록 하는 것이다. 준비물은 A4 용지 4매, 크레파스나

색연필이고, 실시방법은 다음과 같은 지시문에 따라 진행된다. 첫째, "숲 속에 길이 나 있고, 그 길을 따라 내려가니 무섭게 흐르는 강이 있습니다. 이 강을 어떤 방법으로 건너갈 것이지 생각해 보고 그것을 그려 보세요." 둘째, "가파른 산길을 따라 올라가다가 잠시 쉬는 중에 올려다 보니, 아주 무서운 동물 한 마리가 자신을 향해 다가오고 있습니다. 어떻게 할지 그려 보세요." 셋째, "산속을 가고 있는데 갑자기 날씨가 변하여 비바람이 쏟아져서 어딘가 몸을 피할 곳을 찾아야 합니다. 주위를 둘러보니 동굴이 하나 있는데, 동굴의 입구 양쪽에 두 괴물이 버티고 있습니다. 그럼에도 동굴 안으로 들어가야만 할 때, 어떻게 들어갈 것인지 그려 보세요." 넷째, "간신히 동굴 안으로 들어가 하루 종일 지친 몸을 추스르고 있는데, 동굴 안에서 무슨 소리가 들려 쳐다보니 동굴 안에 누군가가 있습니다. 그때 동굴 속에 누가 어떤 모습으로 있는지 그려 보세요." 네 가지 이야기를 각각의 종이에 그리도록 한 다음 그림을 완성하면 치료자는 내담자와 함께 그 그림에 대하여 이야기를 나누어 내담자의 잠재력을 발견하도록 도움을 준다.

관련어 │ 이야기하기

이야기치료
[－治療, narrative therapy]

1980년대 이후 포스트모더니즘과 사회구성주의의 영향을 받아 가족치료사인 화이트(M. White)와 문화인류학자인 엡스턴(D. Epston)이 호주와 뉴질랜드를 중심으로 발전시킨 심리치료이론의 하나. 이야기치료

이야기치료는 인간이란 자신의 삶에 대해서 끊임없이 의미를 부여하고 해석하여 이야기하는 존재이며, 또한 그러한 이야기로 구성된 인생을 살아가는 존재라는 생각을 기본 바탕으로 하고 있다. 따라서 인간은 누구나 자신의 삶에 대해서 전문가의 위치에 있다는 것을 강조하고, 상담과정에서 이야기치료사는 자기 삶의 전문가인 내담자가 삶의 사건을 이해하고 해석하여 의미를 부여하는 방식으로 내담자의 이야기를 이해하려고 노력해야 한다는 주장을 하였다. 이렇게 내담자의 독특한 삶의 이야기를 이해하는 과정을 통해 내담자가 자신의 문제에 대해 해석하고 의미를 부여하는 전형적인 시각인 지배적 이야기(dominant story)가 드러나게 되고, 이 같은 인식은 내담자가 가지고 있는 문제적 이야기(problematic story)에 대해 이전과는 다른 의미 부여와 해석을 시도해 보도록 해 준다. 이를 위해 이야기치료사는 상담과정에서 내담자가 자신의 문제에 대해 여러 가지 다양한 방향에서 해석하고 의미를 부여할 수 있도록 그 가능성을 열어 주는 역할을 한다. 이렇게 문제적 이야기에 대한 다양한 해석과 새로운 의미 중에서 내담자는 자신의 삶에 만족감과 희망을 줄 수 있는 새로운 의미(선호하는 이야기, preferred story)를 발견하게 되고, 이를 강화하고 이야기로 구조화(대안적 이야기, alternative story)하여 보다 만족스러운 삶을 살아갈 수 있게 된다. 이야기치료과정을 통하여 내담자가 자신의 삶에서 일어나는 문제적인 이야기를 이해하고 해석하는 새로운 방법을 발견하고, 새로운 의미를 부여할 수 있도록 도움을 주는 것이 이야기치료의 목표다. 포스트모더니즘(postmodernism)과 사회구성주의(social-constructionism)의 영향을 받은 이야기치료의 독특함은 상담과정에서 내담자의 문제를 집중적으로 조망하기보다는 그와 연관된 다양한 사회문화적 요소들과 주고받는 '영향력' 및 그 '의미'에 더욱 집중하는 것으로 나타난다. 이야기치료의 이러한 내담자의 '문제'를 대하는 태도는 상담진행과정에서 내담자가 자신의 문제를 이야기하는 것에 대해 부담감이나 죄의식을 느끼지 않고 좀 더 자유롭게 표현하는 것을 도와줄 수 있다. 또한 내담자가 가지고 있는 '문제'와 다른 사건들, 그리고 더 넓은 사회의 장과의 관계성과 서로에게 미치는 영향력을 파악하는 과정을 통해 '문제'의 정체성을 파악하고, 그에 대한 새로

운 해석 발견의 가능성을 열어 주는 계기가 될 수 있다. 이 같은 내담자의 문제를 대하는 이야기치료의 독특한 특성 때문에 모건(Morgan, 2000)은 "이야기치료는 상담과정에서 내담자를 존중하고, 비난하지 않으려고 노력하는 접근법"이라고 설명하였다.

관련어 대안적 이야기, 사회구성주의, 선호하는 이야기, 지배적 이야기, 포스트모더니즘

이야기치료의 가정
[- 治療 - 假定, assumptions of narrative therapy]
이야기치료이론의 기초가 되는 기본적인 생각들을 정리한 것.
이야기치료

인간의 삶을 이야기로 이해하고 그 이야기 속에 구조화되어 있는 의미와 그 영향력을 파악하는 이야기치료의 기본 생각을 이해하기 위해서는 기존에 가지고 있던 인간의 삶에 대해 그리고 삶의 이야기에 대한 생각의 전환이 필요하다. 이러한 생각의 전환을 위해 이야기치료에서는 몇 가지 기본 가정을 다음과 같이 설명하고 있다. 첫째, 인간은 이야기를 통해 의미를 만드는 존재다. 인간은 삶 속에서 일어나는 실제적인 경험을 언어라는 매개체를 사용하여 이야기하는 작업을 통해 의미를 부여하고 해석을 시도한다. 이렇게 이야기하는 과정에서 삶의 경험을 이해하고, 자신과 자신의 삶에 대한 정체성을 형성해 나간다. 따라서 인간은 삶에서 일어나는 여러 가지 경험에 대한 직접적인 인식을 하는 존재가 아니라, 이야기하는 과정을 통해 부여되는 해석과 의미로 자신과 자신의 삶을 이해하는 존재다. 인간의 삶은 이야기로 가득 차 있으며, 또한 이러한 이야기로 가득 찬 삶을 살아가는 것이 인간이라는 존재다. 둘째, 이야기는 의미부여의 '틀'이 된다. 이야기를 통해 삶의 사건들을 해석하고 의미를 부여하는 작업은 단순히 과거와 현재의 삶을 반영하는 것뿐만 아니라, 현재와 앞으로 일어날 미래의 삶을 구조화

(structuring)하는 역할을 한다. 이야기하는 작업을 통해 인간의 삶에서 형성된 구조화된 의미의 틀은 인간의 삶의 기억, 생각, 해석, 느낌, 행동 등의 다양한 경험 중에서 어떤 것에 주목할 것이고, 어떤 것에 그렇게 하지 않을 것인지에 대한 결정에 영향을 미친다. 인간은 이러한 구조화된 의미로 이루어진 '틀(구조화된 의미부여 방식)'을 통해 인생의 다른 경험들을 해석하고 의미를 부여하고 그 틀에 맞지 않는 경험은 무시하는 경향성을 나타낸다. 셋째, 이야기들은 사회, 문화, 역사의 장에 존재한다. 인간의 삶을 이루는 이야기들은 각 개인이 속해 있는 사회, 문화, 역사적인 다양한 요소들과의 관계 속에서 서로 영향을 주고받으며 존재한다. 따라서 인간의 삶 속에 가득 찬 이야기를 이해하려면 이야기만 단독으로 떼어 내어 분석할 것이 아니라, 그 개인이 사회, 문화, 역사 등의 다양한 요소들과의 영향력 속에서 어떤 관계를 맺고 있는지, 그리고 그러한 관계 속에서 어떤 영향력을 어떻게 주고받고 있는지를 다각적으로 고려하여 통합적으로 이해해야 한다. 넷째, 인간 삶의 이야기에는 하나의 고정된 의미나 해석만 존재하는 것이 아니다. 삶 속의 한 시점에서 벌어지는 경험을 표현한 이야기에는 매우 다양한 해석과 의미가 포함된다. 왜냐하면 인간의 삶은 불확실하고 애매모호한 모순들로 가득 차 있어서, 그러한 삶을 하나의 고정된 해석의 틀로 의미를 해석하여 정체성을 규정할 수는 없기 때문이다. 개인의 삶이 위기에 처해 문제상황에 직면하고 있다 해도, 그 속에는 부정적인 이야기들과 그에 따른 부정적인 해석 등 부정적인 의미들만 존재하는 것이 아니다. 거기에는 다양한 시각의 해석과 여러 가지 영향력을 지닌 의미가 공존하고 있다. 또한 한 개인의 삶이 하나의 틀로 규정하여 의미를 부여할 수 있는 이야기만으로 가득 찬 것이 아니라, 그 틀에 적합하지 않은 다른 의미나 영향력을 가진 이야기들도 얼마든지 존재하고 있다. 다섯째, 개인의 정체성(identity)은 사회적이고 관계적이다. 인간의 삶과 개인의 정

체성은 고정되어 변하지 않는 것이 아니라 사회적 요소들과 맺고 있는 다양한 관계들이 변할 때, 그 정체성도 바뀔 수 있다. 여섯째, 인간은 자신의 삶에서 일어나는 문제의 부정적인 영향력을 감소시킬 수 있는 능력이 있다. 즉, 누구나 자신의 삶을 좀 더 만족할 만한 방향으로 변화시킬 수 있는 능력이 있기 때문에 문제해결을 위한 다양한 가능성을 인식하는 데 도움을 준다면 그 해결을 위해 스스로 노력하여 만족할 만한 결과를 얻을 수 있다. 이야기치료는 이러한 가정들을 기초로 하여 인간 삶의 사건들을 이야기하는 방식에 관심을 가지고, 그것의 특성을 이해하여 삶의 긍정적인 변화를 추구한다.

관련어 구상, 이야기, 이야기치료

이야기치료의 지도
[- 治療 - 地圖, maps of narrative practice]

이야기치료의 진행과정을 보여 주기 위해 화이트(M. White)가 개발한 지도형식의 구조도. **이야기치료**

인간의 경험을 이해하고 이야기하는 방식인 내러티브적 이해를 중시하는 이야기치료를 실제 상담치료에 적용하는 것은 기존의 상담치료접근법에 익숙한 치료자에게는 상당히 낯설고 까다로운 작업이다. 이야기치료를 창설한 화이트는 이러한 어려움을 도와 이야기치료의 과정을 쉽게 이해할 수 있는 방법으로 이야기치료의 지도를 고안하였다. 이 지도는 단순히 이야기치료의 과정을 도식화하여 보여 주면서 치료자들이 그 순차적인 흐름을 따라가며 치료의 과정을 이끌어 가도록 통제하는 지침서 역할만 하는 것은 아니다. 여행을 떠날 때는 목적지를 설정하고, 그 목적지에 도달하는 여정을 정할 때는 보통 지도를 사용한다. 지도를 보면 목적지에 이르는 방법이 하나만 있는 것이 아니라 매우 다양하여 그중에 선택이 가능하다는 것을 알 수 있다. 또한 여행을 시작해서 목적지로 가는 도중에 지도를 보

고 얼마든지 여정을 바꾸어 다른 경로로 목적지에 갈 수도 있다. 이렇게 여행을 할 때 지도의 역할처럼 이야기치료의 지도는 치료자가 치료과정을 통하여 궁극적으로 추구해야 할 것이 무엇이며, 그곳으로 가는 다양한 방법과 가능성이 존재한다는 것을 인식하고, 자신만의 여정인 치료과정을 자유롭게 탐색할 수 있도록 만든 것이다. 이러한 다양한 경로의 탐색을 통해 치료자는 그 치료과정을 보다 창의적으로 만들고, 내담자 삶의 이야기를 더 풍부하게 발전시키는 것을 보다 효과적으로 도와줄 수 있다. 또한 상담과정에서 내담자에게 지도를 제시함으로써 자신의 삶의 사건들에 대하여 새롭게 이해하는 기회를 주고, 그동안 간과했던 부분에 대한 호기심을 불러일으키며, 상담치료를 통해 발전한 자신의 이야기들을 확인하도록 하는 효과가 있다. 이야기치료의 지도종류로는 입장 말하기 지도 1과 2, 재저작 대화의 지도, 회원재구성대화의 지도 등이 있다.

관련어 입장 말하기 지도 1, 입장 말하기 지도 2, 재저작 대화의 지도, 회원재구성대화의 지도

이야기하기
[- , storytelling]

이야기치료에서 내담자가 자신의 삶에서 경험한 사건을 자신만의 구조화된 방식으로 말하는 것. '스토리텔링'이라고도 함. **이야기치료**

인간은 삶 속에서 수많은 사건을 경험하면서 살아가는데, 그중 몇 가지 사건이 주목을 받아 인간의 언어를 매개로 표현된 것이 이야기다. 이러한 이야기를 언어로 표현하여 서술하는 것을 '이야기하기' 혹은 원어 그대로 '스토리텔링'이라고 한다. 이야기하는 과정을 통해 드러나는 이야기들은 같은 사건에 대해 말하고 있어도 그것을 말하는 사람에 따라 각각 다른 방식으로 서술되며, 같은 사람이 하는 이야기도 시간에 따라 달라진다. 이것은 각 이야기 속

에 단순히 전달할 사실적인 정보만 담겨 있는 것이 아니라, 그것을 말하는 사람의 감정, 가치관, 목표 혹은 의도 등이 함께 포함되며, 역으로 삶 속에서 말하는 이야기에 따라 개인과 그 삶의 정체성이 형성되기도 한다. 따라서 개인의 스토리텔링을 통해서 그가 경험한 사건을 어떤 방식으로 이야기하는지, 그리고 그 속에 어떤 의도나 의미, 감정, 가치 등이 담겨 있는지 이해하는 것은 상담의 효과적인 진행을 위해서 꼭 필요한 작업이다. 개인의 이야기에 대한 이 같은 심층적인 이해는 내담자가 자신에 대해, 그리고 자신의 삶에 대해 어떤 정체성을 형성하고 있는지를 파악하는 단서가 된다. 이야기치료에서는 내담자가 진술하는 이야기를 치료의 가장 중요한 자료로 보고, 내담자가 자신의 삶의 사건에 대해서 다양한 시각에서 자세하게 이야기하도록 한다. 이때, 내담자가 사회의 일반적인 생각이나 판단을 자신의 삶에 동일하게 적용시켜 일반화하지 않고, 자신이 이해한 것을 자세하게 서술할 수 있도록 도움을 주는 것이 이야기치료사의 주된 임무다.

관련어 | 이야기, 이야기치료

약하거나 결여된 상태를 나타낸다. 전통적인 조직의 구조는 치밀한 계획에 따라 움직이는 비교적 고정되고 안정적인 구조였다. 하지만 교육, 의료, 예술이나 기업 활동 등의 복잡하고 다양한 조직이 얽혀 있고 창조성이 요구되는 영역에서는 조직의 구성원이나 하부조직의 결합이 고정되고 계획적인 것보다는 느슨하고 완만한 결합이 도움이 된다. 이러한 관점에서 와익은 꽉 짜인 계획보다 구성원의 자율성이 허락되는 느슨한 결합상태가 조직에 유연성을 부여하여 변화하는 외부환경에 좀 더 잘 대처할 수 있게 해 준다는 주장을 하면서 이때의 결합 형태를 이완결합이라고 하였다. 이 개념은 조직 만들기에서 생기는 다양성을 증가시키기 위하여 구성원의 행동이나 해석을 자유롭게 둔다. 이완결합은 대인관계 그 자체의 연결을 허용하는 것이 아니라 조직화의 대상인 외부세계를 보는 방식, 즉 원인과 결과의 연결 정도나 인과모델이 구성원 사이에 공유되고 있는 정도가 낮다는 것을 뜻한다. 예를 들면, 외부상담자가 기관이나 조직에 참여한다면 그 기관이나 조직의 상황이 이완결합된 상황이라고 볼 수 있다.

이완결합
[弛緩結合, loose coupling]

조직이론의 대가인 와익(K. Weick) 교수가 1976년에 소개한 개념으로, 구성원의 자율성이 허락되는 느슨한 결합기제.
기업 및 산업상담

조직이론에서 결합이란 두 가지 의미가 있다. 첫째, 조직을 구성하는 하위체제 혹은 요인 간 관계를 말한다. 둘째, 조직운영 과정상 사건(events) 간의 관계를 말한다. 즉, 결합은 조직 혹은 그 운영의 구성요소 간 관계 혹은 상호작용이다. 조직에서 결합의 정도는 흔히 '느슨하다(loose)'든지 '단단하다(tight)'는 용어로 기술되는데, 결합이 느슨하다는 것은 관련 요인 간의 통제, 조정, 영향력 혹은 상호작용이

이완이론
[弛緩理論, relief theory]

유머이론의 일종으로 유머의 정보보다 웃음 발생의 심리적 과정과 본질적 구조에 초점을 두는 이론. **웃음치료**

유머이론은 크게 부조화 이론, 우월성 이론, 이완이론으로 나눈다. 그중 이완이론은 프로이트(S. Freud)와 스펜서(H. Spencer)가 시작한 것으로, 유머를 억압으로 생성된 에너지를 풀어 주고 해소하는 방법으로 보는 입장이다. 이완이론은 긴장해소모델의 선상에서 유머를 설명하고자 하였다. 유머 자체를 정의하거나 그 의미를 밝히기보다는 웃음을 생산해 내는 근본 구조 및 심리적 과정을 밝히고, 그에 대한

기술을 하는 것이 이완이론의 목적이다. 프로이트와 스펜서가 말하는 이완이론은, 모든 웃음은 과도한 에너지가 해방되는 데서 나오는 것이라는 강경한 시각과 유머러스한 웃음이 긴장이나 에너지의 해소에 관련되어 있다는 온건한 시각으로 나뉜다. 스펜서는 『The Physiology of Laughter』에서 신경 에너지에 관한 자신의 수압이론(hydraulic theory)과 관련시켜 개발한 웃음이론을 선보였다. 그는 신경자극은 항상 근육의 움직임을 야기하는 경향이 있다고 주장하면서, 웃음이 여러 신경 에너지 형태를 표현하는 길이 될 수 있다고 하였다. 그는 자신의 이론을 부조화 경감에서 비롯되는 어떤 정신적 동요가 불수의적 신체운동을 일으키는 이유를 설명하면서 웃음이 억눌린 에너지를 풀어 주는 역할을 하는 근본적인 원인을 제시하고자 하였다. 프로이트는 『농담과 무의식의 관계(Jokes and Their Relation to the Unconscious)』에서 스펜서의 이론에 몇 가지를 덧붙여 웃음에 대한 좀 더 발전된 이론을 선보였다. 프로이트는 웃음의 원천으로 농담, 코믹, 유머 등 세 가지를 들면서 이 요소들이 정신적 에너지를 포함하고 있다고 하였다. 농담은 성에 관련된 감정 및 적대적 감정을 억압하는 데 사용되는 에너지를 웃음으로 풀어내고, 코믹은 지적인 문제들을 해결하는 데 사용되는 인지적 에너지를 풀어내는 데 사용되며, 유머는 정서적 에너지를 비축하는 데 사용된다고 주장하였다. 프로이트의 에너지 비축개념은 불명확하다는 이유로 비판을 받았지만 웃음치료의 핵심 인물인 모리얼(J. Morreall)과 캐럴(N. Carroll) 등에게 영향을 미쳤다. 이완이론에서의 유머는 스트레스를 조절하고 인간의 억눌린 정서를 행동으로 표출할 수 있도록 하는 일종의 사회적 도구라고 할 수 있다. 긴장되고 예민한 에너지는 유머를 통해서 웃음을 유발하고, 이로 인해 이완이 일어난다는 것이 이들의 핵심 가정이다.

관련어 부조화 이론, 우월성 이론, 유머

이완치료
[弛緩治療, release therapy]

레비(D. Levy)가 개발한 것으로서 특별한 외상경험을 한 아동에게 주로 적용하는 놀이치료기법. 놀이치료

이완치료는 놀이치료에서 가족관계의 영향을 받은 복잡한 문제가 아닌, 복잡하지는 않지만 특별한 문제를 가진 아동에게 놀이를 통하여 문제사건의 상황을 재현하거나 회복하도록 도와주는 치료기법이다. 이는 안전하고 지지적인 환경과 적절한 놀이도구가 주어지면 아동은 외상적인 경험과 관련된 부정적인 사고와 감정을 동화할 수 있을 때까지 계속 반복하여 외상적 사건을 재현한다는 프로이트(S. Freud)의 반복충동개념에서 파생된 것이다. 레비는 아동에게 적절한 놀이도구와 장난감을 제공하여 놀이를 통하여 외상적 사건을 재현하고, 그 과정에서 정서적으로 부담이 되는 사건을 정화시켜 나가도록 하였다. 이완치료에 적당한 아동을 선택하는 기준은, 첫째로 어린 동생의 탄생, 유모의 해고, 부모의 이혼과 같은 특정 사건에 따라 촉진되는 뚜렷한 증상에 의한 것이어야 한다. 둘째는 아동이 나타내는 문제가 오래전부터 지속된 것이어서는 안 되고, 주로 10세 미만의 아동에게 적용한다. 왜냐하면 10세 이상인 경우는 이미 성격구조와 깊은 관련성이 있고, 오랜 기간 지속된 공포는 아동의 모든 사회적 관계, 성 문제, 지적 기능 등에 영향을 미치고 있기 때문에 부적합하다. 셋째는 문제가 구체적이거나 의뢰된 시기의 아동 나이에 관계없이 과거에 일어난 어떤 일로 아동이 고통을 받고 있고, 치료가 진행되는 동안 그러한 어려운 상황이 나타나지 않아야 한다는 점이 중요하다. 예를 들어, 어머니의 과잉보호나 방치 때문에 아동이 고통을 받고 있는 경우에는 이완치료를 적용할 수 없다. 이 경우 치료의 주대상은 아동이 아니라 아동의 어머니가 되므로, 아동이 이완치료를 받을 때 그 아동의 가족관계는 정상이거나 적어도 치료기간에는 아동이 나타내

는 특별한 문제가 가족상황에 간접적으로 관련이 없어야 한다. 이완치료를 실시하는 데 기본 원리는 놀이에서 최대한 행동으로 표출한다는 원리를 사용한다는 점이다. 이완치료에서 치료자의 해석적 기능은 최소한으로 줄이고, 특히 2~4세 아동이라면 해석적 기능을 수행할 필요가 없다. 그리고 이완치료는 여러 가지 다른 기법을 병행한다. 감정의 이완, 통찰치료방법, 관계놀이 등을 사용하며, 다양한 형태로 정신분석적 치료법이 치료의 관계에서 사용된다.

이완훈련
[弛緩訓練, relaxation training]

긴장된 근육을 이완시키기 위해 팔, 얼굴, 목, 어깨, 가슴, 배, 다리 등 다양한 근육의 긴장과 이완을 반복하여 보다 깊은 수준의 이완상태에 도달하는 기법. `인지행동치료`

이완훈련은 제이콥슨(Jacobson)의 점진적 이완법(progressive relaxation)에 기초하며, 근육이완이 정서적 이완을 일으키는 데 효과적이라고 가정한다. 이완의 사전적인 뜻을 살펴보면, 바짝 조였던 정신이 풀려 늦추어짐, 잘 조성된 분위기 따위가 흐트러져 느슨해짐, 굳어서 뻣뻣하게 된 근육 따위가 원래의 상태로 풀려짐 등으로 나타나는데 이를 훈련을 통하여 가르쳐서 익히도록 하는 것이다. 둔감법(desensitization), 심상기법(visualization), 자기대화(self-talk)와 같은 기술은 깊은 이완을 할 수 있는 능력의 토대 위에서 가능하다. 불안을 다룰 때 실제로 가장 중요한 것은 이완을 매일 규칙적으로 연습하는 것이다. 깊은 이완이란 스트레스 상황이나 공황발작을 경험할 때 몸이 반응하는 것과는 정반대의 뚜렷한 생리적 상태를 말한다. 벤슨(Benson, 1975)은 이런 상태를 이완반응(relaxation response)이라 명명하였다. 이완반응은 심장박동과 호흡수가 줄어들고, 혈압이 낮아지며, 안면근육 긴장이 완화되고, 신진대사량과 산소소비량이 줄어들며, 분석적 사고가 줄어들고, 피부저항력이 증가하며, 뇌에서의 알파파 활동이 증가하는 등의 생리적 변화를 포함한다. 매일 규칙적으로 20~30분 정도의 깊은 이완을 실시하면 시간이 지나면서 일상생활에 이완을 일반화할 수 있을 것이다. 이완능력은 불안, 공포, 공황발작 등을 극복하기 위한 프로그램에서 가장 기본이 된다.

이인증
[離人症, depersonalization]

해리장애의 증상으로서, 자신과 주위 환경 혹은 자신의 정신과 육체의 관계가 분리되고 변화하며 일시적으로 현실감각이 상실되거나 변화해 가는 상태. `이상심리`

전반적인 분리감이 근본 증상이며, 비현실감과 자기 자신에 대한 주체성의 상실 및 자기 몸을 자기 마음대로 통제할 수 없다고 느끼는 것이다. 이인증은 두 가지로 구분할 수 있는데, 하나는 자신의 인격이 변한 것 같은 느낌을 갖는 것이고, 다른 하나는 자신이 살고 있는 외부세계가 변한 것 같은 비현실감이다. 다른 사람이 된 것도 아닌데 이전의 자신이 아닌 것처럼 느낀다. 따라서 이러한 상태에서 경험한 것들은 모두가 그것이 지니고 있는 본래의 감정적 의미를 상실한 두렵고 이상한 느낌과 비현실적 느낌을 야기한다. 흔히 '느낌이 얼어붙었다.' '자기 생각이 이상하다.' '사람들과 사물들이 모두 어색하게 보인다.' '마치 꿈속을 가는 것 같다.' 등의 호소를 한다. 또한 사물을 보아도 그것이 존재한다는 실감이 없고, 세상이 비현실적이거나 왜곡되어 있다고 믿는다. 이러한 감정과 믿음은 개인의 직업적, 사회적 기능에 심각한 손상을 가져온다. 이 증상은 이지적이고, 민감하고, 다정하고, 내성적이고, 상상력이 풍부한 인격의 소유자가 극심한 스트레스를 받은 경우에 자주 발생한다.

`관련어` 해리장애

이중경청
[二重傾聽, double listening]

이야기치료과정에서 치료자가 내담자의 이야기 속에서 보이지는 않지만 암시적인 이야기를 찾기 위해 취해야 하는 경청의 태도. `이야기치료`

내담자가 자신의 문제에 대해 이야기하는 것은 자신의 삶에서 경험한 사건들을 지극히 제한적인 관점에서 서술한 것이다. 따라서 그렇게 내담자의 방식으로 구조화되어 상담과정에서 주로 호소하는 문제적 이야기(problematic story)는 이전의 구조화된 방식과는 다른 방향으로 해석되거나 새로운 의미를 부여할 수 있는 가능성(보이지 않지만 암시적인)을 항상 가지고 있다. 이야기치료사는 바로 이러한 문제적 이야기의 특성에 대해 충분히 인식하고, 재구조화를 가능하게 하기 위해서 내담자의 구조화된 해석을 통해 표면적으로 드러나는 의미에만 집중할 것이 아니라, 그 이야기에 새로운 해석이나 새로운 의미를 부여할 수 있는 가능성을 위한 공간(gap)을 찾으려는 태도로 내담자의 이야기를 집중해서 듣는 이중경청의 자세가 필요하다. 다시 말해서, 내담자가 호소하는 문제적 이야기를 들을 때 '내담자가 가지고 있는 문제가 무엇인가?' 하는 것을 분석하고 평가, 진단하는 것이 목표가 아니라, 내담자의 표현에 내포되어 있는 의미와 그것이 삶에서 가지는 영향력이 무엇인지, 내담자가 호소하고 있는 문제적 이야기와 연관되는 다른 이야기가 무엇이 있는지, 또 이러한 것들이 내담자가 희망하고 있는 것과는 어떠한 관계 속에서 상호작용하고 있는지 등을 파악하는 것에 주의를 기울이는 것이다. 내담자가 문제적 이야기에 대한 보다 다양한 해석의 방향과 풍부한 의미부여를 할 수 있도록 그 가능성을 열어 주려 하는 것이 이야기치료사의 주된 역할이라고 할 수 있다. 그리고 이러한 가능성들은 문제적 이야기가 재구조화(re-constructing)되어 대안적 이야기(alternative story)를 구성하는 데 필요한 독특한 결과(unique outcomes)를 발견할 수 있는 좋은 기회가 된다.

`관련어` | 병행되는 이야기, 보이지 않지만 암시적인, 이야기치료의 가설, 해체적 경청

이중관계
[二中關係, dual relationship]

상담자와 내담자가 치료적인 관계뿐만 아니라 친인척, 사업동반자, 친구, 이성관계 등 다른 역할의 관계가 중복되어 있는 상황. `상담윤리`

이중관계는 상호관계를 정립하지 못했거나 비윤리적일 수도 있는데, 상담자는 내담자의 상담효과에 영향을 미칠 수 있는 이중관계를 가능한 한 피해야 한다. 그 이유는, 첫째, 상담자가 그들에게 호감과 인정을 받고 싶은 욕구 혹은 친밀한 관계를 깨트리는 것을 걱정하여 내담자를 변화시키는 데 필요한 직면을 하지 못할 가능성이 있다. 둘째, 이중관계 때문에 상담자가 객관성을 잃어 전문가로서의 정확한 판단을 내리기 힘들 수 있다. 셋째, 이중관계 내에서 권력의 차이로 상담자가 내담자를 착취할 위험과 내담자가 자기표현을 하지 못하거나 자신을 보호할 수 없는 처지에 놓일 수 있다. 한국상담심리학회(KRCPA, 2009)는 "① 상담심리사는 객관성과 전문적인 판단에 영향을 미칠 수 있는 이중관계는 피해야 한다. 가까운 친구나 친인척 등을 내담자로 받아들이면 이중관계가 되어 전문적 상담의 성과를 기대할 수 없으므로, 다른 전문가에게 의뢰하여 도움을 준다. ② 상담심리사는 상담할 때 내담자와 상담 이외의 다른 관계가 있다면, 특히 자신이 내담자의 상사이거나 지도교수 혹은 평가를 해야 하는 입장에 있다면 그 내담자를 다른 전문가에게 의뢰한다. 그러나 다른 대안이 불가능하고 내담자의 상황을 판단해 볼 때 상담관계 형성이 가능하다고 여겨지면 상담관계를 유지할 수도 있다. ③ 상담심리사는 특별한 경우를 제외하고는 내담자와 상담실 밖에서 사적인 관계를 유지하지 않도록 한다

"(4.가.).'라고 이중관계에 관한 상담전문가 윤리강령을 규명해 두고 있다. 한국상담학회(KCA, 2011)는 "① 상담자는 내담자와의 친밀한 관계를 인식하고, 내담자에 대한 존중감을 유지하며, 내담자를 이용하여 상담자 개인의 필요를 충족하고자 하는 활동 및 행동을 하지 않는다. ② 상담자는 상담 전에 상담관계에 영향을 줄 수 있는 상담의 목표, 기술, 규칙, 한계 등에 관해서 내담자에게 알려 주어야 한다. ③ 상담자는 객관성과 전문적인 판단에 영향을 미칠 수 있는 다중관계를 피해야 한다. 단, 내담자의 복지를 위해 상담자와 내담자가 사전동의를 한 경우와 그에 대한 자문이나 감독이 병행될 때는 상담관계를 맺을 수도 있다. ④ 상담자는 특별한 경우를 제외하고는 내담자와 상담실 밖에서 사적인 관계를 맺지 않는다(4.가.).'라고 다중관계에 관하여 제시하고 있다. 이와 같이 상담자는 이중관계가 상담효과에 영향을 줄 수 있다고 판단되면 자신의 내담자를 다른 전문 상담자에게 의뢰해야 한다. 또한 특별한 경우를 제외하고는 상담자는 상담회기 외에는 내담자와 사적인 관계를 맺지 않아야 한다.

이중구속
[二重拘束, double bind]

내담자가 어떤 선택을 하든지 치료자가 원하는 방향으로 유도할 수 있는 2개의 선택사항을 제시한 표현으로서, 대안의 착각이라고도 함. 상반되는 메시지가 동시에 전달되는 것.

글쓰기치료　　문학치료　　최면치료

에릭슨(M. H. Erickson) 최면에서 사용된 간접적 암시의 하나다. 내담자가 선택할 수 있는 두 가지를 '또는' '혹은' 등의 말로 진술한 것인데, 어떤 것을 선택하든지 치료자가 원하는 바람직한 방향으로 변화가 일어나도록 하는 것이다. 예를 들어, 지각이 잦은 내담자에게 "다음 상담 약속에는 정시에 오겠어요? 혹은 10분 정도 일찍 오겠어요?"라고 질문하면, 어느 것을 선택하든 지각하지 않겠다는 약속을 하게

되는 것이다. 부모나 가족이 말로는 '사랑한다.'고 하면서 귀찮은 표정을 짓는다거나, 직장동료가 말로는 '편하게 대하라.'고 하면서 눈도 마주치지 않는다거나, 교사가 수업시간에 '자유롭게 질문하라.'고 하면서 정작 질문을 하면 무시한다거나, 창의적인 아이디어를 요구하면서 정작 그런 아이디어를 내면 더 많은 업무로 처벌을 내리는 회사의 회의실 장면이 그런 상황이다. 우리가 진심으로 누군가를 대할 때만이 이구동성(異口同聲)의 메시지를 전달하게 된다. 하지만 만약 어떤 문제에 대해서 내적인 갈등을 느끼고 있거나, 스스로도 인식하지 못하는 자기기만에 빠져 있거나, 인격에 결함이 있는 사람이라면 이중구속의 메시지가 발생한다. 이중구속은 메시지 자체의 모순으로 나타날 수도 있다. 이중구속이란 개념을 발표한 인류학자이자 언어학자인 베이트슨(G. Bateson)은 이중구속적인 상황에서 정신분열증이 유발될 수 있다고 주장했다. 피할 수 없는 상황에서 모순된 메시지가 계속 반복적으로 이어질 경우 메시지를 받은 사람은 스트레스가 생겨서 그것을 해결하는 방법으로 사고장애, 정서장애를 일으킬 수도 있다.

관련어 │ 간접적 암시, 선택의 착각, 에릭슨 최면, 최면

이중구속이론
[二重拘束理論, double bind theory]

베이트슨(G. Bateson)이 정신분열증의 발생요인으로서의 가족 내 의사소통패턴을 설명한 이론으로, 부모가 자녀를 대할 때 상반된 메시지가 동시에 다른 수준에서 제시되는 것.

전략적 가족치료

말하는 사람이 듣는 사람에게 동시에 다른 수준에서 모순된 메시지를 보내는 것으로, 이러한 메시지를 받는 사람이 한 메시지에 반응하면 다른 메시지는 위반하도록 되어 있기 때문에 어떻게 반응해도 실패하게 만드는 의사소통의 형태가 이중구속이다. 예를 들어, 학교에서 늦게 온 아이에게 부모가

꾸중을 하며 나가라고 고함을 치면 아이는 다시 나가려 한다. 이에 어머니가 화가 나서 더 야단을 치면 아이는 들어와야 할지 말아야 할지 갈등을 느끼게 되는데, 이것이 이중구속상황이다. 즉, 나가라고 말하는 어머니의 겉으로 드러나는 메시지를 따르면 어머니는 더 화가 나서 야단을 치고, 나가면 안 된다는 비언어적 메시지는 위반하는 것이기 때문에 이러지도 저러지도 못하는 상황이 되는 것이다. 이때 아이는 희생양이 되어 서로 다른 메시지에 어떻게 반응해야 할지 몰라 혼란에 빠지고, 이러한 혼란은 오히려 전달된 메시지에 아무런 반응을 하지 못하는 결과를 낳는다. 연구결과를 살펴보면, 이 같은 이중구속의 상황이 계속해서 반복될 때 정신분열증이 나타날 확률이 높아진다. 이중구속상황에 대한 이론은 러셀(B. Russell)의 논리형태의 이론(theory of logical types)에 근거를 둔 것으로, 팔로 알토(Palo Alto) 병원의 베이트슨 연구팀과 정신건강연구소(Mental Health Institute)의 참여자들이 만들었다. 논리형태이론은 한 계층(class)과 그 계층을 구성하는 구성원(members)이 논리적으로 불연속선상에 있다는 것이다. 가족을 예로 들어 설명하면, 가족은 하나의 계층이고 가족의 개개인은 계층의 구성원이 된다. 이때 가족을 전체 차원에서 생각하는 논리는 가족구성원 개인 차원의 논리와는 다르며 서로 연속적으로 생각할 수 없다는 것이다. 즉, 가족이라는 논리를 수용하기 위해서는 가족구성원 개개인의 논리는 버리거나 질적으로 다른 논리적 생각을 해야 한다. 그럼에도 불구하고 사람들은 종종 논리적 불연속을 깨트리는 방식으로 대화를 하게 되고, 문제가 발생한다. 여기서 착안하여 베이트슨은 정신분열자가 겪고 있는 상황을 이러지도 저러지도 못하는 이중구속적 상황이라고 일컬었다. 이중구속이 성립될 수 있는 요소에 대해 베이트슨, 잭슨(Jacson), 헤일리(Haley) 등은 다음과 같이 제시하였다. 우선, 두 사람 또는 그 이상의 사람들이 있어야 한다. 가해자는 어머니나 가족원 중 한 사람

이 아닌 때로는 전체 가족 또는 몇 사람이 가해자가 된다. 가족 중 한 사람은 피해자가 된다. 또한 이중구속이라는 구조 속에 지속적이고 반복적으로 노출되어야 하고, 이중구속이라는 대화의 구조를 반복적으로 경험한다. 그리고 언어를 통하여 피해자에게 전달되는 일차부정금지가 있으며, 이에 더해 이차부정금지와 삼차부정금지가 있다.

관련어 이중구속

일차부정금지 [一次否定禁止, primary negative injunction] 화자(話者)가 언어를 통해서 청자(聽者)에게 전달하는 부정의 메시지를 말한다. 언어로 전달되어 부정의 의미가 표면으로 쉽게 드러나는 메시지를 일차부정금지라고 하는데, 대부분 따르지 않으면 제재가 가해진다는 일직선의 명령구조를 가지고 있다. 예를 들어, "지금 당장 청소해! 그렇지 않으면 혼날 줄 알아!"라는 메시지에서 드러나는 일차부정금지는 청소를 하지 않으면 벌을 받는다는 일차적이고 직선적인 부정의 메시지를 담고 있다.

이차부정금지 [二次否定禁止, secondary negative injunction] 상호 대화에서 언어로 전달되는 메시지 외에 가족 간의 오랜 경험과 같은 비언어적인 요소로 전달되는 부정금지의 메시지를 말한다. 일차부정금지와 마찬가지로 부정명령과 벌이라는 논리적 구조를 갖지만 전달되는 언어적인 메시지(일차부정금지)에서 요구하는 부정적인 명령과는 논리적으로 상반되는 비언어적인 메시지를 포함하고 있기 때문에, 명령을 수행하는 당사자가 일차부정금지를 따라야 할지 이차부정금지를 따라야 할지 논리적 모순에 빠지게 된다. 즉, 전달되는 일차적인 부정금지 메시지대로 명령을 따라도 벌을 받고, 지금까지의 관계 속에서 축적된 경험에 비추어 생각해 볼 때(비언어적인 메시지) 그 언어적으로 전달되는 부정명령을 따르지 않아도 벌을 받는 모순적 상

황에 놓이는 것이다. 예를 들어, 부모가 자녀에게 "지금 당장 나가, 안 나가면 혼날 줄 알아."라는 일차 부정 메시지를 전달하는 경우, 이 메시지를 수행하는 자녀는 표면상 당장 나가라는 의미인 줄은 알지만 지금까지의 경험으로 미루어 볼 때 나가도 벌을 받는다는 사실을 알고 부모가 자신에게 정말로 나가라고 요구하는 것인지, 아니면 단순한 협박의 말인지에 대한 판단을 해서 행동해야 하는 혼란스러운 상태에 빠져 버린다. 결국 자녀는 이러한 상황에서 일차적인 부정명령을 따르지도 못하고, 이차적으로 전달되는 비언어적인 부정명령도 따르지 못하는 일차 구속 상황에 빠진다. 이차부정금지는 주로 가족구성원의 관계 속에서 형성되는 계층 간 상호작용을 통하여 이루어지며, 명령을 수행하는 가족구성원이 개념적인 혼란에 빠지도록 하고 정서적인 우울을 경험하도록 만든다.

삼차부정금지 [三次否定禁止, tertiary negative injunction] 전달되는 명령을 수행하는 당사자가 언어적인 부정 메시지를 따를 수도 없고, 비언어적인 메시지를 수행할 수도 없는 혼란스러운 상태에 대해 표현을 하는 것도 금지 당하는 상태를 말한다. 가족 간에 전달되는 일, 이차적인 부정금지의 메시지 때문에 자신이 모순된 상황에 놓여 있음을 인식하고 있지만 그 상황에 대해서 상대방에게 표현하지 못하거나, 문화적인 혹은 환경적인 영향으로 현재의 혼란스러운 상태에서 빠져나오지 못하는 것을 의미한다. 예를 들어, 부모가 전달하는 '당장 나가!'라는 부정 메시지를 수행해서 나가는 행동을 하게 되면 지금까지의 경험에 비추어 볼 때 더 혼난다는 것을 인식하고 자녀는 이러지도 저러지도 못하는 혼란스러운 상태에 놓인다. 이러한 상황에서의 유일한 해결방법은 혼란스러운 상태를 상대방에게 표현하는 것인데, 이 같은 경우 오히려 더 혼났던 경험 때문에 표현조차 하지 못하는 것이다. 또는 부모가 전달하는 부정 메시지들이 자신을 매우 혼란에 빠

트리고 있는 것도 인식하지만 아주 어릴 때부터 그러한 모순된 가정적인 환경 속에서 살았다면 그 상황이 피해자에게는 피하거나 변화시킬 수 없는 현실이 되어 혼란에서 벗어나려고 하는 시도를 하지 않을 수도 있다. 한편으로는 부모에게 항의하는 것에 대해 부정적으로 생각하는 우리의 유교적인 문화의 영향으로 자신의 혼란스러운 상태에 대해 항의하지 못하는 경우도 나타날 수 있다. 삼차부정금지는 부정명령을 전달하는 자와 수행하는 자 사이의 관계에서 확장되어 더 큰 체계인 가족 혹은 집단이라는 계층 전체와 상호작용하게 되고, 확장된 조직이 가지고 있는 생각체계나 문화를 암묵적으로 받아들이도록 하여 피해자가 혼란스러운 상황에 대해 표현조차 하지 못하는 이차 구속 상태에 빠지게 된다. 이러한 상황이 지속적으로 되풀이되면 피해자가 견딜 수 있는 오직 한 가지 길은 환각과 환청 현상과 같은 병리적 증상으로 도망가는 것으로서, 이렇게 부적응적 영향을 받게 된다.

이중맹검법
[二重盲檢法, double blind test]

약제의 효과를 판정하는 데 사용하는 방법으로, 어떤 처치의 효과를 측정할 때 조금이라도 정확한 결과를 얻기 위한 것이며 이중은폐법이라고도 함. 연구방법

이중맹검법은 해당 처치의 효과에 대해서 피험자와 검사자가 특정 방향의 지식과 믿음을 가짐으로써 생기는 결과의 왜곡을 피하기 위해 고안한 것이다. 예를 들면, A라고 하는 약의 효능에 대해서 조사했을 때 A의 효험에 대해서 피험자가 사전에 정보를 가지고 있으면 그 정보에 영향을 받은 반응을 하는 경향이 있다. 또 검사자나 측정자도 A에 대해 정보를 입수하면 그에 따른 선입관으로 결과를 대하는 경향이 있다. 따라서 피험자와 검사자의 양쪽에 블라인드(blind)를 걸고 A에 관한 정보를 일체 주지 않도록 하는 방법을 이중맹검법이라고 부르며, 약

효측정이나 새로운 심리치료의 효과측정에 사용하고 있다. 한편, 이중맹검법은 실험연구에서 독립변인 이외에 종속변인에 영향을 줄 수 있는 조건이나 요인인 가외변인(extraneous variable)을 통제하기 위한 방법으로도 사용한다. 즉, 실험에서 피험자의 요구 특성인 오염원으로 작용하는 것을 막기 위해 피험자에게 실험 관련 정보를 알지 못하도록 감추는 것이다. 피험자뿐만 아니라 검사자의 기대나 선입견도 실험결과에 영향을 줄 수 있기 때문에 경우에 따라서는 피험자와 검사자 모두에게 실험집단과 통제집단을 변별할 수 있도록, 즉 독립변인의 수준을 모르게 은폐한다.

이중문화주의
[二重文化主義, biculturalism]

동일 집단·지역·국가 안에서 2개의 다른 문화전통을 따르는 것. 다문화상담

국제결혼에 따른 다문화 가족의 형성, 타 국가로의 이민 등으로 2개의 문화에 노출이 되는 경우로서, 이러한 이중문화에 따르는 것을 이중문화주의라고 한다. 이중문화가 존재하는 가족이나 집단과의 상담에서는 이중문화가 집단, 가족의 구조, 의사소통, 역동에 어떻게 영향을 미치고 있는지 이해하면서, 그로 인한 스트레스와 갈등을 파악해야 한다. 또한 서로 다른 문화 간의 권력체계와 영향을 미치고 있는 영역에 대해서도 파악할 필요가 있다.

관련어 │ 문화적 유능성

이중인격
[二重人格, dual personality]

한 사람이 두 가지 이상의 서로 구분되는 정체성을 지닌 채 개인의 행동을 번갈아 가며 통제하는 것. 정신병리

정체성 해리장애 혹은 다중성격장애 증상과 밀접

한 연관이 있다. 이중인격은 한 사람 안에 둘 이상의 확연히 구별되는 정체 혹은 성격이 있어서, 그것들이 교대로 개인의 행동을 통제하는 현상을 지칭하는 다중성격장애의 가장 단순한 형태. 각각의 성격은 그 나름의 주체성과 이름, 그리고 관계성을 가지고 있지만 서로를 의식하지 못한다. 이렇게 서로의 정체가 의식되지 않는 것은 각 성격 사이에 기억상실과 의식의 단절에 의해서 자기동질성을 상실하는 방어기제가 작용하기 때문이라고 설명되고 있다. 인간 내면의 복잡성은 무의식의 존재에 기인한다고 할 수 있는데, 의식의 영역에 존재하기에 부적합하다고 무의식적으로 평가된 것들은 무의식에 의해 무의식 영역으로 침잠시켜 버린다. 융(Jung)에 따르면, 의식범위의 자아는 외계(外界)와 관계를 맺으면서 다른 한편으로는 자신의 마음 속 내계(內界)와 관계를 갖는데 자아가 외계와 관계하면서 페르소나라는 외적 인격이 생겨나고, 아니마 또는 아니무스라는 내적 인격이 발달한다. 여기서 내적 인격은 자아가 무의식으로 눈을 돌리게 만드는 역할을 하며, 무의식에서 최초로 마주하는 것이 개인의 어두운 면이자 또 다른 나의 한 면이라고 할 수 있는 그림자. 그림자가 의식영역의 자아에 버금가는 힘을 가질 때 두 인격은 교대로 나타나 개인의 행동을 지배하게 된다. 이러한 이중인격을 잘 보여 주는 문학작품으로 '지킬 박사와 하이드'가 있다. 이와 같은 또 다른 인격을 의식적으로 자각하고 주된 인격이 내부에 있던 그림자를 받아들여 통합적 자아를 구축할 수도 있는데, 2개의 자아, 즉 이중인격이 서로 융합해 나가는 것으로서 융은 성숙과 자기실현으로 나아가는 과정이라고 하였다. 이러한 통합은 단순한 합이 아니라 역동적이고 유기적인 통합이다.

관련어 │ 그림자, 다중성격 장애

이중자아
[二重自我, double ego]

사이코드라마에서 주인공의 내적 자아의 한 부분.
사이코드라마

이중자아는 주인공에게서 또 하나의 자기, 또 다른 자아(altered ego)로 등장하는 보조자아를 지칭하는데, 주인공의 뒤에 서서 그의 일부처럼 행동한다. 이중자아가 불안, 죄책감, 공격성, 비겁함 등 말로 표현할 수 없는 주인공의 감정을 읽어 내면, 주인공과 상징적 동일시가 이루어진다. 이중자아가 주인공과 동일시될 때 2개의 자아상태가 존재하므로, 다른 자아 사이의 대화가 가능해진다. 이와 같이 이중자아는 주인공이 직접적으로 표현하지 못하지만 은연중에 암시된 내용들을 행동화하는 것이다. 특히 주인공이 가지고 있는 다양한 감정을 표현하여 감정을 환기시킴으로써, 주인공은 이중자아를 통해 대리 만족을 얻을 수 있다. 이처럼 이중자아기법은 주인공의 내면세계를 표현하는 것인 만큼 숙련된 기술과 세심한 주의가 필요하다.

관련어 거울기법, 역할바꾸기

이중조망
[二重眺望, dual landscape]

이야기치료에서 보다 효과적인 비계작업을 위해 비계질문의 구성요소를 도식화한 것으로, 재저작 대화의 지도에 속하는 요소. **이야기치료**

이중조망은 행동의 조망(landscape of action)과 정체성의 조망(landscape of identity)으로 이루어져 있다. 두 조망에 대한 서술을 유도하는 각각의 질문순서는 반드시 정해져 있지는 않다. 행동의 조망에서 정체성의 조망으로 질문의 흐름이 이어 갈 수도 있고, 그 반대의 경우도 가능하다. 이러한 흐름은 치료자가 내담자의 보다 풍성한 재저작 대화로 (re-authoring conversations)로 이끌기 위해 창의적으로 구성할 수 있다.

관련어 이야기치료의 지도, 재저작 대화의 지도

정체성의 조망 [正體性 – 眺望, landscape of identity] 이중조망의 구성요소 중 하나로서, 내담자의 독특한 결과를 대안적 이야기로 재구조화하는 재저작의 단계로 이끌기 위한 질문 형태다. 정체성의 조망은 내담자의 삶에서 발견된 독특한 결과들에 대해 의도적으로 새로운 의미를 부여하고 정체성을 형성하는 과정이라고 할 수 있다. 이러한 작업은 보다 만족스러운 내담자의 삶을 위해 삶의 이야기를 재구조화하는 과정에서 꼭 필요한 것이다. 독특한 결과가 내담자의 삶에서 드러나기 시작할 때는 그 이야기들이 내담자의 삶 속에서 미치는 영향력이 상당히 미약한 상태인데, 이러한 독특한 결과들이 정체성의 조망과정을 통해서 의도적으로 강화되어 내담자의 삶 속에서 의미 있는 영향력을 미치도록 하기 위해서다. 정체성의 조망을 하기 위해서는 내담자에게 독특한 결과들에 대해서 어떻게 이해하고 있는지, 어떠한 가치를 부여하고 싶은지, 혹은 자신이 그것을 통해 깨달은 지식이나 새롭게 가지게 된 생각이나 느낌은 무엇인지에 대해 질문을 한다.

행동의 조망 [行動 – 眺望, landscape of action] 정체성의 조망과 함께 재저작 대화를 구성하는 이중조망 중 하나다. 내담자의 삶에서 일어났던 독특한 결과들이 과거 혹은 현재의 시간 속에서 그 사건이 일어나게 된 경위와 당시 주위의 여러 가지 환경적 요인, 혹은 연관된 다양한 관계에 대한 갖가지 질문을 통해서 독특한 결과(unique outcomes)가 내담자의 실제 삶 속에 그리고 실제의 삶의 역사 속에 존재해 왔다는 것을 알게 하는 데 목적이 있다. 또한 내담자 미래의 삶에서 그 독특한 결과이 어떠한 모습으로 존재하기를 원하는지에 대해서도 그 의미 및 기대하는 영향력에 대한 이야기를 나눌 수 있다.

이중진단장애
[二重診斷障礙, dual diagnosis disorder]

물질중독장애와 정신질환이 함께 있는 경우. **중독상담**

    이중진단장애의 경우 두 질환 모두 만성질환이고, 재발의 위험성이 많으며, 치료하지 않으면 계속해서 증세가 악화되는 병으로, 동시에 발병할 경우 치료가 매우 어렵다. 이 두 가지 병은 서로 복잡한 상호관계를 가지는데, 정신질환이 있으면 물질중독을 유발할 가능성이 높거나 물질사용장애를 악화시켜 중독에 이르도록 하기도 한다. 한편, 물질중독이 있어서 약물 등을 지속적으로 남용하면 정신장애가 오기 쉽고, 기존의 정신증상을 악화시키기도 한다. 이중진단 환자들은 일반적으로 심각하고 만성적인 신체적·사회적·정서적 문제를 겸하고 있으며, 두 가지 질병을 함께 가지고 있기 때문에 정신증상에 따르는 약물의 문제가 쉽게 재발하고, 이러한 약물문제의 재발은 정신증상을 더욱 악화시킨다. 따라서 치료가 장기화되고, 치료의 진전도 느리며, 일상적인 스트레스에 더욱 취약한 특징을 보인다.

관련어 | 물질중독

이질집단
[異質集團, heterogeneous group]

성질이 서로 다른 참여자들로 구성된 집단. **인지행동치료**

    이질집단은 지능, 성숙, 동기, 가정환경, 연령, 성별 등 하나 또는 여러 가지 측면에서 동질적인 참여자로 집단을 편성하지 않고 성질이 다른 참여자를 섞어서 만든 집단이다. 이질성이 높은 집단은 집단 구성원의 시야를 넓힐 수 있고, 개인 간 상호작용을 활기 있게 만들 수 있다는 장점이 있다.

관련어 | 동질집단, 집단구조

이집트인에게서 빼앗기 모델
[- , spoiling the Egyptians model]

신학과 심리학을 통합할 때 신학의 입장에서 심리학을 통합하되, 성경의 원리 안에서 평가하고 검증하여 부분적인 수용이 이루어져야 한다고 보는 입장. **목회상담**

    래리 크랩(L. Crabb, 1977)은 신학과 심리학의 통합에 대해서 여러 가지 입장으로 유형을 분류한 모델을 제시했는데, 네 가지 모델 중에서 던져진 샐러드 모델은 신학과 심리학의 통합에서 보다 주의 깊은 사고를 하지 못한다고 보고, 오직 하나의 모델은 지나치게 한쪽으로만 치우친 것이라고 평가하였다. 이렇게 다른 모델의 단점을 보완하기 위해서 크랩은 이집트인에게서 빼앗기 모델을 개발하고 통합에 대한 접근방법으로 제시하였다. 그는 성경에서 이스라엘 백성이 노예생활을 하면서 살던 이집트를 떠나온 출애굽 사건을 통해 이 모델을 설명하였다. 하나님의 나라인 가나안 땅에 가기 위해 모세가 이스라엘 백성을 이끌고 하나님의 명령에 따라 이집트를 떠날 때, 백성들에게 이집트인의 소와 양과 각종 물품을 빼앗아 오도록 하였다(출애굽기 12:32-36). 이것은 하나님이 이스라엘 백성의 '이집트인에게서 물건을 빼앗는 행동'을 그냥 눈감아 주신 것이 아니라, 이것 또한 하나님의 큰 계획하심과 뜻 안에 속한 것이다. 하지만 이스라엘 백성이 가져온 수많은 물건 중에는 하나님의 뜻에 온전히 순종하지 못하고 이집트에 마땅히 두고 와야 할 것도 있었다(출애굽기 12:38). 이스라엘 백성의 이러한 불순종은 그들이 하나님의 자녀로서 마땅히 지녀야 할 올바른 자격을 소유한 사람들과 여전히 이집트의 잘못된 신을 섬기는 전혀 다른 두 부류의 사람들이 동일하게 하나님의 예정된 축복을 기대하는 결과를 낳았다. 이러한 이스라엘 백성의 섞인 태도는 오늘날 주인으로서의 하나님을 인정하지 않고 "하나님에게서 네가 원하는 것을 가져라. 그러면 그가 우리의 기분을 좋게 해 주실 것이다."라고 주장하며, 인간이 선택의 중심에 서서 하나님의 뜻을 구하는 것이 아니라 자신이 원하는 성경의 원리를 자신이 선택하고 심리학과의 적용을 시도하고 있는 모습과 동일하다고 크랩은 설명하였다. 또한 성경에서 이스라엘 백성이 출애굽을 한 이후 처음으로 하나님에 대한 반항으로 광야생활에 대해서 불평을 한 이유가, 바로 하나님의 명령에 순종하지 않고 이집트에서 가져온 물건들이 부족하다는 것이었다고 기록하고 있다고 지적하였다. 이러한 하나님에 대한 반항의 결과로 만들어진 이스라엘 백성의 섞인 두 부류는, 이후 하나님에 대한 믿음을 지켜 가나안 땅에 들어간 자와 약속의 땅인 가나안에 들어가지 못하고 광야에서 생을 마감하게 되는 두 가지 결과로 걸러졌다고 설명하였다. 이렇게 이집트인에게서 물건을 빼앗는 것은 하나님이 인정하신 것이었지만, 그것은 위험하고도 세심한 주의가 필요한 임무였다. 이와 마찬가지로 신학의 입장에서 심리학적인 원리를 빼앗아 와서 통합하는 것은 가능하지만 성경의 원리 안에서 올바른 것을 걸러 내는 주의 깊고 섬세한 작업이 필요한, 위험하지만 중요한 작업이라고 주장하였다. 이러한 통합을 위해서는 성경의 권위를 인정하고, 성경의 원리 안에서 세심하게 심리학적인 이론들을 걸러 내는 작업을 통해 통합이 이루어져야 한다고 보았다.

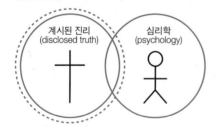

발견된 진리(discovered truth)

계시된 진리 (disclosed truth) 심리학 (psychology)

출처: 김용태(2006). 기독교상담학—배경, 내용 그리고 모델들. 서울: 학지사. p. 131.

관련어 | 래리 크랩, 분리되었지만 동등한 모델, 오직 하나의 모델

이차 사이버네틱스
[二次 - , second-order cybernetics]

문제는 실질적이며 알 수 있는 현실이라고 생각한 일차 사이버네틱스와는 달리 생물조직, 기계조직, 인간조직 사이의 연관성에 기초하여 제어와 통신의 문제를 종합적으로 연구하는 분야. 철학상담

사이버네틱스는 1947년 미국의 수학자 위너(N. Wiener)를 중심으로 하는 과학자 그룹이 이름 붙인 것으로, 키잡이를 의미하는 그리스어 'kybernetes'에 기원을 두고 있다. 1948년 『Cybernetics or control and communication in the animal and machine』이라는 저서에서 위너는, 사이버네틱스는 '어떤 체계 안에 알려질 수 없는 변량과 알려질 수 있는 변량이 존재한다고 할 경우, 알려질 수 없는 변량의 과거에서 현재까지의 값을 바탕으로 제어할 수 있는 변량의 값을 적당히 정하여 이 체계를 가장 바람직한 상태에 이르도록 하는 방법'과 관련된 경우를 의미한다. 이 분야는 오늘날 생물계의 신경계와 컴퓨터의 기계시스템을 연결하여 연구하는 분야로 심화 · 발전되었으며, 상담분야의 가족치료에도 적용되고 있다. 1980년대에 접어들어 일부 가족치료사들에게서 기계의 자동제어장치를 가족체계에 도입하여 치료효과를 얻으려 하는 움직임이 일어났다. 오늘날 사이버네틱스를 이용한 가족치료에는 일차 사이버네틱스와 관련된 가족치료도 존재하고, 이차 사이버네틱스와 관련된 가족치료도 존재한다. 일차 사이버네틱스에서는 전문가인 상담자가 내담자의 가족체계 밖에서 표준적인 기준을 동원하여 내담자의 행동을 평가하고 그의 가족을 개선하고자 한다면, 이와는 달리 이차 사이버네틱스에서는 상담자가 내담자의 가족 외부에서 객관적으로 관찰하고 조절하는 입장이 될 수 있다는 것을 거부한다. 여기서는 상담자와 내담자가 서로 영향을 주고받으면서 함께 치료에 참여하여 협조하는 관계로 파악하고 있다.

이차과정
[二次過程, secondary process]

이성적 사고를 지배하고 현실원리에 따라 작용하며 높은 수준의 심리적 처리를 가능하게 하는 자아의 의식적 사고 과정.
정신분석학

현실에 지배되며 자아의 발달과 연합되어 있는 사고의 형태다. 원초아와 달리 자아는 사실과 허구를 구별할 수 있으며, 상당한 정도의 긴장을 참을 수 있고, 새로운 경험에 따른 변화가 가능하다. 또한 인지적이고 지각적인 기술을 발달시키는 능력을 갖추고 있다. 성격발달과정에서 본능적 충동에 대한 자아의 통제력이 확립됨에 따라 점진적으로 이차과정적 사고로 대치된다. 본능적 충동을 즉각적으로 해방시키고 만족시키는 것이 아니라 그것을 지연시키고, 또 점진적으로 발달하는 자아의 여러 가지 기능을 사용하며, 그러면서도 자아의 기능을 분화시키고 발달시키면서 점차 성숙해지도록 하는 것이 이차과정이다. 이차과정은 현실원리(reality principle)에 따르며 전의식과 의식수준에서 작용한다. 이차과정의 기능은 욕구의 억제와 언어적 상징에 기초하고, 현실적 태도와 논리적 사고를 형성한다. 궁극적인 목표는 자신이나 타인에게 해를 끼치지 않는 범위 내에서 본능적인 욕구를 충족시키는 적절한 과정을 발달시키는 것이다.

관련어 | 일차과정, 자아, 현실원리

이차수준의 변화
[二次水準 – 變化, second order change]

전략적 접근의 가족치료에서 가족의 변화가 가족체계의 구조 및 의사소통에도 일어나는 단계. 전략적 가족치료

일차적 변화의 관점을 넘어서 근본적인 변화가 일어나는 단계로, 표면에 드러나는 행동의 변화뿐만 아니라 가족의 규칙과 행동양식이 변화되는 것을 이차수준의 변화라고 한다. 예를 들어, 밤늦게까지 컴퓨터 게임을 하는 자녀를 야단치는 것은 자녀의 문제행동을 변화시키려고 하는 일차적 변화를 위한 노력이라고 할 수 있다. 그러나 그 자녀가 '그날은 컴퓨터 게임을 늦게 시작했기 때문에 밤늦게까지 계속하는 것인지' 혹은 '평소에 컴퓨터 게임을 하는 시간이 부족하다고 생각하는지' 등 가족이 기존에 정해 놓은 규칙에 대해서 서로 검토하고, 만일 그 규칙이 가족구성원들에게 적합하지 않다고 판단되면 새로운 규칙을 만들어서 변화하고자 하는 것이 이차적 변화를 위한 시도라고 할 수 있다. 이차적 변화에는 네 가지 원리가 있다. 첫째, 일차적 변화에서 이미 해결책으로 결정된 것을 활용한다. 왜냐하면 이차적 변화는 일차적 변화에서 시도된 해결방안에 문제가 있다고 판단하기 때문에 그 방안에 대한 재해석이 필요하다. 둘째, 일차적 변화가 상식적인 수준에 머문다면 이차적 변화는 일차적 변화의 관점에서는 당황스럽고 역설적인, 비상식적 수준일 수 있다. 셋째, 이차적 변화기법의 사용은 언제나 여기, 현재 시점을 취급한다. 넷째, 이차적 변화를 적용한다는 의미는 일차적으로 시도했던 해결책에 대한 반성이며 이로 인해 가족의 체계구조를 변화시킨다는 것이다.

관련어 | 일차수준의 변화

이차자아자율기능
[二次自我自律機能,
secondary autonomous ego function]

자아의 방어기제가 그 자체로 자율적인 목적을 갖는 기능.
대상관계이론

하르트만(H. Hartmann)이 제시한 개념으로서 본능적 충동을 방어하기 위해 사용되었던 방어기제가 후일 그 자체로 적응적인 자율성을 갖는 것이다. 예를 들어, 배변훈련 중인 유아는 변을 배설하여 더럽

히고 싶은 욕구를 억압하고 방어로 반동형성을 사용하여 지나치게 깔끔하게 행동할 수 있다. 이러한 유아가 나중에 위생적으로 청결을 유지하고 질서정연하게 생활하기 위해 정리정돈된 행동을 한다면 그 자체가 자연스럽게 잘 적응해 나가는 것으로 보아야 한다. 이와 같이 원래 본능적 충동에 대한 방어기제가 고유한 기능이었지만, 나중에는 그 자체가 하나의 자율적인 목적을 갖는 기능이 될 때 그 변화된 기능을 이차자아자율기능이라고 한다. 따라서 하르트만은 현재의 기능이나 의미를 최초의 기능으로 환원하거나 최초 기능과 동일하게 여기는 것은 오류라고 하면서 이를 기원적 오류(genetic fallacy)라고 불렀다.

관련어 일차자아자율기능, 자아자율성

이차적 이익
[二次的利益, secondary gain]

장애를 가짐으로써 얻는 특별한 배려나 기타 이익들.
이상심리

증상이 나타남으로써 주위의 동정과 관심을 얻게 되고, 이로 인해 자신이 해야 할 책임과 의무가 면제되기도 하며 자신이 놓일 수 있는 불쾌한 상황에서 도피하거나 원하지 않는 것을 하지 않아도 되는 이득을 말한다. 예를 들어, 어떤 아이가 매일 놀이터에서 놀아 주던 엄마가 어느 순간 직장을 다니면서 아이에게 소홀히 하게 되자, 아이는 엄마의 사랑과 관심을 받고 싶었는데 더 이상 엄마와 놀이터에서 놀지 못하게 되었고 그로 인해 심리적 충격과 비염이 찾아왔다. 아이의 비염이 심해지자 엄마는 걱정되어 아이와 함께 자주 병원을 다니면서 놀아 주게 되었고, 그때부터 아이는 엄마와 함께할 수 있다는 희망이 생기게 되었다. 아이는 비록 비염이라는 신체적 문제를 안고서도 엄마와 함께할 수 있다는 것이 기뻤다. 이것이 바로 이차적 이익이라 할 수 있다. 비염으로 인해 숨도 잘 못 쉬고 답답할지언정 엄마와 함께할 수 있는 강한 이차적 이익을 유지하기 위해 비염치료를 소홀히 할 수 있다. 또한 학교에서 따돌림을 당하거나 지나친 학업 스트레스로 인해 너무 고통을 겪는 아이들 중에 학교만 가려고 하면 배가 아프거나 설사가 나오거나 갑자기 머리가 아픈 경우가 있다. 이는 학교에서 고통을 겪기보다는 차라리 몸이 아프기를 선택한 것이다. 이런 아이들은 차라리 복통이라는 이차적 이익과 합의를 한 것이다. 이처럼 인간의 마음문제는 이차적 이익이 개입될 수 있다. 우울함에는 '누가 나를 좀 사랑해 주세요.'라는 이차적 이익이 존재하고, 강박증에는 '강박적인 행동을 함으로써 불안한 마음을 대체하는' 이차적 이익이 존재한다. 이러한 이차적 이익을 잘 알지 못하면 마치 무의식의 프로그램처럼 고착화되어 나중에 그것을 해결하려고 하면 어려워지는 경우가 있다.

이차정서
[二次情緖, second emotion]

직접적인 반응을 극복하려고 시도하거나 일차정서에 대한 반발로 나오는 부수적인 감정반응. **정서중심치료**

이차정서는 일차정서 과정에 방어적으로 대항하기 위해 부차적인 반응에서 나온 정서다. 상황 자체에 대한 직접적 · 즉각적 반응이라기보다 자극에 대한 우리 자신의 정서적 반응에 대한 반응이다. 이차정서는 일차정서보다 늦게 나타나고, 좀 더 복잡한 인지능력이 필요하다. 평가과정으로 발생한 반응이며, 때때로 일차적 과정의 억압과 왜곡에서 나오는 반응이다. 예를 들면, 상대방에 대해 화나 분노가 일어날 상황에서 이를 직접적으로 표현하지 못할 만큼 상대방이 자신에게 위협적인 존재일 경우 분노나 화 대신 우울이라는 감정을 가질 수 있는데, 이때 우울이 이차적 감정이 된다. 루이스(Lewis)와 동료들은 자아의 인식이 이차정서에 필수적이라고 하였다. 즉, 당황, 수치심, 죄책감, 질투, 자긍심 등의 이차정서는 영아가 거울이나 사진으로 자신을 알아보기 전에는 출현하지 않는 것으로 보인다. 그리고 이차정서는 자신의 행동을 평가하는 능력까지 필요로 한다고 보았다. 즉, 해서는 안 된다고 생각하는 행동을 했을 때 죄책감을 느낄 것이고, 어려운 일을 해냈을 때는 매우 자랑스러워할 것이다. 유아기 말이 되면 대부분의 기본적 정서는 모두 표현할 수 있지만, 아동기에도 정서발달은 여전히 계속된다. 특히 아동기에는 자신이 해야 할 일을 하지 않았거나 커닝이나 거짓말 등 하지 말아야 할 일을 했을 경우 죄책감을 느끼는데, 이러한 변화는 아동기의 보다 성숙한 도덕성을 반영하는 것이다. 성인기가 되면 분노, 기쁨, 슬픔, 놀람, 공포, 혐오의 여섯 가지 주요 정서 외에 무안함이라는 정서도 표현하게 된다.

이타행동
[利他行動, altruistic behavior]

그 행동을 하는 개체가 아닌 다른 개체에게 도움을 주는 행동.

인지행동

이타성(altruism)이란 타인의 행복에 대해 관심을 갖고 배려하는 내재적인 심리적 특성이다. 자신의 욕망을 억제하고 다른 사람의 행복과 복지를 위해 사심 없는 관심을 나타내며, 이 관심에 따라 기꺼이 행동하고자 하는 마음가짐을 뜻한다. 이타성은 아동기 또래집단뿐만 아니라 성인이 된 후의 사회적 관계에서 개인이 얼마나 집단성원으로부터 수용되고 존경받는지를 결정하는 중요한 특성이다. 집단 내에서 개개인이 지니는 이타성은 개인적 행복뿐만 아니라 집단이나 사회 전체의 안정과 행복을 결정하는 주요 요인이다. 이러한 이타성이 행동으로 표출될 때 이를 이타행동 혹은 친사회적 행동(prosocial behavior)이라고 한다. 이타행동이란 타인과의 관

계에서 사회적으로 바람직한 행동을 뜻한다. 나누기, 돕기, 위로하기, 보살피기, 협조하기 등은 이타행동에 해당된다. 그동안 이타행동은 일정 수준의 인지 및 정의적 능력의 발달을 필수적으로 요구한다고 여겨졌다. 그러나 최근에는 2세 이전의 영아들도 다른 영아가 아파하면 함께 울고 위로하면서 나누어 갖는 등 다양한 형태의 이타행동적 특성을 보여 준다는 것이 확인되고 있다. 어머니가 영아의 요구에 민감할수록 영아의 공감적 반응의 정도도 높은 것으로 나타났다. 이는 이타행동이 인간 본성의 일부임을 확인시켜 준다. 이타행동은 아동의 연령이 높을수록 증가하는 경향이 있다. 4~6세경부터 증가하기 시작하여 9~10세경에 가장 높은 수준을 보인다. 이타행동이 연령과 함께 증가하는 것은 성장함에 따라 협조의 가치와 필요성 및 방법을 이해하는 인지적 능력이 발달하기 때문이다. 이타행동을 촉진하는 데에는 개인적 요인과 사회적 요인이 영향을 미친다. 개인적 요인으로 도덕적 추론능력, 조망수용능력, 공감, 자기도식 등을 들 수 있다. 이타행동은 갈등상황에서 자신이 택해야 할 행동을 도덕적으로 어떻게 판단하는가와 밀접하게 관련된다. 예를 들면, 등굣길에 다친 아이를 보았을 때 학교에 지각하지 않는 것과 다친 아이를 도와주는 것 사이에 갈등을 느끼게 된다. 도덕적 추론능력과 이타행동의 중요성에 대한 판단 간에는 정적 상관이 보고되고 있다. 타인의 관점에서 현상을 이해할 수 있는 조망수용능력도 이타행동을 결정짓는 주요 요인이다. 타인의 생각, 감정을 이해하는 사회적 조망수용능력과 이타행동 간에는 매우 높은 정적 상관이 보고된다. 공감은 타인의 정서를 인식하는 능력이라는 점에서 사회적 조망수용능력을 바탕으로 한다. 타인의 정서적 아픔에 공감할 때 이타행동을 통해 그 고통에서 벗어나고자 한다. 마찬가지로 공감을 통해 도움을 받은 상대방이 느끼는 기쁨이 자신에게 긍정적 정서를 유발하기 때문에 공감은 이타행동의 기초가 된다. 이타적 특성에 대한 자기개념

혹은 자기도식도 이타행동과 밀접하게 관련이 있다. 자신이 이타적이라고 생각하는 사람일수록 이타행동을 하는 경향성이 높다. 그루세크와 리들러(J. Grusec & E. Redler, 1980)는 연령에 따른 아동의 자기도식과 이타행동 간의 관계를 보여 주는 실험을 실시하였다. 먼저 아동에게 또래와 연필을 나누어 갖거나 힘든 일을 도와주는 등의 이타행동을 하도록 하였다. 실험집단 아동에게는 스스로 자신이 친구를 돕는 좋은 아이라고 생각하게 하여 긍정적인 자기도식을 고무시킨 반면, 통제집단 아동에게는 아무런 처치도 하지 않았다. 실험결과, 8세 아동은 이타적 자기도식을 강화함으로써 이타행동을 크게 증가시킬 수 있었지만, 5세 유아는 그 효과가 상대적으로 빈약하였다. 이러한 결과는 아동의 이타적 자기도식이 8세경에 행동을 통제할 만큼 형성될 수 있음을 보여 준다. 한편, 이타행동에 관련된 사회적 요인에는 강화(reinforcement)와 모방(modeling)이 있다. 강화는 이타행동을 증진시키는 데 효과가 있다. 이타행동이 나타날 때마다 칭찬하고 격려해 주면 이타행동이 증가한다. 또한 이타행동은 모델의 행동을 모방함으로써 촉진될 수 있다. 에런과 휴스만(L. Eron & L. Huesmann, 1986)의 연구에 의하면, 실제 모델의 이타행동을 관찰하거나 필름을 통해 이타 모델을 관찰한 집단은 그렇지 않은 집단보다 자신의 물건을 더 잘 나누어 주었다.

관련어 | 이타성, 친사회적 행동

이행과제
[移行課題, transitional task]

이행적 추론에 관련된 학습과제. 인지행동

아동의 논리적 조작능력발달을 설명하는 피아제(J. Piaget)의 이행성 혹은 추이성(transitivity) 개념과 관련된 용어다. 이행적 추론(transitive inference)에 활용된 과제를 뜻하는데, 구체적 조작단계에 획득되는 서열조작능력의 하나인 이행적 추론은 두 대상 간의 관계를 다른 대상의 관계로부터 추론하는 인지능력이다. 어떤 2개 간의 관계에 대한 사실을 토대로 제3의 사실을 도출한다. 일반적으로 7세경부터 이러한 종류의 이행과제 추론을 발달시킨다. 예를 들면, 길이가 서로 다른 A, B, C, 3개의 막대를 주고 A와 B의 길이를 비교해 보도록 하면 아동들은 A가 B보다 길다는 것을 알게 된다. 이번에는 B와 C를 비교하여 B가 C보다 더 길다는 것을 확인시킨다. 그 후 직접 비교하지 않은 채 A와 C 중 어느 것이 더 긴지 예상하도록 했을 때, 7~8세경의 아동은 A가 C보다 더 길다는 것을 정확하게 추론할 수 있다. 또한 쥐가 고양이보다 작고 고양이가 호랑이보다 작으면, 쥐는 필연적으로 호랑이보다 작다는 것을 이해하게 된다. 아동에게 크기, 무게, 혹은 부피의 증감에 따라 질문이나 과제가 주어지면 이와 같은 일련의 요소를 정확하게 인지적으로 배열하는 능력을 보여 준다.

관련어 | 구체적 조작단계

이형동질
[異形同質, isomorphism]

수퍼비전 상황과 상담 상황에서 일어나는 현상들이 다른 유형이지만 같은 성질을 나타내는 것. 수퍼비전

수퍼바이저와 수퍼바이지의 관계 형태와 수퍼바이지와 내담자와의 관계 형태는 다르지만 각 관계에서 나타내는 관계의 질과 역동을 공유하고 있다. 예를 들어, 상담자가 내담자의 질문에 대답하는 형식으로 상담을 하는 경우 수퍼바이저에게 내담자가 하듯이 질문을 많이 하고 수퍼바이저가 대답을 하도록 요청하는 유형을 보인다. 또한 수퍼바이저와 수퍼바이지 사이의 관계 양식과 유형도 수퍼바이지

의 상담과정에서 같은 유형으로 나타난다. 예를 들어, 수퍼바이저가 강압적이고 수퍼바이지에게 무리한 요구를 하는 유형의 수퍼비전을 실시하면, 수퍼바이지는 상담상황에서 내담자에게 비슷한 유형으로 억압적이며 무리한 요구를 하는 형태를 띤다. 따라서 수퍼비전을 실시할 때 이러한 이형동질 현상이 어떻게 일어나는지 파악하고 수퍼비전 내에서의 관계 양식, 수퍼바이지가 대답하는 태도, 발표하는 태도, 노출에 대한 편안함 등이 어떻게 상담실제 상황에 영향을 미칠지 가설을 세워 수퍼비전을 실시해야 한다.

관련어 심리역동 수퍼비전, 정신분석 수퍼비전

이혼결정의 단계
[離婚決定 – 段階, stage of divorce decision]

부부가 이혼을 결정하기까지의 단계적인 과정. **부부상담**

부부가 결혼생활을 마감하는 이혼을 결정하는 과정에서는 부부 각자가 결정하기보다 함께 해결방안을 모색하고, 이혼을 결정했다 하더라도 진행과정을 서로 합의하는 것이 바람직하다. 하지만 일반적으로 심화된 갈등 때문에 부부가 이혼을 결정하는 만큼 이혼과정이 합의로 이루어지기는 쉽지 않다. 따라서 이러한 과정이 바람직하게 이루어지도록 하기 위해 전문상담사와 함께 각 단계를 진행하는 것이 좋다. 이때 상담사는 이혼을 결정하는 과정에 있는 두 사람이 해당 과정에 대해 패배로 인식하게 하기보다는 인생의 중요한 결정을 하는 데 필요한 경험이고 정상적이면서 발달적인 방식임을 알게 하는 것이 중요하다. 이혼결정과정을 단계의 특징에 따라 분류해 보면 총 6단계로 나타낼 수 있다. 1단계는 이혼이나 별거, 동거의 결정에 대한 자신의 해결의지가 있는지 확인하고 결정에 방해가 되는 요소에는 어떤 것이 있는지 탐색한다. 예를 들어, 부모

의 반대나 부모에게 상처를 주기 싫어서, 혹은 종교적인 이유와 다른 사람의 평가, 혼자 사는 것에 대한 두려움 등 결정의 방해요소가 현실적으로 타당한지 심사숙고해야 한다. 2단계는 여러 가지 결정에 대해서 장점과 단점을 검토한다. 즉, 지금 당장 이혼할 경우, 이혼을 연기할 경우, 이혼을 안 할 경우 등 각 상황에 대해 장점과 단점을 열거하고 비교 검토해 본다. 배우자에게 어떻게 할 것인지, 앞으로의 경험이 어떠할지, 반년이나 1년 뒤에 어떤 감정이 들 것인지를 예상해 보고 여러 대안을 검토해 본다. 3단계는 각 결정에 대한 후속 결과를 검토한다. 예를 들어, 이혼을 한다면 법적인 절차나 경제적인 문제, 자녀 문제, 별거 시 아파트 마련 등 각 결정이 현실적으로 무엇을 의미하는지 알아보아야 한다. 4단계는 3단계에서 밝혀진 결정의 후속 결과들이 어떤 장점과 단점을 가지고 있는지 다시 한 번 검토한다. 5단계는 이전 검토 단계를 통해 가장 적절하다고 판단되는 결정을 선택하고 실천계획을 세운다. 만약 별거를 결정했다면 어떻게 이 결정을 배우자와 자녀에게 알릴지 실천계획을 세우고 그들의 반응이 어떠할지도 예상해 본다. 또한 자신들의 결정을 반대하는 사람과 상황에 어떻게 대처할지도 모색한다. 6단계는 마지막 계획을 실천하는 것으로 두 가지 양상이 나타날 수 있다. 이혼을 하지 않기로 결정했다면 부부관계 개선을 위해 어떤 시도를 할지 적극적이고도 구체적인 계획이 필요하다. 또 다른 하나는 이혼을 하기로 결정한 경우인데 결정을 어떤 상황에서 알릴 것인지, 가족의 부정적인 반응을 어떻게 감당할 것인지에 대해서 예상해야 한다. 이 과정에서 이혼상담사는 부부가 서로에 대한 부정적인 감정에서 벗어나도록 도움을 주며, 이별에 대한 불안을 극복하고 결혼파탄에 대한 각자의 책임을 지도록 하는 것이 바람직하다. 신중한 의사결정과정을 통해 부부가 최적의, 그리고 최선의 공정한 해결책에 대한 합의를 도출했다면 이를 실행에 옮기는 구체적인 결정을 수립해야 한다.

이혼과정
[離婚過程, process of divorce]

이혼을 하나의 사건으로 보기보다 일련의 과정으로 보는 관점을 강조한 용어. **부부상담**

이혼과정은 이혼이라는 단일의 사건에 집중하기보다는 이혼이 이루어지는 과정에 초점을 맞춤으로써 각 과정별 발생 가능한 일을 효과적으로 대처·관리할 수 있도록 하는 접근이다. 이혼이라는 사건은 점차적으로 오랜 시간에 걸쳐 일어나기도 하고, 특정 사건에 의해 단기간 내에 이루어지기도 한다. 하지만 단기간에 갑작스럽게 이루어진 이혼이라고 하더라도 이혼의 결정과 진행과정이 생략되지는 않는다. 따라서 다양한 이혼과정에 따라 효과적인 대처와 관리가 이루어진다면 부부관계 회복의 가능성을 엿볼 수 있고, 혹은 개인의 삶 속에서 '이혼'이라는 경험이 주는 부정적인 영향력을 최대한 감소시킬 수도 있다. 일반적으로 이혼과정을 알리는 제일 첫 사건은 부부의 별거다. 그러나 부부관계에서 별거 사건이 발생한다고 해서 반드시 이혼으로 이어지는 것은 아니다. 부부에 따라서 어떤 부부는 화해하기도 하고, 때로는 장기별거로 들어가거나 이혼으로 끝나는 경우도 있다. 부부관계의 해체는 법정에서 이혼이 확정되기 이미 오래전에 시작되는 과정이기 때문에 단순히 법적인 측면에서 다루기보다는 다양한 측면에서 분석해야 한다. 인류학자 보해넌(Bohannan)은 이혼을 정서적, 법적, 경제적, 부모 역할, 사회적 관계, 심리적 측면이라는 여섯 가지 영역이 서로 연결, 중복되어 나타나는 복합적 과정으로 보았다. 정서적 이혼은 동거기간이 비교적 긴 부부에게서 많이 나타나는 현상으로, 한쪽 혹은 양쪽 배우자가 부부관계에 회의를 느끼고 정서적으로 철회행동을 보이면서 시작된다. 서로에 대한 신뢰와 애정이 사라지며 상대방에게 상처와 좌절감을 안겨 준다. 그러나 관계가 안 좋아짐에도 자녀문제, 경제적 문제, 혼자되는 것에 대한 두려움 등 여러 가지 이유로 잠시 이혼을 유보하거나 별거를 결정한다. 법적 이혼은 부부관계의 합법적인 종결과 함께 양쪽에 재혼할 권리가 부여되는 과정이다. 법적 이혼을 고려하는 기간은 남성이 12개월, 여성이 22개월로 여성이 남성보다 더 먼저, 더 오래 생각하는 것으로 나타났다. 이혼 고려의 과정에서 자녀와 재산은 양쪽이 적대적인 관계를 갖게 하는 주요 요인이며 이 문제가 해결되지 않으면 재판을 통해 판결을 받아야 한다. 경제적 이혼은 재산을 분할하는 과정에서 상당한 갈등이 동반된다. 경제적 이혼에서 해결해야 할 문제는 부부의 재산분할, 주거지 지정, 기타 재산, 앞으로 취득할 재산, 부양비, 위자료 등을 들 수 있다. 특히 경제적 자립능력이 없는 여성에게 경제적 어려움은 심각하며 저소득층 여성의 경우는 남편으로부터 위자료나 재산분할을 받지 못해 더 힘든 상황이 될 수 있다. 부모 역할상의 이혼은 자녀양육권, 면접교섭권, 자녀부양의무 등을 결정한다. 미국의 경우는 이혼을 할 때 자녀의 친권을 대부분 어머니가 가지는 데 비해 우리나라는 전통적으로 아버지가 가졌으나 최근에는 자녀 양육권이 대체로 어머니에게 부여되는 경향이 있다. 사회적 관계상의 이혼은 부부가 공히 알고 지내던 친지와 친구 등의 사회적 관계가 분리·상실되는 과정을 의미한다. 이혼하는 사람들은 이 부분에 대해서는 대개 예상을 못하다가 상실과 분리의 경험을 함으로써 정서적으로 혼란스럽고 고독감과 고립감을 느끼게 된다. 심리적 이혼은 배우자와의 관계에서 분리된 자신을 재정의하고 독신으로 되돌아가는 과정을 말한다. 이혼에 따른 상실이 극복되기까지는 대체로 오랜 시간이 소요되며, 많은 사람들은 사별한 사람과 유사한 애도의 과정을 거치지만 이 과정의 지속시간과 적응속도는 개인차가 있다.

관련어 이혼 전 과정

이혼상담
[離婚相談, divorce counseling]

부부가 협의이혼을 앞두고 이혼 여부에 대한 생각을 다시 확인하고, 이혼 이후에 파생 가능한 여러 변화에 대한 합의의 과정을 돕기 위한 상담. **부부상담**

협의이혼 전 이혼상담제도를 시범 실시한 서울가정법원의 협의이혼상담에 관한 내규에 따르면, 이혼상담은 이혼 여부에 대하여 재고의 기회를 부여하고 이혼 후 파생될 수 있는 자녀양육문제 등에 대하여 원만한 합의를 도출할 수 있도록 도와주는 일체의 원조활동으로 규정하고 있다(내규 제2조). 상담위원은 심리학, 정신의학, 보건간호학, 사회복지학, 가족치료학, 상담학, 가족관계학 등 인간관계의 제 과학을 전공하고 상담분야의 전문가로서 덕망이 있는 인사로 규정한다(내규 제3조). 전문상담인의 상담내용은 협의이혼의 과정에서는 심리학, 정신의학적인 원조활동으로 그 외에는 당사자의 이익과 이해관계인의 이익을 고려하고 분쟁의 평화적 종국적 해결을 이룩할 수 있는 방안을 마련해야 하는 가사조정위원의 조정역할(「가사소송법」 제58조제1항 참조)에 유사한 방안(자의 양육, 친권자 지정 등 해결을 위한 방안)을 당사자가 합의에 도달할 수 있도록 조력하는 것을 그 내용으로 한다고 이해할 수 있다. 이혼상담은 부부가 이혼하지 않도록 도와주는 것이라기보다 이혼이 불가피한 부부들이 보다 건설적인 방식으로 이혼하도록 도와줌으로써 개인과 가족이 좀 더 만족할 수 있는 삶을 살아가는 데 도움을 주는 것이다. 초기 이혼상담의 일차적 목표는 이혼 당사자의 상실감과 감정을 다스리고 자율성과 자존감을 갖도록 하는 데 있었다. 그러다가 최근의 이혼상담 경향은 초기 이혼상담의 목표에서 더 나아가 이혼 전 단계, 이혼 단계, 이혼 후 회복 단계의 전체 단계를 통해 상담과 심리치료를 진행함으로써 상담대상자를 효과적으로 도울 것을 강조하고 있다. 따라서 이혼상담은 크게 정보 제공 및 교육, 이혼조정, 심리치료의 세 가지 기능을 한다고 볼 수 있다. 내담자

가 이혼상담을 받을 때 이 세 가지 서비스를 모두 받는 것은 아니지만, 그중 가장 기본이 되는 서비스는 이혼으로 인한 심리적 어려움을 회복할 수 있도록 돕는 심리치료다. 이를 위한 치료의 형태는 개인치료, 집단치료, 가족치료 등으로 다양하다. 이혼상담에서 가족치료는 특히 부모의 이혼에 따른 다양한 변화와 스트레스를 받게 되는 아이들에 대한 배려에 초점을 둔다. 아이들은 부모의 이혼에 대해 슬퍼하거나 반항하고 또는 이상한 태도로 행동하고 반응하기도 한다. 때로는 학과성적이 떨어지기도 하고, 어린아이들에게는 퇴행이 나타나기도 한다. 이 같은 증상들은 아이들이 부모의 갈등과 결별 때문에 큰 심리적 갈등을 겪고 있음을 나타낸다. 그리고 만약 이 아이가 도움을 받을 수 없다면 증상은 심화될 수 있다. 가족치료적 접근을 활용한 이혼상담의 심리치료는 어린아이와 청소년에게 부모의 이혼으로 초래된 변화의 영향을 최소화하는 데 도움을 준다. 유능한 상담사는 부모로 하여금 그들의 자녀를 관리하는 방법을 배우도록 지원해 준다. 그런데 자녀만 상담이 필요한 것이 아니다. 그들의 부모 역시 이혼을 통해 어떻게 자신들을 관리할 것인지에 대해 배워야 한다. 이는 이혼이 자신의 의사가 아닌 배우자의 법적 결혼종결 요구를 받아들여야 할 필요가 있는 개인에게는 특히 더 중요하다. 때로는 우울증, 초초함, 불면증 그리고 기면증 같은 증상을 수반한다. 이 같은 상황에서 치료의 주된 목표는 곧 다가올 결혼생활의 종결을 개인이 인정하도록 돕는 것이다. 이혼과정의 각 단계에 따른 상담의 내용을 살펴보면, 이혼 전 단계에서는 결혼생활을 유지해야 할지 아니면 이혼을 해야 할지를 결정하는 의사결정이 상담의 주내용이 될 것이다. 의사결정의 초기단계에서의 상담요청은 상담을 통해 결혼생활에서의 여러 문제점을 개선시킬 수 있는 가능성이 큰 단계다. 그러나 의사결정 후기단계에서는 부부가 자신들의 관계를 변화시켜 볼 의지나 에너지가 부족하기 때문에 관계개선이 쉽지 않다. 따라서 이 시

기의 상담 초점은 자신의 선택에 대한 확신을 갖는 것이다. 이혼과정의 두 번째 단계인 이혼단계에서의 상담목표는 이혼을 이미 결정한 상태이므로 이혼과정에서의 여러 법률적·사회적·재정적·정서적인 부분에 대한 정보의 제공과 내담자의 마음을 다루어 주는 일이 주가 된다. 이 시기의 상담사는 내담자의 지지자 역할을 하며 내담자의 정서적 반응에 민감해야 한다. 따라서 내담자가 자신의 결혼관계에서 미해결된 감정을 다루도록 도와주며, 내담자가 직면하는 실제적 문제에 대한 처리기술을 개발하도록 도와주어야 한다. 이혼중재 혹은 이혼조정은 이혼상담의 한 영역으로 문제해결을 위한 단기서비스다. 우리나라에서는 법적인 측면에서 이혼조정을 돕기 위해 가정법원에 가사조정제도를 두고 있다. 그러나 이 제도는 대부분의 부부가 상당한 파탄에 이르고 난 다음에야 조정을 신청하기 때문에 원만한 조정이 쉽지 않다. 이혼과정의 마지막 단계인 이혼 후 회복단계에서는 이혼 후에 겪는 심리적 문제, 즉 자존감 저하, 무기력, 분노, 두려움, 외로움, 죄책감, 슬픔, 우울증, 거부감에 대한 문제가 다루어져야 한다. 이러한 심리적 문제는 불면증, 자살, 음주, 흡연 증가 등의 행동과 연결되기도 한다. 따라서 심리적 문제를 극복하고 다시 독립된 개체로의 변화된 삶을 살아갈 수 있도록 도움을 주는 것이 상담의 내용이 된다.

이혼상담사
[離婚相談士, divorce counselor]

이혼상담을 전문으로 하는 상담사. **부부상담**

두 배우자 간의 이혼 의사에 대한 확인과 이후에 파생되는 다양한 문제에 관하여 합리적인 해결을 하도록 이혼상담을 전문으로 하는 상담사를 일컫는다. 테일러(Taylor, 1994)는 다음과 같은 전문적인 지식과 기술이 이혼상담사에게 특별히 요구된다고 하였다. 첫째, 일반적인 그리고 특정한 문제에 대한 갈등해결기술, 둘째, 이혼에 관한 법률지식, 셋째, 성인과 아동 그리고 가족의 정상적인 발달패턴과 역기능에 대한 이해, 넷째, 임상적인 면접, 사례관리, 다른 지원 집단과 공조체계 유지, 문서정리, 내담자 변화 및 다른 가족과 원만한 대인관계 기술 등이 필요하다고 보았다. 이혼상담사는 여러 가지 문제가 복잡하게 얽혀 있는 부부를 대상으로 상담을 진행하기 때문에 지금 가장 우선적으로 해결되기를 원하는 문제가 무엇인지에 대한 자세한 탐색이 이루어져야 한다. 만약 부부가 이혼보다 관계의 회복에 초점을 두고 있다면 이혼상담사는 이혼상담보다는 부부상담으로 연결되도록 하는 것이 바람직하다. 이혼결정이 이루어진 부부에게는 심리사회적인 현실적응문제의 해결을 위해 도움을 주어야 한다. 이혼상담을 할 때 한쪽 혹은 양쪽이 상담사를 통해 상대 배우자에게 영향을 미치도록 조정과 협상을 요구하기도 한다. 즉, 상담사를 자기편으로 끌어들임으로써 상대방이 문제를 많이 가지고 있는 것처럼 보이고자 하는 의도가 있다. 이때 상담사는 객관적인 입장에서 중립성을 유지해야 하며, 제삼자로서의 조정자 역할을 해야 한다. 상담사는 부부가 자신들의 의사를 제대로 표현하도록 수용, 공감해 주어야 한다. 또한 객관적인 관찰자의 역할로 부부가 표현하는 감정이나 사고를 거울처럼 반영해 주어 부부의 상호작용 문제나 상황에 대해 객관적으로 해석해 줄 수 있어야 한다. 이혼상담사가 상담과정에서 맡은 역할을 위해 필요한 자세와 기본 전제에 대해서 송성자(2006)는 '이혼상담 법제화를 위한 제2회 한국 상담전문가 교육대회'에서 다음과 같이 설명하였다. 첫째, 모든 사람은 강점과 약점을 지니고 있으며, 부부 각자가 해결방법이 다르고 때로는 성공하지 못했다 하여도 부부가 가족을 위해 최선의 노력을 하였고 기여했다는 것을 전제로 한다. 둘째, 이혼상담사는 높은 수준의 불안과 스트레스를 가진 부부에게 부드럽고 정중한 태도를 취해야 한다. 셋째, 상담사는 적극적인 경청의 자세를 지녀야 한다. 넷째, 상담사는 비심판적이며 중립적인 태도를 취해야 한다. 다섯째, 부부 모두에게 현재까지 결혼생활을 위해 노력한 점을 인정해 주어야 한다. 여섯째, 부부가 협의한 사항에 대해 인정해 주어야 한다. 일곱째, 부부가 서로 자녀문제에 대한 책임감과 함께 최선을 다할 것이라는 신뢰감을 갖도록 도와야 한다. 여덟째, 이혼 후에도 상대방에 대하여 염려하고 필요할 때에는 협조할 수 있는 애정과 책임의식이 부부에게 있을 것이라고 전제한다.

이혼적응 프로그램
[離婚適應 -,
program for divorce adaptation]

이혼 경험자를 대상으로 과거의 상처를 극복하고 새로운 현실에 적응하는 것을 목적으로 구성한 프로그램. 부부상담

이혼적응 프로그램은 과거 이혼의 상처로 손상된 자존감의 회복과 현실 적응력을 키우며, 특히 자녀와의 관계에서 자신감 있는 부모가 될 수 있도록 도움을 준다. 그뿐만 아니라 미래 자신의 삶에 대한 준비와 새로운 삶의 희망과 동기를 부여함으로써 자신의 삶을 창의적으로 재구성하는 데 목적을 두고 있다.

이혼전상담
[離婚前相談, pre-divorce counseling]

부부가 협의로 이혼을 결정하는 과정에서 법으로 정해진 협의이혼 숙려기간 중에 권고사항으로 요구하는 상담. 부부상담

가정법원에서 이혼전상담을 위해 지정한 상담위원을 통해 실시하는 이혼전상담은 한 명의 상담자가 한 쌍의 부부를 대상으로 1시간 동안 면담하는 1회기 상담이다. 부부가 다양한 이유로 협의이혼을 결심하고, 그 의사를 부부의 등록기준(본적)지 또는 주소지를 관할하는 가정법원에 부부가 함께 출석하여

협의이혼신청서를 제출한 때부터 미성년인 자녀(임신 중인 자를 포함)가 있는 경우는 3개월, 성년 도달 전 1개월 후 3개월 이내 사이의 미성년인 자녀가 있는 경우에는 성년이 된 날, 성인 도달 전 1개월 이내의 미성년인 자녀가 있는 경우에는 1개월, 자녀가 없거나 성년인 자녀만 있는 경우에는 1개월의 협의이혼 숙려 기간을 갖는다. 이혼 대상 부부는 이 기간에 가정법원이 지정한 상담위원으로부터 이혼전상담을 받을 것을 권고받을 수 있는데, 이혼전상담을 통해 부부의 의사를 다시 한 번 확인하거나 가정폭력 등 급박한 사정이 있어 숙려기간의 단축 또는 면제가 필요한 경우에 도움을 주는 것이 제도의 목적이다. 이혼전상담은 법원에서 권고하는 의무성을 띤 것으로, 대부분의 부부는 이미 이혼을 결정하고 오기 때문에 상담의 동기가 약한 것이 특징이다. 따라서 짧은 시간에 상담의 효과를 극대화하기 위해서는 상담을 구조화하는 것이 좋다. 그리고 이혼 후의 상황이나 친권, 자녀양육권 문제, 재산에 대한 합의 등 장래문제에 대해서도 논의하도록 한다. 가정법원의 이혼전상담의 목적은 크게 네 가지다. 첫째, 부부가 협의 이혼의 결정이나 이혼 취하를 이성적으로 현명하게 판단하여 후회 없는 결정을 하도록 돕는다. 둘째, 자녀의 복리를 도모하고자 친권, 양육권의 지정과 양육비 이행에 관한 사항을 부부가 협의하여 잘 수행하도록 돕는다. 셋째, 이혼을 결정한 후 자녀 문제와 새로운 생활에 대한 적응 및 해결방안 모색에 도움을 준다. 넷째, 가능하면 부부가 이혼 신청을 취하하고 다시 재결합할 수 있는 방안이나 해결책을 찾을 수 있도록 돕는다. 가정법원에서의 1회기 이혼전상담의 과정은 다음과 같이 구조화되어 있다. 첫 번째 단계는 상담과정 오리엔테이션 시간으로 10분을 할애한다. 부부가 상담 전 질문지를 각각 작성해서 함께 상담실로 들어온다. 상담 전 질문지에는 개인의 신상정보(이름, 나이, 직업, 월수입), 결혼 연도, 자녀 나이, 이혼사유, 이혼 후 걱정되는 문제들, 이혼에 대한 심경, 이혼결정까지

배우자 및 가족 중 누구와 의논했는지, 이혼 후의 문제(자녀문제, 법적 문제, 사회적 평판, 경제적 문제, 심리적 문제, 대인관계), 자녀양육에 대한 상의 여부를 표시하도록 되어 있다. 상담자는 상담에 임하기 전 질문지를 꼼꼼하게 검토하여 사전정보를 어느 정도 숙지하고 상담에 임한다. 부부가 상담실에 들어오면 상담자 소개, 부부 소개, 상담과정에 대한 소개를 한 다음 법적으로 주어진 시간이 1시간임을 알려 주어 형식적인 상담이 되지 않도록 한다. 이때 협의이혼에 대한 간략한 소개, 협의이혼절차에 대한 소개와 이혼취하과정, 부부의 현 위치를 알려 준다. 상담을 받은 지 일주일 후에 판사로부터 이혼 의사 확인을 받을 수 있는 것도 알려 준다. 이혼전 상담의 두 번째 단계는 이혼에 대한 부부사정시간으로 20~25분이 소요된다. 이 시간에는 부부에게 이혼에 대한 각자의 동기나 입장을 분명히 표현할 기회를 준다. 그리고 혹시 어떤 상황변화가 있다면 이혼을 보류하거나 취하할지도 물어본다. 남편과 아내 각각에게 10분씩 개별면담을 하여 이혼의 의사를 확인하고 그동안 시도했던 문제해결방법, 노력한 점, 결혼생활의 의미와 이루지 못한 기대나 열망에 대하여 물어본다. 상담자는 부부 가운데 한쪽이라도 이혼보류의 의사가 있으면 현재 상황이나 어떠한 조건의 변화를 위한 전제로 다른 배우자에게 조정을 시도해 볼 수 있다. 이 경우 상담자는 지속적인 부부상담을 위해 법원 외 상담을 안내해 줄 수 있다. 이혼전상담의 세 번째 단계는 이혼결정에 따른 대안 결정하기로 15분 정도가 소요된다. 만약 두 사람의 이혼의사가 확고하다면 친권자, 양육권, 양육비, 면접교섭권, 재산분할, 위자료 등 기타 사항에 대하여 의논하고 각자의 권리를 주장하면서 합의를 이끌어 내도록 돕는다. 특히 미성년자 자녀가 있는 부모는 '자의 양육과 친권자 결정에 관한 협의서' 작성 시 양육자, 양육비, 면접교섭권의 행사 여부 및 방법에 대해 구체적으로 작성해야 한다. 부부 사이에 양육에 대한 합의가 이루어지지 않는 경우

에는 법원은 직권 또는 청구에 따라 결정할 수 있다. 여러 사항에 대해 합의를 한 뒤 상담자는 부부가 책임감을 가지고 잘 이행할 수 있도록 요약해서 확인해 주고 부부가 헤어지더라도 좋은 감정으로 끝낼 수 있도록 그동안의 결혼생활에 대한 감사와 각자 짧은 고백을 하도록 권면한다. 이혼전상담의 마지막 단계는 요약과 종결하기로 5분 정도 소요된다. 상담자는 상담의 전체 과정을 간결하게 요약해 주고 종결한다. 그리고 부부에게 마지막으로 하고 싶은 말이나 질문이 있는지 확인한다. 상담자는 부부에게 '상담 후 기록지'를 나누어 주고 설문지에 응답하도록 한다. 상담자도 '상담 위원 기록지'의 서식에 답하고 협의 이혼상담 보고서의 내용을 작성한다. 부부는 다시 협의 이혼 사무실에 가서 상담 전 질문지, 상담 후 기록지, 상담위원 기록지를 제출하고 1개월 또는 3개월 후 협의이혼 의사확인날짜를 숙지한 다음 귀가하도록 안내한다.

이혼평가질문
[離婚評價質問, A Divorce Assessment Proposal: ADAP]

이혼 후 내담자의 적응수준을 평가하는 검사.
부부상담 심리검사

이혼을 한 뒤 회복을 위한 상담에서 내담자의 이혼 후 적응에 영향을 미치는 요인과 내담자가 이혼 과정에서 보이는 적응이 정상적인지를 평가하기 위해 페레이로, 워렌과 코넌크(Ferreiro, Warren, & Konanc, 1986)가 개발한 검사다. 다음 여섯 가지 영역, 즉 분리 및 이혼 시기, 가족지도 및 가족기능, 이혼 이야기, 이혼 합의 및 법적 문제, 애착문제 및 애도과정, 손익평가서로 구성되어 있다. 먼저 분리 및 이혼 시기 영역은 별거와 이혼 일정에 관한 것이다. 별거를 논의하고 물리적 별거를 한 시기, 이혼 계획을 자녀와 부모 친지에게 말한 시기, 법적 절차를 시

도한 시기, 법적 이혼의 일정을 확인한다. 이를 통하여 상담자는 부부의 결혼사를 포함한 일련의 사건을 살펴봄으로써 스트레스 시점과 정도 및 부부의 의사결정방식에 대한 정보를 얻을 수 있다. 둘째, 가족지도 및 가족기능 영역에서는 가계도 평가를 하면서 각자가 처한 현실적 제약을 고려해 부모 역할과 관련하여 무엇을 변화시키고 싶은지, 이혼 후 역할변화에 대해 이야기한다. 셋째, 이혼 이야기 영역에서는 내담자가 보는 이혼의 원인은 무엇인지, 별거나 이혼결정을 누가 어떻게 했는지의 과정을 이야기해 본다. 이혼에 대한 죄책감이 계속되면 내담자의 종교적 신념과 가치관을 탐색해야 한다. 넷째, 이혼 합의 및 법적 문제 영역에서는 자녀에 대한 친권 및 양육권, 자녀양육비, 면접교섭권, 재산분할과 관련된 결정이 어떻게 이루어졌고 어떻게 이행되고 있는지, 자신들의 합의와 이행에 대해서 어느 정도 만족하는지를 평가한다. 다섯째, 애착문제 및 애도과정 영역에서는 전 배우자 간의 정상적인 정서적 유대와 병리적 속박 정도를 평가한다. 애착의 측정은 인지적, 정서적, 행동적 사인이나 자기보고설문지로 측정한다. 애착을 나타내는 인지적 예를 들면, 배우자에 대한 긍정적 혹은 부정적 회상, 배우자에 대한 호기심, 재결합 혹은 복수에 대한 환상을 갖는 것이다. 애착을 나타내는 정서적 예를 들면 전 배우자의 새로운 관계에 대해 들었을 때 질투를 느끼는 것이고, 행동적 예를 들면 이야기 과정에서 전 배우자의 이야기를 자주하는 것이다. 여섯째, 손익평가서 영역에서는 경제적 상태, 거주지, 학교, 친구 집단, 사회적 역할, 취업 등에서 자신과 가족의 손익평가를 해 보도록 한다. 또한 자신의 심리적 손익과 전 배우자의 심리적 손익도 추측해서 평가하여 비교해 보도록 한다.

관련어 부부상담, 이혼

익숙한 패턴 중단하기
[-中斷-, pattern interruptions]

내담자의 문제적 상황에서 발생하는 여러 가지 습관화되고 구조화된 생각이나 행동의 패턴을 중단함으로써 새로운 상호작용의 시작을 자극하고자 하는 기법. `해결중심상담`

내담자가 자신의 문제를 해결하기 위해서 지금까지 습관화된 행동이나 생각의 패턴을 한순간에 바꾸기란 쉽지 않으며, 이러한 노력은 상당한 부담이 되기도 한다. 하지만 내담자의 삶에서 이미 익숙해진 생활의 여러 패턴을 중단해 봄으로써 새로운 시작을 위한 가능성을 엿보는 기회를 만들기도 한다. 이처럼 내담자의 삶의 패턴을 중단하는 것은 가장 작고, 가장 쉬우며, 가장 단순한 것부터 시작하는 것이 바람직하다. 또한 익숙한 패턴을 단순히 중단하는 것이 아니라, 그것을 반복하는 대신 주제의 변화, 장소의 변화, 관련된 사람의 변화, 시간의 변화, 그리고 방법의 변화와 같은 새로운 상호작용으로 대처해 볼 것을 제안해야 한다. 내담자에게 권유할 수 있는 영역별 변화의 예는 다음과 같다. 첫째, 주제의 변화는 매일 아침 아내의 잔소리로 시작하는 것이 괴롭다고 호소하는 내담자에게, 이제부터 아내에게 이전과는 다른 주제로 아침인사를 시작하고 이야기를 하도록 제안할 수 있다. 즉, "오늘 어때?"라고 아내에게 물어보는 대신에, 어디선가 들은 뉴스나 날씨에 관한 이야기 혹은 전날 밤 텔레비전에서 흥미롭게 본 프로그램에 대해 이야기하는 것으로 주제를 바꾸어서 이야기를 시작해 본다. 둘째, 장소의 변화는 비생산적이거나 부정적인 대화, 상호관계가 특정한 장소에서 일어나는 패턴이 있을 때, 그 장소를 바꾸어 새로운 상호작용이 시작될 수 있는 분위기를 만드는 것이다. 자신의 방에서 공부할 때 집중이 잘 안 된다는 내담자에게 다른 방이나 도서관 등으로 장소를 옮겨 공부해 볼 것을 권유한다. 셋째, 관련된 사람의 변화는 기존의 정형화된 상호관계에 다른 사람을 개입시킴으로써 새로운 시각과 새로운 상호관계를 형성하도록 하는 것이다.

만나기만 하면 친구와 다투게 된다는 내담자에게 다른 친구나 다른 선후배와 함께 만나는 등의 변화를 시도해 보도록 한다. 넷째, 시간의 변화는 문제가 일어나는 일정한 시간대가 있다면, 그것을 바꿈으로써 다른 부가적인 변화를 기대해 보는 것이다. 다섯째, 방법의 변화는 다른 사람들과의 상호작용에서 이전과는 다른 전혀 예상치 못한 방법으로 반응을 함으로써 기존의 패턴에 변화를 주는 것이다. 남편과의 갈등이 있을 때마다 소리를 지르며 화를 내는 내담자에게, 남편에게 화가 날 때 침묵해 보도록 한다. 이렇게 다양한 방법으로 익숙한 패턴을 중단하고 새로운 변화를 시도하는 것은, 내담자의 문제를 완전히 해결하려는 것은 아니다. 이 기법은 이전의 정형화된 패턴의 일부라도 변화시키는 시도를 해 봄으로써 문제해결의 다양한 가능성을 엿보는 것이 목표다.

인간공학
[人間工學,
human engineering, human ergonomics]

인간의 수행 자체를 연구하며 그 성과를 기술체계에 적용하는 학문. 생태학적 치료

인간공학은 심리학이나 생리학, 사회학 등의 연구성과를 적절히 활용하고 이들의 협력을 구하면서 인간기계시스템이라는 새로운 입장에서 연구를 해나가고 있는 인체기능적 학문분야다. 원래 기계장치의 설계·제작은 공학의 영역이며, 심리학이나 생리학 등은 이 분야와는 먼 거리에 있었다. 설계, 제작을 위주로 하는 공학과 그 기계를 사용하는 인간에 대하여 다루는 심리학이나 생리학, 의학은 서로 등을 돌리고 있었다. 그러나 기계산업의 급속한 발달과 첨단과학의 출현으로 인간은 보다 편리하고 수준 높은 문화생활을 영위하게 되었고, 그에 따라 인간의 능력도 일정한 측정기준을 초월할 만큼 증대되었다. 이처럼 첨단과학분야가 발달했어도 극적으로 해결할 수 없는 분야가 바로 인간과 기계 사이에 발생하는 차이와 관련된 부분이었다. 이러한 차이는 점차 확대되고 기계로 인해 인간이 겪을 수 있는 재해의 위험도 커졌다. 이에 인간의 능력에 적합하고 기계보다 인간을 본위로 설계하고 배치하는 데 중점을 두고자 하는 새로운 시도가 대두되었는데, 이것이 인간공학의 등장배경이다. 인간공학은 인간과 기계 및 장비의 관계를 종합시스템으로 취합하여 인간-기계 시스템의 효율을 구체적으로 증진시키고자 하였다. 또한 인간공학은 인간이 안전하고 쾌적할 수 있도록 작업환경을 제공하는 일뿐만 아니라 기계나 장비가 하는 작업의 질을 향상시키는 데도 목적을 두었다. 인간공학의 연구분야는 세 가지로 분류할 수 있다. 첫째, 인간의 신체와 관련된 신체 인간공학으로 생체측정, 생체역학 및 산업안전분야가 포함된다. 둘째, 인지적 인간공학으로 인간수행이론, 공학심리학, 행동결정이론 등이 포함된다. 셋째, 거시적 인간공학으로 체계이론, 조직심리학 등이 포함된다. 이러한 연구분야를 통하여 인간공학은 의학, 생물학, 환경 공학, 시스템제어공학, 작업방법연구, 산업디자인, 실험심리학 등 다양한 인간 관련 학문 분야에서 바탕이 된다. 인간공학이 실제 관심을 갖는 요인은 관찰 가능한 인간의 행동과 수행이다. 이에 근전도, 피부전기반응, 심박률, 뇌파 생체반응이 간접적인 피로나 긴장 등의 상태 특성 지표로 사용되기도 한다. 이와 같은 인간공학을 최초로 사용한 사람이 오코너(O'conner)다. 그는 1922년 보스턴에 인간공학연구소를 만들어 주로 인간의 적성연구를 해 왔다. 또한 그는 시간, 공간, 에너지 등에 따른 무리를 생력화(省力化)시켜 생산을 극도로 높이고자 하였으며, 최저의 생산비로 최대의 생산능률을 올리려는 산업합리화 운동을 전개하였다. 오늘날 미국의 인간공학 관련 학회는 미국심리학협회에 속한 기술심리학회와 인간공학회 등이 있다. 우리나라의 경우는

1982년 3월에 인간공학회가 창립되면서 많은 연구자가 수편의 인간-기계-환경에 관한 연구를 발표해 왔다.

인간관계 기술
[人間關係技術, human relationship skills]
인간이 다른 사람들과 맺고 있는 관계에 대한 기술.
생애기술치료

생애기술치료에서는 인간이 다른 사람들과 좋은 관계를 형성하고 이를 즐기는 것은 타고난 성품이나 성향 때문이 아니라 습득할 수 있는 기술을 소유했을 때 가능한 것이라고 설명하였다. 관계는 인간의 삶 속에서 기쁨과 슬픔을 느끼도록 하는 중요한 요소 중의 하나지만, 어느 누구도 특정 관계가 행복을 줄지 혹은 고통을 줄지 장담할 수 없는 문제다. 이러한 불확실한 인간관계에서 인간관계 기술은 자기 자신과 다른 사람들의 만족도를 극대화하고, 그 속에서의 불행과 고통을 줄이기 위한 기술을 습득하고 유지하도록 도와준다. 인간이 다른 사람들과 관계를 맺을 때에는 다양한 상황에 직면하게 되고, 또한 그러한 상황을 극복하기 위해서는 다양한 기술이 필요하다. 대부분의 사람은 특정 상황에서 어떻게 반응할지에 대한 일정한 반응양식을 가지고 있다. 예를 들어, 다른 사람이 자신에게 부당한 행동을 해서 화가 날 때는 어떻게 대응할 것인지 각자 기술양식이 있다. 이와 관련하여 인간관계 기술훈련은 이러한 상황에서 좋은 관계를 유지하기 위한 보다 긍정적인 기술을 선택하도록 도움을 주거나 그 기술을 강화하는 데 목적이 있는 것이다. 그 기술은 생각, 느낌, 행동 등 모든 부분을 포함하고 있고, 자기 자신에 대한 확신을 강화하고 다른 사람들과의 관계 속에서 보다 강한 신뢰성을 얻을 수 있도록 해준다. 내담자가 관계 기술을 습득할 수 있도록 구조적으로 훈련시키기 위해서는 먼저 내담자의 관계 형성이 어떤 수준에 있는지 명확하게 파악한 다음, 이를 개선하기 위해서는 어떤 기술이 필요한지 제시하는 단계가 우선되어야 한다. 넬슨 존스(Nelson-Jones)는 내담자가 잘못된 관계 형성을 하고 있는 것에 대해 침묵하는 것이 더 좋지 않은 상황으로 내모는 일이라고 경고하면서, 이러한 부정적인 관계 형성을 파악하고 개선을 위한 책망과 꾸짖음이 뒤따라야 한다고 주장하였다. 따라서 먼저 내담자가 가지고 있는 관계형성을 위한 기술수준을 파악하고, 부족한 기술을 향상시키기 위한 훈련을 시행할 때 비로소 내담자는 올바른 관계형성을 위하여 필요한 기술이 무엇인지 깨닫게 되고, 이를 유지하려는 노력을 할 수 있다.

관련어 | 개인 책임

인간관계 훈련
[人間關係訓練, human relations training]
인간관계에서 상대방의 인격을 존중하고 자신의 생각이나 의견, 느낌 등을 솔직하게 표현하는 방법과 기술을 익혀 타인과의 관계를 향상시키는 것. 집단상담

인간관계 훈련은 1946년 미국의 코네티컷 주에서 리더십 발전을 위한 연구집회에서 처음 시작되었다. 1947년에는 미국 메인 주에서 교육협회가 실험실법을 시도하여 인간관계 훈련의 계기가 되었고, 우리나라에서는 1971년 광주에서 카운슬링 워크숍이란 명칭으로 인간관계 훈련을 처음 시도하였다. 이후 미국에서처럼 T-집단, 감수성 훈련, 인간관계 훈련, 인성계발 훈련, 심성계발 훈련 등으로 불리면서 교육계, 산업계, 종교계를 중심으로 활발하게 전개되고 있다. 상담과 심리치료 분야에서 인간관계 증진은 인간관계 기법훈련과 집중적 집단 체험의 두 가지 방법으로 이루어진다. 먼저, 인간관계 기법 훈련은 인간관계 발달에 필요하다고 생각되는 여러 가지 기법을 직접 훈련시키는 방법이고, 집중

적 집단체험모형은 소집단 활동과정의 경험을 통하여 간접적으로 도움을 주는 방법이다.

관련어 | T – 집단훈련, 감수성 훈련

인간발달 생태학
[人間發達生態學, ecology of human development]

인간과 환경, 그리고 양자 간의 상호작용을 중심으로 통합적인 관점을 제공하는 학문. 생태학적 치료

인간발달에 생태학을 적용한 브론펜브레너(Bronfenbrenner, 1977)는 인간발달에 대한 사회생태학을 인간발달 생태학이라는 용어를 사용하여 하나의 학문적 관점으로 체계화하였다. 초기에 인간발달 생태학은 성장하는 유기체와 그가 살고 있고 변화하는 즉각적인 환경 사이에 평생을 걸쳐 일어나는 점진적인 상호적응을 과학적으로 연구하는 학문이었다. 이러한 상호적응과정은 즉각적인 장면뿐만 아니라 그 장면들이 끼여 있는 형식적 또는 비형식적인 더 큰 사회적 맥락 안에서, 혹은 그것들 사이에서 생겨나는 관계에 의해 영향을 받는다. 초기 인간발달 생태학의 정의는 유기체와 환경 모두를 매우 구체화하였으나, 몇 년 후 이 정의에 능동적으로 성장·발달해 가는 인간과 변화하는 환경의 속성을 포함시키는 방향으로 변화하였다. 이처럼 인간발달 생태학은 개인 체계인 인간과 환경, 그리고 양자 간의 상호작용을 중심 개념으로 하며, 보다 통합적이고 포괄적인 관점을 제공하고, 나아가 개인 체계와 환경의 특성을 모두 고려한 총체적 시각의 이론이라고 특징지을 수 있다. 즉, 인간발달 생태학은 사람들이 '왜, 그리고 무엇을 위해 살고 있는가'보다는 '어떤 상황에서 그러한 행동이 일어나고 있는지'에 더 관심을 갖는다. 인간을 잘 이해하기 위해서 개인 유기체뿐만 아니라 개인에게 영향을 미치는 다양한 주변환경 변인들과의 상호관계를 총체

적인 맥락에서 탐색하고, 이렇게 함으로써 인간발달의 과정 및 다양한 환경들 간의 상호작용, 상호연계성을 규명하는 것이 인간발달 생태학의 목적이다.

인간생태학
[人間生態學, human ecology]

인간과 환경의 집단적 상호작용을 연구하는 학문으로서, 문화의 영향을 받고 문화와 상호작용하는 생물적 존재로서의 개체나 집단을 연구하며, 인간이 환경에 어떻게 영향을 끼치고 또 그 환경이 인간에게 어떤 형태로 영향을 주는지 연구함으로써 인간과 인간의 문제를 이해하고 그 해결점을 찾고자 하는 연구분야. 생태학적 치료

원래 생태학이라는 말은 1866년 헤켈(E. Haeckel)이 그리스어의 '오이코스(oikos, 집)'와 '로고스(logos, 논리)'를 어원으로 해서 만든 것으로서, 살아 있는 유기체의 습성, 생활양식 및 주변환경과의 관계를 다루는 생물학의 한 분야다. 이것을 사회학 분야의 파크(R. Park), 매켄지(R. Mackenzie), 버제스(E. Burgess) 등 시카고학파에서 인간사회에 적용한 것이 인간생태학의 출발이라고 본다. 시카고학파의 연구자들은 지역사회와 인간과의 공서(共棲)관계를 밑바탕으로 하여 사회학의 통합을 생각하였다. 파크는 지역사회를 경쟁에 의해 생기는 공생관계로 보고, 그 속에서 인간과 제도의 분포과정 혹은 구조가 무의식적·경쟁적 협동의 결과로 나타나는 것이라고 보았다. 버제스는 도시가 중심상업지구에서 천이(遷移) 지대 → 노동자 주거지대 → 중류 계급 주거지대 → 통근자 주거지대라고 하는 생태적 계통으로 발전하는 것을 동심원 이론(同心圓理論)으로 정리했는데, 이 이론은 사회학을 실증적 연구로 진척시키는 데 영향을 주었다. 이처럼 인간생태학은 유기체와 그 환경의 상호작용을 연구하는 생물학자들의 영향을 받은 사회과학계에서 사회구조가 천연자원의 특성 및 여러 인간집단의 존재에 적응하는 방식을 연구하면서 성립되었다. 인간생태학에

대한 관심의 집중은 생태계 문제가 심각해진 이후로는 그러한 문제를 해결하려는 정치·경제 및 생활·사회·문화를 추구하는 사상이나 운동을 불러왔다. 인간생태학에서는 인간생활의 모든 생물학적, 환경적, 인구통계학적, 기술적 조건이 인간의 문화와 사회체계에 대하여 상호 결정적인 영향을 갖는다고 보았다. 또 집단행동은 자원과 그와 관련된 기술, 감정이 개입된 신념체계와 상호작용하며, 이러한 자원·기술·신념체계 전체가 사회구조체계의 바탕을 이룬다고 보았다. 현재 인간생태학은 문화생태학, 종교생태학, 교육생태학, 행동생태학 등 다양한 분야와 대상으로 확대·적용되고 있고 연구의 영역이 넓어지고 있는 추세에 있다.

관련어 | 생태소외, 생태요법

인간중심 수퍼비전
[人間中心 –,
person centered supervision]

인간중심적 상담접근을 바탕으로 한 수퍼비전. 상담 수퍼비전

인간중심 치료는 인간이 자신의 삶의 방향을 정할 수 있다는 가정을 바탕으로 한 접근법이다. 따라서 내담자는 치료자의 해석이나 지도 없이 삶의 문제를 효과적으로 해결할 수 있는 능력이 있다고 믿으며, 치료의 목표는 치료환경에서 안정과 신뢰의 분위기를 제공함으로써 내담자가 자기탐색을 위한 치료적 관계를 활용하여 자기성장의 방해물을 인식하는 것이다. 이러한 인간중심 접근을 수퍼비전에 적용할 때, 수련생은 한 개인으로뿐만 아니라 상담 전문가로서의 발전을 위한 무한한 자원을 가지고 있다는 믿음에서 출발한다. 이에 따라 인간중심 수퍼비전의 과정에서는 수퍼바이저와 수련생 간의 협력, 수련생의 적극적인 역할이 강조된다. 또한 수퍼바이저는 수련생에게 지시와 조언을 하기보다는 어떻게 하면 사례를 좀 더 효과적으로 진행할 수 있을

지에 대해 생각해 보도록 격려해야 한다. 인간중심 상담이론을 제창한 로저스(Rogers, 1942)는 수퍼비전에도 관심이 많았는데, 상담 축어록과 회기 녹음 등의 새로운 방법을 사용하여 공감과 무조건적인 긍정에 대한 강한 믿음을 기반으로 하는 수퍼비전을 시도하였다. 실제로 그는 1959년에 수퍼비전을 포함한 수련생 교육 프로그램을 개발하였다. 이 프로그램은 인간중심적 상담자로서의 수퍼바이저를 관찰할 기회와 인간중심상담자로서 연습할 기회, 집단상담을 경험할 기회 등으로 구성되어 있었다. 이러한 인간중심 수퍼비전 모델은 수퍼바이저가 수련생의 잠재력에 대한 믿음을 바탕으로 한 수퍼비전 과정을 통해서 상담자가 내담자에게 어떻게 반응해야 할지를 학습한다는 장점이 있다. 하지만 수퍼비전과 상담의 구분이 모호하고, 수퍼비전에 대한 체계적인 조직화가 어렵다는 단점도 있다.

관련어 | 심리역동적 수퍼비전

인간중심미술치료
[人間中心美術治療,
person-centered therapy]

로저스(C. Rogers)의 인간중심이론에 근거를 두고, 미술이라는 매체를 통하여 자아실현으로 나아가게 하는 치료적 접근. 미술치료

인간중심이론의 기본 전제는 개인의 경험을 중시하는 것이고, 궁극적인 목표는 로저스가 제시한 이상적인 인간상, 즉 충분히 기능하는 인간(fully functioning person)이 되도록 도움을 주는 것이다. 이와 같은 로저스의 인간중심이론에 근거를 두고 있는 미술치료는 상담자의 태도 및 기법으로 제시된 일치성, 무조건적 긍정적 존중, 공감적 이해의 중요성을 강조하여 내담자의 잠재성을 믿고 그 성장 욕구를 일깨워 주는 데 주안점을 둔다. 즉, 모든 활동의 주도권은 내담자에게 있으며, 치료자는 내담자가 자기실현의 욕구를 자각할 수 있도록 존중하

고 배려하는 환경을 마련하고, 치료과정에서 내담자가 안심하게 자신을 탐색하고 자각하면서 여러 감정을 느끼고 표현할 수 있도록 도와주어야 한다. 치료자 자체가 내담자를 위한 특별한 환경이 될 때, 내담자는 미술작업을 통하여 자신의 문제를 직면하고 이를 표현하는 가운데 문제를 자신의 일부로 수용하여 통합한다. 따라서 인간중심미술치료에서 가장 중요한 것은 내담자의 성장의 잠재력을 믿고 안전하면서도 수용적인 환경을 제공해 주는 것이다. 내담자는 미술작품에 의해 치료자와 관계를 맺는 것이 중요하며, 그 관계를 통하여 내담자는 스스로 자기를 성장시킬 수 있다. 다시 말해, 인간중심미술치료는 내담자의 문제를 해결하기 위하여 내담자의 작품을 분석하고 충고하거나 조언하는 것이 아니라, 내담자 스스로 작품을 통하여 자신을 발견하고 깨닫게 도와주는 것이다. 이러한 맥락에서 인간중심미술치료의 목표는 내담자의 문제보다 내담자 자체에 관심을 가지고 내담자가 자기성장을 통하여 충분히 기능하는 사람이 될 수 있도록 하는 것이다. 따라서 인간중심미술치료에서는 치료의 기법보다 치료적 관계를 중요시하며, 개인치료의 경우 대부분이 지시적 기법보다 비지시적 기법을 사용한다. 비지시적 기법을 사용하는 것은 내담자가 재료나 주제 등을 자유롭게 선택하도록 함으로써 능동적인 자세를 가질 수 있게 만드는 것이다. 그러나 내담자가 어린아이거나 많이 위축되어 있는 경우에는 주제와 재료 등의 선택을 내담자가 편안하게 받아들일 수 있도록 치료자가 배려해 주는 것이 좋다. 그리고 인간중심미술치료의 임상에서 흔히 사용되는 기법으로 이미지 그리기와 배경 그려 주기가 있다. 먼저, 이미지 그리기는 내담자가 자신의 내면을 이해하고 통합하기 위하여 이미지를 떠올려서 형상화하도록 하는 것이다. 여기서 치료자는 내담자가 표현한 이미지의 결과에만 주목하는 것이 아니라, 수용하고 존중하는 마음으로 그 과정을 지켜본다. 경우에 따라서는 내담자의 행동에도 반응할 필요가 있지만, 언어적 언급은 내담자를 방해하지 않는 범위 내에서 해야 한다. 또한 치료자는 내담자가 표현한 이미지를 해석하기보다는, 내담자의 잠재능력을 믿고 내담자가 자각할 수 있도록 도와주어야 한다. 다음으로 배경 그려 주기는 치료자나 다른 집단원이 내담자가 그린 그림의 배경을 그려 주는 것이다. 이렇게 함으로써 내담자는 치료자나 다른 집단원과의 미술작업에서 자신이 충분히 존중받고 있음을 느끼고 자신이 가치 있는 사람임을 자각할 수 있으며, 내적 성장을 도모할 수 있다.

관련어 | 미술치료

인간중심상담
[人間中心相談, person-centered counselling]

인간의 잠재력과 가능성에 대한 신뢰를 바탕으로 로저스(C. Rogers)가 창시한 이론. 인간중심상담

인본주의 상담, 사람중심상담이라고도 부른다. 1960~1970년대에 걸쳐 심리상담/치료사들 간에 정신분석과 행동주의 접근의 대안적인 접근으로 '제3세력'에 대한 관심이 증가하였다. 이 같은 움직임 속에서 인간중심 접근은 인본주의 심리학에 뿌리를 두고 실존주의 철학의 영향을 받아 로저스를 중심으로 발달하였다. 로저스는 내담자를 진단하여 지시적이었던 전통적 정신분석적 접근방법에 반대하는 뜻에서 자신의 접근을 비지시적 상담접근이라고 불렀지만, 그 후 '비지시적'이라는 방법적 측면보다는 내담자가 가지고 있는 성장요인을 강조하면서 '내담자중심상담'으로 이름을 변경하였다. 인생의 후반부에 로저스는 이론을 확장하여 인간에 대한 확고한 신념을 강조하면서 자신의 상담접근을 '인간중심상담이론'으로 다시 수정하였다.

관련어 | 내담자중심치료

인간중심진로상담
[人間中心進路相談, person-centered career counseling]

로저스(C. Rogers, 1959)의 인간중심상담의 원리를 바탕으로 하여 특성요인이론과 슈퍼(Super, 1957)가 주장하는 진로발달의 자아이론에 영향을 받은 종합적인 상담기법. 진로상담

내담자중심 진로상담이라고도 한다. 인간은 본질적으로 자신의 문제를 스스로 해결할 수 있는 능력을 가지고 있으므로, 상담자는 내담자의 내적 세계를 진심으로 이해하고, 수용하며 내담자가 스스로 진로 관련 문제를 해결할 수 있도록 도와주는 조력자의 역할을 해야 한다. 초기의 인간중심진로상담자들은 내담자가 심리적으로 잘 적응만 된다면 그가 직면하고 있는 진로문제가 무엇이든 간에 진로상담을 거치지 않고서도 문제를 해결할 수 있다고 생각하였다. 따라서 상담과 진로상담을 구별하지 않고 진로에 관한 의사결정에 대해서는 별로 언급하지 않았다. 그러나 패터슨(Patterson, 1974)은 일반적 적응과 직업적 적응의 상관관계가 완전하지 않거나 상관이 거의 없으므로 진로선택에 별도로 관심을 두는 것이 옳다고 인식하였다. 특성요인진로상담에서 진단은 가장 중요한 개념인 데 반하여, 인간중심진로상담에서는 진단을 중요시하지 않는다. 진로상담에서 심리적 진단이 오히려 내담자에게 어떤 편견을 갖게 하고 다양한 선택의 폭을 줄이는 등의 피해를 줄 수 있으며, 진로상담은 각 개인의 생활 중에서 진로문제라는 특정한 문제를 다루는 것이므로 지나치게 심리검사에 의존해서는 안 된다는 것이다. 로저스는 모든 내담자는 자아와 경험의 일치성이 부족하기 때문에 고통을 받고 있는 것이라고 하였다. 따라서 이 접근법의 지지자들은 진로문제라고 해서 별도로 진단할 필요가 없다고 보았다. 이 이론에서는 구체적인 상담과정을 명확하게 구분하여 제시하지 않았지만 패터슨은 7단계로 상담과정을 요약하였다. 1단계에서 내담자는 자신에 대해 노출을 꺼리므로 표면적인 사실에 대해서만 이야기한다. 2단계에서 내담자는 자신의 문제가 아닌 외부사건을 언급하며 과거경험에 대해서만 이야기한다. 3단계에서 내담자는 대화의 내용에 대해 신경을 덜 쓰게 되어 감정적으로는 이완되지만 상담자와 진실한 접촉은 이루어지지 않는다. 4단계에서 내담자는 자신의 감정을 보다 진실하고 밀도 있게 다루지만 상담자의 도움이 없으면 제대로 표현하지 못한다. 5단계에서 내담자는 현재 느끼는 감정들을 표현한다. 자신의 경험을 노출시키며 자기 문제에 대해 책임을 가지고 해결하고자 한다. 6단계에서 내담자는 자신의 경험을 생생하게 표현하여 감정이 자유로워지고 더 이상 자신을 객관적 대상으로 보지 않으며 자기 문제를 회피하지도 않으면서 직면하여 문제를 해결하려고 한다. 7단계에서 내담자는 자신의 경험을 주관적으로 지각하고 감정과 조화된 내적 의사소통을 할 수 있으므로 새롭고 효율적인 존재방식을 스스로 선택할 수 있다. 인간중심진로상담의 목표는 내담자의 자아개념을 직업적 자아개념으로 바꾸고 경험을 풍부하게 해 주는 데 있다. 이를 위한 주된 상담기법은 인간중심적 상담기법과 같으며 공감적 이해, 무조건적 수용, 일치성 등의 상담자의 태도를 중요하게 여긴다. 인간중심적 진로상담에서는 내담자의 주관적 경험을 강조함으로써 심리검사는 자아를 명료화하는 데 주로 사용한다. 여기서 심리검사가 유용하게 사용되려면 다음과 같은 세 가지 측면을 유의해야 한다. 첫째, 내담자의 필요와 요청이 있을 경우 상담의 전 과정에서 실시할 수 있다. 둘째, 내담자와 상담자가 협의하여 검사를 선택한다. 셋째, 검사결과는 객관적인 관점에서 내담자에게 알려 준다. 직업정보를 활용하기 위해서는 내담자가 정보를 검토할 준비가 되었을 때 제공해 주어야 하며, 그 정보가 내담자에게 영향을 주거나 조정하는 데 사용되어서는 안 된다. 내담자의 선택과 책임을 강조하기 위하여, 내담자에게 필요한 직업정보는 출판물이나 고용주 또는 그와 관련된 사람들을 통해서 직접 얻도록 격려한다. 상담

자의 역할은 직업정보를 평가하는 것이 아니라 내담자가 직업정보를 탐색하고 명료화하는 것을 도와주는 것이다. 그러나 이 이론은 내담자의 주관적 경험을 지나치게 강조하여 내담자의 지각과 행동에 영향을 미치는 인지적·사회적 요인들은 간과했다는 단점이 있다. 또한 진로상담자가 내담자의 자아를 명료화하고 자아실현을 증진시킬 수 있는 적극적인 태도와 역할을 수행할 때 비로소 내담자가 효율적인 정보를 획득할 수 있다는 것도 단점이라 할 수 있다.

관련어 | 진로상담이론

인격화
[人格化, personalization]

유아의 자기 발달이 성숙되어 가는 중에 자기 자신을 진정한 심리적 실재로 경험하는 상태. **대상관계이론**

위니콧(D. Winnicott)이 제시한 상대적 의존기의 현실화(realization)와 관련된 개념이다. 유아는 절대적 의존기의 전능적 환상세계로부터 벗어나 환경이 자기와 분리되어 있다는 인식을 획득해 가는데, 이러한 분리에 대한 인식으로부터 현실감이 발달하며 자기와 타자를 구별할 수 있게 된다. 이제 실제 인간으로서의 자기 자신에 대한 감각과 독립된 현실로서의 세계에 대한 감각이 가능해 진다. 유아는 진정한 심리적 실재(lived psychic reality)를 경험하게 되며, '외부'와 구별되는 '내부'를 가지며 그 결과 '내적 환경'이 존재하게 된다. 이 단계에서의 경험은 보다 진정한 의미에서 '나에게' 속한 것이 된다. 한편, 페어베언(W. Fairbairn)은 내담자가 가지고 있는 정서적 접촉에 대한 깊은 공포를 이해할 때 비로소 상담적 치료가 가능해진다고 하였다. 내담자는 대상을 향한 자신의 사랑이 충분히 좋은 것이 아니라는 두려움과 이로 인한 수치심을 느끼고 있으며, 유아적 의존 대상에 대한 퇴행적 갈망을 느끼고 철회적

인 행동을 나타낸다. 병리적 증상은 모두 자아분열의 결과로 생긴 것이므로 분석의 궁극적인 목적은 자아의 분열을 치료하고 인격을 재통합하는 데 있다. 따라서 자아를 다루는 인격적인 대상관계적 해석은 바로 핵심적인 치료방법이다. 건강한 자아발달은 만족스러운 대상관계에 기초하여 이루어지므로 분석가와 내담자 사이의 인격적인 관계는 중요한 치료적 요소다. 분석과정에서의 인격화를 강조하는 동시에 내담자가 나타내는 저항을 다르게 개념화하였다. 페어베언은 아동기 외상을 노출시키는 것보다는 오히려 내담자와 분석가의 현재 관계를 분석하는 데 초점을 두어야 한다고 강조하였다. 이러한 관점에서, 내담자의 저항은 무의식 안에 억압되어 있는 과거요소에 대한 것이 아니라 현재의 내적 실재에 대한 것이다. 내담자는 억압된 자아에 대해 방어하려 하며 인격의 이러한 부분을 치료하려는 분석가의 치료 노력에 대해 저항을 나타내기도 한다. 즉, 내담자는 자신의 내적 실재가 분석가와 접촉하는 것에 반대하며, 내담자의 내적 실재를 분석관계라고 하는 외적 현실로 가져오려는 분석가의 노력에도 불구하고 자신의 폐쇄된 내적 실재에 계속 매달려 있다.

인공수정
[人工受精, artificial insemination]

정상적인 성관계를 통하지 않고 인위적 혹은 의학적 기술을 이용해서 임신을 목적으로 하여 자성생식[수]관(雌性生殖[輸]管)에 정자(精子)를 주입하는 수정방법. **성상담**

인공수정은 배란기에 맞추어 다양한 정자처리과정을 거친 정자를 주입기(注入器)라는 관을 거쳐 질(膣), 경관(頸管), 자궁강(子宮腔), 난관(卵管) 등으로 주입하여 난자 가까이로 정자를 보내 좀 더 쉽게 수정을 시키고자 하는 방법이다. 고대의 아라비아에서 동물을 초보적인 방법으로 인공수정시켰다는 말이 전해지지만, 인공수정 방법이 확립된 것은

1780년 스팔란차니(Spallanzani)의 강아지 인공수정이었다. 이후 1952년 폴지와 로손(Polge & Rowson)의 냉동정자를 이용한 가축의 인공수정이 널리 확산되었다. 사람을 대상으로 한 인공수정은 헌터(Hunter) 등이 18세기 말엽부터 시도하였다. 이후 1953년, 셔먼(Shemen)의 냉동정자를 이용한 인공수정 성공으로 널리 확산되기 시작하였다. 우리나라에 정식으로 보고된 것은 해방 후이고, 인공수정에 대한 대중의 관심은 1962년부터 시작된 경제개발계획에 따른 가족계획의 실행으로 확산되었다. 인공수정에는 배우자 간 인공수정(artificial insemination by husband: AIH), 비배우자 간 인공수정(artificial insemination by donor: AID)이 있다. 배우자 간 인공수정은 남편이 정상 정액을 가지고 있지만 정자감소현상 혹은 요도하열(尿道下裂) 등이 원인이 되어 질 내 수정이 원활하지 않을 때 시행하고, 비배우자 간 인공수정은 남편이 무정자증과 같은 유전적 질환이 있을 때 피수정자와의 신체 특징이 유사한지 검사를 거친 다음 질환이나 성병의 유무를 확인하고 정상 정액을 가진 정자기증자에게 정자를 받아 시행한다. 비배우자 간 인공수정의 경우는 윤리적 문제가 뒤따르기 때문에 실행 여부에 관한 논의의 소지가 있다. 현재는 인공수정보다는 체외수정(體外受精)을 많이 시도하는 추세에 있다. 자연 배란기를 이용하여 시술하는 경우도 있지만, 주로 클로미펜(clomiphene)과 같은 배란유도제, 과배란 주사 등을 통해서 과배란을 유도하는 경우가 일반적이다. 질 초음파를 시행하여 정확한 배란시기를 예측하고, 시기에 맞춰 정액을 받아 특수 처리과정을 거친 후 건강한 정자만 골라서 주입해야 한다. 시술 이후에는 20~30분 정도의 안정을 취한 다음 바로 일상생활 복귀가 가능하며 특별한 주의사항은 없고 일반 임부와 별로 다를 바 없다. 과배란 유도로 인한 쌍생아 임신확률이 높고, 자주 발견되는 것은 아니지만 간혹 난소과자극 증후군이 발생할 수도 있다. 인공수정이 불임치료에 매우 큰 의의가 있지만, 생명의 탄생을 인위적으로 조작하는 행위라는 시각에서 가톨릭을 비롯한 종교단체에서는 반대하거나 금기시하는 경우도 있다.

인공와우
[人工蝸牛, cochlear implant]

소리를 듣는 기관의 기능장애 때문에 의사소통을 포함한 사회적·정서적 측면에서 지장을 초래하는 경우 이를 극복하는 방법 중 하나. 특수아상담

청신경에 전기자극을 직접 제공함으로써 손상되거나 상실된 와우 내 유모세포의 기능을 대행하는 전기적 장치로, 특수 보청기의 한 형태다. 일반 보청기로 도움이 되지 않는 양측성 심도의 감각신경성 난청 혹은 농 상태에 이른 난청인을 주 대상으로 한다. 방법은 정원창을 거쳐 고실계 내부에 전극을 삽입하여 소리자극을 받지 못하는 청신경을 전기에너지로 직접 자극하는 것이다. 인공와우는 일반 보청기의 어음처리기술의 발달에 따라 지속적으로 발전하고 있으며, 외부장치의 형태도 상자형에서 귀걸이형으로 점차 소형화되고 있다. 인공와우는 크게 눈으로 확인할 수 있는 외부기기와 피부 내에 삽입하는 내부기기로 나눌 수 있다. 외부기기는 마이크(microphone), 어음처리기(speech processor), 헤드셋(headset), 전달코드(transmitter), 배터리(battery) 등으로 구성되며, 내부기기는 와우 내에 위치하는 전극(electrode), 전극과 연결된 내부수신기(magnet antenna)로 구성된다. 인공와우의 마이크로폰이 주위 소리를 감지하고 마이크로폰에서 전달된 소리는 어음처리기로 보내진다. 언어합성기에서는 소리를 증폭하고 거르고 분석하여 부호화된 신호로 변환한다. 부호화된 신호는 다시 어음처리기에서 전송코일로 보내진다. 전송코일은 부호화된 신호를 FM 신호로 피부 안의 와우이식체에 보낸다. 인공와우이식기는 적절한 전기적 에너지를 와우에 있는 전극으로 전달한다. 자극을 받은 전극은 와우 안의 청신

경을 자극하고 전기적인 소리정보는 청신경을 통하여 대뇌로 전달된다.

관련어 ┃ 난청, 와우, 청각장애

인과관계
[因果關係, cause and effect]

직접 관련이 없는 사건을 원인과 결과로 연결하여 암시하는 최면화법. 최면치료

밀턴모형 최면화법의 하나로, 내담자를 최면상태로 유도하거나 변화를 이끌어 내기 위해 직접적인 원인이 되지 않는 사건과 원하는 결과를 연결하여 암시를 주는 최면화법이다. 예를 들어, "천천히 심호흡하게 되면(원인) 보다 깊은 최면을 경험할(결과) 것입니다."라는 암시문에서 심호흡은 최면의 직접적인 원인이 되지 않지만 원인이 되는 것처럼 암시를 주어 최면을 효과적으로 유도할 수 있다. 이같은 최면화법에서는 잠입명령어에 해당하는 표현이 많이 사용된다.

관련어 ┃ 밀턴모형, 잠입명령어

인교법
[人橋法, human bridge]

최면으로 강직현상을 보이는 사람을 2개의 의자 사이에 눕혀 다리처럼 만든 것. 최면치료

인교법의 근거는 카타렙시(catalepsy)라고 하는 것에 있다. 카타렙시란 일종의 강경 또는 강직현상으로, 문자 그대로 몸이 딱딱하게 굳는 것을 말한다. 즉, 어떤 상황에서 사람의 몸이 딱딱하게 굳어서 움직이지 않는 상태를 말한다. 최면실험에서 시범을 보이거나 무대최면상황에서 쇼를 연출할 때 흔히 등장하는 것으로, '몸이 굳는다.'는 암시를 받은 내담자가 실제로 몸이 딱딱하게 굳으면 의자와

의자 사이에 다리를 놓듯 눕히는 것을 말한다. 이때 그 위에 물건을 올리거나 사람이 올라가도 강직상태가 유지되어 최면의 신비함을 보여 주는 상징적인 방법이다. 이와 같은 방법은 주로 대중매체를 통하여 최면의 극적인 효과를 홍보하기 위해서 많이 사용한다.

관련어 ┃ 강직현상, 최면

인도된 공상
[引導 – 空想, guided fantasy]

사이코드라마의 기법으로, 주인공이 연출자의 지시에 따라 이완된 상태에서의 경험. 사이코드라마

주로 워밍업이나 마무리 단계에서 사용한다. 이를테면 신체의 내부나 바닷속을 여행하거나 혹은 기묘한 장소를 탐험하는 것 등이다.

인문치료
[人文治療, humanities therapy]

인간과 그 삶에 대한 철학적 성찰이라는 인문학이 지니고 있는 근원적인 힘을 심리치료에 적용하고 활용한 방법. 철학상담

인문치료는 인문학적 정신과 방법으로 사람들의 정신적·정서적·신체적 문제를 예방하고 치유하는 이론적·실천적 활동을 말한다. 인문치료에서 인문의 개념은 인문학의 주축이 되는 학문, 즉 문학, 역사학, 철학, 종교학, 미학 등을 기반으로 하고, 예술과 심리학 등의 관련 학문들과 긴밀하게 관련되어 있음을 의미한다. 인문치료에서 치료의 개념은 의료적 치료(medical treatment, cure)의 개념과 연결되어 있는데, 의료적 의미에서의 수술치료와 약물치료는 제외한 것이며, 심리치료에서의 치료개념과 일상적 의미에서의 치료개념을 포함한 것이다.

인문치료의 유형은 성격과 대상에 따라 구분할 수 있다. 전자의 입장에서는 치유적 인문치료와 예방적 인문치료 및 발달적 인문치료로 구분하며, 후자의 입장에서는 개인치료, 집단치료, 사회치료로 구분한다. 개인치료는 개인을 대상으로 하는 치료를 말하고, 집단치료는 소집단을 대상으로 하는 치료를 말하며, 사회치료는 재소자, 노숙자 등 사회적인 문제로 마음의 고통을 안고 있는 사회집단이나 사회 전체를 대상으로 하는 치료를 말한다. 또한 인문치료에는 문학치료, 역사 치료, 철학상담 등도 있다.

인물묘사
[人物描寫, character description]

다른 사람을 글로 묘사하거나 자기 자신의 어떤 면을 서술하는 저널기법. 문학치료(글쓰기치료)

'인물 스케치(character sketch)'라고도 하는 인물묘사는 서사문의 한 형태로, 아는 사람, 불편한 사람, 사랑하는 사람, 우리 자신 또는 우리의 한 부분에 대해서 묘사할 수 있다. 다른 사람을 글로 묘사하거나 자기 자신의 어떤 면을 서술하는, 마치 글로 쓰는 초상화와 같다. 저널기법은 누군가와 갈등을 겪고 있을 때, 누군가를 더 잘 이해하고 싶을 때, 자신의 여러 다른 모습을 대면하고 알고 싶을 때 유용하다. 누군가를 글로 묘사하면서 다른 사람을 통하여 자신을 바라보는 투사(projection)의 기회가 되기도 한다. 또한 우리의 감정과 스트레스를 의인화하여 묘사함으로써 그것을 더 잘 이해하거나 통제하는 느낌을 갖도록 할 수 있다.

관련어 묘사

인물화
[人物畵, draw a person: DAP]

자신과 같은 성과 다른 성의 사람을 그려 성격 및 지능을 평가하는 검사. 미술치료

'draw a person' 외에 'draw a man' 혹은 'human figure drawing'이라고도 표현하는데, 이 같은 인물화를 통하여 개인의 인지적 특성, 성격적 특성, 정서적 적응 등을 확인할 수 있다. 이 기법에 관하여 노력을 기울여 온 대표적인 학자로는 굿이너프(Goodenough), 마초버(Machover), 해리스(Harris), 코피츠(Koppitz, 1968) 등을 들 수 있다. 굿이너프와 해리스는 인물화 검사를 통해서 개인의 지적 능력 수준을 확인할 수 있다고 주장하였고, 마초버는 지적 능력보다는 정서적 요인을 더 잘 확인할 수 있다고 보고하였다. 이에 코피츠는 인물화를 통하여 정서적 지표를 해석하는 문항들을 개발하였으며, 이를 발전시켜 내글리어리, 맥니쉬와 바도스(Naglieri, McNeish, & Bardos)는 정서행동문제를 선별하기 위한 인물화 검사를 개발하고 표준화하였다. 인물화 검사는 성격의 정상이나 이상 혹은 지능지수를 파악할 수 있지만, 단독으로 이 검사만 사용하기보다는 다른 검사와 함께 사용하는 것이 좀 더 효과적으로 사정할 수 있다. 이 검사를 사용하는 데 큰 이점은, 첫째, 연필과 종이를 사용하여 실시하므로 도구가 간편하다. 둘째, 검사를 실시하고 평가하는 데 한 시간 내에 이루어질 수 있으므로 비교적 짧은 시간에 실시할 수 있다. 셋째, 검사결과를 따로 부호화할 필요 없이 그려진 그림을 그대로 해석하기 때문에 채점 및 평가 절차가 간단하다. 넷째, 내담자가 직접적으로 투사하는 증거가 된다. 다섯째, 말하기나 필기검사에 대한 불안수준이 높거나 부끄러워하여 충분한 정보를 제공하지 못하는 내담자의 저항을 최소화할 수 있다. 여섯째, 글자를 이해하지 못하는 문맹자, 외국인, 유아, 노인 등 연령이나 지적 수준, 미술적 능력에 상관없이 검사를 적용할 수 있다. 일곱째,

검사과제의 목적이 분명하지 않으므로 내담자는 솔직하게 검사에 임할 수 있다. 여덟째, 역동적이고 다양한 자기표현을 자유롭게 표출할 수 있어 개인의 잠재력을 충분히 확인할 수 있다. 아홉째, 개인뿐만 아니라 집단으로 동시에 검사를 실시할 수 있다. 준비물은 흰색 A4 용지 한 장 혹은 두 장, 4B 연필, 지우개이고, 지시문은 "사람을 그려 보세요."다. 내담자가 그리지 못한다고 하거나 솜씨가 없다고 하면 "사람을 그리고자 노력하는 모습에 관심이 있는 것이지 그림 솜씨는 중요하지 않아요."라고 말한다. 만약 내담자가 머리만 그리거나 신체의 일부만 그린다면 "머리부터 발끝까지 사람의 전체를 그려 주세요."라고 한다. 이외에 내담자가 다른 질문을 하면 "당신이 좋을 대로 그려 주세요."라고 한다. 내담자가 그림을 그리는 동안 치료자는 그림 그리는 순서와 검사에 임하는 자세, 특징, 태도 등을 관찰하여 기록한다. 처음 한 사람을 그린 뒤에는 다른 종이 혹은 뒷장에 처음 그린 것과 반대 성의 사람을 그리도록 한다. 처음에 그린 사람 그림을 1 혹은 ✓로 표시해 둔다. 그림을 모두 그리고 나면 치료자는 내담자에게 여러 가지 질문을 하여 더 많은 정보를 수집한다. 내담자의 성격을 파악하기 위해 내담자에게 자신이 그린 사람이 연극이나 소설 혹은 동화 속 주인공이라 생각하고 이야기를 꾸며 보도록 한다. 구체적인 질문으로는 주인공의 연령, 교육수준, 직업, 욕구, 가정환경, 부모님이나 형제자매 또는 배우자 등 주변인에 대한 생각이나 감정, 대인관계, 결혼여부, 장래희망 등이 있다. 인물화의 그림은 내담자의 자아상(self-image) 혹은 신체상(body image)을 나타낸다. 인물화를 해석하는 데에는 그림의 전체적 이미지, 그림의 형태분석, 내용분석으로 이루어진다. 전체적 이미지는 인물의 전반적인 느낌이나 분위기를 말하며, 형태분석은 필압의 정도, 그림의 위치, 그림의 크기, 선의 형태, 명암 사용, 그리는 순서, 대칭 정도, 지운 것, 다시 칠한 것, 비율 등을 면밀히 살피는 것이다. 내용분석은 머리형태, 옷의

여부, 움직임 여부, 팔·다리·손·눈·코·입·귀 등의 생략이나 위치 또는 형태, 액세서리, 얼굴표정 등을 해석하는 것이다.

출처: http://www.momtest.com

정서·행동문제 선별인물화검사 [情緖行動問題選別人物畵檢査, draw a person-screening procedure for emotional disturbance: DAP-SPED] 행동이나 정서적 문제가 있는 아동과 청소년을 선별하기 위해 개발한 인물 그림검사도구다. 내글리어리, 맥니쉬와 바도스(Naglieri, McNeish, & Bardos, 1991)는 코피츠(Koppitz, 1968)의 평가방법을 발전시켜 인물화 수적 점수체계를 근거로 이 검사를 개발하고 표준화하였다. 내담자는 남자상, 여자상, 자아상의 세 가지 그림을 그리며, 검사에 소요되는 시간은 그림 한 점당 5분씩 총 15분 정도다. 검사는 개별이나 집단으로 실시할 수 있고, 지시어는 다음과 같다. "몇 가지 그림을 그릴 거예요. 먼저 남자의 전체 모습을 그려 주세요. 가능한 한 최선을 다해서 그려 주세요. 시간이 있으니 신중하게 그려 주세요. 끝내야 할 때가 되면 말해 줄게요. 자, 시작하세요." 라고 말한 뒤 5분을 주고 남자를 다 그리면, "이번에는 여자의 전체 모습을 그려 주세요. 가능한 한 최선을 다해서 그려 주세요. 시간이 있으니 신중하게

그려 주세요. 끝내야 할 때가 되면 말해 줄게요. 시작하세요."라고 말한 뒤 역시 5분을 준다. 여자 그림을 그린 다음, "이번에는 당신 자신의 전체 모습을 그려 주세요. 가능한 한 최선을 다해서 그려 주세요. 시간이 있으니 시중하게 그려 주세요. 끝내야 할 때가 되면 말해 줄게요. 시작하세요."라고 한다. 이 체계는 정서와 행동문제의 지표로 각각 55개의 채점기준을 제시하고 있다. 즉, 그림 길이, 그림 크기, 그림 위치, 그림 기울기, 다리 사이 공간, 기저선 표시, 문자 및 숫자 표시, 용지 회전, 측면 얼굴, 뒷면 그림, 통합 실패, 투시화, 재시도, 머리·머리카락·눈·코·입·몸통·팔·손가락·다리·발 생략, 가랑이 지우기, 가랑이·손·발·기타 음영, 빈 눈, 감은 눈, 사시 눈, 좌측 및 우측 응시, 찡그린 입, 사선 입, 치아, 입 안 물체, 머리 이상 뻗은 팔, 몸통과 붙은 팔, 부조화 자세 팔, 손 절단, 숨겨진 손, 주먹, 갈고리, 공격적 상징, 물건 첨부, 배경 채우기, 괴물, 복수 그림, 나체 그림, 제복 그림 등에서 채점기준에 해당하면 '1'점, 해당하지 않으면 '0'점을 준다. 이렇게 채점하여 세 집단으로 구분할 수 있는데, 55점 미만을 받은 아동 및 청소년은 암시되지 않는 집단, 55~64점을 받은 아동 및 청소년은 부정적인 평가가 암시되는 집단에 속하며, 65점 이상을 받은 아동 및 청소년은 다른 검사를 실시하여 좀 더 구체적인 평가를 해야 할 필요가 강력하게 암시되는 집단에 속한다.

인본주의
[人本主義, humanism]

중세의 신 중심 사회에서 인간의 존엄성과 가치가 유린된 점을 비판하고 이를 극복하기 위해 고대의 문예를 다시 부흥시키려는 르네상스 시기의 새로운 사조. 철학상담

인본주의는 인간주의, 인문주의라고도 부른다. 이 사조는 고대 그리스·로마의 고전을 연구하고 이를 새롭게 재건하여, 이를 통해 '보다 인간다운(humanior)' 삶을 실현하고자 하는 교육운동에까지 이어졌다. 르네상스 시기, 이탈리아의 페트라르카(F. Petrarca), 네덜란드의 에라스무스(D. Erasmus), 프랑스의 몽테뉴(M. Montaigne) 등은 신에 예속된 인간으로부터 자연스러운 인간을 확립하려는 움직임을 강하게 일으켰다. 이 흐름은 17세기 과학정신과 결합되어 인간의 존엄성과 가치를 더 높이는 것으로 이어졌다. 대륙의 이성론자들인 데카르트(R. Descartes), 스피노자(B. Spinosa), 라이프니츠(G. W. Leibniz) 등은 수학적·기하학적 방법에 입각하여 신의 은총보다 인간의 이성을 중시하고, 나아가 인간을 주체로서 자리매김하려고 하였다. 이러한 움직임은 18세기 계몽주의와 함께 더욱더 확산되어, 이제 인본주의는 인간과 자연의 관계뿐만 아니라 인간의 사회적 환경에도 확장되어 뻗어 나가게 되었다. 그러나 이 인본주의가 지나치게 과학주의, 합리주의로 경도되어 도구적이고 폭력적인 이성이 심화되면서 인간의 사물화, 도구화 과정이 더해졌다. 이에 이를 극복하기 위한 신인본주의(new-humanism) 사상이 빈켈만(J. J. Winchelmann), 레싱(E. Lessing), 헤르더(J. G. Herder), 괴테(J. W. Goethe), 실러(J. C. F. Schiller), 횔덜린(F. Hölderlin) 등을 통해 새롭게 일어나기 시작하였다. 이들은 그리스적인 인간형의 재건을 통해 계몽주의 이후 파괴된 인간성을 회복하고자 하였다. 오늘날 이 인본주의는 한편에서는 인간의 자기절대화, 인간의 야만화를 초래했다는 비판을 받는가 하면, 다른 한편에서는 여전히 참된 인간의 자리를 마련하려는 입장으로 이해되기도 한다. 생태주의자나 포스트모던 사상가는 근대 이후 확산된 인본주의가 인간의 자기절대화를 초래하고 과학과 기술의 절대화를 허락하여 인간 삶의 위기를 가져왔다고 판단하면서, 인본주의적 인간을 죽이고 '새로운 인간(post-human)'을 탄생시켜야 한다고 주장하고 있다.

인본주의 무용동작치료
[人本主義舞踊動作治療, humanistic dance movement therapy]

인본주의 심리학의 영향을 받은 무용동작치료의 분야로, 환자와의 공감적 관계형성과 그들의 대인적 상호작용능력을 존중하면서 치료적 관계를 형성하는 동작, 상징적 표현동작 및 집단리듬동작 등을 사용하는 치료. 무용동작치료

1940년대 로저스(C. Rogers)가 창시한 인본주의 심리학을 적용한 무용동작치료를 말한다. 즉, 내담자를 개인 존재 그 자체로 수용하고 인정하기 때문에 공감적 관계형성을 중요시하는 사상을 무용동작치료에 도입하였다. 이에 따라 내담자의 동작표현 중 동물, 식물 및 사물에 관계된 어떤 상징에 대해서도 분석 및 해석을 하지 않고 그대로 인정하고 받아들인다. 이와 같은 인본주의 심리학의 영향을 받은 대표적 인물로는 무용치료의 창시자로 알려져 있는 체이스(Chace)를 들 수 있다. 체이스는 특히 정신분열증 환자들과 작업했던 심리치료사 설리번(Sullivan)에게 영향을 받았으며, 그 영향은 정신분열증 환자를 환자로 대하기보다는 그들과의 공감적 관계 형성의 가치를 인정하는 것과 그들을 대인적 상호작용의 능력이 있는 존재로서의 개인으로 존중하는 태도에 관한 것이었다. 공감적이고 치료적 관계형성을 운동감각으로 표현하는 반영기법으로는 거울되기(mirroring), 그림자되기(shadowing), 메아리되기(echoing)를 사용한다. 상징적 표현동작을 하기 위해서는 내적으로 시각화된 이미지, 환상, 회상 동작으로 실행하는 배합방법을 사용한다. 하지만 환자의 문제가 동물, 꽃, 나무 등 상징적으로 나타난다 해도 그에 대한 해석이나 분석을 하지 않고, 동작을 통해 억압된 감정들이 해소될 때까지 공감과 수용의 관계를 지속한다. 체이스는 인본주의적 무용동작치료를 시행할 때 적용해야 하는 네 가지 원리로 무용치료에서의 상징주의, 신체행위, 집단리듬동작, 치료적 동작관계를 제시하였다.

무용치료에서의 상징주의 [舞踊治療－象徵主義, symbolism in dance therapy] 상징적인 신체언어가 내적 감정을 외적으로 표현한다는 것을 의미한다. 무용치료에서는 일상생활에서 사용하는 언어와 상관없는 감정과 사고를 표현하기 위하여 상징적인 신체동작을 사용하는데, 이때 내담자는 말로 표현할 수 없는 복잡하고 심오한 감정을 표현하면서 주관적 느낌을 드러낸다. 이 같은 동작은 이성적인 언어로 표현될 수 없지만, 상징적인 행위로 공감을 일으킬 수 있는 내면의 감정을 밖으로 표현하는 것이다. 하지만 체이스는 내담자의 문제는 상징적으로 나타나지만 그것이 반드시 해석을 요구하는 것은 아니라고 보았다. 말하자면, 동작을 통하여 억압된 감정들이 동물, 꽃, 나무 등의 상징으로 나타나고 해소된다고 본 것이다.

신체행위 [身體行爲, body action] 감정표현을 나타내는 근육동작을 통하여 행동화를 경험하는 것으로서, 무용 및 동작이 내담자의 긴장을 풀어 주고 특정한 자극을 줌으로써 자기 감정을 표현할 수 있는 계기를 마련해 준다. 체이스는 개인의 생각, 사고, 관념이 근육 속에 경직된 상태로 들어 있다고 보고, 그것을 해소하는 방법으로 심리운동적(psychomotor) 치료방법, 즉 동작으로 근육체계의 운동성을 얻는 방법을 사용해야 한다고 하였다.

집단리듬동작 [集團－動作, rhythmic group activity] 상담자가 내담자의 생각과 감정의 반영을 촉진하고 지지하기 위하여 조직적이고 통제된 방법으로 하는 동작을 말한다. 집단리듬동작은 체이스가 원시적인 공동체 의식에서 착안한 것으로, 인간의 모든 면에 숨겨져 있어서 말하고, 걷고, 일하고, 노는 일상생활의 행위뿐만 아니라 호흡, 맥박, 심장의 박동에서도 느낄 수 있다고 하였다. 그는 원시인들이 공동체의 숭배와 협동심을 굳건히 하려는 목적으로 음악과 무용, 혹은 리듬행위를 이용하게 된

것은 결코 우연이 아니라고 하면서, 리듬은 개개인의 행동을 조직화하며 사람들 사이에 단절된 감정을 불러일으킨다고 보았다. 집단리듬동작은 혼란과 갈등의 감정을 외현화하는 방법으로, 간단한 리듬동작을 사용하기 때문에 심하게 위축된 환자들도 움직이게 할 수 있다. 특히 과잉행동의 경향이나 이상한 제스처 및 고질적 태도의 수정에 도움이 된다.

치료적 동작관계 [治療的動作關係, therapeutic movement relationship] 내담자의 감정적인 움직임과 상담자의 동작반응에 대한 공감을 말한다. 상담자는 내담자의 동작표현을 시각적 감각으로 인식하여 치료적 연관성을 발견할 수 있는데, 이는 내담자의 행위가 담고 있는 감정내용을 상담자의 동작반응에 연결시킬 수 있다는 뜻이다. 체이스는 동작과 목소리의 톤으로 환자의 정서적 표현을 지각하고, 운동감각적 능력을 통하여 거울되기(mirroring), 반영하기의 방법을 실천하였다. 이것은 환자와 동작의 관계에서 비언어적으로 상호작용하는 방법이다.

관련어 | 인간중심상담

인본주의 심리학
[人本主義心理學, humanistic psychology]
인간의 인간다움을 추구하고 인간을 이해하고 인간의 성장과 행복에 공헌하는 인간 과학을 지향하는 입장의 심리학.
인간중심상담

인본주의 심리학은 1962년 '인본주의 심리학회'의 창립과 1961년『인본주의 심리학회지』의 창간과 함께 공식화되었다. 이는 실증주의적 행동주의나 고전적 정신분석에서 체계적으로 다루어지지 않았던 인간능력과 잠재력, 즉 창의성, 사랑, 성장, 유기체, 기본적 욕구충족, 자기실현, 고차적 가치, 자아초월, 객관성, 독립성, 정체성, 책임성, 심리적 건강 등에 관심을 가진 심리학자와 전문가 집단을 통해

서 형성되었다. 1980년대까지 인본주의 심리학은 인기와 영향력이 기복을 보였다. 특히 1980년대 국제사회 전반의 경제침체와 함께 상담 및 심리치료에 대해 보다 문제중심적인 성과와 평가가 이루어져야 한다는 학계의 요구에 따라 관심이 현격하게 축소되어, 이 시기는 인본주의 심리학의 위기로 간주되기도 하였다. 이 과정에서 로저스(Rogers)의 심리치료는 처음 비지시적 접근이라는 명칭에서 시작되어 내담자중심치료로 이름이 바뀌면서 상담과 심리치료 분야의 확고한 인본주의적 접근으로 정착되었고, 1980년대 중반부터 오늘날까지 인간중심상담으로 불리고 있다. 인본주의 심리학은 크게 보아 인간학(人間學, human study)에 뿌리를 두고 있다. 일찍이 칸트는 1781년의『순수 이성 비판』에서 전통적인 형이상학이 사실은 단순하게 사상적인 사항에 관계되어 있을 뿐이고, 또 숫자적 자연과학이 단순하게 사물의 현상을 다루고 있는 데 지나지 않으며, 인간적인 생물세계가 고찰에서 누락되고 있는 사실을 제시하였다. 사실 인간은 그 생활세계 속에서 역할을 연출하며 살아가기 때문에 인간과 그 생활을 직접 대상으로 한 인간학이 구축되지 않으면 안 된다는 것이다. 인본주의 심리학에서는 인간을 이러한 관점에서 탐구하고자 하였다. 인본주의 심리학의 입장에서 본 인간관은, 첫째, 인간을 독자적인 개성을 가진 통일적 존재로 다룬다. 둘째, 각 개인에게는 자신의 잠재능력과 가능성을 높이려는 자아실현의 욕구가 있다고 본다. 셋째, 객관적으로 관찰되는 인간의 행동분석보다 체험하고 있는 개인의 체험과정과 개인의 의미를 이해하는 데 관심을 둔다. 넷째, 인간과 그 상황과의 연결을 중시하고 문화, 사회, 역사적 조건에 관심을 쏟는다. 인본주의 심리학의 실존주의적 접근으로 현재 인본주의와 실존주의라는 두 용어는 공통점이 많지만 상당한 철학적 차이도 있다. 내담자의 주관적인 경험을 존중하고, 긍정적이고 건설적이며 의식적인 선택을 할 수 있는 내담자의 능력을 신뢰한다는 면에서 두 관

점은 유사하다. 또한 자유, 선택, 가치, 개인의 책임 능력, 자율성, 목적, 의미와 같은 개념을 강조한다는 점에서도 유사하다. 게다가 두 관점은 모두 치료과 정에서 기법의 역할에 큰 가치를 두지 않고 진실한 대면을 강조한다. 그러나 실존주의 심리학에서는, 인간은 본질적으로 의미가 없을 수도 있는 세상 속에서 자신의 정체감을 창조하기 위한 선택을 하는데 따르는 불안을 경험할 수밖에 없다는 입장이다. 인본주의 심리학에서는, 인간은 실현을 통해 의미를 찾을 수 있는 타고난 잠재력이 있어서 불안을 경험하지 않는 쪽으로 변화할 수 있다는 입장이다.

관련어 | 로저스, 실존분석, 인간중심상담

인본주의 음악치료
[人本主義音樂治療, Humanism Music Therapy]

존중, 수용, 공감, 진솔성 등을 바탕으로 하는 인본주의를 기반으로 소리와 음악을 통하여 개인의 발달 및 초개인적 발달을 꾀하는 심리치료. **음악치료**

인본주의 음악치료는 로저스(C. Rogers), 매슬로 (A. Maslow) 등이 주창한 인본주의 사상과 음악치료를 접목한 이론으로, 인간 상호 간의 사랑, 개인적 창의성, 자아인식, 인격적 성장, 인간 기본욕구충족, 자아실현, 고매한 가치관 설정, 존재의식, 성취감, 유머, 온정, 책임감, 의미, 절정에 대한 경험, 용기와 같은 개념적 차원과 자아발달의 실현을 목표로 하고 있다. 이는 소리와 신체, 정신, 정서, 영적 요소들을 모두 포함한 전인간의 상호적인 관계가 핵심이다. 음악치료는 개인 및 사회에 득이 되기 위한 인간의 욕구를 쟁점으로 하는 음악의 측면을 치유적으로 구성하는 과정이라 할 수 있다. 따라서 인본주의 음악치료사는 음악적 경험을 통해서 내담자가 건강과 안녕의 상태로 나아갈 수 있도록 인도하고 지도해야 한다. 인본주의 음악치료는 인간의 정서와 관계를 핵심적으로 다루기 때문에 인간 본위적

이며 전체주의적인 전인간으로서의 개인을 대상으로 하여 인지, 발달, 사회적 측면을 통합적으로 탐색한다. 음악을 매개로 하는 치료적 활동은 매슬로가 제시한 인간의 욕구 중 상위 욕구를 다룰 수 있는 과정을 제공하고, 능동 및 수동적 수준에 맞춘 음악적 경험이 내면에 잠재되어 있던 욕구를 규명하고 통찰할 수 있도록 해 준다. 그뿐만 아니라 인간이 경험할 수 있는 행복한 충만함의 절정경험을 즉흥연주와 같은 창의적인 음악활동을 통해서 체험할 수 있으며, 음악을 통한 자기표현으로 자기실현과 잠재적 능력의 발현을 꾀할 수 있다. 음악은 창조적 예술활동으로 창의성을 기본으로 하여, 인간의 독창적인 면을 촉진하기 때문에 내담자 스스로 창작하는 음악 자체가 자기만의 표현이 되어 자기성찰 및 자긍심 신장으로 확장될 수 있다. 인본주의 음악치료의 이론적 개념으로는 건강한 욕구와 필요를 스스로 조절하여 인식의 경험을 유도하고 의사소통 수단을 개발시킨다는 것과 내재적 학습을 통해서 외부세계로의 참여를 유도하고 개인의 만족과 총체성을 불러일으킬 수 있다는 점, 원만한 인간관계 형성을 통해서 자아발달을 이끌어 준다는 점 등이다. 특히 자아발달이론에서 가장 핵심적인 것은 타인과의 관계이기 때문에 인본주의 음악치료는 음악을 매개로 타인과의 관계향상을 꾀하여 음악을 통한 사회적 기능향상이라는 효과도 볼 수 있다. 인본주의 음악치료는 무조건적 수용이라는 인본주의 원칙하에 어떤 내담자이든 모든 증상이나 행위 및 태도에는 그 원인이 있다고 가정하고, 모든 연령대에서 어떤 증상을 가진 내담자라 하더라도 가능성을 지닌 존재로 받아들인다. 진단이나 판단을 내리지 않고 공감이라는 주제를 중심에 둔 채 주변세계 및 타인과 자신 사이를 건강하게 인식하는 활기찬 신체 (vibrant body)를 만들어 나가는 것이 인본주의 음악치료의 궁극적 목적이다. 활기찬 신체란 사람이 음악적 도구를 써서 자기를 확장해 나가는 개념으로, 연주와 같은 음악활동을 함으로써 내면의 자기

를 이끌어 내는 첫 번째 오케스트라라고 할 수 있다. 음악을 창조하는 활동은 인간의 동작, 몸짓, 자세, 시야, 언어, 리듬의 질서 등으로 대화를 이끌어 낸다. 인본주의 음악치료 입장에서 볼 때 소리는 세계와 세계에 대한 감정으로 생산되는 것이므로 바로 관계가 된다. 인본주의 음악치료는 세계, 타인, 자기의 수용을 향한 열림으로 출발하여 음악적 체험의 과정을 거치면서 내적 변화를 야기하고 모든 연령대의 자기실현을 완성하는 데 도움을 준다.

관련어 | 음악치료

인상형성
[印象形成, impression formation]

낯선 사람을 처음 만날 때 외모, 태도, 분위기 등의 한정된 정보로 형성되는 상대방에 대한 느낌. 아동청소년상담

인상형성이란 인간관계에서 상대방을 처음 만나서 몇 마디 말을 나누어 보거나, 외모나 태도 혹은 풍기는 분위기 등의 다양한 정보를 통해서 형성되는 상대방에 대한 느낌 또는 기대를 일컫는 말이다. 애시(S. Asch)가 대표적인 학자로서 낯선 사람을 처음 만날 때 느낌이 형성되는 것을 설명하는 이론으로, 처음 본 사람에 대한 인상형성은 매우 한정된 지식만으로 광범위한 인상을 형성한다고 보았다. 즉, 어떤 사람을 순간적으로 보았으면서도, 또한 단순히 사진만 보고서도 사람들은 그에 대한 특성에 관해 많은 부분을 한꺼번에 평가하는 경향이 있다. 이렇게 형성된 인상에 대한 평가는 후에 추가적인 정보에 따라 변경될 수 있지만, 첫인상은 매우 오래간다는 특징이 있다. 인간관계에서 형성되는 인상은 정확한 것일 수도 있고, 그렇지 않을 수도 있다. 하지만 이러한 인상은 이후의 대인행동을 결정하는 중요한 요인이 된다. 또한 대인지각은 상대방과의 지속적인 상호작용을 통해서 재확인되기도 하고 수정되기도 한다. 인간관계에서 상대방을 만날 때 인상을 형성하는 과정은 순식간의 아주 짧은 시간에 일어난다. 이러한 신속한 인상형성의 단서가 되는 요소로는 얼굴의 생김새, 옷차림새, 몸의 움직임과 제스처, 몸의 자세, 상대방과의 거리 등이 있다. 인상형성의 특징으로는, 첫째, 타인에 대해 형성한 인상을 일관되게 유지하려는 경향인 후광효과(halo effect)가 있다. 둘째, 좋은 특성과 나쁜 특성을 똑같이 가지고 있을 때 그 사람에 대한 평가가 중립적이기보다는 나쁜 사람이라는 쪽으로 형성되는 경향인 부적 효과(negativity effect)가 있다. 셋째, 일반적으로 다른 사람을 평가하는 데는 부정적 평가보다는 긍정적 평가를 하는데, 이처럼 타인을 관대하게 보려고 하는 경향인 관용효과(leniency effect)가 있다. 이는 정적 편향(positivity bias)이라고도 부른다. 넷째, 일반적으로 사람들은 타인이 자신과 비슷하다고 판단하는 경향인 유사성 가정(assumed similarity)이 있다.

관련어 | 대인지각, 대인행동

인생곡선
[人生曲線, life line]

자신의 과거와 현재 및 미래의 모습을 그래프나 굽은 선으로 표현하게 하는 미술치료기법. 미술치료

이 기법의 목표는 내담자로 하여금 자신의 과거와 현재 및 미래의 모습을 표현하도록 함으로써 자신의 삶의 여정을 돌아보고 자신을 이해하도록 만드는 것이다. 준비물은 다양한 크기의 용지, 색연필이나 색 사인펜이나 크레파스 중 하나이고, 실시시간은 제한이 없다. 실시방법은 다음과 같다. 먼저, 연령대별로 연결되어 있는 생활선 양식지를 제시하여 태어나서부터 현재, 그리고 미래에 대하여 자신의 상황이 긍정적으로 생각되면 수평선 위에 삶의 선을 표시하고, 부정적이거나 힘들다고 생각되면 수평선 아래에 삶의 선을 표시하도록 한다. 그다음

연령대별로 표시한 삶의 선을 연결한다. 마지막으로, 표시한 삶의 선과 관련하여 이야기를 나눈다.

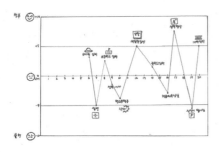

인생코칭
[人生 -, life coaching]

사람들의 개인적인 삶 혹은 일터에서의 삶을 개선하는 것에 초점을 맞춘 지시, 훈련, 관리 등을 일컫는 말. 생애기술치료

1990년대에 미국에서 관심이 급속히 높아지기 시작하여 영국과 호주 등지로 퍼져 나갔다. 인생코칭은 사람들이 효율적으로 생각하는 기술이나 다른 사람들과의 관계에서 행동하고 의사소통하는 기술 등을 개발하도록 도움으로써 보다 행복하고 만족스러운 삶을 살아갈 수 있도록 하는 것이 목표다. 하지만 상담이나 심리치료과정에서 내담자들은 대부분 웰빙의 수준(level of wellbeing)을 기준으로 하여 가장 낮은 단계에 속해 있기 때문에, 때로는 이들을 위한 상담이나 심리치료과정은 보다 조직적이고 전문적인 인생코칭이 이루어지기보다는 한두 개의 인생기술을 통해 좀 더 나은 인간관계기술을 습득하도록 도와주는 것이 될 수 있다. 정확하게 말하면, 인생코칭은 상담이나 심리치료의 종결과 함께 끝나는 것이 아니다. 인생코칭의 궁극적인 목적은 이러한 기술의 훈련을 통해서 결국 사람들이 자기 자신을 스스로 코칭하는 셀프코칭(self-coaching) 단계에 이르도록 하는 것이다. 즉, 심리치료가 종결된다 하더라도 인생코칭은 내담자에 의한 셀프코칭으로 계속 이어지는 과정이다. 이 같은 인생코칭은

내담자가 코칭을 원하는 특정 영역이나 그 배경에 따라서 훈련 방법과 목표가 달라진다.

관련어 인간관계 기술, 웰빙의 수준

인스턴트 메시지
[-, instant message]

두 개인 사이의 동시적 온라인 의사교환으로서, 웹사이트와는 별도로 이루어지는 개인 컴퓨터 단말기로부터의 접근이며, 즉흥적으로 문자기반의 의사소통을 개인끼리 나누는 것. 사이버상담

이메일은 상대방이 열어 보기 전에는 전달되지 않지만, 쪽지라고도 부르는 인스턴트 메시지는 보내는 즉시 상대방의 화면에 표시된다. 즉, 채팅이나 전화처럼 실시간 의사소통이 가능하며 인터넷에서 메시지를 실시간으로 송수신할 수 있고, 수신 여부를 즉시 확인할 수 있다. 이 서비스는 통신을 원하는 사람의 목록을 지정해 놓으면 상대방의 인터넷 접속 여부를 알 수 있으며, 클릭만 하면 바로 대화할 수 있고 자료도 보낼 수 있다. 최근에 인스턴트 메시지에 음성과 화상 전송 기술을 접목하여 기존 통신방법을 대체하는 획기적인 통신수단으로 계속 발전되고 있다.

인정
[認定, benevolence]

정서중심부부치료에서 치료자가 내담자의 정서를 받아들이고 지지하는 것. 정서중심부부치료

인정은 치료자와 내담자 간의 치료적 동맹을 촉진하고 나중에 내담자가 더 깊은 내적 경험을 하는 데 도움을 주는 기법이다. 치료자가 내담자와의 치료적 과정에서 어떤 감정을 느껴야 한다거나 느끼지 말아야 한다는 당위적인 가치나 개념 없이 내담자가 느낀 감정을 치료자가 그대로 받아 주는 것이

인정이다. 이를 통하여 내담자는 자신의 경험이 이상한 것이 아니라 타당한 것이며, 이 과정에서 자기 감정을 수용하게 된다. 인정을 받으면 내담자는 지지를 받는 느낌을 경험하며, 자신도 관계 속에서 가질 수 있는 여러 감정을 받아들일 수 있다. 인정을 통하여 사람들은 자신이 어떤 경험이라도 할 수 있고, 또 자신의 경험에 개입하면서 확장시켜 나갈 수 있다. 인정의 주요 기능은 치료적 동맹을 형성하고 유지하는 데 도움이 되며, 내담자의 반응과 경험에 대해 누구나 경험할 수 있는 것으로 정상화시켜 줌으로써 내담자 스스로가 자신을 받아들이도록 한다. 이를 통하여 이후 내담자가 자신의 경험을 탐색할 수 있도록 지지하는 역할을 한다.

인지[1]
[認知, recognition]
상호작용 문학치료과정 중 첫 번째 단계. 문학치료(시치료)

상호작용 문학치료에서 인지단계는 치료자나 촉진자가 내담자(참여자)나 그룹의 성격과 문학치료의 목적에 맞게 신중히 선정하여 준비한 문학작품을 함께 나누는 과정이다. 이때 내담자(참여자)가 그 작품에서 공감이 가거나 불편한 마음이 들거나 또는 내면의 깊은 연상 작용 혹은 생각, 감정, 기억 등을 이끌어 내어 반응하는 과정이 인지다.

관련어 | 상호작용 문학치료

인지[2]
[認知, cognition]
인간이 지식을 습득하고, 판단하고, 기억하고, 배우고, 생각하고, 문제해결과정에서 이를 사용하는 인식과 관련된 정신적·의식적 과정 또는 구조에 대한 총칭. 인지치료

인지는 '알다'라는 의미의 라틴어 'cognosco'에서 파생하여 비교적 넓은 의미로 사용되며, 태도, 기대, 귀인 등의 포괄적인 인지적 활동과 지각체계를 모두 포함한다. 인지에 대해 연구하는 학문을 인지심리학이라고 하는데, 이는 19세기 독일의 분트(W. M. Wundt)에 의해 현대적인 의미의 인지에 대한 연구가 시작되었다고 할 수 있다. 분트와 그의 동료는 피험자로 하여금 주의 깊고 체계적으로 자신의 생각을 기록, 기술하도록 하는 방법을 사용하여 인간의 인지를 조사하였다. 인지심리학은 제2차 세계 대전을 거치면서 새롭게 관심을 받았고, 그 기간에 행동주의 심리학으로는 설명하지 못하는 인간의 현상에 대해서 관심을 갖게 되었다. 인지과정은 인간으로 하여금 주변환경을 '이해'하여 적응하는 데 도움을 주며, 주의, 지각, 학습, 사고, 기억과 같은 인간의 정신세계를 특징짓는 관찰될 수 없는 사건과 활동을 포함하고 있다. 넓은 의미에서 볼 때 지각, 기억, 기능, 사고 및 언어 등 여러 기능을 포함하는 정신 과정으로 볼 수 있다. 한편, 피아제(Piaget, 1973)는 아동이 점차 성숙해지면서 환경적응을 도와주는 '인지구조'를 획득한다고 하였다. 인지구조는 경험에 대처하거나 경험의 일부 측면을 설명하는 데 사용되는 구조화된 사고패턴이나 행동패턴을 말한다. 이와 같은 인지의 발달은 감각운동기, 전조작기, 구체적 조작기, 형식적 조작기의 4단계를 거치며, 불변적 발달 순서를 이룬다고 하였다. 모든 아동이 이 순서대로 정확하게 단계를 통과해 진보하고, 아동은 단계를 뛰어넘을 수 없다고 하였다.

인지과제
[認知課題, cognitive task]
치료에서 목표달성을 위해 내담자가 할 수 있는 구체적인 실천내용. 합리정서행동치료

합리정서행동치료에서는 내담자가 일상생활에서 부딪히는 많은 문제를 ABC 이론에 적용하고, 치료에서 실천할 수 있는 내담자 과제를 만들어 내담

자가 이를 완성할 수 있는 방식에 따라 치료과정을 계획한다. 치료자는 내담자가 과제를 수행할 때 자기 제한적 신념에 도전하는 모험을 할 수 있도록 독려한다. 내담자는 회기 중 구체적 과제를 수행하는데, 특히 매일의 일상적인 상황에서 이를 빠짐없이 해야 한다. 이러한 방법으로 내담자는 점차 비합리적 사고에 대항하는 방법을 배우게 된다. 예를 들면, 재능은 있지만 실패에 대한 두려움 때문에 청중 앞에 서기를 두려워하는 내담자는 무대에서 작은 역할을 해 보도록 한 다음 자신의 성공체험을 점차 확대해 나가는 과제를 부여받는다.

인지구조
[認知構造, cognitive structure]

인지치료

⇨ '인지' 참조.

인지기능장애
[認知機能障碍, cognitive impairment]

사고처리과정에 문제가 발생한 것. 특수아상담

인지기능장애에는 추론능력의 상실, 망각, 학습장애, 집중력 문제, 지능의 저하, 이외의 다른 정신기능의 감소가 포함될 수 있다. 인지기능장애는 태아의 발육기간이나 출산, 출산 직후 혹은 삶의 어느 시점에서 발생한 질환 때문에 생길 수 있으며, 특히 신생아나 어린 아동은 원인을 밝힐 수 없는 경우도 있다. 인지기능장애의 초기 원인에 해당되는 것은 염색체 이상과 유전적 증후군, 영양실조, 출산 전 약물노출, 납과 같은 중금속 오염, 저혈당증, 신생아 황달, 갑상선 기능 저하증, 외상 혹은 아동학대, 태내 산소 저하, 난산 혹은 조산 등이다. 아동기나 청소년기에 발생할 수 있는 인지기능장애는 원인이 다양할 수 있다. 예를 들어, 암 치료의 부작용, 영양실조, 중금속 오염, 자폐증, 신진대사 문제, 전신성 홍반성 루푸스 등이 인지기능장애를 유발할 수 있다. 나이가 들어가면서는 뇌졸중, 치매, 섬망, 뇌종양, 만성적 알코올 의존 또는 중독, 약물남용, 비타민 부족, 만성질환 등이 인지기능장애를 유발할 수 있다. 뇌의 손상 또는 뇌막, 뇌척수막의 감염은 어느 나이에서나 인지기능장애를 유발할 수 있으며, 경우에 따라 인지기능장애의 근본 원인이 밝혀지고 적절한 조치가 이루어지면 기능을 원상태로 되돌릴 수 있다. 인지기능장애가 특히 고열, 목의 뻣뻣함, 발진, 머리 부상, 의식이나 각성상태의 변화, 심한 오심과 구토 등의 증상과 동반되면 즉각적으로 의학적 조치를 취해야 한다. 새로운 인지기능장애의 발생이나 기존의 인지기능장애가 심해지면 적절한 의료적 관리를 받아야 한다. 인지기능장애는 원인이 되는 질병이나 장애에 따라 다른 증상과 동반될 수 있다.

관련어 | 경도 인지장애, 인지장애

인지기법
[認知技法, cognitive techniques]

상담에서 내담자가 문제나 장애를 지속시키는 자기진술을 더 이상 믿지 않게끔 현실에 근거한 새로운 자기진술을 획득하도록 격려하면서 다루는 방법. 인지치료

인지기법은 문제행동을 지속하게 하는 사고의 구조 틀을 새롭게 정립함으로써 좀 더 생산적이고 효과적인 감정과 행동 변화를 생성하는 데 사용한다. 인지기법의 적용방법은 다음과 같다. 첫째, 비합리적 신념 논박하기다. 비합리적 신념을 적극적으로 논박하여 내담자가 이 도전을 스스로 받아들이는 방법을 가르친다. 둘째, 인지적 과제하기다. 내담자의 문제목록을 만든 다음 절대적 신념을 찾아 그 신념을 논박한다. 셋째, 내담자 언어 변화시키기다. 언어패턴을 변화시켜 새로운 자기진술을 만들어 가

는 과정을 통해 다르게 생각하고 행동하게 되어 다르게 느끼도록 한다. 넷째, 심리교육적 기법이다. 문제 성격과 치료 방식에 대해 교육하고 적용하면서 교육과 방식의 이해 정도에 따라 그 여부를 결정한다. 여기에는 사고와 논박, 도전, 해석, 설명, 교수, 유머 사용, 합리-정서 상상, 역할연기, 수치심-공격 연습, 힘과 정열 사용 등의 기법이 있다.

인지능력검사
[認知能力檢査, cognitive ability tests]
전반적인 학업수행적성을 평가하고 예측하는 검사. 심리검사

　인지능력검사는 학교에서 학업을 수행하는 능력 분야에서 적성을 평가하고, 개인이 미래 학교, 대학, 대학원에서 얼마나 잘 수행할 수 있을지 미래를 예측한다. 이것은 언어능력, 수학능력, 분석능력과 같은 광범위한 인지능력 분야를 평가하는 경향이 있다는 점에서, 구체적인 내용(예, 과학, 사회)에 중점을 두는 경향이 있는 학업성취도 평가와는 다르다. 보통 많은 학생들에게 집단적으로 때때로 시행하지만(예, 전체 학년) 몇몇 인지능력검사는 개인적으로 시행하는데, 특히 학생이 학습에 문제가 있는 경우에 그렇다. 평가의 정확도는 일대일 실시로 향상될 수 있다. 비록 집단으로 실시하는 인지도 능력검사는 평가에 관한 고급훈련을 받지 않은 책임자가 행하지만(예, 교사), 개인적으로 실시하는 인지능력검사는 종종 학습장애에 대한 광범위한 지식을 갖춘 고도로 훈련된 시험관이 행한다. 성취도 시험의 결과와는 다르게, K-12 인지능력검사의 결과는 평가기법을 훈련받은 전문가가 분석하기도 하며, 그 결과는 교사들이 지도전략을 고안하는 데 활용한다. 성취도 시험의 성적(학년 수준의 구체적인 학습)과 비교하여 인지능력검사에서 더 높은 점수(학업을 잘 수행할 전반적인 능력)를 받은 학생은 학습장애, 가정문제, 잘못된 교수(가르침), 동기의 부족 또는

자기 학년 수준의 학습에 집중하지 못하게 만드는 다른 변수 때문에 고심하고 있을 수도 있다. 좀 더 일반적인 K-12 인지능력검사의 두 유형은 Otis-Lennon 학업능력평가(School Ability Test)와 인지능력시험(Cognitive Ability Test)이다. 대학 또는 대학원 입학 인지능력검사는 개인이 중등과정 이후 교육에서 얼마나 잘할지 예측하기 위해서 활용한다. 그것은 고등학교나 대학교 성적에 대해서 충분하게 예측해 주며, 대부분의 다른 유형의 평가보다 더 효과적이다. 대학 또는 대학원 입학시험은 대학이나 대학원 입학승인과 같은 중요한 결정을 내릴 때 다양한 다른 예측자(예, 면접, 에세이, 교과 외 활동)와 함께 활용된다. SAT와 ACT는 대학에서의 수행능력을 예측하는 두 가지 인지능력시험이다. 또한 'The Graduate Record Examination(GRE)' 'Miller Analogy Test(밀러 추론테스트)' 'Law School Aptitude Test(로스쿨 적성검사)' 'Medical College Admission Test(의과대학 입학시험)'는 미래의 대학원에서의 수행능력을 예상하는 인지능력시험들이다.

관련어 | ACT, SAT, 능력검사, 적성검사

인지도
[認知圖, cognitive map]
학습과정에서 인간이나 동물이 소유하는 문제해결이나 목표 달성의 방법에 관한 정신적 표상. 인지치료

　미국의 학습이론가인 톨만(E. Tolman)이 제안한 개념이다. 톨만은 신행동주의자로서 행동주의적 엄격한 방법론을 환경에 관한 인지도, 목적 등과 같은

심리 내적인 사건과 결합하여 인간행동을 설명하였다. 그는 쥐의 미로학습연구를 통해 동물은 미로에 대한 지형(the lay of the land), 즉 인지도를 학습하는 것이지 단순히 일련의 운동이나 동작을 학습하는 것이 아니라고 주장하였다. 일부 상황에서 동물도 상당히 복잡한 기대를 학습한다고 믿었다. 새로운 환경에 노출된 동물이 환경의 여러 세부 특징의 위치와 그것들을 연결하는 경로를 표시하는 지도와 같은 표상을 뇌 속에 형성한다는 것을 시사하였다. 쥐가 미로에 대해 내적으로 전체 조망을 갖는데, 이러한 내적인 심리적 표상을 인지도라고 불렀다. 학습에 대해 자극과 반응 사이의 연결형성이라는 기계적 접근을 취한 왓슨(J. Watson)과 달리 톨만은 쥐가 그 이상의 무엇인가를 배운다고 믿었다. 미로 실험 결과, 쥐가 곧잘 다니던 길이 막히면 다른 길로 둘러서 갈 수 있다는 것을 관찰하였다. 또한 항상 출발하던 장소가 아니라 다른 장소에서 출발해도 목표지점을 정확하게 찾아갈 수 있다는 것도 확인되었다. 이는 단순한 자극-반응 연합으로는 설명될 수 없는 현상이다. 예를 들면, 퇴근하는 길에 자주 이용하는 길이 차단되어 있는 것을 발견하면 우회도로를 이용하는 것처럼 일단 인지도를 발달시키면 어떠한 방향에서라도 특정 목표에 도달하는 것을 배운다. 톨만은 쥐가 뚜렷한 보상이 없이도 인지도를 학습할 수 있다는 것을 증명하였다. 같은 미로에서 쥐가 먹이 보상 없이 며칠 동안 자유롭게 돌아다니도록 한 다음, 그 미로의 목표지점에 먹이를 놓아두자 쥐는 자유롭게 돌아다닌 경험이 없는 쥐보다 훨씬 더 빨리 먹이를 발견하였다. 그는 이러한 현상은 쥐가 처음 며칠 동안에 인지도를 학습해서 그 이후에 사용한 증거라고 주장하면서 이를 잠재학습(latent learning)이라고 하였다. 인지도 개념에 근거하여 학습에서 사고와 이해의 중요성을 강조하였다. 학습은 올바른 반응과 전략을 만드는 것보다 오히려 틀린 반응이나 전략을 제거하는 것이 중요하다고 보았다.

관련어 | 잠재학습

인지도식
[認知圖式, cognitive schema]

유기체에 영향을 주는 자극을 선택적으로 받아들이고 의미를 해석하며 주관적 경험을 나름대로 조직화하는 인지적 틀 혹은 상위수준의 인지. 도식치료   인지치료

도식의 사전적 의미는 구조, 뼈대, 윤곽 등으로 다양한 영역에서 사용되고 있다. 스토아학파에서 논리의 원칙을 추론도식의 형태로 제시하던 것에서 시작하였으며, 칸트철학에서 도식은 어떤 계급의 구성원 모두에게 공통되는 특정 개념을 의미하였다. 현대적, 심리학적 의미에서 인지도식은 원래 피아제(Piaget)의 인지발달이론에서 언급된 것인데, 여기서는 정보를 해석하거나 지도 혹은 문제를 해결하는 과정을 안내하는 추상적인 인지적 계획을 의미하였다. 도식은 생애 초기에 형성되고 이후 지속적으로 정교해지면서 생애 후기의 경험과 중첩되어 잘 변하지 않는다. 인지도식의 특징을 살펴보면 다음과 같다. 첫째, 구조로서의 성격과 과정으로서의 성격을 가지고 있다. 언어적 또는 비언어적 내용을 포함하는 구조적 요소와 함께 정보의 입력·인출과 같은 과정으로서의 기능도 가진다는 것이다. 둘째, 정보입력과 기억인출을 선택적으로 안내, 제한, 조직한다. 셋째, 시간의 흐름에 따라 경험하게 되는 사건이나 경험을 통하여 발달한다. 넷째, 입력된 정보는 인지도식에 맞게 수정될 수 있고 반대로 인지도식이 새로운 정보에 맞게 수정될 수도 있다. 다섯째, 도식적 과정은 인간의 보편적인 현상이지만 각 개인의 인지도식의 내용은 문화에 따라 다르다. 따라서 모든 사람은 자신의 행동을 안내하는 지도로서의 인지도식을 가지고 있으면서 발전시켜 나가고, 인지도식을 건강하게 사용하는가 병리적으로 사용하는가의 차이에는 사고의 유연성이나 통합성

이 관여된다. 건강한 사람은 상황에 따라 하나의 인지도식을 다른 것으로 바꾸어 가는 반면, 부적응적인 사람은 자신이 가진 현재의 도식을 고집하며 융통성 없이 사용한다. 인지도식은 경험의 원 자료에 가치를 부여하며 통합하는 암묵적 규칙을 반영하고 있으며, 특정한 상황에서 활성화되어 자동적 사고 혹은 대처반응을 통해 겉으로 드러난다. 또한 개인이 목표를 설정하는 방식, 자신의 행동을 평가하는 방식, 생활사건을 이해하고 해석하는 방식 등에 주는 영향으로 개인의 인지와 정서에 강하게 작용한다. 이처럼 인지도식은 개인이 가지고 있는 의미와 가치의 기본틀로서 개인에게 안정감과 예측 가능성을 느끼도록 해 주며, 자기정체감의 중심이기 때문에 쉽게 바뀌지 않는 것이다. 인지도식은 정신분석이론의 무의식처럼 사고, 정서, 행동에 영향을 미치지만 무의식과는 달리 무의식적 동기와 본능적 추동보다는 무의식적 정보처리를 통해 영향을 미친다. 자동적 사고, 특히 부정적 자동적 사고와 중간 믿음은 그 기저에 있는 인지도식의 영향을 크게 받는다. 인지심리학, 인지발달, 자기심리학, 애착이론 등 다양한 이론에서 개념이 사용 · 발전되고 있다.

관련어 │ 도식 양식, 심리도식치료

인지발달이론
[認知發達理論, cognitive development theory]

스위스의 심리학자인 장 피아제(Jean Piaget)가 창안한 것으로, 인간의 인지구조가 발달하는 데는 생득적 요인인 성숙과 환경적 요인이 상호작용하며, 이들 요인이 적합한 방식으로 통합되고 조정되기 위해서는 개인의 내재적 인지능력발달이 필요하다는 단계적 발달이론. **인지치료**

피아제는 내재적 인지능력의 발달을 평형화(equilibration)라 하고, 평형화는 기본적으로 동화와 조절기능의 통합과정으로 이루어진다고 하였다. 첫째, 동화와 조절 모델에서 인지는 동화와 조절이 동시적이고 상호보완적인 측면을 나타낸다고 보았다.

동화란 자신이 이미 알고 있는 지식을 활용하는 것인데, 자신이 선호하고 현재 사용 가능한 사고방식으로 외부의 대상이나 사태를 해석하는 것이다. 반면에 조절은 어떤 대상이나 사태의 특수한 성질에 자신의 지식을 맞추는 것이다. 즉, 환경으로부터 주어진 자료의 구조적 특징을 이해하는 것이다. 우리는 친숙하지 않은 물체의 기능적 속성을 조절하려고 노력하고, 기존의 개념과 기술에 동화되려고 노력하는 과정에서 조금씩 확대된다. 이러한 확대는 미래의 동화와 조절 가능성을 확장시킨다. 여러 해에 걸쳐 끊임없이 환경을 정신에 동화시키고 정신을 환경에 조절하면서 큰 변화를 가져온다. 둘째, 연결주의 모델이다. 신경망(neural network) 모델이라고도 하는데, 생물학적 영향, 특정한 환경에서의 경험, 또는 이 둘의 상호작용에 초점을 맞춘다. 연결주의 체계는 뇌와 비슷하게 많은 마디로 이루어져 있으며, 이 마디들은 경로로 서로 연결되어 있고 각기 일정한 정도로 활성화되어 있다. 한 수준의 활동은 같은 수준의 다른 경로나 다른 수준의 경로에 자극을 줄 수 있다. 하나의 단위는 그와 연결된 다른 모든 단위로부터 받는 활성화 정도가 일정한 역치를 넘어서면 '발화'한다. 연결주의 체계는 실례를 접하고 그들 간의 상관이나 연합의 탐지를 통해 학습한다. 여기서 사고는 수많은 연결에 분포되어 있는 활성화의 패턴이라는 관점을 제시하고 있다. 학습이나 발달은 이러한 패턴의 변화다. 개개의 작은 발달은 이 패턴에 작은 변화를 가져온다. 아동이 기존의 도식이나 구조의 부적합함을 느끼고 인지 갈등을 극복하기 위한 평형화 과정을 거치면 결과적으로 항상 이전의 도식이나 구조보다는 보다 정교화된 상위의 도식이나 인지구조가 형성된다. 피아제는 이처럼 새롭게 형성되는 인지구조는 이전의 구조와 질적으로 상이하다고 믿었다. 이러한 인지구조의 질적 변화를 크게 묶어 보면 인간은 전 생애에서 네 가지 상이한 통합구조(structure d'ensemble)를 갖는데, 이것이 바로 인지발달단계다. 피아제의 인지발달단계는 불변적이고 계열적이고 지속적으로 발달하며, 감각운동기(0~2세), 전조작기(2~6세), 구체적 조작기(6~12세), 형식적 조작기(12세~성인)로 이루어져 있다.

인지부조화
[認知不調和, cognitive dissonance]

다양한 지각, 생각, 태도, 소망, 의도와 같은 인지가 서로 일치하지 않는 상태에서 형성되는 불편한 감정상태. `인지치료`

인지부조화란 여러 경험, 신념, 감정, 태도 사이의 모순으로서, 인간은 다양한 태도, 신념, 감정, 행동 가운데 평형상태를 유지하려는 경향성이 있는데 인지요소(행동과 신념)가 조화를 이루지 못하면 인지부조화라는 긴장상태를 초래하여 불편한 감정을 느끼면서 자신의 신념이나 행동을 바꾸어 조화 관계를 회복하기 위한 동기가 활성화된다고 보는 이론이다. 이는 페스팅거(Festinger)가 종말론을 신봉하는 이단종교모임의 참여관찰을 통해 세운 이론이다. 그가 이단종교모임에 신자로 가장하여 잠입한 뒤 관찰한 결과 종말은 일어나지 않았다. 그 후 신자들은 "우리의 믿음으로 세상에 많은 빛이 퍼져 나갔고, 그로 인해 신께서 세상을 구원하기로 결심하였다."라고 발표하였다. 이에 신자들이 보여 준 극적인 변화를 토대로 인간행동의 합리화를 밝혀내기 위해 실험한 결과, '사람들은 자신의 마음속에서 양립 불가능한 생각들이 심리적 대립을 일으킬 때, 적절한 조건하에서 자신의 믿음에 맞추어 행동을 바꾸기보다 행동에 따라 믿음을 조정하는 동인을 형성한다.'는 이론을 발표하였다. 자신의 믿음과 일치되는 정보에만 관심을 기울이고, 주변에 자신의 믿음을 지지하는 사람들만 두며, 자신이 이미 저질러 놓은 것을 의심케 하는 모순된 정보는 무시해 버린다는 것이다. 이러한 인지부조화를 해소하기 위해서 자신의 행동을 바꾸고, 자신의 의견을 바꾸며, 새

로운 인지요소를 추가하는 방법을 사용한다. 핵심은 자신의 의견을 바꾸는 것이다. 예를 들어, 이솝우화에 나오는 여우는 포도를 따 먹으려 애쓰지만 너무 높은 곳에 있어 도저히 도달할 수 없음을 알게 되자 자기 능력의 한계를 인정하기보다는 그 포도가 너무 시다고 가치평가를 내림으로써 그 상황을 합리화한다. 이와 마찬가지로, 인간은 어떤 행동을 한 후 그 행동을 수정할 수 없는 경우 행동에 맞게 인지를 바꾸어 조화상태를 성립·유지시킨다는 것이다.

인지삼제
[認知三題, cognitive triad]

우울증이 있는 사람에게서 나타나는 자기 자신, 자신의 경험, 미래에 대한 부정적이고 비관적인 기대와 평가를 수반한 독특한 사고 경향성으로, 벡(A. T. Beck)이 제시한 우울증의 세 가지 인지모형 중 하나. `인지치료`

벡(Beck, 1963, 1964, 1967, 1987)이 제시한 우울증의 인지모형은 우울증의 심리학적 기초를 설명하기 위해 인지삼제, 도식, 인지적 오류의 세 가지 주요 개념을 가정하고 있다. 벡은 우울증 환자들에게서 보이는 전형적인 인지왜곡을 인생 전 영역에 걸친 병적인 사고, 부정적 기대와 평가 등으로 특징지었다. 우울증을 경험하는 사람들은 상실, 실패, 무능함 등 부정적이고 비관적인 내용의 자동적 사고를 갖는데, 이들은 주로 자기 자신, 자신의 주변환경, 자신의 미래에 대해 습관적으로 부정적인 사고를 하는 경향을 보이며 이것을 인지삼제라고 한다. 즉, 우울한 사람은 자기 자신을 부정적이고 패배적으로 보고(부정적 자아상), 세상을 삶의 목표 달성을 방해하는 극복 불가능한 장애물로 생각하거나 자신에게 과도한 요구를 해 오는 존재로 평가하는 경향을 나타낸다(자신의 경험에 대한 부정적 평가). 또 자신의 미래를 매우 부정적이고 절망적으로 본다(미래에 대한 부정적 견해). 예를 들어, 우울증을 경험하는 사람들은 자신의 미래를 좌절, 피곤, 긴장,

기쁨과 희망 없음 등으로 묘사한다. 이러한 인지형태는 상호작용에서 정보의 왜곡을 가져오며, 그 결과 다양한 행동영역에서 이에 상응하는 부적응을 나타낸다.

인지시연
[認知試演, cognitive rehearsal]

과제의 성공을 높이기 위해 다양한 상황에서 미리 전략을 연습하는 것으로, 과제를 완료할 때까지 매 단계를 순서대로 상상하도록 요구하는 기법. 인지치료

일반적으로 정신적 어려움에 처한 사람들은 잘 학습된 과제를 수행하는 데도 문제를 나타내며, 다양한 심리적 요인이 정상적인 행동을 방해한다. 인지시연은 내담자가 스트레스 상황에서 적응적이고 효율적인 반응을 할 수 있도록 준비시키고, 치료회기에서 배운 것을 실제 상황에 활용할 수 있도록 도움을 주는 방법이다. 내담자의 자동적 사고를 수정하는 많은 기법에 대한 기초 작업이 어느 정도 진행된 다음 치료회기에서 인지시연이 다루어지며 다음과 같은 단계로 진행된다. 첫째, 미리 상황을 생각한다. 둘째, 일어날 수 있는 자동적 사고와 행동을 찾아본다. 셋째, 사고변화기록지(TCR)를 기록하거나 인지치료의 다양한 기법을 사용하여 자동적 사고를 수정한다. 넷째, 좀 더 합리적이고 적응적인 사고와 행동을 연습한다. 다섯째, 새로운 전략을 시행해 본다. 이 절차는 내담자에게 그 활동에 필수적인 세부사항에 주의를 기울이도록 하고 정신이 산만해지는 경향을 줄이도록 해 준다. 나아가 각 단계를 시연하게 함으로써 내담자는 과제를 수행하는 미리 프로그램된 체계를 갖추게 된다. 인지시연의 또 다른 목적은 과제의 성취를 방해하는 잠재적인 인지적·행동적·환경적 '장애물'을 알아내는 것이다. 상담자의 주요 계획은 원치 않는 실패를 경험하기 전에 장애물을 찾아내서 미리 해결책을 강구하는 것이다(Beck et al., 1979).

인지심리학
[認知心理學, cognitive psychology]

앎의 과정 혹은 인간이 대상을 감지하고 식별하고 기억하고 사고하고 추론하는 정신과정을 과학적으로 밝히는 심리학의 분야. 인지치료

18세기 초 심리현상에 대한 객관적 실험방법과 수량화 가능성을 제기한 후, 1879년 빌헬름 분트(Wilhelm Wundt)의 실험실 설립과 철학의 내성법, 물리학, 생물학 등의 실험법을 활용하여 의식과 구조 특성에 대한 연구로 인지심리학 발달에 기여하였다. 인지심리학은 인간의 생활장면에서 자신과 환경에 대한 지식 또는 감각 정보를 습득, 변환, 단순화, 정교화, 저장, 인출 및 생각과 행동 결정에 활용하는 등 모든 정신과정을 연구하는 학문이다. 정보처리 접근법에서는 정보의 습득, 저장, 인출, 활용이 여러 단계를 거쳐 이루어진다고 가정하고 각 단계에서 일어나는 것을 밝히고자 하였다. 초창기에 대표적 정보처리 모형으로 브로드벤트(Broadbent, 1958)의 필터모형은 청취자가 한 번에 주의를 기울일 수 있는 전달내용은 하나뿐이라고 주장하면서, 그 이유는 인간 지각과정의 한계 때문이라고 하였다. 스펄링(Sperling, 1960)은 사람들이 정확하게 기억해 낼 수 있는 자극의 개수가 적은 이유가 지각능력 때문인지, 기억능력 때문인지를 밝히려고 하였다. 그는 이 연구를 기초로 감각기억, 형태인식, 단기기억이 과제수행에 미치는 영향력을 설명하려는 정보처리모형을 제안하였다. 브로드벤트의 모형은 청각적 주의집중모형에 영향을 미쳤고, 스펄링의 모형은 주로 시각적 형태인식모형에 영향을 미쳤다. 1956년 MIT에서 개최된 세미나에서는 컴퓨터 시뮬레이션을 이용하여 인간행동의 모형을 만들 수 있다는 사실을 보여 줌으로써 컴퓨터 시뮬레이션과 인간 정보처리에 관한 연구를 통합하는 데 큰 영향을 끼쳤다. 한편, 밀러 등(Miller et al., 1960)은 인간행동의 대부분은 계획된 것이라고 주장하였다. 계획이란 수행될 조작의 순서를 통제하는 것으로

컴퓨터의 프로그램과 같다. 1960년, 밀러는 브루너(J. S. Bruner)와 함께 하버드에 인지연구소를 창립하면서 행동주의에 영향을 받지 않고 인지연구를 수행하였으며, 이는 오늘날 인지심리학이 괄목할 만한 발전을 이룬 직접적인 계기가 되었다. 1967년 나이서(U. Neisser)는 『인지심리학(Cognitive Psychology)』이라는 제목으로 책을 출간하였고, 이는 오늘날 이 분야를 일컫는 명칭이 되었다. 인지심리학은 다학제적 접근을 취하고 지각, 정보처리, 정신, 사고, 정서와 행위, 지능, 언어, 창의성, 이해, 판단, 결정, 기억 등 매우 다양한 연구영역을 보인다. 인지심리학에는 소위 연결망 모델이 있는데, 이는 두뇌신경자극들이 모여서 어떤 정보처리방식을 보여 주는지를 설명하고자 하는 것이다. 우리 뇌에는 약 10^{14} 정도의 연결이 존재하고, 하나의 뇌신경은 약 1만 개 정도의 다른 뇌신경과 연결되어 있다. 여기서 겨우 250만 개의 신경섬유가 뇌 속으로 들어가고 150만 개 정도가 나온다. 그 때문에 우리 뇌는 서로 정보를 주고받느라 항상 분주할 수밖에 없고, 어떤 인식이 이루어지기 위해서는 '접속(connection)'을 통한 맥락적 범주(contextual categories)가 형성된다(Anderson, 2001). 컴퓨터와는 달리 뇌에서는 각각의 '계산 단계'에 수천 개의 신경이 동시에 작동을 한다. 근접해 있는 연결망들이 활성화되면서 이러한 작업이 일어나고, 이 과정에 따라 인간의 인식이 가능해진다.

관련어 | 인지주의

인지오류
[認知誤謬, cognitive error]

어떤 경험이나 사건을 해석하고 받아들이는 과정에서 생기는 추론 혹은 판단의 오류. 인지치료

인지오류는 벡(A. T. Beck)과 동료들이 제안한 것으로, 특히 우울장애 집단에서 빈번하게 발생한다. 우울한 사람들의 경우 인지오류 때문에 실제보다 부정적으로 왜곡하고 과장하여 해석하는 경향이 있다. 인지오류의 유형은 다음과 같다. 첫째, 흑백논리적 사고 또는 이분법적 사고다. 타인의 반응을 '나를 좋아하는가 혹은 싫어하는가' '성공 혹은 실패'와 같이 둘 중의 하나로 해석하며 그 중간의 의미를 인정하지 않는 경우다. 둘째, 과일반화다. 한두 번의 사건에 근거하여 일반적인 결론을 내리고 무관한 상황에도 그 결론을 적용시키는 오류다. 예를 들어, 대인관계에서 누군가에게 비난을 당하고 난 뒤 '모든 사람은' '항상' '어떤 상황에서나' 적대적이고 공격적이라고 생각해 버리는 경우다. 셋째, 정신적 여과다. 어떤 상황에서 일어나는 여러 가지 일 중에서 일부만 뽑아내서 상황 전체를 판단하는 것인데, 친구와의 대화에서 주된 대화내용은 긍정적이었음에도 불구하고 친구의 몇 마디 부정적인 말에 근거하여 '그 녀석은 나를 비판했다.'고 해석하는 경우다. 넷째, 의미확대 또는 의미축소다. 어떤 사건의 의미나 중요성을 실제보다 지나치게 확대하거나 축소하는 오류를 뜻한다. 이 같은 경향성은 자신을 평가할 때와 타인을 평가할 때 적용하는 기준을 다르게 하는 이중기준(double standard)의 오류로 나타날 수도 있다. 다섯째, 개인화다. 자신과 무관한 사건을 자신과 관련된 것으로 잘못 해석하는 경우다. 여섯째, 잘못된 명명이다. 사람의 특성이나 행위를 기술할 때 과장되거나 부적절한 명칭을 사용하여 기술하는 것으로서, 자신의 잘못을 과장한 '나는 실패자다.' '나는 인간쓰레기다.'라는 부정적인 명칭을 자신에게 부과하는 경우다. 일곱째, 독심술적 오류다. 다른 사람의 마음을 마음대로 추측하고 단정하는 경우다. 마치 다른 사람의 마음을 들여다볼 수 있는 독심술사처럼 매우 모호하고 사소한 단서에 근거해 다른 사람의 마음을 함부로 판단하는 것이다. 여덟째, 예언자적 오류다. 미래에 일어날 일을 단정하고 확신해 버리는 경우다. 미래의 일을 미리 볼 수 있는 예언자인 양 일어날 결과를 부정적으로 추론하고 이를 굳게 믿는다. 아홉째, 정서적 추론이

다. 막연히 느끼는 감정에 근거하여 결론을 내리는 경우다.

인지왜곡
[認知歪曲, cognitive distortion]

인지적 성격이론의 주요 개념으로서, 그릇된 가정이나 잘못된 개념화를 이끌어 내는 체계적인 인지적 오류. 인지치료

인간은 주변의 사건이나 상황에 대해 생각하고 추리하는 데 광범위하고 체계적인 오류를 일으키고, 인지왜곡이 발생한다. 엘리스(A. Ellis)는, 인간은 어떤 양육을 받았든지 또는 어떤 사회에서 자랐든지 상관없이 많은 경우 왜곡된 사고를 갖게 되는데, 특히 어린 시절 부모의 양육태도에 따라 획득된 비논리적인 학습의 영향이 크다고 하였다. 벡(Beck)은 주변의 사건이나 상황을 왜곡해서 그 의미를 해석하는 정보처리과정에서 범하는 체계적인 잘못으로 흑백논리(all-or-nothing thinking), 과일반화(overgeneralization), 마술적 사고(magical thinking), 정신적 여과(mental filter), 긍정격하(disqualifying the positive), 성급한 결론(jumping to conclusions), 과장과 축소(magnification and minimization), 정서적 추론(emotional reasoning), 당위적 진술(making should statements), 낙인찍기(labelling), 개인화(personalization) 등이 포함된다고 하였다. 이러한 인지왜곡은 왜곡을 부정하도록 학습하는 과정을 통해 치료할 수 있으며, 왜곡된 사고를 반박하는 학습과정을 '인지 재구조화(cognitive restructuring)'라고 한다.

인지이론
[認知理論, cognitive theory]

인간행동을 지배하는 주요 요인으로, 자극을 받아들이는 방법과 해석을 강조하고 중추(中樞) 내의 정보처리 과정을 연구하는 논리적 체계. 인지치료

인간행동을 예측하고 통제하는 데 목표를 두고 행동과 외적 자극의 함수관계를 찾아 자극조작을 통해 행동을 통제하려고 하는 것이 행동주의 이론인데, 현대심리학에서 인지이론은 이 같은 행동주의 이론에 반하는 폭넓은 의미를 가지고 있다. 인간은 주관적 존재로 개인의 정서, 행동, 사고는 개인이 현실을 창조해 내는 방식이며, 인간은 유전적 요인에 따라 결정되는 존재가 아니라 환경에 따라 능동적으로 중재하고 재구성할 수 있는 능력이 있으며 지속적으로 성장·발달할 수 있는 잠재력을 지닌 비결정론적이라는 것이 인지이론의 인간관이다. 인지이론은 일생을 통해 인지적 성장과 변화가 이루어지고 특정 연령에서 각 개인의 특정 영역의 인지적 유능성은 개인이 기능하는 맥락에 따라 차이가 있으며, 인지는 개인이 환경적 사건에 노출된 결과일 뿐 아니라 개인이 이러한 사건의 의미를 능동적으로 구성한 결과라고 보았다. 인간은 환경적 사건을 인지적으로 표상하고 이에 따라 행동하며 사고, 감정, 행동, 그리고 그 결과는 원인적으로 관련성을 지니고 있다. 또한 자신의 사고를 포함한 인지적 표상은 사회적 기능과 정서적 안녕에 영향을 미치고 변화가 가능하며, 인지변화는 행동변화에 영향을 미친다. 대표적인 인지이론으로 피아제(Piaget)의 인지발달이론이 있다.

관련어 | 인지발달이론

인지재구성
[認知再構成, cognitive restructuring]

비합리적 사고를 재구성하여 자신의 진술을 수정하도록 하는 절차. 합리정서행동치료

인지적 재구성법이라고도 하며, 1950년 엘리스 (A. Ellis)가 창안한 합리정서행동치료의 불안감소 방법이다. 엘리스는 비합리적 신념인 당위적 사고 (자신에 대한 당위, 타인에 대한 당위, 세상에 대한 당위), 과장적 사고(현실보다 더 과장하여 생각하는 잘못된 사고), 낮은 인내성(욕구좌절이 된 상황을 충분히 참지 못하는 사고), 그리고 인간 비하적 사고(한 가지 잘못된 행동만으로 자기비하나 타인비하를 드러내는 경향) 등이 심리적 문제를 일으키며, 상담은 비합리적 신념을 합리적 신념으로 바꾸는 과정이라고 보았다. 비합리적인 사고유형을 합리적인 사고유형으로 재구성하는 체계적 절차인 인지재구성법에서는 우리 인간의 부적응적 행동은 불합리한 사고방식과 부적절한 정서적 특징 때문에 나온다고 본다. 이러한 비합리적인 사고방식을 합리적, 체계적으로 재구성하여 불합리한 상황을 평가하도록 하고 행동에 영향을 미치게 하는 것이 인지재구성이다. 인지적 재구성법은 4단계로 이루어진다. 첫 번째 단계는 인지적 재구성의 일반적 원리를 설명한다. 두 번째 단계는 내담자의 유형에 따라 각자의 비합리적인 사고를 탐구하도록 한다. 세 번째 단계는 내담자 스스로 문제를 분석하고 해결방법을 찾아보도록 한다. 네 번째 단계는 행동의 실천 및 실제 연습을 통해 합리적인 대처행동을 일으키는 방법을 배운다. 커미어와 커미어(Comier & Comier, 1997)는 6단계의 인지적 재구성 적용을 제안하였다. 첫째, 언어화, 둘째, 문제상황 중의 내담자 사고 확인, 셋째, 대처사고의 소개와 실제, 넷째, 자기패배적 사고에서 대응사고로의 전환, 다섯째, 긍정적 혹은 강화적 자기진술의 소개 및 실제, 여섯째, 과제 및 추적 검사다. 가장 빈번하게 사용되는 기법은 소

크라테스식 질문과 사고기록지다. 그 외에 인지적 오류 찾아내기, 증거 검토하기, 재귀인, 합리적 대안 나열하기, 인지적 예행 연습 등이 있다.

관련어 | 합리정서행동치료

인지적 도제
[認知的徒弟, cognitive apprenticeship]

학습자가 학습공동체의 한 구성원이 되기 위해 전문가로부터 일정한 지식과 기술을 전수받는 과정. 인지치료

전통적인 도제이론의 원리를 인지적 영역에 적용한 것으로, 교수자의 사고과정을 학습자가 직접 볼 수 있도록 하는 교수학습방법이며 콜린스(A. Collins)와 브라운(J. S. Brown)이 구체화하였다. 도제식 방법은 가장 오래된 학습방법이자 가장 자연스럽게 학습하는 방법 중 하나다. 오늘날과 같은 형식적인 학교교육제도가 갖추어지지 않았던 시기에는 지식과 기술을 전수하는 방법으로 활용되었다. 모국어 학습부터 국가통치방법에 이르기까지 통용되었다. 이러한 도제제도를 현대사회에 알맞은 교수법 형태로 적용한 것이 인지적 도제방식이다. 고전적 도제학습은 전문가가 도제에게 일하는 방법을 보여 주고 도제는 그 일이 수행되는 것을 지켜보고 난 뒤, 점점 더 일에 대한 책임을 지면서 마침내 독립적으로 일을 완수하는 것이다. 반면 인지적 도제학습은 특정 사회집단의 전문가가 지닌 지식과 사고과정을 학습하는 것을 의미한다. 학습자는 교수자와 토론하면서 사회적 학습행동을 습득하고, 자신의 인지적 활동을 통제하면서 인지능력을 계발해 나간다. 고차원적인 인지적 기술을 습득하고 단련하기 위한 방법으로 학습자의 내부 인지작용과 활동을 자극하는 지속적인 자아성찰을 강조한다. 학습자가 처음에는 문제해결의 주변적 참여로 시작하지만 결국에는 완전한 참여와 주도로 학습이 이루어진다는 관점에 근거한다. 단순한 지식의 습득을 넘어 교수자

의 문제해결능력, 과제수행과정, 관련 지식, 사고력, 고차원적 인지기능 등을 습득할 수 있게 하며, 그 과정은 다음의 일곱 가지 교수방법으로 구성되어 있다. 첫째, 모델링(modeling)은 교수자가 직접적으로 혹은 컴퓨터와 같은 매체를 활용하여 실제 수행 상황과 유사한 상황에서 시범과 설명을 통해 과제를 수행하는 과정을 보여 주고 학습자는 그 과정을 관찰하는 것이다. 교수자의 시범과 학습자의 관찰로 학습자가 학습과제에 대한 인지적 틀을 구성한다. 학습자가 과제를 수행하는 데 필요한 과정을 관찰하거나 개념적 모델을 세울 수 있도록 교수자가 조력한다. 학습내용과 관련된 문제를 살피고 개념적 모형을 제공받아 그에 대한 교수자의 시연과 그 활동을 보고 학습한다. 예를 들면, 교사가 학생들에게 간단한 사물을 데생하는 시범을 보이고 학생들은 그 모습을 관찰한다. 이때 교사는 데생을 하면서 추가적으로 설명을 해 준다. 둘째, 코칭(coaching)은 교수자의 지도를 포함한 구체적인 힌트와 피드백을 제공하는 것이다. 학습자가 과제를 수행하는 동안 교수자가 직접적으로 혹은 컴퓨터와 같은 매체가 이를 관찰하고 필요에 따라 힌트와 피드백 등 외부적으로 도움을 준다. 교수자가 학습자에게 특정한 모형을 발달시키고 이에 대해 전문적인 지원과 안내를 해 준다. 또 학습자가 과제를 수행하는 것을 관찰하고 힌트를 주며 피드백이나 조언 등 새로운 과제를 제시하며, 학습자가 이전에 알지 못했던 측면에 대해 주의를 주거나 회상하도록 해 준다. 학습자가 학습과정을 수행하면서 그에 대한 문제를 탐색하고 연구할 때 교수자는 조력자로서 피드백을 주며 인지모델(mental model)을 구조화하는 데 도움을 준다. 예를 들면, 교사는 학생에게 질문을 하는 형식으로 학생이 잘못 관찰한 것에 대해 다시 설명을 해 준다. 사물의 음영표현과 그림자의 위치를 보여 주면서 학생이 데생작업에 대해 확실하게 이해하고 인지할 수 있도록 도움을 준다. 셋째, 비계설정(scaffolding)은 힌트, 유도질문, 제안 등의 간접

적인 방법으로 학습자를 돕는 것이다. 교수자가 공급하는 지원체제에 관한 것으로 제안이나 도움의 형태라고 할 수 있다. 학습자가 인지모델을 보다 본격적으로 구조화할 수 있도록 교수자가 인지적 측면에서 적절한 발판이 되어 주며, 학습자가 아이디어를 형성하는 데 특정한 전략을 제시한다. 예를 들면, 집단 내 모든 학습자가 동일한 대상을 데생하는 장면에서 교사가 각각의 학습자에게 잘못된 음영의 표현이나 그림자의 위치를 바로잡아 줌으로써 모든 학습자에게 개별적인 피드백을 제공한다. 넷째, 페이딩(fading)은 학습자가 교수자의 도움 없이 스스로 과제를 수행해 나갈 수 있는 수준에 도달할 수 있도록 교수자의 도움을 점차 줄이는 것을 뜻한다. 학습자가 과제수행에 익숙해짐에 따라 스스로 문제해결전략을 구성할 수 있도록 이러한 전략에 대한 힌트를 점진적으로 제거해 간다. 그 결과 학습자는 통합적인 인지적 기술을 습득하게 된다. 다섯째, 명료화(articulation)는 학습자가 학습한 지식, 문제해결과정, 전략 등을 분명하게 정리하여 정교한 언어로 표현하도록 격려하는 것이다. 학습자로 하여금 학습자료에 대해 자신이 구성한 지식과 이해, 그리고 수행에 대해 시범을 보이거나 명료하게 설명하도록 요구한다. 학습자가 스스로 전문가의 활동을 구성해 보면서 사고해 보고 표현한다. 학습자는 습득한 내용을 자신만의 언어로 이야기하는데, 이러한 과정을 통해 명료화한 생각에 대한 인지모델을 구조화한다. 예를 들면, 공통적으로 정해진 간단한 사물의 데생이 끝나면, 이제는 각기 다른 몇 가지 사물을 제시하여 데생을 하도록 지시한다. 각 학습자가 스스로 그 사물이 빛을 어떻게 받고 그 음영을 어떻게 표현해야 하는지를 인식하도록 한다. 여섯째, 반성적 사고(reflection)는 학습한 내용을 다른 분야나 상황에 적용하거나 일반화하는 단계로, 이를 통해 학습자는 점차 독립적인 전문가가 된다. 학습자는 자신의 과제수행과정을 되돌아보고 자신의 수행을 분석한다. 또 자신의 문제해결과정과 전문가 및 다

른 학습자의 내적 인지모델을 비교한다. 자신이 정립한 문제해결전략 모델을 여러 가지 비교와 평가를 통해서 재검토하고, 미처 생각하지 못한 점을 보완하고 수정하며 다양한 수행방법을 고안해 본다. 예를 들면, 학생에게 정해진 몇 가지 사물의 올바른 데생 완성본을 보여 주면서 학생 스스로 자신의 데생에서 어떤 부분이 잘못되었는지를 인지하도록 한다. 일곱째, 탐구(exploration)는 학습한 지식과 기능을 새로운 방식으로 활용하는 방법이나 가설 등을 탐색하는 것이다. 새로운 문제를 풀어 보면서, 그것을 조직하고 탐구해 보는 단계다. 이전 단계를 통해 인지적 유연성을 갖추게 된 학습자는 이제 단순한 이론적 상황에서 벗어나 다양한 실생활에 자신의 도식을 적용해 봄으로써 각종 원리를 응용해 나간다. 예를 들면, 이제는 사물의 위치를 바꾸어 빛을 받는 각도를 변화시켜서 새로운 방식의 데생을 한다. 혹은 좀 더 복잡한 사물의 데생을 하도록 하여 확실하게 문제해결을 한다. 인지적 도제에서 학습자는 처음에는 문제해결의 주변적 참여로 시작하지만 결국에는 완전한 참여와 주도로 학습이 이루어진다.

인지적 융합
[認知的融合, cognitive fusion]

자신이 생각하고 있는 것의 내용에 사로잡혀 행동을 조절하는 다른 유용한 자원을 압도해 버리는 경향. 수용전념치료

융합이란 마치 레몬, 물, 설탕이 섞여 레모네이드가 되는 것처럼 인지의 내용과 우리가 생각하는 세계가 하나가 될 때까지 함께 쏟아져 나오는 것이다. 그러나 그 둘이 하나로 취급될 때, 생각하는 습관은 우리가 세계에 대해 어떻게 반응할지를 지시할 수 있으며 우리는 생각이 세계에 부여한 구조가 활동 과정임을 놓칠 수 있다(Luoma, Hayes, & Walser, 2007). 수용전념치료(ACT)의 관점에서 보면, 인지

적 융합이란 인간이 사건과 직접적으로 관계하기보다는 언어적으로 구성한 관계틀에 기초하여 상호작용하는 경향을 말한다. 이 경우에 사건과 그것을 생각하는 사람이 융합되어서 분리될 수 없으며, 이로 인해 언어적 구성틀이 전혀 존재하지 않는 듯 보인다. 예컨대, '나쁜 컵'은 누군가의 평가임에도 불구하고 실제로 나쁘게 보인다. "삶이란 살 가치가 없어."라는 생각은 지금 진행되는 언어적인 평가과정이 아니라 삶과 그 특성에 관한 결론처럼 보인다. 그리고 결과적으로 반응범위가 좁아진다. 왜냐하면 언어적 관계란 본질적으로 언어적인 연결망 자체를 유지하는 방식으로 사건에 대한 접촉을 재구성하기 때문이다. 따라서 "삶이란 살 가치가 없어."라는 데 기초해서 행동한다면 삶이 덜 활기차고, 덜 친밀하고, 덜 의미가 있으며, 덜 지지적일 것이다. 언어는 문화적 행위를 전달하는 우선적인 수단이기 때문에 언어적 사회의 구성원들이 문화적인 규준을 배울 때 이는 흔히 개인보다는 사회의 이익을 보호한다. 그래서 좋은 삶의 기준이라고 믿는 대부분의 신념들이 흔히 개인의 삶을 억압하는 기준이 될 수 있다. 그러한 규준에 의해 통제되는 행동은 직접적인 결과나 개인별 결과에 대해서는 상대적으로 둔감하다. 그러므로 그 결과적인 국면들이 일관되게 나쁜데도 불구하고 사람들이 규준에 얽매인 행동을 지속함으로써 고통이나 정신병을 초래하기도 한다. 인지행동치료자들은 이 점을 잘 인식하여 사람들이 그들의 생각을 알아차리고 검증하며 평가하도록 가르치기 위해 비합리적이고 과도하면서 검증되지 않았거나 과일반화된 생각의 내용들을 변화시키고자 하였다. 이 모델은 역기능적 사고 때문에 좋지 않은 결과가 생기므로 이를 수정할 필요가 있다는 전제에 기초한다. 그렇지만 그 언어적인 해결책 자체가 반응범위를 좁힐 수 있다는 문제점이 있다. 언어를 통해 자극기능의 전환이 가능해지므로 인간은 언어적으로 구성된 사건(예, 상상하거나 두려워하는 것)에 대하여 마치 그 사건이 구체적인 비언어적 사건

(예, 실재하는 것)인 것처럼 상호작용을 하게 된다. 따라서 언어 자체가 생명력을 갖고 인간은 생각의 산물들과 계속해서 상호작용을 하면서 비언어적이고 실제적인 행동에 관여하는 것이 어려워질 수 있다. 언어가 다른 방식에서는 유용함에도 불구하고, 이처럼 언어에 기초한 해결책은 언어의 속성과 존재가 드러나지 않으면서 언어 자체로만 반응범위를 제한시키는 문제점이 있다. 언어적인 규준으로 인해 인간은 경직성이 매우 증가하고 심리적 유연성과 창조성이 떨어진다. 언어적인 평가법칙은 보다 직접적인 경험과 접촉할 수 있는 반응범위를 좁히는 경향이 있기 때문이다. 결과적으로 인간행동을 조절하기 위해 문자적 의미가 적고 판단이 불필요한 전략이 더 효과적일 때조차도 문자적 의미와 평가적인 전략이 지배적이 된다. 이처럼 관계 구성틀이 인간의 행동조절을 지배해 버리는 것이 인지적 융합인데, 이로써 개인은 지금-여기의 경험 및 직접적인 수반성에 덜 접촉하고 언어적 규칙과 평가에 더 지배를 받는다(문현미, 2006). 그러므로 인지적 융합은 우리를 현재 이 순간 밖으로 끄집어 내는 경향이 있어서 개인 경험에 대한 지속적인 유연한 인식을 감소시키고 현재 순간과의 접촉을 하지 못하게 하는 문제를 초래한다. 또한 인지적 융합은 경험회피를 뒷받침하는 경향이 있다. 인간은 불편한 생각, 정서, 감각, 기억을 그냥 회피하는 것이 아니며, 스스로에게 이에 대해 계속해서 이야기한다. 왜 이를 회피해야 하는지에 대한 이야기를 창조해 내고(이유 대기), 설명하고, 정당화하며, 행동을 이러한 이유에 연결한다. 때때로 인간은 경험회피에 부합하는 계획과 목표를 만들어 내기도 한다. 인간은 이러한 개념화된 세계에 사로잡힌 나머지 바로 지금의 경험을 놓치고 현재 상황이 제공하는 기회를 놓친다. 이것이 인지적 융합의 핵심이다(Luoma, Hayes, & Walser, 2007). 인지적 융합은 효과적이지 않은 통제전략이 결국에는 효과가 있을 것이라는 강한 신념을 가진 내담자나 효과가 없다는 것을 알면서

도 효과적이지 않은 전략을 지속하는 내담자, 그리고 매우 논리적이거나 경직된 사고 패턴에 사로잡혀 있는 내담자에게서 관찰된다.

관련어 관계구성틀이론, 수용전념치료, 인지적 탈융합

인지적 정보처리진로이론
[認知的情報處理進路理論, cognitive information processing career theory: CIP]

진로선택이나 의사결정을 인간의 인지과정으로 설명하려는 원리. 진로상담

피터슨, 샘슨과 리어든(Peterson, Sampson, & Reardon, 1991)이 발달시킨 이론이며, 진로선택이나 문제해결을 위해서 개인의 발달적 과정이나 사회적 환경에서 해결책을 찾는 것이 아니라 정보를 지각하고 처리하는 개인의 인지과정에 초점을 맞추고 있다. 그러나 인지과정만 강조하지는 않고 인지와 정서는 불가분의 관계로서 서로 영향을 미친다고 하였다. 따라서 진로선택은 인지와 정서적 영역의 상호작용에 따르며 하나의 문제해결과정으로 다루어진다. 진로선택과 문제해결을 위해서는 개인의 사고과정과 기억력이 요구되며, 또한 개인은 자신을 이해하고 만족스러운 진로를 선택하려는 욕구를 가지고 있어야 한다. 이 이론에 의하면 지식 구조의 끊임없는 성장과 변화가 진로발달을 가져오며 진로정체성은 자기 지식에 달려 있고 진로문제를 해결하는 능력을 진로성숙이라 한다. 따라서 진로상담의 목표는 의사결정기술, 문제해결 기술 등의 인지적 능력을 향상시켜 진로문제해결자이며 의사결정자로서의 내담자의 잠재력을 증진시키는 것이다. 인지정보처리 접근의 직업선택에서 핵심적 구조는 지식영역(knowledge domain), 의사결정기술영역(decision-making skills domain), 실행처리영역(execution processing domain)으로 구성되어 있으며, 이 영역들은 위계적인 체계를 갖추고 있다. 지식

영역은 자기지식(self-knowledge)과 직업지식(occu-pational knowledge)으로 구분되는데, 자기지식은 개인의 능력, 가치, 흥미 등을 포함하고, 직업지식은 직업정보, 직업구조에 대한 지식이나 직업에 대해 가지는 개인의 관점 등을 포함한다. 의사결정기술 영역은 일반적 정보처리기술을 말하는데, 의사소통(communication), 분석(analysis), 종합(synthesis), 가치부여(valuing), 실행(execution)의 다섯 가지 과정으로 이루어지며 이를 CASVE 사이클이라고 한다. 의사소통은 문제를 지각하여 부호화하고, 분석은 문제를 찾아 분류하고, 종합은 문제를 재구조화하기 위하여 대안을 찾는 단계다. 또한 가치부여는 문제해결을 위한 대안에 가치를 매겨 평가하며, 실행은 전략을 세워 문제를 해결하는 단계다. 마지막으로 실행처리영역은 수집한 정보를 초기화, 배열, 저장, 인출하는 초인지의 단계로서 자기암시에 의한 자기인식과 통제를 증가시키는 영역이다. 이 이론에서 진로상담은 7단계로 진행된다. 첫째, 접수면접의 단계로서 내담자의 문제에 관한 정보를 확인하고 신뢰관계를 형성한다. 둘째, 초기 사정의 단계로서 진로사고검사(Career Thought Inventory)와 같은 검사를 실시하여 내담자의 문제해결과 의사결정에 대한 준비도를 확인한다. 셋째, 문제정의와 원인분석 단계로서 내담자의 문제를 예비적으로 이해하며 문제는 중립적으로 진술하고 설명한다. 넷째, 목표설정단계로서 상담자와 내담자가 함께 설정하고 때로는 개별학습계획(individual learning plan, ILP)을 작성하여 사용한다. 다섯째, 개별적 학습계획 개발단계로서 초기에 세운 목표수행에 필요한 자원과 활동을 탐색한다. 여섯째, 개별학습계획 실행단계로서 합의된 계획을 내담자가 주도적으로 실행하고 상담자는 내담자를 격려하면서 정보를 제공하고 강화를 주어 미래의 경험을 계획하도록 돕는다. 일곱째, 종합적 검토 및 일반화 단계로서 지금까지 진행과정에 대한 효율성을 검토하고 경험을 기반으로 앞으로의 진로문제와 개인문제를 해결하기 위해 배운 기술들을 일반화하는 과정이다. 따라서 이 이론에 근거한 진로상담의 궁극적 목적은 정보처리기술을 향상시켜 내담자의 문제해결과 의사결정을 돕는 것이다. 이 기술을 향상하는 데에는 ILP와 같은 인지적 기법과 기억구조를 활성화시키는 학습조건들을 이용한 상담모형을 제시하고 있다.

관련어 개별학습계획, 인지정보처리이론, 진로발달, 진로사고검사

인지적 탈융합
[認知的脫融合, cognitive defusion]

생각 등의 사적 사건의 형태나 빈도를 변화시키기보다는 생각과 관계를 맺고 상호작용하는 방식을 변화시키는 것.
수용전념치료

수용전념치료(ACT)에서는 생각과 관련하여 고통받고 있는 사람들이 가진 문제는 잘못된 생각을 해서가 아니라 생각을 단순히 있는 그대로 바라보거나 관찰하지 못하고 생각 '속에서' 혹은 생각을 '통해 보는 데' 너무 많은 시간을 낭비하기 때문이라고 보았다. 이에 따라 인지적 탈융합은 다음과 같은 방법으로 이러한 문제점을 제거해 나가는 과정이다. 즉, 내담자가 진행 중인 행동과정으로서 생각에 집중하고 생각을 그 자체로 바라보는 데 좀 더 많은 시간을 할애하도록 해서 문자 그대로의 진리라기보다는 효율성의 측면에서 생각에 반응할 수 있도록 도와준다. 우리는 일반적으로 생각이나 느낌이 직접적으로 행동을 유발하는 것처럼 반응한다. 예를 들어, 파티에서 줄곧 홀로 구석에만 있는 사람에게 그 이유를 묻자, '당황할 것 같은 생각이 들어 너무 걱정되기' 때문이라고 답한다. 이렇게 생각하는 방식에서는 '당황할 것 같다'는 생각이 구석에 틀어박혀 있는 행동을 야기한 것이다. 그러나 우리는 이러한 생각과 행동 간의 관계를 재빨리 바꿀 수 있는 맥락을 쉽게 떠올릴 수 있다. 가령, 파티에서 어떤 사람이 "불이야!"라고 소리친 상황이라면, 이때에는 '당

황할 것 같다'는 생각은 더 이상 구석에 있어야 할 이유가 되지 않으며 오히려 그 자리를 떠나야 할 이유가 된다. ACT에 따르면, 그 생각이 구석에 틀어박히게 만들었다는 이론은 그 상황에 대하여 설명하는 방식 중 하나일 뿐이다. ACT는 인간의 감정도 같은 관점에서 본다. 생각과 느낌은 언제나 맥락 속에 존재하기 때문에 특정 맥락에서만 특정 생각이나 느낌이 특정 행동과 연결된다. 생각이나 느낌의 특정 내용에서 주의를 돌려 개인의 대인관계 또는 그러한 생각과 느낌의 기능에 관심을 갖는다. 맥락을 바꾸면 생각이나 느낌의 기능을 바꿀 수 있다. 그러므로 상담자는 인지적 탈융합을 통해 생각이나 정서의 형태나 빈도를 직접적으로 바꾸려 노력하기보다는 생각이나 느낌을 외현적으로 바람직하지 않은 행동과 관련짓는 '맥락'을 목표로 하여 훨씬 큰 반응의 유연성을 창조하는 것이다. 인지적 탈융합은 내담자가 생각의 문자적 의미보다는 그 가치에 따라 효율성의 측면에서 반응할 수 있게 하기 위해 생각을 있는 그대로 보도록 도와주고, 일종의 진행 중인 행동과정으로서 생각과 경험에 집중하고 마음내용의 문자적 의미에서 거리를 두도록 하는 것을 핵심 목표를 삼는다. 인지적 탈융합 기법은 내담자가 잠재적으로 문제가 되는 수많은 방식에 사로잡혀 있을 때 가장 유용하다. 내담자가 한 단어의 문자적 의미가 사실이라는 생각을 고수할 때, 생각을 통제하려 할 때, 행동에 대한 이유를 정당화하고자 변명을 늘어놓을 때, 심지어 자신을 소모하면서까지 자신이 옳다고 주장할 때 등을 예로 들 수 있다. ACT의 인지적 탈융합 기법에는 역설, 명상훈련, 경험적 연습, 은유, 언어습관이 포함된다. 일단 인지적 탈융합이 형성되기 시작하면, 내담자는 현재 주어진 상황에서 효과적인 행위에 집중하게 된다(Luoma, Hayes, & Walser, 2007). 이와 같이 문자적 의미에서 벗어나는 연습을 하기 위한 인지적 탈융합 기법들은 언어의 숨겨진 속성뿐만 아니라 인간이 내적 사건을 이해하고 그 사건들 간의 연관성이나 일치

성을 만들기 위해 애쓰는 방식을 드러낸다. 그 결과 인지적 탈융합 기술이 확고해지면서 문자적인 언어가 보다 유용한 맥락의 통제를 받는다.

관련어 | 수용전념치료, 인지적 융합

인지적 행동수정
[認知的行動修正, cognitive behavioral modification]

부적응 행동을 수정하기 위해 인지적 재구조화, 즉 자신의 부적응적 사고를 바꿀 수 있다는 믿음을 전제로, 관찰할 수 있는 행동을 일차적으로 강조하는 대신 주로 변화의 도구로 언어에 의존하는 행동수정이론. 행동치료

현재 행동주의 상담의 주된 흐름을 대표하는 것으로서, 인지적 행동수정의 입장에 있는 상담자들은 사고과정의 변화가 자신의 행동변화의 통합된 부분이라고 믿는다. 이러한 믿음에 대해 마이켄바움(D. H. Meichenbaum)은 "우리의 사고, 인지를 변화시키는 것을 학습한다면, 우리는 우리의 신체적 반응과 행동을 훨씬 잘 통제하게 된다."라고 주장하였다. 마이켄바움은 우리가 보다 논리적이고 스트레스를 덜 받는 방식으로 생각하는 것을 학습하면 스트레스 수준은 떨어지고 자기통제 수준은 올라갈 것이라고 보았다. 마이켄바움(D. H. Meichenbaum)의 인지행동수정(CBM)은 합리정서행동치료에 대한 또 다른 중요한 대안으로서, 내담자의 자기언어화를 변화시키는 것을 중점적으로 다룬다. 자기진술은 다른 사람의 진술과 같은 방식으로 그 사람의 행동에 영향을 미친다. 인지행동수정의 기본 전제에서 행동변화가 일어나기 위해서는 내담자의 생각과 느낌, 행동 그리고 '내담자 자신이 사람들에게 미치는 영향'을 내담자 스스로 먼저 확인해야 한다. 행동변화가 일어나려면 도식화된 행동 특성을 중단시켜서 다양한 상황에서 자신의 행동을 평가해야 한다. 이같은 인지 재구조화는 마이켄바움(Meichenbaum, 1977)의 접근에서 중심 역할을 하는데, 그는 인지구

조를 사고의 조직화 측면으로 기술했으며 이것이 사고의 선택을 관리하고 방향을 결정하는 것으로 보았다. 인지구조는 '실행기제'를 의미하는데, 이것은 사고를 계속하거나 중단하거나 변화시킬 때를 결정하는 '사고의 계획'을 담당한다. 또한 특수아동 상담 분야에서 아동이 자신의 행동을 더욱 잘 관리하고, 외적인 조정으로부터 더욱 독립적이 되도록 한다는 목적을 가지고 사용되며, 자기결정이나 자기관리 기술을 향상시키는 다음의 기법이 포함되어 있다. 첫째는 목표설정으로, 행동변화를 위한 목표를 설정하는 것이다. 둘째는 자기교수 또는 자기대화로, 자신의 행동을 시작하거나 안내하거나 조절하기 위해 자기 자신에게 말을 하도록 배운다. 셋째는 자기점검으로, 자신의 행동을 변화시키기 위해 구체적인 목표행동을 꾸준히 기록하게 한다. 넷째는 자기평가로, 자신이 목표행동을 실행한 정도나 특정 행동을 얼마나 잘 수행했는지를 평가하도록 한다. 다섯째는 자기강화로, 목표행동 후에 스스로 강화하는 것을 배운다. 엘리스(Ellis)의 합리정서행동치료나 벡(Beck)의 인지치료와 마찬가지로 고통스러운 정서가 대개 부적응적 사고의 결과라고 가정한다. 그러나 합리정서행동치료는 비합리적 사고를 드러내고 논박하는 데 더 지시적이고 직접적인 반면, 마이켄바움의 자기교습치료는 내담자가 자기대화를 인식하도록 도움을 주는 데 초점을 둔다는 차이가 있다. 치료과정은 자기진술문을 만들게 하고 당면 문제를 더 효과적으로 대처할 수 있도록 자기교습을 수정하는 훈련으로 구성되어 있다. 내담자와 치료자는 함께 자기교습과 일상생활 속에서 문제상황을 자극하는 역할극 상황에서의 바람직한 행동을 연습한다. 중점을 두는 것은 충동적이고 공격적인 행동, 시험 공포, 대중 앞에서의 연설에 대한 두려움 등 문제상황에서의 실제적 대처기술을 획득하는 것이다. 이에 마이켄바움(Meichenbaum, 1985)은 스트레스 대처기술을 가르치기 위해 다음과 같은 몇 가지 절차를 고안하였다. ① 역할놀이나 상상

을 함으로써 내담자를 불안유발상황에 노출시킨다. ② 내담자에게 자신의 불안수준을 평가하게 한다. ③ 스트레스 상황에서 경험하는 불안유발인지를 인식하게 한다. ④ 재평가 후의 불안수준을 본다.

관련어 | 자기교습, 합리정서행동치료, 행동수정, 행동주의 상담

인지전략
[認知戰略, cognitive strategy]

학습자 자신이 주의집중하기, 학습하기, 기억하기, 사고하기 등의 내재적 정보처리과정을 조절하는 기능. `인지치료`

학습과 사고를 자율적으로 지배하는 것이라는 점에서 환경 지향적인 지적 기능과는 구별된다. 인간은 자신만의 방식으로 기억하거나 사고하는 기능을 학습한다. 예를 들면, 학생이 교과서에 담긴 내용을 읽어 가는 방법을 나름대로 터득하게 되는 것도 일종의 인지전략에 해당한다. 서로 관련이 없는 많은 용어를 학습해야 할 때, 학습자는 우선적으로 용어들 간의 관계나 혹은 이미 잘 알고 있는 다른 용어와의 관계를 파악하면서 새롭게 제시된 용어를 학습한다. 그 결과, 학습자는 관찰한 장면의 세부적인 사항을 포착하거나 또는 그가 들었던 강의의 요점을 기억해 낼 수 있는 독특한 인지적 기능을 획득한다. 또한 학습자는 사고기법, 문제분석방법, 문제해결방법 등을 학습하게 된다. 이러한 기능이 바로 인지전략이다. 인지전략에 함의되어 있는 내재적 기능은 학자에 따라 다르게 설명하고 있다. 브루너(J. S. Bruner)에 따르면, 인지전략이란 새로운 문제를 발견하고 해결하는 데 사용하는 정보처리과정들을 관련짓는 것이다. 한편, 로스코프(E. Rothkopf)는 의미정교화 활동(mathemagenic activities)과 관련되어 있는 것이라고 설명하며, 스키너(B. Skinner)는 자기경영행동(self-management behavior)이라고 보았다. 인지전략은 언어나 수와 같은 특정한 외재

적 학습내용에 초점을 두지 않는다. 학습내용과는 독립적인 특성을 지니며, 일반적으로 모든 종류의 학습에 적용된다. 만약 학습자의 주의집중전략이 개선된다면, 이러한 전략은 특정 교과내용과는 관계없이 모든 교과내용의 학습에 적용될 수 있다. 기억하는 방략, 기억한 것의 탐색방략, 회상방략, 사고방략 등의 인지전략은 교과내용에 상관없이 널리 적용된다. 인지전략을 습득하기 위한 내재적 조건으로는 학습자가 이미 학습한 바가 있거나 활용을 위해 회상 가능한 유용한 범주들을 풍부하게 지니고 있어야만 된다는 점이다. 외재적 조건으로는 아직까지 명확하게 규명된 것이 없으며, 다만 일반적으로 다양한 새로운 상황에서 학습자에게 인지전략의 활용을 연습해 보도록 촉진하는 것이다.

인지주의
[認知主義, cognitivism]

외적이고 반응적인 학습결과를 중시하는 행동주의와 달리 사고하는 존재로서의 인간 내부에서 일어나는 능동적인 사고과정과 인지구조를 중시하는 입장. 철학상담

인지주의는 지식을 인식 주체가 스스로 구성해 나가는 것을 중시하는 구성주의와 외부의 환경적 요인, 즉 외적인 학습조건을 중시하는 행동주의 사이에 존재한다. 인지주의는 우리가 눈으로 직접관찰할 수는 없지만 인지자의 머릿속에서 일어나는 외부감각이 자극하는 것을 변형하는 과정, 또 이를 기호화(encoding)하거나 파지(retention)하거나 재생 내지는 재인(recall)하는 과정을 중시한다. 인지주의는 인간의 뇌가 인식할 수 있는 능력이 있다는 점에서 출발한다. 인간이 어떤 행동을 습득하고 이를 새롭게 재구성하는 것은 인간의 머릿속에서 이를 가능하게 하는 작동이 일어나기 때문이다. 따라서 인지주의는 인지자의 머릿속에서 전개되는 일련의 지적 활동과정을 중시한다. 원래 인지주의에서

'인지(cognition)'는 인식 주체가 인식하려고 할 때 지니게 되는 다양한 지적 활동을 가리키는 말이다. 이 같은 인지과정의 집중분석을 주요 과제로 삼고 있는 인지주의는 인식 주체가 활용 가능한 정보를 지각, 조직, 평가하는 정신적 과정에 집중한다. 쾰러(Wolfgang Köhler)는 침팬지 실험으로 이와 같은 과정을 보여 주고자 하였다. 그는 바닥에는 막대기 2개가 놓여 있고 천장에는 바나나가 달려 있는 일정 공간 안에 굶주린 침팬지를 집어넣은 다음, 침팬지가 바나나와 막대기를 유기적으로 연결하여 바나나를 따 먹는 과정을 분석하였다. 그 밖에 인지주의에는 베르트하이머(M. Wertheimer)의 형태주의 심리학, 레빈(K. Lewin)의 장 이론(field theory), 톨먼(E. Tolman)의 기호형태설, 피아제(J. Piaget)와 브루너(J. S. Bruner)의 학습이론 등이 속해 있다.

관련어 | 인지심리학

인지치료
[認知治療, cognitive therapy]

정신분석적 치료와 행동치료의 한계를 극복하기 위해서 1950년대 이후 발전한 심리치료기법으로, 내담자의 비합리적이고 부적응적 사고나 신념을 변화시킴으로써 문제나 장애를 치료함. 인지치료

정신분석치료는 이론적 개념이 모호하여 과학적 검증이 어렵고, 치료기간이 장기화될 뿐만 아니라 치료효과에 대한 비판이 제기되어 왔다. 행동치료 역시 인간의 내면적인 사고과정을 소홀히 하고 효과적으로 치료할 수 있는 심리적 장애가 매우 제한되어 있다. 이에 반해 인지치료는 1950년대 심리학 전반에서 인지적 요인을 중요시하는 인지혁명을 배경으로 하여 발전된 기법이다. 벡(A. T. Beck)은 스트레스 사건이나 사회적 지지의 부족 등 여러 가지 환경적 자극이 심리적 문제를 일으키고 지속하는 데 영향을 미친다고 보았다. 중요한 것은 이러한 자

극을 어떤 의미로 받아들이고 해석하느냐에 따라서 개인의 감정이나 행동이 달라진다는 것이다. 사람들은 자기도 모르는 사이에 생각과 심상을 불러일으키는 환경적 사건으로 말미암아 특정한 감정 및 행동 반응이 자동적으로 일어나는 경향이 있다. 이를 자동적 사고라고 한다. 특히 심리적 장애나 증상은 자동적 사고의 내용에 많은 영향을 받는다. 이들은 자기 자신, 자신의 경험, 자신의 미래에 대해 부정적인 사고를 하는 습관적인 경향이 있으며, 이것을 인지삼제라고 한다. 인지치료는 이와 같은 자동적 사고를 변화시키고 부적응적인 도식을 재구성하여 새로운 사고를 시작하도록 하는 것을 목표로 삼고 있다. 인지치료의 기법으로는 정서적 기법, 언어적 기법, 행동적 기법 등이 있다.

인지학습이론
[認知學習理論, cognitive learning theory]

외부자극보다는 인간의 내면적 욕구, 만족, 기대 등 자발적 인지가 학습에 영향을 미친다는 이론. `인지치료`

인지학습이론은 학습자가 기억 속에서 학습사태 중 일어나는 여러 가지 사상에 관한 정보를 보존하고 조직하는 인지구조를 형성함으로써 학습이 일어난다고 본다. 인간을 외부자극에 대한 수동적인 반응체로 간주하지 않는다. 학습이론은 학습이 일어나는 현상을 설명하는 방식이다. 이러한 방식의 대표적인 두 관점은 연합주의 학습이론과 인지주의 학습이론으로 구분된다. 인지주의는 인간행동을 설명하기 위해 기억, 지각, 지능, 언어 등 인지적 사고 능력에 초점을 둔다. 학습은 그 자체가 보상이 되어야 하며 자기발견이 더욱 의미가 있다는 것을 기본 가정으로 한다. 20세기 초, 자극과 반응 간의 관계를 인간학습에 적용한 행동주의 이론은 미국을 중심으로 심리학계를 지배하였다. 그러나 인지심리학자들이 행동주의 이론으로는 설명하기 힘든 인간의

사고과정과 행동에 대한 연구를 발표하면서 행동주의 이론을 비판하였다. 인간 인지에 관심을 가지고 있던 심리학자들은 기존의 동물 위주의 행동주의적 연구와 모든 학습은 자극-반응 연합으로 귀결될 수 있다는 행동주의적 사고로부터 점차 멀어지기 시작하였다. 행동주의로는 인간행동을 모두 설명할 수 없다고 보았다. 행동주의 학습이론은 인간의 고등 인지기능인 언어, 지각, 추론, 기억 등을 설명하는 데 실패했다고 본 것이다. 이와 더불어 신경과학, 의료기술, 컴퓨터의 발달은 인간의 뇌와 사고과정에 대한 추가 사실들을 밝혀냄으로써 인지심리학자들의 주장을 뒷받침해 주었다. 이에 따라 20세기 중반 학습이론분야에서 행동주의의 영향력은 퇴조하였고 행동주의의 자리를 인지주의가 대신하게 되었다. 인지주의는 행동주의로는 설명되지 않는 학습 기제를 제시했는데, 행동주의에서는 학습이 자극과 반응 간의 결합으로 이루어진다고 보았지만 인지주의에서는 자극과 반응이 없어도 학습이 이루어질 수 있다고 보았다. 인지학습이론의 기본 가정은 감각을 통해 받아들인 외부자극 요소들이 함유하고 있는 의미를 추출해 내는 인지 혹은 사고 과정으로 사고 내용이 형성되고, 이들 사고내용이 행동을 유발하는 원인이 된다는 것이다. 주요 원리로는, 첫째, 학습자는 능동적인 존재다. 행동주의 관점에서는 학습자가 환경에 반응하는 수동적인 존재이지만 인지주의 관점에서는 새로운 정보를 적극적으로 받아들이며 능동적으로 지식을 구성한다. 학습자는 제시된 정보를 있는 그대로 부호화하는 것이 아니라, 자신의 지식과 연계하여 지식을 능동적으로 구성한다. 둘째, 인간의 반응은 사전경험에 따라 다양하다. 인지주의 관점에서 볼 때 학습자의 머리는 진공상태가 아니다. 학습자는 자신의 여러 가지 경험을 토대로 다양한 학습성과를 나타낸다. 행동주의 관점은 백지설의 인간관을 토대로 인지과정을 중시하지 않는다. 행동주의 관점에서는 자극 후에 반응이 나타나는 과정을 블랙박스라고 표현하여 알 수

없는 부분으로 규정했다. 반면 인지주의 관점에서는 학습자의 특성에 따라 학습의 과정과 결과가 바뀔 수 있고 그 결과 다양한 반응이 나타난다고 본다. 셋째, 학습은 행동의 잠재력의 변화까지 포함한다. 행동주의 학습이론에서는 학습을 직접 경험에 근거한 행동의 변화로 정의하였다. 변화는 밖으로 표출되는 시행착오를 통해 점진적으로 이루어진다. 이와 달리 인지학습이론에서는 학습을 직접 경험을 뛰어넘는 행동의 변화 그리고 행동 잠재력의 변화로 정의한다. 변화의 과정은 내면적으로 이루어진다. 인지학습이론의 중심 주제는 개념형성, 사고과정, 지식의 획득 등이며, 인간의 지각, 인식, 의미, 이해, 그리고 이와 유사한 의식적 경험이 학습을 결정하는 중심 개념이라고 간주한다. 게슈탈트 이론, 기호학습이론, 정보처리이론 등이 인지학습이론에 포함된다.

관련어 행동주의 학습이론

인지학적 미술치료
[人智學的美術治療,
anthroposophical arttherapy]

인간은 전체적 존재로서, 육체와 정신이 조화를 이루어 전인적 인간을 지향하는 슈타이너(Steiner)의 인지학을 기반으로 한 미술치료. **미술치료**

인지학을 미술치료에 처음 도입한 사람은 독일의 하우쉬카(M. Hauschka)인데, 그녀가 1962년 바젤에서 자유예술학교(Freien Kunst-Studienstätte)를 설립하여 치료사를 양성하면서 인지학적 미술치료가 발전하게 되었다. 인지학은 인간을 육체(leiblich), 정신(geistig), 영적(seelisch)으로 이루어진 전체적 존재로 보았다. 육체는 다시 머리, 가슴, 사지를 포함하는 하복부로 나누어지는데, 머리는 신경-감각기관, 가슴은 허파와 심장으로서 리듬, 사지는 신진대사가 각각의 기능을 담당한다. 이 세 영역은 분리되어

기능하는 것이 아니라 서로 연결되어 있으며 각 영역에 영향을 미친다. 또 인간의 정신은 서로 다른 세 가지 의식상태, 즉 깨어 있는 상태, 꿈을 꾸는 상태, 수면상태로 이루어져 있으며 깨어 있는 상태는 머리, 꿈을 꾸는 상태는 심장, 수면상태는 잠재의식 및 내적 기관과 관련되어 있다. 인지학을 미술에 적용하면 소묘는 선, 명암과 관련 있기 때문에 인간의 머리부분, 즉 사고형 인간에게 영향을 미친다. 회화는 색을 통하여 신체의 중앙, 즉 가슴형 인간에게 작용한다. 조소는 주로 점토를 사용하므로 신체의 하복부, 즉 사지형 인간에게 작용한다. 세 유형의 예술은 의식적으로 내부세계와 외부세계를 연결하는 다리이며, 변화의 수단으로서 치료에 다양하게 적용할 수 있다. 소묘는 자유로운 지성을 가지도록 하므로 진리(truth)로 이끌고, 회화는 정화된 감정을 가지도록 하므로 아름다움(beauty)으로 이끌며, 조소는 자제력을 가지도록 하므로 선함(virtue)으로 이끈다. 이 세 영역은 서로 유기적 관계에 있으며 상호작용으로 전체성을 이룬다. 치료자는 세 영역 가운데 내담자에게 필요한 영역을 파악한 다음, 내담자에게 적절한 예술형태의 작업을 하게 함으로써 도움을 준다. 머리와 관련된 문제를 가진 사람에게는 소묘작업을, 가슴과 관련된 문제를 가진 사람에게는 회화작업을, 하복부와 관련된 문제를 가진 사람에게는 조소작업을 수행하도록 하는 것이다. 이를테면 특정한 신체적·심리적 장애를 가진 사람에게는 소묘작업을 제시하고, 심장활동과 혈액순환의 안정이 필요한 사람에게는 회화작업을 제시하며, 기운을 북돋고 회복의 역할, 특히 신진대사의 회복이 필요한 사람에게는 조소작업을 제시한다. 이렇듯 미술치료의 형태를 선택할 경우에는 내담자의 배경, 기질, 성격, 나이, 생활상태, 학력, 증상 등을 고려하여 적합한 활동을 결정한다. 이 이론에 기초한 대표적인 미술치료기법은 젖은 종이에 물감으로 그리기이며, 이외에 기하소묘, 자연소묘, 형태소묘, 역동적 소묘, 짧고 경사진 선 긋기, 목탄소묘, 겹쳐

그리기, 윤곽 없이 섬세하게 표면 그리기, 파스텔화, 점토활동 등이 있다.

인지행동 수퍼비전
[認知行動 - , cognitive behavioral supervision]

인지행동 심리치료 접근법에 근거한 수퍼비전.
상담 수퍼비전

인지행동치료는 인지, 정서, 생리적인 반응, 행동, 그리고 환경의 영향을 기본 요소로 강조한다. 인지행동적 접근을 적용하는 치료자들은 내담자의 적응적 혹은 부적응적인 행동이 모두 그 행동의 결과를 통해 학습되고 유지된다고 가정한다. 따라서 인지행동치료자들은 내담자들이 어떻게 부정적이고 도움이 되지 않으면서 비현실적인 생각이 스트레스를 유발하는지 인식하게끔 하는 것이 치료의 주요 목표가 된다. 또한 이 같은 인식이 이루어지면, 내담자가 그에 따른 효과적인 대처기술을 습득할 수 있도록 도움을 준다. 인지행동접근법을 근거로 하는 수퍼비전은 인지행동치료이론에 입각한 효과적인 상담자로 수련생을 훈련시키는 것이 주요 목표다. 보이드(Boyd, 1978)가 제시한 인지행동 수퍼비전의 전제는 다음과 같다. 첫째, 능숙한 상담자의 수행은 적합한 성격이라기보다는 학습된 기술이다. 따라서 수퍼비전의 목적은 상담자에게 적합한 행동을 훈련시키고 부적절한 행동은 없애는 것이다. 둘째, 상담자의 전문가 역할은 확인 가능한 과제(task)를 통해 수련생이 특정 기술을 발달시키고, 적용하고, 그 기술의 사용이 향상되도록 도모해야 한다. 셋째, 상담기술은 행동적으로 정의될 수 있으며, 학습이론의 적용이 가능하다. 이러한 전제를 바탕으로 하는 인지행동 수퍼비전의 과정을 리스와 벡(Liese & Beck, 1997)은 9단계로 나누어 설명하였다. 1단계는 '체크인' 단계로, 시작을 위해서 서로 인

사를 나눈다. 2단계는 '안건수립' 단계로, 수퍼바이저는 수련생이 그날의 회기를 잘 준비하도록 가르친다. 3단계는 '지난 수퍼비전 회기와 연결하기' 단계로, "지난 시간에 무엇을 배웠습니까?"라는 질문으로 최근의 수퍼비전 작업에 대해 검토한다. 4단계는 '수퍼비전 받은 치료사례에 관한 질문' 단계로, 지난 수퍼비전에서 논의되었던 사례의 경과보고나 어려운 점을 검토한다. 5단계는 '지난 수퍼비전 회기 이후의 과제검토' 단계로, 관련 자료 읽기, 새로운 기법 시도해 보기 등 과제를 살펴본다. 6단계는 '우선사항 결정과 안건항목 논의' 단계로, 수련생의 회기 녹화 테이프 검토나 역할극을 통해 해당 회기를 검토한다. 7단계는 '새로운 과제 주기' 단계로, 수련생의 인지행동치료기술을 향상시킬 수 있는 과제를 부여한다. 8단계는 '수퍼바이저의 요지 요약' 단계로, 수련생이 겪은 회기에서의 핵심 사항과 목적을 다시 한 번 정리한다. 9단계는 '수련생의 피드백 듣기' 단계로, 그날의 수퍼비전을 통해 수련생이 무엇을 배웠는지 이야기하도록 한다. 인지행동이론을 배경으로 한 수퍼비전은 다른 접근의 수퍼비전에 비해서 좀 더 구체적이고 체계적이라는 특징이 있다. 이러한 특성 때문에 수퍼비전을 받는 수련생은 보다 분명한 학습목표 아래에서 교육을 받을 수 있다는 장점이 있다.

관련어 | 심리역동적 수퍼비전, 인간중심 수퍼비전

인지행동미술치료
[認知行動美術治療, cognitive-behavioral art therapy]

미술활동을 통하여 내담자의 사고체계를 재구성하고 행동을 수정하여 내담자가 자신의 문제를 스스로 해결할 수 있도록 하는 조력활동. 미술치료

인지행동적 접근은 인간의 복합성과 유연성을 강조한 인간관에 기초하며, 사고나 인지로 불리는 개

인의 내면에서 은밀하게 일어나는 과정이 행동변화를 중재한다는 이론적 입장에서 인지의 변화로 행동의 변화를 이끌어 내고자 하는 치료적 접근법이다. 인지행동적 접근의 목표는 내담자의 핵심적인 자기패배적 신념을 극소화하고, 삶에 대해 보다 현실적이고 합리적인 가치관을 갖도록 하는 데 있다. 이를 위하여 인지행동치료에서는 여러 가지 기법들, 즉 비합리적 신념에 대한 논박, 대안의 제시, 인지적 과제, 적절한 언어사용, 유추기법, 유머사용 등의 인지적 기법, 합리적·정서적 상상, 수치심 제거 연습, 역할연기 등의 정서적 기법, 강화기법, 과제부과, 자극통제 등의 행동적 기법이 사용되고 있다. 인지행동치료에 바탕을 두고 있는 인지행동미술치료에서는 내담자에게 부정적 도식, 불안을 야기하는 인지, 부정적인 자기독백에 대해 구체적인 표상 혹은 심상을 만들도록 한다. 이것은 치료에서 인지 재구성을 위한 과정이며, 이를 통하여 부정적 도식과 가장이 어떻게 재구성되었는지 확인할 수 있다. 따라서 인지행동치료에서는 내담자와 치료자의 협동을 위하여 심상 만들기 기법을 사용할 수 있다. 이 같은 심상 만들기는 인지행동치료에서 성공적인 변화전략을 개발하기 위하여 내담자를 치료과정의 결정에 참여시키는 것이다. 이러한 접근으로 내담자는 행동변화를 지지하고 증진시키기 위하여 창의적 활동을 계획하면서 치료자와 협조할 기회를 갖는다. 또한 심상 만들기는 치료의 일부로서 내담자를 변화와 회복 과정에 적극적으로 참여시키는 것인데, 내담자 스스로 그림, 콜라주, 혹은 다른 미술매체를 통하여 실천전략을 깨닫게 된다. 이러한 인지행동미술치료로 개인의 내면과 외면을 묘사할 수 있고, 내면의 생각과 느낌을 알 수 있으며, 개인적 상황과 사회적 상황을 그림으로 표현함으로써 문제해결능력을 증가시킬 수 있다. 미술치료에 대한 인지행동적 접근은 인지적 접근과 행동주의적 접근으로 구분할 수 있다. 먼저, 인지적 접근은 내담자로 하여금 주변의 사물과 상황을 해석하고 생각하는

방식을 바꾸도록 하는 것이다. 따라서 미술치료에서는 내담자가 미술재료를 선택하고 조형물을 만드는 과정에서 새로운 방식으로 자신의 문제에 대해서 생각하도록 해 준다. 그림을 그리거나 콜라주 혹은 점토로 조각을 하면서 갈등이나 감정을 드러내기 때문에 내담자가 자신의 문제를 여러 각도에서 볼 수 있다. 다음으로 행동주의적 접근은 인간행동을 학습되거나 학습에 의해 수정되는 것으로 간주하여 자기강화와 환경적 자극, 강화의 변화를 통하여 변화시킬 수 있는 것으로 보는 것이다. 따라서 미술치료에서는 미술작품을 통하여 내담자가 자신의 느낌을 재구성하도록 만들어 사건이나 문제에 대한 반응양상을 이해하고, 정서 및 행동 변화에 미치는 영향을 체험해 보도록 한다. 다시 말해, 그림을 그리거나 콜라주를 통하여 원하는 변화 수준을 연습함으로써 행동변화에 필요한 유형의 대상을 자극하는 것이다. 요컨대, 인지행동미술치료는 인지적 표상에 반응하게 하는 경험을 체험시키고 축적시키는 중재 전략인 인지행동치료와 정서적 경험에 기반을 두는 미술치료가 접목된 것이다.

관련어 | 미술치료, 인지행동치료

인지행동주의 가족치료
[認知行動主義家族治療, cognitive-behavioral family therapy]

가족구성원들의 인지와 행동 모두를 균형 있게 변화시키는 것을 강조하는 가족치료접근법. 인지행동 가족치료

행동치료의 이론과 기법에 인지이론을 도입하여 가족문제를 해결하고자 한 가족치료이론이다. 인지행동주의 가족치료는 행동주의 가족치료에서 시작되었다. 1970년대에 행동주의 치료사들은 학습이론을 부모의 행동수정과 부부 의사소통에 적용하면서 가족에 개입하였다. 이때는 행동치료 접근법이 겉으로 드러나는 문제와 치료의 동기가 높은 내담자에

게 효과적인 방법으로 알려졌다. 그러나 행동치료의 관심이 가족이 아니었기에 1980년대까지 가족상담 및 치료의 주류에서 배제되어 있었다. 그러다가 1980년대 후반부터 행동주의자들의 가족역동에 대한 이해와 인지이론을 방법에 포함시키는 변화가 생겼다. 행동치료가 개인에서 가족에게로 관심의 폭이 넓어진 것은 티보(J. Thibaut)와 켈리(H. Kelly)의 사회교환이론의 영향이 크다. 이 이론은, 모든 사람은 어떤 관계 속에서 보상을 극대화하고 비용을 최소화하려 한다는 것이다. 이를 결혼생활에 적용하면 결혼생활에 만족하지 못하는 사람은 자기가 지불한 비용에 비해 보상이 적다고 생각했기 때문이라 볼 수 있다. 행동주의 가족치료를 주도한 사람은 패터슨(C. H. Patterson), 리버먼(R. Liberman), 스튜어트(R. Stuart)라 할 수 있다. 그중 패터슨은 행동적 부모훈련에 가장 큰 공헌을 하였다. 그의 오리건 사회 학습 프로젝트(Oregon Social Learning Project)는 행동적 가족치료에서 가장 널리 알려진 프로그램이다. 그는 부모에게 사회학습과 긍정적, 부정적 강화를 가르쳐 강화를 조심스럽게 사용하는 방법과 부모가 치료사에게 의존하지 않고 자녀의 행동을 수정할 수 있도록 교육하였다. 리버먼은 우울, 참기 힘든 두통, 부적응, 부부불화를 겪는 성인들의 가족을 치료하면서 조작적 조건화 원리를 적용하였다. 그는 가족의 바람직하지 못한 행동을 소거방식을 이용하여 치료효과를 보았다. 자녀의 많은 문제행동이 부모의 관심에 기인한 것으로 보고 조작적 조건화와 모델링 개념을 이용하여 문제를 치료한 것이다. 그리고 대부분의 부모가 자녀의 행동에 대해 효율적으로 통제하는 방법을 모르고 있다고 지적하였다. 스튜어트는 잔소리나 협박 같은 혐오적 통제가 불행한 결혼생활을 야기한 주요 요인이라고 보고 유관 계약 접근법을 가족치료에 활용하였다. 이는 가족구성원의 바람직하지 않은 행동을 수정하는 방법에 초점을 맞추기보다는 바람직하고 긍정적인 행동변화를 극대화시킬 수 있는 방

법에 초점을 맞추는 것이다. 고전적 조건화 기법이 가족치료에 제일 처음 적용된 것은 광장공포증과 성기능장애와 같은 불안장애다. 울페(J. Wolpe)가 처음 이러한 시도를 했으며, 나중에 매스터스(W. H. Masters)와 존슨(V. E. Johnson)이 발전시켰다. 행동주의 가족치료에 가장 큰 영향을 끼친 것은 스키너(B. F. Skinner)의 조작적 조건화다. 따라서 행동주의 치료사들은 행동변화를 위해 자연적인 강화물을 사용하고 가족구성원들이 치료사 역할을 하도록 하여 상담실뿐 아니라 집이나 학교 같은 자연스러운 환경에서 외적 유관을 감소시키려 노력하였다. 행동주의 가족치료사들은 문제를 삶의 일부분으로 본다. 이에 따라 건강한 가족은 문제가 없는 가족이 아니라 대처할 능력이 있는 가족이라는 것이다. 그리고 성공적인 결혼은 효과적인 대처능력을 학습한 결과라 믿고, 관계기술을 학습해야 한다고 강조하였다. 반면, 역기능적 가족은 혐오적 통제로 서로에게 반응하는 것이 특징이라고 보았다. 이 경우에 부부는 서로에게 긍정적 대안은 제시하지 않은 채 부정적으로 반응한다. 이들은 문제해결기술이 부족하여 문제를 의논할 때도 주제를 벗어나거나 비난하는 방식을 사용한다고 하였다. 1970년대 들어 행동주의 가족치료는 부모훈련, 부부치료, 성치료의 세 분야에서 괄목할 만한 발전을 하였다. 최근에 행동주의 치료사들은 태도, 생각, 감정과 같은 내적 과정을 중요하게 여기기 시작하여 조건형성모델에 인지이론을 결합한 치료를 시작하였다. 이를 인지행동치료라 하며, 행동의 교정을 유도하고 유지하기 위해서는 태도의 변화가 필요하다고 강조한 엘리스(A. Ellis)와 벡(A. T. Beck)의 영향을 받았다. 인지행동주의 가족치료의 리더로는 바우콤(D. H. Baucom), 엡스타인(N. Epstein), 다틸리오(F. M. Dattilio)가 있다. 이들은 자신들의 치료 개입에 인지행동주의적 방법을 선택적으로 실시하여 인지행동주의적 치료방법의 대중화에 한몫하였다. 그러나 인지행동주의 가족치료가 많은 기여를 할 수

있음에도 불구하고 아직까지는 그리 큰 영향을 발휘하지 못하고 있다.

관련어 | 유관계약, 행동주의 가족치료

인지행동치료
[認知行動治療, cognitive behavioral therapy]

하나의 단일한 이론이라기보다는 인간에 대한 기본 관점과 심리적 문제의 발생 및 치유 과정에 대한 주요 원리를 인지-정서적 과정의 의미로 파악하는 여러 개별적 이론의 집합체.
인지행동치료

인지행동치료는 행동치료에서 발전하여 인간의 심리적·정신적 문제에 왜곡된 인지적 정보처리방법이 깊게 관여하고 있다는 인식이 대두되면서 출발하였다. 인지행동치료는 1960년대 이후에 행동치료에서 인지적 요소를 치료요인으로 포함하기 시작하였고, 1980년대에 와서 상담 및 임상심리영역에서 주요 심리치료이론과 기법으로 급속하게 발전하였다. 인지행동치료는 행동치료와 인지치료의 발달에서 비롯되었는데, 행동치료는 1950년대 초반 울페(J. Wolpe)와 아이젱크(H. J. Eysenck)가 시작한 것으로서 이 행동치료가 확대되면서 점차 외적 행동뿐만 아니라 불안이나 동기 등 내현적 중재변인을 인정하고, 이러한 내현적 행동도 학습의 원리로 변화시키려는 행동치료기법이 나타나기 시작하였다. 그 후 사회학습이론을 받아들여서 기대효능감 같은 인지적 요인을 행동변화의 한 요소로 인정하고, 행동을 변화시키는 데 이러한 인지적 요인을 고려하게 되었다. 이렇게 확대되면서 인지치료기법이라고 볼 수 있는 인지재구성을 포함한 인지행동치료기법이 개발되기에 이르렀다. 이 같은 인지행동치료는 1960년대 초반 정신분석적 치료에 불만을 가진 벡(A. T. Beck)과 엘리스(A. Ellis)가 개발을 시작했는데, 좀 더 정확하게 말한다면 인지행동치료의 시작은 이보다 빠른 1950년대 중반 켈리(Kelly)가 개인구성개념심리학을 발표한 때부터라고 할 수 있다. 다만 켈리의 이론은 당시 정신역동적 입장에 휩싸인 임상심리학 분야에서는 잘 받아들여지지 않았다. 이렇듯 행동치료와 인지치료가 발달하면서 자연스럽게 인지행동치료로 융합되는 과정을 밟게 되었다. 우리나라의 경우 인지행동치료에 관심을 갖기 시작한 것은 1980년대 중반 이후이며, 1990년대에 들어와서 인지행동치료모형에 대한 연구와 특정한 증상에 대한 인지행동치료기법의 연구가 진행되었다. 인지행동치료에서는 인지적 결정론의 입장에서 인간의 여러 측면 중 감정이나 행동도 중요하지만 인지, 즉 사고가 가장 중요하다고 본다. 우리 인간은 자신의 인지, 정서, 행동을 변화시킬 수 있는 능력이 있다고 믿는다. 다시 말해, 사람들은 스스로의 선택에 따라 그동안의 행동패턴과 다르게 반응하고 인지를 변화시킴으로써 심리적 문제를 변화시킬 수 있다. 또한 인간은 자신과 대화할 수 있고, 자신을 평가할 수 있으며, 자신을 유지할 수 있는 존재다. 이처럼 인지행동치료의 다양한 이론과 접근은 기본 가정을 공유하고 있지만, 문제를 해결하는 데 동원되는 구체적 방법이나 절차 면에서는 조금씩 차이가 있다. 각각의 이론은 강조점에 따라 조금씩 차이를 보이는데, 전체적으로 내담자의 인지를 재구성하는 방법과 구체적인 대처행동을 훈련시키는 방법을 동시에 사용한다고 볼 수 있다. 인지행동치료의 기본 전제는 다음과 같다. 첫째, 인지가 정서 및 행동을 중재할 것이라는 명제를 받아들인다. 인지행동치료자들은 자신의 치료 입장을 지지하는 기반으로 플루치크(Plutchik, 1962, 1970)의 정서이론을 수용하고 있다. 플루치크는 환경적 자극은 인지적으로 처리되며, 이러한 인지가 생리적 각성과 주관적 감정을 야기하고, 이들을 행동하게 하는 충동의 원천이 되며, 동기 충족이나 삶을 증진하도록 환경에 적응하게끔 한다고 하였다. 이 같은 관점을 심리치료적인 측면에서 명제화한 것이 인지매개설 또는 인지중재설이다. 벡(1979)의 우울증이나 불안증의 이론모형이 이에 해당한다. 둘째, 이상

행동과 관련되는 신념이나 사고는 관찰될 수 있으며, 변화될 수 있다는 명제를 받아들인다. 셋째, 인지의 변화를 일으킴으로써 행동과 정서의 지속적인 변화를 일으킬 수 있다는 명제를 받아들인다. 엘리스는 비합리적 신념을 내담자와 함께 찾고 그 비합리성을 논박함으로써 합리적 신념으로 바꾸는 것이 치료의 핵심이라고 하였으며, 벡은 우울증을 일으키고 지속시키는 역기능적 태도와 자동적 사고를 찾아내어 이를 변화시키는 것을 치료의 주요 목표로 제시하였다. 이처럼 상담과정에서 부정적 인지를 찾고 변화시킴으로써 정서장애나 행동장애를 치료할 수 있다.

관련어 인지재구성, 행동치료

인터넷
[- , internet]

전 세계의 컴퓨터가 서로 연결되어 TCP/IP 규약을 이용해 정보를 주고받는 공개적인 컴퓨터 통신망. `사이버상담`

최초의 인터넷은 1969년 미국 국방성 고등연구계획국(Advanced Research Projects Agency)이 주도한 알파넷(ARPANET)으로, 처음에는 군사적 목적에 입각하여 패킷교환방식의 통신망을 연구하기 위해 개발되었다. 1982년에는 미국 국방부의 공용 네트워크인 국방 데이터 네트워크로 선정되었고, 1983년 1월 1일에 공식적으로 TCP/IP 프로토콜을 채택하였다. 오늘날의 인터넷은 단순한 문자 위주의 정보를 넘어서 음성, 영상, 동영상 등을 포함한 멀티미디어 정보의 형태로 제공되고 있다. 또한 단순한 정보서비스나 정보제공의 일방적인 서비스가 아닌 주문형, 양방향의 서비스로 발전하고 있다. 국내에서는 한국인터넷진흥원의 한국인터넷정보센터(KRNIC)가 IP 주소의 지정 및 도메인 등록업무를 담당하고 있다. 1994년 6월 KT가 최초로 인터넷 상용 서비스(KORNET service)를 시작한 이래, 많은

인터넷 서비스 제공자(ISP)가 생겨나 일반인을 대상으로 상용적으로 미국이나 기타 국가의 인터넷 접속 사업자와 연결되어 있다.

인터넷 게임 중독
[- 中毒, internet game addiction]

인터넷 중독장애의 하위영역으로 인터넷 게임 사용과 관련하여 금단과 내성을 보이면서 인터넷 게임 때문에 정신적 · 육체적 · 사회적인 어려움을 경험하는 상태. `중독상담`

인터넷 게임에 중독된 청소년들은 게임시간을 조절하지 못하기 때문에 점차 사용시간이 늘어나고, 게임을 하지 못하면 불안, 초조한 증상을 보인다. 그리고 학교성적이 떨어지거나 친구들과의 관계가 멀어지면서 심한 경우는 등교거부가 일어나기도 한다. 청소년들의 인터넷 게임 중독에 따라 나타나는 주요 문제점을 정리해 보면 다음과 같다. 첫째, 가상과 현실을 구분하지 못하고 현실적 자아상실로 게임 속의 장면이 현실적 감정을 자극하고, 이것으로 인해 실제적 폭력 및 공격 성향을 조장한다. 둘째, 매체 의존성과 물질주의 가치관 강화 등을 통해 탈인간화 현상을 가져온다. 오늘날 청소년들에게 게임을 포함한 신매체에 대한 의존성은 절대적인 상태로 자리 잡고 있다고 할 수 있으며, 물질에 대한 의존 역시 이와 동일하다. 결국 게임에 중독된 청소년의 경우 일상생활에서 모든 중요한 가치가 게임을 할 수 있는 물질적 도구에 집중되어 있고, 이는 탈인간화되는 현상으로 나타난다. 셋째, 게임과의 관계가 다른 사회적 관계보다 강하기 때문에 자아 간의 적절한 조화에 문제가 발생하며, 충동성이 높아져서 조절능력을 상실한다. 이러한 현상은 게임에서만 나타나는 것이 아니라 현실공간에서도 연계되어 나타나기 때문에 다른 문제행동으로 연결된다. 넷째, 대인관계 문제인데, 현실에서 다른 사람과의 관계가 배제됨에 따라 타인의 의미가 상실되고, 타인에 대한 흥미 자체도 감소하여 대인관계를

통한 다양한 사회적 기능을 습득하지 못하는 결과를 초래한다. 그 결과 사회 부적응 문제가 발생한다. 다섯째, 게임에서의 대리만족에 의한 현실적 공허감과 우울증을 유발한다. 여섯째, '마우스 신드롬'이라고 불리는 누적 외상성장애나 수근관 증후군이 많이 나타난다. 일곱째, 사회적 관계가 중단되어 가족과의 대화 자체가 단절되는 경우가 발생한다. 여덟째, 게임에 투자하는 시간이 절대적으로 증가하고 모든 관심이 게임에 집중됨에 따라 심각한 학습장애가 발생할 수 있다.

관련어 │ 금단증상, 내성, 인터넷 중독 장애, 중독

인터넷 중독 장애
[－中毒障礙,
internet addiction disorder: IAD]

인터넷의 과다사용으로 그 사용을 스스로 조절하기 어렵고, 약물중독자에게 나타나는 내성 및 금단증상과 유사한 증상이 나타나는 상태. 중독상담

인터넷 중독 장애라는 용어는 이반 골드버그(Ivan Goldberg)라는 심리학자가 이메일 리스트 서버를 재미있게 표현하는 말로 처음 사용하였다. 당시 그는 알코올 의존에 대한 개념을 인터넷에도 적용시켜 희화화한 것이었다. 이후 몇몇 심리학자가 실제로 물질중독의 증상과 인터넷을 과도하게 사용하는 행위 사이에 연관성이 있음을 발견하였고, 인터넷 중독 장애에 대한 연구가 시작되었다. 인터넷 중독 장애를 연구한 학자들은 도박, 과식, 성행위, 운동, 게임과 같이 특정한 행동을 반복적으로 함으로써 의존성이 생기고, 이에 따른 내성과 금단증상을 동반하는 행동중독(behavior addiction)의 한 형태라고 설명하였다. 인터넷 중독 장애를 진단하는 데에는 스스로 그 사용을 조절할 수 있는지, 사용량의 감소나 중단에 따르는 금단증상이 있는지, 그리고 사용 때문에 일상생활이나 인간관계의 형성과 유지에 지장을 초래하는지를 기준으로 한다. 데이비스(Davis)

는 병리적 인터넷 사용(pathological internet use: PIU)이라는 용어로 특정한 인터넷 병리적 사용자와 일반적인 인터넷 병리적 사용자로 구분하였다. 특정한 인터넷 병리적 사용자는 도박, 경매, 주식과 같은 인터넷 존재의 이전 시기에도 존재했던 행동들을 인터넷상에서 함으로써 중독이 유발된 경우를 말한다. 이에 반해 일반적인 인터넷 병리적 사용자는 이메일이나 채팅과 같이 뚜렷한 목적이나 의도 없이 인터넷을 사용하며 시간을 보내는 것을 말한다.

관련어 │ 중독, 행동중독

일관성
[一貫性, congruence]

신념, 가치관, 기술, 그리고 행동의 일관성 등 자신과 라포를 이룬 상태. NLP

자신의 신념이나 가치관에 부합하게 행동하거나 무의식적인 관심에 따라서 의식적인 관심을 보이는 경우 일관성이 있다고 할 수 있다. 또한 내담자에 대한 진정한 이해와 애정을 가지고 언어적·비언어적으로 이완되고 편안한 표정과 모습으로 그의 말에 경청한다면 일관성이 있다고 할 수 있다. 반면에 마음속으로는 불안을 경험하면서도 겉으로는 편안하다고 말하거나 그렇게 행동하려고 한다면, 또는 진정으로 이해하려는 마음이 없으면서 라포를 형성하기 위해 애쓰는 모습을 보인다면 일관성이 없는 것이라고 할 수 있다. 라포를 형성하고 상담 및 치료, 변화의 진정한 효과를 얻기 위해서는 반드시 일관성이 확보되어야 한다.

비일관성 [非一貫性, incongruence] 일관성과 반대되는 개념으로서 자기 자신과의 라포를 이루지 못함으로써 분아(分俄)들 간에 일치하지 않는 모습을 보이거나 분아들 간 내부적인 갈등이 행동으로

표출되는 상태를 말한다. 경우에 따라서 생각과 감정 간에, 의식과 무의식 간에 일치하지 않거나 신념·가치관이 행동과 일치하지 않아 겉으로는 자신의 신념과 다른 행동을 보이는 경우도 비일관성이라고 할 수 있다. 연속적인 비일관성의 예는 어떤 행위에 대하여 그와 모순되는 다른 행위가 뒤따라오는 경우다. 동시적 비일관성의 예는 말로는 동의하면서도 동시적으로 그 목소리는 회의적인 분위기를 풍기는 경우다.

일랑일랑
[ㅡ, Ylang-Ylang]

진정, 항우울, 방부성, 최음, 저혈압성에 효과가 있는 허브로서, 동남아시아가 원산지이며 코모로 섬, 마다가스카르, 레위니옹 섬 등에서 생산. `향기치료`

일랑일랑은 열대 사철 푸른 나무로 20미터까지 자라고, 커다란 타원형의 잎사귀와 짙은 녹색의 가늘고 길게 늘어진 꽃이 핀다. 일랑일랑은 쇼크, 불안, 분노 때문에 호흡이 빨라지고 심장박동속도가 빨라진 경우 안정시키는 역할을 한다. 또한 일랑일랑 오일은 항우울제로 유명하며, 특히 신경성 우울증, 분노, 흥분상태, 그리고 좌절을 다루는 데 유용하다. 일랑일랑은 흔히 최음제로 분류되는데, 성행위 때의 불안과 스트레스를 줄여 주는 특성 때문이다. 그리고 일랑일랑 오일은 심장 두근거림 치료와 고혈압 치료에 사용하며, PMS(생리 전 증후군) 치료에도 유용하다.

일반직업적성검사
[一般職業適性檢査,
General Aptitude Test Battery: GATB]

다양한 직업군에서 적성에 맞는 직업을 탐색하는 검사. `심리검사`

직업선택의 한 절차로서 다방면의 직업 중에서 어떤 직업영역에 취향이 강한지 판단하는 심리검사다. 예를 들면, 미국 노동부가 작성하여 한국어판으로 중앙적성출판부에서 나온 일반직업적성검사에서는 지능, 언어능력, 수리능력, 사무지각, 공간적성, 형태지각, 운동반응, 손가락 재치, 손의 재치 등 아홉 가지의 적성을 11종의 지필검사와 4종의 기구검사(器具檢査)로 측정한다. 직업적성유형과 그 기준표를 바탕으로 어떤 직업군에 적합한지 판단하는 것이다. 또 특정 직업에 대해서 상세하게 적성을 진단하는 검사는 앞의 것과 구별되어 특별 직업 적성검사라고도 불리며, 그 예로 서기적 적성검사, 기계적 적성검사, 전문직 적성검사 등이 있다.

관련어 │ 직업탐색, 직업흥미, 진로발달검사

일반체계이론
[一般體系理論,
general system theory: GST]

체계란 서로 영향을 주고받는 하위요소들의 집합체라는 이론.
`전략적 가족치료`

일반체계이론은 체계에 대한 정의와 체계들이 어떻게 구조를 이루고 있으며 어떻게 변화하는가에 대한 과정 및 결과를 말해 주는 것이다. 1940년대 저명한 생물학자인 베르탈란피(L. Bertalanffy)가 주장한 이론으로, 그는 생물학적 유기체에 적용되는 법칙이 인간의 마음으로부터 전 지구의 생태계에 이르는 다른 영역에서도 적용될 수 있을 것이라고 가정하였다. 즉, 체계의 구성요소들은 서로 상호작용을 하는 밀접한 관계를 맺고 있기 때문에 체계의 어느 한 부분에 변화가 일어나면 다른 부분도 연쇄적으로 변화가 일어나고, 그러한 변화는 다시 처음의 변화에 영향을 미친다. 따라서 체계 안의 다양한 구성요소들에 대해 개별적으로 관찰하고 이해하기보다는, 체계의 전체적인 맥락과 기능의 측면에서 보아야 제대로 된 이해가 가능하다. 이러한 체계이론을 가족에 대한 연구에 적용하면, 가족은 하위구성요소들을 포함한 하나의 체계로서 각 구성요소인 가족구성원들이 상호작용을 하며 서로에게 영향을 미치고, 이러한 상호작용은 그 가족 전체 체계와 다른 가족체계에 영향을 주고, 또한 영향을 받는다.

일반체계이론의 위계
[一般體系理論 – 位階, hierarchies of general systems theory]

체계가 위계를 가지고 변화되는 모양을 나타낸 것. `전략적 가족치료`

체계의 위계가 변화하는 과정은 다음과 같다. 첫째, 단순 피드백으로 가장 낮은 수준의 변화의 과정을 말한다. 단순 피드백은 환경에서 오는 정보에 의해 체계 내의 행동들이 단순히 활발해지거나 줄어드는 과정 전체를 말한다. 둘째, 사이버네틱 통제다. 단순 피드백보다 한 단계 수준이 높은 체계의 활동으로 항상성의 원리에 따라 그 범위 안에서 외부정보에 반응한다. 단순 피드백과 사이버네틱 통제는 외부의 정보만 변화시키고 체계 자체는 변화하지 않는 특성을 가지고 있다. 셋째, 변형성으로 외부로부터 들어오는 정보들이 체계가 수용할 수

있는 범위를 넘어설 때 체계가 그 정보로 인해 체계 자체를 변화시키려는 노력을 하게 되는 것이다. 넷째, 재방향성으로 가치관의 변화를 의미한다. 체계가 변화하면 새로운 구조와 목표를 가지게 되고, 이를 위해 새로운 가치관이 필요하다. 재방향성은 새로운 가치관을 만들고 이를 통해서 체계의 새로운 구조와 목표를 유지하려는 체계의 특성을 말한다. 변형성과 재방향성은 체계가 변화하고자 하는 특성이다. 이처럼 체계는 단순 피드백에서 재방향성으로 위계를 가지고 변화하며 재방향성은 체계의 변화를 완성시키는 단계다.

일반화된 타자
[一般化 – 他自, generalized others]

다른 사람들이 기대하는 자신의 모습. `발달심리`

일반화된 타자는 자아발달을 사회적 상호작용의 관점에서 분석하는 미드(M. Mead) 이론의 중심 개념 중 하나다. 일반화된 타자는 그 사회의 가치와 문화에 따라 행동하는 것으로 개개인의 머릿속에 새겨진, 즉 자아에 반영된 다른 사람의 모습이다. 이러한 관념을 가지고 사람들은 자기가 모르는 다른 사람과도 무리 없이 상호작용을 할 수 있게 된다. 사람은 누구나 다른 사람들이 자신에게 갖는 역할기대를 내면화하면서 자아를 발달시켜 나간다. 처음에는 어머니나 가족 중 특정한 타인의 기대를 내면화하며, 그 후 개개의 타인의 기대를 넘어선, 사회성원으로서의 일반적인 기대, 일반화된 타자의 역할기대를 내면화하여 사회의 성원으로서 충분한 사회적인 자아를 발달시킨다. 이처럼 일반화된 타인의 역할기대는 자아발달을 사회적 상호작용의 관점에서 분석하는 용어다. 다시 말하면, 일반화된 타자를 통해 개인은 자아를 형성한다. 그러나 이때 자아는 단순히 다른 사람의 태도에 의해서 이루어지는 것만은 아니다. 미드의 자아에 대한 개념적인 틀 속

에는 '주체로서의 나(I)'와 '객체 혹은 대상으로서의 나(me)'라는 두 가지 '나(자아)'가 있다. 순수한 주체로서의 '나'는 이론적으로는 사회적 지향 없이 단지 개인적 신념과 충동으로 행동하는 자아다. 반면에 대상으로서의 '나'는 사회에 적응하고 사회의 요구를 대표하는 자아다. 일반화된 타자는 대상으로서의 '나'에 해당하는 것이다. 사회에 따라 두 가지 '나' 사이의 균형은 다르다.

일부일처제
[一夫一妻制, monogamy]

남편과 아내 각각 1인이 결합하여 가정을 이루고 있는 형태.
`가족치료 일반`

가족의 형태를 분류할 때 부부의 결합방식에 따라 단혼제(單婚制)와 복혼제(複婚制)로 나눌 수 있다. 이 중 단혼제인 일부일처제는 남편과 아내 각각 1인이 결합하여 가정을 이룬 형태다. 전 세계적으로나 역사적으로 일부일처제 형태가 가장 많이 나타나는데, 그 이유에 대해서는 일반적으로 다음과 같이 설명하고 있다. 첫째, 부부는 애정을 기초로 결합되는 것이므로 1남 1녀가 가족을 이루는 것이 가장 바람직하다. 둘째, 남녀의 성비 균형을 위해서 일부일처제가 이상적이다. 셋째, 경제적인 협력을 위해서도 1남 1녀의 결합형태가 가장 이상적이다. 넷째, 종교적으로 1남 1녀의 결합형태를 이상적이라고 생각하는 경향이 가장 일반적으로 나타난다. 현대사회에서 많이 나타나는 이혼과 재혼 때문에 한 사람의 일생에서 한 사람의 배우자와 결합하는 형태는 연속적 단혼제(serial monogamy)라고 한다. 이것은 동시에 여러 사람의 배우자와 결합하는 복혼제와는 구분되는 개념이다.

`관련어` 복혼제

일인극
[一人劇, monodrama]

사이코드라마에서 주인공이 보조자아 없이 극의 모든 역할을 다하는 경우. `사이코드라마`

이 극은 원어 그대로 모노드라마라고 하며, 보조자아가 필요하지 않는 만큼 개인치료에서 사용할 수 있다. 여기서 주인공은 역할바꾸기를 통하여 타인과의 관계에 대한 자신의 견해를 확대해 나갈 수 있다. 모노드라마에서는 흔히 빈 의자 기법을 사용하며, 주인공이 여러 개의 의자 위치를 바꿔 가면서 다른 역할을 맡는다. 다시 말해, 주인공은 여러 개의 의자를 이용하여 자리를 옮겨 가면서 자신의 또 다른 부분 혹은 갈등을 겪고 있는 투사된 타인을 만나는 것이다. 주인공이 모노드라마를 할 것인가 아닌가는 연출자가 결정하며, 연출자가 그것을 결정할 때는 다음과 같은 사항을 고려해야 한다. 첫째는 주인공이 개인치료를 받고 있을 때다. 둘째는 주인공이 자신의 문제에 대해 답을 찾고 있으며, 그 답을 자기 안에서 찾고자 할 때다. 셋째는 주인공이 다른 특정 보조자아보다 훨씬 더 쉽게 직면하여 두 역할을 모두 연기할 수 있을 때다. 이와 같은 모노드라마는 펄스(Perls)의 게슈탈트치료기법으로 적용되었다.

`관련어` 게슈탈트 심리치료, 빈 의자 기법, 사이코드라마, 오토드라마, 주인공

일일사고기록
[日日思考記錄, daily thought record: DTR]

우울증, 불안증 등의 치료에 사용되는 인지치료기법의 하나.
`중독상담`

일일사고기록은 환자의 일상생활에서 부정적인 감정을 느꼈을 때, 그 감정을 느낄 때의 상황, 감정, 그에 따른 반응, 가능한 합리적 반응, 그리고 그 결과 등을 스스로 기록하게 함으로써 환자 스스로 자신의 부적절한 감정상태를 인식하도록 하는 것이

다. 이러한 과정을 통해서 환자는 스스로 자신의 감정에 대해 객관적이고 합리적인 반응을 하도록 노력해 나갈 수 있다. 또한 결과적으로 부정적인 감정의 빈도나 강도가 감소하는 효과를 기대할 수 있다.

일일활동계획표
[日日活動計劃表, daily activity schedule: DAS]

심리치료의 과정에서 내담자의 상태를 파악하고 조절하려는 목적으로 증상과 관련된 활동이나 행동에 대한 매일의 계획을 기록한 것. 중독상담

일일활동계획은 행동주의적 접근기법의 하나로서, 내담자의 현재 상태를 기본적으로 이해할 수 있는 정보를 제공하며, 앞으로의 치료계획을 세우고 이에 적합한 활동계획을 짜는 데 큰 도움이 된다. 또한 계획을 실천하고 난 이후에는 평가의 도구로 사용할 수도 있다.

일주기리듬
[日週期 -, circadian rhythm]

식물, 동물, 균류, 박테리아를 포함한 지구상의 모든 생명체가 대략 24시간의 주기로 변화되는 생화학적 · 생리학적 · 행동학적 흐름. 중노년상담

인간은 정확하게 23.5~24.65시간의 일주기리듬을 지닌다. 이러한 일주기리듬은 우리의 체온, 수면, 각성, 여러 가지 호르몬 변화에 영향을 미친다. 빛, 어둠, 기온 등은 일주기리듬 형성에 영향을 미치는데, 그중에서 빛이 영향력이 가장 크다. 낮 시간 우리 인체는 세로토닌을 생성하고 분비하며, 어두워지면 세로토닌은 멜라토닌으로 변형되어 생체시계를 조절한다. 이 과정은 우리의 눈으로 빛을 받아들이면서 이루어진다. 즉, 눈을 통하여 받아들인 빛은 시각교차위핵(suprachiasmatic nuclei: SCN)에 전달되어 일주기리듬을 조절한다. 이런 이유로 장님은 일주기리듬을 유지하는 데 어려움을 보인다. 일주기리듬은 유전적으로 결정되고 나이에 따라 변화되며 노인기에 이르면 일주기리듬이 손상되기 시작한다. 이는 시상하부의 시각교차위핵의 노화에 따른 것이다.

일차강화인
[一次強化因, primary reinforcer]

생존이나 생물학적 기능에 중요한 자극요인으로서, 선천적으로 강화를 받을 수 있는 강화인. 행동치료

강화인에는 여러 가지 유형이 있는데, 선천적인가 후천적인가에 따라 크게 일차강화인과 이차강화인(secondary reinforcer)으로 분류한다. 인간은 후천적으로 학습하지 않았는데도 어떤 자극에 의해 강화를 받을 수 있는 능력을 선천적으로 타고난다. 이러한 일차강화인은 다른 강화인과의 연합에 의존하지 않는 강화인으로 음식, 물, 성적 자극, 특정 약물 등이 해당한다. 학습되거나 조건화되지 않고서도 효과가 있는 자극강화물이라는 의미에서 무조건강화인(unconditioned reinforcer)이라고도 한다. 이에 반해, 특정 경험 때문에 강화인이 되는 것은 이차강화인 혹은 조건강화인(conditioned reinforcer)이라고 한다. 일차강화인은 이차강화인보다 강화력이 강하기 때문에 이차강화인의 효과는 직접적 혹은 간접적으로 일차강화인에 의존한다.

관련어 강화인

일차공격성
[一次攻擊性, primary aggression]

유아가 지닌 최초의 공격성. 대상관계이론

본능적 욕동이 아닌 일반적인 생명력과 활동성의 표현을 의미한다. 공격성을 특정한 죽음의 본능에 근원을 둔 본능적 욕동으로 이해한 프로이트(S. Freud)

와 달리, 위니콧(D. Winnicott)은 공격성을 생명의 힘 혹은 세포의 활력 등을 가리키는 것으로 사용하였다. 위니콧에게 있어서 공격성은 곧 활동성으로 간주된다. 유아 초기의 공격성은 의도를 지니고 있지 않은 연민 이전의(pre-ruth) 무자비성에 해당된다. 유아에게는 자신의 공격성이 타자를 해칠 수도 있다는 인식이 존재하지 않는다. 사랑 충동 안에 공격성이 본래적으로 존재하기 때문에 스스로 흥분되었을 때에는 대상에게 신체적 공격을 가하기도 한다. 이러한 초기 공격성은 신생아의 생명력에 해당하며, 탐욕스럽게 어머니의 젖을 빠는 모습은 최초의 공격성 표현으로 이해된다. 물고 빠는 유아의 거친 몸짓은 제3자의 입장에서 보면 잔인하고 위험한 행동으로 파악될 수 있지만, 그것은 유아가 어떤 의도를 가지고 공격하는 것이 아니라 단지 우연에 불과한 몸짓일 뿐이다. 위니콧은 공격성의 네 가지 측면, 즉 공격성이 성애적(erotic) 요소와 융합을 이루는가의 여부, 공격성이 외부적인 대항에 직면하는가의 여부, 그러한 과정에서 실제 외부에 존재한다고 느낄 수 있는 외적 대상이 제공되는가의 여부, 그리고 공격성은 쾌감이 아니라 대상을 필요로 한다는 측면을 제시하였다. 이때 일차공격성에 따라 행동하는 유아를 원시적 잔인한 자아(primitive ruthless self)라고 한다. 위니콧은 초기 유아의 본능적 사랑은 잔인한 것이라고 하면서 정상적인 초기 유아는 놀이를 통해 어머니와의 잔인한 관계를 즐긴다고 하였다. 잔인하게 취급받는 어머니는 파괴되지 않는 전능한 내면의 어머니가 투사된 주관적 대상이므로 환상 속의 어머니가 갖는 전능성 때문에 유아는 연민을 느낄 필요가 없다. 유아는 어머니가 이러한 관계를 견디어 낼 것이라고 여기기 때문에 잔인하게 대한다. 유아의 잔인성은 상대방에 대한 파괴적 본능에서 오는 것이 아니라 전능한 어머니에 대한 절대적인 믿음에 근거한다.

관련어 | 공격성

일차과정
[一次過程, primary process]

무의식적 정서나 본능적 충동에 지배되는 원초아의 원시적·비합리적·소원적 사고기능. 정신분석학

논리나 현실판단에 지배되지 않는 무의식의 기능 방식을 뜻하며, 꿈이나 말실수 등을 통해 확인될 수 있는 정신기능이다. 정신작용의 가장 원시적인 형태로서 쾌락원리에 따라 본능적으로 하고 싶은 것을 즉각적으로 만족시키려고 하는 과정이다. 즉각적이고도 완전한 해결을 추구하는 환각적인 소망충족이 작용한다. 생물학적인 배경을 가진 원초아의 충동에서 유발되는 긴장을 해소하기 위한 정신에너지의 즉각적인 방출이라 할 수 있다. 언젠가 기본적인 욕구를 만족시켜 준 적이 있는 어떤 대상의 심상을 창조하여 긴장을 감소시키는 과정이다. 전 논리적이며, 유아기 형태의 사고작용에 해당하고, 충동을 저지시킬 수 있는 능력이 없으며, 현실과 비현실 간의 차이를 구분하지 못하고, 자신과 대상을 구별할 수 없다. 직접적이고 비합리적인 방법으로 욕구를 만족시키려는 시도로 표현되며, 따라서 이러한 행동은 다른 사람이나 자신에게 미칠 결과를 전혀 고려하지 않기 때문에 개체나 사회에 위험을 초래할 수 있다. 즉각적인 욕구충족 대상이 여의치 않을 경우, 원초아는 내적인 심상이나 바라는 대상에 대한 환상을 형성한다. 예를 들면, 배고픈 유아가 어머니의 젖가슴에 대한 내적 표상을 떠올린다. 그 결과 형성된 심상은 소망충족으로 간주되는데, 이것은 프로이트(S. Freud)가 정신병 환자의 환각이나 일상적인 꿈으로 믿었던 소망충족과 유사하다. 그러나 내적 심상은 그 자체로는 완전한 긴장 감소를 가져오지 못하기 때문에 결국 자아가 작용하게 된다.

관련어 | 소망충족, 원초아, 이차과정, 쾌락원리

일차망상
[一次妄想, primary delusion]

뚜렷한 원인이나 이유 없이 이치에 맞지 않는 생각을 하는 상태. **이상심리**

　직접적이고 스스로 발생하는 망상을 말하며, 진정망상이라고도 한다. 이 증상은 심리학적으로 근원이나 원인을 추적할 수 없는 궁극적인 현상이기 때문에 그 발생을 파악할 수 없다. 정신분열증의 대표적인 특징이 일차망상이라고 할 수 있는데, 야스퍼스(Jaspers)는 일차망상이 의미의식의 근본적 변화이며 다음과 같이 네 가지 요소로 구성되어 있다고 하였다. 첫째, 망상기분은 주변환경에 속한 것들이 모두 무의미하다고 느껴지는 것, 둘째, 망상지각은 정신적인 지각에 특별한 의미가 부여되는 것, 셋째, 망상표현은 마음속에 기억이나 과거의 것이 새로운 의미를 가지고 나타나는 망상추상과 돌연 있을 수 없는 생각을 해내는 망상착상으로 구분할 수 있는 것, 넷째, 망상각성은 사건을 알고 있지만 그것을 감각적으로나 구상적으로 전혀 모른다고 지각하는 것이다. 슈나이더(Schneider)는 망상표현과 망상각성을 통합해서 망상착상이라고 하였다. 그러나 일반적으로 망상이라고 하면 망상지각과 망상착상 혹은 이에 더해 망상기분을 뜻한다.

관련어 | 망상장애

일차수준의 변화
[一次水準 – 變化, first order change]

가족이 변화할 때 겉으로 드러나는 행동이 변하는 일차적 수준의 변화. **전략적 가족치료**

　가족이 긍정적인 변화를 시도하여 표면적으로 드러나는 행동이 변화하는 단계를 일차수준의 변화라고 한다. 이는 새로운 환경에 적응하기 힘든 사람이 종종 반복적으로 과거의 해결책을 시도하거나 비생산적인 행동을 강화함으로써 문제의 해결을 위한 변화를 시도할 때 나타난다. 전략적 접근의 가족치료사들은 가족의 변화를 일차수준의 변화와 이차수준의 변화로 분류하여 설명하는데, 이차수준의 변화는 가족의 행동뿐만 아니라 가족규칙과 같은 내부적인 변화도 함께 일어나는 단계를 말한다. 일차수준의 변화에서는 가족체계에서 일어나는 구성원의 행동이나 상호작용의 형태가 변하기는 하지만 가족규칙과 같은 가족의 진정한 변화가 일어나는 것은 아니다. 예를 들어, 컴퓨터 게임을 밤늦게까지 즐기는 자녀에게 부모가 매로 때리는 것에서 말로 야단치는 것으로 바뀌는 것은 일차적 변화라 할 수 있다. 그러나 그 자녀에게 "혹시 컴퓨터 게임을 늦게 시작했니? 아니면 컴퓨터 게임시간을 너무 적게 주었니?"라고 하는 것은 가족규칙을 검토하고 가족이 함께 변화를 시도하는 이차적 변화라고 할 수 있다. 일차변화에서는 대개의 경우 문제해결방안에 대해 논리적이고 합리적인 것을 시도하며, 문제가 일어난 상황에 대해 정반대의 해결방안을 시도한다. 예를 들어, 남편이 소리를 크게 지르면 아예 무시하는 대응을 하는 경우로 정반대의 행동을 하는 것이다. 일차수준의 변화는 단기간의 효과는 볼 수 있지만 근본적인 변화를 가져오지는 못한다. 역기능적인 가족에서는 문제와 해결방안이 일차적 수준에서 지속적으로 반복되는 경향을 볼 수 있다.

관련어 | 이차수준의 변화

일차자아자율기능
[一次自我自律機能, primary autonomous ego function]

갈등과 무관하게 환경에 적응할 수 있는 자아기능. **대상관계이론**

　하르트만(H. Hartmann) 이전까지 자아기능에 대한 해석은 심리적 갈등을 다루는 것으로 인식되고 있었다. 프로이트(S. Freud)의 구조모형에서 제시한 자아의 기능은 쾌락원리에 따라 기능하는 원초아와 양심기능을 담당하는 초자아와 외부현실 사이에서 중재와 조율을 담당한다. 그러나 이러한 자아의 중재기능은 결코 완벽하게 이루어질 수 없기 때문에 결과적으로 자아는 항상 갈등 속에 있을 수밖에 없다. 하르트만은 이러한 갈등으로부터 자유로운 자아의 기능을 설명하였다. 일차자아자율기능은 출생할 때부터 존재하는 기초적인 심리적 기능으로서 욕동과 방어 사이에서 발생하는 심리 내적 갈등과는 무관하게 독립적으로 발달한다. 일차자아자율기능이 원만하게 발달하기 위해서는 평균적으로 기대되는 환경이 제공되어야 한다. 일차자아자율기능에는 인식(perception), 의도(intention), 대상이해(object comprehension), 사고(thinking), 언어(language), 회상현상(recall phenomena), 번식력(productivity), 동작발달(motor development) 등이 포함된다. 발달과정 중에 반대되는 심리적 힘과 부딪히면 이러한 갈등으로부터 자유로운 일차 자율기능이 갈등해결에 관여한다. 이와 같이 태어날 때부터 잠재적인 자아능력을 갖는다는 하르트만의 관점은 프로이트의 이론과는 상반된다. 프로이트는, 유아는 출생할 때부터 원초아 덩어리이며 원초아의 본능이 좌절을 경험하면서 점차 원초아로부터 자아가 분화되어 나온다고 주장하였다. 그러나 하르트만에 따르면, 유아는 태어날 때부터 자아도 원초아도 없는 존재다. 단지 자아와 원초아의 미분화된 모체(undifferentiated matrix)만 가지고 태어날 뿐이다. 유아가 적절한 성장을 할 수 있는 평균적으로 기대되는 환경이 제공되면 미분화된 모체로부터 비로소 자아가 제 형태를 갖고 점차 환경에 적응해 가는 가운데 원만하게 발달할 수 있다.

관련어 이차자아자율기능, 자아자율성

일차적 동일시
[一次的同一視, primary identification]

유아적 의존단계에서 유아가 최초의 주된 양육자, 즉 어머니와 전적으로 융합되어 있는 심리상태. **대상관계이론**

페어베언(R. Fairbairn)은 일차적 동일시가 분리감 이전 단계에 나타난다고 하였으며, 집중하고 있는 주체에서 아직 분리되지 않은 대상의 심적 부착(cathexis)을 일컫는 용어로 사용하였다. 유아는 어머니와 전혀 분화되어 있지 못하며 의존 대상과 완전하게 동일시하고 대상을 대상으로 보기보다는 자신의 한 부분이라고 느낀다. 이와 같이 유아는 어머니와 철저하게 융합되어 자기와 대상 간의 구분이 희미하며 이러한 상태에서 대상과 동일시하는 현상이 나타난다. 초기 유아는 아직 대상과 충분히 분화되지 못했기 때문에 자신의 쾌감과 대상 사이를 거의 구분하지 못한다. 따라서 좌절이나 어머니로부터 분리되는 등의 불쾌한 경험을 할 경우 합일화(incorporation)를 통해 대상과 재결합하려는 환상을 갖는데, 이것이 일차적 동일시의 기원으로 자기와 대상이미지의 재융합을 통해 성취된다. 예를 들어, 배고픈 유아는 음식과 리비도 충족을 갈망하며 동시에 어머니와의 신체적 융합을 소망한다. 유아의 인식기능은 일시적으로 약화되어 초기의 미분화 상태로 되돌아가는데, 약 3세까지 이러한 퇴행적 재연합과 점진적 분화가 반복된다. 자기와 대상 사이의 구별에 기초하여 대상처럼 되는 것을 의미하는 이차적 동일시(secondary identification)와는 다르다.

관련어 유아적 의존단계, 합일화

일차적 모성 몰두
[一次的母性沒頭,
primary maternal preoccupation]

어머니가 신생아의 양태에 들어가서 그의 욕구를 만나는 것.
대상관계이론

초기 신생아에게 필요한 경험을 제공해 주기 위해 아기에게 민감하게 반응하면서 몰두하는 어머니의 상태를 의미한다. 위니콧(D. Winnicott)에 따르면, 초기 유아는 어머니에게 절대적으로 의존하고 있기 때문에 어머니가 유아의 절대적 의존을 잘 이해하고 맞추어 주는 노력을 해야 유아의 잠재력이 제대로 성장할 수 있다. 그러나 유아는 아직 일정하게 통합된 상태가 아니므로 어머니가 유아의 초기 성숙과정에 맞추어 주는 것은 매우 복잡하고 힘든 작업이다. 따라서 어머니가 유아와 함께 거의 한 몸을 이루어야 한다. 이와 같이 위니콧은 임신 말기부터 출산 후 몇 주간 어머니가 아주 헌신적으로 아이에게 몰두하여 마치 한 몸인 것처럼 돌보면서 초기 유아의 성숙을 도와주는 것을 일차적 모성 몰두라고 하였다. 이러한 모성 몰두 상태에서 어머니는 유아와 극단적으로 동일시하기 때문에 거의 병적 상태처럼 보인다. 타자인 유아의 경험을 마치 자신의 것으로 느낀다. 그러나 어머니는 유아와 한 몸을 이루면서도 동시에 서로 분리된 개별적인 존재라는 인식을 가지고 있다. 어머니와 유아가 하나가 되는 순간뿐만 아니라 별개의 존재로 인식되는 순간이 공존한다. 어머니가 유아에게 제공하는 모성적 기능은 대상어머니(object mother)와 환경어머니(environmental mother)로 구분된다. 대상어머니는 배고픔을 해결해 주고, 안아 주고, 기저귀를 갈아 줌으로써 유아의 본능적 욕구를 충족시켜 준다. 그러나 대상어머니만으로는 충분하지 않다. 유아는 초기 단계부터 자아욕구를 지니고 있는데, 이것은 대상어머니가 아닌 환경어머니에 의해 충족된다. 유아의 현실에 대한 인식능력의 형성, 인격화, 통합 등과 같은 자아욕구는 환경어머니의 모성 돌봄에 의해 충족될 수 있다.

일차적 변화
[一次的變化, first-order change]

체계 내의 규칙 안에서 시도되는 것으로 그 체계의 성질과 구조를 바꾸지 않고 행동 또는 상호작용만 변화되는 것.
발달심리

문제를 해결하기 위한 변화는 일차적 변화와 이차적 변화로 나누어 볼 수 있는데, 일차적 변화는 하나의 체계 안에서 체계의 성질과 구조를 바꾸지 않고 자신의 행동을 변화시키는 것이다. 예를 들어, 컴퓨터 게임을 밤늦게까지 즐기는 자녀에게 부모가 매로 때리던 것에서 말로 야단치는 것으로 바꾸는 것은 일차적 변화라 할 수 있다. 일차적 변화에서는 문제가 일어난 방향과 반대 방향으로 되돌리겠다는 움직임으로 문제를 해결하려는 경우가 많다. 예를 들어, 남편이 소리를 크게 지르면 아내는 아예 무시하는 쪽으로 대응하여 정반대 행동으로 문제를 해결하는 것이다. 일차적 변화는 단기간의 효과는 볼 수 있지만 근본적인 변화를 가져오지는 못한다. 역기능적인 가족에서는 문제와 해결방안이 일차적 수준에서 지속적으로 반복되는 경향이 있다.

관련어 이차적 변화

일차정서
[一次情緒, first emotion]

선천적인 것으로 현재 일어난 상황 때문에 생긴 직접적이고 반응적인 감정. **정서중심치료** **정서중심부부치료**

브리지스(K. M. B. Bridges)에 따르면, 출생 시에 신생아는 몇 가지 제한된 정서만 표현한다. 이러한 정서는 선천적인 생의 초기에 나타나고 얼굴표정만 보고서도 감정상태를 쉽게 알 수 있으며, 세계 모든 문화권의 영아에게서 볼 수 있기 때문에 일차정서 혹은 기본 정서라고 부른다. 일반적으로 일차정서에는 행복, 분노, 놀람, 공포, 혐오, 슬픔, 기쁨, 호기심 등이 포함된다. 이처럼 일차정서는 영아기 초기에 나타나는 데 비해서 수치심, 부러움, 죄책감, 자부심과 같은 정서는 첫돌이 지나서야 나타난다. 이 정서들은 이차정서 또는 복합정서라고 한다. 일차정서는 다시 적응적 일차정서와 부적응적 일차정서로 나눌 수 있다. 적응적 일차정서는 환경의 자극에 대해 맨 처음 일어나는 감정으로 생산적인 것이다. 편도체 영역에서 발생하는 즉각적 정서반응으로서 애착, 정체감과 밀접하게 관련된 감정이며, 갈등을 해결하고 친밀한 관계형성을 위해 필요한 정서다. 예를 들면, 상실과 관련된 슬픔, 폭력에 대항하는 분노, 위협적 상황에 반응하는 두려움 등이다. 부적응적 일차정서는 변화에 저항하며 반복적으로 나타나는 부정적 감정으로 과거의 상처와 과거경험의 미해결된 문제에서 생긴다. 이는 현재 환경에 적응적으로 반응하지 않는 감정으로 조절과 변화의 대상이다. 원천적 고독감, 버려진 느낌, 부끄러움, 무가치감, 현재에 근거하지 않은 부적절한 불안, 폭발적 분노, 경멸 등이 이에 속한다.

일치시키기
[一致 –, matching]

NLP의 맞추기(pacing) 방법의 하나로서 라포 형성을 위해 또는 라포 상태를 증진시키기 위해 내담자나 상대방의 행동, 기술, 신념, 가치관의 일부를 받아들여 반영하거나 그대로 따라 하는 것. **NLP**

내담자의 언어, 비언어적 반응, 행동 등에 일치시킬 수 있는데, 언어적 일치(verbal match)는 상담자의 언어를 내담자가 말한 내용과 일치시키는 것이다. 언어적 일치에는 동급 유목화, 상향 유목화, 하향 유목화가 있다. 동급 유목화는 내담자가 한 말과 같은 수준에서 일치시키는 것이다. 예를 들면, "친구들이 무시하면 속이 상해요."라고 할 때 상담자가 "그래요, 친구들이 무시하면 속이 상하죠."라고 말하는 것이다. 상향 유목화는 같은 경우에 "내가 의미 있게 생각하는 사람이 나를 인정해 주지 않으면 속이 상하죠."라고 말해 주는 것이다. 또 하향 유목화는 좀 더 구체적인 면을 지적해 준다는 점에서 상향 유목화와 다르다. 예를 들면, "그날 함께 만난 두 친구가 ○○씨를 무시하는 태도를 취해서 기분이 나빴군요."라고 말해 줄 수 있다. 비언어적 반응이나 행동에 일치시키는 것은 거울반응하기(mirroring)와 유사한 기법이다. 마주하고 있는 상대방이 오른손을 들 때 나도 오른손을 드는 반응을 보이는 것이 일치시키기라면, 거울에서와 마찬가지로 똑같이 왼손을 들어 보이는 것은 거울반응하기라고 할 수 있다. 일치시키기 기법을 활용할 때는 내담자가 의식하지 못하도록 해야 한다. 맞추기가 충분히 이루어지면 다음으로 이끌기 기법을 적용하는데, 이끌기(leading)는 맞추기를 바탕으로 의도적으로 상대방에게 변화된 행동을 유도하기 위하여 적용하는 기법이다. 충분한 맞추기가 이루어지면 자연스럽게 이끌기가 유도된다. 그래서 '맞추기-맞추기-이끌기(pace-pace-lead)'의 공식이 성립한다. 이끌기가 적용되는 예를 들어 보면, 내담자가 이야기를 하면서 머리를 자주 만지작거리며 산만한 모습을 보일 때 직접적으로 그에게 머리를 만지지 못하게 하기보다는 상담자도 함께 머리를 만지거나 다른 신체부위를 만지는 형식으로 적절한 맞추기를 시도해 가다가 적당한 때에 머리 만지기를 중단함으로써 이끌기를 시도하면 내담자도 상담자를 따라 머리 만지기를 중단하게 된다.

관련어 | 거울반응하기

불일치시키기 [不一致 –, mismatching] 상대방과의 상호작용(만남이나 대화)을 중단하거나 그의 태도를 변화시키거나 그의 행동을 방해함으로써 관계를 끝내고자 하는 목적으로 상대방의 행동과 다른 행동양식을 취하고 다른 반응을 보이는 것이다. 예를 들어, 대화 중에 상대방과 제대로 눈을 마주치지 않는다거나 전혀 다른 맥락에서 이야기를 하면 그와 불일치시키는 것이 되고, 그 결과 상대방과의 대화는 더 이상 지속되기가 어려워진다.

일탈자
[逸脫者, deviant]

사회나 집단의 규범에 반하는 행동인 일탈을 행하는 사람.
`아동청소년상담`

일탈자는 사회적인 규범에 반하여 일탈의 행동을 하는 사람을 의미하며, 일탈의 개념에 대해서는 사회나 시대에 따라서 다르지만 기본적으로 범죄, 비행, 자살 등이 해당한다. 또한 가족에서의 일탈의 의미를 생각하는 경우에는 무엇을 일탈로 하며, 누구를 일탈자로 규정하는지는 각각의 가족마다 다르다. 낙인이론(labeling theory)에서는 일탈자로서 딱지를 붙이는 것이 그 사람을 더욱 일탈행동에 빠지게 한다고 설명하고 있다. 이러한 과정은 부정적인 자아정체성, 마이너스 방향에 대한 자기충족예언(自己充足豫言)으로 설명 가능하다. 학교생활에서의 예를 들어, 학급의 누군가가 비행청소년으로 일탈자의 딱지가 붙는다면 반드시 좋은 결과를 낳지 못할 것이다. 그리고 가족관계의 예에서 작가인 아버지가 사실과 관계없이 딸의 비행을 책으로 출판하는 행위는 딸에게 주위로부터 비행소녀의 딱지를 붙이는 상황을 만들고, 그 후 딸은 비행화를 진전시키는 불행한 결과가 나타난다고 할 수 있다. 어떤 집단이나 가족 속에서 특정 개인을 일탈자로 규정짓는 이유로 속죄의 양(scape goat)의 의미를 들 수 있는데, 특정 개인을 공격함으로써 공격하는 측의 심리적 갈등이나 위협을 경감하기 위해 일어나는

것이다. 이로 인해 일탈자로 낙인이 찍히는 사람에게는 치명적인 위협이 된다.

`관련어` | 일탈집단, 일탈행동

일탈집단
[逸脫集團, deviant group]

사회나 집단의 규범에 반하는 행동인 일탈을 행하는 사람들의 사회 집단으로, 편의(偏倚) 집단이라고도 함. `아동청소년상담`

일반적으로 보편적 사회기준에서 크게 벗어나 사회생활에 위협을 주는 집단으로 지목된다. 사회집단에는 일정한 규범이나 질서가 있는데, 이것에 동조하지 못하면 여러 가지 형태의 반사회적인 부적응 행동을 일으킨다. 이렇게 하여 집단에서 불거져 나와 모인 뒤 규범 틀 밖에서 만든 집단이 일탈집단이다. 일반적으로 일탈집단은 모집단에서 소외되는 정도가 강한 만큼 구성원들끼리 결속이 강하다. 현대사회의 가치의 다양화에 따라 무엇을 일탈이라 하는지는 매우 변동적이지만 폭주족 등의 비행소년 집단조직이나 조직폭력단 등의 범죄집단이 있고, 구체적으로는 도박꾼·깡패·절도(특히 소매치기) 등의 집단, 아편중독자·밀수꾼·매음관계자 등의 집단이 대표적이며, 때로는 정치·경제·문화 등과 관계된 반사회 집단도 있다. 반사회 집단의 발생에는 여러 역사적 경위가 있는데, 기본적으로 신분적인 지배와 복종, 수탈과 착취, 그 결과로서 사회적 몰락이 불가피한 사회적 기구가 존재하는 곳이면 어디서나 발생하고 존속한다. 이 집단에서는 왕초, 형, 동생 등의 신분관계로 조직화되어 있으며, 강자의 지배와 보호, 약자의 예속과 봉사가 원리원칙으로 되어 있다.

`관련어` | 일탈행동, 일탈자

일탈행동
[逸脫行動, deviant behavior]

사회나 집단의 규범에 반하는 행동. 아동청소년상담

일탈행동은 사회적 규범에 벗어난 행동이다. 사회적 규범은 일반적으로 법률·풍습·관습 등이 포함되며, 그 밖에 도덕·전통·예의·유행 등도 포함된다. 이에 따라 일탈행동도 다양하여 범죄·비행·마약·알코올중독·매춘·폭력뿐 아니라, 속어·은어·비어의 사용, 신의 모독, 정치·경제에 관한 과격한 언동까지 포함한다. 또 사회적 규범은 시대나 사회에 따라 다르며, 같은 시대나 같은 사회에서도 사회체계의 차원에 따라 다르기 때문에 일탈행동도 그에 따라 상대적으로 다르다. 이전에는 편의(偏倚)적 행동이라는 용어도 사용되었는데, 오늘날에는 일탈행동이라는 용어를 일반적으로 사용하고 있다. 동조행동(同調行動)에 대한 용어로 어떤 사회에서 준수되고 있는 제 규범을 침범하는 행동 일반을 가리키는 일탈행동에는 보통 범죄, 비행, 자살, 매춘, 알코올중독, 부랑, 도박 등을 들 수 있다. 그러면서 어떠한 행동이 일탈행동인가라는 문제는 상대적인 것이라고 할 수 있다. 즉, 시간과 장소에 따라 같은 행동이라도 다르게 해석될 수 있는 것이다. 또 낙인이론(labeling theory)에서 보면 행동 그 자체는 일탈적이지도 비일탈적이지도 않다고 말할 수 있다. 바꾸어 말하면, 일탈은 행동 그 자체의 속성은 아니다. 그 행동을 일탈이라고 결정하고 규정하는 것은 다른 사람의 반응, 반작용, 딱지 붙이기 등이라는 것이다. 그 때문에 어떤 행동이 일탈적이라고 하기 위해서는 특정 사회의 특정 시점에서 그 행동에 대하여 보통 사람들이 가지고 있는 반응기준이 무엇인지 알아야 한다. 일탈행동을 규정하기 위해서는 사회적 규범에 입각한 사회 통제와 일탈 주체 등의 양자가 필수불가결한 요건이나 측면이 된다. 이제까지의 일탈행동에 대한 대부분의 연구에서는 어느 한쪽에 중점을 두거나, 어느 한 측면에

서만 접근을 시도해 왔다. 초기의 연구를 보면, 마치 성악설에서처럼 개인의 내발적 경향으로써 일탈 가능성이 있다는 것이 전제가 되었으며, 사회적 규범에 입각한 통제가 해이해지거나 기능장애를 일으킬 때 일탈 가능성이 나타나 일탈행동을 야기한 것으로 여겨 왔다. 이에 대해서 일탈 주체 쪽에서 일탈행동을 설명하려는 입장으로는 예로부터 '생래성(生來性) 범죄자'의 이론 등이 있었다. 최근에는 일탈 주체가 한편으로는 자아 안의 어떤 욕구 불만이나 긴장·갈등을 해결하려고 하는 노력이 사회적 규범에 위배되는 결과가 되었다고 보는 긴장이론, 역할갈등론 등으로 전개되고 있다. 다른 한편으로는 일탈행동의 구체적 유형은 어디에서 누군가로부터 배운 결과라는 점을 강조하는 문화학습이론으로 전개되고 있다. 후자의 예로 비행이론을 들 수 있는데, 비행의 원인은 비행집단과의 밀접한 접촉에 따른 것이라고 하는 문화적 접촉이론과, 비행은 범죄적·공격적 또는 퇴행적인 부차문화(副次文化)로부터 어떤 지지를 받은 역할행동이라고 보는 비행부차문화론, 비행은 기회구조 속에서 합법적 기회보다는 비합법적 기회에 보다 더 많이 접촉한 결과라고 하는 기회구조론 등을 들 수 있다. 일탈행동에의 접근을 사회통제의 측면에서 시도하는 입장 중에는 통제의 이완이 아니라 통제의 강화가 오히려 일탈을 유발한다고 보는 견해가 있다. 뒤르켕(Durkheim)의 범죄론과 베커(Becker) 등의 낙인이론에서 볼 수 있는데, 여기에서는 통제 측의 제재가 없으면 애초에 일탈현상은 없다고 보고 '일탈이란 어떤 사람이 저지른 행동의 성질이 아니라 타인의 규칙과 제재를 그 위반자에게 적용한 결과로서, 일탈자란 딱지가 교묘하게 붙은 사람을 뜻하고 일탈행동이란 사람들이 일탈이라는 딱지를 붙인 행동'이라고 생각하였다. 일탈자에게 딱지를 붙일 때, 각자가 암암리에 사용하는 해석법이나 상황적 의미의 구성 및 일탈자와의 복잡한 교섭 등 통제측이 일탈 형성에 작용하는 측면도 중요시한다.

관련어 | 일탈집단, 일탈자

일화기억
[逸話記憶, episodic memory]

과거에 발생했던 일화가 포함된 기억. `인지치료`

장기기억의 한 형태로서 삽화기억이라고도 하며, 털빙(Tulving, 2002)이 소개한 개념이다. 구체적인 자서전적 사건들에 대한 기억으로 공간적·시간적 맥락정보를 포함한다. 언제, 어디서 그 사건이 발생하였는지에 관한 기억이다. 기억의 주체인 개인이 과거에 경험했던 크고 작은 사건들, 예를 들면 학창 시절 선생님께 꾸중을 들었던 일, 동창회에 가서 은사와 친구들을 만났던 일, 생일날 파티를 열어 축하를 받았던 일, 애인으로부터 실연을 당했던 일과 같이 기억에 남아 있는 사건들이다. 일화기억과 대비되는 기억으로 의미기억(semantic memory)이 있다. 일화기억과 달리 의미기억은 시공간과 관련되지 않는다. 예를 들면, 우리나라 초대 대통령의 이름을 물었을 때는 누구나 쉽게 대답할 수 있지만 언제 어디서 그 정보를 처음 알게 되었는지 정확하게 기억하는 사람은 별로 없다. 일화기억이 제공하는 정보를 '기억한다(remember)'로 표현할 수 있다면, 의미기억에 저장된 정보는 '알고 있다(know)'로 표현할 수 있다. 일화기억과 의미기억 간에는 두 가지 유사성이 있다. 의미기억과 마찬가지로 일화기억은 기억들이 원래 획득된 것과는 다른 형태로 융통성 있게 전달될 수 있다. 졸업식에 참여했던 일화기억을 떠올릴 때 시간적, 공간적 맥락과 함께 다양한 세부사항을 떠올리게 되며, 이전에 그것들에 관해 말한 적이 없음에도 불구하고 다른 사람들에게 그 세부사항을 묘사할 수 있다. 또한 의미기억과 같이 일화기억은 의식적인 회상을 통해 접근이 가능하다. 누군가 세부적인 일화기억에 관해 물었을 때, 자신은 그것을 기억하는지 아닌지를 의식적으로 알고 있다. 새로운 일화기억을 획득할 수 없는 기억상실에 걸린 사람은 퍼즐을 푼다든지 거울에 비친 문구를 읽는 등의 새로운 기술을 배울 수 있다. 그러나 이 새로운 기술에 대해 묻는다면 그들은 이 기술을 획득한 의식적인 기억을 가지고 있지 않기 때문에 기술을 알고 있다는 사실을 부인한다. 이러한 유사점이 있기는 하지만 일화기억과 의미기억 간에는 몇 가지 차이점도 있다. 일화기억은 자서전적인 내용을 포함해야 하고, 언제 어디에서 사건이 발생했는지 기억해야만 한다. 또한 일화기억은 한 번의 경험을 통해 획득된다. 바로 사건 그 자체에 대한 기억이다. 일화기억과 의미기억 간의 명확한 관계는 불분명하지만, 일화기억은 의미기억으로부터 유래된다고 본다. 즉, 유기체는 일화기억이 형성되기 이전에 이미 상당한 양의 의미적 정보를 가지고 있다. 예를 들면, 졸업이 무엇인지 모른다면 졸업경험에 대한 세부적인 일화기억을 갖지 못할 수 있다. 일화기억은 세 가지 기본 단계를 거치는데, 첫째, 정보의 부호화로서 기억 속에 들어오는 과정이다. 둘째, 보존으로서 기억 속에 유지되는 과정이다. 셋째, 인출로서 기억은 필요할 때 즉각적으로 떠올라야 한다. 많은 요소가 이 같은 단계에 영향을 미치기 때문에 새로운 정보에 대한 기억은 그것이 이미 존재하는 지식과 관련되어 있을 때, 부호화와 인출상황이 비슷할 때, 그리고 회상하기 위해 이용 가능한 단서가 많을 때 더 강력해진다.

관련어 | 의미기억

읽기곤란
[-困難, reading difficulty]

읽기에 어려움을 겪고 있는 현상 모두를 포함한 개념. `특수아상담`

유기체 내의 어떤 결함뿐 아니라 비문자적인 환

경이나 부적절한 읽기 지도에 기인하는 모든 곤란을 포함한다. 읽기곤란은 곤란을 일으키는 원인에 초점을 두기보다는 읽기에 어려움을 겪고 있는 현상 자체를 나타내는 기술적 개념이다. 읽기곤란과 관련이 있다고 보이는 두 가지 주요 원인은 음운 부호화 밑에 깔려 있는 특정한 지적 또는 인지적 과정의 곤란, 교육의 수준이 빈약하여 아동이 교육으로부터 이득을 얻지 못하거나, 교육을 받는 동안 주의집중을 잘 못하는 것과 같은 여러 가지 내적·외적 조건 때문에 읽기학습을 실패하는 것이다. 읽기곤란을 가지고 있는 아동은 두 가지 유형으로 나타나는데 정원 다양성과 난독증이다. 정원 다양성 열등 독자(garden variety poor reader)는 사물을 순서대로 놓는 것뿐 아니라 많은 영역에서 지적 또는 인지적 과정상의 문제를 보인다. 그들은 단어들, 사물들, 또는 그림들 간의 관계를 잘 파악하지 못하고, 주의집중에 문제가 있으며, 조직하고 미리 계획하는 데 어려움을 겪는다. 정원에서 자라는 여러 종류의 식물을 특정한 질서나 범주에 포함시킬 수 없는 것처럼, 정원 다양성 읽기곤란의 이유들은 혼합되어 있다고 할 수 있다. 이와 대조적으로 지적·인지적 과정에서만 특정한 결함을 보이는 소수의 난독증적 열등독자(dyslectic poor reader)의 가장 중요한 결함은 연속적 능력, 즉 소리와 단어를 순서대로 놓는 능력에 문제가 있다. 따라서 읽기를 잘 못하는 아동을 세 가지로 분류하면, 빈약한 교육을 포함하여 외적 요인에 기인하는 불이익을 지니고 있는 아동, 그리고 일반적인 인지적 결함을 지니고 있는 아동과 몇 가지 지적 및 인지적 기능에서만 특수한 결함을 지닌 아동으로 나누어 볼 수 있다.

관련어 난독증, 읽기장애

읽기기술
[-技術, reading skill]

학습전략의 하위요소 중 하나로, 글을 효과적이고 효율적으로 읽고 이해하여 핵심적인 내용이나 중심 아이디어를 파악하고 저장함으로써 인출이나 회상이 용이하도록 하는 기술. **학습상담**

읽기기술에는 로빈슨(Robinson, 1970)의 SQ3R, 만조(Manzo)의 GRP 7단계, 댄서로우(Dansereau, 1988)의 MURDER, 앤더슨(Anderson)의 3단계, 월터와 시버트(Walter & Sibert, 1984)의 SQ4R 등이 있다. 먼저 SQ3R은 개관하기(survey), 질문하기(question), 읽기(read), 암송하기(recite), 복습하기(review)의 5단계로 되어 있다. GRP 7단계는 읽고 기억하기, 기억에 의해 기록하기, 적은 것 복습하기, 계열화·조직화하기, 전이하기, 진단검사 실시, 집단토론이다. MURDER는 분위기(mood), 이해하기(understanding), 재생하기(recalling), 소화하기(digest), 또는 명세화하기(detailing)의 이해 파지 전략(MURD)과 확대하기(expanding), 복습하기(reviewing)의 기억 극대화 전략(ER)의 2단계로 구성되어 있다. 앤더슨의 3단계는 예습 읽기(학습목표 구별하기, 개관하기), 수업 중 읽기(정보수집하기, 질문하기, 판단하기, 피드백 확인하기, 다음 목표 정하기), 복습 읽기(조직화하기, 전이하기, 반복하기)다. SQ4R은 로빈슨의 SQ3R에서 암송하기와 복습하기 사이에 요점 적기(writing, R)가 추가된 것이다. 이러한 학습기술 중에서 교과서 읽기 등에 가장 대표적으로 사용되는 기술은 SQ3R이다.

관련어 학습전략, 학습전략훈련모형

SQ3R [-, survey question read recite review] 읽기기술을 향상시키는 훈련방법 중 하나인데, 로빈슨이 제안하였고 가장 많이 활용되고 있다. 이 방법은 다음 5단계로 진행된다. 첫째, 개관하기(servey) 단계에서는 읽을 책이나 단원의 제목, 소제목, 도표, 지도, 삽화, 요약 내용 등을 재빨리 살펴

본다. 이 과정은 전체적인 내용에 대한 개관이나 구성을 이해하여 여러 가지 정보를 주는 자료를 조직하는 데 도움이 된다. 둘째, 질문하기(question)에서는 앞 단계에서 알게 된 제목이나 소제목 등으로 질문을 만든다. 예를 들어, '정신분석학의 성격구조는 무엇이 있는가?' '성격은 어떤 발달과정을 거치는가?' 등으로 질문을 만들거나 의문을 갖는 것이다. 이러한 질문은 글을 읽는 동안에 해답을 찾기 위한 도전적인 자세와 읽는 것에 대한 동기를 유발하고, 내용에 관심과 흥미를 갖도록 한다. 셋째, 읽기(read)에서는 앞 단계의 질문에 대한 답을 찾는 마음으로 질문과 관련된 내용을 처음부터 끝까지 읽어 나간다. 만약 읽고 있는 내용에서 질문에 대한 답을 찾을 수 없다면 처음 제시한 질문을 수정해야 한다. 넷째, 되새기기 또는 암송하기(recite)에서는 질문에 대한 답을 찾은 후에 읽은 내용을 자신의 언어로 표현해 본다. 이 과정은 자신이 읽은 내용을 확인하는 것이다. 만약 자신이 읽은 내용을 암송하지 못한다면 충분히 그 내용을 습득하지 못했다고 할 수 있으므로 다시 읽는 것이 학습에 도움이 된다. 다섯째, 복습하기(review)에서는 읽은 세부내용을 모두 암송하고 자료 간의 관계를 조직하며, 읽은 것과 실제 생활 속의 예를 관련지어 학습한다. 만약 읽는 동안 노트필기나 메모를 했다면 그 자료를 읽으면서 복습한다.

읽기장애
[－障礙, reading disabilities]

특수아상담

⇨ '특정 학습 장애' 참조.

읽기지체
[－遲滯, reading retardation]

읽기능력이 손상된 상태. 문학치료(독서치료)

국제질병분류코드에서 특수 읽기장애 범주에 속하는 읽기지체는 지적장애 혹은 문화적 박탈 등이 원인이 될 수 있는 손상이다. 읽기지체는 난독증과는 구별된다. 난독증은 코르티솔 과다분비에 따른 두뇌의 기호처리과정이 원인이 되는 특수 읽기장애다. 즉, 난독증은 문자기호를 뇌가 처리하는 방식을 달리 선택하는 학습장애다. 이에 비해 읽기지체는 읽기기술 획득 실패 혹은 읽기기술 상실이 원인이다. 읽기지체는 일반 읽기퇴행과 특수 읽기지체로 구분한다. 퇴행이라는 말은 지능과 상관없이 해당 연령이 획득해야 하는 평균적인 읽기능력과 관련해서 퇴행한 정도를 말한다. 반면 지체는 읽기능력에서 특수한 장애를 설명할 때 사용하는 용어로서, 아동의 일반적인 지능으로 설명될 수 없는 읽기곤란이라는 뜻이다. 간단하게 말해서 읽기퇴행은 단지 미성숙한(under-achievement) 상태를 말하고, 특수 읽기지체는 통상 '능력부진(under achievement)'이라고 하는 여러 가지 형태를 말한다. 읽기퇴행 아동들은 연령에 맞는 평균지능 이하인 반면, 특수 읽기지체 아동들은 평균지능을 가지고 있다. 이 증상은 주로 만 2세 이후 발현되며, 증상에 관련된 일반적인 의학적 원인이 없다. 증상과 관련된 정신과적 문제가 있는 경우는 주로 8~13세 사이에 나타난다. 가족력과의 상관성이 있다는 연구 자료도 있지만, 상관이 없는 경우도 있다. 가장 주의 깊게 관찰해야 하는 요인은 정신병적 요소와 학문적 배경이지만, 그와 관련이 없는 경우도 있다. 아동기 성장배경에 관련된 스트레스가 원인이 되는 경우도 있고, 주요 양육자의 낮은 교육수준과도 관련이 있다.

관련어 난독증, 능력 부진

읽기치료
[- 治療, reading clinic]

읽기에 문제가 있는 내담자들에 대한 치료. **문학치료(독서치료)**

읽기치료는 독서 클리닉이라고도 하는데, 일반적으로 난독증으로 통칭되는 낱자, 어휘, 문장 등에 대한 인식 및 이해 곤란에 관련되는 읽기 관련 장애를 치료하는 분야를 말한다. 읽기장애는 학습부진과 관련되는 경우가 많지만 시지각적 기능장애(perceptual dysfunction)도 하나의 원인이라는 사실이 밝혀졌다. 얼렌 증후군(Scotopic Sensitivity Syndrome, SSS)이라고도 하는 시지각적 기능장애를 가진 사람은 빛의 특정 파장 때문에 주변세계가 찌그러져 보인다고 한다. 시지각적 체계의 가장 기초적인 요소라고 할 수 있는 빛을 적절하게 사용할 수 없는 사람들이 읽기에 곤란을 느낀다는 것이다. 얼렌 증후군으로 인한 시지각적 왜곡은 하얀 종이에 인쇄된 까만 글자를 읽을 때 가장 뚜렷이 나타난다. 읽기장애에는 발달적 난독증, 후천적 난독증, 과독증 혹은 다독증 등이 있으며, 개인마다 증상이 매우 다양하게 나타난다. 이에 대한 치료는 주로 언어치료영역에 해당한다.

관련어 과독증, 난독증, 다독증, 얼렌 증후군

임계성
[臨界性, liminality]

무용동작치료에서 말하는 아직 새로운 정체감을 얻기 이전의 혼돈과 무기력 단계로서, 일상생활과 분리된 존재의 상태를 이르는 말. **무용동작치료**

무용동작치료에서 임계성 단계는 영원한 단계가 아니라, 반문화적이고 혁명적 운동의 성격이 있다고 설명한다. 한편 위대한 창조의 시기이므로 자기 자신과 자기가 속한 집단을 위해 새로운 형태의 의미를 자유롭게 발명하는 시기라고도 한다. 임계적 특성으로 이해될 수 있는 심리치료과정으로는 우선

정신분석의 자유연상(free association)을 예로 든다. 무의식은 우리가 모르는 미지의 영역이므로 지식의 대상이 될 수 없고, 무의식이 그 숨은 형태를 꿈, 신경증적 증세, 예술작업에서 드러내고 있는 만큼 내담자는 의식적 통제를 포기하고, 상담자는 판단이나 해석을 포기해야만 무의식이 최소한도라도 자유연상과정이라는 임계적 공간에서 왜곡되지 않게 자신을 드러내도록 허용할 수 있다고 한다. 이런 관점에서 볼 때 자유연상이 가진 임계성은 정신분석의 실천에서 상담자의 해석 및 분석 때문에 우여곡절을 겪고 있는 반면에, 만약 연상의 의미를 분석하지 않는다면 무의식이라는 혼돈적 특성은 의식과 지식의 영역 밖인 자유연상과정에서 자유롭게 떠도는(free-floating) 임계적 특성을 포함하고 있다는 것이다. 이 같은 임계성에 대한 개념은 상상기능을 활용하는 무용동작치료와 표현예술치료분야에서 주로 사용한다.

관련어 자유연상, 중간 단계

임마누엘 운동
[- 運動, emmanuel movement]

20세기 초 심리학 지식을 통하여 기독교인의 심리적 · 정서적 어려움에 도움을 주고자 한 움직임. **목회상담**

1905년 보스턴의 임마누엘 영국국교회 교회에서 처음 시작된 치유운동이다. 임마누엘 영국국교회 교회의 사제였던 엘우드 우스터(Elwood Worcester)가 몇몇 의사와 힘을 합하여 사람들의 영적인, 그리고 정신적인 문제를 보다 적극적으로 치유하려는 시도를 하였다. 결국 그 시도는 많은 사람들의 호응을 얻어 왕성한 치료활동으로 이어졌고, 여러 목회자들과 돌봄의 사역에 종사하는 기독교 지도자들에게 크게 영향을 미쳤다. 특히 이들은 당시 획기적인 성장을 이루어 낸 프로이트(S. Freud)의 정신분석학이론을 기독교에 도입하여 인간의 영적 · 정신적인 문

제를 해결하고자 하였다. 이 운동의 가장 큰 특징은 기독교 신학 안에서만 인간의 영적·정서적인 문제를 해결하고자 했던 기존 교회의 입장에서 벗어나, 일반 사회의 의학인 심리학 개념과 기법을 도입하여 보다 효과적이고 적극적으로 치료하고자 한 데 있다. 이 운동은 1930년대에 들어서 점차 약해지다가 1940년대에는 완전히 자취를 감추었지만, 임상목회교육운동의 전조가 되었다는 데 의의가 있다.

관련어 목회상담, 영혼돌봄, 임상목회교육운동

임산부 블루스
[姙産婦 - , maternity blues]

출산 후 산모의 75~80%가 경험하는 일시적인 우울적 상태.
이상심리

산후우울증(postpartum depression)이라고도 하며, 대다수의 산모가 경험하기에 정신장애 범주에 포함시키지 않는 가장 가벼운 형태의 우울증이다. 이 증상은 1962년에 해밀턴(Hamilton)이 산욕기에 피로감, 울음, 불안, 착란, 두통, 불면, 심신증을 주 증상으로 하는 일련의 증후군이 나타나기 쉽다는 것을 보고하면서 알려졌다. 1968년에 얄롬(I. D. Yalom)이 산후 블루스 증후군(postpartum blues syndrome)이라 부르고, 나아가 1973년에 피트(Pitt)가 다시 임산부 블루스라고 명명하였다. 우울적인 상태라고 해도 병적인 것은 아니기 때문에 블루스(blues)라고 부른 것이다. 이 증상은 분만 후 1주일 이내 임산부 중 많게는 약 85%가 경험하며, 증상이 생긴 후 약 48~72시간 동안이 가장 심하고 3주 이내에 더 이상 악화되지 않고 회복된다. 주요 증상으로는 쉽게 울거나 불안, 초조, 불면증, 급격한 감정 변화 혹은 감정의 고조다. 약물치료는 필요하지 않으며 산모와 가족에 대한 교육과 심리적인 도움이 필요하다. 증상이 지속되거나 정도가 심해지면 산후우울증의 초기 증상일 수 있으므로 다음 단계의 정

신질환으로 넘어가지 않도록 세심한 주의와 관찰이 필요하다.

임상목회교육운동
[臨床牧會教育運動, clinical pastoral education movement]

1920년대 중반에 시작된 것으로, 목회상담자들에게 적극적인 임상훈련을 제공하여 보다 전문적이고 차별화된 목회상담이 이루어질 수 있도록 한 운동. 목회상담

신학자와 목회자가 보다 효과적인 상담을 할 수 있도록 훈련기관을 통한 좀 더 전문화된 훈련을 강조한 운동이다. 많은 학자들은 목회 임상 교육운동을 현대 목회상담학의 시작으로 보고 있다. 이 운동을 처음 시작한 학자는 바로 임마누엘 운동에 참여했던 하버드 의대의 리처드 캐벗(Richard Cabot)이었으며, 안톤 보이센(Anton Boisen), 필립 길레스(Philip Guiles), 러셀 딕스(Russell Dicks)와 같은 학자들과 함께 목회상담자에게 적극적인 임상훈련을 제공해야 할 필요성에 대해 강조하였다. 이들 중 보이센은 본인이 직접 정신분열증에 걸리고 또 이를 극복한 체험에 대한 책(『A mind That Found Itself』)을 출판하여 일반 사회에 정신위생과 정신건강에 대한 경각심을 불러일으켰다. 임상목회교육운동은 신학계와 일반 사회의 심리학 발전에도 많은 기여를 했는데, 1930년대에 신학생을 위한 임상 훈련원(Council for Clinical Training of Theological Students)이 설립되면서 수많은 목회자와 신학생, 그리고 교회지도자에게 임상훈련과 신앙적 훈련을 제공하여 현장 목회상담을 발전시켰고, 신학교 내에서 목회상담이 신학교육의 한 부분으로 자리를 잡는 성과를 거두었다. 또한 1936년에는 캐벗과 딕스가 『The Art of Ministering to the Stick』이라는 책을 펴내어 목회임상 및 영혼돌봄의 기초를 다졌고, 상담훈련의 여러 가지 방법을 제시하였다. 특히 이 책에서 상담자와 내담자의 대화내용을 기록하는 '축

어록'의 방법이 소개되어 의료기관과 교회에서 임상 훈련을 위한 수퍼비전을 하는 데 큰 도움이 되었다. 임상목회교육운동은 1967년 루터교의 임상목회교육 및 남침례교의 임상목회교육과 더해져서 오늘의 미 국임상목회교육협의회(ACPE)가 구성되기에 이르렀 으며, 지금도 활발한 활동이 이어지고 있다.

관련어 | 목회상담, 영혼돌봄, 임마누엘 운동

임상사회복지
[臨床社會福祉, clinical social work]

기본적인 사회복지역할뿐만 아니라 개인, 가족, 소집단을 대 상으로 긍정적 대인관계형성, 사회적 기술향상 등의 심리사회 적 기능을 증진시키고자 관리하거나 지역사회의 지원에 대한 정보 혹은 직접적인 치료서비스를 제공하는 전문적 사회복지 실천활동. 사회복지상담

초창기의 사회사업(social work) 업무는 주로 저 소득층을 대상으로 하는 사례관리가 대부분이었다. 그러다가 1980년대 이후 미국에서는 사례관리 대신 임상사회복지라는 용어를 더 많이 사용하고 있다. 그 이유로는 두 가지를 들 수 있다. 첫째는 1960년 대 공민권 운동이 고조되어 복지수급자를 감시하는 것이 사례관리의 주업무가 되어 비판의 물결이 높 아지면서 사례관리라는 용어가 부정적인 이미지를 갖게 되었기 때문이다. 둘째는 1970년대에 임상사 회복지사의 면허제도가 도입되면서부터 사례관리 라는 용어보다 임상사회복지라는 용어를 더 많이 사 용했기 때문이다. 면허를 취득하면 임상사회복지사 로서 개업할 수가 있다. 전국사회복지협회는 1984년 에 정식으로 임상사회복지의 정의를 정립하였다. 이 에 따르면 임상사회복지의 대상은 개인과 그 환경의 관계에 있으며, 실천내용은 인간 간의 상호관계, 심 층심리역동, 생활측면의 지지 및 관리의 필요에 따 르는 것이다. 이는 종래의 사회복지의 정의와 일치 하지만, 최근 개인이나 가족의 병리에 대한 임상적 측면이 지나치게 강조되어 환경의 변화를 포함한

사회적인 문제에 대처하려고 하는 사회복지사의 감 소가 염려되고 있다.

임상사회사업
[臨床社會事業, clinical social work]

사회사업실천의 이론과 방법을 통해 정신적·정서적 장애를 포함하여 심리사회적 역기능이나 장애, 손상을 가진 내담자를 예방하고 치료하는 전문적 활동. 사회복지상담

임상사회사업은 '직접 실천'이라고도 하며, 개인, 가족, 집단에 대한 직접적인 사회복지실천을 말한 다. 임상사회사업이라는 용어는 사회사업이 태동한 1900년대 초반부터 시작되었으며, 1940년경에는 개 별지도, 의료사회사업, 집단지도, 정신의료사회사 업이라는 의미로도 사용되었다. 또 사회복지 실천 장면에서 '임상'이라는 용어가 본격적으로 사용되기 시작한 것은 1960년대 후반이다. 임상사회사업은 주로 개인, 가족, 그리고 소집단의 문제를 해결한다 는 목적을 가지고 있다.

임상적 독서치료
[臨床的讀書治療, clinical bibliotherapy]

실제 정서 및 행동적 문제에 초점을 두고 구체적인 치료목표 를 가지고 의사 및 병원 내 사서들이 주도하는 독서치료. 문학치료(독서치료)

독서치료는 대개 발달적 독서치료(developmental bibliotherapy)와 임상적 독서치료(clinical bib- liotherapy)로 구분한다. 발달적 독서치료가 교사, 사서, 건강관리사 등이 관여하여 개인의 발달단계 에 맞추어 기본적인 건강을 지키기 위한 예방을 목 표로 하는 독서치료라면, 임상적 독서치료는 실제 정서 및 행동적 문제에 초점을 두고 치료적 목표로 의사 및 병원의 사서들이 주도하는 독서치료를 말 한다. 이처럼 임상적 독서치료는 문제가 있는 사람 들의 자기이해를 증진시키고 행동변화를 할 수 있

도록 도와주는 것을 목적으로 하여, 실제 생활에서 정서 혹은 행동 면에서 보다 심각한 문제로 고통받고 있는 사람들을 돕는 것이 목표다. 그렇다 보니 설계와 실시가 쉽지 않다. 독서치료의 역사가 짧은 우리나라에서는 아직 완전히 독립된 분야로 공인된 상태는 아니다. 임상적 독서치료는 실제 장애가 있는 사람을 도와주는 중재유형이기 때문에 우울이나 불안 등의 실제 특수 문제에 관심을 갖는다. 예방적 차원의 발달적 독서치료가 자존감 향상 및 정상적 성장을 도와 건전한 자아상과 가치관을 정립할 수 있도록 하여 개인의 정신적 · 사회적 문제를 파악하고 보다 현실적인 사고력을 계발시켜 건설적인 방법으로 문제해결의 길을 찾는 행위라면, 치료적 차원의 임상적 독서치료는 병원과 같은 특수 기관이나 집단에서 정신적 문제나 신경증적 증상을 가지고 있는 사람들의 치료를 목적으로 마치 환자에게 약을 처방하듯 선별한 도서를 처방하여 그 사람의 감정 및 행동을 변화시켜서 치료하고자 한다. 다시 말해서 집단적 혹은 개인적 차원에서 정신적 혹은 신경증적 문제의 원인을 분석하고 치유의 방향을 모색해 나가는 것이 임상적 독서치료라고 할 수 있다. 이 과정에서 책이 치료자와 내담자 간의 매개체가 된다. 임상적 독서치료의 사례는 주로 대학병원의 정신과, 정신보건센터, 장애인 종합복지관, 재활원 등에서 살펴볼 수 있다. 임상적 독서치료의 절차는 참여자 모집, 집단크기 설정, 참여자 심사, 계약(문서 혹은 구두)으로 진행되고, 일주일에 1회 정도로 회당 40~50분 정도가 일반적이다. 임상적 독서치료가 집단으로 행해질 경우 치료사는 발달적 집단보다 참여자와의 관계유지에 더 많은 관심을 가져야 한다. 특정 구성원에 대한 특별 대우나 호의는 위험하며, 구성원 간의 상호작용이 치료사의 통제권을 벗어나지 않도록 유의한다. 최근에는 임상적 독서치료를 위한 다양한 심리학적 이론과 기법이 적용되면서 임상적 독서치료의 독립적인 장의 구축이 실현되고 있는 중이다.

관련어 | 발달적 독서치료

임상철학
[臨床哲學, clinical philosophy]

철학적 문제 때문에 발생한 병적 현상에 대한 진단과 처방.
철학상담

임상철학은 잘못된 인식, 잘못된 논리, 잘못된 가치관이나 세계관으로 생기는 병적 현상을 진단하고, 또 진단에 따라 적절한 처방을 내리는 것이다. 임상철학에서는 기존의 심리치료와 달리 병적 현상을 지니고 있는 내담자를 대상으로 접근하는 방식을 지양하였다. 다시 말해 고전적 정신분석학이나 행동치료, 전통적 신경정신학(traditional neuropsychiatry)에서는 병적 현상을 인과법칙이나 관찰 가능한 경험에 근거하여 접근하고, 특히 신경정신학은 병적 현상을 뇌신경의 화학작용으로 환원하려는 경향이 강하다. 그래서 이 입장들에서는 병적 현상을 지니고 있는 내담자를 주체적 차원에서 만나지 못하였다. 즉, 이들은 내담자의 의식현상을 주관적인 것으로 부정하는 경향이 있다. 이와 같은 접근법은 치료적 효과를 초래할 수도 있지만, 경우에 따라서는 내담자를 더 어려운 상황으로 내몰 수도 있다. 그런 이유로 철학적 접근은 이러한 부분을 충분히 고려하려는 입장에서 철학상담이 대두되었다.

관련어 | 철학상담

임상최면
[臨床催眠, clinical hypnosis]

심리적 문제나 신체적 질병에 대한 상담 또는 치료를 목적으로 실시하는 최면으로서 고전적 최면이라고도 함. 최면치료

최면을 사용목적에 따라 분류하면, 크게 무대최면과 임상최면으로 나눌 수 있다. 그중 임상최면은

심리치료를 목적으로 실시한다. 임상최면에서는 내담자의 심리적인 문제나 신체적인 질병을 치료하는 데, 이 때문에 흔히 최면치료라고 하면 바로 임상최면을 의미한다. 임상최면은 치료자가 눈을 감고 있는 상태의 내담자에게 최면을 거는 형태로, 지시적이고 명령적인 특징이 있다. 즉, 치료자는 다양한 암시기법을 사용하여 최면을 유도하고, 내담자는 이를 따라가며 무의식을 떠올린다. 이 같은 임상최면은 치료자 위주의 지시적 방법을 사용하는 최면이며, 이를 다시 전통적 최면과 에릭슨 최면으로 분류할 수 있다.

관련어 | 무대최면, 전통적 최면

임상표준명상법
[臨床標準冥想法, clinically standardized meditation: CSM]

스스로 선택한 만트라에 집중하는 명상의 하나. 명상치료

프린스턴대학교의 임상심리학자 캐링턴(P. Carrington)은 초월명상(transcendental meditation: TM)의 수행과 연구의 여러 문제점을 지적하면서 임상과 연구에 사용할 수 있는 독특한 유형의 만트라 명상법인 임상표준명상법을 개발하였다. 임상표준명상법은 만트라를 수행자가 스스로 선택한다는 점이 초월명상과 다르며, 그 외 대부분은 일치한다. 캐링턴은 수행자들이 쉽게 만트라를 선택할 수 있도록 산스크리트어로 된 16개의 만트라를 제시하였다. 이 방법에서도 명상을 하는 동안 만트라에 의식을 집중하려는 어떠한 의도적 노력을 하지 않는 것을 강조한다. 임상표준명상법의 실시과정은, 먼저 만트라를 스스로 선택하는 것에서 시작한다. 둘째, 편안한 자세를 취한다. 셋째, 특정 대상(주로 식물)에 시선을 맞춘다. 넷째, 만트라를 서서히 규칙적으로 반복하여 소리를 내어 읊는다. 다섯째, 만트라를 읊는 것을 즐기면서 몸을 좌우로 흔들며 반복하고 만

트라를 소리 내어 읊는다. 여섯째, 서서히 만트라 읊는 소리를 줄여 나간다. 일곱째, 눈을 감고 오직 마음속으로만 만트라를 읊고 듣는다. 여덟째, 만트라를 마음속에 새겨 두고 말로 표현하지 않는다. 아홉째, 안면근육을 충분히 이완하고 자신이 선택한 만트라를 소리 내지 않은 채 조용히 마음속으로 말하고 듣는다. 열째, 특정 장소나 목표에 달성하지 않고 물결에 따라 떠내려가는 배와 같다고 생각하면서 명상한다.

관련어 | 마음챙김, 명상, 이완반응법, 초월명상

임상화 증상
[臨床化症狀, clinification syndrome]

알렌(Allen, 1992)이 제시한 개념으로서, 미술치료에서 창조의 과정이나 미술작업보다 임상기술에 초점을 맞춘 채 중요시하는 현상. 미술치료

알렌이 당시 미술치료계의 경향을 분석하면서 비판적 입장에서 제시하였다. 알렌은 미술 쪽의 배경을 가진 미술치료사들이 익숙하지 않은 심리학적 용어와 정신과적 진단 및 처치에 지나치게 몰두하여 임상 지식과 기술을 익히는 것만 중요시하는 경향이 있으며, 그러한 경향은 미술치료 현장과 개입 방법뿐만 아니라 미술치료사의 교육과 수련에까지 광범위하게 퍼져 있다고 주장하였다. 우선 미술치료 현장에 나타난 현상으로는 전반적으로 미술작업에 깊이가 없어졌다는 사실을 들 수 있다. 임상적 관심이 중요해지면서 미술작품은 내담자를 평가하고 분석하는 자료로만 사용되었고, 미술작업도 소홀히 다루었던 것이다. 또한 이러한 현상은 미술치료 시간의 작업주제를 선택할 때 진단적 문제가 드러나는 주제나 가벼운 이야깃거리 주제로 하는 것에서도 찾아볼 수 있다. 그러한 과정에서 만들어진 작품은 회화적인 측면에서 볼 때는 매우 엉성하고 초보적인 수준에 머물러 그림의 내용에 깊이가 없

고 단순한 메시지만 나타난다. 내담자의 그림에 깊이가 없어지자, 미술치료사들은 그 그림에 숨어 있는 의미를 찾기 위한 해석을 시도하였고, 그 결과 미술작품은 내담자가 가진 문제를 이해하고 평가하는 주된 도구로 사용되었던 것이다. 다음으로 교육과정에 나타난 임상화 증상으로는, 미술치료가 진단과 치료적 개입을 위한 임상지식을 습득하는 데 초점이 맞추어짐으로써 미술작업 자체는 미술치료의 태동기보다 더 소홀하게 다루어졌다는 사실을 들 수 있다. 미술치료사를 지망하는 학생들이 깊이 있는 미술작업을 직접 경험하지 못했기 때문에, 그들 자신도 내담자를 만나서 깊이 있는 미술작업으로 인도하지 못하는 악순환이 계속되었다.

임시계약
[臨時契約, contingency contract]

어떤 행동이 변화되어야 하며 이러한 행동에 어떤 결과가 따르는지에 대한 내담자와 상담자 간의 형식적 계약.
행동치료

임시계약과 같은 형태는 정서행동장애가 있는 아동이나 학생을 교육시키고자 할 때 매우 유용하다. 예를 들어, 특정한 형태의 행동수정 프로그램으로 교사는 숙제 마치기와 같은 특정한 행동의 수행을 동의하는 어떤 학생과 계약을 할 수 있으며, 이를 수행하면 동의된 보상을 주는 것이다. 임시계약을 맺을 때 중요한 것은 계약을 맺는 상대방의 개인 내적 특성과 외부환경적 특성을 잘 파악해야 하며, 그에 맞는 계약내용을 제시해야 한다. 예를 들어, 학생인 경우 몇 학년에 재학 중인지, 주의산만이 어느 정도인지, 과제수행능력은 어떠한지 등을 세세히 관찰하고 파악한 뒤 기준점(baseline)을 정한다. 그런 다음 대상자가 행동변화를 실천해 나갈 수 있는 구체적인 행동계획을 세우고, 이에 따른 과제를 수행하도록 한다. 매일의 수행성취 정도는 측정 가능한 형태(예를 들어, 목표성취도 %)로 기록한다. 계약에

는 성취도 외에 계약조건, 계약이행 여부 측정기준, 보상, 쉬운 용어로 된 설명서와 서명, 그리고 필요한 경우 계약이행을 위한 단계별 미니계약서 등이 포함되어야 한다(Kerr & Nelson, 1989).

임의적 추론
[任意的推論, arbitrary inference]

충분한 증거가 없거나 혹은 정반대의 증거에도 불구하고 어떤 성급한 결론을 내리는 일종의 인지적 왜곡. 자의(恣意)적 추론이라고도 함. 인지행동치료

임의적 추론은 충분하고 적절한 증거가 없는데도 결론에 도달하는 것으로, 상황에 대한 비극적 결말이나 최악의 시나리오를 생각하는 것이다. 이는 벡(Beck, 1979)이 제시한 세 가지 우울증 인지모델의 기본 가정 중 하나로, 우울증 환자는 전형적으로 자신의 인생 전반에 걸친 경험들을 특이한 부정적 평가와 기대로 받아들이는 인지왜곡을 지니고 있다는 것이다. 벡은 현실에 대한 왜곡된 시각과 그것에서 파생되는 왜곡된 지각과 해석이 정신장애를 유발하고 유지하는 데 본질적 의미를 지닌다고 강조하였다. 여기서 중요한 것은 인지삼제(cognitive triad)로, 우울증에 시달리는 사람들은 자신, 자신의 경험, 미래에 대해 부정적이고 왜곡된 사고형태를 발달시키며 정보를 처리하는 데 논리적 오류를 지속적으로 나타낸다는 것이다. 이러한 전형적인 논리적 오류는 임의적 추론, 선택적 추상화, 과일반화, 극대화 및 극소화, 개인화, 이분법적 사고(흑백논리)의 여섯 가지로 구분된다. 이 오류들은 정보를 수집하는 과정과 결말을 도출하는 과정 모두에서 발생할 수 있다. 예를 들어, 건강검진을 받은 후 의사의 의견을 들을 때 의사가 기록을 보며 고개를 갸우뚱거리면 자신이 불치의 병에 걸렸다고 생각하는 것이다. 또는 이성친구가 여러 가지 바쁜 상황 때문에 자주 연락을 못하면 '이제 그녀가 나를 멀리하려고 하는구나.'라고 결론을 내리고는 이별을 준비하는 경우

가 해당한다.

관련어 | 개인화, 과일반화, 극대화 및 극소화, 선택적 추상
화, 이분법적 사고

입장 말하기 지도
[立場 – 地圖, statement of position map]

이야기치료과정에서 사용하는 여러 기법 중 문제의 외재화 기법을 사용하는 데 도움이 되도록 화이트(M. White)가 고안한 이야기치료의 지도. 이야기치료

이야기치료의 여러 지도 중에서 입장 말하기 지도는 외재화 기법의 전체를 치료에 적용하는 과정을 보여 준다. 이는 '입장 말하기 지도 1'과 '입장 말하기 지도 2'로 구성되어 있는데, 입장 말하기 지도 1은 내담자의 호소하는 이야기인 문제적 이야기의 정체성을 파악하고 이를 분리해 내는 과정에 관한 것이고, 입장 말하기 지도 2는 문제적 이야기의 영향 아래 있지 않은 독특한 결과들을 발견하여 이를 대안적 이야기로 구성하는 과정을 보여 주는 것이다. 입장 말하기 지도 1과 2는 이야기치료과정에서 함께 쓰일 수도 있고, 각각의 목적에 맞게 따로 쓰일 수도 있다. 치료자가 상담과정에서 이야기치료의 지도를 사용하면 치료계획을 세우고 그 과정을 진행하는 데 보다 편리해지고, 내담자 또한 자신의 문제가 삶에서 어떠한 위치에 있는지 눈으로 확인하여 문제의 시작점과 영향력을 다시 한 번 인식할 수 있는 계기가 된다. 하지만 이 입장 말하기 지도가 외재화 대화의 모든 과정을 다 보여 주지는 않으며, 지도를 그리는 것이 이야기치료의 필수과정은 아니다. 입장 말하기 지도로 치료자는 보다 풍성한 외재화 대화를 위해서 이전에는 시도하지 못한 다양한 방법과 대화를 개발할 수 있다. 그리고 치료적 대화가 추구해야 할 목표를 가시적으로 보여 줌으로써 외재화 대화의 효과를 더욱 높일 수 있다.

관련어 | 이야기치료의 지도, 입장 말하기 지도 1, 입장 말하기 지도 2

입장 말하기 지도 1
[立場 – 地圖1, statement of position map 1]

이야기치료의 기법 중에서 외재화 대화의 과정을 보여 주기 위해 고안된 도식인 입장 말하기 지도의 첫 단계 지도. 이야기치료

입장 말하기 지도 1의 주요 목표는 내담자의 삶에 부정적인 영향을 미치고 있는 문제적 이야기의 정체성을 파악하고 그 특성을 보다 풍성하게 서술하도록 하는 것이다. 입장 말하기 지도 1은 모두 4단계로 구성된다. 1단계는 내담자의 문제적 이야기에 대해서 실제 경험한 사건을 보다 풍부하고 자세하게 서술하는 것을 돕는 단계다. 보통 내담자는 상담현장에 자신이 해결하고 싶은 여러 가지 문제를 가지고 찾아온다. 하지만 이 문제들은 내담자의 삶에서 대부분 광의적이고 통상적인 개념의 정의하에 불분명하고 모호한 형태로 서술되는 특징이 있다. 치료자는 이 단계에서 내담자의 문제를 내담자만의 방식으로, 그리고 내담자가 경험한 것을 개인의 독특한 시각에서 자세하게 서술하도록 돕는다. 2단계는 내담자의 문제가 가지고 있는 영향력의 구조에 대해서 파악하는 단계다. 내담자의 문제를 개인의 삶뿐만 아니라 보다 넓은 사회문화적 장에 올려놓고, 그 속에서 다양한 요소와 어떠한 영향을 주고받고 있는지를 인식하도록 돕는다. 3단계는 1, 2단계를 통해 정체성을 드러낸 문제가 내담자의 삶에서 갖는 영향력을 평가하는 단계다. 내담자의 문제는 내담자 자신의 삶에서 일반적으로 생각하는 것과는 다른 영향을 미치고 있을 가능성이 있다. 따라서 이러한 문제의 영향력을 일반적인 사회적 관점이나 다른 사람의 관점에서 평가하는 것이 아니라, 내담자가 그 영향력에 대해서 어떻게 평가하고 있는지를 생각해 보도록 돕는다. 또한 같은 문제라도 내담자의 삶에서 보다 큰 영향을 미치거나 보다 작은 영향을 미친 시기나 순간에 대해서도 이야기할 수 있다. 4단계는 3단계에서 이루어진 평가의 근거를 제

시하는 정당화(justification) 단계다. 여기서는 왜 그러한 평가를 했는지가 관심의 대상이다. 예를 들어, "왜 그 문제에 대해서 그러한 생각을 가지고 있는지 말해 주겠습니까?"라는 질문을 통해 그 평가를 뒷받침할 수 있는 근거를 알고자 한다. 이러한 질문으로 치료자는 내담자가 문제에 대하여 가지고 있는 독특한 시각과 그에 대한 생각, 의도, 이해 혹은 목표에 대해 파악할 수 있다. 이러한 과정에서 종종 내담자는 스스로 문제가 가지고 있는 긍정적인 면을 찾아내기도 하여 독특한 결과를 발견하는 출발점이 되기도 한다.

관련어 외재화 대화, 이야기치료의 지도, 입장 말하기 지도, 입장 말하기 지도 2, 정당화

입장 말하기 지도 2
[立場−地圖2, statement of position map 2]

내담자의 문제적 이야기인 지배적 이야기의 부정적인 영향력을 덜 받거나 그 영향력을 감소시킬 수 있는 이야기에 집중함으로써 독특한 결과를 발견하고 대안적 이야기로의 재구성을 돕는 과정을 도식화한 것으로, 입장 말하기 지도 중 하나.

이야기치료

입장 말하기 지도 2에서 제시하는 단계를 통해 발견되는 독특한 결과(unique outcomes)는 내담자의 지배적 이야기(dominant story)를 재구조화하여 대안적 이야기(alternative story)로 변화시킬 수 있는 재저작 대화로 이끄는 기초가 된다. 입장 말하기 지도 2도 입장 말하기 지도 1과 마찬가지로 4단계로 이루어져 있고, 기본 요소도 비슷하다. 하지만 문제의 외재화(externalizing the problem)를 위해 주로 문제에 초점을 맞춘 입장 말하기 지도 1과는 달리, 독특한 결과들의 발견에 초점을 맞추고 이를 풍부하게 서술하여 강화하려는 의도를 가지고 있다는 점에서 큰 차이가 있다. 4단계는 다음과 같다. 1단계는 독특한 결과들에 대해 실제 경험한 것을 보다 풍부하고 자세히 표현하는 단계다. 이야기치료과정에

서 발견된 독특한 결과들은 만들어진 것이 아니라 본래 내담자의 삶에 있었지만 주목받지 못했던 이야기들이다. 이러한 독특한 결과들이 치료과정 중에 드러나기 시작했을 때, 이 이야기들에 집중함으로써 내담자의 삶 속에서 의미를 가지고 영향을 미치게 할 수 있다. 이를 위해 독특한 결과들과 관련된 삶의 경험을 기억하여 보다 자세하고 풍부한 서술을 하도록 내담자를 돕는 과정이 바로 1단계다. 2단계는 독특한 결과들의 영향력에 대해 구조화하는 단계다. 여기서는 보다 풍부하게 서술된 독특한 결과들이 내담자의 삶에서, 그리고 보다 넓은 사회문화적 장에서 다른 관계들과 어떠한 영향을 주고받고 있는지에 대해 생각해 보도록 유도한다. 독특한 결과들의 영향력에 대해서 이전에는 간과했기 때문에 그 영향력에 대해서 생각하는 것이 내담자에게 무척 어려울 수도 있다. 이러한 경우에는 독특한 결과들이 가질 수 있었던 잠재적인 영향력에 대해서 이야기를 나누어 보아도 된다. 3단계는 독특한 결과들의 정체성과 영향력 혹은 잠재적 영향력에 대해 평가를 하는 단계다. 예를 들어, "이 이야기에 대해서 본인은 어떻게 생각하나요, 만족합니까?" "이러한 이야기들이 본인에게 어떠한 의미가 있나요?"라는 질문을 통해서 독특한 결과들이 다른 사람이 아닌 내담자 자신에게 미치는 영향에 대해, 혹은 그 잠재적인 영향력에 대해 어떠한 생각, 느낌 또는 의견을 가지고 있는지를 물어본다. 4단계는 독특한 결과들의 영향력에 대한 평가의 근거를 제시하는 정당화(justification) 단계다. 여기서는 독특한 결과들의 영향력 혹은 잠재적 영향력의 평가에 대해 내담자 자신이 생각하는 이유를 묻는다. 이 같은 4단계의 입장 말하기 지도 2를 통해서 내담자는 자신의 삶을 재구조화하는 보다 풍성한 재저작의 단계로 나아갈 수 있다.

관련어 대안적 이야기, 독특한 결과, 입장 말하기 지도 1, 재저작

잉여현실
[剩餘現實, surplus reality]

인간 개개인이 완전히 주관적으로 느끼고 지각하는 진실.
사이코드라마

사이코드라마의 창시자 모레노(Moreno)에 따르면, 현실은 하부현실과 일상현실 및 잉여현실로 구분할 수 있다. 하부현실은 진정한 대화가 아닌 인터뷰, 연구, 검사상황으로서 계획, 생각, 느낌만 있는 개인의 정신치료적 현실이고, 일상현실은 우리가 매일 살아가는 현실로서 부적절하고 결함이 많은, 그래서 바꾸기를 원하지만 그만큼 어렵고 위험이 뒤따라 습관화된 현실이다. 이와 달리 잉여현실은 충분히 표현되거나 경험되지 않은, 셀 수도 볼 수도 없는 정신 내적·초정신적 생활영역을 말한다. 예를 들어, 무대 위의 주인공과 이미 고인이 된 가까웠던 어떤 사람과의 대화 혹은 주인공과 '새로운' 아버지 또는 어머니 사이의 대화를 이끌어 내는 것을 잉여현실이라고 한다. 모레노는 잉여현실이란 어떻게 왜곡되었든지 완전히 주관적 방법으로 느끼고 지각하는 인간의 진실이라고 정의하였다. 여기서 잉여라는 말은 사용하고 남은 것의 의미로 해석하는 것이 적절하다. 환경과의 끝없는 교류, 만남을 통해 현실화되어 가지만 실제 현실로부터 부정되고 인정되지 않는 요소들은 그대로 자기 안에 남아 있게 되는데 이것이 잉여현실이다. 알려지거나 알려지지 않은 많은 상이한 실제들 사이의 교차점이라고 정의할 수도 있는데, 이는 자아의 조정 및 구별하는 능력이 멈추는 곳을 의미한다. 이런 상태는 무아경을 결정하는데, 어원적으로도 '개인이 개성의 한계를 떠나는 것'으로 이해할 수 있다. 즉, 한 사람이 일상적으로 경험해 오던 방식에서 벗어나 다른 생소한 관점으로 바라보게 되는 경지다. 이 관점은 우리 자신의 알려지지 않은 부분, 혹은 다른 사람의 알려지거나 알려지지 않은 부분, 그래서 인간의 외적인 힘에 속한 영역이라 할 수 있다. 잉여현실은 사이코드라마 내에서 가장 광범위하고 가장 깊게 표현되는데, 삶 속의 실제 사건만을 장면으로 실연하는 것이 아니라 현실에서 한 번도 일어나지 않았고, 일어나지 않으면서, 결코 일어나지 않을 장면들이 실연되며, 이 장면에서는 흔히 희망과 두려움, 미해결된 심리적 사건들을 상상력을 사용하여 표현하도록 한다. 다시 말해, 잉여현실은 과거에 일어났던, 그리고 미래에 일어날 수 있는 사건뿐 아니라 일어나지 않은 사건, 어쩌면 결코 일어나지 않을 사건까지 우리의 실존적 삶 속에서 살아 있음을 의미하는 것이다. 여기에는 알고 있으면서도 포함되지 못한 내면의 진실과 함께 우리가 미처 알지 못하는 무의식의 삶까지 포함된다. 잉여현실의 영역은 실제의 혹은 일상적 삶의 영역이 아니며, 무시간성 및 무공간성과 관련되어 인간이 우주적 힘과 닿게 하고 우주적 실제를 경험하도록 해 준다. 이것은 어떤 의미에서는 매일매일의 실존 사건보다 더 실제적으로 경험된다. 사이코드라마에서는 상상력을 사용하여 실연하도록 하는데, 다시 말해서 삶보다 거대한 경험 속에 참여하는 우리의 능력을 정당하게 인정하는 것이다. 모레노는 사이코드라마를 진실의 극장이라고 하였다. 왜냐하면 사람들에게 정말 진실된 것은 그들의 정서, 환상, 잉여현실의 영역을 포함하고 있기 때문이다.

관련어 | 사이코드라마, 상상력, 주인공

자가중독증
[自家中毒症, autointoxication]

특별한 원인이 없는데도 돌연 원기가 없어지고 아무 욕구가 없으며 심한 구토를 보이는 증상. 이상심리

자율신경에 의한 것이며 자주 반복해서 일어나기 때문에 주기성 구토증이라고도 한다. 또한 혈액 중에 아세톤이 증가하여 아세톤 혈성 구토증이라고도 한다. 예를 들면, 요독증, 당뇨병성 혼수 등은 자가중독에 의한 것이다. 신경과민인 유아에서부터 초등학교 저학년에게 나타난다. 음식물이나 동물에 의한 중독이 아니라 감기나 피로, 정신적 스트레스, 흥분으로 발병한다. 임상증상은 보통 건강하던 아이가 갑자기 아침 잠자리에서 기운이 없어지고 일어나기 싫어하며 구토를 하게 된다. 구토 횟수가 많아지면 탈수현상이 나타나고 맥박이 약해지며 얼굴이 창백해진다. 구토발작은 동일인에게 반복해서 일어나는 경향이 있지만, 10세 전후에 자연히 없어진다. 예후는 일반적으로 양호하며 합병증이나 후유증도 없다. 요란스럽게 떠들면 도리어 증상이 악화되기 때문에 떠들지 않도록 하고 안도감이나 신뢰감을 주면서 안정을 취하도록 하는 것이 좋다. 발병 초기나 가벼운 증상인 경우에는 안정을 취하게 하고 진토제(鎭吐劑)나 포도당을 주사한다.

자가치유서
[自家治癒書, self-help books]

독자 스스로 문제를 해결할 수 있는 길을 찾아 주는 것이 목적인 도서. 문학치료(독서치료)

자가치유서는 자가치유라는 말에서 비롯되었는데, 20세기 후반 포스터모던 시대의 문화적 현상의 일환으로 자기발전을 위한 문학이 융성하면서 생긴 용어다. 자가치유서는 기존의 교육적, 도덕적 메시지를 전달하던 도서의 역할에서 벗어나 귀납적 인간이해를 기초로 삼아 아픈 마음을 달래어 치유에 이르게 해 주는 매체를 가리키는 말이다. 자가치유(self-help)라는 말은 자기개선 혹은 자기계발(self-improvement)이라는 말과 함께 쓰이는데, 기본적인 심리학적 소양을 가지고 경제적, 지적, 정서적으로 하는 자기주도형 계발을 일컫는다. 자가치유운동은 여러 가지가 있으며 저마다 초점, 기술, 관련 신념, 구성요소 등을 가지고 있다. 자가치유는 비슷한 상황에 처한 사람들이 모여서 유용한 정보를 함께 활용하거나 지지집단을 만들기도 한다. 초기에는 자기주도 업무나 가정 내 조언 등에서 쓰이던 것이 이제는 교육, 심리학, 심리치료에까지 적용되면서 대중적인 자가치유서 운동으로 확장되기에 이르렀다. 미국심리협회 심리학 사전에 따르면, 전문가들이 개입하지 않는 자가치유집단의 이점은 대인관계, 정서적 지지, 경험적 지식, 정체성, 중요한 역할, 소속감 등으로 다양하다. 건강상태와 관련된 집단들은 환자와 간병인으로 구성될 수 있다. 구성원들이 서로 경험을 오랜 시간 공유한다는 것 외에도 이 같은 건강집단들은 로비그룹이 될 수도 있고, 교육자료를 위한 클리어링 하우스가 될 수도 있다. 건강문제에 대해 공부하면서 자신에게 힘이 되고자 하는 사람들은 자가치유의 본보기가 될 수 있으며, 자가치유집단들은 또래 간 지지에서보다 지지의 힘을 더 많이 보여 줄 수 있다. 자가치유서는 여러 가지 개인적인 문제점에 대해서 독자들에게 교육을 하려는 의도를 가지고 쓰인 도서다. 자기계발이라는 용어는 자가치유의 현대화된 어휘라고 볼 수 있다. 자가치유서는 가상의 관계, 자조감이 노력으로 조절될 수 있다고 믿는 사람들의 마음과 인간적 행위의 국면과 같은 대중적인 심리학에 초점을 두는 경우가 많다. 자가치유서에서는 자신이 대개 삶에 대한 만족을 가지고 자각 및 실천을 증대시킬 수 있는 존재라고 말한다. 이런 책들은 기존의 치료보다 좀 더

신속한 치료적 효과가 있다고 주장하고 있다. 자가치유서를 지지하는 사람들은 공포, 외로움, 스트레스, 우울, 불안, 알코올중독, 물질남용, 이혼, 관계곤란, 성 문제, 부모역할 등 모든 생활문제가 자가치유서로 해결될 수 있다는 주장을 하기도 한다. 외국에서는 이미 자가치유서의 발견과 활용이 널리 퍼져 있고, 효과 면에서도 그 우수성을 증명하는 연구결과가 많다. 현재 자가치유서의 활용은 이미 독서치료에서 보편적인 현상이 되고 있으며, 이에 힘을 받아 자가치유서 운동(self-help movement)도 일어나고 있다. 미국 자가치유서 운동의 선두는 파르덱(Pardeck)이다. 그는 사회복지학 교수로서 사회복지실천의 한 기법으로 독서치료 도입을 주장하였다. 1993년에 『Using Bibliotherapy in Clinical Practice: A Guide to Self-Help Books』를 출간하였고, 자가치유서를 독서치료의 가장 중심이 되는 매체로 내세운다. 우리나라에도 자가치유서 목록과 그 적용이 담긴 책이 여러 권 번역되어 있다. 예를 들면, 『사랑만으로는 살 수 없다』(학지사, 2001), 『잃어버린 자아의 발견과 치유: 역기능 가정에서 성장한 성인아이의 발견과 치유를 위한 안내서』(글샘, 2000), 『인간의 죽음: 죽음과 임종에 관하여』(분도출판사, 2000) 등이다. 이외에 인터넷 사이트에서도 자가치유서 목록이나 지침을 알려 주는 곳이 많다.

자격
[資格, entitlement]

보스조르메니나기(Boszormenyi-Nagy)의 개념으로, 다른 사람에게 윤리적인 행위를 보이는 개인의 경향.
정신분석가족치료

나기는 인간이 다른 사람에게 호의를 베풀고 도와주려고 하는 욕구를 가지고 있다고 하였다. 다시 말해, 인간은 무엇인가를 가지고 싶고 욕망을 채우려는 욕구만 있는 것이 아니라, '무언가를 다른 사람에게 주고 싶다.' '도와주고 싶다.' '배려해 주고 싶

다.' 등의 욕구도 가지고 있다는 것이다. 예를 들어, 유아들이 성장하는 과정에서 '부모에게 주고 싶다.' '부모를 돕고 싶다.' '자신이 받아 온 애정을 부모에게 되돌려 주고 싶다.'라는 욕구를 가지는 것은 정서적 발달단계에서 부모로부터 무엇인가를 받는 것만큼 중요한 것이다. 이와 같이 인간은 다른 성원의 욕구나 필요에 반응하여 배려하고, 도움을 주고 싶어 하며, 그러한 욕구가 정당하게 받아들여지면 관계상의 신뢰감과 자기가치감이 높아진다. 즉, 건설적 자격(constructive entitlement)이 생기며, 이것은 다른 사람과의 관계를 상호 교류적인 주고받기(give and take)의 관계로 발전시킨다. 그러나 상대방의 욕구나 마음에 배려를 하지 않는 파괴적인 권리자격(destructive entitlement)은 다른 사람과의 관계에서 심각한 갈등을 초래한다.

자격관리위원회
[資格管理委員會, licensing board]

특정 전문직의 자격관리에 필요한 제반 절차를 관리·운영하고 자격과 관련된 다양한 문제를 다루는 기관. 상담윤리

상담과 관련해 우리나라의 청소년상담사는 국가에서 관리하지만 학회발급 자격증의 경우에는 각 학회에서 자격관리위원회를 두어 자격 취득과 관리를 담당하고 있다. 청소년상담사의 자격은 여성가족부에서 주최하고 한국청소년상담원에서 주관하며 한국산업인력공단에서 자격시험을 실시한다. 이 자격은 한국청소년상담원장이 자격검정 위원장이 되어 총 11명 이내의 인원으로 위원회를 구성하고, 위원회는 자격취득 후 지속적인 연수와 자격관리를 통하여 상담사의 능력을 강화하거나 자격증 유지에 여러 가지 문제를 지닌 자의 자격증 정지와 박탈 등에 대한 권한을 가진다. 우리나라의 상담학과 관련된 대표적인 학회는 한국심리학회 산하 한국상담심리학회와 한국상담학회가 있다. 각 학회에서는 상

담자의 전문적 역량과 자질을 공인하기 위한 자격증 제도를 실시하고 있으며, 보다 조직적이고 체계적인 자격관리를 위해 자격관리위원회를 구성하여 활동하고 있다.

관련어 | 자격증, 한국상담심리학회, 한국상담학회

자격제한
[資格制限, limited license]

자격관리위원회에서 요구하는 조건을 충족하지 못할 때 제한을 가하면서 자격을 유지할 수 없도록 하는 것. 상담윤리

자격의 보호와 관련하여 사용되는 용어로, 자격을 유지하기 위해서는 각각의 자격관리위원회에서 요구하는 요건을 충족해야 하는데 그것을 충족하지 못해 자격에 제한을 가하여 해당 자격을 유지할 수 없도록 하는 것이다.

관련어 | 상담자 윤리강령, 자격관리위원회, 자격증

자격증
[資格證, certification]

정부나 기관, 학회가 특정 분야의 일정한 전문성 혹은 전문가 자격을 공식적으로 인정하는 것. 상담윤리

자격증에는 국제자격증, 국가자격증, 민간자격증이 있다. 민간자격증의 경우에도 국가기관에서 위탁을 받아 관리하는 경우와 그렇지 않은 경우가 있다. 또한 분야와 자격증에 따라 요구되는 학위, 이론지식, 실무경험이 다르다. 상담전문가와 관련된 국가자격증으로는 여성가족부에서 발급하는 청소년상담사가 있으며 자격시험과 자격연수를 통하여 취득할 수 있다. 청소년상담사는 1급, 2급, 3급으로 나누어지며 각 급수에 따라 역할과 업무내용이 구분되어 있다. 학회자격에는 한국상담심리학회와 한국상담학회에서 관리하는 상담심리사와 전문상담

사가 있으며, 이는 자격시험과 자격심사를 통하여 자격증을 부여하고 있다. 한국상담심리학회는 상담심리사 1급(상담심리전문가)과 상담심리사 2급(상담심리사)으로 자격을 나누고, 한국상담학회는 수련감독 전문상담사, 전문상담사 1·2·3급으로 나누어 그 역할을 달리 제시하고 있다. 이외에 상담 및 심리치료와 관련된 국가자격증으로는 보건복지부의 정신보건임상심리사 1급과 2급, 한국산업인력공단의 임상심리사 1급과 2급이 있으며, 학회자격으로는 한국임상심리학회의 임상심리전문가 등이 있다. 그 밖에도 상담 및 심리치료에 관련된 많은 학회가 있으며, 각 학회는 자격증 제도를 두어 전문가들을 배출하고 관리·감독하면서 내담자에 대한 서비스를 향상시키고자 노력하고 있다. 예를 들면, 미술치료사, 음악치료사, 놀이치료사, 작업치료사, 이야기치료사, 웃음치료사, 가족치료사, 부부치료사, 아동상담사 등의 자격이 있다. 이러한 자격들은 취득한 학위에 따라 요구되는 실무경험과 수련기간이 다르므로 자격취득을 위해서는 관련 학회의 자격규정과 시행세칙을 면밀하게 살펴보아야 한다.

관련어 │ 놀이치료사, 미술치료사, 상담심리사, 음악치료사, 임상심리사, 전문상담사

자경성 점토
[自硬性粘土, self-hardening clay]

장식 목적으로 개발되어 작품을 만든 후 저절로 굳어져 불에 굽는 과정이 필요 없는 찰흙. **미술치료**

일반적인 점토로 만든 작품이나 그릇은 높은 온도에서 구워내야 그것을 오랫동안 보존하고 사용할 수 있다. 그러나 자경성 점토는 이러한 소성과정을 거치지 않고 자연상태로 두면 저절로 굳어져 완성되는 특성을 지니고 있다. 조각을 만드는 용도로만 쓰이며, 기능성 도자기를 만드는 데에는 사용하지

않는다. 자경성 점토의 장점은 다음과 같다. 첫째, 건조나 소성같이 오래 걸리는 공정이 필요하지 않아 도예공정이 단순하여 경제적이다. 그런 만큼 자경성 점토는 유치원, 정신병 치료실, 정형외과, 간호실 같은 임상적 환경에서 매우 선호되는 매체다. 이러한 곳에서 도예설비는 너무 많은 자리를 차지하고 너무 많은 먼지를 일으키며, 특별한 예술형식을 지원하려면 너무 많은 물자가 필요하다. 그러나 이 점토를 활용하면 적당한 공간과 물 한 통, 튼튼한 책상과 의자, 그리고 몇 가지 도구와 상상력만 있으면 된다. 둘째, 내담자가 더 이상 자신의 작품을 가마 소성이라는 보이지 않는 힘에 맡기는 위험을 감수하지 않아도 된다. 대상 영속성장애가 있는 내담자는 더 이상 소성공정 중에 작품이 사라지지 않을까 염려할 필요가 없다. 이들에게 사라짐은 대상의 상실로 해석될 수 있다. 실제로 이 해석은 그대로 들어맞는 경우가 많은데, 가마에 넣거나 소성공정 중에 기물이 소실되거나 파괴되기 때문이다. 이 점토는 작품을 계속 내담자의 시야에 두기 때문에 줄곧 잘 있다는 안심을 심어 준다. 이 같은 항상성(constancy)은 또 다른 치료적 혜택을 주기도 한다. 바로 분리와 대상 상실에 따르는 불안을 경감시켜 주는 것인데, 특히 대상자가 자신의 작품에 대단한 애착을 가지고 있을 때 그렇다. 한편, 이 점토의 단점은 가격이 비싸다는 것이다.

관련어 │ 점토

자극가치역할이론
[刺戟價値役割理論, stimulus value role theory]

결혼을 위해 배우자를 선택하는 과정에 대해 자극, 가치호환성, 역할호환성의 측면에서 설명한 이론. **부부상담**

배우자 선택에 관한 단계이론 중 하나로, 여과망이론을 보완하고 사회교환이론적 관점을 취하고 있

다. 이 이론은 머스타인(B. Murstein)이 주창했는데, 단계마다 대가나 보상의 교환이 중요하며 교환되는 과정에서 균형 역시 중요하다고 보았다. 그는 자극, 가치호환성, 역할호환성의 세 요소로 이론을 설명하고 있다. 첫 번째 요소인 자극은, 특정한 사람의 신체적 매력이나 명성 등에 대해 다른 사람보다 더 이끌리고 매력을 느끼게 되는 것이다. 이것은 상대방의 개인적인 매력평가를 통해 호감을 느끼는 과정이다. 두 번째 요소인 가치호환성은, 두 사람이 서로 긍정적으로 느끼는 자극을 주고받은 다음에 기본적인 신념이나 가치에서 상호 합의에 다다를 수 있는지 알아보는 것이다. 이를 위해 두 사람은 정치, 경제, 일, 인간관계, 여가생활, 생활방식 등 여러 가지에 관해 이야기를 나눈다. 이 과정을 통해 두 사람의 관계를 진전시키는 것이 본인에게 손해가 더 많은지 아니면 보상이 더 많은지 평가한다. 이 단계에서는 더 이상 신체적 매력은 중요하지 않다. 세 번째 요소인 역할호환성은, 가치호환성을 비교평가해 보면서 서로가 협동적인 역할관계를 정립할 수 있을지 검증해 보는 것이다. 이때 상호 간의 만남과 접촉을 통해서 누가 주도권을 쥐게 될지, 누가 실제로 일을 수행할지에 대해 탐색하고 바람직한 관계에 대한 서로의 생각과 행동을 발견한다. 이 단계에서 중요한 것은 두 사람이 모든 면에서 완벽한 의견의 일치를 볼 수는 없다는 점이다. 서로 협상을 통해 역동적인 관계를 확립하는 것이 더욱 중요한 과정이다. 자극가치역할이론은 세 가지의 여과망이 배우자 선택에서 중요하다고 본다. 처음의 자극 여과망을 거쳐 가치와 역할 여과망을 통과하면 초기의 자극요소에서 중요했던 매력과 끌림은 더 이상 관계의 발전에 공헌하지 못하는 요소임을 제시하고 있다. 따라서 이 이론은 상호보완성, 여과망 이론, 그리고 사회교환이론의 장점을 잘 절충하여 설명한 이론이라고 할 수 있다.

관련어 사회교환이론, 상호보완성, 여과망 이론

자극기아
[刺戟飢餓, stimulus hunger]

교류분석

⇨ '스트로크' 참조.

자극일반화
[刺戟一般化, stimulus generalization]

어떤 자극이나 상황에서 어떤 행동이 강화된 결과로 그와 다른 어떤 자극이나 상황에서도 그 행동이 일어날 가능성이 증가하는 것. 행동치료

훈련상황에서 습득된 행동이 자연스러운 상황으로 전이될 때, 특별히 훈련되지 않았던 행동이 훈련과정을 통해 새롭게 발달되었을 때, 혹은 훈련된 행동이 오랜 시간 자연스러운 환경에서 유지될 때 훈련이 일반화되었다고 한다. 일반화에는 자극일반화와 반응일반화의 두 가지 하위개념이 있다. 자극일반화란 어떤 자극이나 상황에서 강화를 받았던 행동이 다른 자극이나 상황에서도 자주 나타나는 경우를 뜻한다. 즉, 두 가지 자극을 변별하여 다르게 반응하지 않고 두 자극에 대해 동일한 방식으로 반응하는 것이다. 따라서 자극일반화는 자극변별과 반대되는 개념이다. 조작적 조건형성에서 자극일반화가 일어나기 위해서는 몇 가지 요건이 충족되어야 한다. 첫째, 두 가지 자극이 물리적으로 유사할수록 두 자극 사이에 자극일반화가 더 많이 나타난다. 예를 들어, 유아가 귀가 축 늘어지고, 털이 많고, 네 발로 걸어 다니며, 친근하게 짖어 대는 동물을 '멍멍이'라고 부르는 학습을 했을 때, 다른 상황에서도 이와 유사하게 생긴 다른 동물을 보고 '멍멍이'라고 할 가능성이 높다. 학습심리학자들은 유기체가 새로운 상황이 이전에 어떤 행동을 학습했던 상황과 유사하다면 새로운 상황에서도 동일한 행동을 하도록 진화되어 왔다고 주장하였다. 둘째, 두 가지 자극이 동일한 개념이나 자극범주에 속하는 개체라

는 것을 학습할 때 자극일반화가 나타난다. 자극범주는 공통된 물리적 특성을 갖고 있는 자극을 뜻한다. 만약 아동에게 '파랑'이라는 개념을 학습시키려면 여러 가지 파란색 물건에 대해 '파랑'이라고 말하는 행동을 강화하고, 반면에 파랗지 않은 물건에 대해 '파랑'이라고 하는 행동을 소거해야 한다. 그렇게 했을 때 비로소 아동은 파란연필과 파란운동화를 보고 두 가지 모두 '파랗다'라고 인식하며, 범주에 대한 개념을 확립할 수 있다. 유기체가 자극범주에 속하는 모든 것에 대해 적절한 반응을 하고 그 범주에 속하지 않는 것에 대해서는 동일하게 반응하지 않을 때 자극범주 내의 모든 것을 일반화할 수 있게 된다. 셋째, 두 가지 자극이 등가범주의 개체라는 것을 인식할 때 자극일반화가 나타난다. 등가범주에 속하는 자극들은 서로 특성이 완전히 다르지만, 특정 결과를 유발하는 데에는 동등하게 기능하여 동일한 반응을 통제한다. 예를 들어, 공식 행사장에서 국가가 연주되거나 국기가 게양되어 있을 때 차려 자세를 취하는 행동은 우리나라의 국가와 국기가 하나의 등가범주에 속한다는 것, 즉 한 범주 내의 모든 구성물은 완전히 다른 자극이지만 동일한 반응을 통제한다는 것을 학습한 결과다. 새로운 행동이 등가범주의 한 구성물에 의해 발생할 때, 그 행동은 뚜렷한 별도의 훈련 없이도 범주 내의 다른 구성물에 의해서도 유발된다. 이와 같이한 자극에 대해 강화를 받은 반응이 학습되지 않은 일반화, 개념학습, 혹은 등가범주학습에 기인하여 다른 자극에 대해서도 발생하는 것을 자극일반화라고 한다.

관련어 | 변별

자극장벽
[刺戟障壁, stimulus barrier]

심리적 적응을 위해 강한 외부자극을 막아 주는 보호막.
정신분석학

프로이트(S. Freud)는 자극장벽이라고 하는 보호막을 원욕(id)과 외부세계를 연결해 주는 원욕의 부산물, 즉 자아의 전조라고 보았다. 이 보호막을 깨트릴 정도로 강력한 흥분이 외상신경증을 유발한다고 가정하였다. 자극장벽은 적응과 부적응의 관점에서 설명될 수 있다. 모든 생명체는 진화과정에서 스트레스에 적응하기 위해 다양한 기제와 전략을 발전시켜 왔다. 유기체는 적응을 위해 신체기관의 진화와 같은 생물학적 적응뿐만 아니라, 정서적 욕구나 스트레스를 처리할 수 있는 심리적 적응방법도 함께 발전시킨다. 신체가 물리적이고 생화학적인 과정을 통해 생리적 평형상태를 유지하려는 것과 마찬가지로 정신세계도 자동적이고 무의식적인 정신과정을 통해 심리적 안정상태를 유지하려는 경향이 있다. 자극장벽은 이러한 적응 기능의 일부로서, 주로 뇌의 시상하부(hypothalamus)가 담당한다. 갑작스러운 스트레스반응이나 정신적 장애에서는 자극장벽의 기능이 저하된다. 의식되지 않는 사소한 외부자극도 뇌에 등록되는데, 이때 등록된 자극에 대한 지각 여부는 바로 자극장벽의 차단기능이 좌우한다. 예를 들어, 전투 중에 부상당한 병사들이 전쟁터에서 생명을 위협하는 다른 위험 요소들 때문에 미처 몸에 난 상처의 통증을 지각하지 못하는 경우다.

자기
[自己, self]

발달과정을 통해 응집되는 성격의 핵심 구조.
대상관계이론 분석심리학

프로이트(S. Freud)는 성격발달의 주요 개념을 자아(ego)를 중심으로 설명한 반면, 코헛(H. Kohut)은 자기(self)라는 개념을 통해 인간의 심리를 이해하고자 하였다. 코헛에 따르면, 자기는 성격의 핵심으로서 발달과정에서 얼마나 강하게 응집되는가에 따라 성격구조를 결정한다. 즉, 건강한 사람은 자기가 잘 응집되고 통합되어 있지만, 그렇지 못한 사람은 자기의 강도가 약하다. 자기의 개념에 대해서는 이론가들마다 다양한 주장을 하고 있다. 초기에는 자기를 주로 환경이나 대상과 구별되는 자기 자신의 의미로서 자아로부터 발달하고 자아 내에 포함되어 있는 심리 내적 구조로 이해하였다. 그러나 코헛은 자기를 하나의 개념이 아니라 공간과 시간을 통한 응집력 있는 하나의 단위로 경험되고 인지되는 것으로 정의하면서, 이는 감수성과 창의성의 중심이 된다고 보았다. 따라서 전통적으로 중요시되어 온 자아를 대신하여 자기라는 개념으로 성격발달을 설명했는데, 자기가 어떻게 타인과의 관계로부터 발아하여 자기로 발전하는가에 관심을 두었다. 원초적인 수준의 자기는 양육자와의 상호작용으로 형성된다. 원초아 자기는 점차 과대자기와 이상화 부모 이마고로 발전한다. 이 과정에서 유아는 자기대상, 즉 부모가 자신의 욕구를 지속적으로 잘 충족시켜 줄 것과 그를 더 이상화하고 싶은 욕구를 드러낸다. 자기대상을 이상화할수록 자신의 전능감이 커지기 때문이다. 자기대상이란 유아의 필요에 반응하여 그러한 역할을 실행하는 사람이나 대상을 의미한다. 유아는 어머니와 자신이 분리된 존재라는 것을 미처 깨닫지 못하며, 어머니가 즉각적으로 유아가 요구하는 것을 충족해 주기 때문에 어머니와 자신을 하나라고 느낀다. 이러한 느낌은 2~3세에 절정에 이른다. 그러나 점차 유아는 양육자의 능력에 비해 자신의 능력이 형편없다는 것을 알게 되고, 양육자로부터의 이상화 욕구나 반사욕구가 적절하게 좌절되는 경험을 함으로써 욕구충족을 지연시키고 참고 견디는 것을 배우게 된다. 이 과정을 통해 자신이 '완벽하다'라고 하는 과대자기는 위축

되어 현실적 자기를 형성한다. 양육자와 자신이 분리된 존재라는 것과 자신이 무력하다는 것을 알게 된 유아는 부모를 더 이상화하고, 이렇게 이상화된 이미지를 공유하려고 한다. 이 과정에서 자기대상은 '자기(나)'와 '대상(너, 어머니)'으로 변환되며, 유아는 자신과 상대를 제대로 구분하고 인식하게 된다. 3~5세의 과정을 거치면서 자기는 보다 더 통합되기 시작한다. 이 무렵 양육자가 힘이 세고 뛰어난 존재라는 것을 경험하면서 양육자를 이상화하고, 양육자로부터의 처벌과 금기를 경험하면서 초자아를 형성한다. 자긍심이란 초자아의 현실적 자기와 야심, 그리고 이상이 하나로 통합된 것을 의미한다. 유아의 자기가 적절하게 발달하려면 견딜 수 있는 수준의 적절한 좌절을 경험해야 한다. 부적절한 좌절이란 양육자가 유아의 욕구를 무시하거나 박탈하며 과잉보호하는 것이다. 만일 유아가 부적절한 수준에서 반사욕구나 이상화 욕구를 좌절당하면 유아의 자기는 조각나고 미숙한 자기로 변화하며 활력을 잃어버린다.

관련어 | 자아

자기 모니터링
[自己-, self-monitoring]

자기탐색, 자기감찰이라는 뜻으로 자신이 어떤 모습으로 비치는지 정확히 파악하고 조절하는 것. 인지행동치료

자기 모니터링이란 타인과의 상호작용 상황에서 자신의 사고, 감정, 행동을 표출하는 데 스스로 주의 깊게 관찰하면서 그것을 조정하고 통제해 나가는 것이다. 대부분의 대인관계에서 우리는 자신이 하고 싶은 대로 행동하거나 감정을 그대로 드러내기보다는 상대방의 반응을 살펴 가며 하고 싶은 말의 표현수위를 조절한다든지, 감정표현의 정도를 조정한다. 자기 모니터링 경향이 높은 사람(high self-monitoring)은 자신의 행동이 현재 마주한 상황에

적절한지 관심이 크다. 따라서 상황이 변하면 행동도 그에 맞추어 바꾼다. 자기 모니터링 경향이 낮은 사람(low self-monitoring)은 다른 사람의 행동이나 말 등의 외부적인 단서에 대한 관심이 낮고, 대신에 자신의 내적인 감정상태나 태도에 따라 자신의 행동을 결정한다. 대인상황에서도 상대방의 반응보다는 비교적 안정된 자신의 내적 특성에 의거한 정보를 이용하는 경우가 많고, 그 결과 상황이 바뀌어도 행동에 일관성을 유지한다. 인지행동치료에서 자기 모니터링이란 특정한 치료전략이 효과가 있는지 아니면 사례를 다시 구조화하거나 새로운 치료 과정이 필요한지 알아보기 위해 자기 자신을 계속 탐색하는 것이다. 이를 위해 매일 일기를 쓰거나 표준화된 자기보고 질문지를 사용하기도 한다. 예를 들어, 소변을 불편할 정도로 자주 보는 사람일 경우, 수분 섭취량, 소변을 보려는 충동의 정도, 실제 소변의 양을 기록하는 자기 모니터링을 함으로써 그 행동을 줄여 나간다.

자기 모델링
[自己 -, self modelling]

NLP에서 자신의 우수한 상태를 자원으로 이용하기 위해 스스로를 모방하여 모델링하는 방법. NLP

모델링은 모방하기라고도 할 수 있는데, 어떤 사람의 목표달성을 가능하게 했던 일련의 아이디어와 행동을 추려 내어 그들이 보고 듣고 느끼는 공통 패턴을 그대로 따라 해 보는 과정을 말한다. 사람들은 어떤 일에 대한 성과를 내는 과정에서 충분한 자원이 필요하고, 또 이미 많은 사람들은 필요한 자원을 확보하고 있다. 사람들이 일생에서 탁월성을 발휘할 때는 다른 누군가보다 뛰어나게 일을 잘했거나 목표했던 일을 달성했거나 또는 어떤 일을 잘 성취했을 때다. 그러므로 사람들은 적어도 어느 순간에는 그러한 탁월성을 보이는 탁월성 모델이었던 순

간이 있다. 탁월성 자원은 자기 속에 잠재되어 있기 때문에 쉽게 발견하기가 어려울 수 있다. NLP를 통하여 자신의 숨겨진 탁월성 자원을 찾을 수 있는데, 이는 NLP 이론과 실제의 기본에 해당하는 개념이자 기술이다. NLP는 창시자인 밴들러(Bandler)와 그라인더(Grinder)가 펄스(Perls), 사티어(Satir), 에릭슨(Erickson)과 같은 탁월한 치료자를 모방하고 모델링하면서 시작된 것이기에 모델링의 중요성을 충분히 이해할 수 있을 것이다. 자기 모델링은 자신이 성공적으로 잘해 냈을 때를 잘 관찰하고 기억하여 이를 스스로 모방하는 것이다. 예를 들면, 운동선수들은 올림픽 금메달 수상자 또는 자신이 닮고 싶은 선수의 정신자세나 경기동작을 분석하고 그것을 그대로 모방하고 따라 함으로써 자신의 정신력과 기량을 개발한다. 그중 특히 자신이 성공적인 수행을 했을 때를 기억해 내거나 녹화해 두었다가 이와 동일한 상황과 행동을 재현하도록 스스로 훈련하는 것은 자기 모델링의 방법을 사용한 것이라 할 수 있다. 스스로 자신의 모델이 되는 자기 모델링은 자신이 이미 이루었던 과거의 성과에서 출발한다. 자신에게 '나는 무엇을 원하는가?' '언제 그것을 성취한 적이 있는가?' '어떻게 해서 그렇게 할 수 있는가?'로 질문을 던져 볼 수 있다. 자기 모델링을 하는 과정에서 가능하면 과거의 일을 정확하게 기억해야 한다. 자신이 과거의 성과를 이룩했을 때 어떤 생각을 하고 있었고, 어떤 행동을 취했었는지 파악해야 한다. 또한 당시 어떤 신념을 가지고 있었는지도 알아내야 하는데, 여기서 신념은 자기 모델링에서 매우 중요하다. 신념은 탁월성을 가로막기도 하고 이끌어 낼 수도 있다. 그리고 자신이 기억하고 있는 경험은 어떤 의미를 가지고 있는지도 분석해야 한다. 이는 그것이 기억에 남아 있는 특별한 이유가 되기 때문이다. 환경이 특별했을 수도 있고, 놀랐다거나 누군가 의미 있는 추억을 만들어 주었을 수도 있다. 그것이 무엇이건 간에 그와 비슷한 상황을 재창조함으로써 자기 자원에 보다 쉽게 접근하는 데 도움

이 된다. 또한 자신이 그 경험에서 배운 것은 무엇인지, 어떤 결론을 내렸고, 그 생각은 아직도 유효한지 등을 질문해 보아야 한다. 자기 모델링은 자신으로 하여금 성과를 달성하는 데 직접적인 도움을 주거나 필요한 자원을 얻을 수 있도록 해 준다. 일단 자신의 성과를 알면 그것을 꾸준히 유지할 뿐만 아니라 그것을 달성할 때까지, 또는 피드백이 자신에게 그 성과가 잘못된 것이라고 말해 주기 전까지 자신의 행동을 변화시켜 가야 한다. 여기서 관련된 NLP의 전제는, 만일 어떤 사람이 특정의 일을 해낼 수 있다면 다른 사람도 그 일을 모방할 수 있고 가르칠 수 있다는 것이다. 모델링은 비공식적인 방법으로 이루어지지만 강력한 힘을 가지고 있어서 모델링으로 학습된 기술은 학교에서 배운 것보다 더 오래 지속된다. 어떤 기술을 모델링하기 위해서는 다음 세 가지 신경적 차원, 즉 모델의 행동과 감정, 사고방식, 행동의 이유가 되는 신념과 가치관에 초점을 두어야 한다. 이외에 모델의 환경과 정체성도 고려해야 한다. 이 같은 모델링은 세 단계로 이루어지는데, 첫 번째 단계는 관찰하기, 질문하기, 모방하여 행동하기다. 두 번째 단계는 모델의 행동에서 각각의 양상을 체계적으로 취하여 그것이 구체적으로 자신이 모방한 결과에 어떤 영향을 미치는지 알아보는 것이다. 마지막으로 세 번째 단계는 학습한 것을 다른 사람에게 가르쳐 줄 수 있도록 분석하는 것이다.

자기강화
[自己强化, self-reinforcement]

조작적 상황에서 일반적으로 주체가 자신에게 자신의 행동에 따른 결과를 전달하는 것. 특수아상담

자신이 설정한 목표나 기준을 향해 발전을 이루었을 때 이에 대해 자신에게 보상을 주는 것을 의미한다. 자기강화는 결과와 반응을 연결하는 가치 있

는 것으로서, 자신이 목표행동을 정하고 지속적으로 자신에게 강화를 주는 것을 자주 할 수 있을수록 미래에 그 행동을 할 가능성이 높아진다. 자신에게 강화를 주는 방법에는 여러 가지가 있는데, 좋아하는 음식이나 과자 먹기, 좋아하는 스포츠나 영화 보기처럼 선호하는 여가활동에 참여하기, 친구들과 시간 보내기, 다른 사람에게 자신의 성공이나 성취에 대해 이야기하거나 보여 주기 등이 포함된다. 하지만 이와 같은 자기강화물이 모든 상황에서 다 이상적으로 적용될 수 있는 것은 아니다. 강화물은 일상생활에서 쉽게 습득이 가능할 정도로 작고 간단해야 한다. 자기강화물로서 먹는 것은 적합하지 않은데, 이는 식후와 같이 배가 고프지 않을 때는 강화물로서의 효과가 떨어지고 특히 어린아이에게 과자와 같은 자기강화물은 건강상의 문제를 초래할 수 있다. 또한 자신이 좋아하는 것과 자신의 기분을 좋게 만드는 것이 항상 같지 않으므로 자신의 특성을 잘 파악하여 언제 어디서나 얻을 수 있으면서도 강화물로 효과가 좋은 것을 선택해야 한다. 자기평가 이후 즉각적으로 자기강화를 하는 것이 가장 바람직하다.

관련어 긍정적 피드백

자기개방
[自己開放, self-disclosure]

집단상담에서 집단지도자나 집단구성원들이 다른 사람이 지각할 수 있도록 상대방에게 있는 그대로의 자기 자신을 전달하고 나타내는 행위. 수퍼비전에서의 자기 노출. 수퍼비전 집단상담

자기노출, 자기공개라고도 하는 자기개방은 자신이 지금 무엇을 생각하고, 무엇을 느끼고, 무엇을 고민하고, 무엇을 꿈꾸고 있는지 혹은 과거에 어떤 경험을 하고, 어떤 생각을 품고 살아 왔는지 등을 솔직하게 표현하는 것으로 나타난다. 자기개방성이 낮

은 사람은 자신의 내면을 나타내는 속 깊은 화제는 피하기 때문에 내면생활을 포착하기 어려운 유형인 반면, 자기개방성이 높은 사람은 자신의 생각이나 경험을 숨기지 않고 솔직하게 나타내기 때문에 내면생활을 파악하기가 쉬운 유형이다. 이때의 자기개방성은 사교성과는 차원이 다르다. 이를테면 집단구성원들끼리 항상 떠들썩하게 이야기를 하지만 서로 마음속으로 무엇을 생각하고, 무엇을 느끼고 있는지 분명치 않은 집단구성원은 사교성은 높지만 자기개방성은 낮다고 할 수 있다. 반면에 집단구성원이 비교적 말이 없고 조용한 편이지만 서로의 마음을 읽고 잘 표현한다면 사교성은 낮아도 자기개방성은 높다고 할 수 있다. 집단상담에서 자기개방은 집단지도자가 상담관계와 상담의 생산성을 위해 자신의 삶에 대한 정보를 나누는 의식적이고 의도적인 기법이다. 이 용어는 쥬라드(Jourard)가 처음 사용했는데, 그는 자기개방이란 자신의 개인정보를 밝힘으로써 다른 사람에게 자신을 알리는 것이라고 하였다. 쥬라드는 자기개방이 신뢰구축을 돕고 상담관계를 촉진한다고 보았으며, 상호 자기개방을 양자효과(dyadic effect)라고 불렀다. 특히 집단상담에서는 자기개방이 이루어지지 않으면 결코 성공적일 수 없다. 자기개방을 하지 않고 억제하면 불필요한 찌꺼기를 몸에 계속 지니고 다니는 것과 같아서 정신적 고통의 원인이 되기도 한다. 적절한 자기개방은 자신을 감추거나 포장하는 데 사용할 많은 정신에너지를 정말로 자신이 할 수 있고 하고 싶은 일에 사용하도록 만들어 주고, 나아가 깊이 있는 인간관계를 촉진하여 자기성장을 도모할 수 있다. 수퍼바이저는 수퍼바이지가 어려운 사례를 경험할 때 자신도 같은 경험이 있을 경우 개방할 수 있다. 이와 같이 경험을 공유하거나 자기개방을 할 때 수퍼비전 동맹은 더욱 강화된다. 그러나 과도한 자기노출이나 전문적인 성장에 도움이 되지 않는 노출과 개방은 적절하게 조율해야 한다.

관련어 성장, 수퍼바이저 역할

자기개방
[自己開放, self-disclosure]

정서중심부부치료에서 치료자가 부부와의 동맹을 강화하는 데 사용하는 기법. 정서중심부부치료

정서중심부부치료에서는 치료자의 자기개방을 많이 강조하지는 않는다. 내담자와의 동맹을 형성하여 내담자의 반응을 깊이 인정하거나 자신의 경험적인 요소를 인식할 수 있도록 내담자를 도와주는 등의 특별한 목적을 위해 제한적으로 사용한다. 내담자의 반응이 정상적인 것을 인정해 주거나 자기감정을 철회한 배우자에 대한 자신의 감정을 표현함으로써 내담자 부부의 보다 활발한 감정의 유발이 가능해지도록 만든다.

자기결정
[自己決定, self-determination]

자기 인생의 주체자로서 외부의 영향이나 간섭에서 벗어나 스스로 선택하고 결정하며 책임지는 능력. 학교상담

자기결정능력은 자신의 삶을 책임지고 살아가는 데 핵심적인 능력이라 할 수 있다. 특히 자기결정은 개인의 내적 동기, 사회적 가치의 내재화, 정서통합과 같은 과정과 관련이 있다. 자기결정은 타고난 본성의 영향을 받지만 고정된 것이 아니라 상황이나 내적 동기에 따라 바뀐다. 이처럼 개인이 어디에 살고, 무슨 일을 할 것인가 등을 자유롭게 선택하는 것이 자기결정이라고 할 수 있는데, 이는 외부의 압력이나 간섭을 받지 않고 아무런 방해 없이 자신의 선호도, 흥미, 능력에 따라 자율적으로 선택하는 것을 말한다. 또한 자기결정은 상황인식, 자원탐색, 계획수립 및 실행, 평가에 따른 계획수정 등의 자기조정능력이 필요하다. 자기결정을 하는 사람은 자신의 강점과 단점에 대한 지식과 정보를 가지고 자신을 객관적으로 바라볼 수 있으며, 자신을 신뢰하여 궁극적으로 자아실현을 향해 나아간다. 그러므로 성

장기에는 학업동기가 곧 자기결정으로 볼 수 있다. 공부는 스스로의 선택과 결정으로 수행하게 됨으로써 자신의 의지를 반영하는 것이 학습을 이끌어 내는 동기가 된다. 따라서 특수교육을 받는 아동 청소년과 학업에 대한 동기가 부족한 학생에게는 자기결정 능력 향상훈련이 학업적 어려움을 개선하는 데 도움이 되기 때문에 교육과정에 포함하는 것이 바람직하다. 그리고 될 수 있는 한 어린 시기에 시작하는 것이 좀 더 효과적이라는 주장이 제기되고 있다.

관련어 | 학습동기

자기공명영상
[磁氣共鳴映像, magnetic resonance imaging: MRI]

신체 내부구조를 자기장을 이용하여 눈으로 볼 수 있는 컴퓨터 영상으로 생성하는 방법. 뇌 과학

자기장을 발생하는 장치에 인체를 위치시키고 고주파를 발생시키면 신체 내 수소 원자핵이 공명하여 신호를 만들어 내는데, 이 신호의 차이를 측정하고 컴퓨터를 통해 재구성하여 영상화한 것을 말한다. 특히 뇌와 같은 연조직의 영상에 유용하다. 자기공명영상 장치는 X선이 아닌 초전도 자석과 고주파를 사용하기 때문에 인체에 무해하다. 그리고 뇌 컴퓨터 단층촬영법(CT)에서는 인체를 가로로 자른 모양인 횡단면 영상이 대부분인 반면, 자기공명영상 장치는 수검자의 자세변화 없이 원하는 방향에 따라 인체에 대한 횡축 방향, 세로축 방향, 사선 방향 등의 영상을 자유롭게 얻을 수 있다.

관련어 | 뇌

자기관심
[自己關心, self-interest]

합리정서행동치료

⇨ '정신건강기준' 참조.

자기교수
[自己敎授, self-instruction]

자신의 행동을 조절할 목적으로 스스로에게 말하는 과정. 특수아상담

자기교수는 인지적 자기 안내, 혼잣말, 언어적 자기중재, 언어적으로 중재된 자기조절이라고도 한다. 자기교수훈련은 자신의 학업적, 사회적 행동을 안내하고 조절하기 위해서 혼잣말을 사용하도록 가르치는 것이다. 이러한 훈련과정은 먼저 학생이 자신의 행동을 누군가가 말해 주는 것에 일치시키는 것을 배우고, 이후 스스로 말을 하면서 그에 행동을 일치시키는 것을 배우는 것으로 구성된다. 자기교수훈련은 루리아(Luria)와 비고츠키(Vygotsky)의 초기 연구에서 발전되어 왔다. 비고츠키는 아동이 자신의 행동을 안내하기 위해 내적 언어를 사용하는 능력이 몇 개의 단계를 거쳐 발달된다고 제안하였다. 이러한 발달과정은 외적인 중재자에서 내적인 언어 중재자로 다음과 같은 3단계에 걸쳐 순차적으로 이동한다. 첫째, 아동은 자신의 행동을 어른의 말에 일치시킨다. 둘째, 아동은 자신의 행동을 안내하기 위해 외적인 자기 말을 사용한다. 셋째, 아동은 5세 반경에 자기 말을 내재화하고, 내적으로 행동을 안내한다. 기능적인 자기중재기술을 발달시키지 못한 아동은 학습장애, 지적장애, 행동문제를 나타낼 수 있다. 굿맨(Goodman)은 충동적인 어린 아동에게 행동하기 전에 생각하는 것을 가르치기 위해 자기교수훈련을 사용하였다. 이들은 자기중재가 성공하지 못하는 것은 자기 말 발달, 자신의 자기 말 듣기, 혹은 행동

을 자기 말에 일치시키기 등에 실패해서라고 설명하였다. 마이켄바움(Meichenbaum)과 굿맨은 행동개선을 위해서 내적 자기중재훈련을 다음의 5단계로 가르칠 것을 추천하였다. 첫째, 교사가 큰 소리로 말하고 과제를 그 말에 일치하도록 수행하며, 학생은 관찰하도록 하라(인지적 모델링 단계). 둘째, 교사가 지시를 말하고 동일 과제를 학생이 수행하도록 하라(외현적 지도단계). 셋째, 학생이 지시를 크게 말하고 과제를 수행하도록 하라(외현적 자기지도단계). 넷째, 학생이 지시를 속삭이듯 말하고 과제를 수행하도록 하라(외현적 자기지도의 감소단계). 다섯째, 학생이 언어 내재화로 과제를 수행하도록 하라(내재적 자기지도단계).

관련어 자기 안내, 자기 중재

자기교습훈련
[自己教習訓練, self-instruction training]
내적으로 대화하거나 밖으로 표시나지 않는 자기진술을 함으로써 어려운 문제에 대처하고 문제행동을 효율적으로 풀어 나가도록 하는 훈련. **인지치료**

마이켄바움(Meichenbaum, 1977)이 주장한 것으로서 자기교수훈련, 자기지시훈련, 자기교시훈련 또는 인지적 자기교습훈련이라고도 하며, 자성예언(self-fulfilling prophecy)과 유사한 개념이다. 인간행동의 대부분은 자기교습과 자기진술을 통해 조정된다. 따라서 자기교습훈련에서는 문제행동과 과제수행을 자기 스스로 조절하는 능력을 증진시키기 위한 자기조절의 도구로 인지전략과 상위인지전략에 언어중재를 통합하고 학습과정에 내담자의 적극적이고 자발적인 역할을 강조한다. 대뇌학자들에 따르면, 뇌세포의 98%는 언어의 지배를 받는다. 말은 각인력(刻印力)이 있어서 매일 어떤 말을 암송하거나 자기독백을 하면 그 말의 사상이 대뇌에 입력된다. 또한 말은 견인력(牽引力)이 있다. 어떤 말을

하면 대뇌가 그 말을 수용하여 척추에 전달하고 척추에 전달된 말은 행동을 지배한다. 나에게서 배출되는 긍정적인 분위기는 결국 일이 잘 이루어지도록 내 주변에 긍정적인 사람을 끌어 모으는 작용을 한다. 자기교습에는 정서적 안정을 위한 근육이완교습, 비합리적 생각을 합리적 생각으로 바꾸는 교습 등이 있다. 즉, 불안을 야기하는 상황에서 '나는 나의 기분을 충분히 통제할 수 있다.' '천천히 심호흡을 하면서 긴장을 풀고 침착하자.' 등의 자기교습으로 불안을 극복한다는 것이다. 내담자가 자기 내면의 소리를 듣고자 하는 자발성과 능력, 이것은 자신의 생각, 감정, 심리적 반응, 인간관계의 행동 등에 대해 민감하게 관찰하는 것이다. 구체적으로는 문제를 해결할 때 내담자를 외현적 과제 관련 언어의 사용에서 내재적 과제 관련 언어의 사용으로 발전시켜 나가는 방법이다. 다시 말해, 정신적 문제나 장애를 지속시키는 인지형태를 자기교습을 통해 문제를 극복하고 태도를 변화시키는 행동방식으로 바꾸는 것이다. 자기교습훈련은 내담자의 자기언어화의 변화에 초점을 두고 개인이 자신에게 하는 말이 그 행동에 직접 영향을 끼친다는 가정을 근거로 하기 때문에 자기대화를 통한 인지적 재구성법의 하나라고 할 수 있다. 내담자는 자신의 행동을 관찰하는 방법을 배우고, 부적응 행동을 자각하며, 인지적·정서적·행동적인 변화로 이끄는 대안행동을 탐색할 기회를 갖는다. 보다 효과적인 대처기술을 배워 실제 생활에서 적용할 수 있도록 하고, 동시에 내담자는 자신에게 새로운 문장으로 말하면서 관찰하고 결과를 평가한다. 이처럼 내담자가 맞닥뜨리는 문제에 좀 더 효과적으로 대처할 수 있도록 자기교습을 수정하고 훈련을 시키는 것이다. 일차적으로 내적 대화의 역할을 중시하면서 충동적이고 공격적인 행동, 과제를 처리하는 데 대한 두려움, 대중 앞에서 말하는 데 대한 두려움 같은 문제상황에 대처하는 기술에 주안점을 둔다. 이러한 방법은 전략행동수행의 개선에 도움이 되며 학습장애 아동의

주의집중이 떨어지는 경우나 노력 의지가 부족한 경우, 지속성 부족 등의 개선 및 치료, 정신분열증, 분노조절장애, 스트레스조절장애, 불안장애 등을 극복하는 데에도 효과적이다. 예를 들면, 우울증 환자가 긍정적으로 변화하고 싶다면 더 이상 부정적인 생각이나 느낌의 '희생자'가 되어서는 안 된다는 것을 깨달아야 한다. 그들은 보통 자신에게 부정적인 말을 계속함으로써 우울증을 불러일으키기 때문이다. 자기교습훈련 절차는 다음과 같다. 첫 번째, 모델을 관찰한다. 두 번째, 모델의 진술을 활용하여 문제를 정의한다. 세 번째, 평가 대상 과제와 목표에 대해 의문점을 제시한다. 네 번째, 주의집중에 초점을 맞춘 자기교수를 실행해 본다. 다섯 번째, 과제를 성취하는 데 요구되는 행동을 안내한다. 여섯 번째, 자기평가 기능을 개발한다. 일곱 번째, 수행한 결과를 토대로 긍정적인 행동을 강화하고 끝으로 오류가 발생했을 때 교정방법을 학습한다.

자기대상
[自己對象, selfobject]
자신의 요구에 반응하면서 그 역할과 기능을 수행하는 대상.
대상관계이론

코헛(H. Kohut)에게 자기대상이란 다른 사람들을 반사하고, 이상화하며, 근사성을 갖기를 요구하는 자기의 필요에 반응하여 그러한 역할을 실행하는 다른 사람을 일컫는 개념이다. 자기의 성장과 발달이라는 관점에서 보면 타인은 독립된 개체가 아니라 자기의 이러한 욕구를 충족해 주기 위한 하나의 대상이다. 따라서 어떤 의미에서는 자기대상이 사람을 일컫는 개념이 아니라 오히려 감싸 주고 확인시켜 주는 하나의 기능으로 보아야 한다. 자기대상은 본래 유아가 필요로 하는 심리적 기능을 충족시켜 주는 양육자를 뜻하였다. 후일 성숙했을 때 자신의 심리구조가 스스로 담당해야 하는 기능을 지

금 대신 제공해 주는 대상을 자기대상이라고 한다. 코헛은 자기대상이 자기와 분리되어 경험되지 않는다는 점에서 자기대상은 자기의 근원이라고 보았다. 자기가 응집적이고 조화롭게 발달하기 위해서는 세 가지 자기대상이 필요하다. 첫째, 과대자기의 자기애적 욕구를 충족시켜 주는 거울 자기대상이 필요하다. 둘째, 이상화 부모 이마고의 자기애적 욕구, 즉 강하면서도 자기를 진정시켜 주는 대상과 융합하고자 하는 욕구를 수용해 주는 이상화 자기대상이 필요하다. 셋째, 쌍둥이 자기애적 욕구, 즉 공통성과 연대감의 욕구에 대해 궁극적으로 우리는 하나라고 반응해 주는 쌍둥이 자기대상이 요구된다.

자기대화
[自己對話, self-talk]
자신감을 계발하거나 특정 목표를 이루기 위한 자기조절(self-regulation)의 한 형태로, 자기 자신에게 어떠한 내용의 말을 되뇌는 행위. **인지행동치료**

같은 의미로 쓰이는 용어로는 자기독백, 자기언어화(self-verbalization)가 있다. 자기대화는 긍정적 대화와 부정적 대화로 나뉜다. 긍정적 대화는 자신에게 긍정적이고 도움이 되는 말을 자기 스스로에게 되뇌는 것을 말한다. 즉, 동기부여가 되거나 자신감이 생기는, 또는 집중력이나 경기력을 높이는 데 필요한 말이다. 부정적 대화는 자기 자신을 비하하거나 무시하는 내용으로 이루어진 말이다. 부정적 대화는 자기 자신을 더욱 불안하게 만들 뿐만 아니라 자신감과 자존감을 떨어뜨리고 자신감을 잃게 만들어 자기 능력에 대한 불신을 불러일으킨다. 그 결과 실패로 이끄는 원인이 될 수도 있다. 긍정적 대화의 경우, 예를 들어 "난 이 정도는 얼마든지 할 수 있어." "난 잘 해낼 수 있어." "이 정도 어려움쯤이야!"라는 말처럼 자신이 실행하고 있는 일에 대해 의식을 높이고 긍정하는 내용이다. 이에 반해 부정적 대화의 예를 들면, "그런 것조차 못 해냈네."

"난 이런 일은 할 수 없을 거야." "내가 하는 일이 다 그렇지 뭐." 등과 같은 경우다. 자기대화를 사용하는 목적은 자기진술(언어적 자기진술, 대처진술)을 사용하여 자신감을 계발함으로써 특정 목표를 달성하는 데 도움이 되도록 하는 것이다. 이때 부정적인 사고가 떠오르는 경우 자기대화를 통해 강화된 비합리적 사고와 신념을 바꾸는 것이 핵심이다. 예를 들어, 어떤 실패를 맛보았을 때 '난 역시 안 돼.'라는 생각보다, "괜찮아. 다음에는 더 잘할 수 있을 거야." 라고 자신의 입으로 자기에게 말을 하는 것이다.

자기도식
[自己圖式, self-schema]

자신과 연관된 다양한 정보처리에서 이를 조직화하고 안내하는 자기개념(self-concept)의 체계. **인지치료**

자기도식은 지금까지의 삶의 경험에 의거한 자기 자신에 대한 논리적 신념이나 체계 또는 자신에 대한 일반화를 말하며, '자기스키마' 또는 '자기구조'라고도 한다. 그 내용은 사회 속에서의 특정 역할이나 사회적 고정관념에 기초한 일반화 등을 담고 있다(Petersen et al., 2000). 예를 들어, 어떤 엄마가 딸에게 말괄량이처럼 보인다고 말하면 그 딸은 말괄량이가 행동하는 것을 떠올리면서 그대로 따라하는 반응을 보일 수 있다. 반대로 엄마가 딸에게 공주처럼 보인다고 말하면 그 딸은 좀 더 여자처럼 보이는 행동을 선택하게 된다. 자기도식은 개인이 자신의 욕구 대신 기대에 부응하는 행동을 선택하면서 자기영속적(self-perpetuating)이 된다. 누군가 밤에는 밴드에서 연주를 하고 낮에는 영업직에 근무한다면 그는 밤 시간에는 '밴드 연주자'로서의 도식대로 행동할 것이고 낮 시간에는 '영업직원'으로서의 도식을 따라 행동할 것이다. 이렇듯 도식은 문화적 배경과 환경적 요인에 따라 다르게 나타난다(Banting et al., 2009). 자기도식은 개인이 여러 정보를 수집

하는 데 기준이 되기도 하고 다양한 상황에서 행동 선택의 기준이 되기도 한다.

자기묘사
[自己描寫, self delineation]

다른 사람과의 관계에서 특별하게 구분되는 자신만의 특성을 획득하는 능력. **맥락적 가족치료**

다른 사람들과의 관계적 상호작용 맥락에서 자신을 구별해 낼 수 있는 능력을 자기묘사라고 하는데 이는 맥락적 가족치료에서 자기타당과 함께 자아를 형성하는 두 개념 중 하나다. 사람이 다른 사람과 관계하면서 획득하는 능력으로 자신을 다른 사람과 구분하여 자신만의 독특성과 개별성을 찾아가는 능력이다. 이를 위해서는 경계선의 설정이 중요하다. 경계선을 통하여 인간은 자신을 다른 사람과 구분할 뿐만 아니라 자신만의 독특한 특징을 발전시켜 나간다. 발달단계에 있는 아이들은 자기묘사능력을 다른 사람과의 관계에서 발전시킨다. 즉, 주변 사람들과의 상호작용이 아이의 자기묘사능력을 키워 주는 맥락역할을 한다.

관련어 | 자기타당, 자아의 형성

자기보고
[自己報告, self-report]

자신이 경험한 상담사례를 회상하여 자문을 얻을 목적으로 보고하는 것. **상담 수퍼비전**

자기보고 형식은 전통적 수퍼비전의 한 방식으로 가장 많이 사용되었는데, 수행이 비교적 쉽고 위기 상황에서는 전화로도 할 수 있다는 장점이 있다. 또한 능숙한 수퍼바이저에게 수퍼비전을 받는 경우 상담수련생은 개념적·기술적·개인적으로 많은 도전기회를 얻으면서 집중적으로 배울 수 있다. 하지

만 수퍼비전의 효과가 자기보고를 하는 사람이 얼마나 솔직하고 정확하게 자신의 사례를 기술하는지에 달려 있다는 한계가 있다. 때때로 상담수련생들은 자신의 상담과정에 대해서 실제보다 긍정적으로 이야기하는 경향을 보이는데, 이것은 의도적으로 수퍼바이저를 속이려는 것이 아니라 좀 더 긍정적인 평가를 받으려는 욕구 때문이다. 따라서 학생이나 초보 상담자에게 자기보고의 방식에만 의존하여 수퍼비전을 하는 것은 충분하지 않다. 이러한 한계를 극복하기 위해서는 시간과 노력이 필요하지만, 다양한 형태의 직접관찰방식과 함께 사용해야 상담수련생의 기술과 능력을 좀 더 정확하게 성찰할 수 있다.

관련어 | 과정노트, 사례노트, 음성녹음

자기보고검사
[自己報告檢査, self-report inventory]
개인이 스스로 행하는 보고검사. 심리검사

심리검사는 크게 자기보고검사와 투사적 검사로 구분할 수 있지만, 선다형이나 예, 아니오, 잘 모르겠다 등의 객관적 형태의 자기보고검사(설문지 형태의 검사)가 많이 사용된다. 자기보고검사는 피험자가 다양한 상황에서 자신의 사고, 감정, 행동에 관하여 물어보는 질문에 대하여 보고하는 것으로서, 일반적으로 구조화된 지필검사로 수행된다. 피험자는 검사항목에 기술된 내용과 자신의 성격 특성이 얼마나 유사한지를 평가한다. 자기보고검사는 피험자가 응답하기 쉽고 실시와 채점, 그리고 결과 처리와 해석에 요구되는 전문성의 수준이 낮아서 간편하게 활용할 수 있고, 많은 피험자를 대상으로 단시간에 일제히 실시할 수 있으며, 검사 실시자가 피험자를 개별 대면하지 않기 때문에 피험자가 심리적 압박을 받지 않고, 검사의 실시와 채점과정이 표준화되어 있기 때문에 신뢰도와 타당도가 높으며, 채점결과에 대한 다양한 통계적 분석이 가능하다는 장점이 있다. 반면에 반응하는 방법이 선택반응으로 제한되어 있기 때문에 피험자가 자신의 감정이나 생각을 자유롭게 표현할 수 없고, 자신의 실제적인 감정이나 행동을 잘 나타내는 방식으로 반응하기보다는 사회적으로 바람직한 방향으로 반응하려는 경향이 있고, 피험자 개인에 따라 문항의 내용에 관계없이 어떤 일정한 방향으로 반응하려는 경향이 있고, 자기를 왜곡·허위 반응할 가능성이 있으며, 검사문항의 특성 중심적 내용에 머무르기 때문에 특정 상황에서의 특성-상황 상호작용 내용이 밝혀지기 어렵다는 단점이 있다. 현재 성격평가를 위하여 가장 많이 사용되고 있는 자기보고검사로는 미네소타 다면적 인성검사(Minnesota Multiphasic Personality Inventory: MMPI), 마이어스-브리그스 성격유형검사(Myers-Briggs Type Indicator: MBTI), 캘리포니아 심리검사(California Psychological Inventory: CPI) 등이 있다.

관련어 | 투사적 검사

자기비하
[自己卑下, self-downing]
합리정서행동치료

⇨ '당위적 사고' 참조.

자기성애
[自己性愛, autoerotism]
쾌감을 주는 신체부위(ero zone)를 자극해서 얻는 쾌감.
정신분석학

엘리스(H. Ellis)가 최초로 사용한 말로 일반적으로는 수음(手淫)을 뜻한다. 그러나 프로이트(S. Freud)에 의하면, 자기성애는 본원적인 것으로 자아가 발달하듯이 발달하는 것은 아니며 리비도의 초기상태라고 한다. 자기성애가 출현하는 것은 구순기(口脣期)로 이성애(異性愛)와 대조적인 의미를 가진다. 유아의 자기성애적 행위기간이 연장되는 것은 어머니의 태도에 달려 있다. 어머니의 심리적 양육이 부족하거나 변덕이 심한 경우, 유아는 지나치게 오랜 기간 손가락을 빨거나 변비증세를 보이거나 너무 일찍 자위행위를 하는 등 자기성애적 행위를 나타낸다. 반면, 부모와의 관계에서 꾸준하고 안정된 만족감을 느낄 경우에는 자기성애의 시기가 짧아지고 본능적 욕망이 자연스럽게 승화되어 다음 단계인 정신적 발달단계로 건전하게 이행한다.

관련어 구강성애

자기심리학
[自己心理學, self psychology]

자기애의 정상성, 자기대상 경험의 중요성, 그리고 발달 · 탐색 · 치료에서의 공감의 중요성 등을 강조하는 코헛(H. Kohut)의 정신역동적 접근. 대상관계이론

코헛(H. Kohut)이 명명한 정신역동적 이론과 치료체계인 자기심리학은 다른 정신역동적 접근과 달리 치료상황에서 상담자의 공감적 태도를 강조한다. 코헛은 1959년에 발표한 논문 「내성, 공감 그리고 정신분석(Introspection, empathy and psycho-analysis)」을 계기로 상담자의 깊은 공감적 조율을 강조하였다. 정통 정신분석적 훈련을 받았던 코헛은 프로이트(S. Freud)의 욕동이론에서 이탈하여 자기(self)라는 개념을 중심으로 심리구조를 설명하였다. 1977년 『자기의 회복』을 출판하면서 실질적으로 프로이트의 욕동이론을 포기하였고, 1978년부터 '자기심리학' 용어가 공식화 되기 시작했다. 프로이트는 인간행동의 기본 동기로 성적 욕동을 제시했지만, 코헛은 인간심리의 근본 동기는 건강하고 행복한 자기로 발달하고자 하는 욕구라고 보았다. 이는 경험과 분리된 욕동과 구조 개념 같은 인위적인 구성을 거부한다. 자기심리학 분야에 속하는 이론가들은 모든 정신병리의 형태가 자기구조의 결함, 즉 자기의 왜곡이나 자기의 약화에 근거하고 있다고 보았다. 자기의 이런 모든 결함은 생애 초기 자기-자기대상관계의 혼란에 기인한다. 또한 오이디푸스콤플렉스는 더 이상 정신분석의 핵심이 아니라고 주장하면서, 이를 분석장면에서 제외하였다. 자기는 심리구조의 핵심으로서, 발달과정을 거치면서 얼마나 강하게 응집되느냐가 성격의 구조를 결정한다. 코헛은 자기가 어떻게 대상과의 관계를 통해 경험되고 점차 통합된 자기로 발전해 나가는지에 관심을 두었다. 다른 대상관계이론가들처럼 코헛은 심리의 본성을 이해하기 위해 어머니-유아 관계에 초점을 두었다. 어머니와 유아 사이의 강력한 상호작용에 토대를 두고 있는 중요한 역동을 중심으로 자기발달을 설명하였다.

관련어 대상관계이론

자기심리학적 미술치료
[自己心理學的美術治療, self psychological art therapy]

코헛(H. Kohut)의 자기심리학(self psychology)을 바탕으로 하는 미술치료. 미술치료

코헛은 충동보다는 내담자와 치료자의 관계를 부각시키면서 고전 정신분석의 충동모델에서 관계모델로 전환하였다. 내담자에게 중요한 것은 내담자의 내적 충동이 아니라 치료자와의 관계라는 것이다. 코헛은 정신분석학적 범주의 시각보다는 환자의 입장에서 환자의 경험을 이해하려고 노력하는 가운데, 공감(empathy)을 치료에서 가장 중심적인 요소로 간주하였으며 자기심리학적 미술치료에서도 공감을 주요 기법으로 사용하고 있다. 내담자의 미술작업 및 작품에 대하여 치료자가 공감함으로써 내담자는 자기대상 전이를 활성화시키고 최적의 좌

절을 경험하게 된다. 이 과정에서 내담자는 정지된 자기의 발달을 활성화시키며, 참된 자기가 만들어지는 변형적 내면화(transmuting internalization)를 이룰 수 있다. 또 부적응 행동이나 문제행동을 감소시킬 수 있다. 내담자는 미술치료에서의 공감으로 자기대상과의 관계에서 형성된 다양한 사고와 감정, 욕구를 자유롭게 표현할 수 있으며, 자기대상이 자신의 인생에 미친 영향을 탐색할 수 있는 것이다. 치료자와 미술이라는 환경 속에서 내담자는 창조적이면서 공감적인 삶을 경험하게 되고, 자기의 발달과 회복이 촉진된다. 자기심리학적 미술치료의 임상에서 사용될 수 있는 구체적인 기법은 다음과 같다. 첫째는 '내 인생에 영향을 미친 사람'으로, 이것은 내담자로 하여금 대인관계에서 중요한 영향을 준 사람들에 대한 생각과 감정을 탐색하도록 하여 자신과 타인의 대인관계 양식을 인식하고 자기대상을 탐색하도록 하는 것이다. 둘째는 '공감놀이'로, 이것은 내담자의 자유로운 표현에 공감해 줌으로써 내담자로 하여금 심리적 편안함을 느끼고 자기애의 활성화를 촉진하게 하며, 다른 집단원의 작품에 공감하는 공감능력을 기르려는 것이다. 셋째는 '얼굴책'으로, 이것은 각각의 면에 감정을 표현하도록 함으로써 내담자로 하여금 자기의 발달과정에서 억압된 감정을 자유롭게 표현할 수 있도록 만드는 것이다.

관련어 자기심리학

자기애
[自己愛, narcissism]

리비도가 자기 자신에게 부착된 상태.
대상관계이론 **정신분석학**

코헛(H. Kohut)은 자기애를 프로이트(S. Freud)와는 다른 관점에서 설명하였다. 프로이트는 초기 유아의 상태를 일차적 자기애 상태라고 가정했는데, 자기애의 개념을 도입하면서 본능을 리비도 본능(libidinal instinct)과 자아본능(ego instinct)으로 구분하고 이들 사이의 갈등을 초점으로 본능이론을 전개하였다. 일차-자기애(primary narcissism)는 리비도가 바로 자아 자체에 투입되는 것을 의미한다. 따라서 유아는 리비도 자체가 자아 리비도로서 자기 자신에게 전적으로 투입된 상태에 있다. 그러나 유아는 성장해 가면서 점차 자신의 욕동을 충족해 주는 대상을 별개의 대상으로 인식하기 시작하고, 그에 따라 리비도는 점진적으로 자아에서 외부 대상에게로 옮겨 간다. 이차 자기애(secondary narcissism)는 고통 때문에 좌절되거나 상처를 받는 경우 대상에게로 향했던 리비도가 자아 자체로 철수한 상태를 뜻한다. 유아의 일차 자기애는 모든 리비도가 자신에게만 부착된 상태인데, 점차 성장하면서 자신의 욕동을 충족해 주는 외부대상에게로 리비도가 옮겨 가고 좌절의 상태에서는 이렇게 외부로 향했던 리비도가 다시 자아에게로 향하는 이차 자기애가 나타난다. 프로이트 이론에서 일차 자기애는 자기성애와 대상 사랑 사이의 중간 단계에 해당되며, 이차 자기애는 리비도가 대상으로부터 자아에게로 되돌아온 병적인 상태이다. 이에 반해, 코헛의 이론에 있어서 자기애는 일차 자기애와 같은 원초적 상태도 아니고 이차 자기애와 같은 병적인 상태도 아니다. 자기애는 성장과정에서 필수적인 것이며 평생 지속된다. 생애 초기 유아는 공감적인 어머니와의 관계를 통해 일차 자기애 상태에 놓인다. 아직 나-너 분화가 이루어지지 않았기 때문에 어머니와 그 돌봄을 '너'와 그의 행위로 미처 인식하지 못한다. 이렇게 행복한 자기의 상태를 유지하려는 욕망이 곧 자기애이다. 자기를 사랑하고 이상적인 좋은 대상과 관계를 나누고자 하는 욕망은 잘 발전시켜 나가야 할 건강한 욕망이다. 코헛은 이것을 기본적인 자기애적 긴장이라고 보았으며, 유아적 자기애 상태로부터 성숙한 자기애 상태로 발전시켜 가야할 건강한 잠재력이라고 보았다.

관련어 리비도

자기애성 성격장애
[自己愛性性格障礙, narcissistic personality disorder]

자기도취와 자기중심성의 성격이 굳어져 부적응적인 상태가 지속되는 성격장애로, 자기애성 인격장애라고도 함.
정신병리

1898년 심리학자 엘리스(A. Ellis)가 나르시스 신화를 심리학적 문헌에 처음 인용한 이후, 심리학자 낵크(P. Nacke)가 사람이 환경에 대해 보이는 반응 스타일을 기술하면서 나르시스적이라는 용어를 사용하였다. 그 후 프로이트(S. Freud)의 정신분석이 시작된 초기부터 나르시시즘, 즉 자기애는 정신분석에서 중요한 개념으로 많은 논의와 연구가 이루어져 왔다. 또한 코헛(H. Kohut), 컨버그(F. Kernberg), 밀러(A. Miller) 등 수많은 유능한 정신분석학자들이 자기애라는 개념으로 인간과 성격발달에 대한 이해와 함께 설명을 해 왔다. 자기의 구조적 결핍과 병리에 관심을 두었던 코헛은 자기심리학의 틀 속에서 자기애성 성격장애와 자기애성 행동장애를 구분하였다. 두 가지 모두 자신이 약하고 결함이 있어서 이를 메우고 회복하려는 방어적 시도로서 자기해체, 자기쇠약, 자기왜곡이 나타나는 점에서는 동일하다. 그러나 자기애성 성격장애는 자기애적 결함이 내적 증상으로 표현되는 경우로서 무기력하고 사소한 것에 과민반응을 보이거나 자신의 신체에 대한 건강염려증, 수치심 혹은 우울증과 같은 정신적인 증상이 나타난다. 이에 반해 자기애성 행동장애는 성도착이나 섹스 중독, 반사회적 비행과 같은 행동으로 나타난다. 윙크(P. Wink)에 따르면 전자는 은밀한(covert) 자기애, 후자는 드러난(overt) 자기애에 해당한다. 캠벨(Campbell, 1999)은 자기애적인 사람과 비자기애적인 사람이 선호하는 상대를 비교하였다. 자기애적 사람은 자신을 아끼고 돌보아 주는 상대보다는 칭찬해 주고 우러러보는 상대를 더 선호하였다. 이들은 돌보아 주는 상대보다 칭찬해 주는 상대를 더 중요한 대상으로 여기는 것이다. 자

기애성 성격장애의 행동적 특성을 살펴보면, 첫째, 매우 거만하고 이기적으로 보이기도 하며 확신에 찬 모습으로 거침없이 말하고 행동한다. 둘째, 자신이 이루어 낸 어떤 성취나 재능에 대해 사실보다 과장되게 자랑을 늘어놓는다. 셋째, 자신이 매우 특별한 존재라고 생각하기 때문에 공통의 규칙이나 의무가 마치 자신에게는 해당되지 않는 것으로 행동한다. 정서적 특성은, 첫째, 실패나 비난에 직면해도 전혀 동요하지 않으며 태평스럽고 즐거운 편이다. 둘째, 타인에게 공격당했다고 느끼면 격렬한 분노와 적대감을 느끼고 복수하고 싶다는 강한 열망에 휩싸인다. 셋째, 타인에 대해 시기와 질투의 감정을 빈번하고 강하게 느낀다. 넷째, 자신이 설정한 높은 기대치에 스스로 만족하지 않을 때 어쩔 수 없이 우울과 불안감에 빠진다. 다섯째, 일상적인 일에 쉽게 지루함을 느끼고 뭔가 새롭고 자극적인 것을 찾으려 한다. 여섯째, 타인이 자신을 주목해 주고 칭찬해 주는 것에 대한 욕구가 강렬하다. 일곱째, 권력, 높은 지위, 리더십 등 지배적인 위치에 대한 욕구가 강하다. 여덟째, 자신의 감정을 적절한 수준과 방식으로 표현하지 못하고 지나치게 억압한다. 또한 대인관계 특성은, 첫째, 사교적이며 외향적으로 보이지만 조금 지나면 과도한 자기과시나 타인을 배려하지 않는 행동을 나타낸다. 둘째, 타인을 배려하고 공감하는 능력이 부족하여 피상적인 대인관계를 맺는 경우가 많다. 셋째, 타인에 대해 과도하게 강렬한 감정과 애정을 느끼고 지나치게 이상적인 사람으로 생각하면서 자기 생각대로 상대방을 만들어 간다. 이와 같은 자기애성 성격장애의 원인으로 정신분석적 이론에서는 초기 아동기 부모에게 받은 부적절한 애정이나 인정을 보상하는 것이라고 제안하였다. 또, 사회학습적 관점에서 이 장애는 자녀의 재능에 대해 부풀려진 시각을 가지고 있고, 그래서 비현실적인 기대를 하는 부모가 만든 것이라고 보았다. 자기애성 성격장애는 정신분석적 심리치료에서 스스로 알기 어려운 인간의 말, 행동, 상상 등에

서 나타나는 무의식의 의미를 밝히고 통합함으로써 발달과 성장, 적응 문제 등을 해결하고 성격을 변화시켜 치료한다. 코헛은 내담자가 어린 시절에 부모와 맺은 결핍된 관계가 재현되는 방식에 초점을 맞추어 이 장애를 치료하고자 하였다. 인지행동치료에서는 내담자의 심리적 증상을 유발하는 부적응적 인지와 행동을 적응적인 것으로 변화시킴으로써 내담자의 삶을 보다 적응적인 상태로 전환하는 데 초점을 두었다. 또한 밀론(T. Millon)은 자기애성 성격장애의 치료방법을 다음과 같이 제시하였다. 첫째, 성격 차원의 극단적 성향을 균형적인 상태로 회복시키면서 지나친 자기지향성을 약화시킨다. 둘째, 환경과의 상호작용에서 나타나는 내담자의 과도한 수동성을 보다 능동적인 방식으로 촉진한다. 셋째, 과대한 자기개념과 비공감적 대인행동으로부터 현실적인 자기 모습을 수용하고 공감적 이해와 협동적 상호작용이 증가되도록 한다.

동일한 특성을 지닌 사람이 된다. 따라서 대상에 대한 사랑은 곧 자기 자신에 대한 사랑이 되며, 사랑하는 대상을 상실하는 것은 곧 자기 자신의 일부를 상실하는 것이 된다. 그러므로 자기애적 병리현상은 견딜 수 없는 대상 상실을 부정하고 다시 대상과의 연합을 시도하는 것이라고 할 수 있다. 대상과 재연합하기 위해 상실한 대상을 자신의 내부로 옮기는 과정, 즉 대상의 내재화가 일어난다. 이때 내재화는 애도 반응에서 볼 수 있는 대상표상이 자기표상이 되는 높은 수준의 것이 아니라, 내재화된 대상이 여전히 대상으로 남아 있는 내사(introjection)를 의미한다. 이러한 내재화가 이루어지면 외부대상이 그를 떠난 것이 아니라 그의 내면에서 대상이 그를 떠난 것이 된다. 그 결과 실제 의식에서 내담자는 '남자친구가 떠났다.'가 아니라 '내가 버림받았다.'로 인식하게 된다.

관련어 자기애, 자기애적 분노

자기애적 대상 선택
[自己愛的對象選擇, narcissistic object choice]

무의식적인 자기애로 대상을 선택하는 것. 대상관계이론

프로이트(S. Freud)는 1914년 출판된 『자기애에 관하여: 서론』에서 자기애적 리비도를 설명하면서, 자기애를 네 가지 형태, 즉 성도착으로서의 자기애, 발달단계로서의 자기애, 자아의 리비도 부착으로서의 자기애 그리고 대상 선택으로서의 자기애를 언급하였다. 이때 대상을 선택하는 서로 다른 두 방식 중의 하나가 곧 자기애적 대상선택을 하는 경우다. 대상이 이상적인 자기상과 유사하여 그 대상과 관계를 맺으려고 하거나 혹은 자신이 선택한 대상의 이미지 속에 자신의 특징을 지속적으로 주입하여 관계를 맺는 것을 뜻한다. 어떤 경우이든 결국 선택한 대상은 이상적인 자기 자신이거나 혹은 자기와

자기애적 분노
[自己愛的忿怒, narcissistic rage]

자기애적 대상에 대해 느끼는 분노. 대상관계이론

전통적인 정신분석이론에서 공격성은 리비도와 함께 일차적으로 타고난 본능으로 간주된다. 그러나 코헛(H. Kohut)은 공격성과 파괴성을 일차적인 욕동의 표현이라고 생각하지 않는다. 그는 파괴적 분노를 자기애적 상처를 받아서 생긴 자기 해체의 결과물이라고 보았다. 즉, 파괴성은 본래 유아의 욕구에 대해 '자기대상 환경'이 최적의 반응을 해 주지 못한 결과로 발생한 것이다. 공격성은 원래 유아의 욕구에 대해 '자기대상 환경'이 최적의 반응을 해 주지 못한 결과로 발생한 것이다. 공격성은 원래 유아의 자기주장능력의 한 구성요소인데, 이러한 자기주장은 자기대상의 공감적 반응을 통해 지지받아야

한다. 그러나 자기대상 환경에 의해 상처를 받고 실망하게 될 때, 자기주장은 분노로 변형된다. 결국 자기애적 분노는 자기와 자기대상 간의 갈등에서 비롯된다. 자기애적 대상을 선택한 경우, 대상이 떠난 이유를 객관적으로 이해하기 어려울 때 떠난 대상에 대해 분노를 느끼게 된다. 자기애적 대상을 선택하면 대상이 자기 자신에게 속해 있다고 믿기 때문에 대상은 떠날 권리나 자격이 없다고 확신한다. 그렇기 때문에 막상 대상이 떠나면 떠난 대상에 대해 자기애적 분노를 느낀다. 그리고 자기애적 분노 또한 내재화된 대상에 투사되어 자기 자신은 두 가지 분노의 표적이 된다. 먼저, 대상에 대한 분노를 느끼는데, 막상 그 대상은 지금 자신 안에 내재화되어 있으므로 대상에 대한 분노가 자기 자신을 향한다. 그리고 자기애적 분노를 대상에 투사함으로써 내면의 대상이 자신을 공격하여 우울증을 갖게 된다. 이러한 측면에서 코헛은 자기애적 분노를 인간 공격성의 원형(prototype)으로 보았다. 실제 임상 장면에서 내담자의 과대자기 전이가 방해받을 때 격렬한 분노를 표출하는 경우가 많다. 심지어 내담자가 요청해서 그리고 내담자를 위해 분석시간을 변경했음에도 불구하고 내담자가 심한 분노를 나타내기도 한다. 이러한 현상은 결국 내담자가 분석가를 자기애적으로 경험하기 때문에 일어난다. 즉, 자신과 분리된 독립적인 개인으로 경험하지 못한다.

관련어 자기애, 자기애적 대상 선택

자기응시
[自己凝視, navel gazing]
자기만족적 내성, 자기몰두, 단일문제에 대한 과도한 집중 등의 자기몰입상태. **문학치료**

'navel gazing'은 자기응시 혹은 명상으로 번역되는데, 'Omphaloskepsis'라는 그리스어를 영어로 번역한 것이다. 이는 명상을 할 때 자신의 배꼽(navel)을 응시하는 행위를 나타내는 말이다. 그리스어에서 배꼽이라는 의미의 'omphalos'와 바라보는 행위 또는 살펴보는 행위라는 의미의 'skepsis'를 더해 자기만족적 내성(內省), 자기몰두 등의 의미가 되었다. 대개는 자아주의로 번역되는 에고티즘(egotism) 혹은 자기몰입적 추구에 대한 말로 쓰이기도 하고, 옴팔리즘(omphalism)과 같은 영적인 면으로도 쓰인다. 예로부터 여러 문화권에서 배꼽은 엄청난 힘과 관련된 의미가 있었다. 모태의 생명력과 연결된 기관으로, 배꼽은 문화의 중심 혹은 출발점으로 상징화되어 있었다. 그리스에서는 델피의 아폴로 신전에 있던 반원형의 돌이 옴파로스였는데, 이는 세계의 중심이라 여겨졌던 것이다. 즉, 종교적인 의미로서 문화의 중심, 그 사회구성원의 종교적 중심으로 배꼽이라는 의미가 사용되었음을 보여 주는 예다. 한편, 인도인의 요가나 동방정교회, 불교 등에서 우주의 원리나 인간의 본성을 알기 위한 깊은 명상의 도구가 자기응시다. 자신이 해결하고자 하는 하나의 문제에 집중하기 위해서 다른 문제들에서 벗어나 깊은 사고에 들어갈 수 있도록 명상을 사용한다. 명상은 원래 심리치료나 상담의 기법이 아니라 수행 및 수도를 하는 종교적 행위에서 출발하여, 쓰임새에 따라 그 과정이 다르게 나타난다. 주로 마음챙김(mindfulness, 위빠사나)으로 규정되는 여러 행위가 명상과 관련되어 있다. 그중에서 자기응시는 반눈을 감고 가부좌 혹은 반가부좌를 한 채 바른 자세로 앉아 두 눈은 자기 배꼽을 바라본다는 생각을 하는 것이다. 말을 하거나 움직이는 것은 금지되어 있고, 선불교에서는 면벽을 한 상태로 자기응시를 한다. 자기응시의 원래 목적은 우주원리 및 인간본성에 대한 깨달음이다. 하지만 심리치료나 상담에서는 자신의 문제에 대해서 객관적 거리를 두고 다시 바라볼 수 있는 정도의 실천적 방법으로 쓰인다. 자신이 경험한 사건과 관련된 감정적인 면을 배제하고, 객관적인 관찰자의 입장에서 그것을 바라볼 수 있을 만큼 정서적인 면을 안정화시켜, 자신에게서 벗어난 사고를 할 수 있도록 해 준다.

관련어 마음챙김, 명상, 선불교, 위빠사나

자기이해지능
[自己理解知能, intrapersonal intelligence]

자신에 대한 정확한 지각과 자신의 인생을 계획하고 조절하는 지식을 사용할 수 있는 능력. 인지치료

개인 내 지능 혹은 자기성찰지능이라고도 하는데, 타인을 이해하는 대인관계지능에 대비되는 개념으로 자기 자신을 이해하고 느낄 수 있는 인지적 능력을 뜻한다. 자신이 누구이며, 자신이 어떤 감정을 가졌고, 왜 그렇게 행동하는가 등 자신에 대해 제대로 이해하는 능력이다. 자기이해지능이 높은 사람은 자신의 지각, 감각, 정서, 인식, 사고의 작용을 통해 자신의 주관적 현실과 객관적 현실을 명확하게 식별할 수 있다. 주체적 자기, 객체로서의 타자(他者), 객체로서의 자기, 자기와 타자와의 상호관계를 잘 파악한다. 건강한 성격의 요소인 자기수용에 이르기 위해서는 자기이해가 필요하며, 원만한 대인관계를 위해서도 선행되어야 하는 능력이다. 자기이해지능이 높은 사람은 자기존중감과 자기향상뿐만 아니라 자신이 처한 문제를 훌륭히 해결하는 능력을 갖추고 있다. 인간은 자기결정감, 능력의 확장, 대인관계에 대한 내재적 욕구를 지니고 태어난다. 이러한 욕구가 충족될 때 긍정적 정서를 유발하는 신경전달물질 호르몬이 분비되어 행복감을 느낀다. 따라서 이러한 내재적 욕구는 근본적인 동기를 유발하는 좋은 토대가 된다. 사람들이 자신과 관련된 정보를 특색 있게 처리하는 경향성을 자기도식이라고 한다. 자기도식이란 스스로 어떤 정보에 관심을 가질지, 정보를 어떻게 파악할지, 얼마나 중요한 정보인지를 결정하는 선택적 기제다. 자신을 잘 이해하는 사람은 자기도식의 특성이 확실하다. 자기도식이 있으면 정보를 빨리 처리할 수 있으며,

새로운 정보를 자신에게 맞게 여과하는 능력을 발휘한다. 예를 들면, 자신은 주변 사람들에게 예뻐 보이고 친절하며 인상이 좋아 보인다는 자기도식을 가지고 있다면 누군가가 자신에 대해 부정적이고 모순된 말을 해도 받아들이지 않거나 무시해 버린다. 자신에 대해 긍정적인 자기도식을 가지면 자기존중감으로 자신을 보호할 수 있다. 자기이해는 대인관계에서도 긍정적인 역할을 한다. 자기이해지능이 높은 사람은 주변환경으로부터 스스로를 독립된 존재로 인식하며 자율적으로 판단하고 행동한다. 자기이해가 부족하면 쉽게 마음의 문을 열지 못하고 폐쇄적으로 행동하며 진정한 인간관계에 몰입하기 힘들다. 자신의 감정과 행동에 대한 해석력이 없기 때문에 감정 자체에 쉽게 휩쓸려 대인관계를 악화시킨다.

관련어 다중지능, 대인관계지능, 신체운동지능

자기장애
[自己障礙, disorder of self]

자기에 관련된 심리적 장애. 대상관계이론

코헛(H. Kohut)은 자기(self)에 관련된 심리적 장애를 두 가지 유형, 즉 일차적 자기장애(primary disorder of self)와 이차적 자기장애(secondary disorder of self)로 구분하였다. 일차적 자기장애는 자기가 응집성을 충분히 형성하기 전에 지속적이고 심한 공격을 당한 경우를 뜻한다. 그의 사후 출간된 『분석은 어떻게 치유하는가』에서, 코헛은 일차적 자기장애에 해당되는 정신병리를 정신병(psychosis), 자기애적 성격 및 행동장애(narcissistic personality and behavior disorder), 그리고 구조-갈등 신경증(structural-conflict neuroses)으로 제시하였다. 자기구조에 근본적 결함을 가진 정신과 환자에게서 찾아볼 수 있다. 예를 들면, 정신분열증 환자와 같

이 생애 초기 경험으로 자기의 핵심이 형성되지 못한 채로 남아 있는 사람이다. 자기의 손상이 매우 심하지만 복잡한 자기방어로 은폐되어 있는 경계선 상태도 이에 해당한다. 성도착자, 비행행위자, 약물 중독자처럼 신체적으로나 사회적으로 심각한 위험에 빠질 수도 있지만 불안전한 상태로 탄력적인 자기를 유지해 나가는 자기애적 행동장애도 일차적 자기장애에 속한다. 또한 주변 사람들에게 무시당할까 두려워 인간관계를 회피하고 위축되는 자기애적 성격장애도 해당한다. 코헛은 일차적 자기장애 유형 중에서 심리치료가 가능한 경우는 자기애적 행동장애와 자기애적 성격장애뿐이라고 하였다. 한편, 이차적 자기장애는 자기의 구조적 손상은 없지만 인생에서 실패를 했을 때, 예를 들어 중병에 걸리거나 사업에 실패했을 때 의기소침해지고 분노를 느끼는 것이다. 성공이나 실패, 승리나 패배, 기쁨, 실망, 분노 등의 다양한 감정변화는 자존감에 변화를 초래한다. 응집성을 갖고 있지만 불안정하게 응집된 자기는 부정적인 생활사건 때문에 위협을 받는다.

자기점검
[自己點檢, self-monitoring, self-regulation]
자신의 행동을 관찰하고 기록함으로써 행동의 변화를 유도하는 초인지전략의 한 유형. **특수아상담**

쇼핑목록에서 구입한 물건의 목록에 사선을 그어 표시하거나 집을 나설 때 가져가야 할 것을 자신에게 묻는 것, 알림장에 있는 숙제목록에서 수행한 숙제에 표시를 하는 것 모두 자기점검에 속한다. 자기점검은 중요한 자기조절 전략이지만 대부분의 학생이 구체적인 지도로 이와 같은 전략을 학습하지는 않는다. 이에 구체적인 지도를 통하여 학생은 학업 및 사회적 수행을 향상 및 개선시키고자 하는 자기점검 사용방법을 학습할 수 있다. 자기점검은 개별 행동(예, 읽은 페이지 수, 완수한 숙제, 지시 따르기)뿐 아니라 연속행동(예, 숙제하기, 수업 중 주의집중하기, 또래와의 적절한 사회적 상호작용 유지하기)에 대해서도 적용할 수 있다. 개별행동에 대한 자기점검을 할 때, 학생은 목표행동을 수행한 빈도를 기록한다. 연속행동에 대해서는 학생은 다음 일정 중 하나에 따라 행동이 일어났는지의 여부를 기록한다. 첫째, 사전에 결정된 간격의 마지막에(예, 매 1분마다), 둘째, 일반적으로 교사가 주는 외부단서에 반응하여, 셋째, 학생이 행동에 관해 생각한 때에 기록한다. 학생이 자기점검기술을 처음 학습하는 경우에는 외부단서에 의한 자기점검이 보다 효과적이다. 외부단서는 언어 및 비언어적 표시 또는 녹음된 표시가 될 수 있다.

관련어 | 자기조절

자기조절
[自己調節, self-regulation]
외부환경에 효율적으로 적응하고 자신의 목표를 수행하기 위하여 자발적으로 계획하고 생각하며 행동하고 정서를 융통성 있게 관리하는 능력. **발달심리** **인지치료**

기질의 한 요인으로서 자기조절은 자기통제의 개념과 혼용하기도 하지만 몇몇 학자들은 다르게 정의하고 있다. 자기통제와 자기조절이 크게 다른 점은 자극에 대한 행동반응이 수의적인지 또는 자발적인지에 달려 있다. 자기조절은 외부의 명령이나 지시가 없어도 행해지며 자신의 자율적 사고에 따라 계획하고 실행하며 평가하는 능력이다. 자기조절은 어떤 상황이나 과제에 주의를 집중하는 능력, 문제해결을 위하여 문제에 대하여 생각하고 점검하여 지시하는 능력, 학습활동 등의 과제에 자발적으로 참여하는 능력, 외부환경의 요구에 따라 행동을 멈추거나 행하는 능력, 외부환경에서 신체적·언어적 행동의 강도, 빈도, 지속시간 등을 조절하는 능력, 외부의 제한 없이 사회적으로 바람직한 행동을 하려는 능력, 자신의 행동을 계획하고 점검하며 평가하는 능력, 부적 정서를 조절하는 능력 등을 말한다. 자기조절은 아동이 스스로 선택하여 계획한 목적이나 목표에 따라 기능적으로 조직하도록 하며, 목적과 상황이 변하면 그에 따라 행동반응을 변화시키고 조정하여 계획한 목적을 수행하는 데 도구와 중재자가 된다. 따라서 자기조절은 목표설정과 목표수행을 위한 자기관찰, 인지통제와 환경통제를 강조함으로써 자기통제보다 복잡한 상위인지의 기능을 포함한다. 자기조절의 하위요인으로는 목표설정, 목표수행을 위한 인지적 준비, 자기관찰, 자기평가, 자기강화, 주의통제, 부호화 통제, 정보처리 통제, 동기통제, 정서통제, 환경통제 등이 있다.

관련어 자기통제

자기조절 발달 [自己調節發達, self-regulation development] 외부환경에 효율적으로 적응하고 자신의 목표를 수행하기 위하여 자발적으로 계획하고 생각하며 행동하고 정서를 융통성 있게 관리하는 능력의 연령에 따른 변화를 말한다. 자기조절의 발달은 자기통제능력이 발달한 후에 가능하다고 할 수 있으며 자기조절의 발달에 관하여 구체적으로 언급한 연구는 없지만 몇몇 연구에 따르면 12세경이 되면 비로소 단기적인 보상보다는 더 크고 장기적인 보상을 선택할 수 있는 능력이 형성된다고 밝히고 있기 때문에 자기조절의 발달은 초등학교 고학년 이후라고 볼 수 있다. 자기조절능력을 형성하는 데 영향을 미치는 요인은 부모의 양육태도, 부모-자녀 간 상호작용, 부모의 성격, 가족구조 등이 있다. 청소년기에서 자기조절의 부족은 낮은 수준의 학업수행, 인터넷 중독, 흡연, 폭식, 가출, 무절제한 생활, 폭력, 범죄, 공격적 행동 등의 외현화된 문제행동과 사회적 위축, 불안, 우울, 분노, 정체성 혼란 등의 내면화된 문제행동을 야기할 가능성이 있다.

자기주도학습증진방법검사
[自己主導學習增進方法檢査, Self-Regulated Learning Test: S-RLT]
자기주도적인 학습을 위한 학습방법과 과정을 탐색하는 검사.
`심리검사`

자기주도적인 학습을 위한 학습방법과 과정을 탐색하기 위해 송인섭이 개발한 검사로, 대상은 초등학생이다. 현장경험이 풍부한 교사와 교육학 전공자로 구성된 전문가들이 자기주도학습 구성요인의 문항을 초등학생(5, 6학년)이 이해할 수 있는 어휘와 내용으로 수정하고 내용 타당도를 검증하였다. 초등학생의 학습과정과 방법에 대한 이해를 돕고, 스스로 가장 적합한 학습방법을 선택할 수 있도록 하는 것이 검사의 목적이다. 하위검사 구성을 살펴보면, 먼저 동기영역 중 자기효능감은 개인이 성취장면에서 자신의 능력에 대해 갖는 기대로 자신의 능력에 대한 개인적 판단 및 신념이다. 내재적 가치는 과제에 대한 목적, 과제의 흥미와 중요성에 대한 신념이다. 목표 지향성은 학습자가 학습활동에 대해 갖는 신념체계다. 인지영역 중 정교화는 학습자료를 의미 있게 하기 위해 새 정보를 이전 정보와 관련시켜서 특정한 관계를 지니도록 하는 인지전략이다. 시연은 단기기억 속에서 정보가 사라지지 않게 하기 위한 인지전략이다. 점검은 자신의 주의집중을 추적하면서 이해 정도를 확인하는 인지전략이다.

행동영역 중 공부주도는 학습자가 자신의 학습시간과 공부방법을 효과적으로 조절하는 것을 의미한다. 노력주도는 학습자가 과제를 수행하기 위해 학습에 대해 노력하는 것을 의미한다.

누고, 상대방을 위해 건설적인 행동을 하는 등 자기주장을 해야 한다고 말하였다. 그런 이유로 내담자가 자기주장을 할 수 있는 다양한 훈련을 시행한다.

관련어 │ 행동하는 기술

자기주장
[自己主張, assertion]

친밀하고 오래된 인간관계에서 발전된 상호 간의 열린 대화구조. `생애기술치료` `합리정서행동치료`

사람과의 관계에서 상대방의 감정을 상하지 않게 하면서 자신의 심리적 상태나 의도를 분명하게 전달하는 일이 필요하며, 이러한 자기주장 혹은 자기표현은 중요한 대인기술의 하나다. 자기주장은 대인관계에서 상대방의 권리를 침해하지 않으면서 동시에 상대방의 인격을 존중하면서 자신의 감정, 권리, 욕구, 생각이나 의견을 솔직하게 상대방에게 직접적으로 표현하는 것이다. 이러한 자기주장을 제대로 하지 못하는 이유는 자기주장 행동 자체를 잘 모르거나 대인관계에서 갖는 불안 때문이다. 즉, 자기의 권리를 옹호해서 주장행동을 하고 싶은 마음은 간절하나 주장 행동을 하는 방법이나 기술을 몰라서 못하거나 주장행동을 하는 방법이나 기술은 알고 있으나 자신이 주장행동을 하고 난 뒤 상대방이 어떻게 반응할 것인가에 대한 염려나 불안으로 자기주장 행동을 하지 못한다. 그렇기 때문에 상담에서는 불안해하지 않고 자기를 표현하고 주장하는 행동을 할 수 있도록 훈련하는 것을 강조하기도 하는데, 이를 자기주장훈련이라고 일컫는다. 생애기술치료에서는 안정적이고 긍정적인 인간관계를 유지하기 위해 자신이 원하는 것이나 느끼는 것을 말하지 않고 인내하는 것은 오히려 친밀한 관계의 형성을 방해하는 것이라고 본다. 따라서 보다 건설적인 관계형성을 위해서는 서로의 긍정적이고 부정적인 생각이나 느낌을 정직하고 사려 깊은 태도로 나

자기주장훈련
[自己主張訓練, assertiveness training]

여성이 자신의 권리를 주장하는 방법과 기술을 습득하도록 도와주는 여성주의 역량강화상담의 기법. 대인관계에서 자신과 상대방을 존중하면서 자기표현이나 주장을 할 수 있는 방법을 훈련하는 행동치료과정. `여성주의 상담` `합리정서행동치료`

여성주의 상담에서 사용된 최초의 인지행동치료 모델 중 하나로, 여성인 내담자 자신이 힘이 없는 사람이라고 치부해 버림으로써 자신의 삶에 대한 권리를 포기하고 능동적이며 긍정적인 통제를 하지 않는 상태에서 벗어나 자신의 권리를 주장하고 요구할 수 있는 기술을 습득하도록 도와 자신의 삶에 대한 좌절감이나 무기력함을 극복하도록 하는 데 그 목적이 있다. 중요한 것은 이 기법에서 요구하는 여성의 자기주장은 무차별적이고 다른 사람들의 권력을 억압하는 주장이 아니라, 자기 자신의 권리를 위한 능동적이고 단호한 주장을 할 수 있는 기술을 습득하도록 하는 것이다. 이 같은 주장훈련은 사회의 제도적 변화에 영향을 미치고, 권력의 평등관계를 가지는 데 매우 중요한 요소로 작용한다.

자기표현훈련이라고도 하는데, 대인불안이나 공포가 있으며 자기 자신을 부정적으로 인식하여 자기표현을 원활하게 하지 못하는 사람 혹은 자기주장이 너무 강하여 상대를 눌러 꼼짝 못하게 하는 언동을 하는 사람에게 필요한 기법이다. 자기주장훈련은 본래 행동치료에서 개발되었는데, 다른 사람의 권리를 침해하지 않으면서 자신의 권리와 느낌을 표현하는 방법을 학습함으로써 우울, 분노, 후회, 대인관계에 대한 불만 및 그로 인한 스트레스를 감소시키기 위해 고안되었다. 이후 엘리스(Ellis)는 합

리정서행동치료에서 합리적 자기진술을 사용한 주장훈련을 소개하였다. 합리적 자기진술은 내담자가 열정적으로 자기진술문을 사용하여 정서적이고 환기적인 방법으로 자신의 비합리적 신념에 도전할 때 습득할 수 있다. 열정적인 합리적 자기진술문은 힘이 있고 극적이며 자기 스스로 언어화한 것으로 구성되어 있다. 엘리스는 자신의 내담자가 이런 종류의 문장을 사용하도록 하는데, 여기에는 두 가지 이유가 있다. 첫째, 비합리적 신념은 그것들이 강하게 도전받지 않으면 그 뿌리가 깊기 때문에 그대로 남아 있는 경향이 있다. 둘째, 우리가 '정서'라고 언급하는 것은 최소한 부분적으로는 상당히 열정적인 자기언어화에서 파생한다. 그래서 우리가 경험하고 있는 정서는 우리가 자신에게 말하는 방법에 영향을 받는다.

관련어 권력분석, 문화분석, 성역할분석, 여성주의 상담, 여성주의 역량강화상담

자기중심성
[自己中心性, egocentrism]

아동이 자기의 입장에서만 모든 사물을 보고, 다른 사람의 입장을 이해하지 못하는 것. 인지치료

자기를 자기로서 정위(定位) 지을 수 없는 유아나 아동의 특정적인 심성으로서 어린아이의 마음의 특성을 나타내는 개념으로서 피아제(J. Piaget)가 제창한 것이다. 피아제의 인지발달이론에 따르면, 자기중심성은 전조작기 아동의 전형적인 특징의 하나다. 이 시기의 어린아이는 무엇이나 자기중심으로 말하고 사고한다. 이런 성질을 자기중심성이라 한다. 예를 들어, 또래친구들과 함께 놀고 있을 때도 친구에게 말을 하는 것이 아니라 혼자서 멋대로 지껄이고 있는 경향을 볼 수 있다. 이것은 어린아이가 자기와 자기를 에워싼 바깥세계 사이에 분명한 구별이 생기지 않았다는 것을 표시하는 것이다. 즉,

자기 자신의 주관적인 세계와 자기 밖에 있는 객관적 세계에 구별이 없는 이른바 주객 미분화(主客 未分化)의 세계, 자타 미분화(自他 未分化)의 상태에 있다고 할 수 있다. 자기중심성은 아동이 이기적이거나 일부러 다른 사람의 입장을 배려하지 않는 것이 아니라 단지 다른 사람의 관점을 이해하지 못하는 데서 기인한다. 어린아이는 우주의 모든 현상을 자기중심적으로 생각한다. 자신이 좋아하는 것을 다른 사람도 좋아하고, 자신이 느끼는 것을 다른 사람도 느끼며, 자신이 알고 있는 것은 다른 사람도 알고 있다고 생각한다. 예를 들어, 회사에서 아빠가 어린 딸에게 전화를 걸어 '엄마 있니?' 하고 물으면, 다른 아무 말 없이 고개를 끄떡이게 된다. 엄마를 바꿔 달라고 해도 아무 말 없이 고개만 끄덕이는 경우를 보게 되는데, 아빠가 자신이 고개를 끄떡이는 것을 보지 못한다는 것을 전혀 생각하지 못하기 때문이다. 개인차가 있지만 8세가 지나면 서서히 자기중심성이 해소되어 다른 사람의 의견을 존중하고 입장을 이해할 줄 알게 된다.

관련어 인지발달이론

자기중심성
[自己中心性, egotism]

자신의 행동에 대한 타인의 반응을 지나치게 의식하고 집착하는 것. 게슈탈트

자기중심성은 접촉경계혼란을 일으키는 여러 가지 원인 중의 하나로, 자의식으로 번역되기도 한다. 자기중심성은 자신에 대해 지나치게 의식하고 관찰하는 현상인데, 이것은 자신의 행동에 대한 타인의 반응을 지나치게 의식하기 때문에 나타난다. 이러한 행동은 환경과의 교류와 접촉을 방해하고 자연스러운 활동을 막아, 마침내 자기 내부에 갇혀 접촉경계혼란을 일으키게 된다. 그래서 자신의 욕구나 감정을 해소하지도 못하고 항상 자신을 병적으로

관찰하면서 긴장상태에서 살아간다. 그리고 타인에게 거부당할 것이 두려워서 자기 자신의 욕구나 감정을 드러내 놓고 표현하지 못한다. 자기중심성의 치료를 위해서는 우선 내담자가 자신의 욕구나 감정, 관심 등을 알아차리게 해 주고, 이를 다시 말이나 행동 혹은 예술 행위 등으로 표현하도록 만들어야 한다.

관련어 내사, 반전, 융합, 접촉경계혼란, 탈감각화, 투사, 편향

자기지향
[自己志向, self direction]
합리정서행동치료(REBT)에서 제시하는 정신건강기준과 상담의 목표 중 하나로, 자신의 개인적 관심이나 욕구를 충족하도록 행동하는 유형. 합리정서행동치료

자기지향은 집합체 지향(collectivity-orientation)과 대조를 이루는 파슨스(T. Parsons)의 패턴변수의 하나로, 자신의 개인적 관심이나 욕구를 충족할 수 있도록 행동하는 유형이다. 자기지향 과제에는 열두 가지 구성요소가 포함되는데, 가치감, 통제감, 현실적 신념, 정서적 자각 및 대처, 문제해결 및 창의성, 유머, 영양, 운동, 자기 보살핌, 스트레스 관리, 성 정체감, 문화 정체감이 해당된다. 정서적으로 건강한 사람은 다른 사람과의 행동이나 지지를 좋아할 수도 있지만, 그러한 지지를 항상 요구하는 것은 아니다. 그들은 자신의 삶에 책임을 느끼고, 자신의 문제를 스스로 해결할 수 있다.

관련어 정신건강기준

자기진단법
[自己診斷法, self-diagnosis method]
피검자의 언어적 반응에 기초를 둔 질문지법. 심리검사

피검자의 언어적 반응을 기초에 둔 검사로, 피검자 자신에게 일정한 행동 경향, 성격 특성 등에 관한 질문을 하고 그것이 자기 자신에게 어느 정도 맞는지 자기진단하도록 한다. 자기진단법은 의견, 감정, 동기, 태도와 같은 타인으로부터 관찰할 수 없는 내면적 행동에 관한 지식을 얻는 데 유효한 방법이며, 질문지법이 널리 이용되고 있다. 그러나 문제점도 적지 않다. 첫째, 자기진단법은 충분히 자기 내성을 할 수 있을 만큼의 능력을 갖춘 피검자가 아니면 적용할 수 없다. 일반적으로 초등학교 4, 5학년 이상이 아니면 자기 진단은 어려우며 신뢰성이 낮은 것으로 본다. 둘째, 자기진단법으로 파악되는 것은 어디까지나 피검자가 의식한 것이며 응답이 모두 객관적으로 보아 진실하다는 보증은 없다. 그 때문에 피검자 자신의 판단과 타인이 인지한 것과의 사이에 자주 불일치가 생긴다. 셋째, 자기진단법에서는 피검자가 어떤 목적을 위해 동기부여되어 있으면 가짜(faking) 회답이 생기기 쉽다. 즉, 고의 또는 의도적으로 자신을 조작하는 방어적 회답이나 무의식 중에 사회적으로 바람직한 회답을 하는 사회적 바람직함의 회답 태도(social desirability response set)가 생기며 결과를 왜곡한다. 자기진단법을 실시할 때에는 자신에 대해 정직하게 응답하도록 해야 하며, 검사를 실시하면서 피검자에게 의의와 목적을 충분히 설명하고 어떤 불안도 갖지 않도록 하는 등의 배려가 필요하다.

자기최면
[自己催眠, self-hypnosis]
최면의 원리와 기법을 스스로에게 적용하는 최면법. 최면치료

최면의 원리와 기법을 배운 사람이면 누구든 가능한 것으로, 시간과 장소에 구애를 받지 않으며 자신의 수준에 맞게 적용할 수 있는 장점이 있다. 하지만 스스로 실시함으로써 생기는 일정한 한계와

전문적인 활용이나 치료적 처치가 어려울 수 있다는 단점이 있다. 과정은 최면유도 단계, 심화 단계, 후최면암시 단계, 깨어나기 단계로 진행한다. 최면유도 단계는 최면상태를 유도하는 단계로, 천장 응시 → 눈 깜빡임 → 눈 감음 등의 이완기법과 자기진술을 이용한다. 구체적인 예로는 '내 몸 전체가 납처럼 무겁다.'와 같은 자기 암시를 반복할 수 있다. 심화 단계는 스스로 최면상태가 되었다는 판단이 들 때 깊이를 더하는 단계로, 최대 이완 장소를 떠올려 닻 내리기를 한 뒤 통증이나 신체 불편 상태에 대한 처치를 할 수 있다. 후최면암시 단계에서는 최면 후에도 최면상태에서의 치료효과가 계속될 것이라는 암시를 한 다음 깨어나기 단계로 넘어간다. 깨어날 때는 언제 깨어날 것인지 미리 생각해 두고 그 시각에 깰 수 있도록 해야 한다. 이때 잠재의식에 몇 분 후에 깨어나겠다는 입력을 해 두거나 깨어나야 할 시각에 '하나, 둘, 셋. 눈을 떠.'라는 암시를 주는 방법을 사용할 수 있다.

관련어 닻 내리기, 후최면암시

자기타당
[自己妥當, self validation]

다른 사람들과 상호작용하는 관계의 맥락 속에서 타인으로부터 인정받는 능력. **맥락적 가족치료**

맥락적 가족치료에서는 인간관계에서 발생하는 다양한 상호작용은 일정한 특성을 지닌 맥락을 형성하고, 이러한 맥락 속에서 자신이 생각하는 자아의 모습(자기묘사)과 다른 사람들로부터 받은 인정과 평가로 자아가 형성된다고 보고 있다. 또 이 자아는 다시 관계 속 맥락에 영향을 미친다고 설명하였다. 맥락과 이러한 영향을 상호 주고받으면서 인간은 자신의 윤리적 가치를 발달시켜 나간다는 것이다. 다른 사람과의 상호작용을 통하여 인정을 받으면 그 사람은 인정받은 가치를 내면화한다. 윤리

적 가치는 타인과의 사회생활을 하는 조건이 되기도 하고 사회생활을 원활하게 만드는 원동력이 되기도 한다. 예를 들어, 한 아이가 다른 사람에게 친절하게 길을 가르쳐 주는 행동을 했을 때 사람들은 아이에게 고맙다는 감사를 표하고 칭찬을 할 것이다. 그러면 아이는 다음에 같은 행동을 할 가능성이 더 높아진다. 아이의 친절한 행동과 사람들의 인정이 상호작용하여 아이는 자신의 윤리적 가치를 내면화하는 것이다. 즉, 친절한 행동은 인정받을 수 있는 윤리로서 다른 사람이 인정해 줌으로써 자신의 자아 속에 깊이 인식된다. 이에 맥락적 가족치료에서는 자기타당을 치료의 방법으로 사용한다. 맥락적 가족치료의 가장 중요한 치료방법은 여러 사람이 골고루 관심과 배려를 받도록 하는 일이다. 이를 위해 치료자는 가족들이 이미 가지고 있는 자원을 이용하여 그들이 서로 배려하고 관심을 가질 수 있도록 전체적인 계획을 세운다. 그 계획이 진행되는 동안 가족들은 각자 자신이 가진 원장의 내용, 유산의 성격, 충성심의 종류, 회전판 등을 이해하고 받아들일 수 있게 된다. 맥락적 가족치료에서는 질문방식, 직면방식, 격려방식, 공감방식 등 다양한 방법을 동원하여 가족들이 실제로 서로를 이해하고 배려하는 방법을 가르치고 있다. 치료자는 이따금 적극적으로 가족들에게 충고하고 안내하는데, 이는 가족들 간 혹은 치료자와 가족들 간의 신뢰형성을 돕는다. 이렇게 형성된 신뢰를 통하여 가족들은 서로의 마음을 안전하게 탐색하고 이해하는 활동을 할 수 있다. 치료자는 가족들이 자신의 마음과 관계에 대해 자유롭게 탐색할 수 있도록 자유로운 방식을 사용한다. 하나의 주제에 대해 여러 입장을 고려함으로써 가족들도 다양한 입장을 고려할 수 있도록 만들어 주는 것이다. 예를 들어, 자녀가 공부를 하지 않아 많이 힘들어하는 부모가 있다고 하자. 이때 치료자는 자녀에게 자신의 마음을 이야기하도록 하고 부모는 가만히 듣고 있도록 한다. 이 과정을 통하여 치료자는 부모에게 자녀양육에 대한 지식이

없으면 지식을, 공감능력이 없으면 공감방법을 가르친다. 그뿐만 아니라 이를 직접 자녀에게 해 보도록 하는 적극적인 배려의 행동을 가르친다. 이로써 가족들은 서로에 대해 인정과 지지를 하게 되고, 결과적으로 자기타당을 가질 수 있다. 자기타당을 통하여 서로의 자존감이 향상되고 가족 간에 깊은 신뢰와 믿음이 생긴다.

관련어 | 자기묘사, 자아의 형성

자기통제
[自己統制, self-control]

바람직하지 못한 행동을 자기 스스로 조절, 억제, 수정하는 것.
`발달심리` `인지치료`

자기통제는 눈앞의 작은 목표보다 좀 더 지속적이고 더 나은 목표를 달성하기 위해 현재의 충동이나 욕망을 조절하고 즉시의 만족감이나 즐거움을 지연시키는 것이다. 이는 외부영향이 없는 상황에서 자기 스스로 행동을 억제하고 목표행동이 달성된 후 그에 따른 긍정적 결과를 맛보기 위한 차원에서 행해진다. 자기통제력은 유혹에 저항하는 능력과 만족을 지연하는 능력, 그리고 충동을 억제하는 능력으로 구성되어 있다. 자기통제력은 부모나 양육자의 양육방식과 관련성이 높고 비교적 이른 나이부터 발달한다. 그러므로 부모의 자기통제 행동은 자녀에게 모델이 되어 자기통제력 발달에 큰 영향을 미친다. 골드프리드와 머바움(Goldfried & Merbaum)은 자기통제의 5요소를 다음과 같이 제시하였다. 첫째, 변화의 목표와 방향을 자기 자신이 결정한다. 둘째, 목적을 달성하기 위해 자신의 생활과 자신의 주변 환경을 재배치한다. 셋째, 자기통제가 궁극적 성과이기 때문에 행동 자체보다는 자기조절된 결과로, 행동의 성공이 중요하다. 넷째, 자기통제는 보통 사람들이 쉽게 해내는 것이 아니므로 때로는 쉬울 수도 있지만 쉽지 않을 수도 있다. 다섯째, 자기통제력은 학습할 수 있다. 한편, 자기통제력을 향상시키는 방법은 다음과 같다. 첫째, 현재 문제의 구체적 정의와 목표를 정한다. 둘째, 바람직하지 않은 행동은 줄이고 바람직한 행동을 할 수 있는 기회는 늘린다. 셋째, 자기기록을 점검하여 자기평가를 실시한다. 넷째, 자기강화와 자기처벌을 할 수 있도록 한다.

자기통제발달 [自己統制發達, self-control development] 더 크고 장기적인 이익을 얻기 위해 즉각적인 이익, 즐거움, 욕구충족, 만족 등을 지연시키며 자신의 감정과 행동을 관리하고 좌절을 인내하는 능력의 연령에 따른 변화를 말한다. 자기통제는 생애 초기부터 발달이 시작되는데 1~2세 사이의 유아는 다른 사람의 지시나 요구에 순응하는 행동을 보이며, 이는 일차적인 자기통제능력이라 할 수 있다. 유아가 3~4세가 되면 자기통제능력이 뚜렷해지고 부모의 직접적인 명령이나 지시가 없어도 자신의 행동을 통제한다. 학령기에 접어들면 자기통제는 점점 발달하여 12세경에 이르면 보다 크고 장기적인 보상을 선택할 만큼 자기통제가 급격하게 발달한다. 자기통제능력을 발달시키는 요인으로는 부모의 양육태도, 부모-자녀 간의 상호작용, 부모의 의사소통방식, 부모의 성격, 가족구조 등이 있다. 자기통제를 증진시키는 가장 효과적인 방법은 자기지시(self-instruction)다. 이는 먼저 지시내용을 소리 내어 자신에게 말하는 외적 통제에서 시작하여 점차 내면화하여 다른 사람이 들리지 않도록 자신에게 말하는 내적 통제과정으로 옮겨 간다. 이외에 자기평가(self-appraisal), 자기점검(self-monitoring), 자기강화(self-reinforcement), 자기모델링(self-modeling), 생각 말하기(think aloud) 등의 인지행동적 전략이 도움이 된다.

자기패배적 신념체계
[自己敗北的信念體系, self defeating belief system]

과장된 사고와 낮은 인내성, 자신과 혹은 타인에 대한 비하적 사고 등 비논리적이고 비현실적인 굳은 신념.
합리정서행동치료

합리정서행동치료(REBT)에서는 '반드시 ~해야 한다.' 또는 '~해야만 한다.'와 같은 형태의 엄격하고 절대적인 믿음은 인간의 감정적 핵심의 혼란에서 발견된다고 하였다. 이와 같은 굳은 신념은 비논리적이고 비현실적이기 때문에 비합리적이거나 자기패배적이라고 불린다. 그것들은 변화를 위한 목표를 성취하려는 내담자의 시도를 차단하거나 방해하고 막대한 정서적 혼란을 초래한다. 이 같은 신념은 개개인이 자기 자신, 타인, 세상에 대해 만드는 명령과 요구로 작용한다. '반드시 해야만 하는 것' '해야 하는 것'은 다음의 세 가지 결론에서 도출된 것이다. 첫째, 과장된 사고다. 그들이 인간이해단계에서 벗어난 것처럼 매우 끔찍한 것으로 부정적 사건을 정의하는 것이다. 둘째, 낮은 인내성이다. 삶에서 불편함 또는 좌절을 견디는 개인의 인지된 무능함이다. 셋째, 자신과 혹은 타인에 대한 비하적 사고다. 자신에게 특정 행동, 삶의 사건 또는 특성에 기초한 부정적 표식을 부여하는 것이다. 대부분의 비합리적인 신념은 엘리스(A. Ellis)가 주장한 열한 가지 비합리적 신념 가운데 하나 혹은 그 이상이 반영되어 있다. 사람들은 지속적으로 비합리적인 신념을 자기 스스로 주입시킴으로써 불필요한 정서적 불쾌감을 생성하고 유지한다. 예를 들면, 과장된 사고의 경우의 '왜 이 모든 불행이 나에게 일어나는가?' '이렇게 되어서는 안 된다.' '끔찍하다.' 등이다. 낮은 인내심의 경우에는, '왜 모든 사람이 나를 이토록 괴롭히는가?' '나는 더는 참을 수가 없어.' 등이다.

자기포착하기
[自己捕捉 –, catching oneself]

내담자가 자기파괴적 행동이나 사고를 포착하도록 하는 것으로 개인심리학의 주요 상담기법. 개인심리학

내담자의 '실제 모습' 속에서 이제까지 지속되어 온 자기패배적인 지각과 이에 따라 반복되어 온 행동의 패턴을 포착하여, 문제행동의 진행을 막는 방법이다. 음주, 흡연, 과식 등 문제가 되는 행동은 이미 오랫동안 습관화되어 자동으로 하게 되는데, 그런 것들을 변화시키고자 한다면 그것들이 작동하기 시작하는 순간을 좀 더 잘 알아채야 한다. 포착하기를 반복적으로 연습하다 보면 부적응 행동의 좋지 않은 결과를 상상하게 되어서 행동을 바꿀 수 있게 된다. 사람들의 흡연이나 과식 등을 멈추도록 해 주는 상담자들은 보통 담배나 음식에 대한 기록을 계속하라고 한다. 모든 경우에 대한 바로 그 같은 활동이 그 행동에 대한 자각을 증진시켜 탐닉에 빠지는 것을 볼 수 있도록 해 준다. 예를 들면, 중요하게 해야 할 일이 있는데 어려운 과제라면 그것을 교묘하게 피하는 습관이 있다. 즉, 학위논문을 써야 할 때 미루어 두었던 메일 답장하기, 책상 정리, 안부 전화하기 등의 다른 일을 먼저 하면 정작 해야 할 어려운 과제는 다시 미루어진다. 이때 '자기포착하기' 기법을 사용해서 손쉬운 일에 시간을 사용하기보다는 어려워도 먼저 해야 할 중요한 과제에 마음을 다잡고 몰두하도록 해야 한다.

자기표상
[自己表象, self representation]

대상에 반응하고 행동하는 자기 자신에 대한 이미지.
대상관계이론

표상이란 자기 자신과 대상에 대해 갖는 어떤 정신적인 상(image)을 의미한다. 객관적인 상황을 그

대로 반영하기보다는 중요한 타자와의 관계에 대하여 개인이 주관적으로 지각하고 경험한 바를 반영한다. 이때 대상에 반응하고 행동하는 자기 자신에 대한 표상이 존재하는데, 이를 자기표상이라고 일컫는다. 여기에는 양육자와의 경험을 바탕으로 내면화된 자신에 대한 지각, 느낌, 기억, 의미가 포함된다. 처음에는 자기 자신과 타인을 구별하여 인식하지 못하고 타인을 자신의 일부라고 지각한다. 그러다가 점차 대상을 자기에게서 격리하면서 자기와 자기 아닌 것, 즉 대상표상과 자기표상을 구별하게 된다. 자기표상은 한 개인이 어떻게 타인과 관계하고 세계에 대해 반응하는지를 결정하는 원천이 된다.

관련어 | 대상표상

자기표현기법
[自己表現技法, self-presentation technique]

가장 간단한 역할연기 내지 역할행위를 하는 것.
사이코드라마

사이코드라마의 심층 워밍업에서 사용하는 기법이다. 이 기법은 모노드라마의 진행처럼 주인공이 다른 사람이나 어떤 대상의 속성 또는 특징을 행위로 표현하는 것, 다시 말해 주인공이 전적으로 자신의 주관과 판단에 입각하여 자기식으로 표현하는 것이다. 주로 정보수집이나 워밍업 효과 또는 초기 불안을 감소시키는 데 활용한다.

자기표현의 요소
[自己表現 - 要素, elements of assertive communication]

자기 자신을 좀 더 효과적으로 표현하기 위해 지녀야 하는 요소.
아동청소년상담

로널드 아들러(Ronald Adler)는 자신을 효과적으

로 표현할 수 있는 요소들로, 시각적 요소, 음성적 요소, 언어적 요소의 세 가지를 들어 설명하였다. 첫째, 시각적 요소는 말하려는 내용을 더 분명하게 해 주는 비언어적 행동(nonverbal behavior)을 말한다. 비언어적 표현은 자신의 의사를 상대방에게 전달할 때 내용을 분명하게 해 주고, 보충해 주는 역할을 한다. 같은 내용을 말하고 있더라도 자신감 있게 분명한 목소리와 태도로 말하는 사람과 머뭇거리며 눈을 잘 맞추지 못하고 말하는 사람은 전달되는 말의 호소력에 차이가 생긴다. 시각적 요소에는 이야기할 때 눈을 어디에 맞추는가 하는 눈 맞춤, 상대방과의 사이에 유지해야 하는 적당한 거리, 전달하는 메시지와 일치하는 얼굴표정, 안정감을 주는 몸동작과 자세, 그리고 상대방에 따라 자신의 몸 위치를 바로 잡는 몸의 방향 등이 있다. 둘째, 음성적 요소는 자신의 의사를 어떻게 전달해야 하는가의 문제다. 음성적 요소에는 상황과 대상에 어울리는 목소리의 크기, 상황에 적합한 말의 속도, 이야기를 할 때 더듬거리거나 머뭇거리지 않는 말의 유창함, 그리고 말하는 사람의 감정을 표현하는 중요한 요소인 음조(tone)와 억양(inflection)을 포함하는 정감 등이 있다. 셋째, 언어적 요소는 좀 더 효과적인 자기표현을 위해 사용하는 것이다. 언어적 요소에는 완벽하고 분명한 생각으로 자신의 생각을 표현하고 끝맺음을 잘하는 문장 끝맺음과 표현하는 말이나 생각의 밑바탕이 되는 하나의 지배적인 생각을 잘 전개하여 전달하는 능력인 핵심 전개 등이 있다.

관련어 | 자기주장훈련

자기항상성
[自己恒常性, self constancy]

자기 자신에 대한 안정된 이미지를 유지하는 것.
대상관계이론

자기 자신이 누구인지 그리고 자신이 원하는 것

이 무엇인지를 보다 명확하게 알게 되어 개별성이 획득되는 상태를 의미한다. 말러(M. Mahler)의 발달단계에서, 분리개별화의 마지막 하위단계인 리비도적 대상 항상성 단계에서는 대상 항상성이 발달하는 것과 동시에 개별성도 획득된다. 대상과 분리된 개별적인 존재로서 자기항상성을 찾고자 한다. 자기항상성이 증가하면서 행동은 보다 명확한 목적을 가지며 실망스러운 상황에서도 자신의 행동을 지속적으로 유지할 수 있게 된다. 직접 좌절을 경험하는 순간에도 좋았던 것에 대한 경험능력이 생기면 자아는 더욱 강화된다. 즉, 현재의 경험 속에서 과거를 기억하면서 시간에 대한 느낌과 만족을 지연시키는 능력이 발달한다. 예를 들어, "내일 삼촌이 올 거야."라고 표현할 수 있는 아동은 시간, 장소, 대인관계 등에서 보다 뚜렷한 개별성을 확립하는 능력이 생겼다는 것을 뜻한다.

관련어 대상 항상성, 분리개별화

자기효능감
[自己效能感, self efficacy]

반두라(A. Bandura)가 사회인지이론(social cognitive theory)에서 제시한 개념으로, 어떤 목표를 성취하기 위해 필요한 행동을 조직하고 실행하여 원하는 결과를 기대한 만큼 얻어 낼 수 있다는 자신의 능력에 대한 기대 또는 신념.
발달심리 인지행동치료

사회인지이론에서 인간은 내부의 힘이나 외부자극에 의해 자동적으로 조종되는 존재가 아니라, 자신이 속해 있는 환경과의 상호작용에서 행동하는 자기조절체계(self-regulatory system)로 기능하는 존재다. 반두라(Bandura, 1977)는 인간 기능 모형으로 삼자 상호작용론(triadic reciprocality)을 제시하면서 행동, 환경 속에서 일어나는 사건, 개인의 인지적 요인에 대해 설명하였다. 여기서 개인의 인지적 요인으로 지각과 행동 간의 관계를 중재하는 것이 자기효능감이다. 자기효능감은 특정 성취상황에

서 자신이 얼마나 효율적으로 기능할 수 있는가에 대한 기대 또는 신념으로, 수행수준을 결정하는 데 직접적인 영향을 미치는 동기요인이다(현성용 외, 2008). 자신을 얼마나 가치 있게 여기는가에 대한 판단 기준인 자아존중감과는 달리, 자기효능감은 한 개인이 특정 과제를 얼마나 확신을 갖고 수행해 나가는지가 반영되어 있다. 자기효능감은 자신에 대한 전반적인 지각을 의미하는 자기개념이나 자아존중감보다는 구체적 상황이나 과제에 국한된 능력에 대한 신념이다. 따라서 특정 과제에 대한 이 같은 자신의 수행예측은 일반적인 수행상황에서의 예측보다 훨씬 정확할 수 있기 때문에 성취상황에서의 수행수준에 대한 강력한 예측변인이 된다. 반두라는 개인이 자기효능감에 대한 정보를, 첫째, 자신의 수행을 관찰함으로써, 둘째, 모델이 수행하는 것을 관찰함으로써, 셋째, 타인의 설득을 통해서, 넷째, 생리적 지표를 통해서 얻을 수 있다고 하면서 이러한 정보원을 통해서 효능기대를 향상시킬 수 있다고 하였다. 다만, 어느 한 영역에서 높은 효능감을 지녔다고 해서 다른 영역에까지 높은 효능감을 지녔다고는 할 수 없다. 자기효능감이 높은 사람은 긍정적인 자아상을 촉진하고 목표 중심적으로 행동하여 높은 성취수준에 도달하는 반면, 자기효능감이 낮은 사람은 부정적인 자기평가가 주를 이루어서 자신감이 결여되어 있고 목표 지향적 행동이 부족하다. 같은 능력을 가지고 있어도 자신의 능력에 대한 효능기대가 높은 사람은 낮은 사람보다 실제 수행수준이 높고, 이는 훈련으로 증진시킬 수 있다.

자녀육성치료
[子女育成治療, filial therapy]

놀이치료과정에 부모를 직접 참여시키는 방식으로 부모를 치료의 중재자로 훈련시켜 기본적인 놀이치료기술을 자녀에게 실시하도록 하는 치료방법. 놀이치료

자녀육성치료는 버나드 거니(Bernard Guerney)와

루이스 거니(Luise Guerney)의 접근으로 부모가 상담가 기능을 하고, 치료자로서 그들의 자녀에게 놀이치료방법을 적용하는 것이다. 1960년대부터 1970년대에 미국에서 증가한 준전문가적 상담(para-professional counseling)의 일종이다. 거니는 부모가 자신의 자녀에게 사용하는 놀이치료의 방법을 가르치는 그룹웍 기법을 1964년에 발표하였다. 이것이 자녀육성요법의 시초가 되었는데, 부모가 먼저 집단 속에서 모델링이나 연습을 통하여 배우고 그다음 집에서 자녀에게 놀이치료를 실시한다. 이 치료를 실시한 모습을 기록해 그룹에 보고한다. 부모가 집에서 약 12회 정도의 놀이치료를 실시하면 그 후 집단리더는 부모에게 놀이치료 이외의 상황에서 자녀지도의 원리를 응용하는 것을 도와준다. 자녀육성치료의 놀이치료에서는 비지시적 기법과 함께 행동주의 기법을 활용한다. 치료는 모두 통상적으로 9개월 동안 계속된다. 이 접근방법은 자녀에 대한 치료수단뿐 아니라 다면적 효과를 가지고 있는데, 부모에게는 학습실험실이나 부모-자녀관계를 개선하는 의미가 있다. 또한 수양부모집단이나 계부모에게 사용되어 부모-자녀의 인연을 만들고 유지하는 과정을 원조하는 데 힘이 된다. 부모가 치료자로서의 역할을 배우면 부모는 전문가보다 더 효과적이라는 가정에서 시작된 방법으로써 부모가 자녀에 대해 갖는 인식과 태도의 변화뿐 아니라 자녀의 정서, 사고, 행동 변화의 지속성이 유지되는 효과가 있다.

관련어 놀이치료, 부모-자녀관계 놀이치료

자동글쓰기
[自動-, automatic writing]

글쓴이의 의식적 사고를 벗어나 무의식적 생각의 힘을 따라가는 글쓰기의 과정 혹은 그 과정의 산물. **문학치료(글쓰기치료)**

자동글쓰기는 아무것도 인식하지 못한 채 글쓴이의 손이 메시지를 만들어 내는 것으로, 피터 엘보(Peter Elbow)가 자신의 저서 『Writing Without Teachers』(1975)에서 자유로운 글쓰기(free writing)라는 용어로 처음 제안하였다. 이후 캐머런(Julia Cameron)의 저서 『The Artist's Way』(1992)로 널리 알려졌고, 골드버그(Natalie Goldberg)가 자유로운 글쓰기 개념을 선불교의 명상수련과 결합하여 글쓰기치료로 개발하였다. 페니베이커(James Pennebaker)는 저널치료기법의 일환으로 수동적이고 거의 무아지경에 가까운 정신상태에 있으면서 글을 쓸 수 있다는 생각으로 반자동글쓰기(semiautomatic writing)를 제안하기도 하였다. 이외에도 힐스돈(John Hilsdon)은 자유로운 글쓰기에서 '이걸 누가 썼지(Who Wrote This)?'라는 프로그램을 개발하기도 하였다. 무아지경 상황이나 주변 인식이 되지 않은 상황에서 글쓴이는 글을 쓰는 손의 행위를 파악하지 못한 상태이기 때문에 자동글쓰기는 유령, 천사, 악마, 외계인 또는 초과학적 현상 등에 따른 것으로 여겨지기도 한다. 하지만 이후 심리학 연구를 통해서 흘려 있는 듯한 엑스터시 느낌들이 단순한 환상이 아니라는 것이 밝혀졌다. 자동글쓰기는 마음속 자동센서(검열기)를 작동하지 못하게 할 수 있다. 글쓰기치료에서는 어떤 것이 자신을 괴롭히고 있는데 그것이 무엇인지 알 수 없을 때, 자동글쓰기가 유용하기도 하다. 글쓴이가 더욱 근원적인 상황으로 관념을 주입하기 전에 특정 주제를 탐색할 수 있게 해 주기 때문이다. 자동글쓰기는 무감정, 자기비난, 분노, 목숨이 걸린 듯한 불안, 실패나 비난에 대한 두려움, 또 여러 가지 요소의 저항형태로 글쓴이의 정신적 자원이 막힐 수 있다는 것을 전제로 한 상황에서, 어떤 사람이든 말할 것이 있고 그에 대해 말할 수 있는 능력이 있다는 것을 기반으로 한다. 따라서 정해진 규칙에 얽매이지 않는 상당히 허용적인 상황에서 글쓴이가 금지되지 않는 흐름으로 과거 장벽을 부수기 위한 충분한 힘을 구축할 수 있도록 도움을 준다. 자동글쓰기는 의식적 사고과정을 흩트러서 유연하게 하는 것이 목적이다. 이를 통해 개인적이고 영적인 시간을 가질 수 있다. 이 기법은 일반적으로 말하는 창조적 또는 표현적 글쓰기와는 다르다. 작품을 다듬거나 수정하는 것이 아니라 인식하지 못한 자신의 사고와 통합할 수 있는 기회를 주는 것이다. 이는 계속적 글쓰기로 5분, 10분, 15분 등 대개 시간을 정해 둔다. 시작하기 전에 마음을 맑게 하고 호흡, 감정 또는 어떤 사물에 집중해서 정신을 가다듬는다. 글을 쓰는 것이 아닌 다른 데 주의가 기울어질 때, 글을 쓰기 시작한다. 글을 쓰는 중에도 의식적으로 글을 쓰는 것에 주의가 쏠리지 않도록 한다. 오타나 행이 맞지 않는 것과 같은 형식이나 규칙은 무시하는 등, 글 쓰는 과정에 관심을 두지 않는다. 이 같은 방법으로 쉬지 않고 정해진 시간만큼 글을 쓴다. 글쓴이가 더 이상 쓸 것이 생각나지 않으면 아무것도 생각나지 않는다고 쓰고, 생각의 또 다른 선을 찾을 때까지 기다린다. 글쓴이는 자유롭게 주제에서 벗어나도 상관없다. 생각이 가는 대로 둔다. 한곳에 초점을 두고 자유롭게 써도 되고, 주제를 확장해 가면서 이리저리 왔다 갔다 하는 사고를 그대로 쓰면서 주제에 관한 좀 더 추상적인 관점을 만들어 낼 수도 있다. 자동글쓰기는 여러 저항형태로 나타나는 방어벽을 허물고, 숨기고 싶거나 대면하기 힘들었던 과거 경험 및 기억과 마주할 기회를 주어 자신에 대한 통찰력을 증대시킬 수 있다. 아주 노골적이거나 표면적으로 사용 불가한 소재가 튀어나오기도 하지만 글쓴이의 무감정, 자기비난 등의 장벽을 넘어서게 하여 숨겨진 무의식과 만날 수 있다.

관련어 글쓰기치료, 반자동글쓰기, 저널치료, 채널링

자동적 사고
[自動的思考, automatic thoughts]

자극에 대해 자발적으로 일어나는 것으로서 검증되지 않은 순간적, 구체적으로 떠오르는 역기능적인 개인의 신념이나 생각. 인지행동치료

자동적 사고는 벡(A. T. Beck)이 제안한 인지적 성격이론의 주요 개념으로, 마음속에 계속적으로 진행되는 인지의 흐름이다. 특정한 정서적 반응으로 이끄는 특별한 자극에서 유발된 개인화된 생각인데, 노력 또는 의식적인 선택 없이 자발적으로 일어난다. 즉, 우리의 행동을 좌우하는 가정 및 행동(의 연쇄)이며 우리 자신과 타인, 그리고 주변세계에 가지고 있는 신념으로서, 어떠한 상황에 직면했을 때 자동적으로 떠오르는 생각이다. 자동적 사고는 사람들이 자신의 과거 경험으로부터 생성한 신념과 가정이 반영되어 있다. 심리적 장애를 가진 사람의 자동적 사고는 흔히 왜곡되어 있거나, 극단적이거나, 부정확하다. 자동적 사고의 특징은 다음과 같다. 첫째, 구체적이고 분리된 메시지다. 둘째, 흔히 축약해서 언어, 이미지 또는 둘 다의 형태로 나타난다. 셋째, 아무리 비합리적이라 할지라도 거의 믿는다. 넷째, 자발적이다. 다섯째, 당위성을 지닌 어휘로 표현된다. 여섯째, 일을 극단적으로 보는 경향이 있다. 일곱째, 개인에 따라 독특성을 지니고 있다. 여덟째, 멈추기 힘들다. 아홉째, 과거의 경험에 따라 학습된다. 예를 들면, 출근해서 상사의 얼굴이 어두운 것을 보고는 바로 상사가 나를 탐탁지 않게 여긴다고 생각하거나, 방송에서 10세짜리 어린아이가 유괴를 당했다는 뉴스가 나오면 그 또래의 아이를 가진 부모는 혹시 내 아이가 아닐까 하는 생각을 한다. 또한 식당에서 종업원이 주문을 빨리 받지 않으면 나를 무시한다고 생각한다.

자동조종
[自動操縱, automatic pilot]

현재 순간순간에 무슨 일이 일어나고 있는지 자각하지 못한 채 그저 기계적으로 행동하는 것. 명상치료

자동조종 상태에 있다는 것은 의도적으로 무엇에 주의를 기울이는 것이 아니라 비의도적으로 생각, 기억, 계획, 느낌에 사로잡혀 있다는 것이다. 어떤 것을 '좋은' 또는 '나쁜' 것으로 판단해 버리는 것도 자동조종 상태에서 이루어진다. 그리고 우울증 환자들은 오랫동안 우울한 감정을 지니고 있었기 때문에 어떤 사건이나 대상에 대하여 쉽게 부정적인 사고나 감정을 갖게 된다. 이러한 비의도적이고 수동적인 상태를 마음챙김명상에서는 자동조종 상태에 있다고 한다. 자동조종 상태에서 벗어나기 위하여 카밧진(Kabat-Zinn)은 매일 행하는 간단한 먹기를 통한 명상법을 제시하였다. 먹기 명상은 우리가 일상생활에서 수도 없이 행하지만 대부분 먹는 순간을 자각하면서 하지는 않는다. 그래서 일상적 생활활동을 마음챙김함으로써 자동조종 상태를 이해하고 벗어나는 방법을 수련하게 된다. 마음챙김에 근거한 심리치료 프로그램에서는 건포도, 사과 등 약간의 먹을 것을 직접 사용하여 먹기 명상을 실시한다.

관련어 마음챙김, 마음챙김에 근거한 스트레스 완화, 마음챙김에 근거한 인지치료

자동증
[自動症, automatism]

의식이나 의지의 통제를 벗어난 정신기능. 인지치료

자연히 생기는 행동 혹은 정신활동으로 본인의 의지와 관계없이 이루어져 본인은 그것을 의식하지 않고 기억하지도 못한다. 자동증의 예로는, 긴장병 환자의 끊임없는 활동이나 둔주(遁走) 등이 있다. 간질의 정신운동 발작에서도 자동증을 찾아볼 수

있으며, 정상인의 습관적 행위나 확인 행위 등도 포함된다. 흔히 최면상태에서의 자동서자(自動書字)나 후최면암시, 히스테리의 둔주, 몽유증 등은 심리 자동증(automatisme psychologique)에 속한다. 작위체험이나 환청까지 포함하는 개념으로 정신자동증(automatisme mental)이라는 용어를 사용하기도 한다. 프랑스에서는 이를 끌레랑보(G. de clérambault)의 정신자동증이라고 하는데, 그는 작위체험, 고상화성(考想化聲), 망상기분, 환청, 독어(獨語) 등을 통합하여 정신자동증이라고 하였다. 이들의 공통적 특징은 자아의 통제를 벗어난 정신현상으로, 자기 자신은 그것을 외계에 기인된 것으로 인식하고 있다는 점이다. 자신은 그 행동을 하고 싶다거나, 행하고 있는 것도 느끼지 못한다. 그러나 행동이 잠시 지속되면 간접적으로 자신의 그러한 행동을 보거나 들음으로써 그 행동을 인식하는 경우도 있다. 자동증에는 강박적으로 타인의 말을 자동적으로 따르는 명령자동증(command automatism), 주어진 말을 따라 하는 반향언어(echolalia), 본인 행동을 따라 하는 반향동작(echopraxia) 등이 있다. 이러한 증상은 증오와 분노를 억압하고 복종을 가장한 표현일 수도 있고, 혹은 소아의 경우에는 발달 미숙 때문에 나타나기도 한다.

자명한 진술
[自明-陳述, truism]

내담자가 경험하고 있는 객관적 사실이나 자명한 현상을 진술해 주는 최면기법. 최면치료

에릭슨(M. H. Erickson) 최면의 자연적 접근원리를 구체화할 수 있는 기법 중 하나로, 내담자의 현재 상태를 사실적이고 분명하게 말해 주는 것이다. 이를 통해 내담자가 의식하지 못하는 가운데 자연스럽게 라포를 형성하거나 트랜스 유도에 용이한 조건을 만들 수 있다. 예를 들어, "당신은 지금 의자에

앉아 나를 바라보며 이야기를 들으면서 고개를 끄덕이기도 합니다."와 같은 진술을 내담자에게 해줄 수 있다. 자명한 진술은 결코 부정할 수 없는 사실에 대한 진술로서, 이는 결국 내담자가 '예'라는 대답을 할 수밖에 없도록 하므로 '예스 세트'와 같은 역할을 한다. 즉, 간접최면의 한 형태로서 자연스럽게 '예'라는 대답을 반복하면서, 상담자의 다음 제안도 보다 쉽게 동의하고 받아들이게 되는 것이다. 자명한 진술은 감각에 대한 자명한 진술과 시간을 활용한 자명한 진술로 나누어 볼 수 있다.

관련어 감각에 대한 자명한 진술, 시간을 활용한 자명한 진술, 에릭슨 최면, 예스 세트

자문 수퍼바이저
[諮問 –, consultant supervisor]

수퍼바이저가 한 수퍼비전에 대해 전문적이고 기술적인 자문을 제공하여 그것을 더욱 명확하게 해 주는 역할을 하는 사람으로서 자문가라고도 함. 상담 수퍼비전

자문 수퍼바이저는 상담자에게 주로 상담과정을 통제하는 일반적인 원칙이나, 윤리적이고 전문적인 문제와 관련된 지침, 그리고 이와 같은 다양한 요소와 연결되어 있는 주제에 대해서 전문가적인 충고와 지침을 해 주는 촉진자(facilitator)의 역할을 한다.

관련어 수퍼바이저, 훈련 수퍼비전

자발성
[自發性, spontaneity]

사이코드라마를 창조한 모레노의 이론과 작업의 기본 개념으로, 기존 상황에 새롭게 반응하고 새로운 상황에 적절하게 반응하는 힘. 사이코드라마

'spontaneity'란 용어는 내면으로부터 우러나온다는 뜻인 'sua sponte'에서 유래한 것이며, 자발성의 사전적 의미는 자발적 상태 혹은 성질(quality)로서 타고난, 자연적인, 자체의 행위적인 힘이나 에너지

또는 성질이다. 모레노(J. L. Moreno)는 자발성을 기존 상황에 새롭게 반응하고 새로운 상황에 적절하게 반응하는 힘으로 규정하였는데, 주관적으로는 타인과의 교류 속에서 경험된 자유이며, 객관적으로는 사회체계 내에서 새롭고 적절하게 대응하려는 의도라고 보았다. 그런 만큼 자발성은 자연법칙으로부터의 일탈, 창조성을 산출시키는 모체, 자아가 산출되는 장소를 의미한다. 흔히 자발성을 자유의지적(of free will) 의미로 사용하는데, 이때의 의지는 계획되고 목적 지향적인 의미가 아니라 니체의 힘의 의지처럼 힘의 지향성, 뻗어나가고 향하고자 하는 힘 자체의 본성을 뜻한다. 마치 물이 흐르고 공기가 흐르듯 그 자체의 내적인 성향을 말하는 것이다. 모레노가 말하는 자발성과 유사한 상태 혹은 의미는 다음과 같다. 아기의 옹알이, 원기 왕성한 울음소리, 아기와 놀고 있는 부모, 아이의 호기심 가득 찬 탐구, 놀이, 그림 그리기, 즉흥연주, 사랑의 행위, 스스로 앞장서는 행위, 음악에의 도취, 명상, 기꺼운 봉사 혹은 희생, 흐르는 강물, 파도, 떠도는 구름, 새들의 지저귐, 즉흥시, 의미 있는 침묵, 자연 속의 몰입, 새로운 경험, 예기치 않은 반응, 계획되지 않은 여행 등 이 같은 표현이나 행위가 자발성과 비슷하다. 또한 존재의 자유로움, 변화에 대한 융통성, 경험에의 개방성, 애매모호함을 견뎌 내는 것, 허심탄회, 일치, 순응, 엄숙, 권태, 집착으로부터의 일탈, 비자동성, 비습관성, 사고의 유연성, 신선한 접근방식, 솔선수범, 인습적이고 상투적인 것에 대한 회의, 자유로운 상상력, 호기심, 순수성, 탈충동성, 순진성 등과 유사한 의미를 가진다. 자발성은 일견 쉬워 보이면서도 어려운 개념이다. 우리는 어려서부터 "네 힘으로 해 봐." "자발성이 부족해."라는 말을 듣는데, 이는 대부분의 경우 타인의 도움을 받지 않고 자신의 의지로 어떤 목적적 행위를 수행할 때의 의도성을 염두에 두고 하는 말이다. 오히려 아이들이 순수한 자발성을 드러내면, "미쳤니? 말도 안 돼. 그렇게 하는 게 아니야. 예의를 차려야지."

하는 식으로 사회적 관습을 기준으로 자연 발생적인 행위를 억압하는 데 익숙하다. 그래서 나이가 들어 어느 정도 정형화된 자기가 진실한 자기라는 착각 속에서 자발적 행위는 일종의 낭만, 객기 혹은 웃기는 짓, 어린애같이 미숙하거나 미친 짓거리로 폄하되고 만다. 화가가 캔버스 앞에 서서 생각을 가다듬을 때, 캔버스는 기존의 상황이면서 새로운 상황이다. 항해사가 만난 폭풍우도 마찬가지다. 매일 만나는 친구라 할지라도 기존의 상황이면서 새로운 상황일 수 있다. 그리고 그러한 상황이 항상 반응을 일으킨다고 볼 수는 없다. 다시 말해, 자발성은 'reaction'이 아니라 'action' 자체로도 드러난다는 뜻이다. 하얀 캔버스는 자신의 자발적 행위가 드러나는 조건 혹은 대상이지 그에 반응해서 그림을 그리는 것은 아니다. 자발성은 자극과 반응을 넘어서는 자연 발생적인 힘이기 때문이다. 자발성은 반응하는 힘이라기보다는 스스로 드러내어 체현되는 힘이라는 정의가 좀 더 본질에 가깝다. 따라서 반응에 초점을 둔 정의라면 '자발성은 모든 상황에 적절하게, 새롭고 활력 있게 반응하는 힘이다.'라고 정의해야 한다. 이런 맥락에서 모레노는 인간의 가장 최초의 자발적 행위를 출생으로 간주하였다. 모레노의 자발성은 신체적인 것에도 그 기원이 있다는 점에서 프로이트의 리비도와 공통점이 있는 반면, 인간 관계에서 더욱 잘 발휘된다는 점에서 차이를 보인다. 모레노는 인간 존재를 사회적 관점에서 규정하며, 자발성은 인간이 태어나 사람들과 관계하면서 발달되는 것으로 보았던 것이다. 그러한 자발성의 훈련을 통해, 사이코드라마에서는 자신의 활동을 회복하고 행위를 하는 힘을 키우고자 하였다. 자발성 함양을 위해서는 자발성 시험을 통해 참여자의 자발성 정도를 측정한 다음, 그들의 자기이해, 더 좋아하는 행동양식, 역할 취급에서의 의식화 등을 촉진하고, 스스로 상황에서의 자기 태도를 발견하도록 해 주어야 한다. 모레노는 미국 군대 및 기업의 요구에 따라 자발성 정도를 측정해 인사관리에 응

용하기도 하였다. 자발성 시험은 대개 매우 비일상적인 사건을 설정하고, 그러한 문제상황에서 어떻게 대응하며 극복하는가를 역할연기로 보여 주는 것이다. 이와 같은 자발성과 불가분의 관계에 있는 것이 창조성이다. 자발성은 창조성의 모체로 작용하며, 창조성은 문화 보존성의 에너지가 된다. 모레노는 창조성, 자발성, 문화 보존성의 관계를 다음과 같은 원으로 설명하였다. 여기서 S는 자발성, C는 창조성, CC는 문화 보존성, W는 워밍업을 뜻한다. 도표를 분해해 보면, $S \rightarrow C$, $C \rightarrow S$, $S \rightarrow C \rightarrow CC$, $CC \rightarrow S \rightarrow CC$로 나타난다. 전체적으로 자발성이 창조성을 일으키며, 이들은 상호 함수관계에 있다. 창조성은 문화 보존성에 영향을 미치고, 이는 다시 자발성에 영향을 주는 회전식 관계에 놓여 있는 것이다. 이 관계를 조작하는 에너지는 W, 즉 워밍업이다. 모레노가 자발성과 불안은 반비례한다고 주장했듯이, 정신적인 문제와 사회적인 어려움은 자발성의 부족이 원인이기도 하다. 도표에 따르면, 갈등과 문제의 극복은 워밍업 과정을 시도하는 것에서 다시 순환운동을 활발하게 할 수 있을 것이다. 자발성과 창조성이 결합될 때, 그 결과를 보존성이라 한다. 다양한 기술의 보존성이 있는데, 즉 사회적 보존성, 기술적 보존성, 문화적 보존성이다. 그러한 보존성은 새로운 종류의 어떤 것이든지 자발성과 창조성의 상호작용을 통하여 보존성이 된다. 모레노는 보존성들이 이상적으로 새로운 것을 창조하도록 우리를 워밍업시키는 반면, 문화가 때때로 보존성을 신성시한다고 보았다. 사람들은 현재 사회의 욕구에 맞게 감히 보존성을 변화시키거나 적응시키려고 하지 않고, 특별한 보존성을 너무 완벽한 것으로 생각해서 자신의 창조성을 억누른다는 것이다. 결국 모레노는 보존성을 새로운 아이디어에 대한 도약대로 보았던 것이다. 모레노는 심적 에너지가 단순히 개인적 차원의 것이 아닌 자발성과 창조성에 의해 움직이는 모든 집단 및 우주 자체와 관련된 것으로 보았다. 이것은 그가 자발성과 창조성이 개인의 내적

영역의 에너지뿐만 아니라 개인 외부와 관계하는 에너지를 드러내고 표현할 수 있는 것으로 바라본 다는 것을 말해 준다. 이러한 자발성 및 창조성을 높이기 위하여 사이코드라마에서 수행하는 것이 바로 워밍업이다.

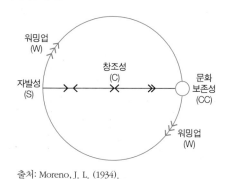

출처: Moreno, J. L. (1934).

<u>관련어</u> | 워밍업

자발성 극장
[自發性劇場, theater of spontaneity]

연기자들이 즉흥적 역할을 행할 수 있는 활동장소.
사이코드라마

자발성 극장은 즉흥 연기를 예술의 한 형태로 간주하여, 연기자들에게 창조적이고 자발적인 역할을 행할 기회를 제공하려고 만든 활동의 장이다. 여기서 자발성이란, 오래된 상황에 대하여 새롭게 반응하는 것이고, 새로운 상황에 대해서는 적절하게 반응하는 것을 말한다. 적절한 반응은 표준화된 반응이 아니라 모든 문제를 통합하는 결과를 가져오는 것을 의미하는데, 이런 반응은 처음 상호작용하게 된 상대방을 당황하게 만들 수 있지만 결과적으로는 새롭고 중요한 배움으로 이끄는 효과를 창출한다. 자발성 극장은 당시 연극계에서는 혁명적인 것이었고, 혁명의 핵심은 즉흥의 예술(art of improvision)이었다. 자발성 극장은 다음 네 가지 문제에서 기존 연극극장의 변혁을 시도하였다. 첫째는 극작가와 연극대본의 제거다. 둘째는 청중(audience)의 참여, 더 정확하게 말하면 관객(spectator)이 없는 극장이다. 이것은 극장 안의 모든 사람이 참여자이자 배우라는 것을 의미한다. 셋째는 배우들과 청중은 모두 유일한 창조자가 된다. 연기, 행동, 동기, 단어들, 갈등의 만남과 해결 등 모든 것이 즉흥적으로 이루어지는 것이다. 넷째는 옛 무대는 사라졌고 그 자리에 열린 무대, 공간의 무대, 열린 공간, 삶의 공간, 더 나아가 삶 그 자체가 들어섰다.

<u>관련어</u> | 사이코드라마, 자발성

자발어
[自發語, spontaneous language sample]

어떠한 소리를 뜻 없이 기억하고 반복하는 것이 아니라 다른 사람의 질문에 대해 자신의 의도를 담아 표현하는 것. 특수아상담

자발어는 상대방에게 방금 들었던 말이나 문장 또는 과거에 들었던 낱말이나 문장을 특별한 의도나 의미 없이 반복하는 반향어와 상반된 개념으로서, 아동이 시키지 않아도 스스로 일상적으로 사용하는 언어를 말한다.

자발적 무자녀 가족
[自發的無子女家族, voluntary childless family]

남녀가 결혼을 하여 가정을 이룬 뒤에도 자발적인 선택으로 자녀를 출산하지 않는 가족의 형태. 가족치료 일반

자발적 무자녀 가족은 자녀를 출산할 수 있는 생식적인 능력이 있음에도 불구하고 자발적으로 자녀를 가지지 않겠다고 결정한 경우다. 따라서 불임 등 생식능력의 결함 때문에 자녀를 가지지 못하는 비자발적 무자녀 가족(involuntary childless family)과는 구별된다. 부부 중심 가족생활이 중요한 가치를 지니고, 자녀교육에 대해 많은 기회비용이

ㅈ

소요되는 등의 이유로 자신들의 삶을 즐기기 위해 자발적 무자녀 가족을 선택하는 부부가 늘어나고 있다.

관련어 | 딩크족

자발적 이중자아
[自發的二重自我, spontaneous double ego]

주인공으로부터 선택되는 것이 아니라 스스로 개입하여 보조자아가 되는 것. 사이코드라마

사이코드라마의 개입기법의 하나로, 사이코드라마에서 보조자아는 대개 주인공이 선택하지만 상황에 따라서는 주인공이나 연출자의 허락을 받아 집단원 가운데 누구나 주인공의 보조자아가 될 수 있다. 이 기법은 주로 집단의 활성화와 자발성의 고취, 그리고 훈련 목적으로 사용된다.

관련어 | 이중자아

자발적 후최면 기억상실
[自發的後催眠記憶喪失, spontaneous posthypnotic amnesia]

최면상태에서 받은 암시에 의해 최면이 끝난 실제 상황에서도 기억이 상실되도록 하여 내담자의 문제를 해결하고자 하는 최면기법. 최면치료

공포증을 가진 내담자에게 공포증을 일으키게 된 기억을 최면상태에서 지우도록 암시하고, 후최면암시를 통해 최면이 끝난 후에도 기억이 지워진 상태가 된다는 것을 암시하여 공포증을 극복하도록 할 수 있다.

관련어 | 후최면암시

자살
[自殺, suicide]

의도적으로 자신의 생명을 끊는 행위. 위기상담

일정한 사회제도나 습관하에서 행해지는 할복, 절복이나 의식장애 등에 의한 죽음은 제외된다. 동양에서나 서양에서도 자살을 금기시하기 때문에 통계상으로는 사고사나 자연사 등에 포함되는 경향이 있으며, 구체적인 실태를 파악하기가 어렵다. 사회학자 뒤르켕(Durkheim)은 자살을 자기 본위의 죽음, 타인 배려의 죽음, 외상·재해·상실에 의한 변칙적인 죽음으로 분류하였다. 또한 메닝거(Menninger, 1938)는 자살을 만성적 자살(알코올이나 약물중독, 반사회적 행동 등)과 초점적 자살(이유답지 않은 이유로 여러 해의 수술을 받는 고의의 우발사고)로 구분하고, 정신역동론으로 설명하였다. 그리고 1970년 페닉스위원회에서는 자살을 자살기수, 자살미수, 희사염려(希死念慮)로 구분한 다음, 여기에 확실성, 치명도, 의지, 자살을 용이하게 하는 상태(장애인, 노령, 약물중독 등), 자살방법을 추가하였다. 자살기도는 자살의 방법을 포함한 구체적인 계획이 있어서 죽고 싶은 의지가 명확한 경우를 가리키며, 그것을 실행한 것이 자살기수와 자살미수로 나뉜다. 자살의 동기는 병, 정신장애, 애정문제 등이며, 그 수단은 미국에서는 총기, 일본에서는 목매달기가 1위고, 그 밖에 물에 들어가거나 뛰어내리거나 독극물을 마시는 등 여러 가지가 있다. 자살에 이르는 심리적 기제는 복잡하고 다양하지만 대개 욕구불만 반응으로서의 자기공격, 갈등상태에서의 도피, 자기주장으로서의 호소 등을 들 수 있다. 노인자살의 경우에는 도피의 성향이 강하고, 청년자살의 경우에는 호소의 경향이 강하다. WHO의 통계에 따르면, 자살률은 남자는 프랑스, 체코, 일본의 순이고, 여자는 프랑스와 일본이 세계 1위를 차지하고 있다. 한편, 보건복지부에 따르면 우리나라는 1990년대 말 외환경제위기 이후에 자살사망률이 지속적으로

증가하고 있다. 2007년 보고에 따르면, 인구 10만 명당 24.8명에 이르러 OECD 국가의 평균 자살 사망률인 11.2명에 비해 2배 이상 높은 수치를 나타낸다. 이에 보건복지부는 자살예방종합대책을 마련하고 시·도 단위의 자살위기대응팀을 운영하고 있다. 자살방지를 위해서는 예방대책, 긴급대책, 사후대책이 균형적으로 이루어져야 한다. 근래 생명의 전화에서는 마음의 유대요법을 사용하여 효과를 거두고 있다. 즉, 긴급대응에서는 위기개입, 관계형성, 다음 회기 약속, 전화면접, 약물요법, 가족치료, 지원망의 형성, 전화, 면접, 방문의 병행을 수행한다. 또 사후의 근본 대응으로는 사회복귀, 적응촉진, 성격수정, 치료 후 몸조리가 행해진다. 또한 자살방지의 관점에서 중요한 것은 자살을 기도하는 사람은 죽고 싶은 욕망과 살고 싶은 욕망을 동시에 가지고 있다는 점, 최후의 순간까지 구원을 바라는 절규를 한다는 것이다. 현재는 상당한 정도의 자살방지가 가능하기 때문에 사인을 감지한 가족 및 주변 사람들은 불안에 떨 것이 아니라 마음의 유대요법의 관점을 짚어 가면서 대처하고 전문가와의 만남을 유도할 필요가 있다.

관련어 자살신화, 자살위기상담

자살생각
[自殺 –, suicidal ideation]
자살을 하고 싶어 하고 실행하려는 의도나 계획. `정신병리`

자살(suicide)은 라틴어 'self-murder'에서 유래한다. 자신의 의지에 따라 죽는다는 것은 여러 생물학적·심리적·사회적 요인이 관련된 복잡하고 다면적인 행위다. 메닝거(K. Menninger)는 자살을 자신에게로 향한 살인이라고 하였으며, 이것에는 죽이고자 하는 바람(wish to kill), 죽임을 당하고자 하는 바람(wish to be killed), 그리고 죽고자 하는 바람(wish to die)이 내포되어 있다고 보았다. 자살과

관련된 주제는 실제 자살에 이른 경우, 자살시도는 했으나 미수에 그친 경우, 자살에 대한 생각과 의도를 가진 경우 등으로 구분된다. 자살원인은 사별, 실업, 만성질병, 약물남용, 우울증, 인격장애 등 다양하다. 자살 고위험군에 해당되는 요인은 빈번한 자살시도, 계획된 자살시도, 자해, 치명적인 방법, 불안정한 감정, 사회적 고립과 더불어 명확한 자살생각을 지닌 경우 등이다. 특히 우울증을 지닌 대다수가 자살에 대한 생각을 한 적이 있는 것으로 보고된다. 자살생각을 지닌 사람은 부정적인 기대 혹은 절망감을 나타낸다. 심각한 문제에 대한 유일한 해결책은 바로 자살이라고 믿기 때문이다. 일반적으로 자살생각이 있는 사람의 80%는 자신의 자살의도를 타인에게 알리려고 하고, 이들 중 50%는 자살생각을 확고하게 표명한다.

관련어 자살, 자살신화, 자살위기상담

자살신화
[自殺神話, suicide myth]
일반인들이 자살에 대하여 갖고 있는 잘못된 신념. `위기상담`

자살에 관한 잘못된 신념은 다음과 같다. 첫째, 자살에 대하여 이야기하는 것은 자살을 유발한다. 자살에 대한 논의는 오히려 안도감을 제공하여 통제력을 갖도록 해 준다. 둘째, 자살한다고 위협하는 내담자는 자살하지 않는다. 자살하려는 사람들은 자살을 시도하기 전에 자신의 의도에 대해 주변 사람들에게 단서를 남긴다. 셋째, 자살은 비합리적 행동이다. 자살을 시도하는 사람들의 입장에서는 자살에 대한 완벽하고 중요한 의미가 있다. 넷째, 자살하는 사람은 미친 사람이다. 자살자나 시도하는 사람은 우울, 외로움, 절망감, 무력감으로 고통받는 정상적인 사람들로서 일부는 고통상황을 극복하는 과정에 있고 정신병력을 지닌 사람은 소수에 불과하다. 다섯째, 자살은 유전적 요인을 지니고 있으므

1601

로 다음 세대에 전이된다. 자살은 유전되는 것이 아니며 자기파괴적 경향이 학습되는 것으로, 환경적 요인이 영향을 미치고 우울증과 관련이 깊다. 여섯째, 한 번 자살을 시도한 사람은 계속 자살을 시도한다. 한 번쯤 자살을 심각하게 고려하고 시도했던 사람들 중 대부분은 위협을 극복하여 오히려 생산적인 삶을 살아가는 경우가 많다. 일곱째, 자살을 시도했다가 살아남은 사람은 더 이상 자살위험이 없다. 자살위험은 심각한 우울을 경험한 후 기력을 회복할 시기에 가장 높다. 여덟째, 자살을 고려한 사람이 관대해지거나 자신의 소유물을 나누어 주는 것은 회복의 징후다. 자살을 시도하려는 사람은 자살계획을 확고하게 실천하기 위해 자신의 소중한 물건들을 나누어 주는 것부터 시작한다. 이 같은 행동은 오히려 자살의 가능성을 높여 주는 행위다. 아홉째, 자살은 항상 충동적으로 이루어진다. 자살은 충동적으로 이루어지기도 하고, 철저하게 치밀한 계획하에 이루어지기도 한다.

관련어 | 자살

자살위기상담
[自殺危機相談, suicide crisis counseling]

자살사고를 지니고 있거나, 자살을 시도한 경험이 있거나, 자살할 가능성을 지니고 있는 내담자를 대상으로 하는 전문적인 상담활동. 위기상담

자살위기상담에 임하는 상담자는 자살문제를 진지하게 받아들여야 하며 내담자의 내적 고통과 정서적 혼란 등을 이해하고 공감해야 한다. 개입방법은 위기단계에 따라 응급적 개입, 단기적 개입, 중·장기적 개입으로 나눌 수 있다. 응급적 개입에서 자살시도를 적절히 다루는 데 어려움을 느끼는 상담자라면 그 문제를 효과적으로 다룰 수 있는 선배, 동료, 수퍼바이저에게 자문을 구하거나 의뢰해야 한다. 자살위기를 겪고 있는 내담자에게 자살을 하지 않겠다는 서약서를 받는 것도 도움이 될 수 있는데,

이는 상담자가 내담자의 존재에 관심이 있으며 내담자가 삶의 희망을 지니기를 바라는 상담자의 마음을 전달하는 데 도움이 된다. 때로는 입원이 필요할 때도 있는데, 이는 지속적인 상담을 하지 못하고 내담자의 행동을 관찰하기 어려운 상황인 경우 입원을 함으로써 지속적인 관찰과 감독을 할 수 있게 된다. 그리고 자살충동을 자극하는 환경에서 벗어날 수 있으며 자살을 가능하게 하는 방법을 차단할 수 있다는 점에서 도움이 된다. 그러나 이 방법은 임시처방에 불과하다. 따라서 좀 더 시간을 두고 체계적으로 상담하기 위해서는 다음과 같은 단기적 개입전략이 필요하다. 보다 적극적이고 직접적인 질문으로 내담자의 자살사고, 자살방법, 자살이유, 자살강도, 자살결심 등에 대한 탐색을 하여 자살을 객관적이고 현실적으로 인식하도록 만든다. 이 같은 질문을 통한 탐색은 상담에 자발적으로 참여하도록 한다. 자살의 이유나 동기를 탐색하는 일은 위기상담의 초점을 결정하는 데 중요한 요인이 된다. 상담자는 고통스러운 삶으로부터의 도피, 타인을 조정하기, 복수하기 등의 이유로 자살을 생각하는 내담자의 시각에서 세상을 바라보는 태도를 가져야 한다. 자살동기를 충분히 탐색했다면 자살 결심을 다루고, 그 전략으로 삶과 죽음에 대한 대차대조표를 작성하는 것이 도움이 된다. 그리고 내담자의 축소된 시간적 조망을 확대해야 한다. 그들은 현재 겪고 있는 고통이 과거의 부정적 경험에서 시작하여 미래에도 영원히 계속되고 변하지 않을 것이라는 믿음 때문에 더욱더 자살사고에 빠져들고 절망감을 느끼기 때문이다. 또 다른 전략은 현실적인 문제해결을 돕는 것이다. 효과적인 문제해결을 위한 대안을 제시하고 내담자의 반응을 확인하면서 해결책을 찾도록 지속적으로 대안을 제시해 준다. 위급하고 단기적인 자살위기를 넘기면 장기적인 개입전략을 수립해야 한다. 이 단계에서는 내담자가 처한 생활환경과 심리적 환경을 철저하게 분석하여 환경을 변화시키는 방법과 삶의 위기를 바람직하게 넘길

수 있도록 내담자의 심리적 자원을 개발하고 강화하는 방법이 유용하다.

관련어 | 위기상담, 자살

자서전 쓰기
[自敍傳 – , autobiography writing]

글쓰기치료의 일환으로 자신의 삶을 연대기 순으로 기술하면서 자신을 탐색하는 기법. 문학치료(글쓰기치료)

자서전은 성 아우구스티누스가 자서전을 쓴 서기 400년부터 계속 쓰여 왔다. 글로 쓰인 자신의 삶에 대한 정보로서, 그 안에서 글쓴이의 삶을 모두 말하고 있다. 이처럼 자서전은 자신의 생애에 대해 스스로 쓴 전기로서, 글쓴이 스스로의 기억에 의존한다. 사건이나 자료화되지 않은 사실보다 사건의 중심에 있었던 당사자의 기억이 중요할 수 있다. 자서전으로 글쓴이의 정신적 성장과 편력(編曆)을 엿볼 수 있기 때문에 생활의 지침으로 삼을 수도 있다. 자서전의 본질은 적나라한 자기 내면의 토로라고 볼 수 있다. 자서전 쓰기는 개인적 진실의 탐구를 중요시하므로 일반적인 창조적 글쓰기와는 차이가 있다. 자서전을 쓸 때는 자기 삶에서 중요한 세 가지에 집중한다. '나는 누구인가?' '나에게 삶이란 어떤 의미인가?' '미래는 어떻게 될 것인가?' 그렇기 때문에 자서전 쓰기를 하면 자신을 좀 더 이해할 수 있다. 자서전을 쓸 때는 할 수 있는 한 자신에 대해 많은 것을 설명할 수 있는 흥미로운 사실을 활용한다. 처음 시작은 출생이나 태몽, 살던 곳, 학교에서 어떤 사람들과 생활을 하게 되었는지 등으로 할 수 있다. 일단 소개를 하고 나면 자서전의 첫 단락을 쓸 준비가 된 것이다. 자서전을 시작할 때 가장 좋은 방법은 자신의 이름을 말하고 자기소개를 하는 것이다. 그때그때마다 특별한 일, 상이나 벌을 받은 일, 학교 졸업, 상급 학교 진학 등에 대해서도 쓸 수 있다. 그 다음에는 자기 삶을 자신이 어떻게 생각하고 있는지에 대해 쓸 수 있다. 지금 나는 행복한가, 슬픈가, 친구는 얼마나 있는가, 학창 시절은 어떠했는가 등등을 쓰면 된다. 그리고 미래에 대한 대략적인 상을 그려 볼 수도 있다. 마무리는 미래에 대한 비전으로 할 수 있다. 자서전은 자신의 삶을 글로 표현하면서 객관화시키는 과정과 사유의 과정을 경험하기 때문에 자신을 재발견하는 기회를 줌으로써 치료의 강력한 도구가 된다.

자성예언
[自省豫言, self-fulfilling prophecy]

사회학자 머튼(R. Merton)이 처음 사용한 용어로, 어떤 일이 실제 발생할 것이라는 증거의 유무와 관계없이 자신에게 일어날 것이라는 반복적 믿음이 실제로 일어난다는 내용의 논리적 체계. 인지치료

'자기충족예언' 또는 '자기실행예언'이라고도 하는데, 이는 기대 전달자의 기대가 자신의 행동을 매개로 하여 자신이나 타인에게 영향을 주어 결국 자신이 기대한 대로 결과가 나오는 현상이다. 우리 속담에 '말이 씨가 된다.'와 같이 입버릇처럼 내뱉은 말이 자신의 생활방식이나 환경조성에 영향을 주게 되면서 실제로 이루어지는 경우를 말한다. 예를 들어, 타인이 기대하고 바라보는 자신의 이미지에 부합하기 위해 더 많은 노력을 하거나, 또는 상대방에 대해 자신이 가지고 있는 기대가 상대방에게 영향을 미쳐서 그 기대에 부응하는 행동을 하도록 하며, 그래서 결과적으로 자신의 원래 기대가 성취되기도 한다. 또는 자신은 아무리 열심히 일을 해도 직장에서 결국 쫓겨날 것이라고 늘 하소연하는 사람은 의욕이 떨어져서 과음을 일삼는 등 성실한 근무태도를 보이지 않을 수 있고, 그로 인해 결국 해고를 당할 가능성이 높다. 자성예언은 흔히 '자기충족예언(self-fullfilling prophecy)'이라고도 부른다. 이와 매우 유사한 개념으로 로젠탈(R. Rosenthal)과 제이콥슨(L. F. Jacobson)이 1964년에 소개한 '피그말리온

효과(Pygmalion Effect)' 또는 '로젠탈 효과(Rosenthal Effect)'가 있다. 피그말리온은 그리스 신화에 나오는 조각가로 자신이 조각한 여인상의 아름다움에 도취되어 이름을 지어 주고 진심으로 사랑하게 되었다. 이후 조각가의 간절한 기도로 조각상은 생명을 얻게 되었고, 왕과 결혼해 딸을 낳았다는 이야기다.

관련어 | 로젠탈 효과, 피그말리온 효과

자신에 대한 당위
[自身 – 當爲, I must]

`합리정서행동치료`

⇨ '당위적 사고' 참조.

자아
[自我, ego]

성격구조의 이성적인 부분으로서, 원초아의 본능적 욕구, 초자아의 도덕적이며 양심적인 요구, 그리고 객관적인 현실세계 간의 갈등을 중재하는 성격의 집행자. `정신분석학`

지형학적 모형(topographic model)에서 자아는 의식과 전의식, 그리고 무의식의 모든 영역에 걸쳐 있다. 자아의 대부분은 의식에 있으며, 방어기제는 자아의 무의식적인 기능에 속한다. 프로이트(S. Freud)에 따르면 갓 태어난 신생아는 원초아 덩어리이며 자아라고 할 만한 부분이 명확하게 형성되어 있지 않다. 그러나 아동이 외부세계와의 접촉을 통해 억제와 간섭 등의 다양한 요구에 직면하면 원초아가 수정되면서 자아가 서서히 발달해 나간다. 아동에 대한 외부현실의 영향력이 증가하는 것에 비례하여 자아도 점차 형성된다. 또한 동시에 아동의 언어발달이 이루어지고 논리적 사고능력이 생기면서 욕동을 행동으로 표출하지 않고 언어로 우회적으로 표현할 수 있게 된다. 자아는 그 자체의 에너지 원천을 가지고 있지 않으므로 원초아로부터

에너지를 빌려 와야 한다. 주관적 현실만을 알고 즉각적 욕구충족만을 추구하는 원초아와 달리, 자아는 정신적 심상과 현실세계의 대상을 구분할 수 있으며 현실원리(reality principle)에 입각하여 욕구충족과 긴장해소를 위한 적합한 대상을 발견할 때까지 심리적 에너지의 방출을 지연시킬 수 있다. 자아는 관찰, 현실검증, 합리적 사고, 인식 등의 기능을 가지고 있다. 유기체의 욕구를 만족시키기 위해 현실 지향적 사고과정으로 작용하고, 반응할 환경의 특성을 검토하여 적절한 것을 선정하며, 욕구를 어떤 방법으로 충족시킬 수 있을지를 합리적으로 판단하는데, 이러한 현실적 사고과정을 이차과정(secondary process)이라고 한다. 자아는 현실감각, 현실검증, 현실적응이라는 세 가지 측면에서 내부세계와 외부현실 사이를 연결한다. 첫째, 현실감각은 영아의 신체적 감각이 증가하면서 동시에 발달한다. 이때 신체 내부에서 느껴지는 것과 신체 외부에서 느껴지는 것을 각각 구분할 수 있는 능력이 중요하다. 둘째, 현실검증은 내면의 환상과 외부 현실 간을 구분하는 능력을 뜻한다. 현실검증능력은 한 개인이 정신병 상태인지를 판단하는 중요한 잣대다. 예를 들어, 꿈속의 내용과 현실에서 일어나고 있는 것을 구분한다거나, 혹은 '나는 대통령이 되고 싶다.'는 내면의 욕구와 '나는 대통령이다.'라는 실제 현실을 구분하는 것 등이다. 셋째, 현실적응은 과거에 경험했던 것을 바탕으로 새로운 환경변화에 적응해 가는 능력을 뜻한다. 이를 위해서는 충동을 조절할 수 있고 외부로부터 부여되는 책무를 수행할 수 있어야 한다. 자아가 현실을 적절하게 다루기 위해서는 중립적인 탈성화된(desexualized) 리비도가 필요한데, 이를 승화된 에너지(sublimated energy)라고 부른다. 스스로 수용하기 어려운 원초아의 본능적 욕구 때문에 불안을 느낄 경우, 자아는 다양한 방어기제를 사용하여 불안과 긴장을 해소하고자 한다. 정신분석에서는 건강한 성격을 발달시키는 데 자아의 역할이 핵심적이라고 강조한다. 건강하게 기능하는

자아는 본능적 쾌락을 추구하는 것과 사회적 규범이나 도덕을 위반하지 않는 것 사이에서 적절한 균형을 유지할 수 있다. 잘 발달되고 성숙한 자아를 가진 사람은 스트레스에 직면했을 때 융통성 있게 효과적으로 대처하지만, 자아가 약한 신경증 환자, 정신병 환자, 혹은 성격장애자는 완고하고 반복적인 방어기제와 병적인 해결방법을 사용함으로써 여러 가지 정신질환을 유발한다. 프로이트는 초기 이론에서 욕동의 원천인 원초아만 강조했으나, 1926년 이후 심리 내적 갈등이 외부현실에서 비롯된다고 생각하면서 현실과 접촉하는 자아에 대해 관심을 갖기 시작하였다. 성격구조를 설명하는 구조모형이 점점 정교화되면서 자아의 무의식적인 방어기능이 임상적으로 중요하다는 것을 깨달았다. 구조모형 안에 자아의 개념이 도입되면서부터 기존의 정신분석의 초점도 변화되었다. 즉, 마음을 무의식과 의식으로 이루어졌다고 보던 지형학적 모형에 따르면 정신분석의 초점은 주로 무의식에 억압되어 있던 것을 의식화시키는 데 있었다. 그러나 원초아, 자아, 그리고 초자아의 세 가지 요소로 성격구조를 설명하는 구조모형이 정립되면서부터 신경증은 자아와 원초아 간의 갈등으로 인해 생겨난다고 이해되었다. 따라서 정신분석의 초점도 건강한 자아를 형성시키는 것으로 옮겨 갔다.

관련어 | 구조모형, 원초아, 이차과정, 지형학적 모형, 초자아, 현실원리

자아 동조적 행동
[自我同調的行動, ego-syntonic behavior]

개인이 어느 순간 안도하고자 하는 바람이나 소망 또는 그것을 만족시키기 위해 하는 행동들. 중독상담

사람들은 일반적으로 충동이나 유혹이 생기면 긴장이 되거나 흥분이 고조된다. 그러다가 그 충동을 행동으로 옮기면 긴장감이나 흥분이 급속히 줄어들면서 즐거운 기분이나 만족감 또는 안도감을 느끼는데, 이러한 충동과 그에 따른 행위를 자아 동조적 행동이라고 한다. 대개 이런 행동 후 으레 있을 법한 후회, 자신에 대한 책망, 죄책감 같은 것은 없다.

관련어 | 자아이질적, 충동조절장애

자아개념검사
[自我概念檢査, Self-Concept Inventory: SCI]

자아개념을 측정하기 위하여 개발한 국내검사. 심리검사

중·고등학생의 자아개념을 측정하기 위해 3차원 위계적 구조를 바탕으로 송인섭(1997)이 개발한 검사다. 자아개념이란 한 개인이 자신의 신체, 행동, 능력 등에 관하여 지니고 있는 가치, 신념, 견해로써 상황에 대한 주관적인 지각에 근거한 현상학적 개념이다. 이러한 자아개념이 어떻게 구성되었는지 논의하는 것은 자아개념 연구에서 주된 문제다. 이에 송인섭(1982)은 자아개념의 3차원적 위계구조를 제시하고 타당화하였다. 3차원 위계구조모형은 정점에 일반 자아개념을 두고 학문 자아개념, 중요 타인 자아개념, 정의 자아개념의 3개의 이차요인으로 나누어진다. 그리고 학문 자아개념에 학급·능력·성취 자아개념이, 중요 타인 자아개념에 가족·사회 자아개념이, 정의 자아개념에 정서·신체 자아개념의 일차요인이 포함된다. 총 104개 문항으로 구성되어 있으며, 하위요인별 문항내용 및 문항수는 다음과 같다. 일반 자아개념은 하위영역 모두를 포함하는 상위개념으로, 자신에 대한 총체적인 지각 특성을 말한다. 총 14개 문항으로 '나 자신에 대해 자신감이 있다.' '나는 행복한 사람이다.' 등이다. 학급 자아개념은 교실 내 활동에서 학생들이 학업과 관련해 지각하는 것을 말한다. 총 13개 문항으로 '수업시간에 발표를 잘한다.' '학급 일에 잘 참여한다.' 등이다. 성취 자아개념은 시험과 성적

에서 실제 학업성취 결과에 대한 지각을 의미하는데, 학업에 대한 성공과 실패를 나타낸다. 총 13개 문항으로 '대부분의 과목성적이 우수하다.' '만족스러운 점수를 얻기가 힘들다.' 등이다. 능력 자아개념은 학업과 관련된 능력평가로 학업성취를 달성할 수 있다는 느낌의 정도를 나타낸다. 총 13개 문항으로 '학습과제를 끝마칠 능력이 있다.' '무엇이든 배울 능력은 충분하다.' 등이다. 사회 자아개념은 부모, 교사, 또래집단과 같은 중요한 타인의 평가에서 형성되는 지각으로, 개인이 사회적 인간관계를 어떻게 느끼고 있는가를 나타낸다. 총 13개 문항으로 '사교성이 있다.' '친구들은 나를 좋아한다.' 등이다. 가족 자아개념은 가족의 평가를 통해 형성되는 개인의 가정 내 적응에 대한 지각을 말한다. 총 13개 문항으로 '우리 가족은 나를 사랑한다.' '부모님은 나를 이해하신다.' 등이다. 정서 자아개념은 정의적 반응성, 이상성, 도덕성에 관한 지각을 말한다. 총 12개 문항으로 '나는 정직한 사람이다.' '나는 가치 있는 사람이다.' 등이다. 신체 자아개념은 신체 및 외모에 관한 자아, 즉 체격, 생김새, 외모 등에 관한 지각과 신체능력에 대한 지각 내용을 포함한다. 총 13개 문항으로 '나는 매력적인 사람이다.' '내 외모에 자신이 있다.' 등이다. 하위척도별 신뢰도 계수 크론바흐 알파값은 일반 자아개념 .80, 학급 자아개념 .87, 성취 자아개념 .92, 능력 자아개념 .89, 사회 자아개념 .86, 가족 자아개념 .91, 정서 자아개념 .77, 신체 자아개념 .90이다. 각 문항은 4점 리커트 척도로, 문장을 읽고 비슷한 정도에 따라 '항상 그렇다(4점).' '대체로 그렇다(3점).' '대체로 그렇지 않다(2점).' '전혀 그렇지 않다(1점).'에 점수를 준다. '학교생활에 적응하기 힘들다.'와 같은 부정적 문항은 역채점을 한다. 그러므로 합계점수가 상대적으로 높을수록 긍정적 자아개념을 나타낸다. SCI는 표준화를 거쳐 유아에서 성인에 이르기까지 발달단계별 자아개념진단을 목적으로 학지사 심리검사연구소에서 출판되고 있다.

관련어 | 자아개념, 자아존중감

자아기능
[自我機能, ego function]

모든 사고와 추리 활동을 통제하는 것으로 감각을 통해서 외부세계에 관하여 학습하는 기능. 정신분석학

자아기능은 외부세계에서 원초아의 추동만족을 통제하며 현실의 원리에 의해 작용한다. 지적 추리와 현실과의 접촉을 통한 현실적인 방법으로 자아기능은 원초아의 욕망을 충족시킨다. 자아기능의 모든 힘은 원초아에서 나오는데, 원초아와 초자아가 잘 통합되지 못하면 이를 조정하는 과정에서 자아의 긴장수준이 높아진다. 초기의 자아기능으로는 근육운동 통제, 감각지각 기능, 기억 등을 들 수 있다. 이러한 기능은 환경을 이용하는 수단이다. 원시적인 정서, 최초의 추동지연과 관련되는 사고의 기능도 자아기능이다. 이 같은 자아는 쾌락의 원리가 아니라 현실 여건을 고려하여 중재하고 적응하므로 현실의 원리에 따라서 기능한다. 건강한 자아기능은 의식의 통제적 역할을 통해 내적 자극과 외적 자극을 효과적으로 잘 처리하여 융통성 있고 합리적으로 해결하는 능력을 갖춘다. 그러나 약한 자아기능은 무의식적 요소에 지배되는 것이 많고, 통합하지 못하고 억압하여 정신장애를 일으키거나 성격적 결함을 드러내게 한다. 따라서 자아기능은 행동을 통제하고, 반응할 환경의 성질을 선택하고, 본능을 만족시키고, 어떤 방법으로 할 것인지를 결정하기

때문에 성격의 통제자라고 할 수 있다. 즉, 배우고 사고하며 추리하고 지각하면서 결정하는 것이 필요하므로 자아기능은 인지능력으로 간주된다. 프로이트(S. Freud)는 인간의 정신세계를 의식과 무의식으로 구분하여 무의식의 성질과 역할을 중심으로 성격이론을 체계화하였다. 그는 인간의 성격은 원초아, 자아, 초자아의 세 부분으로 구성되어 있으며 이들의 역동적인 작용과 균형이 성격을 나타낸다고 하였다. 예를 들어, 배가 고프다는 인간의 본능적인 욕구는 배를 부르게 할 수 있는 적합한 대상인 음식이 발견될 때까지 충족될 수 없고, 따라서 긴장해소를 보류할 수밖에 없다. 이러한 조절에 자아기능이 작용하며 자아기능은 자신이 반응할 환경의 성질에 따라 행동을 통제하고 선택하는 기능을 한다.

자아발달
[自我發達, ego development]

성격구조의 한 요소인 자아가 형성되는 것. **대상관계이론**

자아심리학(ego psychology)의 전통 안에서 자아발달을 설명하는 이론은 다양하다. 먼저, 프로이트(S. Freud)의 정신분석이론에서는 성격구조모델을 통해 원초아, 자아, 초자아의 발달을 설명한다. 유기체의 모든 기능을 포괄하는 원초아로부터 현실세계를 상대하는 기능이 분리되어 나온 것이 자아다. 초보적 형태의 자아는 심리성적발달단계의 구강기 무렵에 발달된다. 자아는 현실원리의 지배를 받으며, 현실세계에서 적당한 상황이나 대상이 나타날 때까지 심리적 에너지의 방출을 지연시킨다. 자아의 과제는 원초아와 초자아의 경쟁적인 압력을 지배하고, 현실과의 관계를 다루는 것이다. 본능을 충족시키기 위해 원초아는 유기체로 하여금 대상과의 접촉을 추구하게 만든다. 그러나 현실이 이러한 대상을 포기하도록 강요할 때, 그 대상은 동일시를 통해 내면으로 들어오며 그 결과 자아의 기초를 형

성한다. 자아는 원초아의 소망이 좌절됨으로써 발달하며, 현실이 원초아에게 포기하도록 강요한 대상처럼 됨으로써 형성된다. 즉, 자아는 이전에 리비도가 집중되었던 대상이 내면화하여 발달한 것이다. 정신분석이론에 이어, 안나 프로이트(Anna Freud)와 하르트만(H. Hartman) 등의 자아심리학자들은 자아의 중요성과 그 발달기제에 관한 개념을 더 확장시켰다. 안나 프로이트는 소망을 무의식적으로 유지하기 위해 자아가 사용하는 다양한 방어기제를 소개하였다. 또한 하르트만은 자아의 자율성 개념을 확장하였다. 지각, 운동성, 기억 등 자아의 기제들은 좌절로부터 발달되는 것이 아니라 자율적으로 발달하는 기능이다. 그는 이러한 자아기능이 출생할 때부터 존재하며 갈등과 무관하게 비롯되는 것이기 때문에 자아가 원초아로부터 발달했다고 보는 견해는 부적절하다고 지적하였다. 자아와 원초아는 분화되지 않은 모체로부터 점차 발달하여 각각 분리된 성격구조가 된다. 하르트만은 자아발달의 원천을 두 가지로 제시했는데, 일차적 자율성을 지닌 타고난 장치와 이차적 자율성을 유발하는 욕동으로 나누었다. 또한 라파포트(D. Rapaport)는 원초아를 타고난 것으로 보았다. 분화되지 않은 자아-원초아 모체로부터 자아가 발달한다는 하르트만의 견해에 동의하면서도 자아는 그것이 발달되어 나온 모체와 구별되고 독립되는 독특한 법칙을 따른다고 보았다. 원초아의 압력을 관리할 수 있는 자아의 능력, 즉 자아의 자율성 기능이 확대될 때 건강한 성격이 발달한다. 한편, 자아기능을 대상관계의 기능으로 보는 대상관계이론은 자아를 대상에게 집중되었던 리비도가 포기됨으로써 생겨난 것으로 보는 프로이트의 견해에 근거하고 있다. 야콥슨(E. Jacobson)에 따르면, 욕동발달, 자아발달, 그리고 대상관계 형성은 모두 하나의 통일된 발달과정의 한 측면이다. 생후 3개월경 유아의 자아는 자기와 애정 대상을 구분할 수 있다. 이 무렵 유아의 자아이미지와 대상이미지가 형성되기 시작하고, 그것들은 만족경험 여부

에 따라 두 가지 종류로 형성된다. 만족스러운 대상경험은 리비도적으로 조직화된 자기대상 단위가 되는데, 이것은 좌절시키는 대상경험에서 생긴 자기대상단위와는 구분된다. 이 단계에서 모든 친밀감과 만족스러운 경험은 초기 융합상태로 돌아가는 일시적인 경험을 할 수 있게 만든다. 말러(M. Mahler)에 따르면, 유아가 대상과의 관계를 통해 분리개별화의 심리 내적 과정이 성공할 경우 좋은 특성과 나쁜 특성을 모두 지닌 전체 대상의 내재화에 도달한다. 그러나 이러한 과정이 방해를 받으면, 자아발달은 손상을 입게 되어 전오이디푸스적 병리가 발달하거나 왜곡된 오이디푸스 발달이 일어난다. 어머니와 유아 사이에 형성되는 유대감과 그것을 활용할 수 있는 유아의 능력은 내재화 과정의 결정적인 요소이며, 이러한 과정을 거쳐 자아가 건강하게 발달한다.

관련어 | 자아심리학

자아보호체계
[自我保護體系, self-protecting system]

불안으로부터 자신을 보호하고 정서적 안전감을 얻기 위해 사용하는 안전작동기제. 성격심리

설리번(H. Sullivan)의 성격이론의 주요 개념 중 하나로, 자아(self), 자아역동성(self-dynamism), 자아체계(self-system)와 같은 의미다. 정서적 고통을 피하면서 보다 안정적인 정서를 추구하고 자신을 보호하기 위하여 작동한다. 그리고 오랜 대인관계에서 학습에 의하여 형성되는 것으로서, 습관적으로 사용하는 개인의 독특한 전략이다. 다시 말해, 자아보호체계는 대인관계에서 나타나는 행동, 태도, 과정 등으로 관찰 가능한 것을 말한다. 이러한 자아보호체계는 불안정한 아동기로부터 형성되기 시작한다. 아동은 부모의 요구와 규칙에 순응함으로써 비난과 처벌을 피하기 위해 자아보호체계를 형성한다. 그렇지만 무조건적으로 부모의 비난이나

처벌을 피하기 위해서 자아보호체계를 형성한다면, 이는 불안을 피할 수는 있지만 진정한 자아발달에는 저해가 될 수 있다. 따라서 자아보호체계와 진정한 자아 간의 간격이 클수록 정신분열적 상황이 발생하기 쉽다.

자아본능
[自我本能, ego instinct]

본능을 분류한 범주 중의 하나. 대상관계이론

프로이트(S. Freud)는 초기 정신분석이론에서 본능과 욕동의 개념을 설명하면서, 욕동을 서로 대립하는 2개의 군으로 분류하였다. 구조모델을 확립하기 전인 자신의 초기이론에서는 욕동을 유기체의 생존과 관련된 식욕이나 공격성과 같은 자아본능과 종족보존에 관련된 성적 본능으로 규정하였다. 자아본능은 성적 본능에 비해 더 현실원리를 따른다고 보았다. 성적 본능은 자아본능의 평가에 따라 첫 번째 대상을 찾는다고 보았기 때문에 자아본능이 대상관계 형성에 중요한 역할을 한다는 점을 이미 시사하였다. 얼마 후, 그는 자기애의 개념을 도입하면서 본능을 리비도 본능과 자아본능으로 구분하고 이들 간의 갈등을 중심으로 성격역동을 설명하였다. 자기애는 리비도가 자아 자체에 투입되는 것을 의미한다. 따라서 유아기는 리비도 자체가 자아 리비도로서 자기 자신에게 전적으로 투입된 시기다. 그러나 구조모델에서 자아의 역할은 본능, 초자아, 환경 간의 갈등을 조정하는 것이므로 자아본능이라는 용어 자체는 모순을 지닌다. 이러한 이유로 하르트만(H. Hartman)은, 원초아는 본능적 기능을 갖는 반면 자아는 자율적 기능을 갖는다는 점을 강조하였다. 이후 프로이트는 자아본능이라는 용어를 완전히 폐기하고, 본능을 크게 삶의 본능과 죽음의 본능으로 다시 분류하였다.

관련어 | 본능, 자아

자아분석
[自我分析, ego analysis]

자아상태의 구조와 기능을 분석하는 것. 교류분석

번(E. Berne)은 성격발달을 세 가지 자아상태 구조와 다섯 가지 자아기능으로 설명하였다. 따라서 자아를 분석한다는 것은 자아구조와 자아기능을 분석한다는 의미다. 자아구조는 어버이 자아, 어른 자아, 어린이 자아의 세 가지 자아상태로 구성된다. 번은 자아상태를 '상황에 대응하는 일관된 행동, 직접적으로 관련된 일관된 감정과 사고'라고 정의하였다. 자아구조분석은 한 개인의 내면에서 무엇이 진행되고 있는지를 살펴볼 때 적합하다. 특정 시점을 기준으로 했을 때 세 가지 자아상태 중 한 가지 자아상태에 놓인다. 언어, 표정, 손짓, 몸짓 등의 시각적, 청각적, 그리고 다른 감각적 특징을 관찰함으로써 그 사람이 어떤 자아상태에 있는지 분석할 수 있다. 또한 경험은 뇌와 신경세포 안에 기록되는데, 이러한 기록에는 어린 시절의 모든 경험이 담겨 있다. 부모로부터 습득한 것, 사건에 대한 지각, 사건과 관련된 경험, 왜곡된 인식 등이 모두 기억되어 저장된다. 자아분석을 통해 기억 속의 어떤 사건과 경험은 생생하게 재경험될 수 있다. 한편, 자아기능은 통제적 어버이 자아, 양육적 어버이 자아, 어른 자아, 자유 어린이 자아, 순응적 어린이 자아로 나타난다. 자아를 분석하는 데 기능적이라고 하는 것은 특정 상황에서 즉각적으로 반응하는 성격이 기능하는 방식을 뜻한다. 즉, 자아상태가 언어와 행동을 통해 어떻게 구체적으로 드러나는지 분석하는 것이 기능분석이다. 개인 간의 교류를 파악하기 위해 자아의 기능을 분석한다. 구조와 기능은 서로 다른 차원이지만 연관되어 있다. 특정 순간의 개인의 행동은 부분적으로는 그가 내부적으로 접촉하고 있는 일련의 기억과 전략으로 이루어진다.

관련어 자아상태

자아분열
[自我分裂, ego-splitting]

서로 모순되는 2개의 자아가 의식으로 통합되지 않은 채 함께 존재하는 것. 정신분석가족치료

클라인(M. Klein)이 제시한 개념인데, 일반적으로 정신기능의 통합과 역방향으로 나가는 경향 혹은 다중인격과 같이 다른 인격이 공존하는 병적 상태를 말한다. 또는 정신발달의 과정에서 자아가 몇 가지의 다른 방향으로 발전하고, 그 각각의 자아가 동일한 대상에 대하여 상이하게 다른 태도를 취하면서도 그러한 모순을 지각하지도 고민하지도 않는 정신상태다. 예를 들어, 식당에서 밥을 흘리며 먹는 자녀에게 크게 화를 내는 어머니가 집에서는 똑같은 자녀의 실수에도 아무 반응을 하지 않는 것이다. 그리고 똑같은 사건에 대해서 상반된 반응을 보이면서도 그 모순을 전혀 깨닫지 못하는 상태가 바로 자아분열의 상태다.

자아상태모델
[自我狀態 - , ego-state model]

번(E. Berne, 1961)이 교류분석(TA)에서 제안한 모델로, 일관된 유형의 감정 및 경험, 그리고 이와 직접적으로 관련되어 있는 일관된 행동을 어버이 자아(P), 어른 자아(A), 어린이 자아(C)로 소개한 것. 교류분석

번은 자아상태를 '일관되게' 함께 발생하는 감정과 경험의 결합이라고 정의하고, 각 자아상태마다 전형적인 행동도 일관되게 함께 나타난다고 하였다. 자아상태모델에서는 어느 자아상태에서나 행동, 경험, 감정이 서로 관련을 맺고 있다는 것을 강조한다. 특정 자아상태의 감정이나 경험을 할 때, 동시에 이 자아상태에 속한 행동도 함께 드러난다.

내가 어린이 자아상태에서의 행동을 나타낼 때, 동시에 아동기부터의 경험과 감정을 재연하고 있는 것이다. 내가 행동을 바꾸어 어른 자아상태를 가리키는 신호를 보낸다면, 성장한 사람으로서 지금-여기에 걸맞은 경험과 감정을 드러낼 것이다. 내가 부모로부터 본받은 행동을 보인다면, 역시 부모로부터 본받은 감정과 경험을 재연하고 있는 것이다. 인간의 성격을 P, A, C 세 가지 자아상태로 구분한 것은 초자아, 자아, 이드로 구분한 프로이트(S. Freud)의 이론과 유사한 점이 많다. 하지만 이들 간에는 근본적인 차이가 있다. P, A, C 세 가지 자아상태는 각각 '관찰 가능한' 행동적 단서들이다. 반면에 초자아, 자아, 이드는 순수 이론적 개념이다. 프로이트가 말하는 세 가지 구성요소는 일반화된 것이지만, 교류분석의 세 자아상태는 개인마다 다르다. 한 사람이 어버이 자아상태에 놓여 있다는 것은 '어버이다운' 행동을 한다는 것이 아니라 자신의 부모나 권위적 인물이 했던 행동, 감정, 사고를 재연하는 것이다. 한 사람이 어린이 자아상태에 놓여 있다는 것은 '아이 같은' 행동을 한다는 것이 아니라 그가 어릴 때부터 자주 했던 행동과 여기에 수반된 감정 및 경험을 재연하는 것을 말한다. 자아상태는 사물이 아니라 일련의 현상, 즉 서로 관련된 일련의 사고와 감정과 행동을 기술하는 명칭이다. 자아상태는 말하고 있는 사람과 분리해서 이해할 수가 없다. 누군가 재미를 원하고 있다면, 재미를 원하는 것은 나의 어린이 자아상태가 아니라 그 상태인 나 자신인 것이다. 자아상태의 각각을 구체적으로 살펴보면 다음과 같다. 첫째, 어버이 자아상태(P)는 부모나 양육자 등 외부로부터 흡수된 태도나 행동으로 성립한다. P가 밖으로 향하면 타인에 대해 편견적·비판적·보호적 행동으로 나타나며, 자신을 향해서는 마음속의 어린이 자아에 지속적으로 부모 메시지로서 느껴진다. 누군가 부모나 부모와 같은 권위적 인물의 행동이나 사고 또는 감정을 모방하고 있다면, 어버이 자아상태에 놓여 있는 것이다. 둘째, 어른

자아상태(A)는 사람의 연령과는 관계가 없다. A는 지금의 현실과 정보의 객관적인 수집을 지향하고 있다. 누군가 성장한 사람으로서의 능력을 활용하여 자신의 주위에서 일어나고 있는 사건에 지금-여기에서의 직접적인 반응으로서 행동하고 생각하고 감정을 느낀다면 어른 자아상태에 놓여 있는 것이다. 또 어른 자아는 조직적이고 지적이며, 나아가 현실을 음미하고 가능성을 측정하고 감정에 좌우되지 않고 계산함으로써 기능을 발휘한다. 셋째, 어린이 자아상태(C)는 유아에게 자연적으로 생기는 모든 충동을 내용으로 하며 인생 초기의 경험이나 그 경험에 대하여 어떤 반응을 했는지, 자신과 타인에 대하여 어떤 마음가짐을 가졌는지와 같은 기록을 포함하고 있다. 누군가 어렸을 때 했던 것처럼 행동하거나 사고하거나 감정을 느낀다면, 어린이 자아상태에 놓여 있는 것이다. 이를 다시 종합해 보면, 내가 성장한 사람으로서 나의 자원을 총동원하여 지금-여기의 상황에 반응하고 있다면 어른 자아상태에 놓여 있는 것이다. 어른 자아상태에는 일종의 문제해결이 내포되어 있다. 나 자신도 '사고'하고 있다는 것을 알고 있고, 나의 행동을 보고 있는 사람도 내가 사고하고 있다고 해석할 것이다. 내가 어린이 자아상태로 들어가면 어린 시절부터 해 왔던 행동이나 감정 혹은 사고를 재연하기 시작한다. 어린이의 경우에는 주로 감정을 통해 세상에 대처한다. 따라서 내가 어린이 자아상태에 놓여 있을 때에는 '감정'을 가장 많이 경험하기 마련이다. 이때 나를 관찰하는 사람은 '감정을 표현'하고 있는 것으로 확신할 것이다. 내가 어버이 자아상태에 놓여 있을 때에는 부모나 권위적 인물을 본뜬 행동이나 사고 혹은 감정을 드러낸다. 부모는 자녀가 해야 하거나 하지 말아야 할 규칙을 가르치는 데 많은 시간을 보낸다. 따라서 내가 어버이 자아상태에 놓여 있을 때에는 부모가 그랬듯이 '해야 할 일'에 대한 가치판단이 큰 비중을 차지할 것이다. 즉, 어른 자아상태에서는 주로 '사고'하고, 어린이 자아상태에서는 주로 '감정'을

느끼고, 어버이 자아상태에서는 주로 '가치판단'을 하는 경향이 있다. 하지만 실제로는 P, A, C 어느 상태에서나 다 같이 사고하고 감정을 느끼고 가치판단을 할 수 있다.

자아심리학
[自我心理學, ego psychology]
자아의 자율적인 기능을 강조하는 심리학 이론.
대상관계이론

프로이트(S. Freud)의 정신분석이론을 심층심리학으로 일컫는 것은 그의 이론에서는 무의식 과정을 분석하는 데 초점을 두기 때문이다. 프로이트는 무의식의 심적 기능에 대응하여 억압 또는 방어작용을 하는 자아의 존재를 인정하면서도 한편으로 자아는 원초아, 초자아, 외부세계로부터 침범을 당하는 또는 그것에 의존하는 무력한 요소로 파악하고 있다. 이러한 관점에 반대하는 일부 정통 정신분석학자 사이에서 자아의 방어적인 측면 이외에 행동 주체로서의 자아의 자율적인 기능을 인정하고자 하는 일련의 입장이 대두되었다. 자아심리학이라고 불리는 이 학파는 안나 프로이트(A. Freud)가 기초를 마련하고 하르트만(H. Hartmann), 크리스(E. Kris), 에릭슨(E. Erikson), 라파포트(D. Rapaport) 등이 체계화하였다. 하르트만은 자아가 지닌 이러한 방어적인 측면 이외의 요소를 조명함으로써 자아심리학 발달에 가장 크게 기여한 학자 중 하나다. 그는 자아를 원초아에서 분리하여 외부세계의 관점에서 재조명하였다. 자아에는 갈등이 없는 부분이 있으며 이는 원초아의 힘과 갈등으로부터 독립적으로 발달한다고 주장하였다. 예측 가능한 일상적인 환경이 존재하는 조건에서는 출생할 때부터 부여된 자발적인 자아기능이 갈등의 방해를 받지 않고 성장한다. 자아의 기능은 사고, 학습, 지각, 운동제어, 언어 등이 포함된다. 하르트만이 생각하는 적응은 자발적이고 갈등이 없는 자아의 한 영역에 존재한다는 개념에서 비롯되었다. 성적이고 공격적인 에너지가 중화되면서 몇몇 방어기제는 본능적인 원초아의 에너지와 분리되며, 그렇게 하여 이차적으로 자발적 또는 적응적인 요소가 된다. 오늘날 환자의 정신역동적 평가의 한 부분으로 자아의 기능, 자아의 힘, 자아의 붕괴 등이 강조되고 있다.

자아의 형성
[自我 – 形成, formation of self]
맥락적 가족치료에서 인간의 자아는 자기묘사와 자기타당이라는 두 개념으로 형성된다고 보는 것. **맥락적 가족치료**

인간의 자아는 자기묘사와 자기타당의 상호작용을 통하여 형성되는데, 이때 자기묘사는 다른 사람과의 관계에서 자신의 개별성과 독특성을 구분해 내는 능력이고 자기타당은 다른 사람과의 관계에서 인정받을 수 있는 능력을 말한다. 이 둘은 인간의 자아 속에서 갈등을 일으키기도 하고 조화를 이루기도 한다. 갈등을 일으키는 경우 인간은 자아의 일관성과 통합성을 잃는다. 반면, 조화를 이루는 경우에는 일관성과 통합성을 갖는다. 예를 들어, 자신을 독립적이라고 생각하는 사람이 있다고 하자. 그는 독립적으로 사고하고 행동하는 자기묘사를 가지고 있다. 그의 독립성을 받아 주고 옹호하는 분위기라면 독립적으로 자신의 일을 잘 수행하고 이로 인해 다른 사람의 인정을 받는 자기타당이 생긴다. 즉, 독립적인 자기묘사와 다른 사람들로부터 받는 인정을 통한 자기타당이 자아 속에서 조화를 이룬다. 반면, 독립적인 사람이 독립성이 허용되지 않는 분위기에서 일을 하면 부정적인 피드백을 받게 되고 다른 사람의 인정을 받지 못한 이유로 자기묘사와 자기타당 사이에 갈등이 생긴다. 독립된 자신과 의존성을 요구하는 주변 사람들 생각 사이에서 갈등과 혼란이 일어나고, 나아가 자아의 일관성과 통합성까지 잃어버릴 수 있다. 이와 같이 자신을 다른 사람과 구분된다고 생각하는 자기묘사는 다른 사람과의 관계에서 발생하는 자기타당과 조화 및 갈등을 일으키는 것이다. 조화를 이루면 자기묘사가 강화되지만 갈등을 이루면 약화된다. 즉, 독립적인 사람이 부정적인 피드백을 받으면 의존적인 성향이 되었다가 다시 독립적이 된다. 인간관계 속에서 적절하게 독립과 의존을 통합하면서 이 둘이 공존할 수 있는 자아를 형성해 가는 것이다. 한편, 의존과 독립이 조화를 이루지 못해 따로따로 존재하는 분열의 양상을 보이는 경우도 있다. 한 영역에서는 굉장히 독립적이고 또 다른 영역에서는 굉장히 의존적이어서 두 개념이 전혀 상호작용하지 않은 채 살아가기도 한다.

> 관련어 | 자기묘사, 자기타당

자아이상
[自我理想, ego ideal]

부모와 사회의 명령을 따르거나 좋은 행동에 대한 규칙이나 규준을 포함하는 초자아의 한 부분이며 개인이 도달하고자 노력하는 표준. 정신분석학

초자아는 성장하는 과정에서 부모에게 영향을 받은 전통적 가치관, 사회규범과 이상, 그리고 도덕과 양심이 자리 잡는 곳이다. 원초아나 자아와 달리 초자아는 성격의 도덕적 · 사회적 · 판단적 측면을 반영한다. 초자아는 도덕이나 가치에 위배되는 원초아의 충동을 견제하며, 자아의 현실적 목표를 도덕적이고 이상적인 목표로 유도한다. 무엇이 옳고 그른지, 어떤 것을 해야 하고 어떤 것을 하지 말아야 하는지 등을 판단하는 것은 모두 초자아의 기능이다. 잘못된 행동을 했을 때 수치심과 죄책감을 느끼는 것은 모두 초자아의 작용 때문이다. 초자아는 양심과 자아이상이라는 두 가지 하위체제를 가지고 있다. 자아이상은 옳은 행동에 대해 긍정적 보상을 받는 경험으로 형성된다. 이와 같은 자아이상은 행

동규범을 제시하는 역할을 하며 성실성이나 충실성과 같은 부모의 목표와 가치관을 동일시함으로써 형성된다. 아동의 좋은 행동은 부모로부터 보상을 받고 나쁜 행동은 처벌을 받는다. 이러한 경험을 통해 처벌받은 행동은 양심의 일부가 되고, 긍정적인 행동은 자아이상의 일부가 된다.

> 관련어 | 양심, 초자아

자아이질적
[自我異質的, ego-dystonic]

사고(ideas), 욕동(drive), 정동(affect), 혹은 행동(behavior) 등이 자아와 조화를 이루지 못하는 상태. 대상관계이론

자아 동조적(ego-syntonic)의 반대 개념으로, 관찰하는 자아의 관점에서 볼 때 불유쾌한 정신 내용물은 자기(self)와는 이질적인 것으로 경험된다. 이때 자아는 현재의 구조 개념에서 사용되는 것과는 달리 자기의 의미로 이해된다. 안나 프로이트(A. Freud)의 자아방어이론에서는 성격의 구성요소가 방어를 문제의 근원으로 간주하고 제거하려 할 때 나타나는 현상이라고 보았다. 예를 들어, 건강염려증적으로 내재화된 질병, 자신이 부적절하게 씻고 닦는다는 것을 인식하고 괴로워하면서도 반복하는 강박증 등이 이에 속한다.

> 관련어 | 자아 동조적 행동

자아인지
[自我認知, self-cognition]

자신의 내적 특성을 지각하고 이해하는 자아인식이나 자신에 대한 지식으로 사회인지영역의 하나. 발달심리

자아인지는 범주적 자아 또는 공적 자아 및 내적 자아 또는 사적 자아의 두 요인으로 구성되어 있다. 공적 자아란 다른 사람이 알 수 있고 자신을 다른 사

람과 구분할 수 있는 개념적 틀로서 연령, 성, 사회적 신분이나 위치 등을 말한다. 사적 자아란 다른 사람은 알 수 없는 것으로서 다른 사람이 자신에 대해 모른다고 생각할 때 사적 자아가 형성된다. 공적 자아와 사적 자아가 지나치게 차이가 있어 괴리감을 느끼면 바람직한 자아인지발달을 저해한다. 초기 연구에서 쿨리(Cooley, 1902)는 자기인지를 다른 사람에게 비치는 모습의 반영이라고 하였으며, 이를 거울상 자아(looking glass self)라 하였다. 이처럼 자아인지가 타인으로부터 반영되는 개념적 표상으로 형성되고 발달한다는 쿨리의 견해와 달리 최근 연구에서 나이서(Neisser, 1991)는 자아와 환경 간의 상호작용을 통한 직접적 경험으로 형성되고 발달한다고 주장하였다. 그는 자아인지가 생태적 자기와 대인 간 자기로 구성되어 있고, 생태적 자기란 자기를 둘러싼 물리적 환경에 적응해 나가면서 경험한 자기지각을 말하며 효율적으로 적응하면 긍정적인 생태적 자기지각을 형성한다고 하였다. 또한 대인 간 자기는 자신에 대한 다른 사람의 반응이나 정보를 통해 형성하는 자기지각이라고 하였다. 생태적 자기와 대인 간 자기는 서로 밀접하게 관련되어 있으며 연령이 증가할수록 발달하고 하나의 통합적인 자아인지를 형성하는 밑거름이 된다. 한편 반두라(Bandura, 1977)는 자아인지를 형성하고 발달시키기 위해서 주어진 과제를 성공적으로 수행할 수 있는가에 대한 자기평가인 자기효능감이 중요한 영향을 미친다고 밝혔다.

관련어 블로스의 적응체계이론, 사회인지, 자아인지, 정체성

자아인지발달 [自我認知發達, self-cognition development] 자신의 내적 특성을 지각하고 이해하는 자아인식이나 자신에 대한 지식의 연령에 따른 변화를 말한다. 자아인지의 발달은 인지발달과 학습이론적 측면에서 주로 설명되고 있다. 인지발달적 측면은 피아제(J. Piaget)의 인지발달이론과 셀먼(R. Selman)의 정보처리모형이 있으며, 학습이론

적 측면은 반두라(A. Bandura)의 사회학습이론이 있다. 피아제의 인지발달이론에 따르면 인지기능이 발달함에 따라 자아인지가 발달하여 자아인지의 발달수준은 인지발달수준과 일치한다. 셀먼(1976)은 아동이 역할수행(role-taking) 기술을 획득하게 됨으로써 다른 사람의 생각, 감정, 동기, 의도, 행동의 원인 등을 그 사람의 관점에서 추정하여 자신과 타인을 이해할 수 있는 능력이 발달한다고 하였다. 그는 아동들에게 대인 간 딜레마가 있는 이야기인 '홀리 이야기'를 들려주고 조망수용능력을 측정하여 자아인지발달단계를 0~4수준으로 제시하였다. 0수준은 자아중심적 혹은 미분화된 조망 수준을 보이며 3~6세경을 말한다. 1수준은 6~8세경이며 사회-정보적 역할수행 단계로서 사람마다 다른 조망을 가지고 있다는 것을 이해한다. 2수준은 8~10세경이며 자기반성적 역할수행단계로서 타인의 관점을 고려할 수 있지만 자신과 타인의 관점을 동시에 고려하지는 못한다. 3수준은 10~12세경이며 상호적 역할수행 단계로서 자신과 타인의 관점을 동시에 고려하고 반응을 예측한다. 4수준은 12~15세 이상이며 사회적 역할수행단계로서 청소년기에 해당한다. 이때는 사회체계적 조망에서 타인의 조망을 비교하여 타인의 관점을 이해하고 일반적인 사람의 관점을 추정하는 능력이 발달한다. 반두라(Bandura, 1977)는 자아인지발달에는 자기효능감이 중요한 영향을 미치며 4~5세 이전의 아동은 부모의 지시에 따라 행동하거나 선택하기 때문에 이 시기의 아동은 시행착오적인 경험을 많이 할수록 자기효능감 형성에 긍정적인 영향을 준다. 또한 성장할수록 아동은 모델링 학습을 통하여 자기효능감을 발달시키게 되며, 바람직한 모델링 선정이 높은 자기효능감을 촉진한다. 그리고 자기효능감이 형성되면 과제 지향적인 노력과 지속성이 생겨 높은 성취 수준을 획득할 수 있다. 청소년기 자아인지발달에 관한 대표적인 연구는 에릭슨(Erikson, 1950)의 심리사회적 이론의 자아정체성 형성이론, 블로스(Blos, 1979)의

적응체계이론 등이 있다. 이상에서 살펴본 이론들을 통합적으로 고찰하여 자아인지발달을 살펴보면, 생후 4개월경 영아는 자신과 대상을 구별하며 생후 6개월경에는 신체적 자아인지를 형성한다. 2세경에는 신체적 자아상이 형성되어 자아인지가 시작되고, 2~5세경 유아는 언어능력이 발달하여 자아인지가 급격하게 발달하고, 3년 6개월이 되면 내재적 자아인지가 나타나기 시작한다. 취학 아동은 구체적 조작사고의 발달로 범주적 자아 및 공적 자아가 더욱 구체화되고 자신의 생각과 표현이 다를 수 있으며 공적 자아와 사적 자아의 불일치를 이해하고 사적 자아가 진짜 자아라는 것을 이해하게 된다. 청년기에는 형식적 조작기로서 다양하고 구체적이며 세분화된 자아인지를 보이고 시간과 대상에 따라 자아인지가 변할 수 있다. 15~16세경은 부정적 자기평가 등으로 자아개념이 혼돈되는 시기이며, 18~19세경에는 혼돈의 시기를 거쳐 자아가 통합하기 시작한다. 이때 자아인지는 일시적 퇴행으로 U형 발달현상을 보인다. 또한 이 시기에는 이상적 자아와 실재적 자아를 형성하게 되는데, 이상적 자아와 실재적 자아의 불일치가 생기고 지나친 불일치는 청년기의 부적응을 나타낸다. 또 다른 자아인지 양식에는 거짓자아와 참자아가 있다. 청년들은 이 두 자아를 명백하게 구분하여 필요할 경우에 거짓자아를 표출하지만 그것을 좋아하지는 않는다. 지나친 거짓자아의 표현은 환경에 대한 부적응적 행동으로서 병리적일 수 있다.

자아자율성
[自我自律性, ego autonomy]

성격의 내적 갈등으로부터 영향을 받지 않는 자아의 독립성.
`대상관계이론`

하르트만(H. Hartmann)이 외부세계, 원초아 및 초자아에 대한 자아의 독립성을 뜻하는 의미로 사용하였다. 그는 자아를 발달적으로 이론화했는데, 자아장치라고 불리는 지능이나 운동기능과 같은 적응 기제는 뇌 발달에 기초를 두는 자아의 일차적 자율성이라고 하여 자아발달의 독립된 근원이라고 보았다. 하르트만에게 있어서 자아는 프로이트(S. Freud)처럼 원초아나 외부세계와의 갈등 때문에 발생하는 것이 아니라, 태어날 때부터 미분화 형태로 존재하여 외부세계나 원초아로부터 독립하여 자율적으로 발달한다. 발달과정에서 원초아, 초자아, 외부세계와의 갈등해결에 따라 자아는 이차적으로 기능변화를 이루고 점차 내적 갈등의 영향을 받지 않는 부분, 즉 자율성을 확립해 나간다. 이를 자아의 이차적 자율성이라고 하는데, 성격은 이차적 자율성을 획득한 자아기능이라고 볼 수 있다. 한편, 적응을 자기변화적인 측면과 환경변화적인 측면으로 나누었는데, 방어기제는 자기변화적인 적응에 해당되는 반면 자아자율성은 인간의 독특한 환경변화적인 적응의 주체적 기초를 형성한다. 자율성의 위기를 극복해 나가는 자아의 경향성을 자아강도(ego strength)라고 한다.

`관련어` | 이차 자아 자율기능, 일차 자아 자율기능, 자아심리학

자아정체성
[自我正體性, ego identity]

자기 자신의 독특성에 대해 안정된 느낌을 갖는 것으로, 행동이나 사고, 느낌의 변화에도 불구하고 내가 누구인가를 일관되게 인식하는 것. 다양한 자기대상 교류에서 나온 서로 다른 동일시가 하나의 주된 성격 조직으로 통합되어 느껴지는 자기감.
`대상관계이론` `발달심리` `성격심리`

다른 사람과 관계를 맺으며 가지게 되는 '나는 누구인가'에 대한 해답으로, 에릭슨(E. Erikson)이 자아가 자기표상을 발달시키는 과정에서 중요한 역할을 담당한다는 사실을 가리키기 위해 정체성이라는 정신분석학적 개념을 심리사회학적으로 확장한 개념이다. 자아는 아동기 동안에 이루어지는 중요

한 동일시를 선택적으로 강조하고, 자아상(self-image)들을 점진적으로 통합해 냄으로써 자아정체성을 형성해 낸다. 자아정체성 안에는 개인의 정체감, 개인 성격의 연속성을 유지하기 위한 무의식적 노력, 자아통합, 그리고 집단이 공유하는 이상 및 정체성과의 내적 연대를 유지하는 것 등이 포함된다. 청소년기에는 자기의 주관적인 세계에 눈을 뜨기 시작하며 자신의 정체성에 관하여 최초로 질문을 한다는 점에서 자아정체성의 확립을 위한 노력은 청소년기의 가장 큰 특징으로 꼽힌다. 개인의 자아정체성은 자신의 견해, 이상, 기준, 행동, 그리고 사회적 역할에서 드러나며, 4개의 기본 차원, 즉 인간성 차원(각 개인은 인간이라는 느낌), 성별 차원(남성 혹은 여성이라는 느낌), 개별성 차원(각 개인은 독특하다는 느낌), 계속성 차원(시간경과에도 불구하고 동일한 사람이라는 인식)으로 구성되어 있다. 즉, 안정된 정체감을 형성하기 위해서는 신체적·성적 성숙, 추상적 사고능력의 발달, 정서적 안정이 선행되어야 하며, 동시에 부모나 또래집단의 영향으로부터 어느 정도 자유로울 수 있어야 한다. 에릭슨은 정체성 개념을 각 단계에 따른 심리사회적 위기들을 거치면서 점진적으로 이루어지는 성격 발달을 나타내는 개념으로 보았다. 청소년기 말기에 자아정체성은 비교적 갈등이 없는 심리사회적 요소들과 통합되어야 한다. 그러한 통합이 일어나지 않으면 정체성 혼미(identity diffusion) 혹은 역할혼미(role confusion)라는 증후군이 나타나는데, 이것은 대개 신체적 친밀함, 직업선택, 치열한 경쟁, 심리사회적 자기-정의를 동시에 요구받는 상황에서 발생한다. 대상관계이론을 발전시킨 컨버그(O. Kernberg)가 제시한 내면화 체계 중에서 세 번째 체계가 자아정체이다. 이 체계 안에서 다양한 양극표상이 하나의 통합된 자기개념으로 종합된다. 자기개념은 행동을 안내하고 관계를 유지시키는 중심적이고 지배적인 힘으로 작용한다. 자아정체성은 자기에게 일관성을 갖게 해 주며, 일시적인 특정한 동일시를 단순하게 반영하기보다는 내적 세계로 받아들여진 양극표상 모두를 반영한다. 자기는 이제 특정한 상황들과 특정한 관계들을 넘어설 수 있다. 컨버그에 따르면, 이 시점에서 자기는 총체적인 대상표상들과 긴밀하게 관련되어 있는 총체적인 자기표상이 된다. 정체성 형성은 초기의 원시적인 정체성이 시간이 지남에 따라 선택적인 동일시에 의해 대체되는 것을 의미한다.

관련어 | 내사, 동일시

자아존중감
[自我尊重感, self esteem]

사티어(V. Satir) 이론의 핵심적 개념으로 자신에게 가지는 애착, 존중, 사랑, 신뢰를 느끼는 기본욕구. 경험적 가족치료

사티어는 인간의 내면에는 항상 사랑과 인정을 받고자 하는 욕구와 자아존중에 대한 원초적 욕구가 있는데, 이런 욕구가 충족될 때 자기가치와 자아존중감이 학습되고 발전된다고 보았다. 또한 자아존중감이 형성되는 데에는 인간 생애 초기의 가족구조와 부모와의 관계가 가장 큰 영향을 미친다고 하였다. 즉, 부모-자녀관계에서 부모가 자녀에게 적절하게 반응하지 못했거나, 역기능적인 의사소통을 보여 주었거나, 의사소통의 내용이 부정적일 때 자아존중감은 손상된다. 이와 반대로 초기관계에서 신뢰하는 가운데 사랑을 받았다면, 자아존중감은 개인의 에너지원으로 작용하여 다른 사람들 혹은 환경과의 관계를 창조적이고 조화롭게 형성하도록 만들어 주어 주어진 상황에 현실적이고 유연하게 대처할 수 있게 된다는 것이다. 그러므로 사티어 모델은 개인의 낮은 자아존중감을 높여서 자신의 가치를 인정하고 자신이 가진 자원과 장점을 활용할 때 문제에 적절하게 대처하고 성장할 수 있다고 보았다. 따라서 자아존중감은 사티어가 문제를 진단하는 데 중요한 기준이자 치료의 목표가 된다. 사티

어는 자아존중에 대한 개념을 자기, 타인, 상황의 세 요소로 설명하였다. 자기는 애착, 사랑, 신뢰, 존중을 통해 갖는 자신에 대한 가치와 자신의 유일성을 말한다. 타인은 다른 사람과의 관계에서 형성되는 다른 사람에 대해 느끼는 것으로 타인과의 동질성과 이질성, 그리고 상호작용에 관한 것이다. 상황은 주어진 여건과 맥락을 의미하는데, 주로 부모나 원가족 삼인군에서의 상황을 말한다. 사티어는 자아존중의 3요소 중 어떤 것이라도 온전하지 않으면 역기능적이라고 보고, 3요소 모두 순기능하여 일치되도록 만들고자 하였다. 또한 자아존중의 3요소를 의사소통유형 및 대처유형과 연결하여 설명하였다.

관련어 의사소통 및 대처 유형

자아존중감 발달
[自我尊重感發達, self-esteem development]

자신을 가치 있게 여기면서 받아들이고 긍정적으로 평가하는 느낌의 연령에 따른 변화. **발달심리**

인간이 만 2세 정도가 되면 자신을 긍정적으로 평가하는 느낌을 갖게 되는 자조기술이 발달하는데, 이 시기가 자아존중감의 초기 발달단계라 할 수 있다. 이때 유아는 밥 먹기, 옷 입기, 세수하기, 배변 가리기 등의 발달과업을 성공적으로 수행함으로써 자신의 능력에 대하여 신뢰감을 갖고 이에 따라 자아존중감이 발달하기 시작한다. 이후 5~6세 아동은 안정된 자아존중감을 형성하지는 못하고, 초등학교 3학년 이후에야 비교적 안정적인 경향을 보인다. 이 시기에는 학업성적과 같은 인지적 능력과 또래관계의 인기도와 같은 사회적 능력에 따라서 자아존중감의 발달에 영향을 받는다. 즉, 아동은 학업과 관련된 학업적 자아존중감이 형성되고 급격하게 발달한다. 자신의 학업적 능력이 또래와 비교했을 때 긍

정적 평가를 할 수 있으면 높은 학업적 자아존중감이 형성되고 끈기를 가지고 꾸준히 공부를 하며 미래의 성공에 대한 기대가 높다. 반면 자신의 능력에 대해 낮은 자아존중감을 지닌 아동은 학습동기가 낮으며 새로운 과제에 흥미를 보이지 않고 힘든 노력을 하지 않는다. 11~12세경 사춘기에 접어들면 전반적으로 낮은 자아존중감을 보인다. 그러다가 고등학교 시기에는 정상적인 자아존중감을 형성하게 된다. 사춘기에는 자아의식이 높아지면서 타인을 의식하여 사회적 비교가 엄격해지고 자신을 보다 비판적으로 바라보기 때문이다. 또한 이 시기는 신체 또는 성적으로 급격한 변화를 겪기 때문에 정서적으로 불안정하며 부모의 이혼, 경제적 어려움, 주변인의 사망 등 부정적인 환경요인에 자아존중감이 저하되기도 한다. 우리나라 아동은 초등학교 3학년에 자아존중감이 낮아지기 시작하여 6학년이 되면 급격하게 낮아지고, 이는 서구의 아동보다 더 빠르다고 한다. 부모의 태도와 역할은 유아의 자아존중감 형성에 결정적인 영향을 미치기 때문에 부모는 먼저 애정과 관심을 가지고 유아를 이해하고 수용해야 한다. 유아가 해야 할 일과 하지 말아야 할 행동을 명확하게 제시하고 행동의 기준을 설정하며 자유롭게 자신의 의견을 말할 수 있는 기회를 주어야 한다. 가족활동에 적극적으로 참여시키고 원하는 만큼 도움을 줄 수 있는 환경을 조성해 주면 유아는 긍정적인 자아존중감을 발달시켜 나갈 수 있다. 취학 전 아동은 자신과 또래의 능력, 옷차림, 소유물, 가정배경, 친구관계 등을 비교하는 사회적 비교를 통해서 자아존중감을 형성해 나간다. 이때 사회적 비교가 긍정적인 평가가 이루어질 때는 자아존중감을 향상시킬 수 있지만 그렇지 않을 때는 낮은 자아존중감을 형성하게 된다.

관련어 자아존중감

자아존중감척도
[自我尊重感尺度, self-esteem scale]

자신을 가치 있게 여기면서 받아들이고 긍정적으로 평가하는 느낌을 측정하는 도구. 심리검사

자아존중감이란 자신에 대한 긍정적 또는 부정적 평가 및 자기 자신의 능력과 가치에 관한 평가적 정서(Rogenberg, 1965), 또는 자신의 가치에 대한 개인의 사적인 판단(Coopersmith, 1967)이다. 다양한 연구의 주제가 되고 있는 자아존중감을 측정하기 위해 일반적으로 가장 많이 사용하는 척도는 로젠버그(Rosenberg, 1965)와 하터(Harter, 1985)가 만든 것이다. 먼저 로젠버그의 자아존중감척도는 일반인을 대상으로 개발하였으며, 10문항으로 구성되어 있고 개인의 전반적인 자아존중감을 측정한다. 다양한 문화권과 대부분의 집단에서 사용할 수 있다는 장점이 있다. 반면, 하터의 자아존중감척도는 아동용으로 가장 많이 활용되고 있다. 그는 유아용, 아동용, 청소년용 자아존중감척도를 개발하였다. 초기에 개발한 척도의 하위요인은 인지, 사회, 신체, 일반적 자기가치감의 네 가지 영역이며, 자기보고식 척도로 총 28문항으로 구성되어 있다. 이후 개발한 아동용 척도의 하위요인은 학업능력, 운동능력, 사회적 수용도, 신체 외모 및 행동, 일반적 자기가치감이며, 청소년용은 아동용에 더하여 친밀한 교우관계, 낭만적 호소력, 직업적 유능성 등 아홉 가지 영역으로 구성되어 있다. 또한 1994년 하터와 피케(Harter & Pike)는 4~7세 유아용 그림 자아존중감 검사(Pictorial Scale of Perceived Competence)를 개발하였고, 하위요인은 아동용 척도의 일반적 자기가치감을 제외한 네 가지로 구성되어 있다. 이 검사는 유아에게 그림을 보여 주고 그림 속의 아이가 자신과 많이 닮았으면 큰 동그라미, 조금만 닮았으면 작은 동그라미를 선택하도록 해서 측정한다.

관련어 자아개념, 자아존중감

자아초월심리학
[自我超越心理學, transpersonal psychology]

인간의 잠재력과 의식의 통합적·영적·초월적 상태에 대한 인식, 이해, 실현 등의 연구와 관련된 심리학의 한 분야. 초월영성치료

심리학의 제4세력이라고 불리는데, 'transpersonal'이란 용어는 1905년 근대심리학의 아버지로 불리는 제임스(James)가 최초로 문헌에서 사용하였다. 'transpersonal'이란 라틴어에 어원학적인 뿌리를 두고 있다. 즉, 'trans'는 '초월하여, 통하여서'라는 뜻이며 'personal'은 '가면, 외관'의 뜻을 가지고 있다. 다시 말하면, 자아초월은 자기(self)의 개인적인 정체성을 초월하여 혹은 통하여서라는 의미로 정의할 수 있으며, 그것은 실제로 자아초월심리학이 표방하는 핵심 개념인 자아와 인격의 한계를 초월하는 것과 같은 초월적 자각의 특징이 포함되어 있다. 1960년대 자아초월심리학은 당시 빠르게 성장하고 있던 제3세력인 인본주의 심리학의 파생물로 출현하였다. 인간의 긍정적인 측면과 잠재력을 강조한 인본주의 심리학의 창시자인 매슬로(Maslow)는 자기실현인의 체험과 그 가치에 대하여 관심을 가지면서 특히 절정경험과 같은 인간성의 보다 고차원적 수준을 발견하였다. 그는 수티치, 프랭클과 그로프(Sutich, Frankle, & Grof) 등의 선구자들과 함께 자아초월심리학의 태동을 주도하였다. 자아초월심리학의 주요 연구분야는 크게 네 가지로 구분할 수 있다. 첫째는 의식의 상태(state of consciousness)로, 다양한 자아초월적 경험에 따른 의식의 과도기적 변화, 즉 의식의 변성상태에 대한 연구영역을 말한다. 영적·초월적 상태의 특징은 무엇이며 그것을 통하여 성취할 수 있는 인간의 잠재력 및 가능성은 무엇인지, 이러한변성 상태들은 어떠한 체험으로 이루어지며, 체험을 가능하게 하는 기법들은 무엇인지 등을 연구하는 분야다. 둘째는 의식의 발달(development of consciousness)로, 발달은 한 인간의 세계관을 포함하여 지속적인 의식구조의 변형

(transformation) 및 변환(translation)을 의미한다. 이 영역은 주로 윌버(Wilber)의 의식 스펙트럼 모델을 기반으로 의식발달의 특징, 의식의 구조와 각 단계별로 나타날 수 있는 병리, 주요 개념 및 체제 등 인간의식의 통합적 발달에 대한 포괄적인 이해에 연구의 초점을 맞추고 있다. 셋째는 이행방법론(transformational practice and methods)으로, 이 영역은 초월적 상태로 이행, 성장하기 위한 다문화적 전통의 실천적 수행기법 및 현대의 통합적 변형 수련(integral transformative practice)에 대한 연구를 포괄하고 있다. 의식의 상태에 대한 연구가 다양한 체험에 따른 의식의 일시적 변성상태에 대해 초점을 맞춘다면, 이행은 보다 높은 의식수준에 지속적이고 안정적으로 도달하기 위한 단계적 방법론을 의미한다. 즉, 오랜 전통에서 내려온 실천적 수행기법들은 어떤 것들이 있으며 그 실천체계들은 어떻게 구성되어 있는가? 그것들의 공통적인 핵심과 차이점 및 현대적 맥락에서의 효용가치 등이 연구의 초점이다. 넷째는 적용(application)으로, 상기의 이론적, 경험적 연구성과를 토대로 자아초월영역을 임상, 치료에 적용하기 위한 다양한 접근방식을 탐색한다. 기존의 정신병에 대한 새로운 해석 및 자아초월적 정신병리의 유형과 특징, 이러한 병리를 다루기 위한 치료적 체계와 기법의 개발 등이 연구의 초점이 되며, 현대적 맥락에서 전통적 기법을 어떻게 임상적으로 해석해 내고 활용할지에 대해서도 연구한다.

관련어 | 초월영성치료

자애명상
[慈愛冥想, lovingkindness meditation]

살아 있는 모든 생명이 행복하고 안락하며 편안해지기를 바라는 마음을 갖도록 하는 정신적 훈련. 명상치료

자애명상은 마음을 고요하게 하는 사마타, 곧 집중명상에 포함된다. 자애로운 마음은 우리의 정서를 안정되게 하고, 안정된 마음에서 자애가 생겨난다. 온통 마음을 뒤흔들어 놓은 대표적인 마음현상들은 불안, 분노, 슬픔과 같은 감정들이다. 일단 이런 감정이 몰려오고 화를 내면 몸과 마음이 크게 상한다. 화를 낼 때 우리는 대부분 그곳에 이기심이 가로놓여 있음을 본다. 즉, 내 뜻대로 되지 않기에 화가 난 것이다. 산업화 이후 바쁜 현대의 일상에서는 마음의 안식과 고요함을 갖기 어렵다. 우리는 지치고 짜증이 나 있고, 조금만 규격에 맞지 않아도 화가 난다. 이 성냄의 밑바닥에는 욕심, 곧 이기심이 가로놓여 있다. 이런 이기심은 항상 자기중심적이다. 이 자기는 부족하고 스스로 결핍되어 있기에 만족을 모른다. 이런 이기심을 이겨 내는 수행이 바로 자애명상이고, '살아 있는 모든 생명들이여 행복하라, 안락하라, 편안하라.'는 자애의 마음을 온 세상에 가득 채우는 것이 자애명상이다. 이런 자애명상은 마음챙김명상 프로그램에서 암 환자, 약물과 알코올중독자, 커플, 아동 등 여러 대상에게 적용할 수 있다. 자애명상은 주변인들이 행복하고 평화롭기를 기원하는 마음으로 명상을 하면서 대인관계에 어려움을 가지고 있는 사람들에게 사회적 지지망을 강화하고 서로 이해하며 결속감을 형성하도록 한다. 커플들은 사랑하는 사람과 자기 자신, 그리고 많은 다른 대상을 향해 사랑의 마음을 갖도록 하면서 고요한 마음의 언어를 사용하여 자애심을 개발하게 된다. 아동을 대상으로 하는 자애명상에서는 주변인뿐만 아니라 강아지, 새, 물고기 등의 모든 생명체에 대한 사랑, 행복, 평화를 바라는 마음으로 이루어진다.

관련어 | 명상

자연적 접근
[自然的接近, natural approach]

에릭슨(M. H. Erickson) 최면에서 내담자와 라포를 형성하거나 트랜스를 유도할 때 자연스러운 의사소통을 활용하여 접근하는 것. **최면치료**

전통적인 최면방법과 구별되는 에릭슨 최면의 기본 입장으로, 자연스러운 대화나 의사소통을 하면서 내담자가 의식하지 못하는 가운데 내담자에게 영향을 미치는 방법이다. 모든 사람은 자연적 트랜스 경험을 할 수 있는 능력이 있다고 보고, 내담자의 신념, 좋아하는 단어나 말, 문화적 배경, 개인사뿐 아니라 신경증적 습관까지도 치료적 수단으로 이용한다. 상담자의 융통성과 탄력적인 대처를 중시하며 은유를 비롯한 이야기, 농담, 비유 및 우화를 즐겨 사용한다. 이 접근법은 자명한 진술(truism)과 예스세트(yes-set)의 두 가지 기법으로 구체화되었다.

관련어 | 에릭슨 최면, 예스세트, 자명한 진술

자연철학
[自然哲學, philosophy of nature]

소크라테스(Socrates) 이전의 철학자들이 우주세계의 근원, 즉 아르케(arche)가 무엇인지 밝히는 작업을 하면서 시작된 철학. **철학상담**

자연철학은 자연을 초자연적인 힘으로 설명하려고 했던 신화의 시대와는 달리 인간 자신의 이성으로 우주세계의 근원을 탐구하고자 하였다. 이처럼 우주에서 생성하는 것의 근원, 또는 원리를 의미하는 피시스(physis)를 인간 자신의 능력에 기초해서 탐구하려고 함으로써 자연철학이 시작되었다. 당시 밀레토스의 탈레스(Thales)는 만물의 근원을 '물'로, 아낙시만드로스(Anaximandros)는 '무규정자(to apeiron)'로, 아낙시메네스(Anaximenes)는 '공기'로 간주하였다. 이들 밀레토스학파 이후 피타고라스학파에 이르러서

는 만물의 근원과 원리를 '수'에 입각해서 설명하였다. 그리고 엠페도클레스(Empedokles)는 만물의 근원을 '물' '흙' '불' '공기'로 보려고 하였으며, 이들 4원소가 사랑과 미움에 의해서 결합하고 흩어지면서 만물의 변화가 일어나는 것으로 설명하였다. 그런가 하면 아낙사고라스(Anaxagoras)는 근원적 질료에 관여하는 '누우스(Nous, 정신)'가 있다고 보았으며, 이와 반대로 레우키포스(Leukipos)와 데모크리토스(Demokritos)는 원자론에 입각하여 우주세계를 설명하였다. 이처럼 고대 자연철학자들은 자연의 궁극적 존재와 원리에 대한 탐구를 수행해 왔으며, 소크라테스 시대에 이르러 '인간의 철학'이 중시되면서 철학의 중심 영역이 자연에서 인간으로 이행하였다. 그러나 자연에 대한 철학적 고찰은 근대에 이르러 훨씬 더 전문적인 형태로 전개되었다. 특히 근대 이후에는 자연을 유기체적으로 바라보는 경향이 강했던 기존의 관점에서 벗어나 기계론적으로 바라보는 관점이 강화되었다. 데카르트(René Descartes), 홉스(Thomas Hobbes), 그리고 프랑스 유물론자들(디드로 Denis Diderot, 달랑베르 Rond d'Alembert, 돌바크 Dietrich. d'Holbach)은 기계론적 자연관을 매우 강력하게 내세웠다. 그러나 이런 자연관은 인간중심주의를 강화시켰으며, 이 문제점을 개선하기 위한 스피노자(Baruch Spinoza)의 자연관도 등장하였다. 그는 자연을 생산하는 자연과 생산되는 자연으로 구분하고, 자연을 더 이상 기계론적으로만 접근하는 것에 대해 거부하였다. 그의 입장은 이후 셸링(Schelling)의 자연관으로 발전하게 되었다. 근대 이후에는 기계론적 자연관과 목적론적 자연관 사이의 갈등을 해결하기 위한 다양한 모색이 칸트, 헤겔, 마르크스주의자에 의해서 진행되었다. 오늘날 생태의 위기와 관련하여 자연에 대한 기계론적 접근의 문제점을 지적하고 유기체적 관점에서 접근하려는 경향이 강하게 제기되고 있다.

자원
[資源, resource]

성과를 얻고 목표를 성취하며 변화와 치료적인 효과를 거두고 긍정적인 경험을 하는 데 도움이 되는 긍정적인 상태나 지식, 기술, 행동, 경험, 소유물 등. **NLP**

신경언어 프로그래밍(NLP)의 전제 중 하나는 자원이 없는 사람이란 없다는 것이다. 즉, 누구나 자원을 가지고 있다는 것이다. 그러나 내면에 많은 자원을 가지고 있다 하더라도 자신이 자원을 가지고 있는 줄 모르거나 그것을 극대화할 수 없다면 성공적인 삶에 이르기 어렵다. 따라서 목표를 달성하기 위해서는 먼저 자기의 자원을 발견하고 극대화하는 것이 중요하다. 자원에는 돈을 비롯한 물질적인 재산, 힘과 도움을 주는 대인관계망, 생활을 이어 가고 소속감과 정체감을 주는 확실한 직업 등의 외적 자원, 용기, 자신감, 행복한 상태, 동기, 과거의 성취경험에 대한 기억, 낙천적이고 긍정적인 태도 및 사고방식, 포용능력, 라포 형성능력, 집중력, 문제 해결능력, 직관력과 같은 내적 자원 등 그 종류가 무수히 많다.

자위
[自慰, masturbation]

성적 상대자의 접촉이나 행위 없이 스스로 자신의 성기를 자극하여 성적 흥분감 및 절정감을 경험하는 성행위의 한 방법. **성상담**

자위는 주로 손으로 이루어지는 행위이기 때문에 수음(手淫)이라고 부르기도 하며, 혼자서 성욕을 해소하는 성행위 방식의 하나다. 자위는 주로 청소년기 호르몬 분비변화로 성적 욕구가 증가하면서 나타나며, 정신적 장애나 질환은 아니다. 단지 사회적 분위기나 문화적 금기 때문에 심리적 죄책감이나 수치심을 느껴 불안과 같은 이차적 심리문제가 야기될 수 있다. 주로 청소년기에 시작되는 자위는 평생 행해질 수 있고, 여러 감정이나 환상과 함께 이루어질 수 있다. 유아기에 성기를 만지며 노는 행위도 자체 성애적 활동의 한 형태로 볼 수 있고, 자연스러운 자위는 아동의 정상적 발달과정에 속한다. 자위는 미혼을 비롯한 성적 상대자가 없는 경우 가장 건전하고 안전하면서 흔히 사용할 수 있는 성욕해소 방법이지만, 중독이 될 정도로 심해질 경우 건강상의 문제가 따를 수 있다.

자유도
[自由度, degree of freedom]

표본을 구성하고 있는 개별요소 중 주어진 조건하에서 통계적 제한을 받지 않고 자유롭게 변화될 수 있는 요소의 수. **통계분석**

자유도란 흔히 df로 표시하는데, 사례 수에서 통계적 제한의 수를 뺀 값으로 계산한다. 가령 4, 7, 8, 9, 11의 5개의 측정치가 있다고 하면 사례 수는 5이고 평균은 8이다. 그런데 수학적으로 평균이란 그 점에서부터의 모든 편차의 합이 0이 되는 점이다. 말하자면 평균을 계산할 때 편차의 합이 '0이 되도록'이라는 제한을 하나 가한 셈이다. 이 5개의 편차가 합해서 0이 된다는 제한 혹은 조건하에서는 5개의 점수 중 4개는 제멋대로 독립적으로 변할 수 있지만, 편차의 합이 0이 되려면 나머지 하나는 다른 4개가 변하는 것에 따라 종속적으로 결정되고 만다. 예를 들어, 4개는 멋대로 −7, −5, +1, +2로 할 수 있어도 나머지 하나는 편차의 합이 0이 되어야 한다는 제한 때문에 +9 이외의 수치를 취할 수 없다. 즉, 이 경우에 자유롭게 독립적으로 변할 수 있는 사례는 5개 중 4개, 즉 N−1뿐이다. 요컨대, 자유도란 주어진 조건하에서 자유롭게 변할 수 있는 점수나 변인을 말하는데, 사례 수 N개의 모든 점수와 그 평균이 주어졌다면, 그중 1개의 점수를 제외한 모든 점수(N−1)는 전체의 평균값을 변화시키지 않은 채 임의로 변화할 수 있다. 이러한 경우에 자유도는

N-1이 된다. 또한 두 집단의 사례 수가 각기 n_1과 n_2라고 하면 각 집단에서 하나씩의 점수를 제외하고는 모든 점수가 평균에 변화를 일으키지 않은 채 변화할 수 있기 때문에 이러한 경우에 자유도는 $(n_1-1)+(n_2-1)$, 즉 n_1+n_2-2가 된다. 따라서 자유도는 항상 표본집단의 크기에 따라 달라진다. 소표본의 측정치가 모집단에서 이탈할 확률이 높은 가능성 때문에 검증해서 이를 최소화하기 위한 방법으로 자유도라는 개념이 도입된 것이라고 할 수 있다. 자유도는 상관관계에서는 'N-2', t검증에서는 'N(전체 집단의 전체 사례 수 n_1+n_2)-2', χ^2검증에서는 가로의 행을 r개라 하고 세로의 열을 k개라고 하면 '(r-1)(k-1)'이 되며, F검증 혹은 변량분석에서는 집단 간 자유도가 '집단 수-1', 집단 내 자유도가 '전체 사례 수-집단 수'가 된다. 통계분석에서 자유도를 정확하게 계산하는 것은 올바른 통계측정을 위해 중요하다.

자유로운 어린이 자아상태
[自由 - 自我狀態, free child ego-state]

교류분석

⇨ '어린이 자아상태' 참조.

자유연상
[自由聯想, free association]

내담자에게 마음속에 떠오르는 생각, 감정, 기억들을 아무런 수정도 가하지 않고 이야기하도록 하는 정신분석의 한 기법.

분석심리학 정신분석학

자유연상은 정신분석적 상담기법 중에서도 핵심적인 것으로, 내담자는 자유연상을 하는 동안 보통 긴 안락의자에 눕고, 상담자는 그 옆이나 뒤에 앉아 내담자의 주의를 분산시켜 생각과 감정이 자유롭게 떠오르는 것을 방해하지 않도록 한다. 자유연상을 하는 과정에서 증상과 관련된 과거의 경험이나 기억들이 차츰 드러나게 되며, 상담자는 이를 통해 내담자의 증상이 무의식적으로 어떤 의미를 지니는지를 이해하게 된다. 융(C. G. Jung)의 자유연상은 프로이트(S. Freud)의 정신기제에 대한 확정적 개념에 기반을 두고 있다. 융은 피험자들에게 단어목록에 자유연상을 요구하여 환자의 정서적 문제에 대해 통찰하도록 했는데, 1,900개의 정신의학적 훈련에서 자유연상을 실시하였다. 융은 환자가 단어연상검사를 할 때 나타나는 억압에 주목함으로써 자유연상에 대해 프로이트의 억압개념을 바탕으로 설명하였다. 자유연상의 법칙은 간단하다. 환자는 자신의 반응이 얼마나 어리석은 답인지, 얼마나 상관없는 답인지 상관없이 자신의 머릿속에 떠오르는 첫 번째 것을 말하면 된다. 어떠한 검열도 허용되지 않으며 생각과 감정을 즉각적으로 보고한다. 무의식적 소망, 환상, 갈등을 해방시키고 탐색해 들어가는 기본적인 분석도구다. 자유연상을 통해 상담자는 내담자의 무의식에 억압되어 있는 내용을 규명해 내고, 그 자료를 해석해 줌으로써 내담자 스스로 미처 의식하지 못했던 근원적 역동을 더 잘 통찰할 수 있도록 도와준다. 즉, 자유연상에서 환자는 훈련된 선택이나 검열 없이 마음에 떠오르는 것은 무엇이든 말한다. 환자는 때때로 자유연상검사를 할 때 평소보다 더 오랫동안 멈추거나 눈을 깜빡거리거나 침을 삼키는데, 이는 환자가 자신의 반응이 마음으로 갔다는 것을 감지했다는 표시다. 예를 들어, 만약 치료자가 환자에게 '엄마.' 그리고 '마녀.'라고 말을 한다면, 환자는 즉각적으로 반응하지 못할 수도 있다. 전문적 훈련을 받은 치료자는 환자가 첫 연상을 잘 보고할 수 있도록 격려해 준다. 환자가 독특한 연상이나 연상에서 어려움을 겪는 경우에는 환자가 가지고 있는 심리적 문제에 대해 치료자와 이야기를 나눌 수 있는데, 후에 자극 단어에 대해 각각 걸리는 시간은 정신적 손상과 관련이 있다는 것이 밝혀졌다. 자유연상은 하나의 생각을 다른 생각으로 이끌 수 있다. 이는 꿈작업에도 사용되며, 감정은 꿈의 특성과 직접적으로 연결되지는 않는다. 자유연상을 통해 꿈에 대해 기억하고, 가정하고, 통찰함으로써 자신이 인식하지 못했던 꿈의 메시지를 발견할 수 있다.

관련어 | 확충법

자유와 책임
[自由 – 責任, freedom and responsibility]

죽음, 존재론적 고독, 무의미성과 더불어 실존주의 심리치료의 핵심이 되는 네 가지 요소 중 하나. 실존주의 상담

자유란 인간이 자신의 세계, 자신의 인생설계, 자신의 선택과 행동에 책임이 있다는 사실을 의미한다. 실존주의적 관점에서 보면, 인간은 여럿 중에서 어떤 것을 선택할 수 있는 자유를 가진 존재이며, 개인 스스로의 결단으로 자신의 운명을 결정하고 자신의 존재를 개척하며 자신의 인생행로에 대해 책임을 져야 하는 존재다. 따라서 실존주의적 상담은 자유, 자기결정, 의지, 결단을 인간 존재의 중심에 두고 있다. 실존적 의미에서 자유라는 것은 긍정적인 개념으로 보는 일상의 경험과는 반대로 인간이 응집력 있는 거대한 설계를 지닌 구조화된 우주에 들어가지 못하고, 결국 그곳에서 나오지도 못하는 것을 의미한다. 오히려 개인은 자신의 세계, 인생설계, 선택, 그리고 행동에 대하여 전적인 책임이 있다. 이러한 의미에서 자유는 예사롭지 않은 의미를 가지고 있다. 즉, 우리가 서 있는 아래에는 기초가 없다는 것이다. 무(nothing), 공허, 심연이 그것이다. 그래서 존재론적 역동에서 하나의 열쇠가 되는 것은 기초가 없는 것과 기초가 구조를 원하는 우리의 바람과의 충돌이다. 각 개인이 가지고 있는 자유와 책임에 대한 인식 없이는 실존주의적 상담과 심리치료의 기초를 발견할 수 없다. 상담자는 내담자

들이 그들의 삶의 대부분을 선택하는 자유를 피하고 살아왔다 하더라도 선택을 행사하기 시작할 수 있다는 것을 가르칠 필요가 있다.

관련어 | 무의미성, 존재론적 고독, 죽음

자유즉흥연주
[自由卽興演奏, free improvisation]

아무 규칙 없이 연주자의 경향이나 논리적 개연성 등을 넘어서서 연주되는 음악. 음악치료

자유즉흥연주는 기술적인 면과 음악의 장르적인 면을 아우르는 용어로, 음악치료에서 포괄적으로 쓰이는 접근법이다. 듣기, 연주, 기보, 작곡, 동작과 같은 음악의 기능을 활용하는 과정에서 자유즉흥연주는 음악치료의 효과를 극대화할 수 있다. 아무 주제도, 구조나 규칙도 없다. 내담자는 치료사의 유도에 따라서 자유롭게 연주를 시도한다. 하나의 장르로서 자유즉흥연주가 음악에 도입된 것은 1960년대 후반 미국과 유럽의 재즈 및 현대 고전음악에서부터다. 음악치료에서는 앨빈(J. Alvin)이 자유즉흥연주를 임상적 치료방안으로 개발하였다. 그녀는 자유롭게 행하는 즉흥연주가 음악치료에서 중심적 역할을 한다는 것을 발견하고, 특성에 따라서 임상적 접근, 놀이로서의 접근, 교육적 접근 등으로 구분하여 실행하였다. 자유즉흥연주는 정해진 규칙이나 제약 없이 연주하는 사람이 스스로 자기 연주의 빠르기나 방식 등을 정한다. 자신의 기분과 느낌, 동작 등을 멜로디나 화성, 리듬보다 더 우선시한다. 자유즉흥연주는 내담자가 자기를 마음껏 표현할 수 있다는 특성 때문에 음악치료의 장에서 실제로 매우 다양한 형태로 폭넓게 활용되고 있다. 자유즉흥연주로 실행되는 치료활동은 내담자 개인의 감정적인 경험을 즉각적으로 표현하도록 해 주고, 이러한 감정표현과정을 통하여 감각적인 세련화, 현실의 적응, 창조력, 질서와 협동심을 체험하며, 자기표현과

정을 통하여 자신과 환경에 대한 관계를 체득한다. 또한 비언어적 교류를 음악행위에 수반하여 상호교류나 대인관계를 원활하게 하면서 사회통합의 유용한 행동학습으로 이어지게 한다. 이와 같은 자유즉흥연주를 실행할 때는 치료사가 유의해야 할 점이 몇 가지 있다. 첫째, 환기의 과정이다. 이는 내담자가 음악을 생산할 수 있도록 치료사가 환경을 계획하고, 치료를 준비하고, 즉흥연주과정으로 나아갈 수 있도록 인도하고 자극하는 과정이다. 이때 치료사는 음성, 악기, 신체표현과 같은 표현방법을 먼저 제시하여 내담자가 자신이 필요하고 표현 가능한 방법을 탐색할 수 있도록 지도해야 한다. 특정 소리의 내용을 제시하여 모음, 자음, 음계, 음질 등을 탐색해 볼 수 있도록 하며, 즉흥연주를 위한 음악적 주제로서 리듬, 선율, 화성 등을 제시하고, 음악적 표현을 돕기 위해서 음악 외적인 영상, 느낌, 환상, 줄거리 있는 이야기 등을 제시하여 음악적 반응을 일으킬 수 있도록 한다. 둘째, 사정의 과정이다. 즉흥연주가 진행되는 동안 치료사는 주의 깊게 관찰하여 내담자가 스스로 자신의 즉흥연주에 대해 어떻게 반응하는지, 즉흥연주에 필요한 내용을 이해하고 있는지 등을 파악하는 것이다. 이 과정은 치료사에게는 필수과정으로서, 사정과정에서 내담자와 상호작용을 하면서 교감을 하게 된다. 내담자의 연주에서 발생되는 소리의 질, 음악과 외적인 요소들과의 연관성, 리듬과 그에 관련된 내용, 선율과 화성 등의 표현이 어떤 느낌을 지니고 있는지 등을 살피면서 내담자를 탐색해야 한다. 셋째, 치료사의 반응과정이다. 내담자의 연주에 치료사는 적절한 반응을 해야 하는 것이다. 치료과정 전반에서 치료사는 음악활동 전개에 따른 내담자와의 대화, 음악적 표현 등으로 상황에 맞는 적절한 반응을 해야 한다. 이때 내담자와의 공감이나 수용 등이 나타날 수 있는데, 이런 경우 내담자에 대한 치료사의 태도는 수동적이어야 한다. 즉흥연주의 주체는 내담자이기 때문이다. 여기서 치료사는 즉흥연주의 구조화나 재조정과 같은 특정 반응에서 조력자의 역할을 할 뿐이다.

자유화
[自由畵, free drawing]

특별한 주제가 없이 내담자가 원하는 것을 스스로 선택하여 그리게 하는 미술치료기법. 미술치료

자유화는 미술치료장면에서 자주 사용되는 핵심적인 치료기법이다. 자유화의 목표는 내담자의 현재 생각, 욕구, 감정 등을 파악하고, 미술활동을 통하여 감정을 이완시키는 것이다. 준비물은 8절, 4절, 2절 등 다양한 크기의 용지, 2B 내지 4B 연필, 색연필, 마커, 크레파스, 물감, 붓 등의 그림도구이고, 실시방법은 다음과 같다. 먼저, 치료자는 내담자에게 "당신이 그리고 싶은 것을 마음대로 그릴 수 있으니, 마음에 드는 종이를 선택하세요."라고 말한다. 내담자가 종이를 선택하면 원하는 대로 그리도록 한다. 그리고 치료자는 내담자가 그림을 그리는 과정을 관찰한다. 다음으로 그림이 완성되면, 치료자는 내담자와 함께 그림을 보면서 그림과 관련된 질문 및 대화를 수행하여 문제상황이나 갈등 등을 의식화하도록 도와준다. 만약 그림 그리기를 부담스러워하거나 어려워하는 내담자라면 흰색의 용지보다 색지나 무늬가 있는 용지를 활용하거나, 종이 가장자리에 테두리를 그려 주는 것으로 시작하게 하는 것이 도움이 된다. 또한 그림이 완성된 뒤에 질문이나 대화과정에서도 그림에 관하여 이야기하는 것을 어려워하는 내담자에게는 너무 종용하지 않는 편이 좋다.

자율긴장이완법
[自律緊張弛緩法, autogenic training: AT]

자율훈련법(自律訓練法)이라고도 하며, 내담자의 자기암시를 사용해서 전신의 긴장을 풀고 최면상태로 나아가 심신의 상태를 조절할 수 있는 능력을 함양하여 정서 및 정신적 문제를 치료하는 방법. 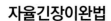 심상치료

자율훈련법은 독일의 정신의학자 슐츠(J. H. Schultz)가 개발하고 동명으로 1932년 책을 출판한 완전한 정신 및 신체 이완체험상태를 목표로 하는 이완훈련법이다. 슐츠는 19세기 말의 두뇌생리학자 포크트(Vogt)의 최면연구에 관심을 가지면서 최면의 트랜스 상태와 유사한 상태를 내담자 스스로 이끌어 낼 수 있다는 것을 알게 되었다. 이후 슐츠는 요가와 명상기법을 병행하여 자율신경계를 조절할 수 있는 표준화된 어구를 체계화시켰고, 그것으로 표준연습, 묵상연습, 특정 기관 공식, 의지훈련 공식, 자율성 제반응, 자율성 언어화 등의 여섯 가지 방법을 고안하였다. 자율훈련법은 매일 약 15분씩 연속 회기를 가지면서 실행하는데, 어느 때든 괜찮다. 그리고 체험자의 능력과 자세에 따라 다르지만, 평균 4~6주의 시간이 소요된다. 회기 중 치료사는 이완상태를 유도해 낼 수 있도록 일련의 행동을 지시하는 동시에 시각화된 일련의 말을 반복한다. 자율훈련법이 교감신경 상태에 강력하게 반작용을 하는 역제지 및 상호균형효과를 준다는 점에서 슐츠를 인지적, 자율적 신체반응의 조절훈련을 제시하는 바이오피드백의 원조라고도 부른다. 이 훈련에서는 불안감소, 상상력 증가, 정동상태 변화, 생동감, 주의집중 등의 효과를 기대할 수 있다(Schultz, 1932). 즉, 인간의 자율신경계통 중 부교감신경이 교감신경의 자극상태(예를 들어, 불안, 슬픔, 무력, 좌절, 억압 등)를 특히 효과적으로 조절해 준다. 자율훈련법의 주요 기능은 심상을 활용하는 방법, 각 단계의 구체적인 이완체험, 자율신경계통의 조절기능 등이다. 이는 이후 미국의 제이콥슨(Jacobson, 1938), 울페(Wolpe, 1958) 등의 이완법 탄생에 직접적인

영향을 주었고, 유럽에서는 상상기법을 제시한 독일의 하피치(Happich) 등에 영향을 주었다. 자율훈련법은 주로 스트레스 상황에서 발생하는 심신의 장애에 효과가 있고 그 외에도 열등감 극복, 자신감 회복, 불면증, 대인공포 등에서 효과를 볼 수 있다. 또한 근육 긴장 및 호흡기 질환, 위장 질환, 순환계, 내분비계 등에도 효과가 있다는 것이 밝혀졌다. 이는 자율훈련법이 교감신경 활동과 부교감신경 활동의 균형을 유지하여 소화 및 장운동을 원활하게 만들고, 혈압을 낮추고, 심박수를 안정시키고, 면역체계기능을 신장시키기 때문이다. 슐츠 이전에도 파리아(A. Faria), 쿠에(E. Coue) 등이 자율신경계 조절을 위해서 이와 유사한 방법을 사용하기도 했고, 점진적 이완법과 여러 가지 공통되는 부분도 많다. 자율훈련법의 궁극적 목표는 자신의 신체기능을 스스로 통제하고 조절할 수 있는 능력을 배워 스트레스 및 여러 심신문제에 대한 저항력을 키우는 것이다. 자율훈련의 실행방법은 다음과 같다. 우선 명상을 할 수 있는 자세를 취해서 편하게 앉거나 눕는다. 그러고는 눈을 감고 자기 신체 전반을 살피면서 느껴 보고, '나의 오른팔이 무겁다.'라는 문구를 떠올린다. 그다음 왼팔, 오른 다리, 왼 다리로 나아가면서 같은 말을 세 번씩 반복한다. 똑같은 순서로 따뜻하다는 말을 해 본다. 그리고 '나의 심장이 편안하고 규칙적으로 뛰고 있다.'는 말을 다시 세 번 반복하고, '나의 명치가 따뜻해진다.' '이마가 시원하다.' '목과 어깨가 무거워진다.' '나는 평온한 상태다.' 등의 문구를 세 번씩 반복한다. 지금까지 진행한 상황을 하나씩 거꾸로 지워 가면서 서서히 호흡을 깊게 하며 눈을 뜨고 다시 이전 상태로 돌아온다.

자율성
[自律性, autonomy]

자각(awareness)이란 유아가 있는 그대로 자각하고 수용하듯이 있는 그대로 보고 듣고 느끼고 맛보는 능력을 말한다. 어린이는 자신이 보는 세상을 어버이 자아상태(P)의 정의에 맞추기 위해 해석하거나 여과를 하지 않는다. 우리는 성장하면서 있는 그대로 자각하는 능력 대신, 사물에 이름을 붙이고 자신과 타인의 행동을 평가하는 데 에너지를 쏟도록 체계적인 훈련을 받는다. 자발성(spontaneity)이란 우리가 느끼고 생각하고 행동하는 데 취할 수 있는 모든 대안을 놓고 선택할 수 있는 능력을 말한다. 있는 그대로 자각하는 사람이 세상을 진정으로 경험하는 것처럼, 자발적인 사람도 자신의 어버이 자아상태 정의에 맞추기 위해 현실의 특정 부분을 무시하거나 재해석하지 않고 직접적으로 반응한다. 자발성이란 세 가지 자아상태 모두에서 자유롭게 반응할 수 있다는 것을 말한다. 어른 자아상태(A)를 사용하여 성장한 사람으로서 생각하고 느끼고 행동하며, 자신이 원할 때 어린이 자아상태(C)로 들어가 어린 시절에 가졌던 창의력, 직관, 감정 등을 발휘할 수 있고, 또한 어버이 자아상태로 들어가 부모나 권위적인 인물로부터 배운 사고, 감정 및 행동을 재연할 수 있다. 친밀(intimacy)이란 다른 사람들과 욕구와 감정을 개방적으로 나누는 것을 말한다. 진정한 감정을 표현하며 라켓티어링(racketeering)이나 게임의 가능성을 배제하고, 어른 자아상태의 안전한 환경과 어버이 자아상태의 보호하에 자유로운 어린이 자아상태(FC)를 활성화시킨다.

자율성 원칙
[自律性原則, self regulation principle]

자율성 원칙은 정신 안에서 항상 진행 중이다. 정신은 그저 반응하지 않고 그 이상의 작업에 대한 영향력에 고유의 특정한 답을 준다. 그것은 종종 과정의 시작이며, 개별화를 이끌어 내며 진행된다. 자율성의 원칙은 다음과 같다. 첫째, 적응의 어려움, 리비도의 짧은 연속이다. 둘째, 에너지의 후퇴(우울, 이용 가능한 에너지의 결핍)다. 셋째, 무의식적 요소들의 활성화(환상, 콤플렉스, 전형적 이미지들, 열등기능, 반대적 사고방식, 그림자, 아니마/아니무스 등), 보상이다. 넷째, 신경증의 증상(혼란, 공포, 불안, 죄책감, 기분, 극심한 정서 등)이다. 다섯째, 자아와 무의식에서 활성화된 요소들 간의 무의식 또는 반의식적 갈등, 내적 긴장, 방어적 반응이다. 여섯째, 자기와 동제의 전형적 부분을 포함하는 초월기능의 활성화다. 일곱째, 상징형성(신성, 동시발생)이다. 여덟째, 무의식적 요소들과 의식 사이의 에너지 이동, 자아의 확장, 에너지의 연속이다. 아홉째, 무의식적 요소들의 동화다.

관련어 | 개성화

자율신경계
[自律神經系, autonomous nervous system]

하위체계로는 교감신경계와 부교감신경계로 나뉘며, 심장박동, 호흡, 혈압, 땀, 피부온도, 동공, 호르몬 분비 등을 무의식적이고 반사적으로 조절하여 균형을 유지한다. 교감신경은 위험 상황이나 스

ス

트레스 상황에서 활성화되어 대비하도록 기능하며, 부교감신경은 심리적 안정에 관한 기능을 조절한다. 이렇듯 교감신경계와 부교감신경계는 하나가 활발해지면 다른 하나는 억눌리는 방식으로 활성화되어 체내 항상성을 유지하는데, 기관에 따라 서로 협력해서 작동하기도 한다.

교감신경계 [交感神經溪, sympathetic nervous system] 음식을 구하고 위험한 약탈자를 피하며 적에 대한 방어에 관여하는 자율신경계다. 척수의 흉추(胸椎)와 요추(腰椎) 부위에서 나와 내장기관에 연결되어 있다. 부교감신경계와의 길항 작용으로 체내 항상성을 유지하는 역할을 하며, 심장, 폐, 동공, 근육을 자극하여 중대한 일에 맞닥뜨렸을 때 신체가 좀 더 효율적으로 움직이는 데 도움을 준다. 스트레스 상태에서 교감신경계 활동이 활발해짐으로써 간과 근육의 글리코겐 분해가 증가하여 포도당 생성이 촉진되고, 당 생성작용을 위한 글리세롤과 산화를 위한 지방산이 공급되며 골격근의 피로가 감소한다. 또한 심장의 수축성과 심박률, 심박출량도 증가하며, 내장으로 흐르던 혈액을 골격근으로 흐르게 하여 긴장상태에 대비하기 위한 태세를 갖춘다.

부교감신경계 [副交感神經系, parasympathetic nervous system] 뇌와 척수의 천추 부위에서 나와 신체 내장에 분포되어 내부 장기의 기능을 조절하는 자율신경계다. 편안한 상태에서 활성화되며 심장박동수와 혈압이 낮아지고 소화기관에 혈액을 많이 흐르게 하여 에너지를 확보하는 방향으로 작동하도록 만든다.

자율치료법
[自律治療法, autogenic therapy]

팔과 다리의 감각을 집중시키고 무거운 느낌과 따뜻한 느낌을 갖도록 하여 신체적, 생리적 긴장을 이완시켜 높은 각성의 교감신경적 반응을 낮은 각성의 부교감 신경적 반응으로 유도하는 심리치료법. **명상치료**

1932년 독일의 정신과 의사 슐츠(J. H. Schultz)가 제안한 치료법이며, 자율훈련법(autogenic training)이라고도 한다. 자율훈련법은 신체적 감각에 주의를 집중하고 자기 지시를 실시하여 생리적, 심리적 건강을 촉진하는 자기통제방법의 하나라고 할 수 있다. 실시과정은 중감단계, 온감단계, 심장조정단계, 호흡조정단계, 복부단계, 머리냉감단계의 총 6단계로 구성되어 있다. 먼저, 전신의 힘을 빼고 복식호흡을 연습하여 몸을 편안하게 한 다음 '마음이 매우 편안하다.'는 자기 지시를 하여 몸과 마음을 편안하게 만드는 준비활동을 수행한 뒤 이 훈련법을 실시한다. 첫째, 중감단계는 팔과 다리의 무거움을 느끼도록 지시를 하거나 자기암시를 하는 것이다. 처음에는 오른팔, 왼팔, 양팔, 양팔과 양다리의 순으로 진행하고, 각각 30~60초 정도 실시한다. 예를 들면, '마음이 매우 편안하다.' '오른팔이 무겁다.'는 지시문을 반복하여 실시한다. 둘째, 온감단계는 팔과 다리의 따뜻함을 느끼도록 하는데 앞 단계에서 실시한 것을 함께 지시한다. 예를 들면, '팔다리가 무겁다.' '오른팔이 따뜻하다.' '마음이 매우 편안하다.'를 반복한다. 셋째, 심장조정단계는 심장소리를 느끼는 것이다. 예를 들면, '심장이 매우 조용히 규칙적으로 뛰고 있다.' '마음이 매우 편안하다.' '양 팔다리가 무겁고 따뜻하다.'의 순으로 실시한다. 넷째, 호흡조정단계는 '매우 편하게 호흡하고 있다.' '양 팔다리가 무겁고 따뜻하다.' 등의 지시문 순서로 실시한다. 다섯째, 복부단계는 '배가 따뜻하다.' '마음이 매우 편안하다.' 등의 순서로 이전 단계의 지시문을 차례대로 진행한다. 여섯째, 머리냉감단계는 '머리(앞이마)가 시원하다.' '마음이 매우 편안하다.' 등의 순서로 실시하며 시간은 30초~1분으로 시작하여 점차 늘려 가면서 실시해도 된다. 이 단계를 실시한 다음 내담자에 적합한 자기지시를 한다. 예를 들면, '몸과 마음이 완전히 편안해져서 혈압이 정상으로 작동한다.'는 자기지시를 한 뒤 훈련을 마무리한다. 이 훈련에 대해서는 경험적 연구가 많이 제시되어 있으며, 통증완화, 심박률 감소, 혈압강하, 당뇨병 개선, 면역기능 강화, 스트레스 완화, 불안완화에 효과적이라는 보고가 있다.

관련어 긴장이완훈련, 이완치료

자전적 공연
[自傳的公演, autobiographical performance]

연극치료에서 내담자가 대본상 인물의 매개 없이 자기 자신의 역할을 연기하는 것. 사이코드라마

자전적 공연에서 내담자는 무대 디자이너이고 연출자이며 배우가 되어 일인극을 만든다. 다시 말해, 자전적 공연에서는 내담자가 무대를 만들고 기술적인 표현매체들을 조율하는 등 공연의 전 과정을 책임지는 것이다. 자전적 공연의 시간은 15~20분 정도가 적당하고, 공연 공간은 객석과 동선을 융통성 있게 운용할 수 있는 실내가 좋다. 자전적 공연에서 치료사는 집단의 일원인 관객이 되어 불가피한 경우를 제외하고는 극에서 분리된 상태를 유지한다. 마무리 단계에서는 정서적 주제가 공연이라는 창조 과정에서 어떻게 표현되었는가의 문제를 중심으로 전체 작업을 정리한다. 이와 같이 자전적 공연은 자기 자신의 역할을 연기한다는 점에서는 사이코드라마와 공통점이 있지만, 연극치료의 핵심이 되는 투사기법의 양상을 통합하는 점에서는 사이코드라마와 다르다고 할 수 있다.

관련어 사이코드라마, 연극치료

자조모임
[自助 - , self-help organizations]

비슷한 질병과 심리사회적 문제를 공유하는 사람들의 모임으로서, 서로의 경험과 감정을 공유하고 그 해결을 지지해 주면서 보다 효과적으로 자신의 삶을 조절하기 위한 자발적인 모임. 중독상담

자조모임은 다른 사람의 힘을 빌리지 않고 문제를 가진 사람 스스로 자신을 돕는 것이 더욱 효과적이고 긍정적인 변화를 가져올 수 있다는 스마일스(Smiles, 1994)의 자조(self help) 개념을 기초로 하고 있다. 공통의 문제를 가지고 있는 사람들이 모여 해당 문제에 따른 스트레스를 스스로 해결하기 위해서 자신의 생활양식을 바꾸거나, 효율적으로 대처할 수 있도록 동기를 갖게 하는 지지체제를 형성한 집단이 자조모임이다. 자조모임의 참가자는 자신의 핵심적 문제에 대해 비난하거나 그 해결에 대한 책임능력을 다른 사람에게 부과하기보다는 자신에게 책임이 있음을 인식하고, 자신의 어려움을 해결하기 위해 행동을 취함으로써 스스로를 도우려 한다. 자조모임은 일반적으로 해당 분야의 전문가 없이 모임의 구성원으로만 운영되는데, 간혹 특정 분야에 대한 전문지식을 갖춘 사람이 모임에서 촉진자 역할을 하기도 한다. 또한 어떤 경제적인 이득을 목적으로 하지 않고, 자발적으로 참여한 사람들이 담소나 상호부조 등의 집단활동 혹은 독서, 혼자서 생각하기 등 개인활동을 통해 서로 지지하고 변화를 촉진하기 위한 활동을 한다. 모임은 온라인 혹은 오프라인으로 운영되며, 모임의 목적이 대외적인 문제에 맞추어지지 않고 집단 내 회원들에게 맞추어지는 것이 다른 시민단체모임과는 구별되는 점이다. 이러한 자조모임의 형태는 알코올중독자의 모임인 단주 모임, 암환자 모임 등 여러 가지 형태로 나타나며, 종종 자조단체나 비전문가적 민간모임 등의 혼합 형태로 발전하기도 한다. 대표적인 자조모임의 예로는 알코올중독자의 모임(AA), SMART, 알라틴, 알아넌 등을 들 수 있다. 자조모임과 지지

모임이라는 두 용어는 흔히 함께 사용된다. 자조모임과 지지모임은 자신이 안고 있는 문제를 서로 상담하거나 모색한다는 점, 자율성과 집단의 내적인 자원을 강조하는 경향에서 동일하다. 하지만 자조모임은 집단지도자 없이 진행되고 서로 상담자가 되어 주면서 궁극적으로 각자 스스로 돕는 사람이 되는 것이 목적인 반면, 지지모임은 흔히 전문적인 조력기관이나 전문가가 시작하는 것이기 때문에 전문적 집단지도자가 있는 자조모임의 한 형태라고 할 수 있다. 또한 자조모임과 치료모임도 비슷한 개념으로 혼용되기도 한다. 두 개념을 비교하면 두 집단 모두 지지를 장려하고 제휴의 가치를 강조하며 행동의 변화를 목표로 한다는 공통점이 있다. 그러나 두 집단은 몇 가지 차이점이 있다. 첫째, 집단의 목표에 관한 것이다. 자조모임은 중독, 암, 비만 등 단일한 주제를 집단의 중심 문제로 가지고 있는 반면 치료모임은 일반적인 정신건강이나 개인의 대인관계 기능을 개선하는 것과 같은 좀 더 포괄적인 목표를 가지고 있다. 또한 자조모임은 격려, 설득, 지지를 강조하는 반면 치료모임은 자기이해, 강화, 집단구성원의 피드백을 강조한다. 둘째, 집단에서 표현하는 문제의 속성에 관한 것이다. 정신건강과 관련된 심각한 문제는 자조모임에 부적합하다. 셋째, 지도력의 유형에 관한 것이다. 치료모임은 전문적인 지도자가 집단을 이끌지만 자조모임은 일반적으로 집단의 구성원들과 같은 문제로 분투하고 있는 개인들이 이끈다.

관련어 SMART목표설정, 알라틴, 알아넌, 알코올중독자들의 모임, 중독

자폐범주성장애
[自閉範疇性障礙, autism spectrum disorder]

경도에서 중도에 이르는 자폐의 특성을 보이는 장애.
특수아상담

자폐 스펙트럼 장애라 부르기도 하며 이는 심각한 부적응을 나타내는 대표적인 발달장애다. 근본적으로 사회적 상호작용 및 의사소통 기술의 결함과 제한적이고 반복적이며 상동적인 행동 특성과 성장에 따라 요구되는 행동, 기술, 선호, 기능수행, 학습 등에서 매우 다양한 특성을 보인다(Lord, Cook, Leventhal, & Amaral, 2000). 자폐성장애를 특징짓고자 하는 노력은 한 개인의 특징을 적절하게 기술하는 수준이 아니라 일반화할 수 있는 개념을 정립하기 위해 지속되어 왔다. 그 결과 자폐범주에 속하는 사람에게 나타나는 보편적인 특징은 의사소통, 사회적 상호작용, 관심과 활동 영역에서의 결함이었다. 의사소통에서의 일탈적 특성으로는 구어발달의 전무 및 지체, 몸짓과 같은 의사소통의 대체양식 사용의 결함, 사람을 '도구'로 사용, 반향어(즉각 또는 지연 반향어) 사용, 비문자적 언어 이해의 어려움, 비언어적인 의사소통의 결함이다. 사회적 상호작용에서의 일탈적 특성은 다른 사람의 존재를 의식하지 않고, 사회적 관습을 무시하는 것처럼 보인다. 또한 다른 사람의 음성에 반응을 보이지 않고, 공동 주의집중과 사회적 참조에서 결여를 나타낸다. 그리고 좋아하는 주제에 관한 단순한 사실에 대해서만 다른 사람과 공유하는 것을 선호하며, 호혜적인 관계를 맺지 못한다. 마지막으로 자폐성장애인이 보이는 한정된 흥미 및 활동의 특징은 지속적이고 독특한 흥미, 사물의 특정 부분이나 개별적인 사실에 대한 흥미, 선호하는 활동에 대한 몰두, 동일성에 대한 고집, 자기자극행동이나 상동행동과 같은 반복적인 신체 움직임, 그리고 감각자극에 대한 비정상적인 반응이 있다. 2008년부터 시행된 「장애

인 등에 대한 특수교육법」에서는 정서·행동장애 영역에서 분리하여 자폐성장애를 지닌 특수교육 대상자는 사회적 상호작용과 의사소통에 결함이 있고, 제한적이고 반복적인 관심과 활동을 보임으로써 교육적 성취 및 일상생활 적응에 도움이 필요한 사람이다. 일반적으로 다섯 가지 유형, 즉 자폐장애, 아스퍼거 장애, 레트 장애, 소아기 붕괴성장애, 불특정 전반적 발달장애로 나뉘는데, 이전에는 DSM-IV에서 사용된 광범위 발달장애 또는 전반적 발달장애(pervasive developmental disorders)로 불리다가 2000년대에는 학자들 사이에서 자폐 범주성 장애가 보편적으로 사용되고 있다(이승희, 2009). 이 중 자폐 장애, 아스퍼거 장애, 소아기 붕괴성 장애, 달리 세분되지 않는 광범위 발달장애는 증상의 심각도만 다를 뿐 연속선상에 존재하는 하나의 장애를 나타내는 것이라는 연구 결과들을 반영하여 DSM-5(2013)에서는 자폐 범주성장애로 통합되었으며, 레트장애는 진단학적으로는 신경장애로 구분하여야 한다는 주장으로 인해 DSM-5의 자폐 범주성장애 영역에서 삭제되었다.

관련어 자폐증

자폐적
[自閉的, autistic]
유아가 폐쇄체계로 존재하여 타자를 인식하지 못하는 것.
대상관계이론

말러(M. Mahler)의 대상관계이론에서 전반적인 일련의 성숙은 유아가 어머니에게 공생적 애착을 보이는 것에서 점진적으로 안정적인 자율적 정체성을 실현해 가는 과정이다. 이는 자폐단계, 공생단계, 분리개별화 단계라는 세 가지 주요한 발달단계로 구분된다. 첫 단계인 자폐단계는 출생과 더불어 시작되어 생후 3~4주까지 지속된다. 이 시기에 유아는 폐쇄체계로 존재하며 전형적으로 타자를 인식

하지 못한다. 아직도 자궁내부에 있듯이 현실과 차단된 폐쇄적 심리체계를 유지한다. 출생하기는 했지만 아직 어떤 대상과도 관계를 맺지 못하고 이 세상에 자기 자신뿐인 것처럼 경험한다. 유아가 생존을 위해 어머니의 젖가슴을 찾는 행동은 자신의 욕구를 책임지는 또 다른 인간의 외부에 존재한다는 것을 인식해서라기보다는 오히려 근본적인 반사에 의해 이루어지는 행동이다. 생애 초기 유아의 욕구는 주로 긴장감소에 집중되어 있고, 자기 이외의 다른 사람이 자신의 긴장감소를 책임지고 있다는 점을 거의 자각하지 못한다.

관련어 공생적, 분리개별화

자폐증
[自閉症, autism]
사회적 상호작용 및 소통의 손상, 반복적인 행동, 한정된 흥미, 예측 가능한 환경에 대한 강박적인 요구가 특징인 장애.
이상심리   특수아상담

자폐라는 용어는 1943년 캐너(L. Kanner)가 처음으로 기술한 아동의 특징과 가장 유사한 특징으로 설명하고 있다. 극도의 사회적 위축, 인지적 결함, 언어장애, 상동행동으로 특징되는 전반적 발달장애로, 30개월 이전에 발생한다. 구어와 비구어 의사소통 및 사회적 상호작용에 심각한 영향을 주어 교육적 성취에 부정적인 영향을 미치는 발달장애로, 자폐와 관련된 기타 특성은 반복적인 활동과 상동적인 움직임을 보이고 환경적 변화나 일과의 변화에 저항을 보인다는 점이다. 특정 사물에 과도하게 집착하고 비정상적인 움직임을 보인다. 반향어를 사용하여 다른 사람의 말의 일부를 끊임없이 반복하여 말하며 기초적인 사회적 상호작용이 부족하여 눈 맞춤, 기분이 상했을 때 타인의 위안을 구하는 것 등이 부족하다. 반면에 시공간적인 사고기능이 높다. 자폐인의 35~40% 정도는 구어가 나타나지 않

는다. 의사소통, 사회적 상호작용, 흥미 및 활동 범위에서의 일탈과 더불어 25~33%만이 평균 또는 평균 이상의 지적 능력을 보인다. 지능수준은 다양하지만 대부분은 지적장애 범위의 지능지수를 가지고 있다. 지적장애가 아닌 경우는 '고기능 자폐(high-functioning autism, HFA)'라고 한다. 연구에 의하면 35% 이하의 자폐 아동이 간질이나 뇌의 발작을 가지고 있고, 청소년기와 초기 성인기에 간질 장애로 발전될 가능성이 크다. 자폐증의 출현율은 1만 명당 2~5명이며 남자에게 더 많다. 자폐증이 스트레스가 유발하는 가족환경에 대한 정서적 반응이라는 정신역동적 이론이 과거에는 주목을 받았지만 현재에는 신경발달장애라는 입장이 우세하다. 정보처리, 사회인지, 정서인지, 마음이론, 부분 집중과 실행기능 등에 인지결함이 있는 것으로 나타난다. 현재까지 자폐 장애의 근본적인 치료법은 없고 정확한 조기진단과 문제에 대한 평가 및 관리 등이 필수적이다. 예후에 대해서는 많은 보고가 있지만, 완전하게 증상이 소멸되지 않고 어느 정도 사회적응을 유지하고 있는 것은 전체의 3분의 1정도다. 나머지 3분의 2는 자폐증상도 개선되지 않고 또 지적인 발달이 손상되었기 때문에 지적장애 상태가 되어 가정 혹은 시설 등에서 보호받고 있다. 그러나 이 같은 예후는 충분한 지도, 치료가 행해지지 않았던 시대의 숫자이며 조기에 지도, 치료를 행할 경우에는 바뀌어 갈 것으로 기대하고 있다. 좁은 의미에서도 의학치료에 의한 효과는 기대하기 어렵다. 많은 항정신약도 대증적으로 사용하는 데 불과하지만 다른 충동적 경향 혹은 불면 등의 증상을 보이는 경우에는 고려해야 한다. 뇌파에 이상소견이 발견되는 예에서는 항간질약의 사용도 때로는 추진된다. 예로부터 치료법으로서 소위 수용적인 놀이치료가 사용되어 왔지만 이 방법의 직접적인 효과는 역시 한계가 있다고 보는 것이 많다. 오히려 최근에는 될 수 있는 한 빨리 인지치료, 언어치료, 사회기술훈련, 운동기능의 발달을 도모하는 방법 등

이 시도되고 있고, 또래관계 형성을 위해서 일반 아동의 학습자극이 필요하며, 이러한 방법들이 효과적이라는 결과가 보고되고 있다. 이 같은 결과에 따라 최근 우리나라에서도 유치원, 탁아소 혹은 학교장면에서 일반 아동과의 교류를 통한 통합교육이 확산되고 있다. 그러나 이때에도 개개의 예에서 발달 정도에 적합한 개입이 이루어져야 하며, 일반 아동 집단에서의 교사의 지도방식 등은 여전히 연구과제로 남아 있다. 정서장애교육 중에는 자폐증은 매우 중요한 대상으로 되어 있는데 구체적인 지도, 교육방식을 포함해서 통급제인가 고정제인가 하는 문제도 검토해야 할 점으로 남겨 두고 있다. 여기서도 획일적인 지도교육이 아닌 개개의 증례에 따른 다양한 대응이 필요하다. 아동 자신의 치료 및 교육과 병행해서 부모의 지도가 매우 중요한데, 따라서 가정 내에서 아동장애를 올바르게 인식하고 아동에게 적합한 양육태도와 지도훈련을 조력하기 위해서는 부모를 적극 개입시켜야 한다. 또 아동의 상황에 따라서 일정 기간 시설 입소가 적절하다고 생각되는 경우가 있는데, 이때는 소아정신과 병원을 가장 먼저 들 수 있고 지적 발달에 따라서 지적장애아 시설을 이용하는 경우가 있다. 시설에서는 일일 생활지도와 병행해서 교육 혹은 심리치료도 행한다.

관련어 | 아스퍼거 장애, 자폐범주성장애

자해행동
[自害行動, self-injurious behavior]

반복적으로 자신의 신체에 손상을 입히거나 자신을 파괴하는 행동. 특수아상담

자해행동은 크게 두 유형으로 나누어진다. 첫째, 알코올 및 약물중독, 이식증, 자기유인적 발작상태로 특징지어진 간접 자기상해 유형이 있다. 둘째, 자신의 신체에 직접적인 상해를 입히는 경우로 벽

에 머리 부딪치기, 물어뜯기, 자르기, 할퀴기, 때리기 등으로 나타난다. 자해행동 형태는 한 가지 형태에서 갖가지 결합된 형태 등 다양하며, 자해행동의 미스터리 중 하나는 자해행동이 주는 상처와 고통에도 불구하고 계속해서 자신을 상해한다는 점이다. 흔히 어떤 증후의 고통도 없이 발생하며, 중도 이상의 지적장애인으로서 언어결함, 시각장애 등을 수반했을 때 자해행동이 심한 것으로 보고된 경우도 있다. 자해행동은 언제나 심각한 안전문제를 일으키고 상처부위의 감염이나 2차적 병을 야기하기 때문에 자해행동을 보이는 아동뿐만 아니라 가족이나 교사, 주위 사람들에게 불안감, 좌절감, 무력감을 갖게 하는 등 큰 문제로 부각되며, 따라서 치료 및 교정교육이 절실한 부분이다. 자해행동의 원인으로는 각성을 권장하는 뇌 체계가 어떤 장애인에게는 비정상적이어서 자살행동과 같은 자기자극행동을 초래한다고 보는 생리학적 이론, 자기상해가 자극 박탈이나 자극결핍에 대한 반응이라는 심리학적 이론, 주위 사람들의 반응에 따라 강화된 행동으로 보는 행동주의적 이론 등 세 가지로 설명되고 있다. 자해행동의 치료전략으로는 환경관리방법, 약물치료, 행동치료 등이 있다. 첫째는 환경관리방법인데, 자해행동을 억제할 수 없는 심한 정신적인 긴장상태나 흥분된 감정상태의 외부적 표현으로 보고 있다. 따라서 자기통제력이 부족한 자폐 아동은 자신이 극복하지 못한 좌절감이나 스트레스를 느낄 때 자신의 감정표현을 자해행동으로 나타낸다. 자해행동을 보이는 아동이 가정보다는 학교에서, 식사시간이나 여가시간보다는 학습시간에 더 많이 나타낸다는 점이 이를 잘 말해 주고 있다. 따라서 아동의 자제력과 아동에게 스트레스를 주는 일과 환경을 잘 관찰한 다음 스트레스를 경감시키는 환경을 조성해 주는 환경관리방법이 자해행동을 줄이는 데 도움이 될 수 있다. 아동의 주위에 풍부한 자극을 주기 위해 장남감도 많이 놓아 주고 놀이기구 등을 설치하여 다양한 놀이를 유도한다. 둘째는 약물치

료인데, 일반적으로 엔도르핀의 분비가 인체에 좋은 것으로 알려져 있지만 지나치게 많은 양의 분비는 오히려 행동장애를 유발하는 원인을 제공하는 것으로 보고되고 있다. 인체 내에서 엔도르핀의 주요 역할 중 하나가 마취작용을 하기 때문에 자폐 아동이 자해행동을 할 때 인체 내에서 분비된 많은 양의 엔도르핀이 오히려 고통을 느끼지 않게 도와주어 자폐 아동이 자해행동에 대한 감각을 더욱 잃게 만든다. 이에 날트렉손(naltrexone, 뇌 진정제 수용체를 억제하는 약)이라는 약물치료를 하면 큰 도움이 될 수 있다. 이 약을 복용하면 인체 내에서 엔도르핀의 주요 역할인 마취작용을 둔화시키고 고통을 촉진하여 자해행동과 같은 부적절한 행동을 자연스럽게 감소시킬 수 있다. 셋째는 행동치료인데, 자해행동을 후천적으로 배우고 익힌 행동으로 보고 자해행동을 강화하는 특정 상황이나 조건을 제거해야 한다고 행동주의 심리학자들은 보고 있다. 이들은 아동이 경미한 자해행동을 할 때 지나치게 관심을 기울이거나 신경을 곤두세우면 오히려 아동의 자해행동을 강화하는 결과를 낳는다고 하였다. 응벌적 자극요법의 행동수정방법은 어떤 아동에게는 효과가 있지만 또 다른 아동에게는 역효과를 낼 수 있으므로 아동의 특성에 맞게 신중하게 선택해야 한다. 과거에는 약한 전기충격방법이나 물 뿌리기 방법, 신체적 제지 등의 방법이 있었지만 인격적인 문제가 야기되어 요즈음은 아동이 불유쾌하게 생각하는 방법을 쓰기도 한다. 예를 들면, 신맛을 불유쾌하게 생각한다면 레몬주스의 신맛으로 자해행동을 줄이기도 하고, 신맛을 좋아하는 아동에게는 암모니아 냄새를 맡게 하는 방법 등이 있다.

관련어 상동행동

자화상
[自畵像, self-portray]

자신의 모습을 스스로 그려 자기탐색을 촉진하는 미술치료기법. 미술치료

자화상(self-portray)은 '자기(self)'와 '그리다(portray)'가 결합된 용어다. 여기서 'portray'는 끄집어내다, 발견하다, 밝히다라는 의미를 지닌 라틴어 'protrahere'에서 유래한 것이다. 따라서 자화상에는 '자기를 끄집어내다' '자기를 발견하다' '자기를 밝히다'라는 의미가 있다. 즉, 자화상이란 자신에 대한 지각의 실제를 은유적인 회화로 표현하는 것을 말하며, 자신에 대하여 자기 스스로 그린 그림이기 때문에 자기통제적이고 부인할 수 없는 강력한 잠재력을 나타낸다. 심리치료에서 자화상 그리기의 목적은 우리에게 외적인 실재로서, 즉 독립된 한 사람으로서 자신을 살펴보고 자기발견을 돕는 것이다. 이를 위해 내담자는 자화상을 통하여 자신의 내적 심상과 외적 자기 모습을 비교한다. 이 기법의 장점을 살펴보면 다음과 같다. 첫째, 자기 자신이 표현의 매개체이므로 표현 자체에 진정성을 기대할 수 있으며, 자신과의 교감을 승화시킨다. 둘째, 직접적인 정서적 직면을 허용해 준다. 셋째, 내담자는 자기 자신과 소통할 수 있다. 넷째, 자아존중, 자기지각, 그리고 자기확신 등을 가질 수 있도록 도와준다. 준비물은 다양한 크기의 용지, 연필이나 목탄, 크레파스나 크레용, 물감, 붓, 물통 등이고, 실시방법은 다음과 같다. 먼저, 지시는 다음 네 가지 가운데 치료자가 선택하여 사용할 수 있다. "당신이 생각하는 당신의 모습을 그려 보세요."라는 지시문은 내담자가 지각하고 있는 자신의 모습을 탐색하도록 해 준다. "문제를 해결했을 때의 당신 자신에 대해 그려 보세요."라는 지시문은 내담자에게 문제해결에 대한 이미지를 떠올리고 그것을 그려 보게 하여 실제 그러한 가능성을 가질 수 있도록 해 준다. "부모님이 받아들일 수 없는 당신의 모습을 그려 보세요."라는 지시문은 내담자가 지각하고 있는 부모님의 기대를 살펴보도록 해 준다. "당신의 모습 중 가장 좋아하거나 싫어하는 부분을 그려 보세요."라는 지시문은 내담자에게 자신이 지각하고 있는 자신의 단점 및 장점을 보다 잘 파악하도록 해 준다. 다음으로, 내담자가 작업에 필요한 용지와 매체를 선택한 뒤에 지시문에 따라 그림을 그리도록 한다. 그림을 완성하면 그 그림을 보면서 내담자가 생각한 자기 모습과 그림에서 느껴지는 자기 모습 사이에 차이가 있는지, 있다면 어떤 점인지 등을 이야기해 본다.

작동기억
[作動記憶, working memory]

개인이 정보를 처리하는 동안 정보를 유지하는 정보 저장고. 특수아상담

작동기억은 제한된 정보를 짧은 시간에 파지하는 임시 저장고를 말하며, 다른 인지적인 과제를 수행하면서 동시에 정보를 기억하는 능력으로 내용은 감각기억에서 전이된 정보와 장기기억에서 인출된 정보로 구성된다. 작동기억의 가장 두드러지는 특징은 정보저장과 관련된 한계를 들 수 있다(Bruner, 1993; Sweller et al., 1998). 즉, 기억범위가 상당히 제한되어 있다는 것이다. 기억범위(memory span)란 의식 속에서 동시에 활성화시킬 수 있는 항목의 수를 말한다. 작동기억은 한 번에 약 7개 정도의 정보만 유지할 수 있고, 특히 새로운 정보가 들어오면 비교적 짧은 시간(성인의 경우 10~20초 정도)만 그것을 유지할 수 있다. 정보의 선택, 조직, 다른 정보의 처리 등의 사고활동이 작동기억공간을 차지하기 때문에 우리는 종종 7보다 작은 개수의 정보만 유지하기도 한다. 사실 "단순히 정보를 유지하기만 하는 것이 아니라 아주 적극적으로 그 의미를 처리하려고 한다면, 아마도 우리는 단지 두세 개 정도의 정보

만 동시에 처리할 수 있을 것이다."(Sweller et al., 1998) 정보처리 모델에 따르면 감각기억은 감각을 통해 정보를 받아들이고 이 정보를 단기기억으로 전달한다. 그러나 단기기억은 용량이 제한되어 있어서 정보를 장기기억으로 보내기 위해서는 전략을 사용하여 능동적으로 정보를 처리해야 한다. 작동기억에서는 의식적인 사고가 일어나므로 의식(consciousness)이라고 부른다. 감각기억과 장기기억에 파지된 정보는 특별한 인지활동이 이루어지지 않으면 인식할 수 없지만, 단기기억에 파지된 정보는 인식할 수 있다. 장기기억이 정보를 저장하는 창고라면, 단기기억은 정보를 이해하고 의사결정을 하며 문제를 해결하고 지식을 창출하는 기능을 한다.

관련어 | 단기기억

작별편지
[作別便紙, goodbye letters, farewell letters]

인지분석치료에서 치료자가 내담자에게 치료의 종결 혹은 지속에 대하여 논의하기 위해 쓰는 편지. **문학치료(글쓰기치료)**

마지막 회기 바로 앞 회기에서 다음 회기에 치료를 종료한다는 것을 알려 주기 위해서 치료자가 전하는 편지가 작별편지지만, 내담자가 치료자에게 작별편지를 작성하는 경우도 많다. 이 편지에서는 재구성 시간에 밝힌 문제과정들을 어떻게 기억하고 느끼는지를 인식하고 다시 보면서 냉철한 평가를 해야 한다. 종결에 관련된 긍정적이고 부정적인 감정 모두를 인정하고 허용해야 하며, 여전히 남아 있는 중요한 문제들은 어떤 것이 있는지 보여 주어야 한다. 단기치료는 경험했던 것을 완전히 흡수하고 내담자가 계속해서 자신을 반성하면서 통합해 나가는 시간이 그리 많지 않다. 작별편지는 이미 논의된 것을 반복하는 것이지만, 이루어진 것과 그렇지 못

한 것을 쓰고, 종결에 관련된 감정에 대해 명명하고, 좀 더 작업해야 할 부분을 지적해 주면서 내담자가 부인이나 이상화 같은 것으로 종결을 처리할 가능성을 줄여 준다. 이처럼 작별편지는 치료성과 및 미해결 문제 탐색, 미래에 대한 비전 제시 등이 목적이다. 작별편지에는 먼저 치료를 시작하게 된 이유부터 치료과정, 치료성과, 그 성과의 의미 등을 기술해 주고, 치료자가 치료종결 후 바라는 바와 염려 등을 적는다. 경우에 따라 추후에 대한 약속을 기록하기도 하고, 치료에 대한 평가도 함께 적어서 내담자에게 전달한다. 작별편지는 치료종결에 따르는 내담자의 불안을 줄이고, 치료성과에 대한 인식 및 평가를 볼 수 있게 해 준다. 내담자가 치료자에게 쓰는 편지로는 자기성찰능력을 확인해 볼 수 있다.

작업동맹
[作業同盟, working alliance]

상담과정에서 상담자와 내담자가 내담자 문제의 해결이나 증상의 개선이라는 공통의 목적을 위해 현실적으로 협력하고 함께 작업하는 일. **개인상담**

작업동맹을 달리 치료동맹(therapeutic alliance)이라고도 한다. 상담과정에서 상담의 전반적인 활동을 작업이라고도 하는데, 내담자의 문제를 해결하기 위한 상담목표와 과제에 대한 상담자와 내담자 간의 계약을 말한다. 현대의 정신역동이론에 따르면, 작업동맹은 심리치료관계의 구성요소이자 상담자와 내담자의 효과적인 작업을 위한 결정적인 요소다. 효과적인 작업동맹은 상담자와 내담자가 작업의 목적과 그 목적을 달성하는 데 필요한 과제, 즉 상담 기법과 활동에 동의하는 것과 그들 사이의 정서적 유대로 이루어진다. 이 유대의 특징은 상호 존중, 다시 말해 상담자가 자신을 이해하고 자신의 가치를 인정한다는 내담자의 강한 느낌이다. 작업동맹은 상담의 성공적인 결과에 필수적인 것이다. 또한 작업동맹의 질은 상담의 최종 결과를 가장 잘 예

측하게 하는 만큼, 상담자가 사용하는 특정한 기법보다 더 중요하다고 할 수 있다. 효과적인 작업동맹을 맺기 위해서 상담자는 변화를 위한 개입을 하기 전에 내담자의 협력을 구해 치료에 대한 저항을 극복해야 한다. 이 과정에는 상담자가 내담자와 그 가족이 문제를 어떻게 파악하고 있는지를 조절하고, 내담자의 문화적 환경에 들어가기 위해 합류(joining) 기술을 사용하여 치료의 조건을 확립하는 것이 포함된다. 작업동맹은 상담자와 내담자가 동의한 목표를 달성하기 위해 양자가 특수한 관계에 들어가는 것을 의식하고, 일종의 작업계약이 공개적으로나 암묵적으로 이루어지는 것을 의미한다. 이 개념은 대부분의 상담방식에 적용되지만, 예외로 숨겨진 전략이 이용되기도 하고, 내담자에게 직접적으로 협력을 얻지 못하는 경우도 있다. 한편, 정신분석학의 경우 초기의 연구에서는 분명하게 작업동맹에 대한 언급은 없지만, 지그문트 프로이트(Sigmund Freud)는 내담자가 심한 장애로 고통받고 있더라도 상담자는 내담자의 건강한 부분과 현실적 관계를 가지고 양성 전이를 촉진하기 위하여 처음부터 친밀함과 신뢰를 발전시켜야 한다고 강조하였다. 이것이 정신분석가와 내담자의 분석계약 또는 작업동맹이라 할 수 있다. 안나 프로이트(Anna Freud)는 작업동맹을 확립할 필요성에 대하여 언급했고, 아동을 치료하거나 상담할 때는 그 중요성을 특히 강조하였다. 그린슨(R. Greenson)은 작업동맹을 형성하기 위하여 내담자에게 자기촉진기법을 사용하였고, 무엇보다 내담자가 정신분석가의 참된 인격을 접하는 것이 가장 중요하다고 역설하였다. 그리고 제첼(E. R. Zetzel), 프리드먼(S. Friedman), 아들러(A. Adler) 등은 작업동맹을 발전시키기 위해서는 감수성이 도움이 되지만 분석가의 필요 때문에 지나치게 강조되거나 강제적으로 이루어져서는 안 된다고 하였다. 이를 위해 내담자를 압박한다면 상담의 조기종결이나 내담자의 의존성을 증가시킬 수 있다. 즉, 상담에서 조기종결을 하거나 상담자에 대

한 내담자의 지나친 의존은 올바른 작업동맹을 형성하지 못한 것이라 할 수 있다. 이렇듯 작업동맹은 상담의 결과나 예후를 측정하는 중요한 지표가 된다.

작업동맹모델
[作業同盟 - , working alliance model]

심리역동적 수퍼비전 모델의 하나로 유대, 목표, 과제라는 세 가지 차원의 동맹적 관계로 이루어지는 수퍼비전의 작업적 동맹. 상담 수퍼비전

작업동맹모델은 보딘(Bordin, 1979)이 수퍼비전 모델로 확대시켰는데, 그가 말하는 작업동맹의 세 가지 차원은 다음과 같다. 첫째, 정신적 유대(bond)다. 이는 수퍼바이저와 수련생 사이의 정서적 유대감과 신뢰를 의미한다. 둘째, 목표에 의한 합의(goal agreement)다. 이는 수련생이 수퍼비전을 통해 얻고자 하는 것과 수퍼바이저가 수련생이 수퍼비전을 통해 얻어야 한다고 보는 목표에 대한 일치도를 말한다. 셋째, 과제에 대한 합의(task agreement)다. 이는 수퍼바이저와 수련생의 공동 목표를 달성하기 위해서 부여되는 과제에 대한 동의를 뜻한다. 작업동맹모델은 이렇게 세 가지 차원을 기본 바탕으로 수퍼바이저와 수련생이 서로 동맹적 관계에서 보다 효과적인 상담을 위해 노력을 기울여야 한다는 것이다.

관련어 | 심리역동적 수퍼비전

작업동맹평가질문지
[作業同盟評價質問紙, Working Alliance Inventory: WAI]

상담자와 내담자의 관계를 평가하기 위한 질문지법. 심리검사

상담자와 내담자의 관계를 평가하기 위해서 1981년에 호바스(A. O. Horvath)와 그린버그(L. S. Greenberg)가 개발하여 작업동맹의 자기보고식 척도로 매우 널리 사용되고 있다. 대상은 상담 중인 상담자와 내담자다. 상담자와 내담자의 작업동맹의 관점을 평가하는 것을 사정하는 것으로서, 목표(goal)와 과제(task) 및 유대(bond)의 세 차원과 36문항으로 구성되어 있다. 목표차원은 상담목표에 대한 상담자와 내담자의 상호 이해와 합의를 측정하는 것이고, 과제차원은 상담목표를 달성하기 위하여 필요한 과제에 대한 상담자와 내담자의 상호 이해와 합의를 측정하는 것이며, 유대차원은 상담자와 내담자가 동반자 관계를 유지하기 위한 정서적인 유대관계를 측정하는 것이다.

작업성 비대
[作業性肥大, occupational hypertrophy]
인간의 신체구조에서 사용을 하는 조직이나 기관이 발달하는 것. 특수아상담

인간의 신체구조는 사용하는 것은 발달하고, 사용하지 않는 것은 퇴화한다. 이것은 의학의 원칙으로 인간정신의 경우도 마찬가지다. 정신문제는 신체와 분리해서 논의하기 쉬우나 정신은 신체, 특히 뇌의 작용이기 때문에 이러한 원칙은 당연한 것으로 받아들이고 있다. 작업성 비대란 인간의 신체조직이나 기관이 실제로 커지거나 기능이 활발해지는 것으로서, 씨름선수가 매일 자신의 몸을 단련하기 때문에 씨름선수 특유의 근육이 생기고 지방이 붙는 경우를 말한다. 이와 반대되는 개념인 비작업성(폐용성) 위축이란 인간의 신체구조를 사용하지 않았기 때문에 조직이나 기관이 오므라들거나 기능이 저하되는 것을 말한다. 예를 들면, 어떤 원인으로 다리를 전혀 사용하지 못하게 되면 다리근육이 야위거나 기능을 상실해 버린다. 다시 말하면, 인간의 신체 조직이나 기관이 실제로 커지거나 그 모양은 변하지 않아도 기능이 활발하게 되는 것을 작업성 비대라고 하는 반면, 인간의 신체 조직이나 기관이 작게 되거나 그 모양은 변하지 않아도 기능이 약해지는 것을 비작업성 위축이라고 한다. 또한 인간의 정신도 이 원칙에 따른다고 볼 수 있는데, 이러한 내용이 치료교육의 기본이 되는 하나의 원리다. 이러한 원리 적용에는 보호와 훈련의 적당한 배분을 필요로 한다.

작업실 접근
[作業室接近, studio approach]
치료로서의 미술(art as therapy)을 극대화시키고 내담자의 자발성을 촉진하기 위해 조성한 물리적 환경. 미술치료

작업실 접근은 치료로서의 미술에 충실하고, 미술이 가진 고유한 창조과정을 중요시하여 미술작업을 충분히 수행할 수 있도록 치료적 환경을 물리적으로 구성하는 것을 말한다. 이는 내담자가 시간에 구애받지 않고 원하는 시간에 원하는 재료로 창작과정에 몰두하여 충분히 작업할 수 있도록 배려한 미술치료적 환경조성이다. 이 같은 치료적 환경에서 미술치료사는 내담자의 옆에서 그를 도와주는 치료전문가이자 미술전문가로 존재한다. 작업실 접근을 처음으로 적용한 곳은 미국의 오하이오 주 클리블랜드에 위치한 메트로병원(Metro Health Medical Center)에서 실시한 맥그로우(McGraw)의 미술 스튜디오(The Art Studio)였다.

관련어 | 아트 스튜디오, 치료로서의 미술

작업집단
[作業集團, working group]
본격적으로 집단구성원 간에 도움을 주고받음으로써 행동변화를 촉진하는 집단. 집단상담

작업집단에서는 참가자들 간에 자기노출, 피드

백, 맞닥트림을 생산적으로 취급할 정도의 신뢰관계를 형성하고 있다. 즉, 작업집단은 실제 상호 신뢰를 바탕으로 집단 밖에서는 말하기 어려운 사적인 문제까지 집단에 노출한다. 이 집단에서는 상담자와 참가자가 다른 참가자를 지시하거나 구속하려고 해서는 안 된다. 작업집단에서의 상담자는 참여자의 문제를 노출하고 탐색하고 수용하는 과정을 통하여 바람직하지 못한 행동패턴을 버리고 보다 생산적인 대안행동을 학습하도록 도움을 준다.

작업치료
[作業治療, occupational therapy]

신체의 기능 감소, 예방, 기능의 회복, 유지 및 사회적응기술 등을 높이기 위하여 다양하게 활용하는 방법. **특수아상담**

상지 사용 능력에 필요한 활동(예, 옷 입기, 음식 섭취, 개인적 위생 건강)을 집중적으로 다루며, 유아기에는 식사하기, 일상생활훈련 등을 지도하고, 아동기에는 컴퓨터 키보드 앞에서 타이핑하기, 요리하기, 물 붓기, 신발 끈 묶기, 옷의 단추 채우기 등이나 개조된 컵으로 물 마시기와 같은 다양한 동작의 일상생활의 모든 기능을 다른 사람의 도움 없이 독립적으로 수행할 수 있도록 치료하면서 도와준다. 치료목적에 따라 미술이나 공예뿐만 아니라 레크리에이션 등 창의적으로 여러 가지 작업활동을 선택하여 훈련할 수 있는 치료다. 이런 활동은 아동이 신체적 발달, 독립심, 직업적인 잠재능력, 자아개념을 가질 수 있도록 해 준다. 주로 취학 전에 집중적으로 작업치료를 받고, 입학 후에는 지체장애 특수학교의 경우 학교의 치료사에게 치료를 받으며, 일반 학교에 다니는 경우 개인적으로 필요에 따라 별도의 치료를 받기도 한다. 대부분의 지체장애 아동에게 필수적이고, 모든 발달장애를 대상으로 한다. 뇌성마비, 지적장애, 정서장애, 발달병리 아동이 대상이 되고, 이외에도 신체적인 손상과 질환을 가진 심장병, 암, 신체적인 결손 아동이나 정신 및 사회 부적응 아동, 노인성 질환(노인성 치매) 등 대상이 광범위하다. 작업치료는 기능적 작업치료, 전환적 작업치료, 직업 전 작업치료, 일상생활 동작 치료로 분류할 수 있다. 기능적 작업치료는 힘에 연관되는 인체의 운동학적인 신체균형 유지에 적용되는 역학적 방법이며, 관절의 운동범위와 근육의 힘과 지구력, 말초신경, 연조직 등 신체기능을 회복하는 치료다. 전환적 작업치료는 아동의 전신 동작을 새로운 방향으로 인도하는 지지적 작업치료다. 만성적 장애 아동은 치료기간이 장기화되면서 기능 장애를 동반하는데, 이때는 아동이 스스로 장애를 인식하고 우울, 근심 등 부정적 심리와 신체적 위기를 극복하도록 지원해 준다. 직업 전 작업치료에서 장애 아동의 직업준비는 작업치료목적에서 중요한 사항이 된다. 장차 직업을 가지는 것은 자기 능력에 대한 신뢰와 함께 인정받는 사회에서 생산적인 삶을 유지할 수 있다. 이를 위해서는 먼저 검사, 면접, 관찰에서 얻은 정보를 종합적으로 평가하여 아동이 스스로 적합한 직업을 준비할 수 있도록 기능과 기술을 높여 주어야 한다. 일상생활 동작치료는 아동이 가정이나 사회에서 생활하는 데 필요한 기능과 동작을 독립적으로 수행하는 훈련이다. 일상생활 동작에는 이동, 자기관리, 환경에서 시설물 이용, 기구관리, 의사전달 수단 습득, 가정관리 등을 할 수 있는 기능과 기술이 포함된다. 이 같은 치료는 특히 조기에 받을수록 효과가 높게 나타난다. 작업치료사는 집에서나 학교에서의 활동과 적응 도구의 효과적인 사용을 부모님과 선생님에게 권고하기 위하여 전문적 사정을 수행하기도 한다. 또한 많은 작업치료의 프로그램을 완수한 다음 독립적인 삶과 일을 하고자 기회를 얻으려는 학생들을 도와줄 수 있는 직업적 재활전문가와 함께 훈련을 받을 수 있다.

관련어 물리치료

작은 교수
[- 敎授, little professor]

'어린 교수(LP)'라고도 하며 교류분석에서 어린이가 환경을 탐색하는 직관적이고 즉각적인 인상으로 획득한 내용으로 어린이 자아상태(C) 속에 어른 자아상태, 즉 A(A₁)로 저장된 부분. **교류분석**

어린이 자아상태 안의 어른 자아상태인 A_1은 아이들이 문제해결을 위해 사용하는 전체 전략에 대해 붙인 명칭이다. 아이들이 자라면서 이러한 전략은 변화하고 발달한다. 아이들은 주변세계를 탐색하는 데 관심이 많지만, 그 방법은 어른들이 하는 논리적 방법과는 다르다. 아이들은 주로 직관이나 즉각적인 인상에 의존해서 외부세계를 탐색하고 받아들인다. 이렇게 저장된 능력으로 A_1, 즉 '작은 교수'가 발달된다. 예를 들면, 아이들은 어머니가 화를 내는 것이나 비난의 표정을 통하여 상황을 파악하는데, 말이 아닌 전체적인 메시지로 이를 포착하고 반응한다. 그런 뒤에 현 상태에서 가장 좋은 대책이라는 것을 평가하는 자신의 '작은 교수'를 사용하여 이 문제를 해결하려고 시도한다. 성인이 된 후 어른 자아상태로 들어가면 A_1에 저장되어 있는 직관이나 창조성이 재발견되곤 한다. 자신의 창조력을 잘 발휘하는 사람은 어른의 자아상태와 더불어 '작은 교수'를 의도적으로 사용한다. 예를 들면, 상사의 턱 근육이 긴장하는 것의 의미나, 친구의 눈이 반짝반짝 빛나는 것의 이유 등을 직감적으로 이해할 수 있다. 물론 '작은 교수'가 틀리는 경우도 있다. 상사는 이가 아플지도 모르며, 친구는 자기 자신의 공상(fantasy)을 즐기고 있을지도 모른다.

작은 보상
[- 報償, small rewards]

말하고 있는 상대방을 격려하기 위해 수행하는 간단한 관심의 표현. **생애기술치료**

인간관계를 긍정적으로 향상시키기 위한 인간관계 기술 중 하나로, 이야기를 하고 있는 상대방에게 긍정적인 반응을 보여 줌으로써 그 이야기에 관심이 있다는 것을 알리는 것이다. 예를 들어, "그거 재미있는데요. 계속해 보세요."처럼 말하는 상대방에게 듣는 사람이 흥미를 가지고 듣고 있다는 것을 알려 주어 더 많은 이야기를 하도록 지지해 줄 수 있다.

관련어 | 인간관계 기술

작은 탈출구
[- 脫出口, ordinary exits]

불행한 부부관계에서 벗어나기 위해 부부가 사용하는 수많은 시도. **이마고치료**

부부가 결혼생활에서 감당하기 힘든 긴장이나 갈등에서 벗어나기 위해 사용하는 다양한 시도에는 직장에서 더 많은 일을 하는 것, 자녀에게 집중하는 것, 스포츠나 종교활동에 몰두하는 것, 텔레비전이나 일상적인 일에 바쁜 것 등 여러 가지가 있다. 하지만 이러한 탈출구들은 부부관계에서 발생하는 다양한 문제를 해결하는 데 근본적인 방법이 될 수 없다. 따라서 여러 시간과 에너지를 요구하는 일이 정상적인 요구인지 아니면 관계의 탈출구로 이용되는 것인지를 분별하는 것은 부부관계의 진정한 회복을 위해서 중요한 일이다. 예를 들면, 어떤 사람이 직장에서 하루에 15시간 이상씩 일을 할 때 이 사람이 정말 직장에 일이 많아서 그런 것인지 혹은 집에 들어가기가 싫어서 그런 것인지를 제대로 분별해야 한다. 긴장과 갈등의 부부관계에서 무의식적으로 빈번하게 사용되는 이러한 탈출구를 인식하는 것은 부부관계의 회복을 위한 출발점이 된다.

다른 탈출구 [- 脫出口, other exits] 부부관계가 긴장과 갈등 상황에 있을 때 부정적인 방법을 이용하여 벗어나고자 하는 시도를 말한다. 극단적으로 반응하는 비극적 탈출구까지 가지는 않았지만, 배우자에게서 벗어나기 위한 부정적인 반응들을 다른 탈출구라고 한다. 다른 탈출구의 흔한 예로는 약물과 음주가 있다. 불행한 관계에 있는 부부는 자신들이 처한 불행을 잊기 위해 이 두 가지에 서서히 중독되는 경향이 있다. 이런 탈출구는 부부관계의 에너지를 새어 나오게 하고 에너지가 없으면 부부관계에 치유가 일어나지 않기 때문에 탈출구를 막는 것은 굉장히 중요하다. 이를 위해 음주에 중독되었다면 알코올중독자 모임에, 약물에 중독되었다면 약물치료 프로그램과 같은 상담가의 도움을 받아야 한다. 불륜도 이 같은 탈출구 가운데 하나다.

비극적 탈출구 [悲劇的脫出口, catastrophic exits] 부부가 갈등과 긴장의 관계에 있을 때 이에 대한 반응으로 극단적이고 파괴적인 방법을 선택하는 것을 말한다. 비극적 탈출구는 부부관계가 안전하지 않다고 느낄 때 부부가 관계의 탈출을 위해 선택하는 매우 극적이고 파괴적인 방법이다. 부부관계가 굉장히 부정적이고 폭력적일 때 취하는 가장 극도의 탈출방법은 살인이다. 이는 자신의 에너지를 배우자를 죽이는 데 사용함으로써 그 관계에서 탈출하고자 하는 것이다. 자살은 자신을 죽이는 데 에너지를 사용함으로써 관계에서 탈출하고자 하는 시도다. 부정적이고 공격적인 관계에서 선택되는 또 하나의 탈출구는 정신질환이다. 이마고 부부치료에서 중요한 개념인 에너지가 부부 사이에 존재하도록 하기 위해서는 반드시 부부가 함께 있어야 한다. 그러나 부정적인 에너지가 흐르는 부부인 경우 함께 있는 것이 관계에 더 위험을 줄 수도 있음을 알아야 한다. 따라서 부부치료사는 부부가 가진 부정적인 에너지를 치료과정 속으로 가져와 이마고 부부 대화과정에서 치료가 일어날 수 있는 안전한 환경을 조성해야 한다.

작화증
[作話症, confabulation]

자신의 공상을 실제의 일처럼 말하면서 자신은 그것이 허위라는 것을 인식하지 못하는 정신병적 증상. 인지치료

허담증(虛談症), 공화증(空話症) 등으로 불리기도 하며, 사실에 근거를 두지 않고 말을 하는 병적 상태를 뜻한다. 방어목적으로 무의식적으로 거짓 기억을 하는 것이다. 그 결과 기억나지 않는 부분에 대해서는 이야기나 세부적인 사항을 꾸며 내어 기억의 틈을 메운다. 없었던 일을 마치 있었던 것처럼 확신을 가지고 말하며, 일어났던 일을 위장하거나 왜곡한다. 또한 사실을 오해하고 왜곡하며, 자신의 공상을 덧붙이고, 사실에 근거가 없거나 적은 일을 마치 사실처럼 말한다. 뇌의 전두엽에 병변이 있거나 심한 알코올중독 혹은 티아민(비타민 B₁)의 결핍 등으로 나타나며, 신경학적 장애에 해당한다. 병변 때문에 신경세포에 들어 있던 정상적인 기억이 소멸되면서 왜곡된 상상이나 헛기억이 자리 잡는다. 망가진 기억을 메우기 위해 근거 없는 이야기를 지어낸다. 주요 증상으로는 기억과 눈의 동작을 담당하는 중뇌 구조에 장애가 발생한다. 일반적으로 작화증 환자는 질문을 받으면 생각 없이 그냥 대답해 버린다. 반응이 터무니없을 때가 많지만 환자는 자신의 대답이 이상하다는 것을 미처 인식하지 못한다. 이 증상은 기억의 결함이 있는 베르니케-코르사코프 증후군이나 알츠하이머 환자에게서 주로 나타나지만, 정상적인 사람들에게서도 나타난다. 인간은 일상의 사건에 대해 일관된 설명을 원하는 경향성이 있는데, 작화증은 서로 부합하는 믿음과 기억들을 자기중심적으로 연결해 주는 기능을 한다. 심지어 과거와 현재를 부합하기 위해 무의식적으로 이야기를 꾸며 내기도 한다. 예를 들면, 정신병원의 환자가 지난밤 자신의 부모가 방문한 일을 자세히 묘사하다가 이야기가 진행되어 가는 중에 어머니가 몇 년 전 사망했고 아버지는 20년 전 사망했다는

사실을 깨닫는 것이다. 또한 어떤 사건의 이야기를 들은 뒤 마치 자신이 그 이야기 속의 등장인물인 것처럼 그 당시를 회상하기도 한다.

잘못된 명명
[－命名, mislabeling]

과일반화의 극단적 형태로서, 자신의 오류나 불완전함을 근거로 하나의 부정적 정체성을 참조하여 그것이 진실한 자기인 것처럼 여기는 것. 아동청소년상담 인지치료

자신에 대한 부정적인 견해는 자기 잘못에서 근거한 자기명명으로 창조되고, 흔하지 않은 어떤 사건을 기초로 완전히 부정적인 상상으로 발전하여 결국에는 극단적으로 부정적인 자아상으로 발전하기도 한다. 인간은 자신이 설정한 기대치에 스스로의 행동을 맞추어 나가는 경향이 있기 때문에, 이러한 잘못된 명명은 개인의 행동을 그 명칭에 맞게 유도하는 결과를 초래할 수 있다. 반두라(Bandura)는 인간의 이 같은 경향성을 '자성예언(self-fulfilling prophecy)'이라고 불렀다. 자신을 '실패자'라고 규정하는 사람은 미래의 상황에서도 자신이 실패자로 행동할 것이라고 예측하며, 실제 상황에서 실패자처럼 행동하게 된다는 것이다. 예를 들어, 중간고사에서 시험을 망친 학생이 '이제 나는 쓸모없는 사람이야.'라고 생각하는 것, 자신에 대해서 '나는 실패자다.' '나는 머리가 나쁘다.'라고 이야기하거나 다른 사람이 자신의 실수에 대해서 지적할 때, '나는 누구에게나 지적당하는 쉬운 사람이다.'라고 생각하는 것 등이 있다.

관련어 | 감정적 추리, 과잉일반화

잠복기
[潛伏期, latency stage]

오이디푸스콤플렉스가 해소된 이후 사춘기 전까지의 시기로 성적 욕동이 상대적으로 활발하게 나타나지 않는 시기.
 정신분석학

프로이트(S. Freud)가 설명한 심리성적발달의 네 번째 단계로서 7~8세부터 12~13세까지의 시기에 해당한다. 이 시기에는 성격구조의 세 부분인 원초아, 자아, 초자아가 거의 형성되고, 리비도는 억압 혹은 승화되어 지적인 관심이나 운동, 우정 등의 형태로 나타난다. 아동은 학교생활을 처음 시작하여 동성의 또래친구와 활발한 상호작용을 통해 우정을 맺고, 미래의 삶을 영위하는 데 필요한 기초적인 학습기술을 습득하며, 다양한 인간관계 활동에 참여하여 사회화를 도모한다. 이전보다 좀 더 동성의 부모를 동일시하여 남성다움과 여성다움이 분명해지며, 교사나 운동코치와 같은 부모 이외의 다른 성인들에게로 오이디푸스 동일시를 확대하여 적절한 성역할을 배운다. 인지기능이 발달하면서 자아기능도 한층 더 성숙해진다. 실패나 패배의 두려움 없이 자율적인 기능을 할 수 있는 근면성을 얻는다. 이와 달리 욕동조절이 결핍되어 충분한 에너지를 얻을 만큼 승화를 해내지 못하면 학습과 기술 습득에 실패한다. 또한 지나치게 욕동을 조절하다 보면 성격 발달이 조기에 멈추고 강박적인 성향을 갖게 된다. 성적 본능이 일종의 휴식기에 접어들어 잠재상태에 있으므로 엄밀한 의미에서 심리성적발달단계에 포함되지 않기도 한다.

관련어 | 구강기, 남근기, 생식기, 심리성적발달, 항문기

잠입명령어
[潛入命令語, embedded command]

최면치료에서 사용하는 기법으로 치료자의 일반적인 대화문장에 포함되어 있는 명령어 성격의 표현. 최면치료

에릭슨 최면이나 NLP에서 많이 활용하는 간접적 암시화법의 일종으로, 진술문이나 질문의 중간에 명령적 성격의 표현을 넣음으로써 의식적 차원이 아닌 잠재의식차원에서 특정 행동을 유도한다. 지시나 명령이 문장 속에 우회적으로 포함되므로 의식적 저항을 줄이면서 실제적인 효과를 거둘 수 있다. 예를 들어, "나는 당신이 지금 자리에서 일어나 문 쪽으로 가서 문을 닫을 수 있을지 궁금합니다."라는 문장은, '지금 자리에서 일어나 문 쪽으로 가서 문을 닫으시오.'라는 지시가 내포되어 내담자가 이를 따르게 한다. 잠입명령어에는 수단과 결과적 행동이라는 두 가지 요소가 포함된다. 수단이 되는 표현을 통해 어떻게 할 것인지를 말하고, 결과적 행동의 표현을 통해 무엇을 할 것인지를 말한다. 따라서 기본 문장과 두 가지 요소가 내포되어 세 가지의 기본 가정이 들어가 있는 것이다. 이때 표현을 어떻게 하느냐가 중요한데, 핵심은 낮은 톤과 큰 소리다.

관련어 | NLP, 간접적 암시, 암시 화법, 에릭슨 최면, 최면

잠재몽
[潛在夢, latent dream]

드러나지 않은 꿈. 정신분석학

꿈은 무의식적인 소망, 욕구, 그리고 두려움 등이 표출된 것이다. 잠재된 생각과 소망은 자아의 무의식적인 방어와 초자아의 무의식적인 검열을 통해 응축되고 전위되고 꿈으로 상징화된다. 신경증적인 증상과 마찬가지로 꿈도 잠재적 소망과 무의식적인 방어 간 타협의 소산이다. 소망과 방어 간의 타협이 잘 안 되면 수면 중에 방어가 허술해진 틈을 타서 억압된 내용들이 꿈으로 표면화된다. 프로이트(S. Freud)는 꿈을 잠재몽과 현재몽으로 나누었다. 수면 중에는 잠재몽이 의식으로 떠올라 오는데, 이것이 현재몽이다. 즉, 현재몽은 꿈에서 본 내용 그 자체이고, 이때 현재몽 안에 숨겨진 내용을 잠재몽이라고 한다. 잠재몽은 무의식의 소원이면서 의식에서 수용되기 어려운 것이기 때문에 형태를 바꾸지 않으면 의식으로 올라올 수 없고 소원성취도 불가능하다. 잠재몽은 압축, 치환, 상징화, 퇴행 등의 방어기제를 통해 왜곡되고 변형된 것이다.

관련어 | 꿈, 잠재적 내용, 현재몽

잠재의식
[潛在意識, subconscious]

의식이 접근할 수 없는 정신영역. 정신분석학

18~19세기경부터 유럽에서 사용되기 시작한 용어로 '하의식(下意識)'이라고도 불린다. 때로는 '무의식' 혹은 '전의식'이라는 용어와 혼용되고 있지만, 이 용어가 등장한 초기에는 무의식이라는 용어와는 엄밀하게 구별되는 개념이었다. 예를 들어, 인간의 정신영역을 원심원(圓心圓)으로 나타내었을 때, 가장 중심에 있는 안쪽의 작은 원은 특정 순간 분명하게 인식되는 부분, 즉 주의의 영역이다. 그 바깥쪽에 있는 원은 어렴풋하게 인식되는 부분, 즉 흔히 일컫는 의식의 영역이며, 그보다 더 바깥쪽에 있는 원은 전혀 의식되지 않는 부분, 즉 무의식의 영역이라고 할 수 있다. 이때 어렴풋하게 인식되는 영역은 잠재의식에 해당한다. 이러한 측면에서는 잠재의식이 전의식과 동일한 개념으로 사용된다고 볼 수도 있다. 어떤 경험을 의식적으로 한 후 그 경험과 관련된 사람이나 사물, 사건과 같은 것이 일시적으로 기억되지 못하고 있지만, 추후 필요한 경우 다시 그

기억을 재생할 수 있는 상태를 뜻하는 전의식은 잠재의식의 개념과 유사하다. 프랑스의 자네(P. Janet)는 인간의 정신이 건강할 때에는 의식이 강하게 작용하기 때문에 잠재의식이 미처 활동하지 못하지만, 정신상태가 불안정해지면 의식과 분리된 잠재의식이 활성화된다고 주장하였다. 자아의 지배력이 약화되면 잠재의식이 생기는데, 이런 의미에서 잠재의식은 분리의식이라고 할 수 있다. 프로이트(S. Freud)는 『히스테리 연구』에서는 잠재의식이라는 용어를 사용하였다. 그러나 『꿈의 해석』에서는 잠재의식이라는 용어가 부정확하고 잘못된 표현이므로 사용하지 말아야 한다고 주장하면서, 인간의 정신세계를 무의식, 전의식, 의식의 차원으로 구분하였다.

잠재적 내용
[潛在的內容, latent content]

꿈에서 위장되고 숨겨져 있는 참된 의미를 지닌 것으로서 잠재몽의 내용. 정신분석학

꿈은 현시적 내용과 잠재적 내용이라고 하는 두 가지 수준의 내용을 담고 있는데, 이 중 잠재적 내용은 너무나 고통스럽고 위협적인 것들로서 무의식적인 동기를 담고 있기 때문에 숨겨져 있고 상징적으로 드러난다. 즉, 잠재적 내용의 핵심 요소인 무의식적인 성적 충동과 공격적 충동은 고통스럽고 위협적이어서 용납될 수 있는 현시적 내용으로 변형되어 현재몽으로 나타난다. 정신분석에서 꿈분석(dream analysis)은 꿈의 내용이 갖는 상징을 탐구하여 숨은 의미를 파악하는 작업이다. 따라서 꿈을 분석할 때에는 상징적으로 드러나 있는 동기와 갈등, 즉 잠재적 내용에 초점을 맞춘다.

관련어 | 잠재몽, 현시적 내용

잠재학습
[潛在學習, latent learning]

강화인이 제공되지 않은 상황에서도 일어나는 학습의 한 형태로, 강화인이 제공되기 전까지 학습된 행동을 사용하지 않고 잠재된 상태로 유지하는 것. 행동치료

학습된 것이 행동으로 표출되기 이전에 잠복되어 있는 상태다. 효과의 법칙에 의하면, 일반적으로 보상은 선행하는 자극과 반응 간의 연합을 각인한다. 연합에 의한 학습이 일어나기 위해서는 강화인이 제공되어야 한다. 그러나 일부 인지이론가들은 강화가 학습을 유발하는 것이 아니라 오히려 강화는 유기체가 학습해야 하는 많은 것들 중 하나에 불과하다고 주장한다. 인지이론에 따르면, 유기체는 주변환경과 상호작용할 때 환경의 특성에 주의를 집중하고 그것에 대한 정보를 저장한다. 인간의 두뇌는 마치 입력되는 다양한 정보에 기초하여 복잡한 일련의 조작을 수행하는 컴퓨터와 같기 때문에 강화인의 제시는 적절한 반응을 계산하는 데 사용되는 다양한 정보 가운데 하나일 뿐이다. 톨만과 혼지크(Tolman & Honzik, 1930)는 미로학습을 하는 세 집단의 쥐를 대상으로 한 실험을 토대로 잠재학습의 존재를 실증하였다. 세 집단의 쥐가 미로를 정확하게 지나갔을 때 제1집단에는 강화인을 전혀 제공하지 않았고, 제2집단에는 항상 강화인을 제공하였으며, 마지막 제3집단에는 실험을 시작한 지 11일째가 되어서야 비로소 강화인을 제공하였다. 이들은 실험에서 제3집단은 정규적인 강화를 받고 있던 제2집단만큼 미로를 잘 학습하고, 따라서 11일째에 보상이 주어졌을 때에는 제2집단만큼 수행을 잘 할 것이라고 예측하였다. 연구결과는, 첫째, 강화를 전혀 받지 않았던 집단에서도 수행상 약간의 향상이 나타났다. 둘째, 17일간의 실험기간동안 지속적인 강화를 받은 집단은 꾸준한 향상을 보여 주었다. 셋째, 이전에는 강화를 받지 않았던 집단에 11일째부터 강화인을 제공했을 때 집단의 수행이 크게 향상되었다. 실제로 제3집단은 제2집단보다 훨씬 더 수

행을 잘한 것으로 드러났다. 이들은 실험결과를 토대로 강화란 학습변인이 아니라 수행변인에 해당된다고 주장하게 되었다.

잡아주기치료
[－治療, holding therapy]

틴버겐(N. Tinbergen)과 틴버겐(E. A. Tinbergen)이 제안한 것으로 아동이 위로를 받아들일 때까지 아동을 꽉 잡아 주는 것. `특수아상담`

이들은 『자폐 아동: 치료에 대한 새로운 희망(Autistic children: New hope for a cure)』(1983)이라는 저서에서 자폐상태는 유전적 혹은 신경학적 요인 때문에 생기는 것이 아니라 불안으로 꽉 차 있는 정서적 불균형 때문에 생기는데, 이러한 정서적 불균형이 사회적으로 위축되게 하고 사회적 상호작용을 통한 학습을 불가능하게 한다고 주장하였다. 이러한 불균형은 어머니와 아기 사이의 유대가 결핍되어 유발되지만, 일단 이 유대가 한번 확립되거나 회복되면 그때부터는 정상적인 발달이 진행된다고 보았다. 이들은 이 유대를 회복시키는 데 가장 성공적인 치료가 잡아주기치료라고 제안한 것이다. 잡아주기는 웰치(M. Welch, 1988)가 미국에서 처음으로 장려한 것으로서, 그녀는 이것이 자폐증에서부터 결혼문제에 이르기까지 놀랄 만큼 다양한 종류의 문제에 효과가 있다고 주장하였다. 잡아주기는 독일, 이탈리아, 영국에서도 널리 대중화되었다. 잡아주기치료에서 핵심은, 아동이 위로가 필요하도록 괴로운 상태를 유발할 필요가 있다는 것이다. 대개 어른이 아동의 머리 위를 누르면서 머리를 꼭 잡고 눈 맞춤이 계속되도록 하거나, 때로는 어른이 무릎을 꿇고 아동을 잡아 주기도 한다. 회기는 대개 45분 정도 진행하는데, 많은 아동이 진행 중 대부분의 시간 동안 아주 심한 고통을 받는다.

장 독립성
[場獨立性, field independence]

주변 맥락적 상황, 즉 장(field)이 개인의 지각적 판단에 영향을 미치지 않는 것. `게슈탈트` `인지치료`

대상을 인지하는 방식 중의 하나다. 인지양식은 개인이 정보를 처리하고 문제를 해결할 때 사용하는 전략의 선호성을 의미하며, 개인이 과제를 수행하는 과정에서 전략의 사용과 밀접하게 연관되기 때문에 수행의 차이를 만드는 중요한 요소다. 이러한 인지양식은 장 독립적 방식과 장 의존적 방식으로 구분된다. 장 의존성은 대상을 바라볼 때 어떤 상황, 즉 환경에 크게 의존하여 인지하는 경우이며, 장 독립성은 사태를 지각하는 데 그 사태의 주변상황에 영향을 덜 받는 경우다. 장 의존적인 사람의 지각은 무관한 정보나 배경의 영향을 받는 반면, 장 독립적인 사람은 맥락이나 배경의 영향을 받지 않고 사물을 지각하거나 정보를 처리한다. 장 의존적 인지 양식을 가진 사람들은 사물을 지각할 때 장의 영향을 받고 전체적인 특징을 지각한다. 이들은 시각적 장에서 하나의 패턴을 전체적인 것으로 지각해서 상황 속에서 한 측면에 집중하거나, 세부적인 사항을 선택적으로 변별해 내거나, 혹은 문제를 해결할 때 자신이 사용하는 전략을 조절하는 것에 어려움을 느낀다. 하지만 장 독립적인 인지양식을 가진 사람들은 정보를 배경에 관계없이 독립적으로 분리하여 지각한다. 이들은 자신이 정보를 처리하는 과정에 대한 인식이 가능하며, 시각적 장에 대한 조직화가 가능하여 각각의 독립적인 부분을 하나의 패턴으로 통합하거나 그것의 구성요인을 분석해 낼 수 있다. 장 독립적인 개인은 내적인 관련성에 의존하는 데 반해 장 의존적인 개인은 외적인 관련성에 의존하는 경향이 있다. 위트킨(H. Witkin)은 부모의 양육방식이 자녀의 장 의존이나 장 독립과 같은 지각 특성에 영향을 미친다고 주장하였다. 자녀의 행동을 감독하고 정해진 규범에 따르도록 강하게 요구하는 지배적인 부모의 양육태도는 자녀의 장 의존적 성향에 영향을 미친다. 이와 달리 자녀의 독자성을 인정하고 허용하는 부모의 양육태도는 장 독립성에 영향을 미친다.

관련어 ┃ 장 의존성

장 의존성
[場依存性, field dependence]

주어진 상황에서 정보를 받아들이는 개인의 독특한 인지양식으로서, 주어진 요소를 구분하여 지각하기보다 전체적인 맥락이나 상황 속에서 주어진 요소를 함께 지각하고 파악하는 경향성. 게슈탈트 인지치료

위트킨(Witkin, 1977) 등은 한 개인이 사물을 지각할 때 그 사물의 주변 배경이나 상황, 즉 장의 영향을 받는 정도를 놓고 인지양식으로서 장 의존성과 장 독립성 개념을 제시하였다. 장 의존성은 장의 영향을 많이 받는 인지양식으로서 전체 유형에서 별개의 부분을 분리하지 않고 전체로서 하나의 유형을 지각하는 특성이다. 장 독립적인 사람과 대조하여 장 의존적인 사람의 특징으로는 전체적 구조를 받아들임, 외부 지향적, 사회적 정보에 주의 깊음, 사회적이고 사교적, 협력 지향적, 우정이 필요함, 인습과 전통에 의존적, 사실 지향적, 제시된 아이디어를 받아들임, 형태와 구조의 영향을 받음, 다른 사람에 의해 결정됨, 다른 사람에게 민감함, 스트레스에 영향을 받음 등이 흔히 제시된다. 이처럼 장 의존성 유형의 사람은 그 사물을 둘러싼 배경의 영향을 받으므로 심리적 분화가 잘 이루어지지 않아 대상을 전체적으로 파악하려는 경향을 가지고 있으며 정보를 얻는 데 관찰하는 사물의 배경에 의존하고 환경을 지각하는 양식이 비분석적이고 주관적이다. 대개 상황의 한 면에만 집중하거나 세부사항을 뽑아내는 일, 분석하는 일에 대해서는 어려움을 느끼고, 집단으로 일하거나 문학, 역사 과목 또는 사회

적 정보를 기억하는 데는 장 독립적인 사람보다 유리하다. 대체로 어린 아동은 성인보다 장 의존적이다가 나이가 들면서 점차 장 독립적으로 변해 가고, 그러다가 다시 노년으로 갈수록 장 의존성이 증가한다. 장 독립과 장 의존의 배열은 동등한 관계의 수평적 직선에서 양극 양상으로 나누어져 있고 각 개인은 두 극단 사이의 한 지점에 있으면서 상황에 따라 좌우 일정 범위에서 움직이는데, 어느 쪽으로 쏠려 있는가에 따라서 장 독립과 장 의존이 결정된다고 볼 수 있다. 장 독립-장 의존 인지양식의 측정 도구에는 복잡한 패턴 속에 포함된 단순한 그림을 찾아내는 숨은 그림검사(Hidden Figure Test)와 복잡한 기하학 도형에서 단순한 도형을 찾아내는 검사인 잠입 도형 검사(Embedded Figures Test) 등이 있다. 우리나라에서 최초로 도입한 검사는 위트킨과 그의 동료(1971)의 잠입 도형 검사(EFT)로 전윤식과 장혁표(1986)가 중·고·대학 및 성인용으로 개발하였다. 이 검사는 24개의 복합도형과 8개의 단순도형으로 구성되어 있는데, 24개의 복합도형은 12개씩 두 부분으로 나누어져 있다. 이 도형들은 원래 1926년 고트샬트(Gottschaldt)가 맥락요인과 과거체험이 지각에서 차지하는 상대적인 역할을 연구할 때 사용한 도형에서 선택된 것이다. 이 검사의 점수는 복합 도형 속에서 숨겨진 단순도형을 찾아내는 데 소요되는 평균시간으로 채점된다. 장 의존적인 사람은 복잡한 도형 속에서 간단한 도형을 못 찾거나 찾는 데 비교적 많은 시간이 필요하고, 장 독립적인 사람은 쉽고 빠르게 단순 도형을 찾아낸다. 집단에서 간편하게 실시하기 위해 제작된 집단용 잠입도형검사(Group Embedded Figures Test, GEFT)와 5~12세 대상의 어린이용 잠입 도형 검사(Children's Embedded Figures Test)도 있다.

관련어 ┃ 장 독립성

장기기억
[長期記憶, long term memory]

정보, 기능, 신념, 태도 등 우리가 평생 경험하고 학습한 모든 것이 저장되어 있는 영구적인 정보저장소. 특수아상담

인간의 과거경험과 지식은 장기간 보존할 수 있는 능력을 가지고 있는데 장기기억이라는 거대한 기억창고에 저장하는 것이다. 영구적인 기억저장고로 용량은 거의 무제한적이며, 장기기억에 저장된 구조화된 지식체계는 지식기반(knowledge base)이라고 부른다. 장기기억의 유형은 지식과 도식으로 개념화되고 있다. 충분히 인상적이지 않거나 주관적으로 큰 의미가 없는 내용들은 장기기억 체계에 머무르지 못한다. 망각이란 특정 내용을 불러오지 못하는 것을 뜻하는데, 이는 사고의 차단을 야기하는 스트레스 경험으로 설명할 수 있다. 낯선 감각은 부신(호르몬 분비가 주역할)과 몇 개의 뇌 영역을 자극한다. 스트레스 호르몬인 아드레날린과 노르아드레날린은 혈액순환계로 들어가서 시냅스의 활동을 방해한다. 따라서 다른 신경세포들과의 접촉이 차단된다. 또한 망각은 뇌세포가 충분히 분지(가지치기)되지 않아서 일어날 수 있다. 어떤 신경은 자주 이용되어 잘 발달한 반면, 또 어떤 신경은 등한시되어 기능을 제대로 발휘하지 못한다. 따라서 연상작용을 불러일으키기 위해서는 학습해야 할 내용을 단기기억을 통해 여러 번 반복하는 것이 중요하다. 장기기억 체계는 의미, 상관성, 관계, 가치 및 규범을 파악한다. 이 같은 특징은 장기기억의 중요한 전제 조건이다. 장기기억에 관한 설명 중 가장 폭넓게 받아들이고 있는 것은 장기기억이 사실, 정의, 절차, 규칙에 대한 지식인 선언적 지식(declarative knowledge)과 과제를 수행하는 방법에 대한 지식인 절차적 지식(procedural knowledge)으로 구별된다는 것이다. 규칙을 아는 것은 선언적 지식의 한 형태이고 실제 계산을 수행하는 것은 절차적 지식을 요구한다. 선언적 지식은 말하는 것을 통해서 직접적으로 확인할 수 있지만, 절차적 지식은 그 사람의 수행에서 추론해야 한다. 절차적 지식을 발달시키기 위해 학생들은 분수의 덧셈과 작문 등 기술을 연습해야 하고 수행에 대한 피드백을 받아야 하는데, 자신이 가지고 있는 기술에 대해 이야기하거나 설명하는 것만으로는 불충분하기 때문이다.

관련어 | 단기기억

장미 심상
[薔薇心像, the rose]

KB 심상척도 중 하나로, 내담자 리비도 형성과정, 심리성적발달단계, 오이디푸스콤플렉스 구조 및 형성과정 등을 파악할 수 있는 유도시각심상척도. 심상치료

장미 심상은 일곱 번째 KB 심상척도이며, 중급단계에서는 두 번째로 제시되는 심상척도다. 이는 내담자의 성적 충동 및 성적 욕망, 그와 관련된 심리 및 정신적 문제 원인 등을 드러낸다. 내담자의 성적 정체성 문제, 성적 경향성, 성과 관련된 혼란감 등을 해결하는 데 장미 심상 과정이 효과가 있었다. 또한 장미 심상은 내담자의 내적 열정이나 정신에너지 구조 및 체계도 나타낸다. 장미 심상을 체험할 때 여성 내담자에게는 장미꽃 심상을 먼저 떠올리게 하고, 아무도 없는 한적한 장소에서 장미꽃을 들고 자신을 차에 태워 줄 누군가를 기다리는 자신을 그려 보도록 하면 성적 느낌이나 행동패턴을 파악할 수 있다. 남성 내담자에게는 덩굴장미 심상을 떠올리도록 유도하여 그 형태나 모양을 상세하게 묘사하도록 해서 그의 여성 기호를 파악하기도 한다. 간혹 예상하지 못한 방향으로 심상의 상황이 전개될 수도 있다. 예를 들어, 여성의 경우는 자신을 태워 줄 차가 오지 않거나 꼬마가 차를 몰고 오는 심상이 나타나기도 한다.

관련어 | KB 심상치료

장시간 단기치료
[長時間短期治療, long brief therapy]

회기 사이의 공백기간이 짧게는 한 달, 길게는 일 년이 되지만 한 회기는 상대적으로 매우 긴 시간 동안 진행하는 밀란 (Milan)의 독특한 치료방식. 전략적 가족치료

밀란이 이끄는 가족치료는 고도로 구조화되어 있는 독특한 형식을 취하고 있다. 먼저 치료를 받을 가족의 치료계획을 세울 때, 치료회기 횟수와 회기의 빈도수를 결정한다. 이때 회기 사이의 시간조정은 어느 정도 가능하지만 추가적인 회기는 허용하지 않는다. 회기와 회기 사이의 간격은 적게는 한 달, 많게는 일 년까지 두는데, 이는 내담자 가족에게 내린 처방이 가족의 체계 안에서 어느 정도 작용을 하고 반응이 일어나는 것을 기다리기 위해서다. 일반적으로 한 주제에 대한 치료기간을 대개 10회기로 잡고, 이 회기 동안에 하나의 주제를 해결한 뒤 다음 주제로 넘어가 다시 10회기의 치료를 실시하는 방식으로 진행한다. 이처럼 하나의 주제를 10회기 안에 치료한다는 측면에서는 단기치료가 되는 반면, 지속적으로 여러 주제를 선택하기 때문에 치료기간이 늘어난다는 점에서는 장기치료가 되는 긴 과정의 단기치료방법이다. 또한 하나의 치료회기당 소요되는 시간도 일반적인 가족치료 회기보다 상당히 길다는 특징이 있다. 주로 4명의 치료사가 한 팀이 되어 한 회기를 전회기, 회기, 휴식, 중재, 그리고 토론의 다섯 단계로 나누어 진행하는데, 우선 팀으로 일하는 치료사 중 한 명이 문제가족의 다양한 정보를 모으는 동안 나머지 치료사는 일방경 뒤에서 치료의 과정을 관찰한다. 그리고 회기 중간에 치료 팀이 함께 모여 정보를 바탕으로 가족의 문제를 진단·평가하며, 가설을 설정하여 개입의 방법을 정한다. 이후 다시 한 명의 치료사가 가족에게 돌아가 동의된 개입의 방법을 전달하는 순서로 진행된다. 마지막으로 내담자 가족이 돌아가고 난 뒤 회기 중에 있었던 일들과 가족들의 다양한 반응에 대해 분석하고, 이를 바탕으로 이후 상담회기에 대한 계획

을 세운다.

관련어 | 밀란 가족치료

장애아동미래준비협회
[障碍兒童未來準備協會, Community Preparing Future of Children with Disability]

www.jangmi.org 기관

인간은 존엄하고 평등한 존재라는 기본 이념을 중심으로 장애인과 가족, 장애 관련 전문가 그리고 장애문제에 관심을 가진 사람들이 중심이 되어 문제를 평가하고 해결의 실마리를 찾아 주는 모임으로서, 장애인의 차별적 환경(교육, 치료, 경제, 기회 등)을 개선하는 일과 장애인과 그 가정에 쉼과 회복을 주어 가정공동체를 건강하게 세워 갈 수 있도록 도움을 주기 위해 만들어진 학회다. 장애아동미래준비협회는 장애아동의 치료와 교육이라는 분야에 집중하여 장애를 가진 아동의 삶의 질 향상을 목적으로 1997년 설립되었다. 그리고 1999년에 용인시 장애인부모회 법인이 창립되었고, 2006년에는 중증 장애아동 주간보호센터인 '푸른 꿈 쉼터'가 개원했으며, 2008년에는 바우처 제공기관 선정 후 지금까지 이어져 오고 있다. 주요 활동으로는 장애인의 건강과 재활의 권리추구, 정책연구 및 실현, 건강한 가정 공동체 추구, 재활교육사업, 재가복지사업, 주간보호사업, 사회복지 프로그램, 장애 아동과 그들의 가족을 지원하기 위해 기부금 조성을 위한 '아름다운 녹색 가게' 운영, 지역사회 장애단체와의 연합을 통한 지역장애복지 개선운동 등이 있다. 후원항목으로는 기도후원, 일반후원, 결연후원, 물품후원, 재능기부 등이 있다.

장이론
[場理論, field theory]

인간의 행동을 개인의 현재 상황, 즉 장(場)과의 관계로 설명하려는 이론. 게슈탈트

장이론은 게슈탈트 치료의 근거가 되는 이론으로, 독일의 심리학자인 레빈(K. Lewin)이 창시하였다. 이 이론은 하나의 사건이 현재 어떤 장의 일부분이 될 때, 그러한 장의 전체를 기술하는 탐색방법으로 알아차림의 중요성을 강조한다. 그리고 모든 사건, 경험, 대상, 유기체 또는 체계들이 하나의 통합된 전체를 형성하고, 장의 부분들을 결정하는 힘의 총체를 강조한다. 장이론에서 모든 사건과 사물은 장의 조건들과 지각하는 사람의 관심사에 따라 구성된다. 사람의 태도·기대·감정·욕구 등은 그의 내면적 힘을 이루고, 이 내면적 힘은 외적 힘과 상호작용한다. 따라서 옳고 정확한 장이란 존재하지 않고, 개인의 심리적 장은 내면적 힘을 지닌 개인이 지각한 환경으로 이루어진다. 즉, 장은 하나의 전체이며, 그것의 부분들은 즉각적인 관계를 맺고 있어서 서로에게 반응하고, 장의 다른 곳에서 일어나는 일에 영향을 받는 관계적인 특성을 지니고 있다. 분리되고 고립되어 있는 입자들이라는 개념을 장이 대체하는 것이다. 장이론에서 개인은, 자신의 삶의 공간에서 하나의 장을 이루고 영향을 미치는 것은 영향을 받는 것과 시간·공간상 닿아 있다고 본다. 어떤 사람들은 현재의 장에 유연하게 적응하면서 조화와 연속성을 갖는 자기를 형성하는데, 자기장애를 가진 사람들은 흔히 그렇게 할 수 없다. 그들의 자기-구조는 이전의 구조들을 조화롭게 통합하지 못하며 응집감과 연속감, 안전감, 자존감을 유지하지 못한다. 특히 현재의 장이 스트레스가 많을 때 더욱 그렇다. 펄스(F. Perls)는 레빈에게서 주변의 장과 관련하여 심리적 관계를 보는 법을 배웠다. 레빈은 개인이 처한 환경적인 장의 맥락을 배제하고 그 사람을 이해하는 것은 불가능하다고 하였

다. 이러한 인간과 환경의 상호 관련성은 게슈탈트 심리치료의 중심 개념이다. 레빈은 과거나 미래보다는 '지금-여기'라는 심리적인 현재가 행동을 결정짓는다고 보았다. 게슈탈트 치료자는 지금-여기에서 작업하면서, 지금-여기가 어떻게 신체자세, 습관, 신념 등을 포함한 과거의 잔재를 포함하고 있는지 민감하게 반응한다. 이 이론은 게슈탈트 심리학의 발전과 연합하여 개인 행동의 전체성과 지각의 대상, 즉 환경의 구조를 이해하는 데 기여하였다.

관련어 | 게슈탈트 심리학, 지금-여기

재건심리학
[再建心理學, rebuilding psychology]

개리 콜린스(Gary Collins, 1981)가 설명한 신학과 심리학의 통합을 위한 접근방법. 목회상담

콜린스는 심리학의 공헌을 인정하지만, 이것은 반드시 성경 안에서 재조명되어야 한다고 주장하였다. 그는 '하나님은 살아 계시고 모든 진리의 근본이다.'라는 기본적 가치를 중심으로 하여, 과학도 그러한 근본이신 하나님의 역사가 자연을 통해 나타나는 것이므로 자연을 연구하는 과학은 하나님에 대한 인식 없이는 그들이 추구하는 완전한 중립을 이룰 수 없다고 보았다. 따라서 신학과 심리학은 이러한 기초적인 전제를 이해하는 새로운 시각에서 통합을 이루어야 한다고 말하였다. 또한 재건적인 통합을 위해서 전제되어야 하는 여섯 가지 가정을 제안하였다. 첫 번째 가정은 확장된 경험주의(expanded empiricism)다. 일차적으로 성경 안에서 모든 사실을 확인하되, 성경에서 설명하고 있지 않은 사항은 경험을 통해 발견한 지식인 과학을 참조할 수 있다는 것이다. 두 번째 가정은 결정론(determinism)과 자유의지(free will)다. 인간은 제한적 자유를 가지고 있으며 제한적으로 결정된 행동을 한다는 인간의 기본 전제를 수용하면서 통합이 이루어져야 한다는

것이다. 세 번째 가정은 성경적 절대주의(biblical absolutism)다. 성경이 인간의 생활과 삶에 대한 절대적인 기준이 된다는 것이다. 네 번째 가정은 수정된 환원주의(modified reductionism)다. 과학은 세밀한 분석에 집중하지만 인간은 분석하기보다는 전체로 인식하고 이해해야 한다는 것이다. 따라서 분석과 전체적 직관의 두 가지 방법을 모두 인정해야 한다고 말하였다. 다섯 번째 가정은 기독교 초자연주의(biblical supernaturalism)다. 기독교의 신학은 과학인 심리학이 설명하지 못하는 초자연적인 경험이나 영적인 것에 대한 지식을 제공할 수 있다는 것을 수용해야 한다는 것이다. 마지막 여섯 번째 가정은 성경적 인류학(biblical anthropology)이다. 인간은 선한 존재로 태어나는 도덕적인 존재라고 주장하는 인류학자들의 견해를 받아들이지 않고, 하나님의 형상을 따라 창조되었으며 인간의 죄 때문에 타락하고 예수 그리스도의 구원의 역사에 대한 믿음으로 새롭게 거듭났다는 성경적 인간관을 인정해야 한다는 것이다.

관련어 목회상담, 신학

재결정학파
[再決定學派, Redecision School]

교류분석

⇨ '교류분석의 학파' 참조.

재경험
[再經驗, re-experience]

과거의 부정적 경험이나 정서 또는 갈등 상태를 다시 떠올려 현재의 상담장면에서 경험하는 일. 개인상담

과거의 경험은 언어로 표현하거나 그 장면을 행동으로 표현하거나 음악, 미술 등의 매체를 사용하여 상징적으로 표현할 수 있다. 행동으로 표현하는 예를 들면, 어머니에 대한 분노를 지닌 학생에게 인형과 신문지를 주어 자신의 감정을 행동으로 표현해 보라고 하는 것이다. 이러한 과거의 재경험은 내담자에게 정화경험을 촉진하며 치료적 요소가 된다. 재경험이 치료적 힘을 갖기 위해서는 다음과 같은 점을 고려해야 한다. 첫째, 현재의 문제와 관련된 과거경험을 기억한다. 그러나 과거경험에 대하여 구체적으로 기억하고 있는 내담자는 회상하는 것이 쉬운 일이지만 부분적으로 기억하는 내담자에게는 어려운 일이 될 수 있다. 또한 회상에 방해가 되는 가장 큰 요인은 내담자의 저항이다. 내담자의 저항을 극복하기 위해서는 상담관계 형성이 중요하다. 둘째, 과거의 외상적 경험에 따른 감정을 표현하여 경험하는 것이 치료적 효과를 기대할 수 있다. 이를 위한 방법에는 과거의 부정적 경험에 대한 직접적 질문 사용, 경험과 관련된 핵심 감정의 공감, 성장동기의 해석, 빈 의자 기법, 역할놀이, 자유연상 등이 있다. 이때 회상을 하는 동안 내담자의 감정흐름을 방해하지 않아야 하며 이러한 경험에 대한 해석, 분석, 평가와 같은 인지적 활동은 감정흐름을 차단하기 때문에 조심스럽게 다루어야 한다.

관련어 공감, 빈 의자 기법, 역할놀이, 자유연상

재구성
[再構成, reconstruction]

여성주의 상담에서 여성인 내담자의 개인적이고 내적인 문제를 사회적이고 정치적인 것으로 그 구조를 확대하여 개인의 문제에 대한 외부의 사회, 문화, 정치적인 구조에서 받는 영향을 파악하기 위한 기법. 여성주의 상담

재구성은 '개인적인 것은 정치적인 것이다.'라는 여성주의 상담의 기본 원리를 적용한 개념으로, 이 개념이 상담과정에 적용될 때는 내담자의 개인적인 문제를 사회·정치적인 큰 구조 안에서 재구조화하는 작업이 행해진다. 예를 들어, 개인적인 감정, 행

동패턴으로 이해되는 여성의 우울증을 보다 큰 권력을 가지고 있는 사회적 권력에 대한 자연적 반응으로 재구성하는 것이다. 이러한 재구성은 내담자의 개인적인 문제를 보다 다양한 시각에서 파악할 수 있는 기회가 된다.

관련어 권력분석, 문화분석, 성역할분석, 여성주의 상담, 여성주의 역량강화상담, 재명명

재구성
[再構成, reframing]

정서중심부부치료에서 부부의 부정적인 상호작용의 고리를 추적하여 명확히 밝히고 상대 배우자의 맥락에서 새로운 의미를 부여할 수 있도록 돕는 기법. **정서중심부부치료**

부부의 갈등을 지속, 심화시키는 부정적 상호작용의 고리를 재구성하여 새로운 관계로의 출발을 유도하기 위해서는, 먼저 부부 각자가 경험하고 있는 주관적인 고통의 정서를 부부가 함께 관계적 상호작용 속에서 만들어 내는 상호작용의 고리로 인식할 수 있도록 추적과 반영을 통하여 명확히 드러낸다. 그러면 부부는 지금까지 자신의 주관적이고 부정적인 정서에 집중해 있다가 서로의 관계를 악화시키는 반복적인 고리를 재인식하게 되고, 문제를 외재화시키는 효과를 거둔다. 이처럼 부부의 문제에 대한 인식의 전환은 자신의 고통에만 집중하는 것이 아니라 부부 공동의 관계적 문제에 공동으로 대항하는 맥락을 형성하도록 만든다.

관련어 외재화 대화, 추적과 반영

재구성 편지
[再構成便紙, reformulation letters]

치료자가 내담자의 문제이해를 요약한 것으로, 재공식화 편지라고도 함. **문학치료(글쓰기치료)**

안토니 라일(Anthony Ryle)이 개발한 인지분석 치료에서는 16회기를 거치는데, 처음 4~6회기에서 치료자가 정보를 수집하고, 이후 내담자에 관한 재구성 편지를 쓴다. 이 편지는 내담자의 삶에 대한 이력과 현재 문제에 대한 이야기를 듣고, 치료자가 내담자에게 본격적인 치료 시작 전에 쓰는 것이다. 아동기 행동패턴과 성인연령에 미치는 강력한 영향들 간의 연관성을 이해하는 데 이 편지가 주어진다. 재구성 편지는 대개 내담자의 삶에 대한 서사적 설명으로 시작해서 반복되는 행동양식의 발달적 기원을 명확하게 하는 효과가 있다. 재구성 편지에는 내담자가 주로 사용하는 상호 간의 역할, 그러한 역할들이 어떤 증상을 유발하는지에 관한 일련의 과정 등이 여러 형태로 담긴다. 재구성 편지를 보면, 내담자가 치료에 오게 된 이유에 대해서 터놓고 말하고 지금까지의 삶의 이력을 요약하는 것이 핵심적인 부분이다. 그리고 현재 문제가 발생한 것에 중요한 부분을 차지하는 경험들을 강조하는 것이 목표다. 재구성 편지는 내담자가 부인하거나 인정하지 않으려는 사실들을 치료자의 관점을 통해서 확인하는 과정으로, 자신에 대한 탐색을 객관적으로 할 수 있도록 하고자 실시한다. 먼저 초기 경험에서 도출된 가치관, 가정, 과정 등 결론들에 대한 개략을 잡는데, 이는 이해 가능하도록 주어진 상황, 무력함, 미숙함과 같은 대부분의 경우에 제시될 수 있다. 그 다음에는 현재 문제 과정을 쓴다. 이 문제들은 어린 시절에 경험한 상호 간 역할양식의 지속이나 자기 영속적으로 된 제한적이고 병적이며 방어적인 선택들이다. 그런 면모들이 글에서 나타나면, 내담자 진술에서 상호 간 역할양식을 약간이라도 벗어난 부분에 대해서 미리 써 둔 것을 편지에 담는다. 그런 특성들이 예전에 어떻게 증명되었는지, 미래에는 어떤 영향을 미칠지, 치료자와의 관계는 어떻게 될지 등에 관해서도 쓴다. 치료의 목표는 그 같은 힘든 과정들에 대한 재인식과 제어력을 밝히는 것이다. 치료자가 상담과정에서 수집한 자료를 바탕으로 내담자의 삶에 대한 서사적 설명을 먼저 쓰고, 그

다음 현재 상황, 주된 문제점, 반복되는 악순환의 과정 등을 기술하는 것이다. 완전히 라포가 형성되고 내담자가 준비가 된 시점에서 재구성 편지를 치료자가 내담자에게 전달한다. 재구성 편지를 전달받았을 때 내담자의 반응은 매우 다양하지만, 스스로 자기 문제와 관련된 자신의 삶을 목도하고 그에 대한 변화의 동기가 부여되는 것은 똑같다. 재구성 편지에서 전하고자 하는 내용을 인지하고 나면 남은 치료기간에 치료자와 여러 면에서 개선의 여지를 쉽게 마련할 수 있다. 내담자가 파편화가 된 경우에는 그러한 면모들을 통합시키는 것이 목표가 된다. 재구성 편지는 내담자 삶의 이력과 문제 발생에 직접적인 영향을 미친 주요 원인을 밝혀, 치료자뿐만 아니라 내담자에게도 내담자와 문제에 대한 인식 및 이해도를 높여 앞으로 치료의 진행과정이 어떻게 될지 개괄하여 보여 준다. 과거 이력과 내담자의 예외적인 경험발견에 대한 명료화로 치료에 대한 계획과 목표를 밝혀 줌으로써 치료를 더욱 활성화하는 기법이다.

재구조화
[再構造化, reconstruction]

내담자의 삶에서 부정적인 영향력을 미치고 있는 구조화된 지배적 이야기를 해체시키고, 독특한 결과를 발견하여 그것을 기초로 내담자의 삶에 보다 만족을 주는 대안적 이야기를 새롭게 구성하는 작업 전체를 일컫는 말. 이야기치료

내담자의 삶에서 부정적인 영향력을 미치고 있는 지배적 이야기(dominant story)는 대부분 어느 특정한 방식으로 해석되고 의미가 부여되어 있다. 따라서 내담자가 삶의 새로운 사건을 경험할 때는, 이렇게 구조화된 해석과 의미에 영향을 받아 비슷한 방식을 유지하는 특성을 보인다. 재구조화는 내담자가 기존에 형성한 특정하게 구조화된 해석의 방식에 변화를 주어 과거와 현재, 그리고 미래의 경험에 대한 새로운 해석을 가능하게 해 주며, 드러난 다

양하고 새로운 해석 중에서 삶에 더 나은 만족감을 주는 새로운 의미와 해석을 찾을 수 있게 만든다. 재구조화 과정은 이야기치료과정에서 계속 반복되어 삶의 이야기들이 가지는 잠재적이고 무한한 가능성을 지속적으로 탐색하고, 내담자의 삶에 보다 긍정적인 영향력을 주는 해석과 의미 부여의 틀인 대안적 이야기(alternative story)를 구성할 수 있도록 해 준다.

관련어 | 대안적 이야기, 지배적 이야기, 해체

재동기화치료
[再動機化治療, remotivation therapy]

위기개입에서 현재와 미래에 대하여 관심이나 흥미가 없는 사람을 자극하고 활기를 불어넣기 위하여 데니스(Dennis, 1978)가 제안한 집단상담기법. 위기상담

내담자 자신은 다른 사람과 구별되는 고유하고 중요한 특성을 지니고 있으므로 타인에게 인정받고 있다는 사실을 알아차리도록 해주는 이 기법의 주요 활동은 회상(recall)과 현실 지향성(reality orientation)이다. 내담자가 과거와 현재의 구체적인 경험을 기억해 내어 정확하게 이야기하도록 하는 회상활동은 내담자에게 활력을 불어넣을 수 있다. 그리고 타인과의 관계를 통해 내담자 자신의 경험을 유지하도록 해 주는 현실 지향성은 내담자에게 현실개념을 강화시킬 수 있다. 이 과정을 통해 내담자는 자신이 특별한 사회적 기능을 수행하는 사람으로 지각하는 동기를 부여받는다.

재명명
[再命名, relabeling]

인간의 행동이나 감정, 느낌, 상태 등에 다른 명칭이나 평가를 부여함으로써 새로운 인식을 유도하는 기법. 가족치료 여성주의 상담

재명명은 내담자의 문제를 치료할 때 그 증상을 정의해 좀 더 개선·치료 가능한 것으로 만들기 위

해 주로 구조적 가족치료와 여성주의 상담에서 사용하는 기법이다. 주로 약점에서 강점으로, 부정적인 것에서 긍정적인 방향으로 이루어지는데, 이를 통해 내담자의 문제나 그에 따른 평가와 인식을 변화시키는 효과가 있다. 또한 이렇게 획득된 대상에 대한 새로운 평가와 인식에 따라 내담자의 문제를 변화시킬 가능성을 찾을 수 있다.

관련어 권력분석, 문화분석, 성역할분석, 여성주의 상담, 여성주의 역량강화상담, 재구성

재방향성
[再方向性, reorientation]

가족체계가 위계를 가지고 변화하는 마지막 단계로 새로운 가치관을 만들고 이를 중심으로 체계의 새로운 구조와 목표를 유지하려는 특성. 가족치료 일반

다양한 경로로 가족에게 유입된 정보 때문에 가족체계가 변형을 겪게 될 경우 체계는 새로운 구조와 목표를 설정해야 하며, 새로운 구조와 목표를 유지하기 위해 새로운 가치관을 수립해야 하는데 이를 재방향성이라고 한다. 가족의 체계가 그 체계에 알맞은 가치관을 가지고 있었기 때문에 계속 유지될 수 있었던 것처럼 새로운 체계 또한 유지되려면 이에 알맞은 가치관 수립이 필요하다. 예를 들어, 청소년 시기는 부모의 통제에서 점차 벗어나 한 사람의 독립된 성인으로 전이되는 과정이므로 부모는 새로운 시각과 가치관을 가지고 자신의 청소년 자녀에 대한 재방향성을 수립해야 한다. 또한 부모가 기존의 권위주의적인 자녀 양육방식에서 벗어나 민주주의적인 자녀 양육방식을 추구하기 위해서는 이에 맞는 가치관의 변화가 필요하다. 즉, 왜 자녀를 민주주의적으로 양육해야 하는가에 대한 깊은 이해가 전제될 때 민주주의적인 자녀양육이 가능한 것이다. 이를 위해 여러 가지 차원과 관점에서 더 많은 논의가 있어야 할 것이다.

관련어 변형성

재스민
[-, Jasmine]

항우울, 진정, 방부성, 항경련, 최음, 최유(催乳), 분만을 돕는 작용, 자궁기능강화에 효과가 있는 허브로서, 남인디아, 페르시아, 중국이 원산지이며 이집트, 지중해와 북아프리카 전역에서 광범위하게 재배. 향기치료

재스민은 300여 종의 딱딱한 사철 푸른 관목이나 덩굴식물을 통칭하는 속명칭인데, 10미터까지 자라며 흰색, 노란색의 별모양 꽃이 핀다. 재스민 오일의 치료적 가치는 섬세하고 편안한 느낌을 주는 향기의 효과에 있으며 신경불안, 초조감, 우울증에 가장 효과적인 에센셜 오일의 하나다. 알코올 추출법으로 생산하는 재스민 앱솔루트는 우울증이 무력감을 유발했을 때 추천하며, 감정을 고무시키는 역할을 한다. 그리고 유명한 최음제이자 성적 강장 오일로 알려져 있으며 발기불능이나 불감증에 처방하는데, 특히 심리적인 문제를 수반한 성적 문제에 좋은 효과를 발휘한다. 또한 재스민 오일은 출산 시 사용하기에 가장 유용한 오일 중 하나로, 출산 시 통증을 덜어 주고 수축을 강화하며 분만 후에는 태반 배출 및 출생 후 회복을 돕는다.

재저작
[再著作, re-authoring]

이야기치료에서 내담자의 삶에 구조화되어 강력한 영향력을 미치고 있는 이야기의 의미와 해석을 변화시켜 새로운 의미와 해석을 부여하는 작업. 이야기치료

인간은 누구나 살아가면서 자신의 삶에서 경험하는 여러 가지 사건에 대해 자기만의 독특하게 구조화된 방식으로 해석하고 의미를 부여하여 이야기하며, 이렇게 구조화된 이야기는 개인의 삶의 정체성

을 형성하는 데 강력한 영향을 미치는 지배적 이야기의 형태로 나타난다. 이러한 내담자의 구조화된 지배적 이야기를 해체하고 이전에는 주목하지 않았지만 지배적 이야기의 영향력을 감소시킬 수 있는 가능성을 가진 이야기(독특한 결과)로 재구성하여 이전과는 다른 의미와 해석을 부여하는 과정이 재저작이다. 재저작은 내담자가 자신의 삶을 이해하고 의미를 부여하는 기존의 구조화된 방식에서 벗어나 보다 다양한 의미와 해석의 가능성을 탐색하고, 보이지 않지만 암시적인(absent but implicit) 삶의 이야기들을 찾아 선호하는 이야기를 구성할 때 가능하다. 인간 삶의 이야기를 새롭게 구성하여 다시 이야기한다는 의미에서 '다시 쓰는 이야기'라고도 한다. 재저작을 통하여 재구조화된 새로운 이야기(대안적 이야기)는 개인의 삶의 정체성을 새롭게 구성하고, 현재 문제적 이야기의 영향력에서 벗어나 만족스러운 미래를 꿈꿀 수 있게 해 준다.

관련어 │ 대안적 이야기, 독특한 결과, 재저작 대화, 재저작 대화의 지도, 지배적 이야기

재저작 대화
[再著作對話, re-authoring conversation]

이야기치료에서 내담자의 구조화된 삶의 이야기를 재저작하기 위해 치료자와 내담자 사이에 적용하는 대화기법. 이야기치료

재저작 대화의 방법은 인간의 삶의 이야기가 한 가지 의미로만 일관되게 정의될 수 없다는 가정에서 출발한다. 아무리 고통스럽고 부정적이며 누구나 그렇다고 공감하는 이야기라 해도 그 속에는 항상 다른 각도에서의 해석이 가능하며, 이렇게 다양하게 해석할 수 있다는 것은 독특한 결과를 발견할 가능성이 있다. 이야기치료사는 재저작 대화를 통해서 내담자의 삶 속에 이미 존재하고 있는 이러한 독특한 결과들의 의미와 영향력에 대하여 좀 더 자

세하게 이해하고 서술하도록 내담자를 격려한다. 이때 치료자는 비계(scaffolding) 질문을 사용하여 내담자가 자신의 삶의 이야기를 이전과는 전혀 다른 새로운 방식으로 해석하고 의미를 부여하도록 도와주며, 새롭게 드러난 이야기를 좀 더 풍성하고 자세하게 서술할 수 있도록 해 주는 역할을 한다. 이 같은 과정의 재저작 대화를 통해 내담자는 이전부터 알고 있었고 익숙한 이야기를 하는 대신에 인식이 가능하고 새로운 희망을 줄 수 있는 이야기를 하게 된다. 또한 내담자 자신의 삶에 어떠한 일이 일어나고 있는지에 대해 보다 다양하게 이해하고, 삶의 주인공으로서 자신의 삶에 적극적인 관심을 가지고 문제적 이야기에 적극적으로 대처하면서 새로운 이야기를 재해석할 수 있다.

관련어 │ 독특한 결과, 비계질문, 입장 말하기 지도 1, 재저작, 재저작 대화의 지도

재저작 대화의 지도
[再著作 – 對話 – 地圖,
re-authoring conversations map]

이야기치료의 한 기법인 재저작 대화의 과정을 보여 주는 도식. 이야기치료

내담자는 상담현장에 찾아와서 주로 자신의 삶에서 부정적인 영향을 미치고 있는 여러 가지 문제적 이야기에 대해 말한다. 내담자의 부정적인 이야기는 치료과정을 거치는 동안 보다 풍성하고 자세하게 묘사하면서 문제적 이야기의 영향력을 덜 받는, 혹은 그 영향력 아래에 있지 않는 예외적인 사건들을 발견하게 된다. 이것이 바로 이야기치료에서 독특한 결과(unique outcomes)나 예외적 상황이라고 부르는 것이다. 이야기치료사는 이러한 독특한 결과들을 바탕으로 내담자 자신의 방법으로 구조화된 문제적 이야기를 대안적 이야기로 재구조화하도록 독특한 결과들을 탐색하고 재저작 대화를 시도하는

데, 이 과정을 도식화한 것이 바로 재저작 대화의 지도다. 이야기치료의 지도 중 하나인 재저작 대화의 지도는 '이중조망(dual landscape)'이라고 부르는 대화의 구조로 구성되어 있다. 이는 내담자가 자신의 삶의 이야기를 재저작하는 과정을 좀 더 효과적으로 이끌 수 있도록 여러 창의적인 경로를 고안하는 데 치료자가 도움을 주는 것이 목적이다. 이중조망은 행동의 조망(landscape of action)과 정체성의 조망(landscape of identity)으로 구성된다.

관련어 이야기치료의 지도, 이중조망, 재저작, 재저작 대화, 정체성의 조망, 행동의 조망

재접속
[再接續, rejunction]

맥락적 가족치료의 궁극적 목표로 부정적 유산을 가진 가족원들과 다시 관계를 형성하는 것. 맥락적 가족치료

부정 유산을 가진 가족구성원은 원래의 가족과 단절하는 방식으로 행동한다. 이들은 다른 사람과의 관계를 통하여 자신의 부당한 대우를 해결하고자 한다. 따라서 치료자는 가족구성원과 재접속하도록 함으로써 윤리의 맥락을 바로 잡으려고 한다. 재접속을 시도할 때 치료자는 다측면 공정성 모델을 염두에 두고 시도해야 한다. 즉, 여러 측면에서 윤리의 맥락을 이루도록 노력해야 하는 것이다. 만약 경제적 측면의 돌봄은 충분한데 정서적 측면이 부족하다면 치료자는 재접속을 통하여 정서적 측면의 관심과 돌봄을 경험하도록 해야 한다. 한 사람이 여러 측면의 재접속을 하는 일도 중요하지만 여러 사람이 골고루 윤리의 맥락을 갖도록 하는 일도 중요하다. 가족구성원이 여러 사람과 폭넓은 관계를 가지고 다양한 측면에서 윤리적 맥락을 형성하며 이를 통하여 가족과 지역사회에 속한 많은 사람들이 골고루 혜택을 볼 수 있도록 만드는 일이 치료에서 가장 중요하고도 근본적인 목표다. 재접속을 통

하여 관계를 개선하기 위해서는 가족들이 서로 주고받을 수 있는 기회를 만들어야 하는데, 다음과 같은 사항이 필요하다. 첫째, 원장의 주제를 공개적으로 타협할 수 있도록 격려해야 한다. 둘째, 파괴적 부여가 생기는 원인을 비롯해 유산과 충성심으로 생기는 어려움을 탐색하고 이해해야 한다. 셋째, 서로 같은 인식을 통하여 부모화 현상에서 벗어나야 한다. 넷째, 부당한 관계를 말하고 서로 이야기할 수 있도록 해야 한다. 다섯째, 자기타당을 통해서 서로 자존감을 증진시키고 관계의 회복을 도와야 한다. 이를 위해 가족들은 서로의 장점 나누기 시간을 갖고 실제로 이 활동을 할 수 있도록 도움을 준다. 이와 같은 활동은 부정 유산을 직면하는 행동을 통하여 이루어진다. 이로써 자신의 유산과 원장을 이해할 뿐만 아니라 다른 가족의 유산과 원장을 이해하는 활동으로 연결될 수 있다. 이때 치료자는 서로에 대해 충분히 주고받을 수 있는 기회를 만들고, 실제로 행동하도록 도움을 주는 치료를 한다.

재정의
[再定義, redefinition]

생각할 수 있는 능력이 있음에도 불구하고 생각할 수 없다는 과거의 정의를 받아들임으로써, 나의 각본에 맞추기 위해 현실에 대한 지각을 왜곡하는 과정. 교류분석

각본을 결정하는 것은 어린아이가 적대적인 세상에서 생존하는 데 나름대로 최상의 방법을 찾은 것이고, 성인이 된 후에도 어린이 자아상태에서 이러한 초기 결정을 고수한다. 현실이 나의 각본 결정과 맞지 않는다면 기존 결정을 지키려 노력하는데, 시프(J. L. Schiff)는 각본에 있는 준거틀이 위협을 받으면 재정의를 통해 이러한 위협에 방어한다고 설명하였다. 예를 들면, 어린아이가 '너는 왜 이렇게 생각이 없니?'라는 메시지를 자주 받았고, 따라서 생존과 욕구충족에 유일한 방법으로 이 각본 결정을 내려서 '나는 생각을 못한다.'라는 부모의 정의를 받

아들이게 된다. 성인이 된 후에도 각본을 따를 때 이러한 과거의 생존전략을 재연하며 자신의 생각할 수 있는 능력을 디스카운트해 버림으로써 현실을 재정의한다. 자신이 부모에게 받은 정의에 도전할 때 겪을 수 있는 가공할 두려움에 방어하기 위해 어린이 자아상태로 가서 현실에 직면하기보다는 어린 시절의 동기를 따르는 것이다. 재정의는 내면에서 일어나는 현상이므로 관찰하기가 힘들지만, 디스카운트 단서들은 내면적으로 일어나는 재정의의 외적 표현이 된다. 과장하거나 사고 장애를 보인다면, 이것은 재정의하는 것이며 동시에 디스카운트가 일어나는 것이다. 재정의를 하고 있다는 분명한 언어적 증거는 '동문서답 교류(tangential transaction)'와 '차단 교류(blocking transaction)'다(Stewart & Joines, 2010).

재창조 경험
[再創造經驗, recreation experiences]
기존의 곡을 이용하여 연주 및 합창을 하는 활동 또는 음악적 게임 같은 구조화된 음악활동. 음악치료

감각운동 기술발달과 적응적 · 시간 순서적인 행동조장, 집중과 현실감각 향상, 기억기술 발달, 타인의 감정을 확인하고 공감, 생각과 느낌을 의사소통하고 해석하는 기술발달, 다양한 교류상황에서 특정 역할의 행동학습, 상호작용과 집단기술 향상을 목적으로 하는 활동이다.

재판상 이혼
[裁判上離婚, divorce by trial]
부부가 이혼에 합의하지 못한 경우 재판을 거쳐 이루어지는 이혼. 부부상담

재판상 이혼은 법률에 정해진 이혼원인에 근거하여 부부 중 한 명이 상대방에 대하여 이혼청구소송

을 제기함으로써 성립한다. 우리나라에서는 이혼에 대한 합의가 이루어지지 않아 재판상 이혼을 신청할 경우 반드시 조정을 먼저 신청해야 하며, 조정이 성립되지 않는 경우에는 소송으로 이행하도록 하고 있다. 우리나라 재판상 이혼의 경우 이혼의 책임이 누구에게 있는지를 따지는 유책주의를 따르기 때문에 이혼의 책임이 있는 배우자의 이혼청구는 허용되지 않는다. 반면, 세계적인 추세는 이혼의 책임 여부보다는 실제로 결혼생활의 파탄 여부에 초점을 두는 파탄주의를 따르고 있다. 우리나라의 재판상 이혼의 원인에는 다음과 같은 것이 있다. 첫째, 배우자의 부정한 행위가 있었을 때, 둘째, 배우자가 악의로 다른 일방을 유기한 때, 셋째, 배우자 또는 그 직계존속으로부터 심히 부당한 대우를 받았을 때, 넷째, 자기의 직계존속이 배우자로부터 심한 부당한 대우를 받았을 때, 다섯째, 배우자의 생사가 3년 이상 분명하지 아니한 때, 여섯째, 기타 혼인을 계속하기 어려운 중대한 사유가 있을 때(부부간의 애정 상실, 알코올중독, 광신, 낭비벽, 성적 불능, 불치의 정신병 등)다.

관련어 | 이혼

재판장면기법
[裁判場面技法, judgement scene technique]
사이코드라마의 기법으로, 타인 혹은 자신에 대한 재판을 하는 것. 사이코드라마

사이코드라마의 마지막 단계나 절정기에 사용할 수 있는 기법이다. 재판장면은 주인공의 내면에 억압되어 있던 복합적인 여러 정서 경험, 선악에 대한 스스로의 가치관, 내면의 갈등, 스스로 혹은 타인에게 내리고 있는 무의식적 처벌에 대해서 행위화를 통해 의식된 자아로 능동적으로 표면화할 수 있다. 재판장면은 흔히 주인공의 문제에서 부정적인 역할

을 한 인물을 재판하는 형식으로 진행되며, 재판관과 주인공의 역할바꾸기를 통하여 주인공의 반응을 살필 수 있다. 주인공의 감정은 드라마의 마지막 단계에 이르면 대부분 정리되고 자신에게 상처를 준 사람도 용서하는 마음을 갖는다. 그러나 마지막까지 용서하지 못하더라도 주인공을 반드시 긍정적인 방향으로 유도할 필요는 없다. 정서적으로 대립하는 상대방을 단죄하는 것만으로도 카타르시스를 느낄 수 있기 때문이다. 이 기법은 특히 시행시기가 중요하며, 충분한 준비작업이 필요하다. 게다가 지나치게 위협적이면 주인공의 저항이나 죄책감, 그리고 불안이 가중될 수 있다. 따라서 연출자가 주인공의 순간의 감정상태를 섬세하게 이해하고 조심스럽게 진행해야 한다.

관련어 요람기법, 저항, 카타르시스

재학습
[再學習, relearning]
새롭고 계획적인 방법으로 내담자의 행동을 가르치는 것.
현실치료

현실치료의 상담과정 중에서 마지막 단계에 해당한다. 계획적이고 효과적인 모델을 통해서뿐만 아니라 교통법규, 종교, 결혼과 같은 광범위한 일상적 영역에 걸쳐 상담자와 내담자가 관심을 가진 주제를 함께 다룰 수 있다. 이 단계에서는 계획하기가 핵심적인 요소이므로, 내담자의 당면 문제를 극복할 수 있도록 새롭고 구체적인 계획을 수립하도록 조력한다. 효과적인 계획은 내담자로부터 도출되어야 하며 내담자 스스로 실천에 옮길 수 있는 것이어야 한다.

관련어 관여

재혼가족
[再婚家族, remarried families]
부부 중 어느 한쪽 혹은 양쪽 모두 재혼을 함으로써 형성되는 가족의 형태. **가족치료 일반**

두 명의 어른과 의붓자식, 입양자녀, 혹은 수양자녀로 구성된 가족을 말하며, 복합가족, 재구성 가족, 재결합 가족, 융합가족, 혼합가족이라고도 한다. 재혼가족은 일반적으로 재혼이라는 과정 때문에 가족의 구조와 체계가 급격하게 변화하고, 혼란스러운 특성을 가지고 있다. 따라서 이에 적응하고, 새로운 가족의 체계를 확립해 나가는 것이 당면 과제가 된다. 맥골드릭(McGoldrick)과 카터(Cater)는 재혼가족의 발달과정을 '새로운 관계 형성, 새로운 가족에 대한 계획, 재혼, 그리고 새로운 가족의 형성'이라는 3단계로 구분하여 설명했는데, 이를 통하여 재혼으로 형성되는 새로운 관계에 대한 준비와 적응을 강조한 것이라고 할 수 있다. 또한 페이퍼나우(Papernow)는 재혼가족의 주기를 '환상기, 몰입기, 인식기, 변동기, 행동기, 접촉기, 해결기'의 7단계로 구분하였다. 그는 재혼가족이 이 모든 단계를 거치는 데 4~5년이 걸린다고 설명하였다.

저널
[- , journal]
특정 주제나 전문분야를 다루는 신문이나 잡지, 학술지, 일기 등을 가리키는 용어. **문학치료(글쓰기치료)**

글쓰기치료 혹은 저널치료에서는 개인적·치료적 글쓰기를 통칭하여 저널(journal) 혹은 일기(diary)라고 한다. 두 용어는 맥락상 서로 다르게 쓰이기도 하지만 혼용되는 경우가 많다. 주로 사적인 시, 은유 탐색 및 표현, 장르 소설, 개인 경험 이야기, 보내지 않는 편지, 꿈 탐색, 종양이나 충치와 같은 신체 부분과의 대화, 내적 비평가나 어린 시절의 자기 등 중요한 허구적 혹은 은유적 인물과의 대화 등 여러 개인적 글쓰기 형태를 모두 포함한다.

저널 사다리
[-, journal ladder]

애덤스(K. Adams)가 개발한 여러 가지 저널기법의 단계별 분류. **문학치료(글쓰기치료)**

애덤스가 저널치료의 최대한의 효용을 위하여 글쓰기 구조화, 속도조절, 그리고 절제에 기초하여 만든 저널기법의 단계별 분류를 말한다. 애덤스는 치료적 잠재력을 가진 저널기법이 한 집단 참여자들에게 역효과를 내는 경우를 발견하였다. 그들 중 96%가 저널쓰기를 통해서 오히려 두려움, 좌절, 불안정, 위협, 고통, 부끄러움, 지루함을 느꼈다고 고백하였다. 그들이 처한 문제보다 치료법이 더 고통스러웠던 것이다. 애덤스는 그들이 어떻게 글을 쓰는지 연구하여 제한 없는 자유로운 글쓰기, 비구조적이며 개방적이고 비지시적인 글쓰기가 어떤 집단에는 도움이 되지 않는다는 사실을 파악하였다. 또한 그 반대인 구조화되어 있고, 속도조절과 절제가 잘되어 있으며, 빠르고 쉬운 저널기법도 찾아냈다. 그 결과에 따라 문장완성하기(sentence stems)와 같은 구조화된 글쓰기에서 인물묘사, 대화, 관점의 변화처럼 점점 비구조화되어 있고 자유로우며 직관적인 저널기법으로, 그리고 백 가지 목록쓰기처럼 구체적이고 정보 제공적인 글쓰기에서 보다 추상적이고 자기통찰이며 직관적인 내적 지혜와의 대화와 같은 저널기법으로 점차 단계를 구분해 놓았다.

관련어 | 저널치료

저널도구상자
[-道具箱子, journal tool box]

애덤스(K. Adams)가 제시한 여러 가지 유용한 저널기법. **문학치료(글쓰기치료)**

애덤스는 삶 속의 여러 구체적인 문제들을 글로 쓰기 위해 사용할 수 있는 구체적인 도구로서의 글쓰기 기법을 모아 놓은 저널도구상자를 제시하였다. 사람마다 즐겨 사용하는 도구가 다르듯이 각자 즐겨 사용하는 유용한 글쓰기 기법이 다를 수 있다는 것이다. 또한 용도에 따라 연장을 골라 쓰듯이 저널기법도 마찬가지다. 지금 사용하지 않는 저널기법도 언젠가는 필요할 수 있다고 본다. 애덤스가 제시한 18개의 기법 중 대표적인 것은 5분 집중 글쓰기(five-minute splint), 인물묘사(character description), 보내지 않는 편지(unsent letter), 대화(dialogue), 목록(list), 클러스터 기법(clustering) 등이다. 또한 레이너(T. Rainer)나 볼드윈(C. Baldwin)도 거의 유사한 기법들을 제시하였다.

관련어 | 저널치료

저널쓰기 집중 훈련
[-集中訓練, Intensive Journal]

프로고프 박사가 1966년에 개설한 세미나의 명칭. **문학치료(글쓰기치료)**

저널쓰기 집중 훈련은 1966년 드류대학교(Drew University)에서 아이라 프로고프(Ira Progoff) 박사가 개발하고 대중화시킨 심리치료기법이다. 기존의 글쓰기에 비해서 일상의 삶을 발전시킬 수 있는 독특한 방식의 자기 계발 글쓰기 프로그램으로 평가받고 있다. 처음 저널쓰기 집중 훈련은 여섯 부분이었는데, 나중에 프로고프의 '과정명상' 부분으로 다섯 가지를 추가하여 확대되었다. 이후로 이는 다른 많은 글쓰기치료에 영향을 미치면서 병원 및 교도

소 등 다양한 환경에서 창조성 혹은 자서전 등에 대한 보조도구로 개인에게, 또 정신분석, 인본주의, 인지치료 처치에서 부가적으로 사용되고 있다. 저널쓰기 집중 훈련 방식은 프로고프 박사의 공인된 트레이드마크로서, Dialogue House Associates 뉴욕 주식회사에서 자격을 받은 촉진자 및 자문가를 그 방식을 사용해서 훈련시키고 미국 전역과 그 밖의 지역에서 현재 그 방법을 사용하는 일련의 대규모 워크숍을 통합하는 데 사용된다. 프로고프는 이를 두고 초심리학적 접근법이라고 했는데, 그 이유는 저널쓰기 집중 훈련이 단순히 소위 처치라고 하는 개인의 수동적인 수용에만 효과를 내는 것이 아니라 내담자의 본원적 자원을 끌어내어 전인격이 되도록 하는 능동적 기법을 제공하기 때문이다. 저널쓰기 집중 훈련은 글쓴이의 삶의 여러 부분에 접근하는 데 도움을 주는 부분으로 나누어져, 한 장씩 뗄 수 있는 3공 바인더 공책을 사용하는 일련의 글쓰기 연습으로 구성되어 있다. 이 공책은 기간일지(period log), 일지(daily log), 대화차원, 심상확장(imagery extension), 지금(now), 열린 순간(the open moment) 등 21개의 회기로 나뉘어 있다. 이는 잠재의식과 기억 및 명상을 기록하기 위한 다른 공간들에 접근이 용이하도록 하는 '심층차원'의 것들을 의인화하기 위한 대화부분을 포함하고 있다. 프로고프의 저널쓰기 집중 훈련을 통해서 삶의 다양한 국면에 대하여 자각하고, 참자기와의 소통이 가능해지며, 더욱 의미 있는 삶을 개발할 수 있다.

저널치료
[-治療, journal therapy]

글쓰기치료의 가장 보편적인 방법으로, 심리적 · 감정적 · 육체적 문제해결과 치유를 촉진하고 나아가 자아발견과 성장을 목적으로 하는 개인적인 성찰적 글쓰기.

문학치료(글쓰기치료)

저널이란 말은 일기를 뜻하지만 우리가 알고 있는 일반적인 일기(diary)를 순수하고 독특한 치료법으로 변형시킨 새로운 형태의 일기다. 매일매일 일어나는 일과 사건을 객관적으로 또는 외부에서 보는 관점에서 기록하는 기존의 전통적인 일기와 달리 저널은 자신이나 인생의 여러 문제에 대한 보다 깊은 성찰과 이해를 위해 내면의 생각과 느낌을 글로 표현함으로써 글을 쓰는 사람의 내적인 경험, 반응, 그리고 인식에 글쓰기의 초점을 맞추고 있다. 어원을 살펴보면, 저널(journal)이란 말은 불어의 하루 혹은 오늘을 뜻하는 'journée'에서 나온 말로, 17세기에는 하룻길 여정(journey), 혹은 하루의 사건의 기록을 뜻하였다. 저널-하루-여정(journal-journée-journey)이라는 말은 모두 목표나 방향과 움직임을 가진 연속성과 변화, 시간성과 지리적 장소를 동시에 뜻하는 말로서, 저널의 의미는 점점 개인과 인생의 관계를 뜻하는 강력한 은유가 되었다. 즉, 저널은 자신의 목소리를 찾아가는 길, 하나의 여정을 뜻하게 된 것이다. 저널은 자아와의 관계, 그리고 타인과의 관계를 형성하는 수단이다. 일기라고 하면 좀 더 친숙하게 영어로 다이어리(diary)라는 용어가 있다. 다이어리가 자신의 하루 동안의 삶을 기록하는 일지의 성격이 있다면, 저널은 보다 더 감정적이고 내적인 삶에 집중된 성찰적 글쓰기를 말한다. 따라서 저널치료의 개척자인 프로고프(Progoff)는 저널이라는 말을 사용하였고(『At a Journal Workshop』, 1975), 또한 애덤스(Adams)도 치료를 위한 글쓰기를 저널(『Journal to the Self』, 1990)이라고 불렀다. 레이너(Rainer)는 새로운 일기(『The New Diary』, 1978)라고 말하기도 했고, 우즈(Woods)도 일기(『Diary of a Grief』, 1998)라는 말을 사용하였다. 어떤 용어를 쓰든 이들은 모두 문제해결과 치료, 그리고 자아의 성장을 위한 저널기법을 제시한 것이다. 이 기법들은 반드시 지켜야 하는 규칙은 아니다. 다만 자신의 표현욕구와 내면의 목소리를 찾아 따라가도록 도움을 주기 위한 가장 효과적인 가이드라고 볼 수 있다. 저널은 자아와 함께 시작한다.

우리는 자신의 외적 이미지뿐만 아니라 감정, 태도, 그리고 신체감각이 가진 내적 이미지를 탐험하는 내면으로의 여행을 하면서 창조적인 표현으로 자기인식을 하게 된다. 저널은 이러한 내적 성찰과 자기인식을 격려함으로써 자존감을 개발하도록 도와준다. 자존감은 있는 그대로의 나를 바로 인식하고, 그러한 나를 받아 주고 인정할 때 생기는 것이다. 자존감은 자신의 생각과 감정을 맘껏 표현하지 못하고 억압할 때는 자라날 수 없다. 사람들은 종종 육체적 혹은 감정적 고통, 혼돈, 분노, 두려움, 그리고 슬픔 같은 다루기 힘겨운 감정과 느낌을 경험한다. 이럴 때 저널은 마음속에 있는 모든 감정을 표현할 수 있는 좋은 친구이자 장소가 될 수 있다. 아이들은 다루기 힘든 감정들을 언어로 표현하는 것이 어려운데, 그럴 때에는 그림을 그리고 언어로 설명하는 것이 훨씬 쉬운 표현방법이 될 수 있다. 저널은 판단하지 않고, 비난하지 않고 모든 것을 '들어주고' '받아 준다.' 안네 프랑크(Anne Frank), 아나이스 닌(Anaïs Nin) 같은 유명한 저널을 쓴 사람들은 모두가 곁에 아무도 없을 때 모든 것을 믿고 털어놓을 수 있는 '누군가'를 갖는 것이 얼마나 중요한지 증명해 주고 있다. 그 '누군가'는 바로 자기 자신이다. 언어를 종이에 글로 쓰는 것이 중요한 이유는 보이지 않는 생각과 느낌, 태도, 믿음, 상상을 시각적 형태로 바꾸어 주기 때문이다. 그것을 보고, 읽는 것은 그 언어들이 표현하는 여러 감정에 형태와 실체를 부여하는 것이며, 글쓴이를 문제와 분리시켜 개인적인 고통의 여러 측면을 성찰하도록 해 준다. 저널은 우리의 경험을 밖으로 내어 놓는 방법으로서, 쓰인 글에 거울처럼 비친 우리 자신을 바라볼 수 있게 해 준다. 또한 시간이 흐른 뒤 다시 읽어 보는 저널은 같은 사건과 경험이나 감정을 새로운 관점에서 바라보게 해 줌으로써 자아에 대해 한층 더 깊게 이해하도록 만든다. 감당하기 힘든 고통스러운 생각과 느낌, 경험을 감당할 수 있는 보다 작은 조각으로 나누는 글쓰기 행위는 혼란과 좌절감을 완화시켜 주며 문제에 대한 통제력, 자신감, 이해력을 증진시킨다. 이처럼 문자 그대로 '자기 자신의 마음을 읽는 행위'를 통해서 저널을 쓰는 사람은 자신의 경험을 더욱 명확하게 인식할 수 있으며, 그 결과 긴장을 해소시킬 수 있고 자아의 성찰과 성장을 가져오며 궁극적으로는 정신적·육체적 건강에 도움이 된다. 치료적 글쓰기로서의 저널쓰기는 상담비가 들지 않는 상담자의 기능과 전인적인 자기경영과 진정한 자아의 발견을 통한 창조적 자아실현을 위한 방안으로서의 사적인 글쓰기다. 평생을 쓰는 저널은 점차 각자의 문체, 기법, 창조적 능력의 계발을 가져오고, 글쓰기에 숙달되도록 한다. 결국 저널을 쓰는 사람과 저널 사이의 친밀감의 증대로 저널은 개인에게 평생 자기표현의 강력한 수단이 되고, 또한 자아성장을 촉진하며 문제해결, 감정치료, 면역력 강화로 육체적 치료까지 돕는 충실한 동반자이자 안내자가 된다. 사람들이 일기와 저널을 써 온 것은 수세기 전부터 있던 일이다. 그러나 미국의 경우 감정표현과 반성적 글쓰기가 치료적 잠재력을 가지고 있다는 것이 대중에게 알려진 것은 1960년대 프로고프가 '집중 저널치료'라는 주제로 개최한 워크숍에서다. 심리학자이자 심리치료사인 그는 글쓰기가 갖는 치료효과에 관심을 가지고 당시 수년간 그의 내담자와의 상담에 심리공책을 사용하여 저널기법을 체계화하였다. 그 후 프로고프의 저널치료를 널리 대중화시킨 사람은 심리학자이자 공인문학치료사, 그리고 상담사이며 미국시치료협회회장을 역임한 애덤스다. 애덤스는 삶 속의 여러 구체적인 문제들을 글로 쓰기 위해 사용할 수 있는 구체적인 도구로서의 글쓰기 기법을 모아 놓은 '저널도구상자(journal tool box)'를 제시하였고, 문학치료에 저널치료, 즉 글쓰기를 적극적으로 도입하였다. 저널이 미국의 교육현장에서 사용된 것은 여러 공립학교에서 저널을 국어(영어) 시간과 다른 학과목에 사용하기 시작한 1980년대였다. 종종 '대화' 또는 '응답' 저널이라고 불리던 이 저널은 학생들에게

ㅈ

독립적인 생각과 사고의 기술을 키워 주었으며, 교사에게는 학생들에게 개별적이고 직접적인 반응과 응답을 할 수 있는 장을 마련해 주었다. 물론 수업에서 활용한 저널의 의도는 치료보다는 교육에 목적이 있었지만 교사들은 학문적 질문이나 문제점에 대해 생각하고 반추하는 단순한 숙제를 내 주었을 경우에도 학생들의 저널 속에서 그들의 감정적인 삶에 대한 중요한 사실과 정보를 발견할 수 있었다. 또 학생들은 종종 문제가 되는 사건에 대해서나 고통스럽고 혼돈을 초래하는 생각과 감정을 글로 쓸 때 긴장감과 압박감이 해소된다고 보고하였다. 저널을 좀 더 적극적으로 학생들의 전인적 치유에 사용한 사례도 있다. 미국의 한 공립학교 교사인 그루웰(Gruwell)은 저널쓰기를 통하여 상처 입고 방황하는 학생들이 전인적 치료와 삶의 놀라운 변화를 겪은 사례를 수록한 『Freedom Writers Diary』를 1999년에 출판하여 저널의 힘을 세계에 알리기도 하였고, 이 책은 영화로도 제작되었다.

관련어 글쓰기치료, 저널도구상자

저반응비율 차별강화
[低反應比率差別强化, differential reinforcement of low rates: DRL]

바람직하지 못한 표적행동의 발생빈도가 특정 수준 이하로 낮을 때에만 정적 강화를 하는 것. **행동치료**

'교사의 허락 없이 교사나 급우에게 이야기하는 것, 노래하거나 중얼거리는 것'을 수업시간에 떠드는 행동으로 정의하고 50분 수업시간에 떠드는 행동이 3회 이하이면 껌을 하나 주기로 하는 것을 예로 들 수 있다. 이 예에서의 간헐강화 계획은 DR3-50분으로 표시한다. 이때 강화를 받을 조건에 대해서는 행동수정 대상자에게 미리 알려도 되고 알리지 않아도 상관없다. DRL은 대상자가 표적행동인 바람직하지 못한 특정 행동을 얼마의 시간 이상 참

을 수 있고 기초선 구간에서 표적행동의 발생빈도가 그렇게 높지 않은 경우에 사용할 때 효과적이다. DRL은 제한반응 DRL과 간격유지 DRL의 두 가지 변형이 있다. 제한반응 DRL은 문제가 되는 표적행동이 미리 정한 빈도를 초과하지 않으면 정적 강화를 하는 것으로서, 발생빈도가 지나치게 많은 것은 아니지만 좀 더 감소시키고 싶은 행동에 적용할 수 있다. 간격유지 DRL은 약화시키고자 하는 행동이 문제가 되는 행동이 아니라 실제로는 바람직하지만 너무 빈번하게 하지 않도록 할 때 유용한 방법이다. 예를 들어, 자신을 표현하고 자기 의견을 주장하는 것은 바람직하지만 대화를 독점하는 정도라면 곤란한 경우에 한 번의 발언을 한 뒤 10분이 경과할 때까지 대상 행동이 다시 나타나지 않으면 정적 강화를 하는 것이다.

관련어 대안행동차별강화, 상반행동차별강화, 타행동 차별강화

저운동장애
[低運動障礙, hypokinetic disease]

나이가 들면서 운동조절력이 감퇴되고 활동을 하지 않아서 심장혈관계와 혈액성분, 신체 구성, 신진대사 및 조절기능, 신경계 등의 신경생리적 이상으로 나타나는 신체적 · 정신적 질병 질환. **중노년상담**

신체적으로 움직일 수 있다는 것은 노인에게 아주 중요한 생존욕구이며 노화의 50%는 저운동성, 즉 근육과 뼈조직 퇴화라는 기능적 손실을 뜻한다. 젊고 건강한 사람의 경우에도 지나치게 활동을 하지 않으면 노화와 관련된 장애가 부분적으로 발생할 수 있다. 활동성의 손상은 장애의 주요한 요인이 되며, 인생의 후반부에는 더욱더 중요하다. 저운동장애는 질병이 일으키기도 하며, 이는 노인의 심리적 상태에 부정적 영향을 미치게 되어 노인우울의 원인이 되기도 한다. 활동은 신체적 건강을 증진시키며 수명과 가장 관련이 높다.

저항
[抵抗, resistance]

내담자가 불안으로부터 자신을 방어하며 상담에 협조하지 않는 모든 행위. 정신분석학

내담자의 무의식을 탐색해 들어가려는 상담자의 시도에 대한 내담자의 방해작용이다. 상담의 진행과정을 방해하는 내담자 내부의 힘, 즉 내담자의 무의식이 의식화되는 것을 방해하고 현재의 병리적 상태를 유지하며 변화를 막는 내담자의 모든 태도, 생각, 감정, 행동을 뜻한다. 내담자가 저항을 나타내는 것은 곧 억압된 고통스러운 무의식적 자료가 의식의 표면으로 올라오려 하고 있다는 뜻이다. 내담자가 자신의 억압된 충동이나 감정을 자각할 경우 불안이 유발되는데, 이러한 불안으로부터 자아를 방어하고자 하는 무의식적인 역동이 저항으로 표출된다. 내담자가 상담약속을 어긴다거나, 특정한 생각, 감정, 경험 등을 드러내지 않거나 상담과정에서 아무 의미도 없는 말만 되풀이하거나, 중요한 내용을 빠트리고 사소한 이야기만 하는 것 등은 저항의 구체적인 예다. 프로이트(S. Freud)는 저항을 원인에 따라 억압 저항(repression resistance), 이차 획득 저항(secondary gain resistance), 초자아 저항(superego resistance), 원초아 저항(id resistance), 전이 저항(transference resistance)의 다섯 가지로 구분하였다. 먼저, 억압 저항은 자아가 원초아의 충동과 소원을 억압할 때 생기는 저항이다. 자아는 고통을 피하기 위해 욕구를 억압해서 숨겨 버린다. 이차 획득 저항은 정신질환의 증상 덕분에 얻은 이득을 포기하지 않으려고 하는 것이다. 내담자는 증상 때문에 여러 가지 물리적 · 사회적 · 심리적 이익을 얻는데, 이를 이차 이득이라고 한다. 초자아 저항은 정신분석치료가 성공적으로 진행될 때 내담자가 자기파괴적인 행동으로 분석을 다시 원점으로 되돌려 놓는 것을 뜻한다. 초자아는 부모로 대표되는 사회적 규범이 인격 안에 내재화된 것으로 잘못을 깨닫게 하고 죄책감을 느끼도록 만든다. 과다하게 발달된 처벌적인 초자아는 죄의식과 열등감에 빠지게 만들고, 그 결과 벌을 받고자 하는 자학적인 욕구가 무의식 안에 존재한다. 이러한 상태에 놓인 개인은 교묘하게 성공을 회피하고 자신을 실패자의 위치에 놓으려고 한다. 이와 같은 내담자는 치료의 성공을 두려워한다. 따라서 치료가 효과적으로 이루어지고 있다는 느낌이 들면 곧바로 퇴행적인 행동을 하면서 역치료적인 반응을 나타낸다. 원초아 저항은 반복강박과 리비도의 집착성 때문에 일어나는 저항이다. 분석치료 중에 고통스러웠던 아동기 갈등이 반복해서 행동화되어 나오는 것은 반복저항의 한 예다. 병적 행위를 반복하고자 하는 심리에 지배당하고 있기 때문에 치료에 대해 저항적인 태도를 나타내며, 성욕이 너무 강해서 억제하기 어렵고 치료를 방해한다. 마지막으로, 전이 저항은 치료자를 지나치게 좋아한다든지 혹은 너무 두려워한 나머지 자유연상이 일어나지 않는 것이다. 저항은 불안에 대한 방어로서 내담자의 무의식적 역동을 통찰하려는 노력을 방해한다. 상담과정을 저해하고 내담자로 하여금 무의식에 담긴 내용을 적극적으로 표출하는 것을 방해하기 때문에 저항을 분석하고 해석하는 것은 정신분석의 중요한 작업에 속한다. 상담자는 내담자의 저항 이유를 지적하여 내담자가 자신의 저항을 직면하도록 하고, 저항의 원인을 통찰하도록 도와줌으로써 이를 극복하도록 만든다. 저항을 다루는 데는 유의할 점이 있다. 상담자는 저항을 해석하는 데 있어서 문화적 민감성을 가져야 한다. 내담자의 문화권에서는 관습적인 행동으로 간주되는 특정 행동이 상이한 문화권에 속한 상담자에게는 일종의 저항으로 비추어질 수 있기 때문이다. 예를 들어, 어떤 문화는 직접 눈을 마주치는 것을 비하하는 행동으로 여기므로 상대방의 눈을 직접 쳐다보는 것을 예의에 어긋나는 것으로 생각한다. 또한 내담자마다 상담장면에 적응하는 양태가 다양함에도 불구하고 내담자가 표출하는 행동을 저항이라고 너무

일찍 판단해 버리는 것은 상담관계를 해치는 요인이 된다.

관련어 | 저항분석

저항 앵커링
[抵抗 -, anchoring the resistance]

내담자의 저항반응을 막거나 방해하지 않고 치료에 방해되지 않는 특정한 상황, 장소, 시기에 저항할 수 있도록 허용하는 최면치료기법. **최면치료**

최면치료과정에서 일어나는 내담자의 저항현상을 이용하는 앵커링이다. 일반적인 심리상담치료에서 나타나는 내담자의 저항은 최면치료과정에서도 나타난다. 이것은 내담자의 불안을 반영하는 것이므로, 치료자는 이를 무시하거나 두려워해서는 안 된다. 오히려 내담자의 저항을 적극적으로 다루어서 해소되도록 할 때 보다 효과적인 치료결과를 가져올 수 있다. 흔히 나타나는 내담자의 저항은 다음과 같다. 첫째, 최면 중에 일어났던 일을 알지 못하거나 기억하지 못할 것이라는 불안이다. 둘째, 자신이 최면에 잘 걸리지 않을 수 있다는 불안이다. 셋째, 최면 중에 자신의 의지와는 상관없이 치료자의 통제를 받고 조정될 수 있다는 불안이다. 넷째, 최면치료가 끝나도 최면상태에서 깨어나지 못할 수 있다는 불안이다. 다섯째, 최면과정에서 일어나는 무의식적인 일 때문에 다른 사람들의 웃음거리가 될 수 있다는 불안이다. 여섯째, 최면상태에서는 방어적인 능력이 약해지므로 귀신이 드는 빙의현상이 일어날 수 있다는 불안이다. 최면치료에서는 내담자의 이 같은 불안 때문에 나타나는 다양한 형태의 심리적, 행동적 불안상태를 적극적으로 다루어서 내담자를 이해시키고, 이러한 저항을 오히려 치료의 도구로 변화시키도록 해야 한다. 내담자의 저항반응을 역이용하는 것인데, 저항할 수 있는 특정 장소나 시간 등의 범위를 정해 주어 그 외 범위에서는 저항반응이 일어나지 않도록 유도한다. 금연의 예를 들면, 특정 장소에서 마음껏 담배를 피우게 함으로써 나머지 장소에서는 금연하도록 하는 것이다. 이때 흡연실은 흡연을 위한 앵커링 장소가 되지만, 나머지 장소는 금연 앵커링이 된다. 이러한 논리는 저항의 경우에도 동일하게 적용할 수 있다. 에릭슨(Erickson)의 한 내담자의 경우, 그녀는 자신의 인생에서 6년 동안 있었던 일은 이야기하지 않겠다고 하였다. 이에 6년 중 특히 어떤 부분을 말하고 싶지 않은지 질문하자, 1972년의 일을 제외하고 이야기하겠다는 답변을 하였다. 이후 그녀는 나머지 해에 있었던 이야기를 모두 한 다음 1972년의 이야기도 하겠다고 말했다고 한다.

관련어 | 앵커링, 저항

저항분석
[抵抗分析, resistance analysis]

내담자가 상담에 협조하지 않는 모든 행위를 분석하여 그 의미를 이해시키는 것. **정신분석학**

치료장면에서 내담자는 여러 가지 저항적인 행동을 나타낼 수 있는데, 예를 들어 억압된 감정이나 생각들을 회상할 수 없거나 혹은 그 표현을 주저하는 경향을 보인다. 상담약속을 어기거나, 특정한 생각이나 감정, 경험 등을 드러내지 않거나, 상담과정에서 아무 의미도 없는 말만 되풀이하거나, 중요한 내용을 빠뜨리고 사소한 이야기만 하는 것도 저항의 한 형태다. 정신분석에서는 내담자가 저항을 하는 데에는 그럴 수밖에 없는 이유가 있다고 여긴다. 내담자가 자신의 억압된 충동이나 감정을 자각하면 불안이 유발되는데, 이때 이러한 불안으로부터 자아를 방어하고자 하는 무의식적 역동성이 곧 저항으로 나타난다. 내담자가 저항을 보인다는 것은 내담자의 억압된 고통스러운 무의식적 자료가 의식의 표면으로 올라오려 하고 있음을 의미한다. 이러한 측면에서 저항은 치료적인 의미를 지닌다고 볼 수 있다. 저항은 상담의 진전을 저해하고 내담자가 무의식적 욕구를 적극적으로 표출하는 것을 방해하므로 이를 분석하고 해석하는 작업은 중요하다. 따라서 내담자의 갈등을 근본적으로 해결하기 위해 상담자는 내담자의 저항 이유를 지적하여 내담자가 직면하도록 만들어야 한다. 저항분석의 목적은 내담자가 자신의 저항행동의 원인을 통찰하도록 도와줌으로써 그 저항을 잘 처리할 수 있도록 하는 데 있다.

관련어 | 저항

적군 이름 붙이기
[敵軍 –, naming the enemy]

아동을 대상으로 한 미술치료에서 아동이 겪고 있는 증상에 이름을 붙이는 미술치료기법. 미술치료

헨리(Henley, 2007)는 양극성장애가 일찍 발병한 아동의 치료에 적군 이름 붙이기를 적용했는데, 이 기법은 프리스테드, 가바치와 솔다노(Fristad, Gavazzi, & Soldano, 1998)가 먼저 사용한 바 있다. 그들은 아동 환자들을 치료하면서 아동으로 하여금 자신이 겪고 있는 증상에 이름을 붙이게 하여 핵심자아와 분리하도록 하고 거리를 두도록 하였다. 이를테면 '이건 분노'라고 이름을 붙이고 찰흙작업을 하게 하는 것이다. 말하자면 증상이나 문제를 마치 자신의 전부처럼 느끼는 아동들에게 그것이 전부가 아니라 일부분일 뿐이라는 것, 다시 말해 그것을 조금 더 객관화하여 분리된 대상으로 바라볼 수 있도록 하기 위한 것이었다. 헨리는 프리스테드, 가바치와 솔다노가 사용했던 것에 친구 이름 붙이기와 긍정적인 면을 더하여 사용하였다. 그래서 미술작업을 하면서 적군도 찾고 친구도 찾음으로써 아동들은 말로만 자신의 증상이나 행위를 기술할 때보다 더 감성적이고 풍부한 느낌을 가질 수 있게 되었다.

적극적 경청
[積極的傾聽, active listening]

상대방의 입장에 서서 그 말의 의미와 배경에 있는 감정을 읽어 내고자 열심히 듣는 상담자의 기본 태도. 인간중심상담

상담에서 경청이란 내담자가 방해받지 않으면서 이야기를 계속할 수 있도록 내담자에게 집중하면서 음성적 표현과 비음성적 표현에 관심을 기울이는 것, 내담자의 이야기 속으로 온전히 들어가는 것을 말한다. 즉, 신뢰를 형성하고, 내담자의 자기 드러내기를 촉진하기 위해 내담자의 말을 판단하거나 평가하지 않으면서 외현적으로 표현된 것뿐만 아니라 내포된 의미까지 듣고 이해하는 것이다. 적극적 경청은 비지시적 치료적 접근을 하는 상담자의 기본 태도로, 로저스(Rogers)가 1942년에 발표한 「상담과 심리치료」라는 논문에서 처음으로 공식 사용되었다. 로저스와 파슨(Farson)이 1955년에 발표한 직장에서의 인간관계를 다룬 논문 「적극적 경청」에서는 '적극적 경청'에 대하여 다음과 같이 정리하고 있다. 첫째, 일반적으로 말에는 두 가지 측면이 있다. 하나는 말 그대로의 의미이고, 다른 하나는 내담자의 말로서는 표현되지 않는, 말 밖의 의미다. 양자 모두 중요하기 때문에 상담자는 양쪽의 의미를 이해하지 않으면 안 된다. 예를 들면, 무엇인가를 내담자가 '나는 그것을 할 수 없다.'라고 했을 때, 말 그대로의 의미는 '거부'지만, 그 말의 기저에 '할 수 있기를 바라지만, 지금 내게는 그것을 할 용기나 힘이 없어서 불가능하다.'라는 의미가 포함되어 있는 경우도 있다. 두 가지 측면에서 내담자의 말을 이해해야만 말의 전체 의미를 알 수 있다. 둘째, 상담에서는 내담자의 감정에 주의하여 그것에 응답하는 것이 중요하다. 때에 따라서는 말의 의미보다도 그 배후에 있는 감정이 훨씬 의미 있고 중요한 경우가 있다. 내담자를 효과적으로 돕기 위해서 상담자는 내담자가 말하는 내용에 담긴 감정을 이해하고 그것에 대응해야 한다. 구체적으로는 상담의 방향

을 상담자가 결정하는 일이 생기지 않도록 상담자의 주관을 개입시키지 않아야 하고, 내담자가 명확하게 느끼고 있는 것에 직접적으로 대응해 주어야 한다. 그리고 내담자의 감정을 명확히 하고 '자신이 상담자에게 이해를 받고 있다.'는 것을 실감하도록 해야 한다. 그러나 내담자의 감정을 이해하고 대응한다는 것은 쉽지 않다. 특히 부정적인 감정이 내담자 자신이나 상담자에게 향해졌을 때에는 더욱 어렵다. 또 내담자가 넌지시 보이는 표현이나 감정, 내담자의 억압된 감정을 상담자가 말로 인지해 버릴 경우에는 내담자에게 매우 위협적일 수 있다. 상담자는 너무 서두르지 말고 내담자가 표현하는 대로 받아들이면서 대응하는 것이 중요하다. 셋째, 내담자의 말 이외의 표현에도 관심을 기울여야 한다. 표정, 호흡, 자세, 시선, 손동작, 태도, 목소리 상태 등의 비언어적인 표현에도 주의하여 배후에 있는 의미를 이해해야 한다. 적극적 경청은 단순한 상담 기술이 아니라 내담자 개인에 대한 가치나 의의를 인정하고 존중하려고 하는 상담자의 태도를 의미하는 것이어야 한다. 적극적인 경청을 할 때 상담에서 기대할 수 있는 효과는 다음과 같다. 첫째, 내담자는 상담자로부터 충분히 이해를 받고 있다고 느껴 만족감을 느끼고, 나아가 자신의 기분을 이야기하게 된다. 둘째, 내담자는 자신이 말하고 있는 것을 스스로도 주의 깊게 듣게 되고, 자신의 말이나 생각, 애매했던 감정이 명확해지며, 보다 정확하게 그것들을 표현하려고 노력한다. 그 결과 내담자는 자신의 경험에 눈을 떠 인간적인 성장을 촉진하게 된다.

적극적 놀이치료
[積極的 – 治療, active play therapy]

솔로몬(J. Solomon)이 개발한 것으로, 충동적이고 행동장애가 있는 아동에게 분노와 공포의 감정을 놀이를 통하여 표출하도록 하는 놀이치료기법.　놀이치료

솔로몬은 적극적 놀이치료로 충동적이고 행동화

경향을 가진 아동이 분노와 공포의 감정을 놀이를 통하여 표현하도록 도와주었다. 적극적 놀이치료에서는 치료과정에서 아동이 두려워하는 부정적인 결과 없이 행동화할 수 있도록 도와줌으로써 사회적으로 바람직한 놀이 지향적 행동으로 전환할 수 있게 만들어 준다. 적극적 놀이치료에서는 놀이를 통하여 아동이 두려워하는 부정적인 결과를 경험하지 않고 행동화(acting-out)할 수 있도록 하기 때문에 안전하게 공포와 분노 감정을 발산하고 정화시킬 수 있다. 아동은 치료자와 상호작용을 하면서 행동화에 사용했던 에너지를 사회적으로 적절한 놀이 중심의 행동으로 방향을 전환해 나간다.

관련어　이완치료

적극적 상상
[積極的想像, active imagination]

융(C. G. Jung)이 제안한 개념으로 각성할 때 구체적인 상황에서 출발하여 무의식에 잠재되어 있는 심상들을 의식으로 끌어올리는 행위.　분석심리학

적극적 상상은 명상기술을 통해 개인의 무의식적 내용에 대해 독립된 개체로서의 심상, 이야기로 상징을 구체화한다. 또한 꿈작업, 상상 및 환상을 통해 창조적인 자기를 형성할 뿐 아니라 의식상태인 '에고(ego)'와 무의식 사이의 다리역할을 한다. 적극적 상상은 프로이트(S. Freud)가 정신분석 도구로 사용하였던 자유연상법과는 다소 차이가 있다. 프로이트의 자유연상은 자유롭게 상상함으로써 의식에 떠오르는 심상이 각성 시의 어떤 경험이나 외상과 관련이 있는가를 탐색하는 작업이다. 이에 반해 융의 적극적 상상은 심상들의 무제한적인 연쇄고리 작업을 하지 않는다. 융은 "자유연상은 인간의 콤플렉스를 보여 주는 효과는 있지만 구체적인 증세를 밝혀내는 데 한계가 있다."라고 언급하였다. 적극적 상상은 심상을 만들어 내기 위한 인위적인 행위가

아닌 정신에너지의 자연스러운 흐름이다. 예를 들어, 환자의 꿈에서 어떤 장면이나 대상이 나타날 때 환자가 원하는 변화에 따라 장면을 의식적으로 채우기보다는, 장면이나 대상을 관찰하고, 변화를 지켜보고, 그것에 대해 말하도록 한다. 이러한 융의 접근은 의식이 관여하지 않은 채 무의식적 내용을 표현할 수 있도록 해 준다. 융은 적극적 상상을 심리치료의 훈련으로 발전시켰다. 적극적 상상은 행위를 사용하여 무의식적 문제를 시각화하며, 또한 글쓰기, 춤, 음악, 그림, 조각, 도예, 공예와 같은 예술활동을 통해 실시할 수 있다. 적극적 상상은 무의식적 사고틀, 내부 자기, 정신의 완전성에 대해 의식적 마음과 의사소통할 수 있도록 어떤 메시지든 표출할 수 있도록 한다.

적대적 공격성
[敵對的攻擊性, hostile aggression]

공격성의 한 유형으로, 신체적·언어적으로 타인에게 해를 입히려는 목적에서 나타나는 것. **성격심리**

적대적 공격성은 신체적으로 다른 사람을 다치게 하거나 언어적 폭력 또는 위협, 조롱, 괴롭힘, 모욕을 주는 것이다. 유아기에는 장난감이나 다른 원하는 물건을 얻기 위한 도구적 공격성이 많이 나타나지만, 점차 연령이 증가할수록 적대적 공격성이 많이 나타난다. 대부분의 아동은 학교나 집에서 또래나 형제와의 관계에서 공격성을 보이는데, 일부 아동은 특정한 상황에서만 공격성을 드러낸다. 공격성의 원인을 살펴보면 정신분석이론에서 이를 인간의 본능이라고 본 반면, 좌절-공격성 가설에서는 자신의 활동을 억제당하거나 방해받는 좌절상황이 아동의 공격성을 유발한다고 보았다. 또한 사회학습이론에서는 모방이나 강화를 통해 학습된 행동이라고 설명하며, 체벌 위주의 교육은 아동에게 공격적인 행동을 모방하도록 하는 모델이 될 수 있다고

하였다. 이외에도 소외나 방임되었다는 느낌이 공격성을 유발하는 요인으로 작용한다. 초등학교 교실에서 아동의 공격적 행동을 연구한 결과에 따르면, 대부분의 공격적 사태는 소수의 일정한 공격적인 아동이 주도하고 있으며, 학급의 약 10~15%가 적대적 공격성 유형의 아동에 속한다. 이 같은 공격적인 아동의 공격성에 대한 태도를 보면 다음과 같은 특징이 있다. 첫째, 공격적인 아동은 대체로 공격적 행동의 결과에 대해서 보다 긍정적인 기대를 가지고 있다. 이들은 공격성이 가시적인 보상을 가져다준다고 확신하면서 다른 아동의 자신에 대한 공격적 행동을 예방하고, 자기존중감을 높인다고 믿는다. 둘째, 공격적인 아동은 공격적인 행동의 결과에 보다 높은 가치를 두고 있다. 이들은 타인을 지배하거나 통제하는 능력을 중시하며, 타인에게 주는 고통이나 타인이 자신을 싫어할 가능성에 대해서는 거의 고려하지 않는다. 공격성에 대한 긍정적인 기대와 가치는 대부분 이전의 공격적 행동이 정적으로 보상받아 왔기 때문에 형성된 특성으로 볼 수 있다. 특히 공격적 행동이 보상을 가져다줄 것이라는 기대는 남아가 여아보다 많이 가지고 있으며, 공격할 대상이 남아일 때 더욱 크다. 이러한 보상기대는 공격적 행동이 가져다줄 자신에 대한 부정적인 평가나 공격행동의 대상이 되는 희생자의 고통의 예상 정도보다 훨씬 높은 것으로 나타났다.

관련어 도구적 공격성

적대적 반항장애
[敵對的反抗障碍, oppositional defiant disorder]

뚜렷하게 반항적이고 불복종적이며 도발적인 행동을 보이지만 규칙을 어기거나 타인의 권리를 침해하는 반사회적 행동 또는 공격적 행동이 두드러지지 않는 것. **특수아상담**

화내기, 어른과 논쟁하기, 어른의 요구나 규칙을 무시하거나 거절하기, 고의적으로 타인을 귀찮게

ㅈ

하기, 자신의 실수나 잘못된 행동을 남의 탓으로 돌리기, 타인에 의해 기분이 상하거나 쉽게 신경질 내기, 화내고 원망하기, 악의에 차 있거나 앙심 품기 등이 네 가지 이상 빈번하게 발생하면 적대적 반항장애로 간주한다. 이 장애의 DSM-IV 진단 준거를 살펴보면 거부, 적대, 도전 행동 양상으로 위에 열거한 증상 중 네 가지 이상이 지난 6개월 동안 지속되고, 행동 장애가 사회, 학업, 직업 기능에 임상적으로 심각한 손상을 가져오는 경우다. 이 행동은 정신증적 장애 또는 기분장애의 과정에서 나타나는 행동과는 다르다. 또한 품행 장애의 진단 기준에 맞지 않아야 하며, 18세 이상이라면 반사회성 인격 장애의 진단 기준에 맞지 않아야 한다. 일부 학자들은 품행장애와 질적으로 다른 질병이 아니고 품행장애의 경미한 형태로 간주하기도 한다. 국제 질병 분류(ICD-10)에서는 품행장애의 한 유형으로 분류하지만, 미국 정신의학회는 품행장애와 별개로 분류하고 있다(DSM-IV, 1994). 품행장애와 달리 타인의 권리에 대한 중대한 침해가 없으면서 따지고 말 안 듣는 행동이 특징적이다. 또한 뻔뻔하고 부정적이며 도발적이다. 이 같은 행동은 특히 교사와 부모를 향하는 경우가 많고, 또래관계에서도 나타나지만 강도가 적다. 출현율에 대해서는 질병으로의 개념이 아직 확립되지 않아 빈도가 약 2~20%까지 매우 다르게 보고된다. 여자보다 남자가 두세 배 많고, 과잉행동 중에서 흔히 동반된다. 이들은 논쟁에서 자기학대적 태도를 취하는데, 부모와 논쟁에서 지거나 자존심이 손상될 때는 오히려 자기가 원하는 것을 기꺼이 포기해 버린다. 경한 정도의 수동-공격적이거나 비열한 행동을 하기도 하지만, 때로는 지나치게 순종적이거나 완벽하게 행동하기도 한다. 적대적 반항장애는 품행장애와 명확하게 구별하는 것이 쉽지 않지만, 반항적으로 일탈된 행동들은 중요한 규칙이나 기준을 위반하지 않고 다른 사람의 기본적인 권리를 침해하지 않기 때문에 품행장애보다 덜 심각하다고 본다.

관련어 | 품행장애

적법한 절차
[適法 – 節次, due process]

수퍼비전 실시과정이나 상담과정에서 일어나는 비윤리적인 일 또는 불미스러운 일에 대하여 합법적인 절차를 밟아 해결하는 과정. 수퍼비전

상담자격이 박탈되거나 징계를 받기 전에 소명할 기회가 주어지는 적합한 과정과 절차를 말한다. 본질적인 적법한 절차(substantive due process)는 상담훈련 프로그램의 기준과 과정이 일관성 있게 적용되어야 하는 것을 뜻하며, 과정적인 적법한 절차(procedural due process)는 수퍼바이지가 훈련 프로그램에 대하여 고지를 받고 잘못한 점들에 대한 통지를 받아 정기적으로 평가가 되어야 하며, 잘못한 일 때문에 신분의 변화가 있을 때 발언의 기회를 주어야 한다는 뜻이다(Bernard & Goodyear, 2008).

관련어 | 윤리적 분쟁, 윤리적 수퍼비전

적성검사
[適性檢査, aptitude test]

미래 특정한 영역의 성취를 측정하고 예측하는 검사. 심리검사

특정 유형의 정신적 능력을 측정하기 위한 검사로, 보통 특정한 영역의 성취를 예언하는 것이 목표다. 성취검사와 대비해 보면 쉽게 이해할 수 있는데, 성취검사는 얼마나 경험했고 어느 정도 알고 있는지를 측정하는 검사다. 그에 반해 적성검사는 미래에 주어질 구체적 과제나 특정 상황 혹은 분야에서 능숙하게 수행할 수 있을지를 평가 혹은 예측하기 위해 사용되는 표준화된 측정도구다. 예를 들면, 디트로이트 학업 적성검사-개정판(Detroit Test of Learning Aptitude-Revised: DTLA-2)은 언어적, 인지적, 주의집중, 운동적 영역에서의 능력을 측정한다. 또, 피바디 그림 어휘 검사-개정판(Peabody Picture Vocabulary Test-Revised: PPVT-R)은 언

어적 능력을 추정하며, 비언어적 지능검사-2(Test Of Nonverbal Intelligence-2: TONI-2)는 지능, 적성 및 추리에 대한 언어로부터 자유로운 측정치를 말한다. 우드콕존슨 심리교육적 검사목록 개정판(Woodcock-Johnson Psycho-Educational Battery-Revised: WJ-R)의 하위검사는 여러 가지 인지능력을 측정하는 것이다. 이러한 능력을 측정하는 하위검사는 읽기, 수학, 문어 및 일반 지식에서 피험자의 기대된 성취에 관한 정보를 제공하기 위하여 학업적 적성을 측정하는 것으로 재구성된다. 그 외에도 군 업무 적성검사(ASVAB)와 일반직업적성검사(GATB) 등이 있다.

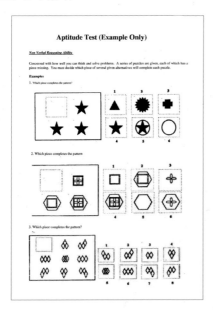

관련어 능력검사, 일반직업적성검사

적용
[適用, application to self]

상호작용 문학치료과정에서 인지, 탐구, 병치를 거친 뒤의 마지막 단계. 문학치료(시치료)

상호작용 문학치료의 마지막 단계인 적용은 앞 단계인 인지, 탐구, 병치에서 일어난 인식과 깨달음을 자신의 삶에 응용하는 과정이다. 이 단계에서는 내담자(참여자)가 자신의 새로운 통찰과 이해를 적용하고, 문제해결과 긍정적인 삶의 변화 및 현실감각을 갖게 된다. 이는 때때로 시간이 흐른 뒤에 일어나기도 한다.

관련어 병치, 상호작용 문학치료, 인지, 탐구

적응
[適應, adjustment]

환경과의 조화로운 관계(harmonious relationship)로서, 적응은 개인이 환경의 변화를 수용하고 맞추려는 노력과 자신의 욕구를 충족시키기 위하여 능동적으로 환경을 바꾸려는 노력. 발달심리

올포트(Allport, 1961)는 적응을 유기체가 환경과 상호작용하여 사회적 요구나 스트레스 상황에 자발적이고 창의적으로 대처하여 그 결과가 개인이 속한 사회의 가치, 규범, 질서에 합치되며 개인에게 정서적 안정을 제공하는 것이라고 하였다. 라자루스(Lazarus, 1976)는 주어진 환경에 자신을 맞추거나 자신의 욕구를 충족시키기 위해 환경을 변화시키는 과정이 적응이라고 하였다. 즉, 유기체는 환경과 상호작용하면서 사회적 요구나 문제를 적극적으로 해결하는 창조적 과정을 통하여 환경과 만족스러운 관계를 형성해 나가는 것이다. 또한 모리스(Moris, 1986)는 스트레스에 대처하는 일련의 노력으로서 개인의 욕구와 외부환경의 조건이 서로 균형을 이루며, 현실을 고려하여 그 환경 내에서 할 수 있는 것과 없는 것을 고려하여 대처하는 성공적 시도 또는 비성공적 시도를 적응이라고 하였다. 이처럼 적응은 개인과 환경 간의 관계, 개인의 상황에 대한 대응방식과의 관계, 개인과 정신건강의 관계, 개인의 자아개념과의 관계 등 일련의 물리적·심리적 관계를 기반으로 이루어진다. 따라서 성공적인 적응이란 환경과의 수동적이고 일방적인 관계 이상의 것으로, 자발적으로 행동하고 위험을 감수하며 자신

을 환경에 내맡기기보다는 자신의 욕구를 충족시키기 위해 환경을 최대한으로 이용하는 것을 말한다.

관련어 | 적응장애

적응 유연성
[適應柔軟性, resilience]

개인이 역경, 트라우마, 위협 등의 스트레스원을 만나게 되었을 때 적극적인 행동적응양식을 보여 주는 역동적인 과정.

가족치료 일반 | **아동청소년상담**

'다시 되돌아오는 경향' '회복력' '탄성' 등으로 회복 탄력성(回復彈力性)이라고도 하는 적응 유연성은 스트레스나 역경에 적극적으로 대처하고 시련을 견뎌 낼 수 있는 능력을 의미한다. 또 역경이나 어려움 속에서 그 기능수행을 회복한다는 뜻을 가지고 있다. 예를 들면, 사람은 누구나 평생 하나 이상의 어려움이나 역경과 마주치게 된다. 하지만 이러한 스트레스적인 상황에 반응하는 방식은 사람마다 다르다. 어떤 사람은 스트레스를 극복하지 못하거나 아주 오랜 시간 극심한 어려움을 느낀다. 그리고 어떤 사람들은 같은 정도의 스트레스 상황에서도 그것에 덜 민감하게 반응하고 극복하는 데 더 짧은 시간이 걸린다. 또 예상하지 못한 건강상의 문제가 생기거나 행복한 삶을 지속하는 데 어려움을 느끼기도 하지만 대다수의 사람들은 일시적인 어려움이나 고통을 잘 이겨 내고, 자신의 삶과 다른 사람들과의 관계를 잘 유지한다. 이렇게 스트레스 상황을 겪은 후에 이전의 상태로 되돌아갈 수 있는 능력을 적응 유연성이라고 한다. 이러한 적응 유연성의 개념을 정의할 때 중요한 두 가지는 '스트레스적인 상황'과 그러한 상황에도 불구하고 나타나는 '유능감(competence)'이다. 여기서 말하는 유능감이란 특정한 영역에서 높은 수준의 성취를 이루는 것이 아니라, 주어진 환경에 효율적으로 적응할 수 있는 능력을 의미한다. 따라서 어린아이나 청소년의 적응 유

연성은, 그들의 삶에서 어떤 어려움이나 두려움의 경험을 하고 있을 때 그것을 드러내어 표현할 수 있는가 하는 것을 보는 것이다. 적응 유연성이 확보된 어린아이나 청소년은 그러한 스트레스적인 상황에서도 자신의 어려움을 드러내어 언어 혹은 행동, 태도 등으로 이를 표현할 수 있다. 또한 적응 유연성은 두 가지 층위로 구성되어 있는데, 하나는 역경이 드러나는 것이고 또 하나는 그 역경에 대한 적극적인 적응결과에 관한 것이다. 적응 유연성은 사람이 자신의 안녕을 유지하기 위해서 심리적·사회적·문화적·신체적 자원으로 자신의 길을 잘 헤쳐 나가는 능력이며 개인적이면서도 협력적으로 그런 자원들을 문화적으로도 의미 있는 방식으로 타협해 나가는 능력이기도 하다. 한편, 적응 유연성은 회복(recovery)과 그 개념을 명확하게 구분해야 한다. 회복은 우울의 증상이나 심리적 외상 후 스트레스장애와 같은 정신병리학적인, 혹은 신체적인 어려움을 겪은 후에 어느 정도의 시간이 지난 다음 완전히 이전의 상태로 되돌아가게 되는 일정한 패턴을 의미한다. 이와 달리, 적응 유연성은 안정적이고 건강한 수준의 심리적이고 신체적인 기능을 유지하려고 하는 능력을 말한다. 즉, 적응 유연성은 불변적인 성격, 행동, 특성이라기보다는 스트레스에 대한 대처과정의 변화무쌍한 역동적인 본질을 보인다. 그리고 적응 유연성의 개념은 전문적인 문헌과 실제에서 상담의 모든 현장을 통하여 증가하는 현저한 현상이다. 근래의 충격과 스트레스가 되는 사건에 대한 직접적인 반응에 조심스러움이 많이 나타난다. 이로 인해 많은 사람들이 손상을 입고, 희망이 없으며 도움을 받지 못하고 있어 적응 유연성을 경험적으로 정의하려는 많은 시도가 있어 왔다. 필수적으로 적응 유연성은, 첫째, 평형을 유지하려 하고, 둘째, 실망스럽거나 방해가 되는 환경을 조절하려 하고, 셋째, 환경을 거스르려 함에도 불구하고 능동적인 기능수준에 튀어 되돌아오려 하는 사람의 능력으로 인식되어 왔다. 적응 유연성은 모든 사람

에게 자신의 환경이나 경험에 상관없이 적절하고 능력 있는 능동적이고 균형 잡힌 관점을 제공한다. 이 같은 적응 유연성의 행동을 구분하고 정의할 때 조심하고 문화적으로 예민해야 하는 것은 매우 중요하다. 역사적으로 적응 유연성의 행위는 백인과 서구적인 시각에서 정의되었고, 문화적 배경을 인식할 수 없고 외부에서의 적응 유연성 반응을 사용할 수도 있는 참가자의 인종, 민족, 문화적 주체성은 고려하지 않았다. 결과적으로 적응 유연성은 힘에 기초한 결과 또는 개발된 반응으로 볼 수 있다. 연구자들은 일반적으로 사람들이 다음의 세 가지 중요한 영역에 걸친 하나 또는 그 이상의 보호요인을 사용하여 적응 유연성을 개발하고 보여 준다고 말한다. 첫째, 사람의 능동적 태도와 철학, 둘째, 지원적인 가정 또는 확연한 친사회적 및 적임의 사람들, 셋째, 학교, 사회기관, 믿음을 기초로 한 기관 등을 포함하는 안전하고 지원적인 커뮤니티에 소속되는 것이다. 해결책에 초점을 맞춘 간단한 치료, 능동적인 심리학 등의 역량강화 접근의 개념을 사용하는 것은 적응 유연성을 현저하게 증가시킬 수 있다.

적응모델
[適應 −, conformability model]

에드워드 판즈워스(Edward Farnsworth, 1982)가 기독교 신학과 심리학의 통합 개념을 설명하기 위해 만든 여섯 가지 모델 중 하나로, 신학적 사상을 바탕으로 심리학적 이론을 설명하고자 하는 입장. **목회상담**

적응모델은 신학적인 입장에서 심리학을 선택적으로 받아들여야 한다고 주장하는 태도를 말한다. 이는 신학적 사실에 맞지 않는 심리학의 이론은 버리는 신용모델과는 달리, 신학에 잘 맞지 않는 심리학의 이론을 수정해서 받아들여야 한다고 본다. 이 모델은 세계관 접근(world view approach)이라고도 부르며, 기독교 세계관에 근거해서 심리학을 재해석하는 시도를 한다.

관련어 내재통합, 병립모델, 보완모델, 신용모델, 전환모델

적응장애
[適應障礙, adjustment disorders]

심리사회적 스트레스 때문에 사회적 관계, 학업, 직무, 작업수행, 문제해결 등에 대한 기능이 손상된 상태. **이상심리**

2013년에 발표된 DSM-5에서는 적응장애를 외상 및 스트레스 관련 장애의 하위 범주로 소개하고 있다. 외상 및 스트레스 관련 장애에는 외상 후 스트레스 장애(PTSD), 급성 스트레스 장애, 반응성 애착 장애, 탈억제 사회관여 장애, 적응 장애 등이 있다. 적응장애는 주요한 생활사건에 대한 적응 실패로 나타나는 정서적 또는 행동적 증상을 말한다. 적응 장애의 조건은 분명히 확인될 수 있는 심리사회적 스트레스 사건에 대한 반응으로 부적응 증상이 나타나야 한다는 것이다. 부적응 증상이 스트레스를 받은 후 3개월 이내에 나타나야 하며, 심각한 사회적·직업적·학업적 기능의 장애, 무기력, 울음, 우울함, 신경과민, 걱정, 안절부절못함, 불안, 싸움이나 비행과 같은 품행 장애, 사회적 철회 등의 증상을 보인다. 이러한 부적응 증상은 환경적 맥락과 문화적 요인을 고려할 때 스트레스 사건의 강도에 비해서 현저하게 심한 것이어야 한다. 그리고 이러한 적응 문제로 인하여 개인이 심각한 고통을 느끼거나 중요한 삶의 영역에서 기능장해가 나타나야 한다. 또한 개인이 나타내는 부적응 증상이 다른 정신장애의 진단기준에 해당되지 않아야 한다. 달리 말하면, 적응 장애는 주요한 생활사건에 대한 적응의 실패로 나타난 부적응 증상으로써 다른 정신장애에 해당될 만큼 심각하지 않은 경우라고 할 수 있다. 적응장애를 유발하는 스트레스 사건은 주요한 생활사건(major life events)으로서 그러한 사건에 적응하기 위해서 상당한 심리적 부담, 즉 스트레스를 느끼게 되는 사건을 말한다. 그 예로는 가족의 죽음이

나 심각한 질병, 부부갈등이나 이혼, 사업실패나 재정의 악화, 갑작스러운 실연, 상급학교로의 진학이나 전학 등이 있다. 스트레스 사건은 예상치 못하게 갑자기 발생하게 되는 것들도 있지만 발달과정에서 일반적으로 겪게 되는 것들(예: 상급학교로의 진학, 가족을 떠나 타지에서 생활하는 것, 결혼이나 부모가 되는 것, 취업하여 직장생활을 시작하는 것, 은퇴 또는 정년퇴직)도 있다. 이러한 생활사건에 당면하게 되면 누구나 스트레스를 느끼게 되지만 나름대로 그러한 변화에 적응하게 된다. 그러나 적응장애는 문화적 맥락을 고려할 때 분명하게 과도한 부적응적인 증상을 나타내는 경우에 해당된다. 스트레스 사건에 대한 반응으로는 우울한 침체된 기분과 무력감이 나타나거나 심한 불안감과 신경과민이 나타날 수 있다. 또는 과도한 음주나 폭력적 행동을 비롯하여 청소년의 경우에는 비행행동(무단결석, 거짓말, 폭행 등)이 나타날 수 있다. 때로는 우울, 불안, 품행 문제가 복합적으로 나타날 수도 있다. 이러한 부적응 문제로 인해서 상당한 고통을 느끼거나 직업 및 학업에서의 수행저하나 대인관계에서의 갈등이 초래될 경우에 적응장애에 해당된다. 적응장애는 비교적 흔한 심리적 문제로서 유병률은 조사된 집단과 측정방법에 따라 다양하다. 정신건강 기관을 방문하는 사람들의 5~20%가 적응장애로 진단된다. 특히 적응장애는 정신과 병원을 방문한 환자의 약 50%에게 진단되는 가장 흔한 정신장애다(American Psychiatric Association, 2013). 성인의 경우는 여성이 남성보다 2배 정도 많이 진단되지만 아동과 청소년 집단에서는 남녀의 비율이 비슷하다. 적응장애는 어떤 연령층에서도 발생할 수 있지만 청소년기에 가장 흔하게 진단된다. 적응장애의 증상은 스트레스 사건이 발생한 후 3개월 이내에 시작되고 스트레스 요인이 사라진 후 6개월 이내 지속되지 않는 것이 일반적이다. 그러나 스트레스 요인이 지속되거나 악화되면 다른 심각한 정신장애(예: 주요 우울장애)로 발전할 수 있다.

관련어 | 적응

적응적 상담치료 - 준비 모델
[適應的相談治療 - 準備 -,
the adaptive counseling and therapy-readiness model]

내담자의 욕구, 관심사, 준비 정도에 맞추어 다양한 심리치료 이론과 기법을 통합하여 치료해야 한다는 통합치료접근법의 하나. 통합치료

치료자가 내담자에게 접근하는 특성에 따라 지지적 유형과 지시적 유형의 두 가지로 나눈 다음, 각 특성의 강도에 따라 다시 네 가지로 분류하여 다양한 내담자에게 알맞은 접근을 할 것을 주장하는 모델이다. 첫째는 지시적 수준이 낮고 지지적 수준이 높은 격려식 상담접근이고, 둘째는 지시적 수준과 지지적 수준이 모두 높은 교수식 상담접근이고, 셋째는 지지적 수준이 낮고 지시적 수준이 높은 충고식 상담접근이고, 넷째는 지시적 수준과 지지적 수준이 모두 낮은 상담접근이다.

적절한 행동의 모델역할자
[適切 - 行動 - 役割者,
modeler of appropriate behavior]

집단에서 모범이 되는 행동을 보여 주는 집단상담자. 집단상담

적절한 행동의 모델역할자는 집단 초기에 차지하는 비중이 크다. 즉, 집단 초기 단계에서 집단상담자가 먼저 모범을 보이는데, 그렇게 올바른 태도를 보여 주는 것이 필요하다. 모델역할은 참가자들이 다른 참가자와 좀 더 건설적인 방법으로 신뢰관계를 형성하는 법을 가르쳐 주는 확실한 방법 중 하나다. 예를 들어, 공동 상담자 두 사람이 서로 자발적으로 상호작용하면서 조화롭게 기능한다면, 집단

참가자들은 두 상담자를 모델로 삼아 다른 참가자들과 더 깊이 있게 신뢰하는 사이가 된다. 이처럼 두 사람의 상담자가 참가자들과 상호작용하는 방식은 집단의 신뢰수준을 높일 수도 있고 떨어트릴 수도 있다. 만약 한쪽 상담자가 참가자와 상호작용하는 방식이 날카롭고 가벼우면서 냉소적이라면, 참가자들은 존경심이 없는 상담자의 태도를 금방 알아차리고는 마음을 닫아 버리거나 방어적이 된다.

전 행동
[全行動, total behavior]

조직화된 행동을 포함하여 욕구를 충족하기 위해 하는 모든 행동. 현실치료

글래서(W. Glasser)는 자동차에 비유하여 인간의 전체 행동체계(behavior system)를 설명하였다. 사랑과 소속감의 욕구, 자유의 욕구, 즐거움의 욕구, 힘과 성취의 욕구, 생존의 욕구라고 하는 다섯 가지 기본욕구는 자동차의 엔진에 해당한다. 욕구를 충족하기 위한 바람(wants)은 핸들이 되며 자동차의 방향을 정한다. 이때 전 행동은 자동차의 바퀴가 되어 개인이 원하는 방향으로 가도록 되어 있다. 전 행동은 활동하기, 생각하기, 느끼기, 생리반응의 네 가지 요소로 구성되어 긴밀하게 관련되어 있다. 활동하기와 생각하기는 자동차의 앞바퀴에 해당하며, 느끼기와 생리반응은 자동차의 뒷바퀴에 해당한다. 활동하기와 생각하기는 선택을 통해 통제 가능성이 높은 반면, 느끼기와 생리 반응은 선택하기 어렵고 활동하기와 생각하기를 통해 간접적으로 통제할 수 있다. 선택이론에서는 개인이 현재 우울하다면 그것은 그 자신이 우울해하는 전 행동을 선택한 때문이라고 설명한다. 예를 들어, 우울할 때의 전 행동을 분석해 보면, '활동하기'는 아무것도 하지 않은 채 그냥 앉아 있는 것이고, '생각하기'는 '그 친구에게 무슨 일이 생긴 걸까, 너무 보고 싶다.'라고 생각

에 잠겨 있는 것이며, '느끼기'는 비참하고 우울한 감정이고, '생리반응'은 손바닥에 땀이 나고 입이 바싹 마르는 것으로 나누어 볼 수 있다. 인간은 전 행동의 네 가지 요소 중에서 활동하기에 대해서는 거의 완벽한 통제력을 가지며, 생각하기에 대해서도 어느 정도의 통제력을 가지고 있다. 그러나 느끼기에 대해서는 거의 통제가 어려우며, 생리반응에 대해서는 전혀 통제력을 발휘할 수 없다. 전 행동을 바꾸기 원한다면 먼저 활동하고 생각하는 방식을 변화시켜야 한다. 앞바퀴에 해당하는 활동하기와 생각하기를 구체적으로 변화시킨다면 나머지 뒷바퀴에 해당하는 느끼기와 생리반응까지도 자동적인 변화가 뒤따른다. 적극적인 활동과 긍정적인 사고에 관여할수록 좋은 감정과 생리적인 편안함이 느껴진다.

전경 – 배경
[前景 – 背景, figure-ground]

게슈탈트 치료에서 게슈탈트를 형성할 때 관심의 초점이 되는 부분을 전경이라 하고, 관심 밖에 놓여 있는 부분을 배경이라고 함. 게슈탈트

게슈탈트 치료에서는 게슈탈트의 형성을 전경과 배경의 개념으로 설명한다. 게슈탈트를 형성한다는 것은 어느 한순간에 가장 중요한 욕구나 감정을 전경으로 떠올린다는 것이다. 게슈탈트 이론에서는 게슈탈트를 이루는 기본 원리가 전경(foreground)과 배경(background)에 있다고 설명하는데, 개인이 어느 한순간 주로 인식하게 되는 욕구나 감정은 전경이 되고, 나머지 관심 밖의 부분은 배경이 되는 것이다. 이러한 전경과 배경에 대한 설명은 주로 글라이트만(Gleitman)의 '루빈의 컵'을 예로 들고 있다. 그림에서 두 사람의 얼굴을 먼저 지각하면 그것이 전경이 되고 나머지 꽃병은 배경이 된다고 할 수 있고, 꽃병을 먼저 지각하면 그것이 전경이 되고 나머지 두 사람의 얼굴은 배경이 된다. 즉, 우리는 동일한

대상을 보더라도 보는 사람의 관점과 시각 또는 심리적, 정서적 상태에 따라 전혀 다른 모습으로 인식할 수 있다. 개인에게 전경으로 떠오르는 것은 주로 그 사람과 가장 밀접한 관계에 있거나 의미 있는 것이며, 주요 관심사를 나타내는 것이다. 배고픔과 같은 기본적인 욕구충족이 이루어지지 않은 상태에서는 음식에 대한 욕구가 강력한 전경이 되기도 한다. 하지만 더 높은 수준의 욕구를 충족시키기 위해서 잠이나 음식 같은 기본적인 욕구를 포기하는 경우도 있다. 게슈탈트 치료에서는 이러한 전경과 배경을 명확하게 인식하여 하나의 완전한 게슈탈트를 형성하는 것을 아주 중요하게 다룬다. 일단 전경으로 떠오른 욕구가 충족되고 나면 계속해서 게슈탈트 형성에 관여하지 않기 때문에, 펄스(Perls)는 인간의 감정이나 욕구의 해소 혹은 충족을 중시했던 것이다. 전경과 배경의 교체상황에서 정말 원했던 욕구를 알아차리게 되면 '아하' 통찰이 일어나고, 이는 전경과 배경의 관계를 뒤집어 버리기도 한다. 건강한 개체는 매 순간 자신에게 중요한 게슈탈트를 선명하고 강하게 형성하여 전경으로 떠올릴 수 있다. 이에 반해, 그렇지 못한 개체는 전경을 배경으로부터 명확하게 구분하지 못한다. 즉, 특정한 욕구나 감정을 다른 것보다 강하게 지각하지 못하며, 이 같은 사람들은 자신이 진정으로 하고 싶은 일이 무엇인지 잘 몰라 매사에 의사결정을 제대로 하지 못하고 행동이 불분명하다. 개체가 전경으로 떠올렸던 게슈탈트를 해소하고 나면 그것은 배경으로 물러나고, 또다시 새로운 게슈탈트가 형성되어 전경으로 떠오르면 그것도 해소되어 배경으로 물러난다. 이러한 유기체의 순환과정을 '게슈탈트의 형성과 해소' 또는 '전경과 배경의 교체'라고 한다. 전경과 배경의 교체는 자연스러워야 하는데, 과거에 만성적인 부정적 정서의 경험이나 외상적 사건은 교체과정에 방해가 될 수 있다. 이런 경우 고정된 게슈탈트(fixed Gestalt)가 형성되고, 이를 미해결 과제라고 한다. 이것은 새로운 게슈탈트의 형성을 방

해하는 요인이 된다. 따라서 게슈탈트 치료에서는 전경과 배경의 원활하지 못한 순환은 인간의 삶과 여러 관계에 생기는 문제들의 원인이 된다고 설명한다.

관련어 | 게슈탈트, 고정된 게슈탈트, 미해결 과제

전구증상
[前驅症狀, premonitory symptoms]

어떤 질환의 증후(symptom)가 나타나기 전에 일어나는 증상. 특수아상담

발병 전 환자는 대개 전구증상을 보이며, 보통 수개월 내지 수년에 걸쳐 서서히 발병한다. 갑작스러운 발병은 혼란이 심한 정신병적 증상을 보이는 수가 많다. 대개 조용하고 수동적이며 내성적이다. 또한 친구가 적고 집단행동을 피하며 영화, 텔레비전,

음악을 즐기는 편이다. 초기 증상으로 논리에 맞지 않는 신체증상을 표현하는 수가 많고 학교, 직장, 사회적 활동에서의 기능이 위축된다. 흔히 발병 전에 주위 사람들은 뭔가 변했다는 인상을 받는다. 또는 추상적 사고, 철학, 종교 등에 심취하기도 하며, 괴상한 생각과 행동, 감정반응, 착각 등을 보인다. 전구증상은 특히 간질(epilepsy) 환자에게서 많이 나타나는데, 대발작의 경우 전구증상이 두드러진다. 대발작의 전구증상으로는 공포감, 심적인 이상 느낌, 비정상적인 시각(섬광, 거시증, 미시증 등)을 느낄 수 있으며, 사지의 감각이상이나 발한 등이 나타난다.

트를 시행하고, 음악 프로그램을 뉴욕의 병원 및 교도소 등지에서 치료목적으로 활용하는 등 음악의 치료적 활성화가 일어나던 무렵 시모어는 음악치료를 전문적으로 교육하는 기관의 필요성을 절감하고 전국음악치료재단을 설립하였다. 전국음악치료재단에서는 대학원 수준의 음악치료사 교육과정 및 석사학위를 취득할 수 있는 교육과정을 만들어 전문적인 음악치료사 양성에 앞장서는 기관이 되었다. 이 기관이 설립된 이후 미시건주립대학교, 캔자스대학교 등에서 처음으로 대학원 과정에 음악치료가 포함되었다.

전국병원음악재단
[全國病院音樂財團, The National Foundation for Music in Hospitals]

병원 내 환자들을 대상으로 하는 음악치료 활성화를 위해 일센(Ilsen)이 앤더턴(Anderton)과 함께 콜롬비아에 설립한 기관. 기관

간호사였던 일센은 병원의 체제에 맞춘 음악을 치료적 목적에 맞도록 효율적으로 보급시키고자 26년간 간호사 경력에서 얻은 모든 것을 활용하여 앤더턴과 함께 1926년에 전국병원음악재단을 설립하였다. 초기 목적은 전쟁 이후 퇴역군인의 정신적·신체적 질환에 적합한 병원 내 음악을 활용한 프로그램을 개발하면서 그들의 조건에 최적화된 치료적 효과를 내고자 한 것이었다.

전기충격치료
[電氣衝擊治療, electroshock therapy: EST]

두개골에 붙인 전극에서 뇌로 전류를 보내 짧은 발작과 화학적 변화를 일으켜 여러 가지 정신질환 증상을 완화하는 치료법. 뇌 과학

전기경련 충격치료라고도 하는데, 심각한 우울증 치료에 효과가 있다. 우울증 환자의 경우 생각과 집중을 담당하는 뇌의 영역과 기분이나 감정을 담당하는 영역 간의 연결이 과도하게 활성화되어 있는데, 이 치료법이 그 활성화 정도를 낮추는 것이다. 단기기억 손상이나 심장문제 발생 등의 부작용이 생길 수 있다. 이 치료는 약물치료의 사용과 발달로 최근 그 사용이 현저히 줄었다.

관련어 | 뇌, 우울증

전국음악치료재단
[全國音樂治療財團, The National Foundation for Music Therapy]

1941년 시모어(H. Seymour)가 설립하여 대학원 및 석사과정 이상의 음악치료사 양성을 위한 교육과정의 음악치료기관. 기관

대공황 시절 연방정부에서 음악을 활용한 프로젝

전념적 행동
[專念的行動, committed action]

한 사람이 가장 깊고 간절하게 바라는 하나의 온전한 삶, 통합된 삶을 만들어 나가는 단계적인 행동과정으로, 자신이 선택한 가치의 방향으로 걸음을 내딛는 것. 수용전념치료

전념(commitment, 투신)은 그 사람의 가치에 따

른 삶을 사는 데 필요한 것에 따라 지속과 변화 모두를 포함할 수 있다. 또한 광범위한 행동에 참여하는 것을 포함한다. 이것이 특히 중요한 이유는 가치 있는 방향을 유지한다는 것이때로는 효가 없는 행동에 고집스럽게 전념하거나 의미 없이 반복하는 것이 아니라 유연함을 갖는다는 의미이기 때문이다. 언제나 반응하는 능력이 있다는 관점에서 보면, 전념적 행동은 본질적으로 책임감을 의미한다. 여기서 반응하는 능력이란 어떤 상황에서든지 가치를 행동과 연결할 수 있는 능력을 의미한다. 예를 들면, 감옥에 있는 사람은 가족에 대한 전념을 드러내 보이는 데 한계가 있을 것이다. 그러나 가석방될 가능성을 높이기 위해 감옥에서 모범적으로 지내거나 가족의 면회를 준비하는 것을 통해 이러한 전념이 드러날 수 있다. 실제로 전념은 모든 종류의 선택된 행동을 통해 드러날 수 있다. 주어진 상황에서 요구되는 전념적 행동의 구체적인 형태는 해당 상황에서 할 수 있는 것이 무엇인지와 가장 효과적인 행동이 어떤 것인지에 달려 있다(Luoma, Hayes, & Walser, 2007). 전념적 행동은 자신의 가치에 접촉하는 것, 가치의 방향으로 나아가기 위해 목표를 개발하는 것, 목표달성을 위해 구체적인 행동을 취하는 것, 행동에 따라오는 내적 장애물과 함께 나아가는 것의 네 부분으로 구분하여 생각할 수 있다. 장애물은 가치의 방향으로 나아가면서 직면하게 될 실제적인 문제로 다가오기도 하지만, 중요한 장애물은 회피하려고 애써 왔던 예전의 경험들이나 융합된 생각의 형태로 나타날 수도 있다. 이에 오히려 장애물과 함께 걸어가는 것을 목표로 한다(Baer, 2006; Hayes & Smith, 2005). 심리적 유연성을 향상시키는 데에 목표를 둔 수용전념치료(ACT)의 핵심 치료과정은 수용, 인지 탈융합, 맥락으로서의 자기, 현재에 머무르기, 가치, 전념적 행동이다. 이 중에서 ACT의 마지막 치료과정인 전념적 행동을 가장 잘 이해하는 방법은 수용하기(accept), 선택하기(choose), 행동을 취하기(take action)의 첫 세 글자인 ACT를 그대로 '액트(행동하기)'로 발음하는 것이다. 즉, 행동하기는 우리가 삶에서 가치를 둔 목표를 향해 최선을 다해 걸음을 내딛는 것을 의미한다. 또한 전념적 행동은 자신이 언어적으로 구체화한 가치와 실제 행동 사이의 일치에 초점을 맞추어 자신이 선택한 가치를 이루기 위해 지속적으로 행동을 발생시키는 것으로서, 이것이 ACT의 궁극적 목표다(Baruch et al., 2009). 전념적 행동을 실행하는 것은 전형적으로 가치 있는 방향을 정의하는 작업 후에 이루어진다. 이때 중요한 것은 내담자의 가치가 어떤 것인지에 대한 공감을 바탕으로 내담자와 상담자가 함께 전념적 행동작업을 하는 것이다. 전념적 행동에 대한 작업은 상담이 활기 없어지거나 지루해질 때, 혹은 내담자가 가치에 대한 이야기만 하고 행동은 하지 않을 때 유용하다. 만약 내담자가 가치 있는 행동을 가로막는 장벽과 접촉하고 있지 않다면, 이 과정에 대한 작업을 시작함으로써 그러한 장벽을 확실히 유발할 수 있다. 어떤 의미에서 전념적 행동은 다른 ACT 과정을 통해 정서적 및 인지적 장벽을 다룰 수 있도록 해 주는 과정이다. 일단 상담자와 내담자 사이에 무엇이 중요한지 공감대가 형성되면, 전념적 행동은 다음과 같은 네 단계로 나누어 볼 수 있다(Luoma, Hayes, & Walser, 2007). 첫째 단계는 최우선 순위의 가치영역을 한두 가지 고르고 기능분석이나 입수 가능한 최대한의 증거 혹은 두 가지 모두에 근거하여 행동 변화를 위한 활동계획을 개발한다. 둘째 단계는 내담자가 가치와 연결된 행동에 전념하도록 도와준다. 이때 행동은 조합되어 가고 있는 더 큰 행동패턴에 대해 마음챙김을 하면서 과제로 수행할 수 있는 것으로 설정한다. 셋째 단계는 수용, 탈융합, 마음챙김 기술을 통해 행동에 대한 장벽을 주의하면서 극복한다. 넷째 단계는 첫 단계로 돌아가서 더 큰 행동패턴, 다른 생활 영역, 두려움을 느끼거나 회피하는 사적 경험, 심리적 유연성이 결여된 다른 영역으로 일반화하는 작업을 한다. 이 작업은 내담자가 상담자의 도움 없이도 유연하고 지혜로운 전념적 행동을 유지할 수 있을 때까지 충분한 연습이 필요하다.

관련어 | 마음챙김, 수용전념치료, 심리적 유연성

전도성 청각장애
[傳導性聽覺障礙, conductive hearing impairment]

외이(外耳)나 중이(中耳)의 이상으로 음파가 내이(內耳)에까지 도달하는 소리의 양이 줄어들어 청각에 장애가 생긴 것. 특수아상담

외이도 내의 과도한 귀지의 축적은 유체나 파괴부스러기를 남기는 질병과 같이 전도성 청각장애를 야기한다. 어떤 아동은 불완전한 외이도나 기형의 외이도를 가지고 태어나며, 고막이나 이소골이 알맞게 움직이지 않으면(진동하지 않으면) 청력손실을 야기할 수 있다. 일반적으로는 청력손실의 정도가 심하지 않아서 대개 경도 내지 중등도의 손실을 보이는데, 이는 난청에 해당한다. 그중 일부는 일시적인 청력손실을 보인다. 경도손실의 경우 말소리를 거의 들을 수 있으며 대부분의 대화를 들을 수 있다(Boone, 1987). 중이염 등에 의해서 일시적으로 생기는 경우가 많고 신속하게 의학적 처치를 하면 곧 없어진다. 지속적인 청각장애를 보이는 경우에도 보청기를 사용하여 소리를 확대해 주면 어느 정도 청각장애가 감소되는데, 전도성 청각장애를 가진 사람들에게는 보청기가 도움이 된다. 많은 전도성 청각장애는 수술이나 기타 약물치료 등의 의학적 기법으로 교정할 수 있다. 청력도에서 일반적으로 기도 검사결과는 낮지만 골도는 정상에 가깝게 나오며, 대체로 청력이 70dB을 넘지 않는다.

관련어 | 전음성 청각장애

전두엽
[前頭葉, frontal lobe]

대뇌 반구에서 판단, 문제해결, 계획, 창의성과 같은 유목적적인 행동을 담당하는 부위. 인지행동

포유류 중에서도 고등동물일수록 잘 발달되어 있는 전두엽은 신체의 반대편 움직임을 맡고 있는 중심 전회, 복잡한 운동기능을 담당하는 운동전 피질, 정서·판단·창의성·문제해결 등 지적 기능을 담당하는 전전두 섬유로 구성되어 있다. 특히 전전두 섬유는 고차적 사고기능을 담당하는 뇌의 가장 진화된 부분으로 여기에 문제가 있는 사람은 짧은 주의 폭, 주의산만, 충동통제 결함, 시간 및 공간의 비조직화, 정서반응 결함, 판단부족, 단기기억의 문제 발생, 사회 및 시험 불안의 증세를 보인다. 그리고 정서를 주도적으로 연결하는 변연계와도 연결되어 있어서 이성과 정서를 통제하기도 하는데, 전전두 섬유와 변연계와의 관계가 불완전하면 정서표현의 정도가 지나치거나 무감각해질 수 있다. 전전두 섬유를 발달시켜 학습효과를 높이는 방법에는 집중력 발달 및 유지를 위한 노력, 목표 지향적인 행동, 좋아하는 것에 대한 초점 두기, 삶의 의미와 목적 지니기, 조직적으로 행동하기, 시청각적 자극을 사용하는 수업전략 등이 있다. 전두엽과 관련하여 두뇌 피질에서 분포되어 있는 것으로는 측두엽, 두정엽, 후두엽이 있다. 측두엽은 청각과 기억에 관련된 부위로 기억, 정서적 안정, 학습, 자기 존재의 확인, 사회화와 통합화의 부분으로 작용한다. 두정엽은 모든 감각수용기로부터 정보를 받는 일차 감각 피질과 신체의 특정 부위에 해당하는 중심 후회가 있다. 두정엽이 손상되면 감각에 대한 반응은 하지만 어느 부위에 해당되는지는 알 수 없다. 후두엽은 주로 시각적인 기능을 담당하는 시각센터가 있는 곳으로 우리 눈을 통해서 들어간 자극이 여기에서 처리되기 때문에 후두엽이 손상되면 시력을 잃을 수 있다.

전략
[戰略, strategy]

특정 성과가 일관되게 나타날 수 있는 반복 가능한 사고와 행동의 계열 혹은 특정 방식으로 행동하고 사고하는 일종의 행동적 · 심리적 습관이나 특성. **NLP**

사람은 누구나 어떤 상황에서든 전략을 사용한다고 볼 수 있다. 결국 전략은 사람들이 특정 방식으로 생각하고 감정을 가지며 행동을 하는 습관을 갖고 있다는 것을 전제로 하여, 그 특정 방식이 어떤 것인지 분석하고 보다 바람직한 성과를 거둘 수 있도록 수정하고 효과적으로 활용할 수 있게 만드는 것을 목적으로 삼고 있다. 전략이 적용되는 예를 들면, 직장인들은 늘 같은 길로 출퇴근을 하며 학생들도 늘 같은 길로 등하교하는 것을 이야기할 수 있다. 즉, 사람들은 거의 매일 같은 지역에서 같은 교통편을 이용하고 같은 길을 통과하여 목적지에 도착하는데, 대부분의 경우는 특별한 상황이 발생하지 않는 한 그에 소요되는 시간도 비슷하다. 특히 직접 운전을 하면서 출퇴근을 하는 경우에도 늘 같은 지점에서 좌회전 또는 우회전을 하거나 U턴을 하고 늘 같은 지역을 통과하는데, 이 모든 것은 그 사람이 무의식적으로 사용하는 전략 때문이다. 형식조건에 맞추어 잘 설정된 전략(well-formed strategy)을 수립하도록 하는 일이 NLP에서는 중요한데, 형식조건에 잘 맞게 설정된 전략이란 타당한 전략의 구성요소와 계열이 잘 갖추어진 전략을 말한다. NLP에서 중요하게 다루는 대표적인 전략에는 동기전략, 구매전략, 판매전략, 학습전략, 사랑전략, TOTE 전략 등이 있다. TOTE 전략모형(TOTE model of strategy)은 1960년에 미국의 조지 밀러(George Miller), 유진 갈란터(Eugene Galanter), 칼 프리브람(Karl pribram)이 출판한 『행동의 계획과 구조(Plan and the Structure of Behavior)』에서 처음으로 공식화된 용어로서, 컴퓨터 모델링에 기초하여 만들어진 일종의 공식이다. 이것은 특히 하나의 전략이 만들어지는 과정을 보여 주는데, TOTE는 'Test' 'Operate' 'Text' 'Exit'의 머리글자를 딴 용어다.

전략적 가족치료
[戰略的家族治療, strategic family therapy]

가족체계 내에서 발생하는 역기능적 상호작용의 내용보다 과정에 초점을 맞추어 문제를 해결하고자 하는 치료적 접근법. **전략적 가족치료**

전략적 가족치료는 현존하는 문제를 해결하려고 애쓰고 통찰의 주입은 거의 하지 않는 단기적인 효과를 목표로 한다. 에릭슨(M. Erickson)의 전략적 접근을 사용하여, 제시된 문제를 해결하는 특성을 갖는 치료모델에 대한 통칭으로, MRI의 단기치료모델, 헤일리(J. Haley)와 마다네스(C. Madanes)의 전략적 치료, 그리고 밀란학파의 체계론적 모델로 발전되었다. 전략적 치료모델의 시작은 MRI에서 이루어진 의사소통이론을 중심으로 발전하였다. 전략적 치료모델의 형성에 영향을 준 학자는 베이트슨(G. Bateson)과 에릭슨이다. MRI의 연구원이었던 헤일리는 의사소통이론과 역할이론에 관심을 가지고, 이를 가족체계 내에서 구성원들 간의 상호작용과 역할역동에 적용하여 연구함으로써 그만의 독특한 전략적 치료접근을 발전시켜 나갔다. 헤일리는 특히 가족 내부에 존재하는 위계에 관한 규칙을 중시하였으며, 대부분의 가족문제에는 역기능적인 가족위계가 있음을 발견하였다. 따라서 이러한 역기능적인 가족의 상호작용을 파악하고, 이를 전략적으로 변화시키는 데 관심을 기울이게 되었다. 이를 위해 그는 가족을 이중구속의 상황에 빠트려 역설적으로 가족들이 자발적인 변화를 이루도록 유도하는 전략을 사용하였다.

관련어 | 역설적 개입, 이중구속

전략적 동맹
[戰略的同盟, strategic alliance]

치료자가 문제의 가족 중 한 사람과 동맹을 맺어 가족의 변화를 유도하는 기법. **전략적 가족치료**

가족구성원들 전체가 역기능적인 상호작용을 계속해서 반복하며, 악순환에 빠져 있는 경우 매우 유효한 기법이다. 이 기법을 사용하기 위해 치료자는 먼저 내담자의 가족구성원 중 적절한 사람을 선택하여 특별한 동맹의 관계를 맺는다. 이 속에서 치료자와 해당 가족구성원은 다른 가족원 모르게 서로 정보를 교환하고, 가족 전체의 악순환의 상호작용을 단절하는 데 도움이 되는 처방을 준다. 필요에 따라서는 제2의 동맹자, 제3의 동맹자를 만들 수도 있다. 예를 들어, 아버지의 재혼으로 계모와 계속되는 갈등관계에 있는 딸이 있다. 아버지가 딸과 계모의 관계를 개선시키기 위해 노력할수록 갈등은 점점 더 심화되었다. 이러한 가족의 변화를 위해서 치료자는 계모와 동맹의 관계를 전략적으로 맺어서 딸과의 접촉을 줄이고 남편에게 딸과의 관계 개선을 위해 자극을 주지 않도록 요구하도록 하였다. 이러한 치료자의 처방을 가족체계 안에서 계모가 실행함으로써 역기능적인 상호작용의 변화를 유도하는 것이다.

전문상담교사
[專門相談敎師, professional school counselor]

모든 학생의 학업적 · 개인적 · 사회적 그리고 진로발달의 요구를 다루는 학교상담 관련 훈련을 받아 공인된 면허를 지닌 교육자. **학교상담**

전문상담교사의 명칭은 1958년 이후부터 1990년 초까지는 '교도 교사', 1990년 초부터는 '진로상담교사'로 명명되었다. 이후 1998년 초 · 중등학교와 특수학교에서 생활지도와 상담을 담당하는 전문가 양성을 위해 '전문상담교사 양성제도에 관한 시행령'이 통과되어 1999년 3월부터 교육인적자원부 장관의 지정을 받은 전국의 각 교육대학원에서 1년 과정의 전문상담교사 양성과정을 개설 · 운영하면서 '전문상담교사'로 지칭하게 되었다. 이 과정은 초 · 중등학교 2급 정교사 이상의 자격증을 소지하고, 만 3년 이상의 교직경력이 있는 현직 교사가 참여할 수 있다는 조건이 있었다. 과정을 마치면 전문상담교사 1급 자격을 받고, 국가선발고시를 거친 다음 각 지역 교육청 또는 학교에 배치되어 활동한다. 전문상담교사의 역할은 각 나라마다 다르게 주어져 있으며, 미국의 경우는 ASCA가 제시한 국가모형에서 학교상담 교사의 역할과 책무를 강조하면서 기초, 수행 체제, 관리 체제, 책임의 네 개 영역으로 제시하고 있다. 일본의 경우 전문상담교사를 스쿨 카운슬러(スクールカウンセラー)라고 지칭하며, 아동 · 학생에 대한 상담, 교사에 대한 자문 및 지원, 학부모 상담을 담당하고 있다. 우리나라 전문상담교사의 역할은 소속학교 학생의 내방상담, 학생 · 교사 · 학부모 대상 예방교육, 상담 관련 행정서비스 기획, 학교상담실 운영 및 관리, 단위학교 특성에 맞는 상담모형 구안 및 적용, 상담 관련 각종 통계자료 수집 및 관리, 학교상담활동 홍보, 학교 내 상담지원 체제(협의회 구축 및 운영 지원), 학생상담 자원봉사자 모집 및 관리, 기타 상담업무와 관련된 행정업무 등이 있다.

관련어 | 전문상담순회교사

전문상담사
[專門相談士, specialist counselor]

한국상담학회의 정회원 또는 준회원으로서 학회가 요구하는 소정의 수련과정을 이수하고 자격시험에 합격한 뒤 자격심사를 거쳐 한국상담학회가 발급하는 자격증을 부여받은 사람. **상담윤리**

한국상담학회에서 부여하는 전문상담사는 수련

1675

감독 전문상담사, 전문상담사 1급·2급·3급으로 구분하고 있다. 수련감독 전문상담사는 상담의 최고 전문가로 전문적 능력과 상담자 교육 및 훈련 능력을 지닌 자로서, 다양한 전문영역에서 개인 및 집단의 자아실현과 적응강화에 대한 조력 및 지도, 여러 전문영역에서 심리적 부적응 및 장애를 겪는 개인 혹은 집단에 대한 진단·평가·상담, 해당 전문영역에서 전문상담사의 교육 및 추천, 해당 전문영역에서 전문상담사의 수련내용 평가·인준·추천, 상담 및 심리치료에 대한 연구, 상담기관의 설립 및 운영 등의 역할을 수행한다. 1급 전문상담사는 상담의 전문가로 독자적 상담을 수행할 수 있는 능력을 지닌 자로서 해당 전문영역에서 개인 및 집단의 자아실현과 적응강화에 대한 조력 및 지도, 해당 전문영역에서 심리적 부적응 및 장애를 겪는 개인 혹은 집단에 대한 진단·평가·상담, 자격취득 2년 후부터 2급·3급 전문상담사의 교육, 상담 및 심리치료에 대한 연구, 상담기관의 설립 및 운영이 가능하다. 2급 전문상담사는 수련감독자의 지도하에 각종 상담업무를 수행할 수 있는 능력을 지니고, 개인 및 집단의 자아실현과 적응강화에 대한 조력 및 지도, 개인 및 집단에 대한 진단·평가·상담, 상담 및 심리치료에 대한 연구보조, 상담 행정업무를 수행한다. 3급 전문상담사는 수련감독자의 지도하에 각종 상담활동에 참여할 수 있는 능력을 지니고, 구조화된 집단상담 프로그램의 운영보조, 표준화 심리검사의 실시 및 채점, 매체 상담 또는 기타 상담활동의 보조업무, 상담 행정업무 등을 수행한다. 한국상담학회는 대학상담, 집단상담, 진로상담, 아동·청소년상담, 학교상담, 초월 영성상담, 부부·가족상담, NLP 상담, 군상담, 교정상담, 심리치료 상담, 기업상담, 중독상담 등 총 13개의 분과학회를 두어 상담을 보다 전문화하고자 하였다. 2급과 3급 전문상담사는 분과학회를 구분하지 않고 자격을 수련할 수 있지만, 1급 전문상담사와 수련감독 전문상담사는 분과학회별로 자격증을 부여받는다. 이와 관련하여 한국상담학회는 전문상담사의 자격검정에 필요한 자격관리를 위하여 자격규정과 수련기준을 제시하고 있다. 자격규정에는 전문상담사의 자격 등급 및 역할, 자격 검정 및 전문영역 표기, 전문가 자격의 유지, 자격관리위원회에 대하여 명시하고 있으며, 전문상담사 자격유지에 필요한 연수와 관련된 사항, 교육연수기관, 교육연수학점을 관리하는 교육연수위원회를 구성하고 있다. 이와 관련된 내용은 한국상담학회 홈페이지(www.counselors.or.kr에 자세히 기술되어 있다.

전문상담순회교사
[專門相談巡廻教師, professional circuit school counselor]

우리나라 지역교육청의 초등교육과 또는 중등교육과에 소속되어 지역교육청 관할 내에 있는 초·중등학교의 학생, 학부모를 대상으로 순회상담을 하거나 교사·학부모에 대한 학생지도의 자문역할을 하는 교육자. 학교상담

이들이 소속된 곳이 교육행정을 전담하는 기관이므로 상담업무와 더불어 상담 관련 행정업무 및 기타 소속기관에서 분류한 업무를 담당하며, 지역청마다 업무는 조금씩 다르다. 전문상담순회교사의 주업무로 예를 들면 다음과 같다. 학생상담센터 운영, 진로정보센터 운영, 관내 초·중학교 순회상담, 전화상담, 대면상담, 사이버상담, 개인 및 집단상담, 교사상담 자문, 학부모 상담, 교원상담 연수, 학부모 상담 및 교육, 진로지도, 가정-학교-지역사회 상담망 구축, 대안 교육, 심리검사 등의 상담업무, 상담활동 및 진로교육과 관련된 행정업무가 있다. 그리고 기타 업무에는 성희롱 예방 및 성교육, 흡연 예방교육, 양성 평등교육과 관련된 업무, 교육환경 전환업무, 학생·학부모 봉사활동, 생활지도 업무 협조, 특수교육 관련 업무, 각종 문화예술 행사 후원 및 협조 등이 있다.

관련어 | 전문상담교사, 학교상담

전미문학치료학회
[National Association for Poetry Therapy: NAPT]

www.poetrytherapy.org 학회

미국의 정신적 아버지라고 불리는 벤저민 러시(Benjamin Rush) 박사는 효과적인 보조치료도구로 음악과 문학을 소개할 만큼 문학은 치료를 하는 데 매우 중요한 도구가 된다고 하였다. 문학치료는 독서치료(문학과의 상호작용)와 저널치료(생활 속에서 일상적으로 쓰임)뿐만 아니라 치료적 스토리텔링 등 다양한 치료적 모델을 포함하는 치료로 매우 중요한 의미를 가지고 있다. 전미문학치료학회(NAPT)는 문학과 언어예술을 사용하여 자신의 삶뿐만 아니라 다른 사람의 삶을 도와주기 위한 목적으로 1993년에 설립된 후 지금까지 이어져 오고 있다. 학회가 오래되지는 않았지만 연구를 지지하는 장기적이고 직접적인 체계와 교육, 프로젝트, 훈련, 그리고 문학치료에서의 임상업무, 문학을 촉진하기 위한 적용체계 등이 제대로 확립되어 있다. NAPT의 활동으로는 정신건강, 의학분야의 지역사회 등에서의 전문적인 교육, 모임후원, 세미나, 문학치료 영역에서의 호의, 연구에 관한 촉진 및 격려, 문학치료현장에서의 교육적 기회 등의 제공이 있다. 회원은 시인, 작가, 의료 전문가, 교육자, 건강을 전문적으로 돌보는 사람들뿐만 아니라 심리치료사, 상담사, 심리학자, 사회복지사 및 정신과 의사 등이 포함되어 있다.

전반적 발달장애
[全般的 發達障礙, pervasive developmental disorders]

특수아상담

⇨ '광범위 발달장애' 참조.

전성기기
[前性器期, pregenital stage]

심리성적발달단계의 초기 세 단계인 구강기, 항문기, 남근기를 통칭하는 단계. 성격심리 정신분석학

프로이트(S. Freud)는 인간의 성격이 리비도 발달에 따라 구강기, 항문기, 남근기, 잠복기, 성기기의 5단계를 거치면서 발달해 나간다는 성욕설을 주장하였다. 5단계를 다시 전성기기와 성기기로 구분하는데, 심리성적발달의 마지막 두 단계인 잠복기와 성기기 이전까지의 구강기, 항문기, 남근기를 통합해서 전성기기라고 한다. 이러한 심리성적발달에 따르면, 개인의 성격은 전성기기에 해당되는 출생 이후 6세경까지의 경험에 의해 기본 구조가 형성되며 그 후 정교화 과정을 거치면서 발달해 나간다.

관련어 심리성적발달단계

전성설
[前成說, preformationism]

인간은 남성의 정자와 여성의 난자에 모든 발달적 요소를 지니고 있어 수태와 함께 주어진 정보에 따라 발달한다는 인간발달의 유전적 요인을 강조하는 이론으로, 전개설(展開說)이라고도 함. 아동청소년상담

현미경의 성능이 발달하지 않았던 시대에 나온, 생물체의 형상이 발생 이전의 난자 또는 정자 시기부터 이미 완성되어 있다고 주장한 동물발생에 관한 학설이다. 난자와 정자 안에 미세한 성체(成體)의 모양을 한 소인(小人)이 들어 있어 그것이 커져 성체가 된다는 것이다. 또한 성체의 축소판, 즉 소인이 난자에 들어 있는지, 정자에 들어 있는지에 대한 논쟁도 발생하였다. 따라서 이 이론에서는 아동이 태어날 때 성인이 되어 나타나는 특성을 이미 지니고 있다는 것을 강조한다. 그러나 18세기 중반 볼프(Wolff)의 닭의 발생연구 및 19세기 바에르(Baer)

의 비교발생학 연구 등으로 수정란이 성체가 되는 과정이 밝혀지면서 주장된 후성설(後成說), 즉 모든 기관은 처음에 성체의 모습이 없고 단순한 것에서부터 발생과정에 따라 순차적으로 새롭게 만들어진다는 학설에 의해 전성설은 부정되었다.

관련어 | 후성설

전의식
[前意識, preconscious]

즉각적으로 유효하지 않지만 충분한 자극이 주어진다면 의식으로 소생될 수 있는 정신영역. 정신분석학

    정신분석에서 설명하는 정신영역의 세 가지 수준 가운데 하나로서 흔히 이용 가능한 기억(available memory)이라고 한다. 현재 의식수준에 놓여 있지는 않지만 초자아의 검열기능이 약화되면 즉시 의식수준으로 떠올릴 수 있는 내용들이 전의식에 담겨 있다. 따라서 전의식의 내용은 억압된 것이 아니라 단지 억제되어 있거나 잠시 기억에서 사라져 있는 것들이라고 할 수 있다. 일상생활 경험 중에서 의식적으로 주의를 기울이지 않게 되는 것들은 전의식으로 사라지고 그 후에는 더 깊은 무의식 속으로 사라진다. 예를 들어, "점심식사는 무엇을 드셨나요?"라고 질문을 받았을 때, 질문받기 전까지는 점심식사의 내용이 의식에 들어 있지 않았지만 질문을 받는 순간 전의식에 있던 내용이 의식으로 떠오른다. 또한 외부세계로부터 들어온 지각경험도 전의식에 담겨 있다. 예를 들어, 노련한 자동차 운전자는 라디오를 듣거나 다른 생각을 하면서도 거의 자동적으로 운전조작을 한다. 다른 차의 운전자, 신호등, 방어운전 등을 특별히 의식하지 않고서도 운전을 잘하는데, 이와 같이 습관이나 익숙한 기술들은 전의식의 조절하에 있다. 무의식과 전의식은 모두 서술적 무의식(descriptive unconscious)이라고도 부른다. 전의식은 의식에서 포착되지 않는다는

점에서 현상학적으로 무의식으로 간주된다. 서술적 무의식이라는 개념은 역동적 무의식(dynamic unconscious), 즉 일반적으로 무의식이라고 부르는 것과 구분하기 위해 사용된다. 다시 말해, 역동적 무의식은 비합리적이고 의식표면에 떠오르기 힘들지만 서술적 무의식은 합리적이며 의식에 쉽게 떠오른다. 서술적 무의식도 역동적 무의식처럼 의식에 노출되어 있지는 않지만 작용방식은 의식과 유사하다. 전의식의 작용형태는 무의식보다는 의식수준에 더 가까우며 이차과정(secondary process)에 따라 작동된다. 전의식은 무의식처럼 의식영역 밖에 존재하기는 하지만, 의식처럼 합리적 사고의 영역에 속한다. 검열기능과 억압의 장벽역할을 해서 무의식의 표상들이 무의식 안에 머무르는 데 필요한 에너지를 제공한다는 점에서 무의식과 구별된다. 전의식 기능의 작동방식은 이차과정과 현실원리가 지배적이라는 점에서는 무의식의 작동방식과 다르다. 전의식은 무의식과 의식영역을 연결해 준다. 전의식은 사물표상과 언어표상의 중간 영역이며 일차과정과 이차과정의 중간 지역이다. 정신분석치료에서 전의식은 매우 중요한 역할을 하는데, 분석기법에 의해 무의식적인 내용이 전의식으로 떠오르고 그다음 다시 의식영역으로 들어갈 수 있다. 치료자가 해석한 내용이 정서적으로 동화되는 훈습(working through) 과정은 무의식적인 내용이 전의식 속으로 동화되는 과정을 의미한다. 영속성(permanence)은 전의식의 기능이 지속적이고 안정되게 기능한다는 의미이다. 따라서 전의식에 존재하는 이러한 유동성과 영속성은 정신분석의 가능성을 측정하는 중요한 기준이 된다. 전의식의 건강한 조직화는 건강한 심리기능과 연결된다.

관련어 | 무의식, 의식, 지형학적 모형

전이
[轉移, transference]

내담자가 과거의 중요한 대상과의 관계에서 경험했던 감정이나 환상을 상담자에게 치환하는 것. 정신분석학

상담과정에서 나타나는 방어기제의 하나로 치환에 해당한다. 전이는 일반적으로 내담자의 아동기 시절 중요한 타인과의 미해결 과제의 산물이다. 내담자가 과거의 대인관계에서 미해결 경험을 이해하고 현재 치료관계를 통해 해결할 수 있도록 하는 분석의 중요한 단서다. 상담자는 내담자의 해결되지 않은 이러한 갈등을 상담자에게 재연할 수 있도록 상담환경을 조성하고, 내담자가 보다 효과적이고 기능적인 방식으로 그것을 다룰 수 있도록 도와준다. 프로이트(S. Freud)는 내담자와의 관계에서 전이가 갖는 치료적 기능을 발견하고 난 후 이전까지 내담자 분석과정에 사용됐던 최면기법을 포기하였다. 최면과 달리, 전이는 치료 장면에서 내담자가 상담자에게 표출하는 강한 정서적인 반응으로서 내담자는 현실적 상황과는 무관하게 행동한다. 분석과정이 진행됨에 따라 내담자는 아동기에 경험했던 감정이나 갈등을 무의식으로부터 의식의 표면으로 떠올리기 시작하며 정서적인 퇴행을 나타낸다. 내담자는 사랑, 성, 분노, 불안 등과 관련된 초기 생애에서의 갈등을 상기하고, 그것에 관련된 정서를 현재에서 재경험하는 가운데 상담자에게로 표출한다. 내담자의 억압된 무의식적 환상들이 현재 치료장면에서 무의식적으로 재연된다. 예를 들어, 내담자가 과거에 엄격하고 애정이 없는 아버지와의 관계에서 해결되지 못했던 감정을 상담자에게 전이시키면 상담자는 내담자의 눈에 엄격하고 애정이 없는 사람으로 보인다. 전이에는 두 가지 유형이 있다. 먼저, 긍정적 전이 혹은 양성적 전이(positive transference)란 상담자에게 우호적이고 친밀한 감정을 갖는 것이며 성애적(性愛的)인 기반을 둔다. 반면 부정적 전이 혹은 음성적 전이(negative transference)란 상담자에게 공격적이고 불신감을 갖는 것이다. 적대적인 감정은 부정적 전이의 산물이지만, 내담자가 상담자를 좋아하게 된다거나 상담자의 사랑과 인정을 받으려고 할 경우에는 긍정적 전이가 나타난다. 프로이트는 억압된 성애적 요소에서 비롯된 긍정적 전이는 내담자가 보여 주는 저항과 역동적인 관계를 갖는다고 보았다. 한편, 긍정적 전이와 부정적 전이가 함께 존재하는 경우를 양가성(ambivalence)이라고 한다. 실제 치료장면에서는 긍정적 전이와 부정적 전이가 대립되고 포함되는 양가적 전이가 많이 나타난다. 예를 들어, 내담자가 치료자에게 연애감정과 같은 호의나 친밀함과 더불어 원망과 질시라는 양가적 감정, 즉 상호 대립적 감정을 표출하는 경우다. 또 성애전이(erotic transference)는 내담자가 상담자에게 성적 욕구를 느끼고 노골적으로 성에 대한 묘사를 하는 전이의 한 형태다. 유아기 때 어머니에 대해 느꼈던 감정과 같이 무의식의 대상에게 느끼는 좋은 감정을 상담자에게 느끼는 경우다. 내담자가 이러한 무의식적인 기제를 깨닫고 자신의 내적 대상관계를 이해하게 되면 치료효과가 나타난다. 효과적인 치료를 위해 전이관계를 적절하게 훈습한다.

관련어 | 역전이

전이분석
[轉移分析, transference analysis]

상담자가 내담자의 전이를 유도하고 그것을 분석하는 것. 정신분석학

정신분석이 진행되면 내담자는 과거에 경험한 타인과의 관계, 특히 부모나 주요 양육자와의 관계에서 형성된 경험들을 상담자를 통해 재현하는데, 이러한 전이가 결정적인 치료요소가 된다. 내담자는 상담자에게 감정을 전이함으로써 현재의 어려움을 유발하는 초기의 인생갈등을 정서적으로 다시 경험

한다. 상담관계에서 전이현상이 발생하면 내담자는 상담자에 대한 지각이 왜곡되어 상황에 걸맞지 않은 경험과 행동 양식을 나타낸다. 또한 과거의 의미 있는 대상과의 관계 양상이 활성화되어 과거경험들이 상담자와의 실제 관계에서 다시 생생해진다. 정신분석의 치료효과는 내담자의 전이를 이해하고 어떻게 처리하는가에 달려 있다. 내담자로 하여금 전이되는 감정의 실제와 환상 사이를 구별할 수 있도록 도와주며, 이러한 전이분석을 통해 왜곡된 관계를 재정립하도록 해 준다. 상담자의 분석을 통해 전이감정이 해소되면 내담자는 과거의 영향에서 벗어나 보다 정서적으로 성숙한 상태에 도달할 수 있다.

관련어 | 전이

전이신경증
[轉移神經症, transference neurosis]

아동기에 부모나 부모 대행자에게서 경험했던 사랑과 미움의 감정이 현재 치료자에게로 재현되는 현상. 정신병리

프로이트(S. Freud)가 정통적 정신분석으로 치료가 가능한 정신신경증, 즉 히스테리아, 불안 히스테리아, 그리고 강박신경증을 일컫는 용어로 사용하였다. 실제적 신경증이나 자기애적 신경증이라고 불린 정신병과는 대조되는 개념이다. 이후 전이신경증은 정신분석 중에 발생하는 신경증을 지칭하는 용어로 사용되기 시작했다. 내담자의 본능적 욕동과 그것들에 대한 방어 사이에서 아동기적 갈등이 현재의 치료자에게 전이되는 것을 뜻한다. 내담자는 치료자의 성격 특징과 개인적 삶에 대한 정보가 없는 상태에서 현재 치료관계에 대한 지각에 의해 환상을 형성한다. 내담자는 치료자와 전이신경증이라고 하는 강렬한 관계를 형성하는데, 이는 아동기 신경증이 재현된 것이다. 내담자가 전이를 통해 경험하는 감정은 현재 정신분석 상황에서 생생하게

경험되는 것이기 때문에 이러한 전이현상을 해석함으로써 내담자의 자기이해를 촉진할 수 있다. 만약 전이를 내담자가 극복하기 곤란한 저항으로 이용한다면 성공적인 분석은 이루어질 수 없다.

관련어 | 전이, 전이 저항

전이유발
[轉移誘發, transference pull]

내담자의 전이를 촉진하는 것. 정신분석학

정신역동적 접근에서 상담자는 치료적 목적으로 내담자의 전이현상을 촉진한다. 치료장면에서 상담자는 마치 빈 화면(blank screen)과 같은 역할을 함으로써 내담자의 사고과정을 방해하지 않고 중립적인 자세를 유지한다. 이러한 역할을 통해 상담자는 내담자가 과거 중요했던 타인과 관련된 감정을 상담자에게 투사하도록 촉진할 수 있으며, 그 결과 내담자의 무의식 내용을 상담장면이라는 현실에서 다룰 수 있게 된다. 정신분석과정에서 전이를 증가시키는 요인은 몇 가지가 있다. 먼저, 상담자가 자신의 개인적인 신상에 대한 비밀을 지킬 때, 즉 익명성을 유지할 때 전이가 촉진된다. 상담자에 대한 개인적인 정보를 모를수록 내담자는 상담자에게 자신의 이미지를 쉽게 투사할 수 있다. 상담자와 내담자가 어릴 때부터 서로 잘 아는 사이라면 상담자의 모습이 아주 명료하게 인식되기 때문에 전이가 유발되지 않는다. 또한 상담자가 내담자의 언어나 행동에 대해 중립성을 지킬 때에도 전이가 촉진된다. 상담자가 내담자를 매우 친절하게 대하는 경우에는 상담자에 대한 내담자의 우호적인 감정반응이 상담자의 현실적인 행동에서 유발된 것이기 때문에 전이현상으로 보기 어렵다. 그 외에도 빈번하고 규칙적인 상담횟수와 장기 상담기간도 전이유발을 촉진한다. 또한 상담자가 "요즈음 나와 관련된 꿈을 많이

꾸시는 것 같네요."라고 말하면서 내담자의 전이에 대해 관심을 표현하는 것도 전이반응을 유발하는 요인이 될 수 있다.

관련어 | 전이

전인교육
[全人敎育, whole person education]

지덕체(智德體)를 고르게 성장시켜 넓은 교양과 건전한 인격을 갖춘 인간을 육성하려는 교육. 학교상담

지식교육과 신체적 발달뿐만 아니라 학생의 정서, 성격, 행동, 가치관, 흥미, 대인관계 등의 능력을 향상시키는 데 초점을 두는 것이 전인교육이다. 인간은 지정의(知情意) 혹은 지덕체(智德體)의 여러 요소가 하나로 통정(統整)되어 전체적으로 반응하는 존재다. 따라서 지정의 혹은 지덕체의 학습은 따로 이루어지는 것이 아니라 유기적 관련을 갖고 상호작용한다. 따라서 교육은 개성적 존재로서의 인간을 존중하여 다양하면서도 균형 있게 이루어져야 하며, 인간의 신체적 성장, 지적 성장, 정서적 발달, 사회성의 발달을 조화시킴으로써 균형 잡힌 전일체(全一體)로서의 인간을 육성해야 한다. 바로 이러한 교육이념을 지향하는 것이 전인교육이다. 인간교육, 인본주의 교육이라고도 불리는 전인교육은 현대산업사회의 물질만능주의와 규격화된 제도에 따르는 인간소외현상을 비판하고, 지식 중심과 입시 위주의 교육을 반대하면서 나타났다. 학교교육의 목적이 산업발달을 위해 교육의 효율성을 높이는 데 치중하는 것이어서는 안 되고 인간다운 사회를 창조해 갈 수 있는 인간교육에 주목해야 한다는 것이다. 인간중심상담의 대표적 인물인 로저스(C. R. Rogers)는 이것을 완전히 기능하는 인간(fully functioning person)으로 정의하여 자아실현을 전인교육의 중요한 개념으로 제시했다. 또한 인본주의 심리학자인 매슬로(A. Maslow)는 개인의 재능·능력·가능성을 최대한으로 사용하고 계발하는 교육을 주장했고, 그러한 인간의 특성으로 자발성, 수용적 태도, 민주적 인격, 공동체적 감정, 창의성 등 14가지를 제시했다. 이러한 경향은 교육이 인간 특성의 전체적인 발달을 도모해야 한다는 의식을 반영한 것이다. 따라서 인간의 지정의 혹은 지덕체를 전면적으로 계발한다고 하는 경우에도 이러한 구분은 편의적인 것이며, 중요한 것은 교육이 전인격(全人格)과 관련되어 있다는 인식이 필요하다. 현대사회의 전인교육에서는 이러한 관점에서 학습자의 능동적이고 주체적이며 창의적인 참여를 강조하고 있다. 학교상담과 생활지도는 이러한 전인교육을 기본정신으로 하고 있다.

전정기관탈감각
[前庭器官脫感覺, vestibular desensitization]

인지행동치료

⇨ '직면' 참조.

전제
[前提, presuppositions]

인간의 본성이나 행동과 관련된 어떤 명제나 진술. 최면치료 NLP

NLP에서 내용의 사실성이나 진실성과 상관없이 그것을 사실로 인정하고 수용하여 그에 따라 행동할 때 변화나 치료적 효과를 얻는 데 도움이 되기 때문에 당연한 것으로 받아들이는 생각이나 신념을 전제라고 한다. 전제 조건 혹은 기본 가정이라고 부르기도 한다. 즉, 명제나 진술을 당연하게 받아들이고 그에 따라 행동할 때 바람직한 성과나 변화가 초래될 수 있다는 것이 전제의 의미다. 메타 모형과

밀턴모형에서 많이 활용되는데, 메타 모형과 밀턴 모형에서 전제는, 상담자가 어떤 사실을 기정사실로 암묵적으로 인정하고 받아들이는 표현을 하게 되면 내담자 역시 이러한 전제를 인정하고 받아들이는 수준에서 반응을 하게 된다는 것이다. 예를 들어, "오늘 상담에서 어떤 부분이 가장 도움이 되었나요?"라고 묻는다면, 이 질문에서는 '오늘 상담이 최소한 두 가지 이상의 면에서 도움이 되었다.' '오늘 우리가 나눈 이야기는 상담적인 대화였다.'라는 전제가 암묵적으로 인정되어 있는 것이라고 할 수 있다. 이에 대해 내담자가 "저에게 가장 도움이 된 것은 ……."라고 대답한다면 내담자 역시 상담자가 제시한 전제를 인정하고 수용한 것이다. 에릭슨 최면에서 최면유도과정이나 암시 및 치료과정에서도 사용된다. 내담자에게 특정 현상을 마치 사실인 것처럼 암묵적으로 받아들이게 함으로써 결과적으로 특정 방향으로 행동변화를 유도할 수 있다. 예를 들어, "당신은 앞으로 내가 지시하는 대로 잘 따라 할 수 있을 것입니다."라는 암시문은 '내가 지시할 것이 있다.' '당신은 내 말을 따라 할 수 있는 능력이 있다.' '나는 당신에게 지시를 내릴 수 있는 사람이다.'라는 전제가 내포된 것이다. 이는 "내 지시에 따르시오." 등의 직접적이고 지시적인 표현에 따르는 내담자의 저항을 줄이는 데 유용하며, 에릭슨 최면의 기초적인 원리이자 기법의 하나다.

관련어 | NLP, 메타 모형, 밀턴모형, 에릭슨 최면

전조
[前兆, aura]

최면 내담자를 최면상황으로 이끄는 일련의 기대와 불안.
최면치료

전조는 상황에 따라 내담자의 최면경험에 도움이 되거나 방해가 될 수 있다. 최면이 삶의 어려움을 해결해 줄 것이라는 믿음을 갖도록 유도하는 상황에서 전조는 내담자의 최면경험을 강화하거나 극대화하는 데 기여한다. 반면 유도자가 신뢰상황을 이용하여 자신을 착취할 수도 있다고 의심하는 상황에서 전조는 내담자의 최면경험을 방해한다.

전진
[前進, progression]

후퇴의 반대개념으로 심리학적 적응과정의 진보. 분석심리학

전진은 시간이 앞을 향하는 동일한 감각에서 삶의 발전을 향한 움직임이다. 전진이 사물과 환경적 조건에 의해 우월한 영향을 받을 때 나타나는 외향성이든, 자아나 주관적 요소의 조건에 적응할 때 나타나는 내향성이든 간에 전진의 움직임은 두 개의 다른 형태로 일어난다. 삶의 일반적 과정에서는 상대적으로 후퇴보다는 리비도의 전진이 쉽다. 에너지는 더 나아가려 하거나 의지대로 더 적어지는데, 이것은 심리학적 발전이나 개성화와 동일하지 않다. 전진은 끊임없는 진행이나 삶의 흐름에 대한 것이다. 이 전진은 흔히 갈등의 방해를 받거나, 변화하는 환경에 적응하는 데 영향을 미치지 못한다. 반대 극의 리비도의 전진과정에서는 정신과정의 조정된 흐름에서 통합된다. 그러나 리비도의 정지에서는 전진이 점차 불가능해지고, 긍정과 부정은 조정된 행위에서 더 이상 통합되지 않는다. 이는 양쪽 다 균형화된 간격을 유지하는 동등한 가치에 도달했기 때문이다. 만약 후퇴과정, 리비도의 후퇴 움직임이 시작되지 않는다면 양극단 간의 갈등은 끊임없이 줄어들지 않고, 그것의 목적은 의식적 태도를 보상하게 된다. 이러한 무의식적 정신적 과정이 명백하게 증가하는 에너지 가치에 따라, 의식적 행동의 방해와 신경증의 증상이 간접적으로 나타난다.

관련어 | 후퇴

전체 대상
[全體對象, whole object]
욕구를 만족시킬 수도 있고 동시에 좌절을 줄 수도 있다는 양 측면에서 파악되는 대상. 대상관계이론

초기 상태 유아는 만족감을 느끼면 그것은 '좋은 것'이고, 좌절감을 느끼면 그것은 '나쁜 것'으로 분리해서 인식한다. 유아의 인식능력은 어머니가 '좋기도' 하고 동시에 '나쁘기도' 한 것을 미처 생각하지 못한다. 자아기능이 약한 유아는 어머니의 좋은 부분과 나쁜 부분을 통합하지 못하고 이를 분열시켜 한 측면만 의식하고 다른 측면은 의식에서 배제해 버린다. 이때, 어머니라는 대상은 유아의 의식세계에서 아직 전체 대상이 아니라 부분 대상으로 지각되고 경험된다.

관련어 | 부분 대상

전체론
[全體論, holism]
기관 전체가 그것을 이루고 있는 부분들의 동작이나 작용을 결정한다는 입장. 철학상담

환원론(reductionism), 원자론(atomism), 개체론 (individualism)에 대비되는 개념으로, 어떤 존재를 이루고 있는 부분들을 모아 놓는다고 해서 전체가 나오지 않는다는 입장을 견지한다. 이른바 부분들로 분해하고 또 이것을 모아 결합하는 방식으로 전체에 접근하는 것을 반대한다. 전체론은 전체는 부분들의 합 이상으로서, 전체를 유기적으로 파악해야지 기계적으로 파악해서는 안 된다고 강하게 주장한다. 대표적인 철학자는 바로 헤겔(Georg Hegel)이다. 그는 『정신현상학』에서 '진리는 전체다.'라는 입장을 펴면서 부분들을 통해서나 부분들의 합을 통해서 대상이나 존재에 대한 인식을 논하는 것이 부당하다고 주장하였다. 또한 역사적 과정을 통해 전체

가 드러날 때만 진리에 이를 수 있다고 보았다. 이러한 전체론의 관점은 근대의 원자론, 기계론, 해부학 등에서 표방된 현상 전반에 대한 거부로서, 자연과학과 사회과학 모두에서 새로운 입장으로 대두하였다. 전체론은 자연 생명체가 단순히 부분들의 합으로 전체가 되지 않듯이 사회의 구성원인 개인 의지의 결합으로 사회 전체의 의지가 나올 수 없다는 입장을 견지하고 있다. 즉, 전체론에 따르면 생명체 자체는 그것을 이루고 있는 부분들을 초월하며, 사회 자체도 그것을 이루고 있는 개인들을 초월한다. 생명의 현상을 물리, 화학적인 법칙만으로 설명할 수 없다고 주장한 한스 드리슈(Hans Driesch)의 생기론이나 인간의 정신은 물질의 부분들의 합처럼 그렇게 접근할 수 없음을 주장한 게슈탈트 심리학 모두 전체론의 영향에 있다. 이 입장은 전체를 절대시하고 그것을 이루는 구성요소나 구성원을 소홀히 함으로써 전체주의(totalitarianism)로 기울고 만다는 지적을 받기도 한다. 실제로 헤겔의 전체론에 입각하여 후대의 포스트구조주의자들은 이구동성으로 칸트(Immanuel Kant)를 전체주의로 평가하려는 경향을 보여 주었다.

전체적 구조화
[全體的構造化, total structuring]
인간의 삶, 즉 하나님의 명령에 순종하며 사는 인간의 모든 삶의 영역을 구조화하는 생활. 목회상담

권면적 상담을 주창한 제이 애덤스(Jay Adams)는 내담자의 기본적인 문제뿐만 아니라 문제의 이차적인 영향에 대해서도 관심을 가져야 한다고 주장하면서, 기본적인 문제는 그 문제의 영역은 물론 삶의 다른 영역에도 영향을 미친다고 하였다. 따라서 권면적 상담자는 모든 생활영역과 관련된 문제를 찾는 데 집중해야 하며, 생활의 모든 영역이 전체적인 의식과 계획하에 변화가 일어날 때 근본 문제

가 해결될 수 있다고 설명하였다. 즉, 내담자가 상담과정을 통해서 새롭게 습득한 삶의 원리들을 생활의 전반적인 부분에 적용하도록 하는 전체적 구조화를 이루는 것은 내담자의 문제가 근본적으로 해결되도록 만드는 것이다. 예를 들어, 우울증을 호소하는 내담자는 처음부터 우울증이 있었던 것은 아니라고 설명하였다. 처음에는 아침에 일어나기 싫은 무기력감을 느꼈을 수도 있다. 그러다가 점차 삶의 작은 일이 하기 싫어지고, 외출이나 밥 먹는 것에도 의욕을 잃고, 사람들과의 관계도 흥미가 없어지는 결과를 낳는다. 이러한 삶의 영역이 결국 계속 확장되어 우울증에 걸리게 된 것이라고 보았다. 따라서 권면적 상담자는 내담자의 우울증에만 관심을 기울이지 말고, 전체적인 생활의 다양한 영역에서의 영향력에 집중하여, 이 영향력들을 구조화하여 전체적인 변화계획을 세움으로써 근본적인 문제해결을 시도할 수 있다. 전체적 구조화는 내담자의 문제를 근본적으로 해결해 주며, 완전히 새로운 삶을 살아가는 데 도움을 준다.

관련어 | 권면적 상담, 제이 애덤스

전-초오류
[前超誤謬, pre-trans fallacy: ptf]
의식발달의 측면에서 전개인적 상태와 초개인적 상태는 둘 다 비합리적이라는 공통점이 있으며, 매우 비슷하게 나타나므로 서로 혼동을 일으키기 쉽다는 점을 지적한 개념.
초월영성치료

윌버(K. Wilber)가 제시한 개념으로, 인간의 발달은 자아 이전의 전개인적 상태에서 시작하여 개인적인 자아의 확립을 거쳐 자아 초월적 단계에서 정점에 이른다고 보았다. 전개인적 상태는 물질적 세계와 미분화된 융합상태이며, 자아도, 이성도, 영성도 존재하지 않는 상태다. 반면, 초개인적 상태는 자아에 묻히지 않고 자아를 넘어선 물질성, 이성, 영성을 통합할 수 있는 상태다. 즉, 미분화된 융합과

발달상의 분화를 충분히 거친 뒤에 나타나는 통합의 모습은 표면적으로는 비슷하게 보일지 몰라도 본질적으로는 현격한 차이가 있다. 윌버는 전ㆍ초 오류를 두 가지 유형으로 구분하였다. 전ㆍ초 오류 1유형(ptf-1)은 모든 상위의 초개인 상태를 보다 낮은 전개인 상태로 환원시키는 오류다. 이러한 환원주의적 세계관은 합리성을 인간과 집단발달의 정점으로 보고 합리성이야말로 우주를 이해하는 유일한 방법으로 인식하는 경험적 과학의 시각이라고 볼 수 있다. 더 깊거나 넓은 상위의 맥락은 존재하지 않으며, 삶은 합리적으로 살든지 신경증적으로 사는 두 가지 방법밖에 없다. 진정한 초(trans) 합리적 경험이 발생하는 경우에도 그것은 곧 전(pre) 합리적인 구조로의 퇴행이라는 취급을 받는다. 이와 반대로, 전ㆍ초 오류 2(ptf-2) 유형은 전개인 상태를 초개인 상태로 승화시키는 오류다. 승화주의자들은 초개인적이고 초합리적인 일체감을 궁극적인 오메가 점이라고 보고 자아적 합리성은 이러한 보다 상위의 상태를 부인하는 경향이 있으므로 그것을 인간 가능성의 낮은 지점이라고 주장한다. 2유형 관점에서의 역사는 영적인 차원에서 원죄를 가진 인간이 소외의 낮은 지점으로 추락하는 역사이며, 인간은 나락의 끝에 있다는 종교의 관점이다. 두 가지 오류 모두 오직 2개의 축, 즉 전개인-개인(ptf-1), 혹은 개인-초개인(ptf-2)의 영역만 가진다.

전형적인 하루
[典型的 - , typical day]
아들러(Adler) 가족치료에서 내담자가 보내는 전형적인 하루 평가를 통하여 가족의 구조와 영역, 역할, 일상의 과정, 규율, 협력과 경쟁의 정도를 평가하는 것. 기타 가족치료

상담자는 하루 중에서 누가 누구와 함께 무엇을 했는지 각각의 관점에서 살펴봄으로써 억압과 일상생활에서의 대립점, 그리고 비효율적인 의사소통, 상호작용, 가족 분위기, 가족의 가치를 파악할 수 있

다. 이를 통하여 보통 부모와 자녀의 상호작용 양식이 드러난다.

전화상담
[電話相談, telephone counseling]

전화를 통하여 내담자의 심리적, 정서적 문제를 해결하고자 하는 방법. **위기상담**

전화상담은 다음과 같은 장점이 있다. 첫째, 내담자는 더 많은 통제력을 지닌다. 어려움에 처한 내담자가 도움을 요청하기 위해 기관이나 상담자를 직접 방문하는 경우에는 두려움과 불안함을 갖게 된다. 이때 내담자는 기관이 자신에게 어떤 도움을 줄 수 있는지 알지 못한 채 기관의 관리방식에 따라야 한다. 이 같은 상황에서 통제력은 기관이 지니고 있고 내담자는 수동적으로 행동하게 된다. 하지만 전화상담은 내담자의 결정에 따라 이루어질 수 있기 때문에 내담자 자신이 힘이나 통제력을 지니게 되는 것이다. 둘째, 내담자의 익명성이 보장된다. 자신의 어려움을 공개적으로 도움을 청하기보다는 전화를 통하여 자신의 직업이나 주변환경 등에 대한 정보를 노출하지 않고 상담할 수 있다는 장점이 있다. 셋째, 지역적·개인적 장벽을 해소한다. 고통을 겪는 내담자는 새로운 장소에서 새로운 사람을 만나는 것이 또 하나의 위협이 될 수 있다. 그런데 전화상담은 자신에게 익숙하고 편안한 장소에서 상담을 받을 수 있으므로 심리적 안정감을 느낄 수 있다. 특히 신체장애나 노인과 같이 기동성이 부족한 사람들에게 유용하다. 넷째, 치료자의 익명성이다. 내담자는 자신을 도와주는 사람들에 대한 기대를 가지고 있기 때문에 그러한 내담자의 기대에 가까운 사람으로 상상하는 것이 가능해진다. 기대감의 충족은 내담자의 긍정적인 성장을 촉진할 수 있다. 다섯째, 하루 24시간 언제나 상담이 가능하다. 이러한 장점을 가진 전화상담에서 수집하는 내담자의 정보는 대략 전화 거는 사람의 이름, 주소, 전화번호 등이다. 이것으로 내담자의 상황을 파악하여 전화를 할 수 있고, 그에게 제공된 서비스를 평가할 수 있다. 그리고 문제가 무엇인지, 그 문제가 급성인지 혹은 만성인지를 파악하고 문제를 유발하는 사건을 확인한다. 내담자가 문제를 해결할 능력이 있는지, 또는 자신을 돌볼 능력이 있는지, 위기에 직면했을 때의 한계점 등도 파악한다. 또한 내담자의 장점을 확인하고 자살 가능성의 여부를 확인한다. 주변 인물, 가족, 동거인, 독신 등에 대해 파악하고, 위기와 관련된 다른 사람이 있는지 확인하여 내담자의 문제해결에 도움을 준다.

관련어 | 생명의 전화

전환교육
[轉換敎育, transition education]

아동이 하나의 서비스 요소나 전달체계에서 다른 서비스나 전달체계로 이동하거나 변경하는 과정. **특수아상담**

일정한 조건이나 장소에서 다른 조건이나 장소로 이행하는 과정을 의미한다. 학교교육을 마치고 사회에서 잘 적응하도록 하기 위하여 직업교육, 성인 서비스, 주거 생활훈련, 지역사회 훈련 등의 여러 필요한 활동을 적절히 조화하여 제공하는 것이다. 이상적으로 전환은 갑작스럽거나 안정되지 않은 자리 이동이 아닌, 무리 없이 이루어지거나 발전하는 형태가 되어야 한다. 확장된 전환 개념은 특정 프로그램 안에서 일어나는 변화까지 포함한다. 그러한 변화는 아동이 새로운 수업으로 이동하거나, 새로운 선생님과 수업을 시작하거나, 다른 서비스 제공자에게 서비스를 받기 시작하거나, 혹은 일정이나 일과를 변경할 때 발생한다(Bailey & Wolery, 1992). 일반 학생들은 비교적 큰 어려움 없이 전환하여 새로운 조건에 적응한다. 그러나 특수교육 대상 학생의 경우, 특히 개별화 교육에 익숙해져 일반 학생보다

ス

전환으로 인한 적응문제가 매우 심각할 수 있고, 동시에 전환에 대한 학부모의 불안과 걱정이 클 수 있기 때문에 전환을 맞는 학생들의 담당 교사는 이에 대해 각별한 관심을 가지고 지도에 임해야 한다(Lerner & Benson, 2003). 일반적으로 전환교육은 특수교육 대상 학생의 학교교육 이후 성인기 직업 및 생활 적응을 위한 교육과 지원서비스를 제공하는 데 중점을 두고 있다(김진호, 2001). 그러나 통합교육을 전제로 한다면 취학 전 조기교육기관에서 초등학교로의 이행 과정도 중요한 과정이다. 미국의 장애인 교육법(IDEA)은 전환교육을 위한 내용이 늦어도 16세 이전에는 반드시 IEP에 포함되어야 한다고 규정하고 있다. 우리나라에서는 전환교육의 개념은 알려져 있지만, 실행을 하는 데 협력이 필요한 장애 성인을 위한 각종 서비스나 직업교육 등이 잘 발달되어 있지 않은 실정이다.

관련어 | 직업교육

전환모델
[轉換 – , convertibility model]

에드워드 판즈워스(Edward Farnsworth, 1982)가 기독교 신학과 심리학의 통합유형을 설명하기 위해 만든 여섯 가지 모델 중 하나로, 심리학적 이론을 통해 신학을 검증하고 평가하려는 입장. 목회상담

전환모델은 신학과 심리학의 통합에 관해 신용모델과 반대의 주장을 한다. 즉, 심리학적인 입장에서 신학적인 요소를 선택적으로 받아들여 통합해야 한다고 본다. 성경은 심리학의 보다 큰 영역에 속해 있는 것으로서, 심리학과 어긋나는 성경적인 사실들은 사실이 아닌 신화에 불과하다는 심리학적 제국주의(psychological imperialism) 입장을 나타낸다. 따라서 내담자의 종교적 신념과 경험들을 심리학적으로 검토하여 사실성을 평가하고자 한다. 심리학적으로 설명 가능한 종교적 사실이나 체험만이 객관적이고 의미 있는 것이므로, 상담과정에서 활용은 가능하지만 심리학의 이론으로 설명하지 못하는 것들은 가치가 없다고 보는 것이다.

관련어 | 내재통합, 병립모델, 보완모델, 신용모델, 적응모델

전환신경증
[轉換神經症, conversion hysteria]

감각기관이나 수의운동의 극적인 기능상실을 주증상으로 하는 장애로, 실제 신체적 질병 없이 단순한 심리적 갈등이 있을 때 무의식적 과정으로 일어나는 신경증. 정신병리

전환신경증 환자 본인은 증상이 있을 때 보통 그것이 심리적 원인임을 모르고 있는 것이 특징이다. 어릴 때 부모의 과잉보호나 거부적 태도가 사랑의 결핍, 현실적 곤란을 극복하는 능력의 결여와 같은 병전 인격(病前人格)의 특징을 형성하는 것이 원인으로, 이는 성적인 성숙의 결여, 자율신경계의 과민성, 강한 피암시성, 이기주의, 고통을 참는 능력의 결여 등으로 나타난다. 프로이트(Freud)에 따르면 이들의 증상 형성에 관여하는 정신기제는 투사, 전환, 동일시 등이며, 자신에게 불리한 상황이나 행동을 피하는 계기가 될 때 증상이 형성된다. 전환신경증 환자는 어린 시절 충족되지 못한 사랑의 욕구를 신체적 곤란으로 호소하고, 직면하기 싫은 상황이 닥치면 신체적 증상을 호소한다.

관련어 | 전환장애

전환위기
[轉換危機, transcrisis]

위기사건이 발생한 직후에 일어나는 여러 가지 사건이 그 위기를 만성적이고 장기적인 질병으로 전환시킬 수 있는 상태. 위기상담

처음 위기사건이 개인의 의식수준에서 점차 사라지고 위기를 경험한 사람이 더 이상 그 문제가 자신을 괴롭히지 않는다고 믿을지라도 새로운 스트레스

요인이 나타나면 다시 그 위기상태에 빠져들게 된다. 이러한 정서적 상태가 몇 달 또는 몇 년에 걸쳐 해소되지 않고 반복적으로 나타난다. 예를 들면, 부모에 대하여 해결하지 못한 분노를 지닌 사람은 직장생활에서 부모와 비슷한 권위를 지니고 있는 상관이나 고용주에게 분노와 적개심을 드러내는 경우가 있다. 이는 부모에 대한 미해결 과제를 해소하지 않고 억제한 결과 발생하는 것이다. 전환위기 상태에 놓여 있는 사람은 대인관계의 어려움을 관계기술훈련으로 개선하고자 하지만 이는 일시적인 향상이며 전환위기의 근원은 해결하지 못한다. 위기가 일시적으로 가라앉은 것이지 없어진 것이 아니며 스트레스 요인이 발생하면 원래의 위기가 새로운 위기를 지각하기 때문이다. 그러나 외상 후 스트레스를 겪은 사람이 모두 전환위기 상태에 빠지는 것은 아니다. 전환위기 상태는 만성적인 사고나 감정, 행동을 지니고 있고 최소한의 수준으로 기능하며 하나의 스트레스 요인으로도 균형이 깨질 수 있다. 이들을 사정하기 위해서는 진단적 상태와 문제가 반복되는 주기, 위기 이전의 전조를 평가해야 한다.

관련어 위기

전환위기 시점 [轉換危機時點, transcrisis points]
내담자가 평온한 상태를 유지하다가 또다시 급격한 불안함을 경험하는 상태를 치료하는 과정에서 나타내는 것으로서 내담자가 새로운 발달단계나 다른 차원의 문제에 초점을 두는 시기를 말한다. 전환위기 시점은 불규칙적으로 나타나며 예측할 수도 없다. 예를 들면, 배우자의 폭력으로 배우자와 헤어지기로 결정하기 전에 위기개입 전문가에게 여러 번 전화를 한 것은 한 번의 전환위기 시점을 보인 것이고, 배우자를 떠나 쉼터에 입소한 뒤 직업을 찾아 이사를 하는 것이 남편의 폭력만큼이나 위기를 유발한다는 것을 알게 된다. 이런 경험이 또 하나의 전환위기 시점이 된다. 때로는 위기로 인한 장기치료

를 지속적으로 받아 오던 내담자가 갑자기 혼란스러워하고 인지적 불평형을 나타내는 경우가 있는데, 이를 전환위기 시점이라 한다. 그러나 전환위기 시점은 내담자가 원래의 위기사건과 같은 혼란, 불평형, 분열을 경험하게 되므로 오히려 치료의 긍정적인 효과를 가져올 수 있다. 상담자는 내담자가 처음 위기를 겪은 뒤 만성적인 병리적 상태를 겪지 않도록 하기 위해서는 첫 번째 위기만 다룰 것이 아니라 전환위기 시점에 관심을 두고 적응상의 어려움을 통제할 수 있도록 도와주어야 한다.

전환장애
[轉換障礙, conversion disorder]
의학적 원인으로 설명할 수 없는 운동기능이나 감각기능에서의 결함 또는 이와 관련된 신체증상. 정신병리

전환장애의 예를 들면 신체의 마비, 눈이 안 보이는 것, 귀가 안 들리는 것, 보행이 어려운 것 등 자신의 기본적인 신체기능의 일부나 전부를 잃어버린 경우다. 이는 의식적인 조절하에 있지 않은 듯하고 의학적 원리로도 설명되지 않는다. 전환장애 증상은 종종 스트레스를 경험한 뒤에 나타나고 매우 갑작스러운 경우도 있다. 전환장애는 과거에 '히스테리' 또는 '히스테리성 신경증(hysterical neurosis)'이라고 불렸으며 프로이트(Freud)가 정신분석학을 발전시키는 계기가 된 장애이기도 하다. 정신역동가들이 사용한 전환장애라는 명칭은 심리적 갈등이 신체적 증상으로 전화되어 나타난 것이라는 의미를 내포하고 있다. 히스테리아에 관한 연구에서 브로이어(Breuer)와 프로이트에 따르면, 정서적 흥분을 크게 일으키는 사건을 겪었지만 감정은 표출되지 않고 해당 사건에 관한 기억도 의식경험에서 차폐(shield)되었을 때 전환장애가 발생한다는 이론을 제기하였다. 브로이어와 프로이트는 경험과 연결된 감정이 표현되지 않는 이유를 그 경험이 너무나 고

통스러워 의식으로 들어오지 못하도록 억압하는 것이거나, 반 최면상태와 같은 비정상적인 심리상태에서 그러한 경험을 한 것일 수 있다. 이들은 두 가지 상황 모두에서, 전환장애의 증상은 그것의 발생 바로 전에 있었던 외상적 사건과 인과관계가 있다고 하였다. 한편, 울만과 크래스너(Ullmann & Krasner, 1975)는 전환장애의 발생에 대한 행동적 설명을 제안하였다. 이에 따르면 전환장애 환자가 어떤 목적을 달성하기 위해 이 증상을 채택하기 때문에 전환장애는 꾀병과 비슷하다. 전환장애 환자의 경우, 운동이나 감각 능력에 영향을 미치는 질병을 앓고 있는 사람이라면 어떻게 행동할 것인지에 대한 자기 나름의 생각을 가지고 있고, 그에 따라서 행동하려 한다는 것이다. DSM-5에서는 전환장애를 '신체증상 및 관련 장애의 범주'의 하위 범주로 분류하고 있으며, 다음과 같이 전환장애의 진단기준을 기술하고 있다. 첫째, 의도적인 운동 기능이나 감각기능의 변화를 나타내는 한 가지 이상의 증상이 있어야 한다. 둘째, 이러한 증상과 확인된 신경학적 또는 의학적 상태 간의 불일치를 보여 주는 임상적 증거가 있어야 한다. 셋째, 이러한 증상이 다른 신체적 질병이나 정신장애로 더 잘 설명되지 않아야 한다. 이러한 증상이나 손상으로 인해서 현저한 고통을 겪거나 일상생활의 중요한 기능에서 현저한 장해가 나타날 경우 전환장애로 진단된다. 전환장애는 과거에 '히스테리' 또는 '히스테리성 신경증(hysterical neurosis)'이라고 불렸으며 프로이트(Freud)가 정신분석학을 발전시키는 계기가 된 장애이기도 하다. 전환장애라는 명칭은 심리적 갈등이 신체적 증상으로 전환되어 나타난 것이라는 의미를 내포하고 있다. 전환장애에서 흔히 나타나는 증상은 크게 4가지 유형으로 나누어진다. 첫째는 운동기능에 이상을 나타내는 경우로서 신체적 균형이나 협응 기능의 손상, 신체 일부의 마비나 기능저하, 목소리가 나오지 않는 불성증(aphonia), 소변을 보지 못함, 음식을 삼키지 못하거나 목구멍이 막힌 듯한 느낌 등이

다. 둘째는 감각기능에 이상을 보이는 경우로서 신체 일부의 촉각이나 통각 상실, 물건이 이중으로 보이는 이중시야, 물건을 보지 못함, 소리를 듣지 못함, 환각 등이 나타나기도 한다. 피부감각의 이상을 호소할 때는 흔히 장갑이나 양말을 착용하는 손이나 발의 부위에만 감각을 느끼지 못하는 경우가 있다. 그러나 신경구조상 이러한 양상이 나타날 수 없으며 이는 환자의 지식이나 생각이 감각 장애의 분포 양상에 영향을 미치기 때문에 나타난다. 셋째는 갑작스러운 신체적 경련이나 발작을 나타내는 경우다. 갑자기 손발이 뒤틀리거나 경련을 일으키고 감각마비나 특이한 신체감각을 느끼는 경우로서 흔히 이러한 증상이 일시적으로 나타났다가 사라지는 현상이 반복된다. 마지막으로는 위의 세 가지 경우가 복합적으로 나타나는 경우다. 전환장애 환자는 자신이 지닌 증상의 심각성에 비해 그다지 걱정하지 않는 무관심한 태도(la belle indifference)를 특징적으로 나타내기도 한다. 일시적인 전환 증상은 흔하지만 전환장애의 유병률은 알려져 있지 않다. 일반인의 경우 전환장애를 나타내는 사람이 매우 희귀하게 보고되고 있지만, 일반병원을 찾는 환자의 5~14%와 정신건강 의료시설에 의뢰된 외래환자의 1~3%가 전환장애를 나타낸다는 보고도 있다. 과거에 비해 전반적으로 전환장애의 유병률이 감소하고 있다는 데에는 전문가들이 동의하고 있다. 전환장애는 남성보다 여성에게서 2~10배나 더 흔한 것으로 알려져 있다. 그러나 이러한 성차는 전환 증상의 표현과 진단에 대한 사회문화적 영향 때문이라는 주장도 있다. Chodoff(1974)에 따르면, 남성도 여성만큼 흔하게 전환 증상을 경험하며 회사나 군대에서는 남성이 이런 증상을 더 많이 경험한다고 한다. 그러나 여성의 의존적 역할이 승인되는 문화에서는 여성이 남성보다 전환 증상을 더 많이 보고하기 때문에 여성의 유병률이 높게 나타난다는 것이다(Ziegler, Imboden, & Rodgers, 1963). 아울러 전환장애는 대도시보다는 시골 지역에 거주하고 사회

경제적 지위와 교육수준이 낮은 사람들에게 더 흔한 것으로 알려져 있다. 성인보다는 아동이나 청소년에게 더 흔하게 나타나며, 10세 이하의 아동은 걸음걸이 문제나 경련에 국한된 증상을 나타내는 경향이 있다. 처음 발병은 일반적으로 후기 아동기나 초기 성인기에 일어나고, 10세 이전이나 35세 이후는 드물다. 전형적으로 전환 증상은 짧은 기간 동안 지속되며, 전환장애로 입원한 환자들은 대부분 2주 이내에 증상이 완화되지만 1년 이내에 20~25%가 재발한다.

관련어 | 전환신경증

절대주의
[絕對主義, absolutism]

피아제(J. Piaget)가 창안한 도덕발달이론 중, 약 5세경 시작되는 둘째 단계에서 나타나는 특징으로 규칙을 절대적으로 믿는 경향. 발달심리

피아제는 아동이 게임의 규칙을 따르는 정도와 규칙을 의식하는 정도를 관찰하여 도덕발달을 전 도덕 단계, 도덕 실재론(moral realism) 단계, 도덕 상대론(moral relativism) 단계로 제시하였다. 이에 따르면, 도덕 실재론 단계는 타율적 도덕성(heteronomous morality)이, 도덕 상대론 단계는 자율적 도덕성(autonomous morality)이 지배하는데 절대주의는 도덕 실재론 단계에서 보이는 것이다. 이 단계의 아동은 옳고 그름을 알게 되며, 권위자나 절대적 힘을 가진 존재가 규칙을 만들었기 때문에 항상 따르는 것이 옳은 것이라고 믿는다. 즉, 규칙을 절대적으로 믿는 경향이 있다. 예를 들어, 부모가 아동에게 낯선 사람과 이야기하면 안 된다고 말하면, 이러한 부모의 규칙은 신성하고 수정할 수 없다고 생각하면서 절대적으로 믿고 따른다.

관련어 | 피아제의 도덕성 발달이론

절정감장애
[絕頂感障礙, orgasmic disorder]

성욕감퇴장애의 일종으로 성반응주기 세 번째 단계인 오르가슴 경험에 문제가 생기는 경우. 성상담

절정감장애는 오르가슴 장애, 극치감 장애(極致感障礙) 등으로도 불리며, 여성 절정감장애, 남성지루, 남성 절정감장애 등으로 구분된다. 오르가슴이란 성적 쾌감이 최대가 되었을 때 나타나는 극치감과 이에 수반되는 신체적 현상을 말하는데, 이를 제대로 느끼지 못하는 경우를 절정감장애라 한다. 여성은 나이나 성적 경험, 성적 자극의 양이나 정도, 신체적 발달상황 등을 고려했을 때 문제가 없고, 성적 흥분기는 경험할 수 있지만 이후의 절정감이 지연되거나 절정감을 느끼지 못하는 경우가 이에 해당되고, 남성도 마찬가지로 다른 문제가 없는데 흥분기 이후 사정에 이르지 못하거나 사정이 지연되는 것이 이에 해당된다. 절정감장애는 자위나 직접적 성교 이외 다른 방법을 통해서 오르가슴을 느낄 수 있는 경우는 제외한다. 여성 절정감장애의 원인은 내분비계 질환과 같은 신체적 요인, 항고혈압제, 항우울제, 항정신병 약물 등 약물복용, 수술의 영향, 성적 억압, 임신 공포, 거절에 대한 두려움, 질 손상에 관한 두려움, 남성에 대한 적개심, 죄의식 등과 같은 심리적 요인이 있을 수 있다. 게다가 억압적인 사회분위기도 영향을 미치며, 성적 상대자의 기술 부족이나 서로의 주기가 맞지 않는 경우도 절정감장애를 경험할 수 있다. 남성의 경우는 여성보다 훨씬 드물다. 원인은 주로 약물, 비뇨생식계 수술, 척수 손상과 같은 신경학적인 문제가 많으며, 노화도 원인이 된다. 남성도 여성과 마찬가지로 사회적 분위기나 상대방을 만족시켜야만 한다는 심리적 원인이 있을 수 있다. 여성의 경우는 성기능장애 중 절정감장애가 가장 흔하며, 심리적인 원인이 큰 부분을 차지한다. 특히 부부간 갈등이나 성에 대한 소극적 태도, 죄의식 및 수치심, 종교적 관념 등이 영향

ㅈ

을 많이 미칠 수 있다. 절정감장애도 다른 성기능장애와 마찬가지로 처음부터 아예 절정감을 경험하지 못한 경우와 절정감을 경험한 적이 있지만 이후 특정 상황에서나 특정 상대를 만날 때는 절정감을 경험하지 못하는 경우로 구분할 수 있다. 절정감장애를 경험하게 되면 쇠퇴기의 해소가 원활하게 진행되지 않고, 주관적 행복감 및 근육이완 등에서도 곤란을 겪을 수 있다. 하부 복통, 하부 생식기 통증, 가려움증, 분비물 등에 관련된 하부 생식기 불편감 등 신체적 증상이 따를 수도 있고, 여러 심리적 문제를 유발할 수도 있다. 당연히 부부관계에 미치는 영향도 크다. 절정감장애 치료에서는 주로 행동요법이 많이 쓰인다. 특히 매스터스와 존슨(Masters & Johnson)의 이중 성치료(dual-sex therapy)가 큰 효과가 있다.

절편음란증
[節片淫亂症, fetishism]

사람이 아닌 물건을 통해서 성적 흥분 및 만족을 얻는 증상으로 성도착증의 일종. 성상담

절편음란증은 거의 남성에게 나타나는 증상으로, 무생물적인 물건 사용을 포함하여 일으키는 강한 성적 충동과 공상을 말한다. 이러한 성적 각성을 위해서 이성의 속옷이나 스타킹, 신발, 머리핀, 밴드, 손수건 등 이성의 몸과 밀접하게 연관된 물건을 주대상으로 한다. 드물게는 머리카락, 눈썹, 손톱, 발톱, 음모 등 신체 일부를 수집하고, 이를 성적 공상이나 혼자만의 성행위에 사용하는 경우도 있다. 물품 음란증이 있는 사람들은 사람의 신체가 아닌 물건을 만지거나 문지르고, 냄새를 맡는 등의 행위를 하면서 자위행위를 한다. 또한 성적 상대자에게 성교 시에 그러한 물건을 착용하도록 요구하기도 한다. 주로 자위행위를 통해서 성적 극치감을 얻으며, 이러한 성적 대상물이 없을 때는 발기가 원활히

일어나지 않는 경우도 있다. 발병시기는 대개 사춘기이고 만성화되는 경향이 있다. 프로이트(Freud)는 절편음란증을 거세불안에서 기인하는 것으로 보았다. 어린 시절 남성이 여성의 성기가 자신과는 다른 형태라는 사실을 확인하고 나면 자신도 여성처럼 성기를 잃을 것이라는 불안이 가중되고, 그 결과의 무의식적 상징화로 남근의 전치 대상으로 여성이 지닌 물건에 대한 절편음란증이 야기된다고 보았다. 현대에 와서 절편음란증은 불안을 극복하기 위해 외부대상을 취하는 것으로 보는 경향이 크다.

점-연결 지도 그리기
[點-戀結地圖-, node-link mapping]

환자의 문제나 치료의 쟁점, 그리고 가능한 해결책에 관한 것들을 명료화하고, 면담작업을 보충하고 강화하기 위해 시각적인 상(像)을 이용하는 것. 중독상담

점-연결 지도 그리기는 상담자나 환자가 사고, 행동, 감정, 혹은 집단상담에서 토의된 관련성의 본질을 점과 이를 잇는 선을 사용하여 표시하도록 한다. 이렇게 만들어진 지도는 제기된 치료쟁점이나 환자의 문제를 묘사하게 된다. 이 같은 시각적 상은 상담자와 환자 모두에게 치료 시 발생하는 문제의 이해도를 증진시키는 효과가 있다. 또한 환자가 자신의 문제에 대한 해결책의 대안을 시각화하도록 하고, 환자들에게 자신의 사고가 어떻게 행동이나 대인관계에 영향을 미치는지 보여 주며, 상담에서 제기된 쟁점의 기록이나 상담자와 환자 사이의 추가적인 쟁점을 설명하기 위한 초점을 맞추는 데 사용할 수도 있다.

점검
[點檢, monitoring]

메타 인지 중 인지의 제어활동 측면을 가리키는 하위개념의 하나로 자기인지활동을 감독하고 수정하는 활동. 인지행동

원어 그대로 모니터링 혹은 감시라고도 하는데, 점검(checking)이나 평가(evaluation) 등 몇 가지 하위활동으로 분류할 수도 있다고 본다(R. H. Kluwe). 점검이란 문제해결과정에서 자신의 인지체계나 인지활동의 상황에 관한 정보를 수집하고 그것을 기초로 수정을 행하는 활동을 말한다. 예를 들면, 자신이 계획한 대책이 적절하게 기능하고 있는지를 점검하여 그렇지 않은 경우에는 수정을 가하는 등의 활동이 포함된다. 평가란 자신의 인지상황이나 활동의 질에 대한 정보를 수집하고 그것을 자기 기준에 비추어서 평하는 활동을 말한다. 예를 들면, 자신이 계획한 대책이 적절하게 기능하고 있을 때에는 그것이 목표달성을 위한 최적 대책인가를 평가하고 그렇지 않은 경우에는 그것을 수정하는 활동이 포함된다. 그러나 어떤 기준에 따라 평가가 수행되는지는 아직까지 정확하게 밝혀져 있지 않다.

관련어 | 메타 인지

점증성
[漸增性, gradation]

효과적인 최면유도를 위해 최면유도의 강도를 약한 것에서 서서히 높여 가야 한다는 최면치료의 원리. 최면치료

처음부터 강한 최면유도를 시도하면 내담자가 따라오기 어려워하거나 거부감을 가질 수 있다. 따라서 처음에는 약한 강도로 시작하여 내담자의 상태를 살피면서 서서히 강도를 높여 가는 것이 효과적이다. 이때 강도가 높아짐에 따라 목소리도 점차 크게, 강하게, 힘차게 하는 것이 좋다. 예를 들면, "당신은 조용히 떠오르는 태양을 생각합니다. 조금씩 붉은 빛을 내며 떠오르는 태양입니다. 점점 더 밝아지는 태양이 바다를 적십니다. 이제 그 태양이 더 찬란한 빛을 띠고 열기가 느껴집니다. 점차, 점차, 더 환하게, 더 뜨겁게 타오릅니다."와 같이 암시 내용과 목소리의 강도를 서서히 높여 가는 것이다.

관련어 | 최면

점진적 이완
[漸進的弛緩, progressive relaxation]

슐츠(J. H. Schultz)의 자율긴장이완법에서 영향을 받아 탄생한 능동적 이완기법의 하나. 심상치료

북미권에서 울페(J. Wolpe)의 체계적 둔감법과 함께 소개된 이완법인데, 신체의 각 분절에 수반되는 긴장 정도에 주목하는 방법으로 제이콥슨(Jacobson)이 개발하였다. 그는 자신이 어린 시절에 경험한 화재와 대학원 시절의 불면증 때문에 이완에 관심을 두게 되었다. 강한 공포감과 심리적 불안감을 수반한 경험을 한 뒤 그 불안, 흥분, 긴장감 등을 어떻게 극복할 수 있는지 고민하다가 심신의 상호작용을 연구하면서 인간의 신경계통 및 근육에서 발생되는 근육긴장 정도, 신경의 충동적 활동내용 등의 측정을 시도하였다. 그는 인간의 강한 정신활동 및 긴장이 근육신경의 수축에 영향을 미치고 뇌신경에도 영향을 미친다는 것을 발견하고, 이완상태가 긴장상태와는 상반되게 심신에 영향을 준다는 것에 주목하였다. 제이콥슨은 1912년에 「불안과 불면증에 관한 점진적 이완법」이라는 논문에서 점진적 이완법이라는 명칭을 제시하였다. 일반적으로 신체는 분절로 접근되며, 긴장수준이 일시적으로 증가한 다음 그 분절의 근육조직에 대한 체계적인 점진적 이완이 일어나며, 다음과 같은 순서로 진행된다. 먼저 신체부위에 집중한 뒤 긴장을 푸는 방식으로 실시한다. 주먹을 쥐고 오른팔, 오른손, 아랫부분 → 주먹을 쥐고 왼팔, 왼손, 아랫부분 → 이마 → 얼굴

ス

중간 부분 → 얼굴 아랫부분 → 목 → 등 → 가슴, 배 → 오른 허벅지 → 오른 종아리 → 오른 발 → 왼쪽 허벅지 → 왼쪽 종아리 → 왼쪽 발의 순서로 진행한다(전겸구, 1989). 점진적 이완은 앉거나 누운 상태로 실시하고, 각 신체부분에 긴장과 이완을 반복하는 것이 특징이다. 긴장상태는 10초, 이완상태는 50초이며 이완할 때는 심상과 언어적 단어회상을 활용한다. 즉, 이완단계에서는 바로 이완을 하도록 하고 내담자의 문제점과 긴장관계를 언어로 해명한다. 이와 같은 점진적 이완은 내담자가 긴장과 이완을 할 자신의 근육을 정하고 집중하여 치료자와 약속한 시간 안에 근육을 긴장시켜야 한다. 또한 이완상태로 들어가는 데 소요되는 시간은 5~7초 정도이고, 치료자와 약속한 근육을 이완해야 하며, 내담자 스스로 이완된 근육에 집중한다는 점 등이 특징이다. 점진적 이완은 고혈압, 암에 수반되는 고통, 공황장애, 불안 등에서 치료적 효과를 발휘한다. 그러나 시행이 힘들고 장시간이 소요된다는 단점을 가지고 있다.

점토작업
[粘土作業, clay work]

찰흙을 이용하여 평면 또는 입체로 구성하는 미술치료기법. 미술치료

점토는 남녀노소는 물론 질환의 종류에 관계없이 대체로 거부감 없이 수용되는 미술매체다. 점토는 촉감이 부드럽고 표현을 자유롭게 할 수 있어서, 내담자의 내면을 쉽게 드러내고 이완을 촉진하여 유연성을 증가시키는 데 효과적이다. 묽은 점토는 언어표현이 지체되거나 어려운 아동에게 유용하며, 반대로 언어가 정교하거나 발달된 아동에게는 감각적 요소를 강조할 때 유용하다. 또한 또래관계가 어려운 아동의 치료에도 적합하고, 그 외 다양한 부류의 사람들에게 활용되고 있다. 그러나 통제나 억압

이 심한 내담자의 경우는 점토작업을 힘들어하는 경향이 있으며, 이때는 강요하지 않는 것이 좋다. 준비물은 점토, 조각칼, 신문지나 나무판이고, 실시방법은 다음과 같다. 먼저, 내담자에게 원하는 만큼의 점토를 제공한 다음 마음껏 만지고 두들겨 보도록 한다. 그러고는 "이 점토로 원하는 대로 만들어 보세요."라고 지시하여 작품을 만들어 보도록 한다. 작품이 완성된 뒤에는 작품에 대하여 대화를 나눈다. 이와 같은 점토작업은 점토의 특성으로 인해 평면적이면서도 입체적인 작업이 가능하므로 장애 아동뿐만 아니라 성인과 노인 미술치료에도 광범위하게 활용하고 있다. 이처럼 점토작업은 환자의 치료에 적용되어 직·간접적으로 도움이 되며, 정신질환의 예방차원에서도 효과적인 것으로 알려져 있다.

점화순서
[點火順序, firing order]

다양식 행동치료에서 설명하는 것으로, 개인에게 나타나는 독특한 스트레스반응 순서. 통합치료

라자루스(A. A. Lazarus)는 BASIC I. D.(Behavior 행동, Affective Response 감정, Sensation 감각, Images 심상, Cognitions 인지, Interpersonal Relationships 대인관계, Drugs or Biology 약물 또는 생물학) 분석을 통해서 개인마다 스트레스에 반응하는 순서를 알아낼 수 있다고 주장하였다. 즉, 개인이 스트레스를 받게 되면 BASIC I. D.의 일곱 가지 영역 중에서 스트레스에 반응하는 순서가 개인별로 다르게 나타나는데, 이를 점화순서라고 한다.

관련어 │ BASIC I. D., 구조화된 프로필 설문지, 다양식 행동치료

접근단서
[接近端緒, accessing cues]

상담에서 감지하거나 짐작할 수 있는 내담자의 변화. **NLP**

특정한 생각을 하거나 특정한 방향으로 생각하게 되면 호흡이나 자세, 몸짓, 눈동자의 움직임이 변한다. 따라서 그 변화를 보면 상대방의 생각이나 방향을 짐작할 수 있다. NLP에서 이러한 변화를 접근단서라고 하는데, 다르게 표현하면 내적인 생각이나 그 생각의 방향을 짐작할 수 있게 하는 호흡, 자세, 몸짓, 눈동자의 움직임과 같은 신체적·생리적 조건을 말한다. NLP에서는 특히 눈동자 접근단서를 많이 활용한다. 인간이 내적으로 어떤 경험을 하고 있는가에 따라 그 경험의 차원은 눈동자의 움직임으로 나타난다. 즉, 시각적 경험, 청각적 경험, 그리고 신체감각적 경험은 각각 서로 다른 방향으로 움직이는 눈동자를 통해서 드러난다. 또한 개인이 가지고 있는 선호표상체계에 따라서도 특정 방향으로의 눈동자 움직임이 나타날 수 있다. 그러므로 상대방의 눈동자 움직임을 보고 그의 내적 경험의 차원을 짐작할 수 있다고 할 때 눈동자의 움직임은 내적 경험의 차원에 접근할 수 있는 훌륭한 단서가 된다. 이 단서는 라포 형성뿐만 아니라 선호표상체계의 확인, 전략수립과정, 메타 프로그램 등 여러 가지 NLP 변화기법에서 다양하게 활용할 수 있다.

관련어 | 라포 형성, 전략, 표상체계

접수면접
[接受面接, intake interview]

본 상담에 들어가기 전 내담자에 대한 정보를 수집하고 수집된 정보를 종합하여 내담자의 호소문제를 개념화하고 상담의 유형과 담당 상담자를 배정하는 등의 초기과정에서 이루어지는 면담. **개인상담**

접수면접에서는 인적 사항, 호소문제, 호소문제와 관련된 현재의 기능상태, 문제사, 발달사, 가족관계, 기타 문제, 상담경험 등 내담자의 기본 정보를 수집하고 원하는 상담자과 상담시간을 확인하는 것도 포함된다. 이러한 정보를 수집하는 방법에는 면접, 질문지 사용, 행동관찰, 심리검사, 아동이나 청소년 또는 장애가 있는 경우에는 부모나 교사, 가까운 주변인의 보고 등이 있다. 수집된 정보를 통하여 내담자의 특성, 호소문제 및 증상, 문제의 원인, 상담 방향과 방법 등을 개념적으로 설명하고 내담자의 특성과 호소문제해결에 적합한 상담자를 배정한다. 접수면접에서는 다음과 같은 내용을 고려해야 한다. 첫째, 신청접수자, 접수면접자, 본 상담자 간의 역할이 뚜렷하게 구별되어야 한다. 둘째, 내담자에게 접수면접의 특성을 설명해 준다. 즉, 접수면접은 실제 본 상담과 다른 절차이며 내담자와 상담자를 연결해 주는 교량역할이라는 것을 알린다. 그리고 상담에 필요한 내담자의 인적 사항, 발달사 등의 기본 정보를 수집하고 현재의 심리적 상태를 평가하는 과정이라고 말해 준다. 셋째, 내담자가 필요 이상으로 호소문제와 관련된 내용을 상세하게 설명하면서 도움을 요청하면 내담자를 자제시키고 실제 본 상담에서 자세하게 이야기할 것을 안내하고 권유한다. 넷째, 단회상담이 아니라 장기상담으로 진행될 경우 접수면접에서 내담자의 호소문제를 구체화하는 것은 바람직하지 않다. 이러한 점을 고려하여 접수면접 과정은 정보수집, 사례개념화, 상담자 배정, 단회상담 조치 또는 위기개입으로 이루어질 수 있다. 그리고 접수면접을 원활히 하기 위해 접수면접질문지 등을 사용할 수 있으며, 접수면접을 실시한 후에는 접수면접기록지를 작성하여 회의를 거쳐 담당 상담자를 배정한다.

관련어 | 면접

접수면접기록지 [接受面接記錄紙, intake interview sheet] 본 상담을 하기 전에 내담자에 관한 기본 정보를 수집하여 기록하는 용지다. 접수면접에 대하여 충분히 설명한 다음 내담자의 기본 정보에 대하여 질문을 하고, 그에 대한 응답을 기록하고, 담당 상담자와 상담시간을 결정하고, 필요한 심리검사와 행동관찰로 얻은 정보와 접수면접자의 처치와 소견을 작성한다. 접수면접기록지에는 접수면접한 날짜, 접수면접자, 접수번호, 내담자, 정보출처, 호소문제 및 상담신청 이유, 호소문제와 관련된 현재의 기능상태, 문제사, 기타 문제, 가족관계, 행동관찰, 접수면접자의 처치 및 소견 등이 포함된다. 정보출처는 내담자 자신이 가장 많으며, 유아나 아동 및 청소년, 정신과 환자 등은 교사나 부모 또는 주양육자가 될 수도 있으므로 그와 관련된 내용을 기입한다. 호소문제 및 상담신청 이유는 '집중력 부족' '시험을 볼 때마다 불안함' '자신에 대해 알고 싶어서' '친구와 함께 왔다가 신청' 등 매우 다양하다. 호소문제와 관련된 현재의 기능상태를 기록한 예는 '집중력이 부족하여 공부하는 데 어려움이 있음.' '시험을 볼 때 너무 긴장하고 불안하여 기억이 나지 않음.' '불면증' '신체질병은 없음.' '낯선 곳에 가면 시선 맞추기가 어려움.' 등이 있다. 문제사는 지금 현재 내담자가 호소하는 문제와 관련된 과거경험이나 사건 등을 기록한다. 기타 문제는 호소문제 외에 일상생활에서 겪는 어려움을 기록한다. 예를 들면, '자신감이 없다.' '성격이 차분해졌으면 좋겠다.' '불면증을 없애고 싶다.' 등이 있다. 가족관계는 자신의 가족 또는 원가족을 포함한 가족관계를 가계도로 표현한다. 행동관찰은 접수면접을 실시하는 동안 나타나는 내담자의 비언어적 행동을 관찰하여 기록한다. 예를 들면, '신청서를 작성할 때 손이 떨림.' '얼굴을 붉힘.' '시선 맞추기가 어려움.' '면접 중에 다리를 계속 흔들거림.' '말을 더듬거림' 등이 있다. 접수면접자의 처치 및 소견에는 접수면접에서 얻은 정보로 접수면접자가 생각한 문제점과 필요한 처치를 간략하게 제시하고 상담시간과 상담자를 배정하여 기록한다. 이렇게 면접한 내용을 모두 기록한 다음 마지막으로 접수번호와 접수면접자를 기록

한다.

접수면접질문지 [接受面接質問紙, intake interview questionnaire] 본 상담에 앞서 적합한 상담자를 배정하기 위해 접수면접에서 내담자에 관한 기본 정보를 수집하려는 구조화된 질문을 기록한 용지다. 접수면접에서 면대면으로 정보를 수집하지 않고 이 방법을 사용하는 것은 신청접수와 접수면접을 함께 실시하는 소규모 상담실에서 효율성을 높이기 위해서다. 질문지에는 접수번호, 접수면접자, 접수면접 날짜, 내담자 이름, 주소, 생년월일, 전화번호, 직장 등의 기본 정보, 가족관계, 상담경험, 호소문제, 호소문제와 관련된 기능상태, 문제사, 발달사, 기타 문제, 원하는 상담자 또는 상담시간 등에 관한 내용을 포함한다. 이 내용은 주로 문항으로 구성되며 자신에게 해당되는 것을 체크하는 방식이다. 가족관계는 도표의 빈칸에 적합한 단어를 기술하도록 되어 있고, 자기진술은 대체로 간단한 문장으로 기록하도록 한다. 이와 같은 문항들은 내담자가 직접 작성하거나 접수면접자가 실시할 수 있다. 그리고 접수면접자는 내담자의 행동관찰, 심리검사, 접수면접자의 처치 및 소견을 기록한다. 접수면접질문지를 사용하여 내담자의 정보를 효율적으로 수집하기 위해서는 다음을 고려해야 한다. 첫째, 내담자에게 질문지 작성법을 안내한 다음 작성하도록 한다. 둘째, 작성한 질문지를 확인하여 누락되거나 잘못 기입한 부분이 있으면 재작성하도록 한다. 셋째, 모두 작성한 다음 접수면접 일시, 접수면접자 이름, 접수번호 등을 기록한다. 넷째, 내담자가 보지 않는 상황에서 행동관찰사항, 심리검사 내용과 결과, 처치사항 및 소견을 추가 기록한다.

접지하기
[接地－, grounding]

신체심리치료에서 사용하는 개념으로 지구와 관계를 가지는 신체적 측면과 심리적 측면이 신체기능적 정체감으로 이완된 반응을 통해 세상에 대한 능동적인 참여를 유도하는 것.
무용동작치료

신체심리치료에서는 우리의 신체와 심리가 생물학적 터전인 지구와 분리되면 고뇌와 절망의 결과를 낳는다고 하였다. 신체심리치료에서는 접지하기를 두 가지 개념으로 설명하는데, 그중 하나는 직립자세를 염두에 두고 다리/발과 땅과의 관계에 초점을 두는 수직적 접지하기(vertical grounding)이고, 다른 하나는 수직적 접지하기의 사전준비작업으로 등으로 누워서 땅의 중력에 충분히 몸을 맡기고 수용하는 수평적 접지하기(horizontal grounding)다. 이 두 가지 접지하기는 다양한 순간에서의 다양한 사람들을 위해 매우 중요하고 도전적인 작업이다. 왜냐하면 우리 안에서 나오는 자극들을 환경의 흐름과 연결하여 흐르게 하는, 즉 자기 자신과 환경의 흐름이 상호작용을 하는 것이 접지하기이기 때문이다. 켈러먼(Keleman, 1976)은 "접지하기란 우리의 존재가 신체－정신적 성장과정 속으로 닻 내리기 하는 것, 확대/수축(접촉/철수), 충전/방출"이라고 밝혔다. 접지하기를 심리치료에 적용할 때는, 우리의 무의식과 비자발적 자기 속에 의식을 연결하기 위해 자발적 동작, 중간 정도의 자발적 동작, 비자발적 동작 사이에 좋은 관계를 수립하고, 더 적절한 근육톤을 재생하려는 목적이 있다.

접촉[1]
[接觸, touch]

경험적 가족치료에서 신체적 접촉이 강한 영향을 준다는 믿음 아래 지나치지 않을 정도의 접촉을 시도하는 기법.
경험적 가족치료

가족 간 신체적인 접촉을 유도함으로써 구성원들 간의 친밀도를 높이고, 긍정적인 변화로의 동기를 유발하고자 하는 기법이다. 예를 들어, 첫 모임에서 의도적으로 모든 가족이 손을 잡고 악수를 한다거나, 비언어적 지지를 표현하기 위해 여러 가지 형태의 접촉을 시도한다. 서로를 격려하기 위한 어깨 두드림, 상담실로 안내하기 위한 손잡음 등의 접촉은 가족구성원들의 저항을 줄일 수 있는 비언어적 지지가 된다.

접촉[2]
[接觸, contact]

개체가 전경으로 떠오른 게슈탈트를 해소하기 위해 환경과 상호작용하는 행위, 즉 에너지를 동원하여 실제로 환경과 만나는 행위. **게슈탈트**

접촉은 알아차림과 함께 개체의 유기체 순환과정을 이끄는 두 축이라 할 수 있다. 즉, 알아차림이 개체가 유기체－환경의 장에서 벌어지는 현상을 전경으로 떠올려 게슈탈트를 형성하는 행위라면, 접촉은 그렇게 형성된 게슈탈트를 행동으로 해소하는 행위다. 그래서 알아차림만 있고 접촉이 없으면 개체는 자신의 유기체 욕구를 해소하지 못하여 환경에 적응하는 데 실패한다. 그리고 접촉이란 지금 이 장소에서 어떤 일이 일어나고 있고 누가 있는지, 순간순간 흘러가는 시간을 인식하는 것이다. 또한 이러한 접촉을 하나의 전경으로 떠올리는 통찰을 알아차림이라고 할 수 있다. 접촉의 과정에서 일어나는 상호작용은 살아 있는 대상뿐만 아니라 흙과 같은 대상과의 상호작용까지 모두 포함하는 것이다. 게슈탈트 치료에서 접촉은 변화와 성장을 위한 필수요소로 보고 있다. 게슈탈트에서 말하는 좋은, 혹은 바람직한 접촉이란 자연스러운 환경과의 상호작용으로, 자신의 개별성을 유지하면서 다른 존재와 상호작용을 하는 것이다. 즉, 좋은 접촉이란 주의나 상호작용을 방해하는 외부자극이나 배경자극을 배제한 채 개인에게 가장 중요한 면에 분명하게 초점

ㅈ

을 맞추는 것이다. 그러한 게슈탈트는 지각, 운동, 정서를 하나의 행동으로 통합하여 지금-여기를 지극히 자발적으로 풍부하고 명료하게 만들어 준다. 그렇게 해서 순간적으로 개인은 자신이 창조하거나 발견한 전경에 완벽하게 몰입하는 것으로, 접촉은 인간의 가장 풍부한 기쁨의 원천이고, 가장 강렬한 아픔의 순간이기도 하다. 이러한 접촉은 접촉경계(contact boundary)에서 비롯되는데, 이는 자아존재의 시점이며 자신과 환경의 구별지점이 된다. 접촉으로 자신과 환경에 속하는 부분들에 대한 개념을 더욱 분명하게 경험할 수 있다. 접촉경험 이후 대개는 경험했던 것을 통합하는 과정으로 철회를 한다. 알아차림과 접촉을 방해하는 요소인 내사, 투사, 반전, 편향, 합류 등은 모두 접촉경계혼란으로 본다. 이러한 접촉경계혼란 때문에 개체는 자기경계에 혼란을 겪어 자신과 환경을 제대로 알아차리지 못하고 중간층에 머물면서 공상적인 삶을 살아가게 된다. 펄스(Perls)는 접촉을 전 접촉단계, 접촉단계, 최종 접촉단계, 후 접촉단계의 4단계로 나누어 설명하였다. 첫째, 전 접촉단계는 신체가 배경이 되고 어떤 흥미로운 환경적 자극이 전경이 되는 단계로, 여기서는 개체의 신체적 욕구를 충족시켜 줄 수 있는 환경이 새로운 전경으로 떠오른다. 둘째, 접촉단계는 전 접촉단계에서 전경이었던 것이 배경으로 물러나고 그것을 해소시킬 수 있는 행동 가능성들이 전경이 되며, 그중에서 가능한 행동은 선택되어 행동으로 옮겨지고 그렇지 못한 것은 거부되는 단계다. 이때 개체는 자신의 전경을 이루기 위해서 장애물을 제거하는 등의 환경적 조작을 한다. 셋째, 최종 접촉단계는 더 이상 중요하지 않은 환경적 자극이나 신체는 배경으로 물러나고 목표물만 전경이 되는 단계다. 이때 모든 의도적인 행동은 사라지고 지각, 운동, 감정이 하나가 되며 목표물만 전경으로 남아 생생하게 인식된다. 즉, 전경의 욕구가 완벽하게 해소되는 순간이다. 마지막 후 접촉단계는 전경과 배경의 구분이 사라진 채 유기체-환경이 상호작용함으로써 게슈탈트가 해소되어 사라지는 과정을 의미한다.

관련어 | 게슈탈트, 알아차림, 전경-배경

접촉 예상하기
[接觸-豫想-, forecast the contact]

정서중심부부치료에서 부부간 상호작용의 재조직을 목적으로 재연하기 전에 부부에게 예상되는 결과를 미리 상상해 보도록 요구하는 것. 정서중심부부치료

부부의 정서적 상호작용을 재구조화하기 위한 하나의 방법으로 '재연(再演)'을 사용하기도 한다. 이때 이를 적용하기 전에 치료자는 부부에게 상대 배우자가 재연했을 때 어떤 결과가 예상되는지 상상해 보도록 한다. 이와 같은 상상으로 상대방의 정서와 의도에 대한 접촉을 시도해 봄으로써 부부는 예상되는 두려움을 표현할 기회를 얻을 수 있다. 하지만 회기 중 모든 재연의 과정에서 접촉 예상하기를 사용할 필요는 없다. 어떤 경우에는 맥락과 정서적 강도가 상호작용에 이미 충분히 포함되어 있어서 치료자는 부부에게 바로 재연하도록 요청할 수도 있다. 재연에 들어가기 전에는 다음의 세 가지 질문을 고려해야 한다. 첫째, 명확한 맥락이 있는가? 둘째, 정서적인 강도가 충분한가? 셋째, 부부가 접촉을 예측하는 것이 도움이 되는가?

관련어 | 맥락만들기, 정서적 강도 만들기

접촉경계혼란
[接觸境界混亂, boundary disturbance]

환경과 개체 간의 경계가 매우 단단하거나 불분명할 때, 혹은 경계가 상실될 때 환경과의 유기적인 교류접촉이 차단되고 심리적·생리적 혼란이 생기는 것. 게슈탈트

건강한 개체는 접촉경계에서 환경과 교류하면서 자신에게 필요한 것은 경계를 열어 받아들이고, 환

경에서 들어오는 해로운 것에 대해서는 경계를 닫아 자신을 보호한다. 그러나 자신과 타인 간의 경계가 사라지거나 불분명하거나, 아니면 투과적이지 못할 때 자신과 타인을 구분하는 데 장애가 오고, 접촉과 알아차림이 모두 방해를 받는다. 이것이 바로 접촉경계혼란이다. 펄스(Perls)는 접촉경계혼란이란 우리와 환경이 서로 직접 만나지 못하도록 둘 사이에 마치 중간층 같은 것이 끼어 있는 현상이라고 말하였다. 이러한 접촉경계혼란이 일어나면 개체가 자신의 욕구를 만족시킬 수 있는 것에 주의를 기울이지 않거나, 주의를 다른 곳으로 돌리기 때문에 자신의 욕구나 주위 환경의 욕구를 알아차리지 못해 새로운 전경을 떠올리지 못한다. 따라서 유기체와 환경과의 자연스러운 접촉이 차단되어 미해결 과제가 쌓이므로 심리적·생리적인 혼란이 생긴다. 이런 맥락에서 게슈탈트 치료자들은 모든 정신병리현상은 접촉경계혼란으로 발생한다고 보았다. 유기체 이론에 입각해서 볼 때 심리적·생리적 장애란 미해결 과제와 동일한 개념이고, 미해결 과제는 접촉경계혼란으로 발생하기 때문이다. 접촉경계혼란을 일으키는 원인으로는 내사(introjection), 투사(projection), 반전(retroflection), 편향(deflection), 융합(confluence), 탈감각화(desensitization), 자기중심성(egotism)이 있다.

관련어 | 내사, 반전, 융합, 자기중심성, 탈감각화, 투사, 편향

접촉요법
[接觸療法, healing touch]

손을 환자의 몸 위로 5~15센티미터 떨어트린 뒤 머리에서 발끝까지 움직여 인체에 흐르는 에너지 상태의 균형을 맞추어 질병을 치료하는 대체 의학요법. 뇌과학

접촉을 이용해서 치료효과를 노리는 방법이다. 질병을 인체가 분출하는 에너지의 불균형이나 결핍에 기인하는 것으로 보고, 에너지 흐름이 막힌 부위를 찾아 에너지 흐름을 이어 줌으로써 건강을 회복시키는 요법을 말한다. 치료적 접촉(therapeutic touch)이라고도 불리는 접촉요법은 환자를 눕히고 환부에 손을 올려놓는 시술에서 유래하였다. 이것은 인간의 육체가 끊임없이 분출되는 에너지에 대하여 개방적인 체계라는 것과 질병은 에너지의 불균형이나 결핍에 의해 발생하며 신체는 좌우 대칭이라는 것들을 전제로 하고 있다. 이 요법은 1972년 미국 뉴욕대학의 간호학 교수인 돌로레스 크리거(Dorlores Krieger)에 의해 연구·개발되었다. 그녀는 기존의 심령치료사(힐러)들이 환자의 몸에 손을 대지도 않고, 손만을 환자의 몸 가까이 대고 소위 '오라(Aura: 동양에서는 氣)를 넣어 주어 병을 치료한다.'는 사실에 관심을 갖고, 그것을 오라나 기보다는 정신력인 염력(念力)을 사용하는 치료법이라고 판단하여 시술자의 정신력과 환자의 질병치유와의 관계를 적극적으로 연구하기 시작했다. 그래서 이 치료방식의 뿌리에는 시술자의 심상(心像: visualization)이 환자에게 영향을 미친다는 이론이 자리 잡고 있다. 실제로 크리거는 자신의 이 같은 가정을 전제로 접촉을 통하여 환자의 혈액 속의 헤모글로빈이 증가할 뿐만 아니라 인간과 자연, 인간과 인간이 에너지를 보충하여 치유효과를 발휘한다고 주장했다. 접촉요법은 시술자와 환자 사이에 신체적 접촉이 거의 없다. 다만, 시술자가 환자의 몸 위에서 5~15cm 정도 간격을 두고 머리에서 발끝까지 몸을 따라 손을 움직이며 에너지 흐름이 불균형한, 즉 뭉친 부위나 막힌 부위를 찾아낸다. 그 부분을 몸 밖으로 내보낸다는 생각으로 쓸어 내는 동작을 반복하는데, 막힌 느낌이 없을 때까지 시행한다. 마지막 단계는 환자에게 시술이 어떠했는지 물어보고 환자의 에너지 영역을 재평가하는 것이다. 최근 들어 우리나라를 비롯한 동양권에서는 성행하는 기 치료(氣治療)나 아이가 배가 아플 때 배를 문질러 주는 '엄마 손'의 의학적 효과는 접촉요법과 같은 범주에 속한다고 볼 수 있다. 크리커에 의하면, 접촉요법은 시술자의 환자에 대한 깊은 관심에서 시작되어야 한다

고 한다. 환자에 대한 염려, 빨리 낫기를 바라는 마음 자체만으로도 환자는 그 메시지를 전달받아 신체적·심리적 안정을 되찾으면서 쾌유의 속도가 빨라진다는 것이다. 치료적 접촉의 효과는 무엇보다도 심신안정을 가져다준다. 편안한 상태를 유지하고 시술을 하면, 두통 같은 통증, 긴장, 정신적 불안정 상태가 완화되어 매우 효과적이다. 접촉요법은 질병을 치료하는 데 효과적임이 증명되었을 뿐만 아니라 시술하는 치료자의 에너지와 감수성을 증가시킴이 발견되었다. 복잡하고 까다로운 치료법은 아니지만 계속적인 훈련을 필요로 하며, 비록 이 치료법이 안전하다 하더라도 너무 오랫동안 시술해서는 안 된다.

관련어 │ 대체 의학

접촉위안
[接觸慰安, contact comfort]

배고픔과 같은 일차적 욕구충족보다 접촉을 통한 위안이 애착 발달에 중요하다는 애착이론 중 하나. 정서중심부부치료

영국의 의학자이자 발달심리학자인 볼비(J. Bowlby)가 발전시킨 애착이론에서는 인간의 발달과정에서 애착이 형성되는 요건이 배고픔과 같은 일차적인 욕구충족에 의해서가 아니라 접촉에 따른 위안과 안정감에 의한 것이라고 설명하였다. 이러한 주장은 할로(H. Harlow)와 치머만(R. Zimmerman)의 유명한 원숭이 대리모 실험을 근거로 한다. 이 실험에서 원숭이 새끼는 진짜 어미와 격리된 채 철사 대리모와 헝겊 대리모에게 양육되었다. 이 과정에서 새끼 원숭이가 누구에게 수유 받느냐에 상관없이 헝겊 대리모를 더 좋아하는 것으로 관찰되었다. 심지어 철사 대리모에게 수유를 받을 때에도 몸은 헝겊 대리모에 밀착한 채 목만 내민 상태였다. 또한 이상한 소리를 내는 공포를 유발하는 로봇을 우리 안에 넣어 주면 새끼 원숭이들은 헝겊 대리모에게 몸을 밀착시켜 공포가 사라지기를 기다렸다. 이 실험을 통해 새끼 원숭이는 단순히 수유로 얻을 수 있는 일차적인 욕구충족보다는 접촉에 따라 헝겊 대리모에게 더 강한 애착을 형성한다고 보았다.

관련어 │ 애착이론

정당화치료
[正當化治療, validation therapy]

위기개입에서 내담자의 정당성을 인정하는 치료방법. 위기상담

페일(Feil, 1982)이 개발한 치료방법으로, 그녀는 위기에 처한 내담자의 감정이 비이성적으로 보여도 그 감정을 그대로 인정해 주어 내담자에게 정당성을 부여함으로써 내담자가 위기를 극복할 수 있다고 보았다. 내담자의 감정을 인정하는 것은 과거 존재, 즉 인간성을 인정하는 것이다. 과거 기억을 정당화함으로써 과거의 문제를 해결하고 자신의 가치를 회복하며 스트레스를 줄일 수 있다. 또한 자신의 삶에 대한 의미를 가지고 미해결된 갈등을 해결하여 보다 안정된 감정을 누릴 수 있다. 정당화치료는 먼저 내담자에게 관심과 애정을 지니고 있는 사람이 적어도 한 사람이 있다는 것을 알리면서 시작한다. 노인을 대상으로 정당화치료를 실시할 때는 복잡한 것을 이해하고 추론하는 능력이 감퇴되었기 때문에 비교적 짧고 간단하게 의사소통을 하여 당혹스러운 상황에 빠져들지 않도록 해야 한다.

정동설
[情動說, doctrine of affections]

바로크 시대 인기 있었던 음악이론으로, 음악의 목적을 정동의 표현 및 환기(喚起)로 두고 음악 구성요소에 정서적 특성을 부여한 이론. 음악치료

독일어로는 '아펙텐레레(Affektenlehre)'라고 하는

정동설은 음악을 통해서 마치 언어가 그러한 것처럼 인간의 정동을 드러내고자 한 경향을 보인 시대적 성향으로, 고대의 수사학과 웅변술에서 비롯된 이론이다. 이러한 움직임이 처음 알려진 것은 르네상스 말기였지만 주로 바로크 후기에 만연했던 이론으로, 하나의 음악적 활동은 단일의 합리적인 정동을 중심으로 해야 한다는 것을 핵심으로 한다. 이들은 둘 이상의 정동을 하나의 음악으로 표현하고자 할 때는 음악의 통일성이나 질서는 파괴된다고 생각하였다. 정동설은 서로 상대되는 세 쌍의 기본 정동, 즉 사랑과 증오, 기쁨과 슬픔, 놀람과 욕망 등을 기본 정동으로 보기도 하고, 슬픔, 분노, 질투 등을 기본 정동으로 보기도 하였다. 정동설은 음악이 청자 내면의 다양한 특정 정서를 불러일으킬 수 있다는 전제를 두고, 작곡자나 연주자들이 기준이 될 만한 음악적 과정이나 방법을 사용하여 그 음악을 향유하는 대상의 무의식적 정서적 반응을 양산할 수 있다고 믿었다. 정동설을 지향하는 음악이론가들은 이러한 사상에 기반을 둔 한 엄격한 원칙을 만들어 나갔다. 이 이론은 바로크 시대를 특징짓는 경향이 될 만큼 당시에는 크게 유행했지만 고전주의 시대에 접어들면서 이러한 경향이 줄어들었다. 고전주의에 들어서서 정동설은 너무 기계적이고 비정상적인 부분이 있다는 것을 파악하고, 정동과 정서의 차이를 논하면서 그 영향력이 급격하게 줄었다. 하지만 이러한 움직임은 후에 음악에 대한 정서적인 면이 음악의 기본적 요소가 되도록 하는 데 큰 영향을 미쳤다. 대표적인 학자로는 요한 마테존(Johann Mattheson), 아타나시우스 키르허(Athanasius Kircher), 안드레아스 베르크마이스터(Andreas Werckmeister), 요한 하이니헨(Johann Heinichen) 등을 들 수 있다.

정동장애
[情動障礙, affective disorders]

지나치게 가라앉았거나 고양된 기분상태가 지속되어 일상생활에서 어려움을 겪고 부적응 행동을 보이는 부적절한 정서표현과 관련된 장애. `이상심리` `특수아상담`

기분장애(mood disorder)라 불리기도 한다. 일정 기간 동안 우울하거나 들뜬 기분을 느끼는데, 각각 단독으로 느끼기도 하고 두 가지 상반된 기분을 일정한 기간을 두고 번갈아 느끼기도 한다. 이러한 기분변화는 외적인 자극 없이도 일어난다. 한 가지 형태로만 오는 경우를 단극성장애, 두 가지가 번갈아 오는 것을 양극성장애 혹은 조울증(躁鬱症)이라고 한다. 또 우울해지는 경우를 우울증(憂鬱症: 생활에 대한 무감각, 수면장애, 감정불안, 무가치감, 죄책감 등을 느끼는 낙담한 상태), 들뜨는 경우를 조증(躁症: 지나친 활동, 자신감 넘치는 말, 팽배한 자부심 등으로 인해 들뜨고 과대 망상적이며 흥분된 상태)이라고 한다. 정동장애를 보이는 사람은 망상·환각 등의 현실감각을 잃는 정신질환 증상을 갖고 있거나 그렇지 않은 경우도 있다. 말을 느리게 하는 등 행동속도가 느려지고, 걸을 때도 보폭이 아주 좁아지며 허리가 구부정해지고, 몸이 피곤하고 힘이 없으며, 잠이 잘 안 오는 증상을 보인다. 조증의 가장 과격한 증상은 타인에 대한 폭력이며, 반면에 우울증의 가장 과격한 증상은 자살이다. 정동장애는 유전이나 체질적 소인, 여러 신경생화학적 물질의 영향, 내분비 대사의 이상, 기타 신경생리학적 원인에 의하여 발생하는 것으로 알려져 있다. 심리적 소인으로는 환자 개인의 즐거움과 슬픔의 기복이 심하거나 어느 한쪽으로 치우치는 경향을 들 수 있다. 우울기에는 약물치료와 정신치료를 하고, 여러 증상에 대한 대증치료를 하고 항우울제를 사용한다. 조증기에는 항조증약을 단독 또는 다른 정온제와 복합해서 사용한다. 약물치료는 비교적 치료효과가 높기 때문에 적은 양으로도 재발을 늦추는 효과가 있다. 정신치료는 큰 효과는 없지만 회복기나 진행 초기에 시행할 경우에 도움이 된다.

관련어 | 기분장애, 양극성장애, 우울증, 조증

정렬
[整列, alignment]

표현예술치료에서 직립자세 상태의 신체 수직축을 중심으로, 또는 머리끝에서 발바닥 끝까지의 연결선을 중심으로 신체의 좌우가 대칭되는 신축성 있는 신체균형을 이루는 과정.
무용동작치료

표현예술치료에서 마음의 균형이란 신체 내부의 중심을 잃지 않고 기능하는 정렬된 지각과 인지들, 그리고 항상 이들이 상호작용하는 감각 대상의 내적 기능을 유지하는 것이다. 따라서 균형 잡힌 마음은 신체의 수직축 부근을 중심으로 주의집중하는 것을 통해 의식이 정렬되면서 이루어진다. 이러한 마음의 균형상태는 뇌의 좌우 반구에서 대칭으로 기능하는 대뇌기능으로 나타난다. 균형 잡힌 마음은 뇌의 좌우 반구 중 어느 한쪽의 우세 기능의 행동 패턴에 묶이지 않고, 그 사이를 자유롭게 왔다 갔다 하는 능력이 있는 것이다. 균형 잡힌 마음은 또한 신체 정렬처럼 두드러진 융통성과 신축성을 지니고 있다. 한스 셀리에(Hans Selye, 1976)의 스트레스에 대한 근육반사연구에서, 개인은 스트레스 적응의 과정에서 좌절 위주의 자세와 대응 행동 위주의 자세로 습관화된다고 설명하였다. 한나(Hanna, 1988)는 한스 셀리에의 자세에 기초하여 환자들의 불균형 자세를 증상과 함께 연구한 뒤, 신체 부분별 근육 운동, 호흡 및 걷기를 향상시키는 일련의 운동을 고안하여 제시하였다. 또한 핼프린(Halprin, 2003)은 신체 자세유형을 무너진(collapsed), 수축된(contracted), 확대된(extended), 과도 확대된(hyperextended), 정렬된(aligned)의 유형으로 나누어 관찰하면서, 정렬된 자세는 움직이지 않고 고정된 바른 자세로 나타

나기보다는 비정렬된 자세를 바로잡기 위해 정렬을 찾아가는 과정(seeking process)에서 나타나는 역동적 특성이 있다고 하였다. 이러한 이론들을 응용한 동작치료에서는 정렬을 제외한 다른 네 가지 자세를 특징으로 하는 즉흥 춤이나 동물 즉흥 놀이를 사용해서 정렬의 자세를 탐구하도록 하였다. 또한 핼프린의 동작치유의식(movement ritual)은 요가 동작과 펠덴크라이스(Feldenkrais) 동작을 통합한 척추 중심의 동작을 선별하여 즉흥동작과 함께 사용한다.

관련어 | 균형, 동작치유의식

정보과부하
[情報過負荷, information overload]

충동적인 웹서핑과 자료조사로 지나치게 많은 정보를 수집하는 행위에 집착하는 증상. 중독상담

정보과부하 증상이 있는 사람은 인터넷상에서 과도한 정보를 수집하고 정리하는 것에 점점 더 많은 시간을 보내게 된다. 하지만 이러한 정보수집의 행위가 특정한 목적을 위한 것이 아니라 충동적이고 강박적으로 이루어지는 행동이며, 스스로 조절하기가 힘이 든다. 또한 이로 인해 직장이나 가정에서 해야 할 일에 소홀해진다.

관련어 | 가상관계중독, 인터넷 중독, 충동적 인터넷 사용

정보수집
[情報蒐集, information gathering]

내담자에 대한 여러 가지 자료를 모으는 일. 개인상담

본 상담을 하기 전에 접수면접단계에서 내담자의 인적 사항, 호소문제, 호소문제와 연관된 현재의 기능상태, 문제사, 발달사, 가족관계, 기타 문제, 상담 경험, 원하는 상담자 또는 상담시간 등에 대한 정보

를 수집하는 것이다. 내담자에 대한 이러한 기본 정보는 내담자를 이해하고 본 상담의 개입을 촉진하는 기초 자료가 된다. 정보를 수집하는 방법에는 면접, 질문지, 행동관찰, 심리검사 등이 있다. 면접을 통한 정보수집은 내담자와 대면한 상태에서 구조화되거나 비구조화된 질문에 대하여 내담자가 응답하는 방식으로 이루어진다. 면접에는 내담자 자신이 직접 자신의 기초 정보를 제공하는 자기보고식 면접과 아동이나 청소년 또는 비자발적 내담자의 경우에는 부모, 교사, 주요 양육자 등 내담자의 주변인을 면접하는 타인 보고식 면접이 있다. 질문지를 통한 정보수집은 상담의 신청접수와 접수면접을 함께 실시하는 중소 규모의 상담실에서 주로 사용하는 방법이다. 질문지의 내용은 면접 시 이루어지는 내용과 같다. 행동관찰을 통한 정보수집은 유아, 아동, 정신과 환자 등의 행동치료를 계획하는 데 주로 사용되고 상담장면에서는 보조적 수단으로 활용된다. 행동관찰에서는 주로 내담자의 비언어적 행동을 관찰한다. 예를 들면, 키, 몸무게, 머리 모양, 옷, 액세서리, 신체적 특성 등의 외적 모습과 목소리, 속도, 억양, 얼굴표정, 시선, 태도, 특정 단어 사용, 특이 반응 등을 관찰하여 기록한다. 심리검사를 통한 정보수집은 내담자의 지능, 흥미, 적성, 성격, 정신병리 등 겉으로 드러나지 않는 심리적 특성을 파악하기 위해 사용하는 방법이다. 이를 위해서는 심리검사의 종류, 선택, 실시, 해석 등에 대한 표준화 절차를 이해하도록 전문적 교육을 받아야 한다.

관련어 | 면접, 심리검사, 질문지, 행동관찰

정보이론
[情報理論, information theory]

정보의 전송, 송신, 수신, 개발 등에 관한 수리적·공학적 이론을 총칭하는 것으로 물리계, 생체 또는 그 양자를 포함하는 계(系)에서의 정보의 전달 및 처리에 관한 이론. 인지치료

네트워크 사회의 기반을 이루는 정보통신 네트워크의 설계나 운용에 관한 중요한 논리적 기초를 제공하는 이론이다. 대표적인 이론분야로 통신이론, 부호이론, 암호이론 등이 있다. 협의의 정보이론에서는 정보를 순수하게 공학적으로 다루어 그 형식적 외관, 즉 부호화된 정보의 전달 등에 관해서만 논의한다. 이 부분은 확률론을 이용하는 수학의 한 분야로서 특히 통신이론이라고도 불린다. 이러한 통신이론에 근거한 정보이론을 가장 체계적으로 확립한 사람은 벨 연구소의 섀넌(C. Shannon)이다. 1948년 섀넌이 발표한 『통신의 수학적 이론(The mathematical theory of communication)』은 불확실성의 감소를 정량적으로 나타내는 정보량의 개념과 그 수리적 정의가 정립되는 계기가 되어 통신 이론의 기초가 확립되었다. 섀넌은 정보를 확률 과정으로 파악하여 정보량을 확률 과정론에 적용하였으며, 정보량으로서의 엔트로피라든가 정보로(情報路)의 통신용량 개념 등 여러 가지 새로운 개념을 소개하였다. 이때 정보란 신문의 뉴스나 특종 기사와 같은 정보가 아니라, 문자·음성·화상 및 생체의 유전자 등의 정보를 의미한다. 정보는 문자의 경우 종이와 잉크, 음성의 경우 공기의 소밀파(疎密波), 라디오·텔레비전에서는 전파 등 그것을 표시하고 전달하기 위해 어떤 물질과 에너지가 필요하다. 그러나 그 작용은 물질이나 에너지와는 다른 추상적인 개념이며, 어떤 의미에서는 물질이나 에너지를 제어하는 것으로도 생각할 수 있다. 정보의 의미나 내용 자체보다는 완전한 수량화(數量化) 토대 위에서 정보를 다룬다. 마치 물리학에서 질적으로 다른 물리적 과정을 모두 에너지 개념으로 통일하여 다루는 것과 같이, 통신조직의 정보전달·신경조직 및 컴퓨터의 작동 등 여러 정보과정을 동일하게 처리한다. 정보원은 정보집합으로부터 일정한 확률에 따라 정보를 선택하여 전달하는데, 이렇게 취급된 정보량은 정보로의 용량을 통해 부호화가 이루어지고 수신자에게 도달한다. 정보전달시스템의 분석모델에 포함되는 요소는 다음과 같다. 첫째,

메시지나 정보의 원천이 되는 정보원(information source), 둘째, 메시지를 송신할 수 있는 부호로 변환하는 송신자(transmitter), 셋째, 수신자에게 부호를 전송하는 매체인 채널(channel), 넷째, 채널에서 부호를 메시지로 변환하는 수신자(receiver), 다섯째, 최종적인 목적지(destination) 등이다. 반면, 광의의 정보이론이란 사이버네틱스 패턴(cybernetics pattern) 인식, 학습이론, 발달이론, 언어이론, 오퍼레이션 리서치(operation research) 등의 여러 분야와 밀접하게 관련된 광범위한 학문체계를 뜻한다. 이러한 관점에 근거하여 정보이론에서 사용하는 개념들이 암호학의 공식화에 이용되어 왔으며, 언어학에서는 한 언어 안에서 단어의 발생빈도와 길이의 분포 등에 관한 연구가 이루어졌다. 언어학의 연구결과, 언어가 지속적으로 이루어지는 효과적인 통신을 통해 진화한다는 것이 확인되었다. 또한 심리학에서는 자극 안에 담겨 있는 정보의 양과 자극에 대한 반작용 시간 간의 관계를 규명하였다. 발달심리학 분야는 1960년대에 접어들어 인지발달에 관심을 기울이게 되었고, 이에 따라 발달에 대한 입장도 점차 학습이론적 관점에서 인지발달적 관점으로 변화하였다. 초창기 인지발달이론은 피아제(J. Piaget)를 중심으로 정립되었으나 점차 정보이론으로 그 관심이 옮겨 갔다. 오늘날 정보이론은 전반적인 발달연구에 영향을 미쳐 지각, 기억, 사고, 지능 및 문제해결 등의 인지발달 분야뿐만 아니라 사회성, 정서 및 성격발달 분야에도 영향을 미치고 있다. 구체적으로 정보이론은 아동의 사고발달을 연구하는 데 적용되고 있다. 예를 들면, 문제를 풀기 위해 필요한 정보를 찾는 능력이 연령발달과 함께 어떻게 조직화되고 계획적으로 진행되는가, 학령 전 아동은 학령기 아동에 비해 얼마나 새로운 정보를 기억하고 유지하는가, 현재 아동이 보유하고 있는 지식이 새로운 지식을 배우는 능력에 어떤 영향을 미치는가 등 연령 증가에 따른 아동 사고의 발달적 변화를 정보이론에 근거하여 설명하고자 한다. 또한 정보이론은 사회적 정보를 처리하는 과정의 분석에도 적용된다. 예를 들면, 아동이 어떻게 자기 자신과 다른 사람을 성별에 따라 구분하는가, 아동은 다른 사람의 정서상태를 어떻게 알아챌 수 있는가 등의 문제는 정보이론이 행동을 결정하는 심리 내적 과정을 분석하는 데에도 적용될 수 있음을 보여 준다.

관련어 | 정보처리

정보처리
[情報處理, information processing]

감각적 수용기관을 통해 들어온 자극을 선택적으로 받아들여 단기기억과정 또는 장기기억과정을 통해 정보가 처리되는 것.
인지치료

학습은 외부로부터의 정보를 획득하여 저장하는 과정이라는 가정하에 인간은 학습에 필요한 정보를 입력한 이후 그 지식을 활용하기 위해 기억의 저장고에서 정보를 인출하여 사용한다고 본다. 정보처리이론에서의 정보처리과정은 인지치료과정에 의해 생성되며, 인지치료과정이란 투입된 정보를 하나의 저장소에서 다른 저장소로 옮기는 내부적이고 지적인 활동을 의미한다. 컴퓨터 프로그래밍의 개념과 용어를 인간 기억과 사고 활동을 이해하는 데 적용하기도 한다. 정보처리심리학(information processing psychology) 분야에서는 인간의 인지과정을 연구하는 데 컴퓨터를 모형으로 사용한다. 컴퓨터가 사용하는 단순하고 계열적인 문제처리방식과 마찬가지로 인간의 뇌도 정보를 입력하고 저장하고 인출하는 과정을 통해 과제를 수행할 수 있을 것이라는 관점에 근거한다. 컴퓨터와 인간은 모두 다 환경으로부터 정보를 받아들이고(input), 이들 정보를 여러 가지 방식으로 처리하며(process), 그리고 정보가 처리된 결과를 활용하기(output) 때문에 서로 유사하다고 본다. 정보가 제시될 때 컴퓨터의 첫 번째 수행은 그 입력을 처리할 수 있는 형태로 변형 혹은 부호화(coding)하는 것이다. 예를 들면, 컴퓨터 자판을 사용하여 숫자를 쳐 넣을 수 있다. 컴퓨터는 이 정보를 사용하기 위해 그 정보를 일련의 전기신호형태로 변환하거나 부호화한다. 그후 이 신호들은 컴퓨터의 메모리에 위치한 전자기 칸에 저장(storage)된다. 마지막으로, 덧셈과 같은 특정 목적 때문에 저장된 정보가 필요하면 그것은 메모리의 위치에서 인출되어 컴퓨터의 중앙처리장치로 복사되고, 그곳에서 요구되는 산술연산으로 수행된다. 이것을 인출(retrieval)이라고 한다. 이와 마찬가지로 동물과 인간의 기억도 정보의 계기적 부호화, 저장 및 인출로 이해될 수 있다. 먼저, 어떤 자극을 기억하기 위한 첫째 요건은 그 자극이 나타날 때 그것을 정확하게 확인하는 것이다. 신경생리학적 증거에 따르면 한 시각자극을 확인하는, 즉 그것에 부호를 할당하는 첫 단계가 그 자극을 성분 특징들로 분해하는 것이다. 인간의 뇌 속에는 특정 단어를 탐지하기 위한 세포들이 존재한다고 본다. 이렇게 부호화된 단어는 저장되어 나중에 필요할 때 기억으로 되살아나게 된다. 인간 유기체는 점차 사회화되어감에 따라 사회가 제공하는 경험을 통해 기억하고 학습하며 행동을 고차원적인 것으로 수정해 간다. 인간의 정보처리 과정은 주의집중(attention), 지각(perception), 시연(rehearsal), 부호화(encoding), 인출(retrieval), 망각(forgetting) 등의 구성요소를 갖는다.

관련어 ┃ 정보이론

정상분포
[正常分布, normal distribution]

종을 엎어 놓은 것과 같은 모양을 하고 있으며, 하나의 꼭지를 갖는 좌우 대칭적인 연속적 변인의 분포. 통계분석

정상곡선은 충분한 자료가 수집되었을 때 주어진 검사에서 획득한 점수의 분포나 면적을 보여 주며, 또한 정상곡선 아래 영역을 계산하여 특정값(점수)

의 면적(확률)을 보여 주기도 한다. 대부분의 심리 및 물리 측정은 모집단 내에서 정상적인 분포를 보이는데, 이를 정상분포 혹은 정규분포라고 한다. 따라서 대부분의 연구가설은 연구변인들이 모집단 내에서 정상적으로 분포되어 있다고 가정한다. 즉, 정상분포에서 대부분의 점수는 평균에 가까이 있고, 상대적으로 얼마 안 되는 점수가 양끝에 위치한다. 정상분포 곡선은 표준편차를 단위로 했을 때, 각 단위 사이의 면적 비율을 나타낸 것이다. 그림에서 보듯이 점수의 68.26%가 평균을 중심으로 표준편차 ±1의 범위에 있으면서, 평균 상하에 있는 점수의 수가 동일하다. 점수의 95.44%가 평균을 중심으로 표준편차 ±2의 범위에, 점수의 99.72%가 평균을 중심으로 표준편차 ±3의 범위에 있다. 가령, 100명의 검사자료가 정상분포를 이루고 그 검사의 평균이 60점, 표준편차가 10점이라면 60점에서 ±10점, 즉 50~70점 사이에 약 68명이 포함된다는 것을 알 수 있다. 정상곡선에서 표준정상분포(standard normal distribution)는 가장 널리 관찰되는 분포다. 이는 백분율이 평균(μ)은 0이고 표준편차(sd)는 1인 단일곡선에 기초하여 계산되도록 해 주며, z분포라고도 한다. 표준정상분포에서 x축(수평)은 연구문제의 변인(예, 신장)을 나타내고, y축(수직)은 점수의 수(예, 특정 신장을 가진 사람의 수)를 나타낸다. 정상분포가 대칭형이라는 것이 가정되어도 실제 곡선의 모양은 상대적으로 가파른 것(leptokurtic, 고첨: 정상분포보다 더 뾰족한 모양)에서 상당히 평평한 것(platykurtic, 저첨: 정상분포보다 더 완만한 모양)까지 다양하다. 가파른 곡선은 낮은 표준편차 때문인 반면, 평평한 곡선은 높은 표준편차 때문이다. 점수

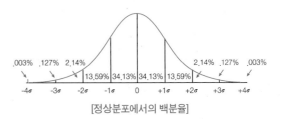

[정상분포에서의 백분율]

의 정상분포에서 평균은 중앙값과 같고, 최빈값과
도 같다.

관련어 | 집중경향치, 첨도

정상화
[正常化, normalizing]

어떠한 문제나 사건을 특정한 상황이나 흐름 속에서 일반적인
결과로 받아들이는 것. 이야기치료

정상화는 이야기치료에서 진실(truth)에 대한 평
가를 내리는 데 근거로 사용된다. 인간의 삶에는 모
두에게 적용되는 절대적인 기준이 되는 진리라는
것은 존재하지 않으며, 단지 각각의 사회문화적 상
황과 배경에 따라, 그리고 개인의 독특한 여러 가지
특성에 따라 정상화(normalizing)된 기준만이 존재
하는 것이라고 주장하였다. 예를 들어, 이슬람 문화
권에서는 여성들이 차도르를 두르고 자신의 얼굴이
노출되지 않도록 해야 하는 것이 모든 사람이 맞다
고 인정하는 기준, 즉 진실이 된다. 하지만 이슬람
이외의 다른 문화권에서는 그러한 행동은 모두 이
상하고 그렇게 하지 않아도 된다고 생각하는, 즉 진
실이 아닌 것이 된다. 따라서 모든 문화권에 동일하
게 적용되는 진실이라는 것은 존재하지 않으며, 단
지 특정 문화권 혹은 배경에서 정상화된 기준이 있
을 뿐이다. 이러한 정상화에 대한 개념은 개인의 삶
의 이야기에도 적용되는데, 문제적 이야기에 대한
평가는 항상 부정적이기만 한 것이 아니라, 그 문제
적 이야기와 연관된 여러 관계 및 배경과의 상호관
계 속에서 다시 고려될 때, 혹은 그러한 상호관계의
재구조화(reconstruction)가 일어날 때 개인의 삶에
서 긍정적으로 받아들이는 정상화가 일어날 수 있
는 것이다.

관련어 | 다시 이야기하기, 재구조화,

정서
[情緒, emotion]

주관적 경험, 표출된 행동, 신경화학적 활동이 종합된 신체
적 · 생리적 반응을 동반한 지속적인 감정.
목회상담   합리정서행동치료

정서란 생리적 각성, 표현적 행동, 그리고 사고와
감정을 포함한 의식적 경험의 혼합체다. 정서는 우
리의 생존을 증진시키기 위해 존재하는 것으로, 인
간 내부에서 진행되는 일시적인 혹은 장기적인 느
낌이나 감정을 의미한다. 머리 부분의 활동을 인지
라고 한다면, 정서는 가슴 부분의 활동이라 할 수 있
다. 즉, 기쁨, 분노, 두려움과 같은 것은 물론 두뇌
없이 진행될 수는 없지만, 주로 생리적인 반응과 직
결되어 있어 가슴이나 피부로 경험하기 때문에 머
리에서만 진행되는 인지활동과 대비해 볼 수 있다.
정서는 인간심리의 중요한 부분이지만 사고나 행동
을 조작할 수 없는 것처럼 정서를 조작할 수는 없다.
샤흐터와 싱어(Schachter & Singer, 1962)는 인간의
정서가 신체적 변화에 대한 사고로 결정된다는 사
실을 실험을 통해 증명하였다. 엘리스(Ellis)는 비합
리적 사고가 불안, 우울 또는 분노를 유발하지만 합
리적 사고는 걱정, 슬픔, 곤란함 등을 유발한다고 가
정하였다. 또한 융(Jung)은 감정이 심리적 기제로
사용되는 네 가지 기능 중 하나라고 하였다. 감정은
어떤 것이 가치 있고, 누가 가치 있는지를 평가하고
판단하는 심리적 기능이다. 감정은 자아와 주어진
내용 사이에서 일어나는 과정으로, 순간순간의 일
시적 의식의 내용이나 지각과는 관계없이 독립적으
로 '기분'으로 나타날 수 있는 과정이다. 엘리스
(Elis, 2007)는 합리정서행동치료(REBT)에서 정서
에 영향을 주는 핵심을 비합리적인 신념이라고 하
였다. 이러한 신념은 우리 자신과 타인 그리고 세계
에 대한 우리의 요구로 작용한다. REBT에서는 우리
가 스스로 만든 정서적 문제를 인식하고, 정서적 건
강을 얻기 위해 융통성 있는 선택, 소망, 바람 그리

고 욕망에 기초한 신념을 개발해야 한다고 말하였다. 그리고 삶의 불유쾌한 사건들에 대한 정서적 반응을 건강하지 못한 부정적 정서와 건강한 부정적 정서로 나눌 수 있다고 하였다. 건강하지 못한 부정적 정서는 불안, 우울, 죄책감, 수치, 상처, 비난하며 화내기, 질투, 시기이며, 건강한 부정적 정서는 격정, 슬픔, 후회, 유감, 실망, 비난하지 않고 화내기, 관계에 대한 관심, 타인의 강점을 소유하고자 하는 악의 없는 욕망이다. 건강하지 못한 부정적 정서의 기초가 되는 것은 요구와 그것의 결론이며(예, '나는 이 과제를 반드시 잘 수행해야 한다. 그렇지 않으면 나는 쓸모 없다.'), 건강한 부정적 정서의 기초가 되는 것은 선호와 그것의 결론이다(예, '나는 이 과제를 매우 잘 수행하고 싶다. 그러나 반드시 그래야 하는 것은 아니다. 만약 내가 이 과제에 대해 혼란을 느낀다면 그것은 단지 내가 이 영역에 익숙하지 않다는 뜻일 뿐이지, 내가 꼭 인간으로서 쓸모없다는 것은 아니다.'). 신념의 변화를 통해 건강하지 못한 부정적 정서를 건강한 부정적 정서로 바꾸는 것은 개인이 감당할 수 없다고 지각하는 것을 감당할 수 있도록 해 주고, 그렇게 함으로써 그들이 거칠고 냉혹한 현실에 대해 건설적으로 적응하는 데 도움을 줄 수 있다. 성격적 상담을 주장한 크랩(Crabb, 1977)은 인간의 성격구조(personality structure)를 다섯 가지로 구분하면서 그중 하나가 정서라고 하였다. 정서는 인간의 성격구조 중에서 느끼는 영역(capacity for feeling)을 말한다. 올바르게 생각(right-thinking)하고, 올바르게 행동(right behaviors)하는 것은 올바르게 느끼는 것(right-feeling)의 토대가 된다고 하였다. 기독교인이 가져야 할 느낌은 성경에서 말하는 연민이나 사랑을 말하는 것으로, 이러한 긍정적인 정서는 성경을 기초로 한 삶을 살아갈 때 생긴다고 설명하였다. 그린과 머리(Green & Murray, 1975)의 실험연구에서는 정서적인 방출이 합리적인 재구조화를 촉진한다고 시사하였다.

정서 표현성
[情緒表現性, emotional expressiveness]

유머반응의 일종으로 감정 및 정서를 겉으로 드러내는 정도.
`웃음치료`

내면의 감정 및 정서적 상태를 겉으로 어느 정도 표현하는가를 정서적 표현성이라고 한다. 이는 건강한 정서상태를 나타내는 지표가 될 수 있다. 20세기 초까지 정서의 개념이 분명히 규정되지는 않았지만, 최근 연구에서 보이는 공통적 견해는 어떤 대상 및 상황을 지각할 때 발생하는 생리적 변화를 수반하는 복잡한 상태로, 여러 감정을 포괄하는 감정의 상위 개념을 정서로 규정하고 있다. 바이스펠트(Weisfeld)는 유머를 웃음을 동반하는 유쾌하고 독특한 정서라고 정의하였다. 결국, 유머자극에 대한 감지 및 이해를 바탕으로 하여 즐거움이나 우스움과 같은 반응이 나타나는 웃음행동 등을 두고 유머반응의 정도를 말하기 위해서 웃음을 동반한 정서 일반의 표현 정도를 웃음치료에서 정서 표현성이라고 한다.

정서도식
[情緒圖式, emotion scheme]

정서적 의미의 처리를 자동적으로 안내하는 복잡하고 통합적인 내적 모형. `도식치료`

여기서 자동적이란 말은 충분하고 의식적인 주의를 기울이지 않고도 정보가 처리되는 전의식(前意識)적인 과정을 뜻한다. 즉, 다양한 정보를 통합하여 자동적으로 자신에 대한 체화된 지각(embodied sense)을 만들어 내는 구조가 정서도식이다. 상담에서 정서가 차지하는 우선성 및 중요성을 강조한 그린버그(L. S. Greenberg)가 강조한 개념으로, 정서적 기억, 신념, 이미지, 감각, 생리, 행동 경향성 등을 포함하여 정서를 중심으로 내적으로 통합되어 있다. 개인적인 의미를 자동적으로 처리하는 데 가장 큰 영향을 미치는 것이 정서이며, 환경에 대한 통합된 정보가 정서반응을 중심으로 형성되기 때문에 정서를 도식의 핵심 요소로 간주하는 것이다. 그런 버그는 대부분의 정서도식이 인간이 언어능력을 충분하게 획득하기 이전인 전언어(pre-verbal) 단계에 발달하며, 인지는 아이가 언어로 생각하고 말하기 시작한 이후에야 비로소 정서도식에 추가된다고 하였다. 정서 중심 치료자는 내담자의 도식을 다룰 때 정서를 인지보다 우위에 두며, 체험적 치료 방략을 통한 충분한 정서 처리에 따라 도식이 더 깊고 더 쉽게 다루어진다고 본다.

정서명령회로
[情緒命令回路,
emotional command circuits]

유기체가 생활 속의 문제장면에 반응하기 위해 뇌의 여러 구조와 기능을 동시에 활용하는 양방향 의사소통 통로.

정서 중심 치료

    생리심리학자인 판크세프(J. Panksepp)는 정서를 여러 종류의 자극에 대한 유기체의 복잡한 심리생리적 행동반응이라고 믿고, 뇌의 정서명령회로를 밝히는 연구에 집중하였다. 판크세프는 정서반응을 유발하는 주된 자극이나 사건이 있다고 보았다. 예를 들면, 물리적 제약은 분노반응을 일으키는 사건 중 하나이고, 고통은 두려움을, 사회적 상실은 공황을 유발하며, 사회적 접촉 같은 긍정적 유인물은 기대감을 유발한다. 판크세프는 정서명령회로란 유기체가 생활 속의 문제장면에 반응하기 위해 감각기관, 연합 피질, 기억 저장고에서 변연계와 신경계의 다른 여러 부위로 정보를 전송하는 회로라고 하였다. 이러한 복잡한 상호작용의 최종 결과는 통합된 적응적 행동으로 나타난다. 앞으로도 많은 회로가 발견될 것이라고 본 그는 현재까지 다음 7개의 정서 회로를 확인하였다. 첫째, 탐구/기대 체계(seeking/expectancy system)로 개체가 환경과 벌이는 상호작용의 특정 측면을 통제한다. 암페타민 같은 중독성 약물을 투여함으로써 이 체계의 민감성을 크게 증가시킬 수 있다. 둘째, 분노체계(rage system)로 동물에게 생식선 스테로이드를 투여하면 분노유발자극에 보다 민감해진다. 편도체의 내측 핵과 시상하부의 내측 핵이 분노반응에 관여하는 것으로 알려져 있다. 셋째, 두려움 체계(fear system)로 이것에 관여하는 핵심 구조는 편도체, 내측 시상하부, 중뇌의 회백질 영역이다. 편도체를 전기적으로 자극하면 두려움을 야기하는 자극에 대한 반응이 증가한다. 넷째, 정욕체계(lust system)로 성적 사랑의 충동은 놀이에 관련된 기쁨과 부분적으로 중첩된다. 다섯째, 돌봄/양육수용체계(care/nurturance acceptance system)로 모든 포유류에 수용과 양육은 구체적인 뇌 회로에 의해 매개된다. 대부분의 종에서 수컷보다 암컷의 양육(수용) 행동이 더 강한 편이다. 여섯째, 분리고통/공황체계(separation distress/panic system)로 포유류에서 분리를 나타내는 울음소리나 고통을 나타내는 발성을 야기한다. 이런 행동은 어린 유기체의 생존 관련 기제로, 어미에게 보살핌과 양육을 구하는 수단이며 매우 일찍부터 나타난다. 모든 종에서 유기체가 성숙해지면서 고통을 나타내는 발성 또한 감소한다. 일곱째, 놀이와 지배 체계(play and dominance system)로 아동기에 나타나는 마구잡이 활동의 발현과 소멸을 통제한다. 판크세프는 놀이 회로를 유기체가 사회적 상호작용을 통하여 경험하는 기쁨의 주된 원천으로 간주하였다. 이들 정서체계에는 여러 가지 신경 조절 물질, 펩타이드, 신경전달물질, 안면 신경이 관여하고 있다. 또한 각 정서는 독특한 소리와 결합되는 경향이 있기 때문에 이들 각 회로는 호흡기와 성대의 작동에 영향을 미쳐 각 정서와 결합된 여러 가지 소리를 생성하기도 한다. 그리고 같은 논리로 이들 회로는 피부색 및 체온, 발한, 오한, 닭살, 심장혈관반응 등의 변화를 유발하는 자율 및 골격근의 반응에도 영향을 미친다.

판크세프의 이러한 접근법은 정서와 뇌의 관계를 밝히는 중요한 방식이라고 볼 수 있다.

정서발달
[情緒發達, emotion development]

인간이 태어나서 성장하는 동안 모든 사물이나 상황에 대하여 느끼는 감정상태의 변화 및 형성 과정. 발달심리

정서는 크게 일차정서와 이차정서로 나누며, 일차정서는 인간과 동물에게 나타나는 정서로서 놀람, 기쁨, 슬픔, 분노, 공포 등이 있다. 이차정서는 좀 더 복잡한 인지 능력과 자아의식이 필요한데 복합정서 또는 자아의식정서라고도 불린다. 이차정서의 예는 수치, 부러움, 죄책감, 자부심 등이다. 브리지스(Bridges, 1931)는 출생 후 2년 동안 나타나는 여러 가지 정서를 시기별로 제시하였다. 그는 신생아에서 나타나는 정서는 모든 문화권에서 동일하게 표현되며, 이 시기의 정서는 일차정서이고 이차정서는 첫돌이 지난 이후에 나타난다고 하였다. 정서발달을 생물학적 측면에서 연구한 학자로 아이자드(Izard)가 있다. 그는 인간의 정서표현은 유전에 의한 것이라고 주장하였다. 출생 시 호기심과 혐오감이 나타나고 3~4개월에는 화, 놀람, 슬픔, 5~7개월경에는 공포, 6~8개월경에는 수치심과 수줍음, 2세 이후에 모욕감과 죄책감이 나타난다고 보았다. 이에 반해 스로우페(Sroufe, 1979)는 인간의 정서분화는 생물학적 성숙에 따른 것이라기보다는 성장하는 동안 나타나는 인지의 변화라고 강조하였다. 또한 말라테스타(Malatesta, 1985)는 정서가 모방과정을 통하여 학습되고 주변인의 강화로 긍정적 또는 부정적 정서가 형성되거나 발전한다고 강조하였다. 정서의 발달과정을 살펴보면, 먼저 출생 후 신생아는 울음이나 미소로 정서를 나타내는데 울음이 분노, 슬픔, 고통 등 어떤 정서를 나타내는지 정확히 알 수가 없지만 생존을 위한 의사소통의 수단임은 확실하다. 미소는 배냇짓이라 하여 선천적이고 반사적인 행동이라 볼 수 있으며 기쁨을 표현한다고는 볼 수 없다. 상대방에 대한 정서표현으로서 미소는 생후 6~10주경에 나타나며 이 경우를 사회적 미소(social smile)라고 한다. 웃음은 3~4개월경에 강한 자극이 주어지면 나타나기 시작한다. 이 같은 일차정서는 7~12개월이 되면 더 분명해지며 얼굴표정을 보고 정서를 구분한다. 부정적 정서는 출생 후 6개월 사이에 나타나는데, 이때 고개를 돌리거나 손가락을 빼는 것으로 표현하고 부정적 정서를 조절하려고 한다. 부정적 정서 중 불안은 생후 9개월경에 낯선 사람에 대한 정서로 표현되는데, 대개 공포로 나타나고 12개월경까지 지속적으로 증가한다. 이 시기에 영아는 정서조절능력이 조금 향상되어 스스로 몸을 흔들거나 물건을 빨거나 또는 불쾌한 자극에서 멀리 떨어지는 것으로 정서를 조절하며, 애매모호한 상황에서 자신의 행동을 어떻게 해야 할지 결정하기 위하여 부모나 다른 사람의 표정을 살피는 사회적 참조(social reference)가 나타난다. 생후 13~15개월경에는 분리에 대한 불안이 공포감으로 나타난다. 분노는 출생 직후에는 욕구 좌절이 될 경우 울음으로 표현되고, 4~6개월경에는 성난 목소리를 내며, 2세경 최고조에 달한다. 이때 부모는 수용적 태도로 접근해야 한다. 이차정서는 공감, 질투, 당황, 자긍심, 수치심, 죄책감 등을 말하며 생후 1~3년 사이에 나타나기 시작한다. 18~24개월경에는 정서에 관하여 언어적 표현을 하고 부정적 정서를 숨길 수 있으며, 3세 정도 되면 감정이입적 반응이 나타나고 자신의 진짜 감정을 숨기면서 때로는 거짓말을 할 수 있게 된다. 3~5세 아동은 정서표현을 위한 단어 수가 상당히 증가하고 현재, 과거, 미래에 대한 정서와 자신과 다른 사람에 대한 간단한 정서를 표현할 수 있으며, 정서의 인과관계 및 상황과 관련된 정서를 동일시하고 정서조절능력도 증가한다. 5~10세 아동은 정서를 언어적으로 표현하고 상황과 정서의 복잡한 관계에 대하여 생각하는

능력이 증가하며, 같은 사건에 대하여 사람마다 다른 정서를 느낄 수 있다는 것을 이해한다. 또 사건 후에도 감정이 오랫동안 지속된다는 것을 이해하며 사회적 기준에 맞는 정서를 표현하고 다루는 능력이 증가한다. 10세 이후에는 자긍심과 수치심 같은 이차정서의 이해능력, 특정한 상황에서 여러 가지 감정이 경험된다는 이해력, 정서적 반응을 초래한 사건을 설명하려는 경향, 부정적 정서반응을 억압하거나 지연하는 경향이 증가하고, 다른 사람의 정서를 이해하기 위한 내적·외적 단서들을 통합하며 자기조절전략이 보다 다양하고 복잡해진다. 청소년기는 정서적 혼란 시기라 할 수 있으며, 초기 청소년기에는 감정의 기복이 커지고 대체로 우울상태가 많지만 발달적 측면에서 정상이라 할 수 있고 유능한 성인이 되기 위해 극복해야 하는 발달과제라 할 수 있다. 이 시기는 자신을 다른 사람에게 알리고자 하는 욕구가 강해 자신의 감정을 표현하는 데 점차 능숙해지고 대인관계를 향상시키기 위하여 자신의 정서에 관한 의사소통의 중요성을 이해하게 된다. 이후 성인기에 접어들면 정서적 기능이 점차 낮아지고 노년기는 신체적, 인지적, 정서적으로 노화가 진행된다. 정서가 점차 무디어지고 희로애락에 대한 감정이 둔해지며 무미건조함을 느끼고 때로는 냉담하다. 이 시기에는 긍정적 정서보다는 부정적 정서가 증가하며, 다른 사람의 정서를 인식하는 능력도 낮아진다.

관련어 | 사회적 미소, 정서

정서분화
[情緒分化, emotional differentiation]

인간이 출생 이후 미분화된 감정상태에서 분화과정을 거쳐 다양한 정서상태가 발생한다는 것. **정서중심치료**

인간의 정서발달과정을 보면, 쾌(快)·불쾌 차원의 미분화된 감정상태에서 분노·공포·환희와 같이 보다 분화된 정서상태로 발달, 안정되어 간다. 브리지스(Bridges)의 계통적인 관찰에 의하면, 신생아기에는 흥분만 있고 유아기에 불쾌, 흥분, 쾌로 분화한다. 2세가 되면 불쾌는 두려움·분노·불쾌로 분화하고, 쾌는 애정·기쁨·쾌로 분화한다. 5세에는 두려움에서 수치·두려움·근심이, 분노에서 질투·분노·선망(羨望)·실망이 불쾌에서 불쾌·혐오가 파생되고, 애정에서 소망·기쁨·자기의 고양 등으로 분화한다고 하였다. 정서는 대부분 사회적 행동과 함께 나타나고 만 5세 무렵까지 대부분의 정서가 분화해서 나타난다. 이러한 정서분화수준은 개인에 따라 다르게 나타나기도 하는데, 전반적인 자신의 기분상태를 보고하는 사람에서부터 고도로 분화된 정서반응을 보고하는 사람에 이르기까지 다양하다. 또한 한 개인이 얼마나 분화된 정서경험을 가지고 있는가는 정서지능의 중요한 결정요인 가운데 하나이다. 배릿(Barrett)과 그로스(Gross)에 따르면, 고도로 분화된 정서반응을 표현하는 사람은 덜 분화된 방식으로 자신의 정서를 표현하는 사람보다 자신이 가지고 있는 정서를 활용하려는 동기가 강하고, 정서에 대한 통찰력이 뛰어나며, 변화하는 상황에 적절하게 반응한다. 한 개인의 정서분화수준이 높다는 것은 정서조절이 쉽게 효율적으로 이루어질 수 있다는 의미다. 자신의 정서상태에 대해 분명하고 특정한 방식으로 명칭을 붙일 수 있는 사람은 보다 많은 조절전략을 확보한 것이므로 정서를 유발하는 사건이나 사물에 대해 좀 더 융통성 있게 행동목록에서 해결할 수 있다. 특히 부정적이거나 강한 정서적 경험에서는 정서분화 수준이 정서조절과 밀접하게 관련된다.

정서에 초점 두기
[情緒 – 焦點 – , focusing in emotion]

정서중심부부치료에서 부부갈등을 해결하기 위해 부부관계에서 발생하는 갈등의 사건보다 그 사건으로 인한 정서적 경험에 집중하는 것. 정서중심부부치료

정서중심부부치료에서는 부부관계에서 각 배우자가 정서적 경험을 통하여 애착행동이 구조화되고, 상대 배우자에게 반응하며 각자의 요구와 소망이 전달될 수 있다고 본다. 따라서 부부갈등의 상황에서 사건에 집중하기보다는 정서적 경험에 집중하여 재구조화함으로써 부부가 새로운 정서경험을 하고 이제까지 무시되었던 부분을 확대하고 명료화하여 일차적인 치료적 과제를 달성하고, 이를 통하여 새로운 교정적 정서체험을 하도록 돕는 것에 초점을 둔다.

관련어 | 정서초점치료

정서와 기억의 삼원구조
[情緒 – 記憶 – 三元構造,
emotion-and-memory triangle]

기억에 영향을 미치는 기억이 형성될 때, 기억이 회상될 때, 그 사이인 저장할 때의 세 가지 측면의 정서상태. 정서중심치료

패럿(Parrott)과 스팩만(Spackman)은 정서와 기억의 관련성을 연구하면서 세 가지 측면을 정서와 기억의 삼원구조로 제시하였다. 삼각형의 꼭짓점에 다음과 같이 세 가지 측면의 정서상태를 나타내는데, 첫째, 기억이 형성될 때, 즉 부호화될 때의 정서, 둘째, 기억이 회상될 때, 즉 인출될 때의 정서, 셋째, 부호화와 인출의 사이인 저장할 때의 정서가 각각 어떤 역할을 하는가에 대해서다. 모든 꼭짓점상의 정서가 늘 함께 나타나는 것은 아니지만 회상할 때마다 이들 삼원구조가 상호작용한다고 본다. 따라서 기억에 영향을 미칠 수 있는 정서는 정보를 부호화할 때의 정서상태, 정보를 회상할 때의 정서상태,

기억되는 자료의 질과 관련된 정서상태라고 볼 수 있다. 기분에 따른 회상은 부호화 당시의 정서상태와 인출될 때의 정서상태가 상호작용하여 나타난다. 예를 들어, 기분이 좋을 때는 과거에 좋았던 일을 쉽게 회상해 내지만 기분이 나쁠 때는 과거의 좋지 않았던 경험을 끊임없이 회상해 낸다. 그리고 기억되는 정서자극의 내용과 인출될 때의 정서상태도 상호작용한다.

정서의 2요인 이론
[情緒 – 二要因理論, two factor theory]

정서를 경험하기 위해서는 교감신경계의 각성과 함께 이를 정서적인 것으로 명명하는 인지적 과정이 있어야만 한다는 샤흐터(Schachter)와 싱어(Singer)의 이론. 정서중심치료

샤흐터와 싱어는 정서를 경험하기 위해서는 교감신경계의 각성과 아울러 이를 정서적인 것으로 명명하는 인지적 과정이 있어야만 한다고 말하면서, 이를 중심으로 정서의 2요인 이론을 주장하였다. 그들은 교감신경계의 활성화가 모든 정서에 근본적으로 동일하다는 캐넌(W. Cannon)의 주장과 교감 신경계의 활성화가 정서의 유발에 중요한 기여를 한다는 제임스(W. James)의 주장을 받아들였다. 그 결과 이들은 교감신경계의 활성화가 정서경험에 필요하지만 충분한 조건은 아니라고 가정하였으며, 이를 정서적인 것으로 명명하는 인지적 과정이 있어야 한다고 보았다. 그리고 정서에 인지적 요소뿐만 아니라 사회적 요소를 추가하여 정서를 인지보다 사회인지의 영역으로 간주하였다. 이에 따라 2요인 이론은 문화적 상대주의 이론가나 사회구성주의 이론가들에게도 환영을 받는다. 왜냐하면 인지를 강조하는 것이 사회나 문화가 정서형성에 기여한다는 측면을 인정하는 것이기 때문이다.

정서의 차원구조
[情緒 – 次元構造, dimensional structure]

정서의 구조를 설명하기 위해 개별범주보다는 차원개념을 사용하는 것. 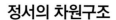 정서중심치료

정서의 차원구조는 정서를 구조화하는 방법 가운데 정서들 사이의 중요한 유사점이나 차이점을 파악할 수 있는 소수의 차원을 탐색해 보는 것이다. 에크만(Ekman), 러셀(Russell), 펠드먼-배릿(Feldman-Barrett)과 같은 여러 학자들은 정서들 간의 차이를 설명하는 데에는 2개의 차원이 적절하다고 평가하였다. 하나는 유쾌함-불쾌함의 차원으로, 또 다른 하나는 정서의 활성화나 각성, 강도와 관련된 차원으로 놓고 다양한 정서를 그에 상응하는 위치에 두어 정서의 구조를 파악하고자 하였다. 2차원 모델에서는 행복이나 황홀감과 같은 강한 긍정적 정서는 유쾌함과 강도가 모두 높은 Ⅰ사분면에, 만족감이나 편안함과 같은 약한 긍정적 정서는 유쾌함은 높지만 강도는 낮은 Ⅱ사분면에, 슬픔이나 지루함과 같은 약한 부정적 정서는 불쾌함은 높지만 강도는 낮은 Ⅲ사분면에, 공포나 분노와 같은 강한 부정적 정서는 불쾌함과 강도가 모두 높은 Ⅳ사분면에 위치시켰다. 이러한 2차원구조에서는 일상생활에서 나타나는 정서의 위치가 타원형태를 띠어 이를 원형모델(circumplex model)이라고도 한다. 원형모델을 제안한 러셀은 원에서 서로 가까운 정서들은 매우 유사하고, 원의 서로 반대쪽에 위치하는 정서들은 상반된 정서로 지각되거나 적어도 아주 다른 정서로 지각되는 경향이 있다고 하였다. 플루치크(R. Plutchik)와 같은 또 다른 학자들은 다양한 정서들 사이의 관계를 설명하기에 2차원구조는 적절하지 않다고 주장하면서 3차원구조로 설명하는 것이 더 낫다고 하였다. 플루치크는 정서의 강도, 유사성, 양극성의 세 가지 특징을 조합한 다음 여기에 8개의 기본 정서에 대한 관점을 추가하여 팽이모양의 입체모형을 만들고 정서를 3차원구조로 설명하였다.

프리자(Frijda)와 셰러(Scherer)와 같은 학자들은 정서가 다차원적 구성요소로 조직된 현상이라는 주장도 하는데, 이렇듯 정서의 다차원적 본질을 강조하는 관점을 구성요소이론이라고 한다. 프리자와 셰러는 선행사건에 대한 평가, 행동 준비도, 표현되는 몸짓, 음성, 얼굴표정, 생리적 변화, 의식적 경험과 같은 다양한 구성요소가 정서와 관련이 있는 것으로 생각하였다. 구성요소이론과 마찬가지로 여러 수준의 이론을 보다 포괄적으로 통합하고자 하는 시도로 신경학적·정보처리적·행동적·현상학적 다차원을 통합한 접근방법도 나오고 있다. 사회인지적 신경학적 관점도 다차원적 접근방법의 대표적인 이론으로 볼 수 있다. 사회인지적 신경과학에서는 정서에 대한 인지적·현상학적 관점뿐만 아니라 뇌의 구조와 기능에 대한 정보를 특히 중시한다. 이와 같은 차원구조는 전반적인 정서의 속성을 이해하거나 정서척도를 개발하는 데 유용하고, 논리적이며 성격의 요인모델과 관련이 있다. 그러나 이 이론이 가장 크게 비판을 받는 점은 정서 자체가 아니라 자기보고식 정서구조를 반영하고 있을 뿐이라는 것이다. 그런 이유로 정서의 차원구조에 대한 대안적인 방법으로 여러 학자가 위계구조를 제시하고 있다. 예를 들면, 원형분석을 최초로 시도했던 학자인 로슈(Rosch)는 정서의 범주화는 수평적 차원뿐만 아니라 수직적 차원에서도 이루어질 수 있다고 하였다. 그는 수직축은 상위 수준, 기본 수준, 하위 수준의 세 수준으로 분석될 수 있으며, 이들 세 수준 가운데 중간 단계를 기본 수준으로 보았다. 이후 셰이버(Shaver)와 그의 동료들도 여러 정서들 간의 관계를 어떻게 하면 가장 잘 구조화할 수 있는지에 대해 유사한 관점을 제시하였다.

정서장애
[情緒障礙, emotional disturbance/disorder]

신체적 · 지적인 면에서 두드러지게 지체현상이 있거나, 질환이 없는데도 언어, 식사, 배설 등에 편벽증이 있거나, 신경질적이고 반사회적 행동을 습관적으로 행하는 것.

특수아상담 **합리정서행동치료**

정서면에서의 갈등이나 미성숙으로 등교거부, 특정 지역에서의 침묵, 야뇨, 요실금, 식욕부진 증세를 나타낸다. 넓은 의미에서의 아동 자폐증도 이 범주에 포함시킬 수 있다. 장기간 지속되고 학업수행을 심각하게 방해하는 정서의 장애인데, 이 정서장애와 관련된 증상은 외재화 행동과 내재화 행동으로 구분한다. 외재화 행동은 공격성, 도전, 불복종, 거짓말, 도벽, 자기통제 결여와 같이 다른 사람에게 직간접으로 미치는 효과를 말한다. 반면, 내재화 행동은 불안, 우울, 사회적 상호작용 위축, 섭식장애, 자살 경향과 같이 장애인 본인에게 미치는 효과다. 정서장애는 보통 평균 수준의 지능을 가지고 독립적으로 생활을 할 수 있지만 가정생활, 학교생활, 사회생활을 영위하는 중에 나타나는 정서행동이 비슷한 나이의 또래에게 할 수 있는 기대치, 그리고 처한 상황이나 당대의 사회적 · 문화적 · 수용적 한계를 벗어나 본인의 개인 생활이나 대인관계 생활, 교육적 수행 활동에 부정적인 영향을 초래한다. 이 같은 정서장애를 규정하기 위해서는 부정적인 정서가 특정 상황이나 특정 사람에게만 한하는 일시적인 것이 아니라 다른 장면과 다른 사람과의 관계에서도 지속적으로 문제를 나타내야 한다. 또한 앞의 기준에 부합하고 개인 생활, 대인관계 생활, 교육적 수행 활동에 부정적인 영향을 끼칠 경우 정동장애, 불안장애, 품행장애, 주의력결핍장애, 과잉행동장애, 적응장애를 포함한다(한홍석, 2006). 정서장애를 지닌 특수교육 대상자는 장기간에 걸쳐 다음 각 목의 어느 하나에 해당하여, 특별한 교육적 조치가 필요한 사람으로 정의할 수 있다(장애인 등에 대한 특수교육법, 2010). 첫째, 지적 · 감각적 · 건강상의 이유로 설명할 수 없는 학습상의 어려움을 지닌 사람, 둘째, 또래나 교사와의 대인관계에 어려움이 있어 학습에 곤란을 겪는 사람, 셋째, 일반적인 상황에서 부적절한 행동이나 감정을 나타내어 학습에 어려움이 있는 사람, 넷째, 전반적인 불행감이나 우울증을 나타내어 학습에 어려움이 있는 사람, 다섯째, 학교나 개인 문제에 관련된 신체적인 통증이나 공포를 나타내어 학습에 어려움이 있는 사람이다.

정서적 강도 만들기
[情緒的强度 – , making a emotional strength]

정서중심부부치료에서 부부간 상호작용의 재조직을 목적으로 관련된 정서적 경험을 의도적으로 강조하는 기법.

정서중심부부치료

차가운 정서상태에서의 재연은 감정이나 상호작용의 변화를 이끄는 데 특별한 도움이 되지 못한다. 감정의 강도는 감정에 직면함으로써 증가될 수 있고, 이는 재연을 할 수 있는 감정으로 이끈다. 치료자는 상담회기 내에 자발적으로 나타나는 정서를 이용하기도 하지만 때로는 의도적으로 부부가 경험하는 정서 이면의 것을 강조함으로써 재연의 도구로 활용하기도 한다.

관련어 | 맥락만들기, 접촉 예상하기

정서적 글쓰기
[情緒的 – , emotional writing]

글쓴이의 정서를 표출하기 위한 정서표현 글쓰기.
문학치료(글쓰기치료)

정서적 글쓰기란 개인적 감정을 자제하거나 승화시켜 글을 읽는 사람을 염두에 두고 좋은 글을 쓰는 기존의 글쓰기와는 달리 글을 쓰는 이의 깊은 내면 경험이나 감정과 생각을 어떠한 검열이나 비난, 비판에 대한 두려움 없이 토해 내듯 쓰는 글쓰기를 말한다. 정서적 글쓰기는 1970년대 말에 시작하여 1980년대 중반부터 본격적으로 연구되어 온 아주 특수한 개입이다. 페니베이커(J. Pennebaker)가 대학원생들과 처음 이 연구를 주도했는데, 참여자들이 자신의 삶 속에서 가장 충격적이었던 사건에 대해 자신의 가장 깊은 사고와 감정을 글로 쓴 것이 시초다. 정서(emotion)라는 말은 라틴어 '흐르다'에서 유래한 것으로서, 영어로는 움직이는 에너지(energy in motion), 즉 e-motion이라고도 한다. 정서는 시비를 가릴 수 있는 도덕적 판단의 대상이기 전에 하나의 흐르는 에너지이므로 이를 억압하면 그 에너지가 몸속 어딘가에 저장되어 있다가 부정적인 영향을 미치거나 예측할 수 없는 때 바람직하지 않은 혹은 병적인 형태로 분출된다. 따라서 안전하게 정서적 에너지를 흘려보내도록 하는 방법이 정서적 글쓰기다. 페니베이커는 내면의 억압된 고통과 심리적 외상의 경험, 스트레스 등을 표현함으로써 얻을 수 있는 많은 정신적·신체적 이득에 관심을 가지고, 배우자의 죽음, 자연재해, 여러 성적인 문제 관련 심리적 외상, 이혼, 육체적 학대, 대학살과 같은 다양한 심리적 외상에 관한 조사를 하였다. 과학 연구단체는 수년간 여러 종류의 심리적 외상이 스트레스 수준을 높이고, 감정의 격변 이후 우울해지거나 질병에 걸릴 확률이 높아지고, 몸무게 및 수면 습관이 변하며, 심리적 외상경험이 있는 사람이 없는 사람보다 심장 관련 질환 및 암에 걸려 사망하는 확률까지 높아졌다는 사실을 발견하였다. 또한 심리적 외상을 비밀로 간직한 사람의 경우, 타인에게 그 외상에 관한 경험을 드러낸 사람보다 고통수준이 더 높았으며, 결과적으로 크고 작은 질환에 걸릴 확률도 더 높은 것으로 나타났다. 수백 명을 대상으로 한 설문조사에서 응답자 반수 이상이 17세 이전 가족구성원의 죽음, 부모의 이혼, 성적 트라우마, 육체적 학대, 그 외 성격변화를 야기한 사건 등을 경험했고, 17세 이전에 어떤 종류의 것이든 심리적 외상

을 경험한 사람들은 그렇지 않은 사람들과 비교했을 때 병으로 의사를 방문한 횟수가 2배나 많았다는 것이 밝혀졌다. 그리고 심리적 외상을 경험한 사람들 중에 외상을 비밀로 간직했던 사람들은 외상경험을 누군가에게 드러냈던 사람들에 비해 40% 이상이 의사를 방문한 것으로 나타났다. 이후 수많은 다른 연구실에서 시행한 연구 프로젝트도 이러한 결과를 확증해 주었다. 삶에서 경험하는 중요한 문제를 억압해 둔 채 말이나 글로 표현하지 않는 것은 건강을 위협하는 현저한 원인이 된다는 것을 입증한 것이다. 브로이어(J. Breuer)와 프로이트(S. Freud)의 연구로 논의된 문제는 이 같은 조사연구가 기반이 되어 1980년대 이후 페니베이커의 연구가 힘을 얻었고, 탈(脫)억제 반응의 치료적 효과에 대한 관심이 급속하게 일어났다. 다른 글쓰기와는 달리 정서적 글쓰기는 짧은 시간 안에 글을 써서 고통스러운 경험적 상황에 대한 자신의 감정 속으로 매우 깊이 탐구해 들어가는 것이 목표다. 글의 형식은 운문이든 산문이든 편지든 형태에 상관없이 자신이 편한 대로 정한다. 자신을 괴롭히고 있는 문제나 계속 신경이 쓰이는 문제 등을 떠올려, 더 말할 것이 없을 때까지 아주 상세하게 감정적인 부분을 놓치지 않으면서 쉬지 않고 계속 쓴다. 이때 최대한 문장을 짧게 쓰고, 자신의 경험에서 느낀 것과 감정에 집중하여 쓴다. 수정을 해서는 안 된다. 도저히 더 쓸 것이 없다고 생각되면 잠시 쉬면서 주변에 관심을 두거나 다른 생각을 해도 된다. 그러다가 다른 시각으로 그 주제를 볼 수 있을 때 다른 관점으로 또 글을 쓴다. 주의할 점은, 외상 후 스트레스장애나 공황장애 등이 있는 사람이라면 치료사가 없는 자리에서 이 기법을 쓰지 않는 것이 좋다. 감정의 폭발이 일어날 수 있기 때문이다. 정서적 글쓰기는 견디기 힘들 정도의 사건이나 외상을 다시 마주하도록 하여 그것들을 삶에 통합시키고, 자신의 경험에 대해서 객관적 거리를 유지하면서, 자신의 정서적 경험을 사건 자체로 이양시키도록 한다. 자신의 경험과 자기 자

신에 관해 정서적으로 통찰할 기회를 주는 것이다. 이 방법으로 스트레스 감소를 기대할 수 있고, 정서 변환의 도구가 된다. 또한 수면습관, 일의 효율, 대인관계의 방법에도 변화를 가져올 수 있다. 실제로 심리적 외상의 경험을 글로 표현했을 때, 그동안 자신을 억누르고 괴롭혀 온 감정적인 사건에 대하여 훨씬 신경을 덜 쓴다.

관련어 | 4일간의 표현적 글쓰기, 감정표현 글쓰기, 글쓰기 치료

정서조절
[情緒調節, emotion regulation]

자신의 감정을 이해하여 사회적으로 바람직한 형태로 유연하게 반응하고 대처하는 능력. 발달심리 아동청소년상담

정서조절은 자신의 감정을 손상시키지 않으면서 상대방의 생각, 감정, 의도 등을 이해하여 융통성 있게 대처하는 능력이다. 즉, 자신의 감정상태의 강도와 지속기간을 조정하며 필요한 경우에는 자신의 감정표출을 지연하고, 또한 사회적으로 바람직한 방법으로 반응하는 능력이다. 이 조절은 자신이 경험한 부정적 정서를 바람직한 형태로 표현하거나 감소시키는 것뿐만 아니라 타인의 정서변화도 가져온다. 그리고 자신의 극대화된 긍정적 정서와 부정적 정서를 조절하여 정서의 균형성을 갖도록 관리하는 것이 바로 정서조절이다. 이 조절능력은 사회적 적응을 예측할 수 있는 중요 변인이며 정서조절 수준이 낮으면 공격적 행동과 같은 문제행동, 또래관계 형성의 어려움, 정신병리적 문제를 야기할 가능성이 높다. 이 능력은 생애 초기부터 발달하기 시작하며, 생후 1세 전에는 울음이나 미소로 자신의 감정을 표출하여 타인의 행동을 유발하거나 주변의 물건을 조작하면서 자신의 정서를 조절해 나간다. 2~6세에는 부정적 생각이나 감정에서 다른 곳으로 주의를 돌리거나 유쾌한 생각을 하는 것과 같이 보다

만족스러운 방식으로 부정적 정서를 대처해 나간다. 아동이 4~6세가 되면 타인의 얼굴표정, 상황, 성향 등의 여러 요인을 통합하여 정서를 변별할 수 있고, 특정 상황에서 경험한 자신의 정서가 같은 상황에서 경험한 타인의 정서를 이해할 수 있는 상황적 추론이 가능하여 내적으로 경험한 정서와 외적으로 표출하는 정서를 적절하게 관리할 수 있다. 정서조절의 발달은 개인차가 있으며 부모의 양육태도, 부모의 성격, 부모-자녀 간의 상호작용 등의 영향을 받는다. 정서조절능력을 향상시키는 데에 인지적·행동적·생리적·체험적 전략이 있다. 첫째, 인지적 전략은 부정적 정서에 대한 생각이나 신념을 변화시킴으로써 정서를 조절하는 것으로서 반추, 파국화, 인지적 재평가, 인지 재구조화, 합리화, 수용, 주의이동 등의 기법이 적용된다. 둘째, 행동적 전략은 부정적 정서에 대하여 바람직하고 긍정적인 행동을 학습하도록 하는 것이다. 예를 들면, 영화 관람, 악기연주, 그림 그리기, 조언 구하기 등으로 부적응적 반응수정, 상황수정, 문제 중심 행동 등이 있다. 셋째, 생리적 전략은 심장박동, 혈압 등의 생리적 현상을 변화시킴으로써 정서를 조절하는 기법이다. 호흡, 명상, 이완 등이 있다. 넷째, 체험적 전략은 직접적인 정서적 체험으로 정서를 조절하는 기법이다. 예를 들면, 정서 자각하기, 느끼기, 웃기, 소리 지르기, 공감하기, 즐거운 것 상상하기, 행복한 사건 기억하기 등이 있다.

관련어 | 자기조절

정서주입모델
[情緒注入 -, affect infusion model]

문제의 유형에 따라서 사용되는 정보처리양상이 달라지는 것을 가정한 모델. 정서중심치료

정서주입은 정서적 성격을 가진 정보가 판단에 영향을 주는 경우를 말한다. 포가스(J. P. Forgas)가

제안한 이 모델은 문제의 유형에 따라 사용되는 정보처리양상이 달라진다고 가정하는데, 즉 문제유형에 따라 친근하고 잘 훈련된 문제에는 이미 만들어진 답을 쉽게 산출하는 직접 접근방식, 구체적인 목표가 있을 경우에는 동기화된 처리방식, 결론을 끌어내기 위한 지름길을 사용하는 발견적 처리방식, 상세하고 꼼꼼하게 대안을 살펴보는 체계적 처리방식의 네 가지 정보처리 양상이 나타난다. 이러한 정서주입모델에 따르면, 사람들은 대상에 대하여 의사결정을 하기 위한 정보로 자신의 정서상태를 사용한다. 비록 그 대상이 정서를 환기시키지 않는다 하더라도 마찬가지다. 예를 들어, 어떤 사람이 두려움을 느끼고 있다면 그 사람이 처한 상황을 위험하다고 해석할 것이다.

정서중심부부치료
[情緒中心夫婦治療, Emotionally Focused Couple Therapy: EFT]

부부간의 관계를 회복하기 위해 개인 내적 그리고 부부 상호간의 정서적 패턴을 변화시켜 친밀하고 안정된 정서적 결합을 유도하고자 하는 접근법. 정서중심부부치료

1980년대에 존슨(S. Johnson)과 그린버그(L. S. Greenberg)가 개발한 것으로, 경험주의 치료와 체계이론을 통합한 변화이론, 그리고 애착이론을 바탕으로 하는 부부치료이론이다. 기존의 심리학자들은 인간의 변화에서 정서변화의 중요성에 대해 인식하면서도 인지적 재구성과 행동의 변화에만 초점을 두었다. 그러다가 1990년대 들어 인간의 정서에 대한 연구가 진보하고 이와 함께 정서적 의사소통이 부부의 행복과 불행에 중요한 역할을 한다는 점 및 애착이 지니고 있는 정서적 특성이 밝혀지기 시작하면서 정서에 초점을 둔 정서 중심적 부부치료가 경험적인 지지를 얻게 되었다. 정서중심부부치료는 부부불화의 주요 요인이 정서적 관계에 있다고 보며, 따라서 부부관계의 회복을 위해 정서변화에 초점을 두는 단기치료다. 치료회기는 보통 8~14회기로 구성되고 난폭한 부부나 이별과정에 있는 부부는 치료대상에서 제외한다. EFT치료의 일차적 목표는 부부의 제한되고 경직된 상호작용의 저변에 깔려 있는 불안정한 정서를 안정적으로 변화시키는 것이다. 이를 위해 치료자는 부부의 접근성(accessibility)과 반응성(responsiveness)을 유도한다. 이차적 목표는 안정적이고 지지적인 부부관계를 지속적으로 유지할 수 있는 새로운 상호작용의 계기를 만들어 부부관계가 재정의되도록 도움을 주는 것이다. 부부관계에 이와 같은 치료적 개입을 통해서 부부 각자가 새로운 긍정적인 자기표상을 가지고 배우자와의 관계에서 이전과는 다른 정서적 태도와 반응을 보여 줌으로써 새로운 부부간 상호작용이 형성되도록 한다. EFT의 치료적 개입으로 예상되는 부부의 변화과정은 일반적으로 3기, 9단계로 분류하여 설명한다. 첫째, 제1기는 '부정적 상호작용 고리의 단계적 약화'다. 제1기에서는 총 네 단계의 부부변화가 일어나는데, 1단계는 부부와 치료자 간의 치료적 동맹을 형성하고 갈등의 핵심인 애착의 문제를 밝힌다. 2단계는 부부간의 부정적 상호작용 고리를 규명하고, 3단계는 그 부정적 상호작용의 이면에 있는 정서에 접근한다. 그리고 4단계는 부부불화의 원인인 부정적 고리, 내재된 정서, 애착욕구의 관점으로 재구성한다. 둘째, 제2기는 '부부의 부정적 상호작용의 태도를 변화'시키는 것이다. 제2기는 총 세 단계로, 5단계부터 7단계가 해당된다. 5단계는 부부 각자의 감추어진 애착정서, 욕구 그리고 자신의 이면이 표현되어 서로의 관계적 상호작용에 통합하는 과정이다. 6단계는 부부간의 새로운 상호작용 반응을 수용하도록 돕는 단계이며, 7단계는 부부의 정서적 교류를 돕고 애착을 재정의하도록 하는 과정이 진행된다. 셋째, 제3기는 '강화와 통합'의 단계로서 부부변화의 8단계와 9단계가 해당된다. 8단계는 부부의 과거 관계문제에 대한 해결책을 촉진하고, 9단계는 애착행동의 새로운 반응과 고리를 강화하는

과정이다. 이렇게 총 3기로 이루어진 EFT의 변화 과정에서 세 가지 주요한 전환점이 나타나는데, 그것은 다음과 같다. 첫 번째 전환점은 제1기에서 나타나는 부정적 상호작용 고리의 약화다. 첫 번째 전환점에서 서로 갈등을 경험하는 부부는 서로에 대한 반응적 행동과 분노가 줄어들고, 새로운 관계에 대한 희망을 가지게 된다. 두 번째 전환점부터는 부부간 이차적 수준의 변화가 일어나는데, 부부간에 위축된 행동과 반응 그리고 상호작용이 이완되어 정서적 교류가 활발하게 일어나는 시기다. 세 번째 전환점은 증가된 부부간의 정서적 교류가 애착 욕구와 약점을 표현하고 서로 신뢰 관계 속에서 상호작용을 하는 시기다. EFT에서 부부간의 이러한 변화를 이끌기 위해서는 치료자와 내담자 간의 관계가 협력적이고 평등적이어야 한다는 점이 강조된다. 따라서 EFT 치료자는 부부 상호 간의 정서적 관계를 변화시키기 위해 부부에게 의사소통기술이나 갈등협상의 방법 등을 가르치지는 않는다. EFT 치료자는 부부만의 다양성을 존중해 주고 부부에게 의미가 있는 것이 무엇인지, 부부에게 친밀한 관계는 무엇을 의미하는지에 대해서 내담자인 부부로부터 기꺼이 배우려는 개방적인 자세를 취한다. 즉, 부부체계는 그것 자체가 하나의 문화이고 따라서 치료자는 부부가 가지고 있는 이와 같은 독특한 문화에 맞게 치료적 개입을 변형시켜야 한다고 보고 있다. EFT는 문화, 인종, 계급의 다양성을 초월하는 보편성을 가정하며, 이중 가장 대표적인 보편성으로 정서를 꼽고 있다. 그뿐만 아니라 애착욕구와 반응 역시 문화나 인종을 떠나 보편적인 것으로 가정하고 있다. EFT에서 내담자를 전문가로 인식하여 내담자와 협력적 동맹을 맺는 포스트모더니즘의 입장을 취한다는 점에서 최근의 가족 혹은 부부치료의 풍토와 맥을 같이하고 있다.

정서중심상담
[情緒中心相談, affective-oriented counseling]

내담자의 정서적 반응에 주로 집중하는 상담접근법.
개인상담

내담자의 정서에 초점을 두어 그것을 자극하고 내담자의 정서적 반응을 이끌어 내어 다룸으로써 내담자의 문제를 해결하거나 변화를 촉진하는 데 목표를 두는 상담접근법이다. 예를 들면, 게슈탈트 치료, 인간중심상담, 정신분석상담 등이 있다.

관련어 게슈탈트, 인간중심상담, 정신분석학

정서지능
[情緒知能, emotional intelligence]

자신과 타인의 감정과 정서를 점검하고 그것의 차이를 식별하며, 생각하고 행동하는 데 정서정보를 이용할 줄 아는 능력.
아동청소년상담

정서지능은 정서와 지적 능력이 결합된 개념이다. 정서지능이 높으면 상대방의 사고, 감정, 의도 등을 추론하고 자신의 입장과 통합할 수 있으며, 다른 사람과 효율적으로 상호작용을 하고 바람직한 인간관계를 형성하고 유지할 수 있다. 정서지능은 개인의 잠재력을 향상시키며 동기를 부여해 주고 절망적인 상황에서 의욕을 잃지 않도록 한다. 또 순간적인 만족을 지연시킬 수 있으며, 기분을 조절하여 사고능력을 방해하지 않도록 하고 감정이입능력을 향상시킨다. 정서지능은 발달적 과정을 거쳐 형성되는데 정서의 인식과 표현, 정서를 이용한 사고 촉진하기, 정서적 지식 활용하기, 정서조절의 순서로 위계적으로 발달한다. 정서지능의 개념은 예일대학교의 피터 샐로베이(Peter Salovey)와 뉴햄프셔대학교의 존 메이어(John Mayer)가 1990년에 처음으로 제시하였다. 그들은 정서를 정확하게 지각하고 평가하고 표현하는 능력, 사고를 촉진하는 감정에 접근하거나 감정을 생성하는 능력, 정서와 정서에 관한 지식을 이해하는 능력, 정서적·지적 성장을 증진시키는 데 도움이 되는 정서를 조절하는 능력으로 정서지능을 정의하였다. 즉, 정서지능은 정서의 인식과 표현, 정서조절, 정서활용의 세 가지 요소로 구성되어 있으며, 정서의 인식과 표현의 하위요소에는 자기 정서의 언어적 인식과 표현, 자기 정서의 비언어적 인식과 표현, 타인 정서의 비언어적 인식과 표현, 감정이입이 있다. 정서조절에는 자기 정서조절과 타인 정서조절의 두 가지 하위요소가 있으며, 정서활용에는 융통성 있는 계획 세우기, 창조적 사고, 주의집중의 전환, 동기화 등의 하위 요소가 있다. 1995년 대니얼 골맨(Daniel Goleman)은 그들의 이론을 발전시켜 『Emotional Intelligence』라는 책을 저술하여 정서지능의 중요성과 정서지능의 다섯 가지 구성요소를 제안하였다. 그는 "한 사람의 성공을 예측할 때 지능검사나 학력평가로 측정한 지적 능력보다는 인성이란 말로 지칭된 마음의 특성이 유용하다."라고 역설하면서 정서지능의 중요성을 강조하였다. 골맨이 제안한 정서지능의 구성요소는 자기 정서지각, 자기 정서조절, 자기 동기화, 타인의 정서지각, 대인관계 조절이다. 자기 정서지각은 일상생활을 하는 동안 자신에게 일어나는 정서와 기분을 스스로 명확하게 인식하고 알아차리면서 자신의 감정에 이름을 붙이는 능력이다. 그리고 자신의 감정이 발생한 이유를 이해하고 감정과 행동 간의 차이를 인식하는 능력이다. 이는 타인의 감정이나 정서를 알아차리고 이해하는 데 기초가 된다. 자기 정서조절은 자신의 감정이 다른 사람에게 끼치는 영향을 고려하여 자신이 속한 사회의 기대에 맞게 자신의 정서를 적절하게 표현하는 등 자신의 감정을 관리하고 조절하는 능력이다. 그리고 공격적인 행동과 자기파괴적인 행동을 절제하는 충동억제 능력이며, 자신과 가족 및 학교에 대해 긍정적인 감정을 지니고 만족을 지연시키면서 스트레스를 적절히 다루어 잘 대처해 나가고 고독감과 사회적 불안감을 덜 느끼는 능력이다. 자기 동기화는 목표의 성취를 위해 주의집중하거나 완전함과 창의성을 추구하기 위해 일시적으로 자신의 만족을 지연하거나 충동을 최소화하려는 능력이다. 즉, 사려 깊게 일을 처리하고 책임을 지며 일에 집중하는 능력, 그리고 긍정적으로 사고하고 이러한 목표수행을 위한 동기를 부여하는 능력을 말한다. 타인의 정서 지각은 타인의 감정과 입장을 정확하게 인식하고 민감하게 타인이 느끼는 감정을 자신의 것처럼 느끼는 감정이입 또는 공감능력이다. 그리고 타인의 감정을 수용하고 타인의 말에 귀를 기울이는 능력을 말한다. 대인관계조절은 다른 사람들과 효율적이고 바람직한 인간관계를 형성하고 유지하며, 대인관계를 분석하고 이해하는 능력을 말한다. 의견대립이 있을 때 갈등을 조정하고 협상하며, 보다 더 능동적이고 적극적으로 의사소통을 하는 능력이다. 그리고 좀 더 사교적이고 인기가 있는 사람이 되기 위해 노력하며, 너그러운 마음으로 사람을 대하고 민주적으로 일을 처리하려는 능력이다. 또한 다른 사람의 감정을 보다 바람직한 방향으로 바꿀 수 있도록 하는 능력도 포함한다. 이후 1997년 샐로베이와 메이어는 앞선 정서지능모형보다 더 구체적이면서 발달수준에 따라 정서지능을 네 가지 구성요소와 각 구성요소에 수준별 하위영역 네 가지를 추가하여 총 16개의 정서지능요소를 제안하였다. 정서지능의 구성요소는 정서의 인식과 표현, 정서에 의한 사고촉진, 정서적 지식의 활용, 정서의 의식적·반영적 조절로 제안하였다. 각 구성요소는 능력이 낮은 수준부터 높은 수준의 순서로 제시되어 있다. 즉, 가장 단순한 수준의 능력은 정서의 인식과 표현능력이고, 가장 높은 수준은 정서의 의식적·반영적 조절 능력이다. 이렇게 각 구성요소를 발달 정도에 따라 네 가지 수준의 하위영역으로 구분하여 총 16요소로 구성된 정서지능모형을 제시한 것이다. 정서의 인식과 표현 영역은 자신의 정서 인식하기, 타인의 정서 인식하기, 정서 표현하기, 정서와 관련된 욕구를 표현하고 표현된 정서 구별하기로 이루어져 있다. 정서에 의한 사고촉진영역은 정서에 주의집중하여 사고의 우선순위 결정하기, 감정과 관련된 판단이나 기억하기, 좀 더 세련되고 효율적 사고에 적용하기, 문제해결에 정서 적용하기로 이루어져 있다. 정서적 지식활용영역은 미묘한 정서 간의 관계 이해 및 명명하기, 정서의 전달적 의미 이해하기, 복합적 정서 이해 및 활용하기, 정서 전환 이해하기로 이루어져 있다. 정서의 반영적 조절영역은 정서 수용하기, 유익성과 실용성에 따라 정서 지속하거나 벗어나기, 타인과의 관계 속에서 정서 점검하기, 자신과 타인의 정서 관리 및 조절하기로 이루어져 있다.

관련어 │ 정서, 정서지수

정서지수
[情緒指數, emotional quotient]
자신과 타인의 정서를 평가하고 구별하며 감정과 정서에 관련된 정보를 활용하는 능력. 심리측정

감성지수, 감성지능이라고도 하는 정서지수는 지능지수와 대조되는 개념으로 자신의 감정을 적절히 조절하고 원만한 인간관계를 구축할 수 있는 마음의 지수를 의미한다. 인간의 능력이 자제력, 활동성 자아의식, 감정이입능력 등 심성의 자질로 측정되는 것이다. 또한 정서지수는 자신의 내부에 감정이 발생했을 때 어떤 수준으로 왜 일어났는지 인식하고자 하는 능력, 자신의 불안이나 분노와 같은 감정을 달래고 조절하는 능력, 어떤 일을 할 때 자신을 적절히 분발시키는 능력, 역경을 헤쳐 나가는 능력, 상대방의 기분이나 분위기를 읽어 내고자 하는 능력, 대인관계를 맺는 능력을 총칭한다. 타인의 어려운 처지에 공감하여 도울 줄 아는 것과 적당한 시기와 대상을 골라서 적절하게 화를 해소하고 발산하는 것은 정서지수가 높은 사람의 특징이다. 정서

지수의 하위영역을 살펴보면, 첫째, 정서인식능력은 자신의 감정과 타인의 감정을 빨리 인식하고 알아차리는 능력이다. 자신의 감정을 스스로 인식하는 것으로서 자신의 감정을 인지하고 그 감정에 이름을 붙이는 능력, 자신의 감정이 발생한 이유를 이해하는 능력, 감정과 행동 간의 차이를 인식하는 능력으로 구성된다. 둘째, 정서표현능력은 자신이 느끼는 감정이나 기분을 적절한 말로 표현할 줄 알고 상황에 맞는 행동이나 표정으로 나타낼 수 있는 능력이다. 셋째, 감정이입능력은 타인이 느끼는 감정을 충분히 이해하고 그 사람의 슬픔이나 기쁨을 똑같이 느끼는 능력으로, 이를 공감이라고도 한다. 넷째, 정서조절능력은 자신과 타인의 정서를 효과적으로 조절하는 능력으로, 개인을 사회적으로 이끌어 가는 데 반드시 필요하다. 관련 학자로는, 1980년대에 들어와 하버드대학의 심리학자 하워드 가드너(Howard Gardner)가 정서는 지적 개념을 갖는다고 제안한 것을 들 수 있다. 가드너는 인간의 지적 능력이 언어지능, 음악지능, 논리수학지능, 공간지능, 신체운동지능, 개인 간 지능, 개인 내 지능의 일곱 가지로 구성된다는 다중지능이론을 제안하였다. 그는 이 요인 가운데 개인 간 능력과 개인 내 능력을 합쳐 개인능력이라고 불렀는데, 이 능력들은 전통적인 IQ검사에서는 고려되지 않는 요인으로 정서적 능력을 포함하고 있다. 정서지수라는 개념은 1990년에 피터 샐로베이(Peter Salovey)와 존 메이어(John Mayer)가 사용하기 시작했고, 이후 대니얼 골맨(Daniel Goleman)이 일반인이 갖고 있는 IQ의 개념과 대비하기 위하여 EQ라는 용어를 사용하였다. 샐로베이와 메이어(Salovey & Mayer, 1990)는 정서지수를 크게 정서의 평가와 표현, 정서의 조절, 정서의 활용으로 나누었으며, 이 세 가지 요인 밑에 각각의 하위요인이 구성된다고 하였다. 그러나 정서와 사고와의 관련성에 대해서는 소홀히 다루었으며, 정서지수는 정서를 정확하게 지각하여 평가하고 표현하며 정서 및 정

서와 관련된 지식을 이해할 수 있는 능력으로 보았다.

관련어 | 정서지능

정서초점치료
[情緒焦點治療, emotionally focused therapy: EFT]

인간의 문제형성 및 해결의 핵심 요소로 정서를 인정하고, 내담자의 정서에 초점을 맞추고 일차정서를 경험하도록 하여 정서의 적응적 기능을 살려 인간의 문제해결 및 자기실현을 도와주는 상담접근법. 정서 중심 치료

그린버그(L. Greenberg)가 창안한 정서초점치료는 내담자의 정서에 초점을 맞추고 진행되는 상담으로, 인지치료의 기본 가정과는 큰 차이가 있다. 인지치료에서는 자동적 사고가 행동이나 정서에 선행한다고 가정한다. 그러나 정서초점치료에서는 자동적 사고가 반응에 선행한다고 가정하지 않으며, 이러한 자동적 사고를 탐색하지도 않는다. 그린버그는 정서 경험이 커다란 빙산이라면 신념은 빙산의 아주 작은 일각이라고 한다. 그는 정서가 사람의 경험의 방향이나 내용을 좌우할 수도 있고, 인지적 경험의 내용까지 영향을 미친다고 주장하였다. 정서초점치료는 행동반응에 직접 초점을 맞추고 새로운 기술을 습득하여 변경시킴으로써 행동을 수정하고자 하는 행동치료와도 다르고, 통찰에 초점을 맞추는 역동적 치료와도 다르다. 정서초점치료는 정서-인지 연쇄 반응과 정서반응을 깊이 탐색하고 직접 다루고자 하며, 핵심 정서도식에 접근하는 데 초점을 맞춘다. 그린버그는 정서는 합리적이지도 비합리적이지도 않으며, 인간의 진화과정에서 적응적으로 발달한 것으로 보았다. 정서는 언어로 생각하기 이전에 발생하며 그 후에 인지와 뒤섞여 감정과 생각의 구분이 모호해진다고 주장하였다. 그는 이러한 정서를 적응적 일차정서, 부적응적 일차정서, 이차정서, 도구적 정서로 나누어 설명하였다. 적응적 일차정서는 환경의 자극에 대해 맨 처음 일어나는 감정으로 생산적이고, 부적응적 일차정서는 변화에 저항하며 반복적으로 나타나는 부정적 감정이다. 이차정서는 일차정서 과정에 방어적으로 대항하기 위해 부차적인 반응에서 나온 감정이며, 도구적 정서는 다른 사람을 조종하려는 목적을 가지고 상대방에게 보여 주기 위한 감정이라고 할 수 있다. 정서초점치료의 목적은 정서도식을 재조직화하는 데 있다. 정서초점치료에서는 이러한 변화를 유도하기 위해 적응적 정서 경험의 중요한 역할을 강조하고 있다. 적응적이거나 부적응적으로 작용하는 자동적 정서반응을 활성화하는 데 중점을 두고 안전한 치료적 환경에서 내담자는 내적 경험에 주의를 기울이고 집중하는 것이다. 이를 통하여 이전에는 인식하지 못했던 경험의 새로운 측면들, 특히 감정과 욕구에 대한 주의를 촉진한다. 부적응적 정서도식이 활성화되고 이렇게 활성화된 도식을 새로운 대안에 노출시킨다. 아울러 정서초점치료에서 정서를 변화시켜 주는 아주 핵심적인 방법은 정서를 통하여 정서를 변화시키는 것이다. 예를 들면, 두려움을 극복하기 위해 분노를 불러일으킨다. 슬픔으로 분노를 변환시키고 분노로 두려움을 변환시킨다. 그리고 부정적인 정서를 긍정적인 정서로 대체한다. 부적응적인 정서가 적응적인 정서반응으로 합성되고 전환되어 정서적인 수준에서의 재조직화가 일어나는 것이다. 정서초점치료는 정신병자나 정신병질자, 자살 위험성이 높은 사람, 우울하고 불안한 내담자, 대인관계 문제나 아동기 학대 혹은 삶의 문제가 있는 사람들을 위해 개발되었으며, 이 같은 사람들에게 가장 효과적이다.

관련어 | 정서, 정서중심상담

정신 종합적 미술치료
[精神綜合的美術治療, psychosynthetic art therapy]

심리치료에 다양한 예술적 방법을 통합하여 사용하는 것.
미술치료

정신 종합적 미술치료는 개인을 조화롭고 강력한 하나의 전체로 만들려는 정신종합치료의 원리하에서, 그 전체성을 성취하기 위해 다양한 예술적 방법을 통합적으로 사용하는 것이다. 다시 말해, 정신 종합적 미술치료에서는 정신종합의 실천모델기법에 제한하여 사용하지 않고, 기존의 심리치료방법들을 배타시하는 것이 아니라 거기에 여러 접근방법을 첨가하여 사용하는 것이다. 정신 종합적 미술치료에서는 기본적으로 집중, 공감과 감정이입, 수용과 존중 등의 치료자와 내담자의 관계, 인내하기, 목격하기, 자각하기, 선택하기 등 인본주의적 · 실존주의적 태도와 원리가 강조된다. 따라서 정신 종합적 미술치료에서는 정신종합치료의 기법과 형식보다는 내담자의 성장과정에 대한 이해와 내담자에게 몰두하려는 인본주의적 태도가 더 중시되며, 이것이 치료과정에서 통합되는 것이다. 정신종합적 미술치료의 대표적인 기법으로는 대화기법, 유도된 심상 그리기, 게슈탈트 기법, 꿈작업, 정화기법 등을 들 수 있으며, 이 기법들은 통합적으로 사용된다.

관련어 | 정신종합치료

정신건강
[精神健康, mental health]

과도한 스트레스 없이 건강하고 정서적으로 안정된 상태.
이상심리

정신건강과 유사한 용어로 정신위생(mental hygiene)이란 개념이 있다. 정신건강은 하나의 목표가 달성된 이상적인 상태를 의미한다면, 정신위생은 정신건강을 위한 실천적 수단을 보다 강조한 용어다. 정신건강은 정신적으로 건강하지 못한 상태의 예방 및 치료라는 소극적인 측면과 정신적으로 건강한 상태의 유지 및 증진이라는 적극적인 측면을 가진다. 유엔의 세계보건기구(WHO) 헌장에 의하면, 건강은 단지 질병에 걸리거나 허약하지 않은 상태만이 아니라 신체적, 정신적, 그리고 사회적으로 양호한 상태이고, 따라서 정신건강은 일상생활에서 언제나 독립적 자주적으로 처리해 나갈 수 있고 질병에 대해 저항력이 있으며 원만한 가정생활과 사회생활을 할 수 있는 상태이자 정신적 성숙상태를 말한다. 미국정신위생위원회(National Committee for Mental Hygiene)에서는 "정신건강이란 다만 정신적 질병에 걸려 있지 않은 상태만이 아니라 만족스러운 인간관계와 그것을 유지해 나갈 수 있는 능력"이라고 정의하고 있다. 즉, 예방적 차원뿐만 아니라 치료적 차원, 나아가 어떤 환경에서도 대처해 나갈 수 있는 건강하고 균형 잡힌 성격의 발달을 의미한다고 볼 수 있다. 다시 말하면 정신건강은 정신적으로 병적인 증상이 없을 뿐 아니라 자신의 능력을 최대한으로 발휘하고 환경에 잘 적응하며 자주적이고 건설적으로 자신의 생활을 잘 처리해 나갈 수 있는 성숙된 인격체를 갖추고 있는 상태라고 할 수 있다. 정신건강에 대한 여러 성격학자들의 견해를 종합해 보면, 정신적으로 건강한 사람은 자신이 무엇을 해야 하는지를 제대로 인식하는 선명한 자기를 가지고 인생의 목표를 자발적으로 추구해 나가고, 현실이 괴로운 것이라도 그것을 수용하고 환경의 변화에 적극적으로 적응하는 능력이 있고, 상대방의 입장에서 생각할 줄 알고 상대방의 요구를 이해할 수 있어서 대인관계를 지속적으로 유지할 수 있고, 만족스러운 이성관계를 유지할 수 있고, 자신의 능력의 한계를 현실적으로 수용하며, 직업적응을 잘 하고 자신이 갖고 있는 능력의 실현을 통한 성취감을 경험한다.

정신건강기준
[精神健康基準, mental health criterion]

합리정서행동치료(REBT)에서 인간의 문제는 철학적인 문제에 있다고 가정하고, 인간의 정신적인 건강을 철학적 재평가를 통해 제시한 기준. `합리정서행동치료`

REBT에서 상담자들은 기본적으로 증상을 제거하기 위한 노력보다 인간의 성장을 방해하는 여러 가지 기본적인 가치를 변화시키기 위해 노력한다(박경애 1997). 엘리스(Ellis)는 REBT에서 말하는 정신건강기준을 다음의 열한 가지로 제시하고 있다. 첫째, 정서적으로 건강한 사람은 자기 자신에 관심을 가질 수 있는 역량을 지니고 있다(자기관심, self-interest). 둘째, 건강한 사람은 집단 속에서 유리되지 않고 관계적인 맥락에서 인간에 대한 관심을 지니고 있다(사회적 관심, social-interest). 셋째, 정서적으로 건강한 사람은 타인의 지지나 협동을 좋아하지만, 이를 요구하지는 않는다. 인간은 자신의 삶에 책임이 있으며 자신의 문제에 대해 독립적으로 풀 수 있는 능력이 있다(자기지향, self-direction). 넷째, 성숙한 사람은 타인의 실수에 대해 관용적이며 비난하지도 않는다(관용, tolerance). 다섯째, 건강한 사람은 자신의 생각에 융통성이 있고 변화에 대해 수긍하며 타인에 대해 편협하지 않은 견해를 가지고 있다(융통성, flexibility). 여섯째, 성숙한 사람은 불확실성의 세계에 살고 있음을 깨닫는다(불확실성의 수용, acceptance of uncertainty). 일곱째, 건강한 사람은 자신의 외부세계에 헌신할 수 있는 능력이 있다(헌신, commitment). 여덟째, 성숙한 사람은 깊게 느끼고 구체적으로 행동할 수 있으며 정서나 행동의 결과를 숙고해서 정서나 행동을 규율화한다(과학적 사고, scientific thinking). 아홉째, 건강한 사람은 그들이 살아 있다는 사실 자체를 받아들이고 기본 가치를 타인의 평가나 외부 성취로 평가하지 않는다(자기수용, self-acceptance). 열째, 정서적으로 건강한 사람은 일부러 모험을 시도한다(위험 무릅쓰기, risk-taking). 열한째, 성숙하고 건강한 사람은 이상향적 존재를 성취할 수 없다는 사실을 받아들인다(비이상주의, nonutopianism).

정신병 예방 법칙
[精神病豫防法則, flip-out rule]

글을 쓰다가 압도되어 정신적 위기감이 왔을 때는 글쓰기를 멈추어야 한다는 법칙. `문학치료(글쓰기치료)`

'flip-out'이라는 용어는 영어에서 갑자기 통제력을 상실할 만큼 정신이 나가거나 열광하게 된다는 관용적 표현으로, 글쓰기치료에 페니베이커(James Pennebaker)가 처음 도입한 용어다. 글쓰기를 하는 중에 과거 트라우마를 환기하는 것이 감당하기 어려운 고통이거나 정신이상이 될 것 같은 위기감이 느껴질 때, 글쓰기를 중단하는 것이 이 법칙의 기본이다. 즉, 글쓴이가 자신의 외상적 경험에 관한 정서적 글쓰기를 하다가 감정적으로 견딜 수 없는 지경이 되어 정신적 충격이나 문제를 일으키는 것을 방지하는 법칙이다. 글을 쓰는 중에 견딜 수 없는 정신적 위기감이나 감정적 압도가 밀려오면 글쓰기를 중단해야 한다. 이때는 혼자서 글을 쓰면 안 되며, 정신과 전문의의 도움을 받아야 한다. 특정 주제에 관한 글쓰기를 하다가 다루기에 너무 벅차다고 느껴지면 정신적 위기감이 느껴질 때까지 계속하지 말고 그 주제로는 더 이상 글을 진행시키지 않는다. 특별히 고통스러운 주제에 대해 이야기할 준비가 되어 있지 않다고 생각한다면 다른 주제에 관해 글을 쓰도록 한다. 글쓰기치료에서는 현재 감당할 수 있는 사건이나 상황에 대해서만 써야 한다. 도저히 다룰 수 없는 특별한 심리적 외상에 대한 글의 주제가 있는 경우, 지금 당장은 다루지 못한다고 해도 언젠가는 해결할 수 있다. 따라서 현재 감당할 수 있는 트라우마에 대해서만 쓰도록 해야 한다. 하지만 일반적으로 사람들이 자신의 고통스러운 기억이나 강력한 감정적 경험은 회피하려는 경향이 있기 때문에, 방어적으로 이 법칙이 사용되는 경우를 잘 가려내야 한다. 표현적 글쓰기 과정에서 감정폭발에 따른 문제를 이 법칙으로 예방할 수 있다.

관련어 | 정서적 글쓰기, 표현적 글쓰기

정신병질적 성격
[精神病質的性格,
psychopathic personalities]

다른 사람에게 신체적, 정신적으로 손상을 입히며 사회규범이나 법을 지속적으로 위반하는 특성. <u>이상심리</u>

범죄와 반사회적 행동으로 이어지는 경우가 많아 DSM-IV의 진단기준에 따르면 반사회적 성격장애(antisocial personality disorder)로 진단한다. 그러나 형사사법 현장에서는 이미 저지른 범죄행동을 기초로 성격장애를 진단하는 것보다는 재범 가능성 등을 평가하는 것이 더 요구되어 정신병질적 성격이라는 개념으로 반사회적 성격장애를 설명하고 있다. 이는 1976년 클렉클리(Cleckley)가 제시했는데, 그는 외적으로는 정상적이고 보통 이상의 지적 능력을 지니고 있지만 극단적으로 이기적이며 목적의 수단으로 사람들을 대하고 냉담하면서 무책임하고 거짓말을 쉽게 하는 특성으로 정신병질적 성격을 정의하였다. 이후 많은 연구자들이 보다 폭넓게 개념을 정의하고 있다. 즉, 좋은 말주변, 자기과장, 병적인 거짓말, 죄책감 부족, 피상적인 감정, 냉담, 공감능력 부족, 피상적인 매력과 높은 지능, 속임수 사용, 위선, 병적인 자기중심성, 책임감 부족, 난잡한 성적 행동, 행동 조절력 부족, 감각자극 추구, 충동적·반사회적 행동, 판단력 부족 등의 특성을 지닌 것으로 본다. 독일의 슈나이더(Schneider)는 정신병질을 유전적인 것으로 생각했으며, 그 유형을 다음과 같이 제시하였다. 첫째, 발양정성형(hyperthymische) 성격으로 말이 많고 명랑하며 표정이 풍부하고 낙천적이지만 경솔한 태도로 믿음이 부족하고 흥분을 잘하며 싸움을 자주 일삼는다. 둘째, 억울형(depressive)은 염세적이고 회의적이어서 생활에 대해 침울하고 어두운 생각을 지니고 있어 인내력이 부족하고 불평불만이 많다. 셋째, 자기불확실형(selbstunsichere)은 자신의 행동에 대한 죄책감을 느끼며 내적인 성적 공상과 이를 억압하려는 갈등 때문에 자책이 심하고 자신을 과소평가하여 열등감이 강하고 스스로를 학대하는 경향이 많아 관계형성에 어려움이 있다. 넷째, 광신형(fanatische)은 자신의 권리, 이익, 주장, 재산, 명예 등을 지나치게 중요하게 여기고 집착하여 침해, 훼손, 모욕 등에 대한 고소, 고발, 투쟁을 즐긴다. 다섯째, 자기현시욕형(geltungsbedürfnis)은 자신을 실제 이상의 모습으로 나타내려는 경향이 강하여 자기과시, 허언장담을 주로 한다. 여섯째, 기분 이변형(stimmungslabile)은 감정이 주기적으로 변하는데 기분이 좋았다 갑자기 나빠진다. 이러한 감정을 느낄 만한 동기나 자극이 없어도 빠르고 강력하게 표출한다. 일곱째, 폭발형(explosive)은 사소한 자극에도 감정이 격앙되어 분노하고 폭력을 행사한다. 여덟째, 정성 결여형(gemütlose)은 동정, 양심, 명예심, 연민, 도덕성 등이 결여되어 있고 도덕에 대한 지식이 있음에도 불구하고 도덕을 지키지 않는다. 아홉째, 의지 결여형(willenschwäche)은 의지 박약형으로서 싫증을 잘 내고 통제력이 부족하고 독립적이지 못하여 환경의 영향을 잘 받는데, 특히 나쁜 환경의 영향이 더 강하다. 사기, 횡령 등에 걸려든 사람들에게서 쉽사리 발견되는 유형이다. 열째, 무력형(asthenische)은 잦은 피로감, 두통, 불면, 생리장애, 주의집중 곤란, 생기가 없고 아무것도 하지 않으려 하며 타인에게 의존하려는 경향이 강하다. 이 중에서 정성 결여형이 범죄자 중 48.7% 정도를 차지하므로 의지 결여형과 함께 범죄자의 주요 성격 특성이라 할 수 있다.

관련어 | 반사회적 성격장애

ㅈ

정신분석
[精神分析, psychoanalysis]

무의식의 내용과 그 과정에 담긴 역동을 분석하는 것.
정신분석학

프로이트(S. Freud)가 창시한 정신분석은 인간 심리에 대한 결정론과 무의식이라는 기본적 두 가지 개념에 기초를 두고 있다. 인간행동은 비합리적인 힘, 무의식적 동기, 생물학적이고 본능적인 충동의 영향을 받는다. 인간행동을 결정하는 것은 환경의 외적 조건보다 오히려 개인의 심리 내적 조건이라는 것이다. 이러한 심리결정론에서는 개인의 사고, 감정, 행동이 심리 내적 원인에 의해 결정된다고 본다. 개인이 겪는 갈등은 내부에 존재하는 어떤 정신적 원인이 작용한 결과이므로 그 원인이 제거되지 않는 한 심리적 문제는 결코 해결되지 않는다. 따라서 개인의 사고, 감정, 행동을 결정하는 정신적 원인의 실체가 무엇인지 규명하고자 하는 것이 정신분석의 목표다. 정신분석은 생애 초기 6년 동안의 발달적 경험을 강조하는데, 과거 어린 시절의 경험과 심리 성적 에너지는 무의식적인 동기와 갈등으로 잠재되어 있다가 개인의 현재 행동에 영향을 미친다고 본다. 또한 개인은 즉각적으로 자각하거나 통제할 수 있는 범위를 넘어서 있는 그 어떤 힘, 즉 무의식의 영향을 받는다. 비이성적인 힘인 본능적 추동이나 무의식적 동기가 인간의 행동을 결정한다. 삶의 목표가 고통을 피하고 쾌락을 추구하는 데 있으므로, 인간행동은 생물학적인 욕구와 본능을 충족시키려고 하는 욕망에 의해 동기화되며 비합리적인 무의식의 지배를 받는다. 본능은 프로이트 이론의 핵심으로서 원초아 내에 저장되어 있는 심리 에너지로 구성된다. 프로이트는 인간의 정신영역을 의식, 전의식, 무의식의 세 가지 의식수준으로 설명하였다. 의식 밖에 있는 무의식이 정신세계의 대부분을 차지하며, 인간의 행동을 지배하고 행동방향을 결정한다고 믿었다. 따라서 무의식의 내용과 그 과정을 분석하는 것은 정신분석의 핵심이라고 할 수 있다. 인간의 심리세계는 에너지 체계인데, 한정된 심리적 에너지를 서로 많이 차지하기 위해 매 순간마다 원초아, 자아, 초자아는 성격구조 안에서 서로 갈등적인 상황에 놓인다. 성격구조의 이러한 세 가지 요소 중에서 어느 것이 더 많은 심리적 에너지를 가지고 통제력을 확보하고 있는지에 따라 개인의 행동 및 성격 특성이 결정된다. 불안은 정신분석에서 매우 중요한 개념으로서 그 어떤 것을 하도록 동기화시키는 긴장상태를 의미한다. 한정된 심리적 에너지에 대한 원초아, 자아, 초자아 간의 갈등이 통제수위를 넘어설 때 불안이 유발된다. 통제할 수 없는 불안은 자아를 위협하는데, 이때 자아가 합리적이고 직접적인 방법으로 불안을 제거할 수 없을 경우에는 결국 비현실적인 방법, 즉 자아방어기제에 의존한다. 자아가 불안을 의식적인 수준에서 적절하고 합리적으로 다룰 수 없을 때 무의식적으로 현실을 거부하고 왜곡하는 방어기제가 동원된다. 또한 프로이트는 인간의 성격이 구강기, 항문기, 남근기, 잠복기, 성기기라고 하는 5단계를 거치면서 발달해 나간다는 성욕설을 주장하였다. 이러한 심리성적발달단계에 따르면, 개인의 성격은 출생 이후 6세경까지의 유아기 동안의 경험에 따라 기본 구조가 형성되며 그 후 정교화 과정을 거치면서 발달해 나간다. 심리성적발달단계는 생물학적 발달 측면에서 볼 때 생존의 본능적 쾌락이 집중되는 단계라고 할 수 있다. 정신분석의 목표는 증상의 의미, 행동의 원인, 그리고 적응을 방해하는 억압된 감정이나 충동을 규명하고 이를 자유롭게 표현할 수 있도록 촉진함으로써 무의식을 의식화시키는 데 있다. 이와 같은 프로이트가 창시한 정신분석은 이드 심리학(id psychology), 자아심리학(ego psychology), 대상관계이론(object relations theory), 자기심리학(self psychology) 등으로 그 이론이 확대되거나 수정되어 왔다.

정신분석적 미술치료
[精神分析的美術治療, psychoanalytical art therapy]

정신분석학의 관점 및 기법을 적용한 미술치료. [미술치료]

정신분석에서는 인간의 성격이나 행동의 동기, 그리고 심적 장애를 초기 아동기 경험, 무의식적 동기와 갈등, 성적 및 공격적 충동의 개념으로 설명하며, 그 치료목표를 무의식을 의식화함으로써 개인의 성격구조를 수정하고 보다 현실적인 행동을 하도록 하며 본능적 충동의 욕구에 맞설 수 있도록 자아를 강화시키는 것으로 간주하였다. 이를 위하여 정신분석에서는 자유연상(free association), 해석(interpretation), 꿈의 분석(dream analysis), 저항(resistance)과 전이(transference)의 분석 등을 사용하고 있다. 이러한 관점을 적용한 정신분석적 미술치료의 목표는 내담자에게 자아에 대한 지식을 습득시켜 자유롭게 통제할 수 있는 힘을 길러 주고, 신경증적 증후에서 해방되어 심리적으로 성숙해지도록 도와주는 것이다. 이를 위하여 정신분석적 미술치료에서는 낙서, 난화, 난화 상호 이야기, 꿈 그리기, 자유화 등의 기법이 사용되고 있다. 정신분석적 미술치료에는 두 가지 관점, 즉 내담자의 작품을 무의식적 고통이나 억압된 갈등이 표현된 상징적 언어로 간주하는 미술심리치료적 관점과 승화(sublimation)라는 방어기제가 주는 창조적 과정에 중점을 두는 치료로서의 미술이라는 관점이 있다. 전자는 나움부르크(Naumburg)의 입장이며, 후자는 크레이머(Kramer)의 입장이다. 나움부르크와 크레이머는 미술치료의 선구자들로서 양자 모두 정신분석훈련을 받았으며, 정신분석을 자신의 이론의 근거로 삼았다. 그러나 나움부르크는 정신역동적 무의식을 그림으로 표현할 것을 주장했지만, 크레이머는 미술작업을 통하여 부정적 에너지를 긍정적 에너지로 바꾸는 승화를 강조하였다. 나움부르크는 이미지를 통한 무의식과의 의사소통에 대한 프로이트(S. Freud)의 통찰력과 미술치료기법을 통합하여, 미술을 치료의 보조도구가 아닌 주된 요소로 주장하며 내담자의 미술작품을 상징적 언어로 간주하였다. 이와 같은 접근방식이 오늘날의 미술심리치료로 발전되었다. 반면에, 크레이머는 미술치료에서 방어기제인 승화에 의한 창조적 과정의 역할에 초점을 맞추었다. 크레이머는 승화가 성공적으로 이루어지면 갈등적 충동들은 길들여지거나 중성화되어 미술작품으로 안전하게 표출될 수 있다고 보았다. 그는 창조적 과정 자체가 치료적 힘이 된다고 보았던 것이다. 요컨대 나움부르크는 미술치료에서 통찰과 분석을 중시하며 완성된 작품 및 내담자와 작품의 관련성에 관한 이야기에 초점을 맞추었다면, 크레이머는 승화를 중시하며 내담자의 작품제작과정에 초점을 맞추었다.

정신분석적 심상치료
[精神分析的心像治療, psychoanalytic imago psychotherapy]

치료자의 유도에 따라 내담자가 체험한 심상의 내용과 그 의미를 심층적으로 분석하고 규명하는 작업을 중심으로 행하는 심상치료. [심상치료]

정신분석적 심상치료는 심상치료에 정신분석이론을 접목한 치료방법을 말한다. 이는 내담자가 체험한 심상으로 심리 및 정신적 문제가 지닌 원인을 파악하고, 그 심상의 의미를 해석하여 내담자에게 규명해 주는 작업을 중시한다. 내담자가 자신의 문제와 그 문제가 지닌 함의를 제대로 통찰했을 때, 내담자의 마음 내용이나 기능에 변화가 일어나 내담자가 지닌 문제들도 치유될 수 있다고 믿는 정신분석이론에 기반을 두기 때문이다. 무의식에 내재되어 내담자가 미처 인식하지 못한 억압과 관련된 내적 문제들을 치료자의 분석과 해석 등으로 의식화하고, 이를 통해서 카타르시스를 느낄 때, 내담자는 긍정적 마음의 변화를 경험하게 된다. 따라서 정신분석적 심상치료에서는 치료자의 유도에 따른 내담자 심상체험의 내용, 형상 등에 관한 의미해석, 내담자의 평소 상상, 공상, 환상, 꿈, 백일몽 등에 관한 의미해석, 해석된 내용을 기반으로 한 분석, 분석을 통한 의식화, 여러 심리 및 정신적 문제로 야기되었던 이상심리 및 이상행동에 관한 분석과 같은 작업과정을 거친다. 정신분석적 심상치료는 우선 내담자에게 심상척도 제시, 내담자의 심상체험, 심상체험으로 발생한 내용, 형상 등에 관한 의미해석, 문제해결 등의 단계로 진행된다. 대표적인 정신분석적 심상치료에는 클라크(Clark)의 판타지 심상기법, 호로비츠(Horowitz)의 시각적 상상조절법, 레이어(Reyher)의 심상노출법, 매스(Mass)의 심층적 심상조절법, 그린리프(Greenleaf)의 적극적 심상치료기법 등이 있다.

정신분열병
[精神分裂病, schizophrenia]

정신병으로 알려진 정신장애 가운데 가장 대표적인 정신장애로 망상, 환각, 환청, 기괴한 행동, 정서적 둔마, 무욕증, 주의집중의 어려움 등을 보이며 사회적, 직업적 기능이 손상된 상태. 이상심리

'schizophrenia'는 1911년 스위스의 정신과 의사 블로일러(E. Bleuler)가 제안한 용어이다. 이는 그리스어로서 '찢다'를 뜻하는 'schizen'과 '정신'을 뜻하는 'phren'의 합성어이며 정신의 분열을 의미한다. 블로일러(Bleuler, 1950)는 정신의 분열이란 사고과정의 단편화, 사고와 감정의 분열, 현실에서의 후퇴를 말한다고 하였다. 그런 만큼 정신분열병의 주요특징은 성격의 와해와 외부현실로부터의 후퇴로서 망상, 환각, 지리멸렬한 사고와 언어표현, 환경의 부적응적 행동이나 증상을 나타낸다. DSM-IV에서는 정신분열병의 하위유형을 편집형, 해체형, 긴장형, 감별 불능형, 잔류형의 다섯 가지로 구분하여 설명하였다. 이러한 구분은 정신분열병이 유형에 따라

증상이나 촉발요인, 경과, 치료에 대한 반응이 다르게 나타나기도 하지만, 서로 상호 배타적이지는 않다는 문제점을 지닌다. 때문에 DSM-5에서는 정신분열병을 비롯하여 그와 유사한 증상을 나타내는 심각한 정신장애를 '정신분열 범주성 및 정신증적 장애'로 포함시키고, 정신분열병의 하위 유형을 폐기하는 대신 긴장증이 수반되는지 여부만을 고려하고 있다. 정신분열 스펙트럼 장애는 망상, 환각, 혼란스러운 언어, 부적절한 행동, 둔마된 감정이나 사회적 고립을 특징적으로 나타내는 일련의 정신장애를 의미한다. 증상의 심각도나 지속기간에 따라서 다양한 하위유형으로 구분된다. 경미한 정신분열 증상이 성격의 일부처럼 지속적으로 나타나는 분열형 성격장애(schizotypal personality disorder), 다른 적응 기능은 비교적 온전하지만 망상을 특징적으로 나타내는 망상장애(delusional disorder), 정신분열 증상이 2주 이내로 짧게 나타나는 단기 정신증적 장애(brief psychotic disorder), 정신분열 증상이 2주 이상 6개월 이내로 나타나는 정신분열형 장애(schizophreniform disorder), 정신분열 증상이 6개월 이상 지속되는 정신분열병(schizophrenia), 정신분열 증상과 양극성 증상이 함께 나타나는 분열정동장애(schizoaffective disorder)로 구분된다. 이 밖에도 약물이나 신체적 질병으로 인해 나타나는 정신증적 장애를 포함하고 있다. 정신분열병의 증상은 크게 양성증상과 음성증상으로 구분되며, 이들은 제1유형과 제2유형으로 불리기도 한다(Crow, 1981). 양성증상은 이상한 지각이나 사고, 행동이 현저하게 나타나는 것을 말하며, 망상, 환각, 오해된 사고 및 언어표현, 와해된 행동이나 긴장된 행동 등이 해당된다. 양성증상이 음성증상보다 현저한 경우 뇌의 구조가 정상적이고 치료에 대한 반응도 양호한 것으로 알려져 있다. 양성증상은 연령의 증가와 더불어 감소하는 것으로 알려져 있다. 음성증상은 언어, 행동, 정서 등에 나타나는 기능적 결손 및 상실을 나타내는 것을 말하며, 정서적 둔마, 무논리증, 무욕증

(avolition) 등이 해당된다. 정신분열병은 망각, 환각, 혼란스러운 언어를 특징적으로 나타내는 매우 심각한 정신장애이다. 정신분열병은 정신증에 속하는 대표적인 장애로서 현실검증력이 손상되어 비현실적인 지각과 비논리적인 사고를 나타내며 혼란스러운 심리상태에 빠져들게 된다. 이러한 증상들로 인해서 일상생활의 적응에 필요한 심리적 기능이 현저하게 저하된다. 증상이 시작되는 초기에 적절하고 집중적인 치료를 받지 못하여 만성화되면, 정신분열증은 한 인간을 황폐화시켜 사회에 적응하기 어려운 폐인으로 만들 수 있는 무서운 정신장애이기도 한다. 정신분열병을 이해하기 위해서는 주요 증상을 잘 이해해야 한다. 정신분열병의 가장 대표적인 증상은 망상이다. 망상(delusion)은 자신과 세상에 대한 잘못된 강한 믿음이다. 외부세계에 대한 잘못된 추론에 근거한 그릇된 신념으로서 분명한 반증에도 불구하고 견고하게 지속되는 신념을 망상이라고 한다. 망상의 주제는 다양하며 그 내용에 따라 피해망상, 과대망상, 관계망상, 애정망상, 신체망상 등으로 구분된다. 정신분열병의 다른 핵심증상은 환각(hallucination)으로서 현저하게 왜곡된 비현실적 지각을 말한다. 외부 자극이 없음에도 불구하고 어떤 소리나 형상을 지각하거나 또는 외부 자극에 대해서 현저하게 왜곡된 지각을 하는 경우에 환각이라고 할 수 있다. 환각은 감각의 종류에 따라 환청, 환시, 환후, 환촉, 환미로 구분된다. 정신분열증에서 가장 흔한 환각 경험을 환청이다. 혼란스러운 언어(disorganized speech)는 비논리적이고 지리멸렬한 와해된 언어를 뜻하며 정신분열증의 전형적 증상 중 하나다. 정신분열병 환자들은 말을 할 때, 목표나 논리적 연결없이 횡성수설하거나 목표를 자주 빗나가 무슨 이야기를 하고자 하는지 상대방이 이해기 어렵다. 정신분열병 환자들은 심하게 혼란스러운 행동이나 긴장증적 행동을 나타낸다. 심하게 혼란스러운 행동(grossly disorganized behavior)은 나이에 걸맞은 목표지향적 행동을 하지 못하고 상황에 부적절하게 나타내는 엉뚱하거나 부적응적인 행동을 말한다. 긴장증적 행동(catatonic behavior)은 마치 근육이 굳은 것처럼 어떤 특정한 자세를 유지하는 경우를 말한다. 흔히 부적절하거나 기괴한 자세로 몇 시간씩 꼼짝하지 않고 있는 모습을 나타낸다. 긴장증적 강직증, 긴장증적 혼미증, 긴장증적 거부증, 긴장증적 흥분증이 있다. 마지막으로, 정신분열병 환자들은 다양한 음성 증상을 나타내는데, 대표적인 음성증상은 감소된 정서표현과 무의욕증이다. 감소된 정서표현(diminished emotional expression)은 외부 자극에 대한 정서적 반응성이 둔화된 상태로서 얼굴, 눈맞춤, 말의 억양, 손이나 머리의 움직임을 통한 정서적 표현이 감소된 것을 말하며, 무욕증(avolition)은 마치 아무런 욕망이 없는 듯 어떠한 목표지향적 행동도 하지 않고 사회적 활동에도 무관심한 채로 오랜 시간을 보내는 것을 뜻한다. 이밖에도 무언어증(alogia), 무쾌락증(anhedonia), 비사회성(asociability)과 같은 음성증상을 나타낼 수 있다. 정신분열병을 유발하는 원인에 대해 과거에는 유전적 요인이 제기되었지만 최근에는 생물학적 요인과 환경의 상호작용으로 발병된다고 보고 있다. 생물학적 요인으로 뇌의 생리적 기능의 이상과 관련이 있는데, 그중에서 신경전달물질인 도파민의 이상으로 망상, 환청, 환각, 혼란된 사고 등을 보인다. 또한 정신분열병 가족력을 지닌 사람에게 발병될 확률이 일반인에 비해 5~10배 정도 높지만 유전율은 5~10%에 불과하다. 따라서 유전적 요인보다는 정신분열병을 지닌 부모의 양육태도가 자녀에게 스트레스를 가중시켜 병을 촉발시킬 가능성이 높다는 연구결과에 따라 가정환경, 사회적 지지, 개인의 회복력이 정신질환에 더 큰 영향을 미친다는 결론을 얻게 되었다. 정신분열병은 대부분의 경우 10대 후반이나 초기 성인기에 발병하고 초기에 적절한 치료를 받지 못하여 만성화되면 인격의 황폐화를 초래한다. 장애가 파괴적이어서 입원이 필요하며 치료에 상당한 시간이 걸린다. 과거에는 불치

ㅈ

병으로 간주되었지만 최근에는 항정신성 약물과 심리사회적 치료기법으로 사회복귀가 가능해졌다. 정신분열병은 흔히 10대 후반에서 30대 중반에 발병하며 청소년기 이전에 발병하는 경우는 드물다. 남성이 여성보다 빨리 발병하는 경향이 있으며 남성은 15~24세, 여성은 25~34세에 발병하는 경우가 많다. 사회적 계층이 낮은 가정에서 발병률이 높으며, 문화적 차이에 따른 발병률의 차이는 거의 없지만 서구사회보다 아프리카 지역에는 해체형이 많다는 연구보고가 있다. 시대적 변천에 따라 정신분열병의 양상에도 변화가 나타나는데, 근래에는 과거에 비해 긴장형이 감소하고 망상형이 증가하며 망상의 내용이 종교적이고 미신적인 것에서 현실적이고 건조한 것으로 바뀌는 경향이 있다. 정신분열병의 하위 유형은 DSM-5에서는 그 구분이 폐지되었으나 DSM-IV 체계까지는 널리 사용되었으므로 간단하게 소개한다.

감별불능형 [鑑別不能型, undifferentiated type] 정신분열병의 특성들이 보이지만 정신분열병의 하위유형인 편집형, 해체형, 긴장형의 진단기준에 적합하지 않은 경우에 진단을 내리는 정신분열병의 유형이다.

긴장형 [緊張型, catatonic type] 행동이 없거나 과잉행동, 말을 하지 않는 함구증, 기이한 자발적 운동, 반향어, 반향운동 등을 주 특성으로 하는 정신분열병의 유형이다. 운동에는 뚜렷한 목적이 없으며 외부자극과 전혀 상관없고 기이한 행동을 보이며 다른 사람의 지시에 저항하고 한 가지 강직된 자세를 유지하기도 한다. 다른 사람의 말을 똑같이 따라하는데 거의 병적으로 반복한다. 정서적으로 심하게 긴장하거나 흥분했을 때는 다른 사람을 해칠 가능성이 있고 영양실조, 탈진, 고열, 자해 등의 위험을 보이기도 한다.

잔류형 [殘留型, residual type] 뚜렷한 망상, 와해된 언어와 행동, 긴장된 행동과 같은 정신분열병의 주특성이 나타나지 않는 정신분열병의 유형이다. 정신분열병의 양성증상인 망상, 환각, 와해된 언어나 행동은 나타나지 않고 정서적 둔마, 빈곤한 언어, 무욕증이나 낮은 수준의 기이한 행동 또는 믿음, 가벼운 정도의 와해된 언어를 통하여 정신분열병을 확인할 수 있는 상태다. 이렇게 가벼운 상태로 몇 년 동안 지속될 수도 있고 갑자기 악화되거나 그렇지 않을 수도 있다.

편집형 [偏執型, paranoid type] 인지기능과 정서가 비교적 정상적인 상태여서 제대로 기능하고 있는 것으로 보이지만 망상이나 환청이 있고 그것에 집착하는 것을 주특성으로 하는 정신분열병의 유형이다. 이 진단은 정신분열장애 환자에게 가장 빈번하게 내려지며 망상과 계속적으로 심한 의심이 주요 특징이다. 이 증상을 지닌 사람은 주변환경에 대하여 잘못 이해하는 부분이 많다.

해체형 [解體型, disorganized type] 언어 표현이 지리멸렬하는 등의 와해된 언어와 행동, 정서적 둔마, 부적절한 정서를 주 특성으로 하는 정신분열병의 유형이다. 말의 내용과 관련이 없는 웃음이나 바보스러운 행동, 목적이 없는 행동, 옷 입기와 목욕하기 행동의 심각한 장애를 보인다.

정신신체의학내과
[精神身體醫學內科, department of psychosomatic medicine]
일반 내과적 치료에 더하여 적극적으로 심리치료를 함께 행하는 내과. 정신종합치료

정신신체의학내과의 주요 대상은 정신신체적 질환(심신증: 신체질환이지만 심리면에 대한 배려가

특히 필요한 질병)을 겪고 있는 환자다. 예를 들어, 기관지 천식, 위궤양 등과 신체적 증상을 수반하는 신경증(신경증 식욕부진증, 심장 신경증 등) 환자를 대상으로 하며, 일반적으로 순수한 정신적 질환을 가진 환자는 취급하지 않는다. 1963년 일본 규슈대학교에 처음으로 설치되었고, 최근에는 일본의 도쿄 대학교 분원, 니혼대학교, 도호대학교, 도호쿠대학교 등에도 설치되고 있다. 또한 대학 이외의 병원에서도 정신신체의학내과를 두는 곳이 증가하고 있다. 정신신체의학내과에서는 주로 교류분석(TA)에 의해 정신신체적 질환 등의 치료를 행한다. 2011년 현재 우리나라는 설치한 병원이 없지만, 심인성 질환이 80~90%를 차지하고 있는 현실에서 이 같은 정신신체의학내과의 설치에 대한 필요성은 절실하다고 할 수 있다.

정신에너지의 원리
[情神 – 原理, psychic energy's principle]

인간의 전체적 성격인 정신을 구성하는 힘의 기능을 설명하기 위해 융(C. G. Jung)이 제시한 세 가지 기본 틀. 성격심리

융에 따르면 인간은 지각하고, 생각하며, 느끼고, 무엇인가를 원하는 등의 심리적 활동을 한다. 이러한 활동으로 인간은 전체적인 성격인 정신을 형성하는데, 이 활동은 정신에너지인 리비도(libido)를 통해서 이루어진다. 여기서 말하는 리비도는 프로이트(S. Freud)가 강조하는 성적 에너지에 국한된 것이 아니라, 인간의 인생 전반에 걸쳐 이루어지는 '인생과정에너지(life process energy)'로서 좀 더 큰 의미를 가진다. 정신에너지는 다음과 같은 세 가지 원리에 따라 기능한다. 첫째, 균형원리(entropy principle)는 정신에너지가 평형을 이루려 한다는 논리를 말한다. 두 가지 다른 정신에너지의 속성이 크게 다르다면 에너지는 보다 강한 욕망에서 약한 욕망으로 옮겨져 동등한 수준의 에너지를 가진다는

것이다. 그러나 인간의 모든 정신에너지가 성격의 모든 측면에 동등하게 분배되지 못한다. 그 이유는 정신에너지가 완전하게 균형을 이루거나 평형을 유지하면 정신적 갈등이 발생하지 않아서 정신에너지가 더 이상 생성되지 않기 때문이다. 둘째, 등가원리(equivalence principle)는 어떤 조건을 생성하는 데 사용된 에너지는 없어지지 않고 성격의 다른 부분으로 전환되어 성격 내에 존재하여 계속해서 에너지를 재분배한다는 논리를 말한다. 특정 영역에서 정신적 가치가 약해지거나 없어지면 에너지가 완전히 사라지는 것이 아니라 정신 내의 다른 영역으로 옮겨 가 그 정신에너지는 계속해서 작용한다는 것이다. 예를 들면, 축구에 대한 관심이 줄어들면 그 활동에 쏟았던 정신에너지를 야구나 골프 등 다른 활동으로 전환하여 계속 기능한다. 즉, 정신에너지는 에너지 흐름의 방향과 형태가 변할 수 있지만 가치나 에너지 수준은 동등하고 사라지지 않으며 성격 내에 계속 존재하면서 다른 형태로 재분배된다. 셋째, 대립원리(opposition principle)는 신체에너지(physical energy) 내에 반대되는 힘이 대립하거나 양극단으로 존재하여 서로 갈등을 일으킴으로써 정신에너지를 생성하게 된다는 원리다. 즉, 성격 내에 있는 힘들 간의 갈등 때문에 정신에너지가 발생한다. 만약 갈등이 없다면 정신에너지는 생성되지 않고 결국에는 개인의 삶도 없을 것이다. 예를 들어, 사랑과 증오는 정신 내에 존재하며 개인은 그것을 행동적 표현으로 추구하려는 새로운 에너지를 창조할 것이다. 이와 같이 대립하거나 양극적인 갈등은 모든 행동의 1차적 동기이며 모든 에너지의 원천이라 할 수 있다. 따라서 양극단에 있는 힘들 간의 갈등이 클수록 정신에너지는 더 많이 생성된다.

관련어 | 리비도

정신역동가족치료
[精神力動家族治療,
psychodynamics family therapy]

정신분석이론을 기초로 하여 가족구성원의 개인적인 두려움
과 열망을 찾아내어 이를 치료하고자 하는 치료적 접근.

정신분석가족치료

기본적으로는 정신분석학을 배경으로 하고 있는
것으로 개인이 아닌 가족 전체를 하나의 심리사회
적 유기체로 간주하고 치료하는 접근법이다. 가족
구성원의 정신병리에 관련된 역동성에 초점을 맞추
고 가족 내의 역동적 상호작용 관계에 중점을 둔 다
양한 치료접근을 총칭하는 용어다. 정신분석학의
프로이트(S. Freud)는 일찍이 가족관계에 관심을 가
졌지만 실제 정신분석 치료장면에서는 가족 간의 상
호작용적 역동을 강조하지 않았다. 그러나 1930년
대에 접어들어 일부 정신분석학 연구자들이 점차 가
족에 대해 관심을 갖기 시작하였다. 보웬(M. Bowen)
은 가족 내에서 분화 과정을, 설리번(H. S. Sullivan)
은 대인관계에서 어머니의 역할을 강조하였다. 한
편, 애커먼(N. W. Ackerman)의 가족정신역동론은
가족관계를 부모와 자녀, 부부간 상호관계로 파악
하고 양자의 상호 인지, 정서나 욕구의 상호 교환,
충족, 갈등 등의 관점에서 대인관계론을 전개하였다.
1958년에 애커먼이 출판한 『The psychodynamics
of family life』는 가족치료의 진단과 치료에 획기적
인 공헌을 하였으며, 개인의 무의식에 관한 보다 정
확한 이해는 가족 상호작용의 이해를 돕는다고 하
였다. 가족 내 건강한 상보성을 회복시키기 위해 치
료자는 욕구나 감정, 가치관 등에 대한 가족구성원
상호 간의 인지나 목표의 차이 그리고 적절하지 않
은 역할기대 등을 수정하도록 개입하고, 가족구성
원 서로가 수용할 수 있는 역할을 담당하도록 가족
체계의 전환을 도모한다. 발달과 구조, 기능이라는
체계의 세 가지 속성 중 발달(분화)에 초점을 맞춘
것이 보웬의 가족체계이론인데, 여기서 핵심 개념
은 자기분화다. 개인은 지적 기능과 감정기능을 모

두 활용하는 능력을 가지고 있으며, 양 기능이 균형
있게 성장하고 조화가 유지되고 있는 상태를 분화
라고 보았다. 그러나 지성과 감정이 융해되어 있을
때는 감정의 지배를 받기 쉽고 기능부전의 상태에
빠져 든다. 이 이론에서는 가족구성원이 각자 보다
높은 자기 분화의 수준으로 향하도록 지원하는 것,
즉 가족원의 개별화, 자율성을 촉진하는 것을 치료
목표로 한다. 가족의 구조를 중심으로 가족원이 사
회나 환경과의 상호작용에서 경험하는 존재방식을
변화시키고 적절한 기능성이 발휘될 수 있도록 하는
데 주안점을 두는 것은 미누친(Minuchin)의 구조적
가족치료다. 또한 1960년대 딕스(Dicks)는 대상관
계이론을 적용하여 부부갈등에 대한 이해와 치료를
도모하였으며, 볼비(Bowlby)는 개인심리치료 장면
에서 가족면담의 중요성을 강조하였다. 정신역동적
가족치료의 본질은 현재의 대인관계를 왜곡시키는
무의식적 충동과 방어기제들을 대상관계이론에 근
거하여 인식하고 해석하는 데 있다. 가족 상호작용
을 무시한 개인을 분석하는 것이 아니라 성숙한 방
식으로 상호작용을 하고자 하는 개인을 방해하는
근본적인 욕구와 불안을 탐색하는 데 치료의 초점
을 맞추고 있다.

정신역동적 진로상담
[精神力動的進路相談,
psycho-dynamic career counseling]

프로이트(S. Freud)의 정신분석이론을 바탕으로 특성요인진
로상담과 인간중심진로상담을 포괄하면서 내담자의 동기유발
과 방어기제에 초점을 둔 진로상담의 틀. 진로상담

보딘(Bordin, 1990)은 정신역동적 진로상담을 개
념화하면서 진로결정과정에 정신역동적 과정을 적
용했는데, 진로선택에서 내담자의 욕구와 발달과정
을 강조하였다. 여기서는 심리검사의 진단이나 평
가를 중요시하며, 상담자는 심리검사를 통하여 내
담자의 심리상태를 정확하게 이해하고 상담에 대한

내담자의 기대를 발전시키도록 해 주어야 한다. 심리검사는 상담자에게 진단적 정보를 주고 내담자에게 현실적 기대를 갖게 만드는 것을 검증할 수 있는 자료가 된다. 무엇보다도 내담자가 자기탐색의 기회를 제공해 주어 자신을 객관적으로 이해할 수 있다. 보딘은 내담자의 문제영역을 의존성, 정보부족, 자아갈등, 선택불안, 문제 없음 등의 다섯 가지로 구분하였다. 의존성은 자신의 진로문제를 해결하기 어렵다고 느껴 지나치게 다른 사람들에게 의존하는 것이다. 정보부족은 진로의사결정에 관련된 정보를 얻지 못해 진로선택에 어려움을 겪는 것이다. 자아갈등은 자아개념과 다른 심리적 기능의 갈등 때문에 진로선택에 어려움을 겪는 것이다. 선택불안은 자신이 바라는 선택과 중요한 타인이 기대하는 선택이 다를 때 불안을 경험하는 것이다. 문제 없음은 타당한 진로를 선택했지만 선택에 대한 확신이 부족하여 상담으로 확인받고자 하는 것이다. 정신역동적 상담의 목적은 내담자의 진로선택을 돕는 것이고, 개인의 욕구에 적합한 직업만족을 얻도록 성격을 변화시키는 데 있다. 보딘은 진로상담이 3단계 과정으로 이루어진다고 하였다. 첫째는 탐색과 계약체결의 단계로서 내담자가 자신의 욕구 및 정신역동적 상태를 탐색할 수 있도록 도와주고 앞으로의 상담전략을 합의한다. 둘째는 비판적 결정의 단계다. 자신의 성격적 한계를 받아들이고 그 성격에 맞게 직업을 선택하느냐, 아니면 성격을 바꾸어 직업을 선택하느냐를 결정하는 것이다. 셋째는 변화를 위한 노력의 단계다. 자신이 선택하고자 하는 직업과 관련하여 자신의 성격 특히 욕구, 흥미 등에서 더 많은 변화가 필요한 부분에서 변화를 모색해야 한다. 이 과정을 수행하기 위한 상담기법에는 명료화, 비교, 소망-방어 체계의 해석 등이 있다. 명료화는 현재의 진로문제와 관련된 내담자의 생각과 감정을 언어로 명료하게 재인식시켜 주는 것이다. 비교는 내담자의 문제와 역동적 현상 간의 유사점과 차이점을 비교하는 것이다. 소망-방어 체계의

해석은 내담자의 내적 동기상태와 진로선택과정 간의 관계를 각성하는 데 도움을 주는 것이다. 직업정보는 직무에 대한 욕구분석에 기초하며 이는 특정 직업의 구성원이 직업에 대하여 왜, 어떻게 종사하는지를 정신분석학적으로 알면 욕구를 가장 잘 충족시켜 줄 직업선택을 하는 데 도움을 줄 수 있다는 견해에서 이루어진다. 이러한 정보를 얻기 위해서는 개인과 직업을 연결하는 데 도움이 되는 정보가 필요하며, 이 정보는 개인의 욕구와 만족스러운 작업조건을 연결하는 정보다. 그리고 개인의 기본욕구를 충족시킬 수 있는 활동을 탐색하기 위하여 그 직업에 종사하고 있는 사람의 역할을 분석한 다음 정보를 수집한다. 하지만 이 이론은 진로선택에서 개인의 욕구, 소망, 동기와 같은 내적 요인을 지나치게 강조하고 이 요인에 영향을 미치는 외적 요인을 간과하였다.

관련어 인간중심진로상담, 정신분석상담, 진로상담이론, 특성요인진로상담

정신운동감각심상과정
[精神運動感覺心象過程, psychokinetic imagery process: PKIP]

표현예술치료과정에서 사용하는 예술매체의 통합방법으로서, 운동감각 매체인 동작(movement), 시각매체인 그림(drawing), 언어매체인 시적 대화(poetic dialogue)를 서로 연결하고 통합하는 상호 복합양식의 예술매체를 사용하는 방법.

무용동작치료　심상치료

핼프린(A. Halprin)은 1960년대 말 치유를 위한 춤과 그림의 관계를 실험하기 위하여 시각예술가와 무용수와의 협동작업을 통해 PKIP 모델을 고안하였다. 당시 PKIP 모델의 이름을 '정신운동감각 시각화과정'이라고 불렀는데, 이것은 현재 거의 모든 표현예술치료방법의 주요 도구가 되었고, 여러 가지 다양한 방법으로 응용하여 사용되고 있다. PKIP 모델에서 표현예술 매체들 간의 관계는 상호 연결되어 순환적이고 반복적인 방식으로 관계를 형성하면서,

신체, 정서, 이미지 간의 상호작용을 재창조하고 강화한다고 설명하였다. 우선 동작과 춤은 시각, 청각, 운동 감각과 관련을 맺고 있어서, 신체감각과 느낌에 깊은 동조를 일으킨다. 시적 표현이나 글쓰기는 우리를 이미지, 기억 및 사고와 연결시키고 청각적·시각적 감각을 함께 연결시킨다. 그림 그리기는 시각적 감각을 동반하고, 이러한 그림 이미지가 동작과 연결될 때 신체, 정서, 인지가 함께 공명한다. 그러므로 한 가지 예술양식에 초점을 두더라도 그 하나의 양식에서 다른 양식으로 이동할 수 있으며, 각 양식들 간에 상호작용이 가능하다는 것이다. 세 가지 양식이 상호적으로 활용되는 순서는 동작으로 시작하여 그림으로 연결한 뒤 대화쓰기로 끝낼 수 있고, 또는 그림 그리기로 시작하여 동작탐색으로 연결한 뒤 시를 쓰는 것으로 마무리할 수도 있다. 이것은 동작을 통해 나타난 것은 그림을 통해 드러나는 것에 정보와 영감을 주며, 이 둘의 의미로 구체화된 자료를 제공받아 대화로 분명하게 표현할 수 있는 것이다. 따라서 정신운동감각심상과정은 세 가지 창조적 표현양식이 서로 관계하면서 전체적으로 통합하는 체계라고 할 수 있다. 이 모델을 사용하면 우리의 감각기관의 유형인 시각, 운동감각, 언어감각이 예술표현의 연결들과 자연스럽게

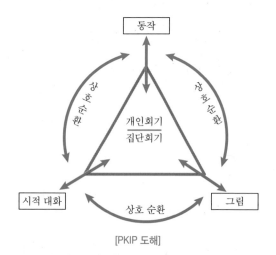

[PKIP 도해]

출처: 임용자(2004). 표현예술치료의 이론과 실제. 서울: 문음사. p. 91.

통합되도록 할 수 있다.

관련어 | 표현예술치료

정신장애
[精神障礙, mental disorder]

일련의 이상행동이나 정신병리적 증상들로 구성된 증후군.

이상심리

미국정신의학협회(American Psychiatric Association)에 따르면, 개인에게서 발생하는 임상적으로 중요한 행동적 또는 심리적 증후군이나 패턴을 지칭한다. 정신장애는 생물학적 관점에서 나온 용어로 비정상적인 심리상태를 질병 또는 장애라고 보는 견해를 가진다. 이 관점에서는 비정상적 심리상태가 신체적 질환과 마찬가지로 유전이나 뇌 손상과 같은 내부적인 신체적 원인으로 유발된 심리적인 증상으로 내부적 원인의 특성에 따라 장애마다 독특한 증상의 패턴과 진행 과정이 나타나며, 치료해야 할 질환으로 본다. 정신장애로 진단받은 경우 고통, 손상, 심각한 위험의 세 가지 특징 중 최소한 하나 이상의 증상을 보인다. 정신장애는 때로 심리장애 혹은 정신질환이라는 용어로도 사용된다. 이 질환의 진단 및 분류 기준으로 사용되는 것은 미국정신의학회의 정신장애진단 및 통계편람(Diagnostic and Statistical Manual of Mental Disorder: DSM)과 세계보건기구의 국제질병분류편람(International Classification of Diseases Manual: ICD)이다.

관련어 | 국제질병분류편람, 정신장애진단 및 통계편람

정신장애진단 및 통계편람 제4판
[精神障碍診斷 – 統計便覽第四版,
Diagnostic and Statistical Manual of
Mental Disorder-4th edition: DSM-IV]

미국정신의학회에서 출판한 비정상적 행동과 정신장애를 판단 편람으로 공식적인 진단과 기록 보관 과정을 위해 가장 널리 사용하는 분류체계의 4번째 개정판. 특수아상담

미국정신의학회(American Psychiatric Association)에서 출판한 이 편람의 초판은 1952년에 출판되었으며, 정신장애를 심리적·사회적·생물학적 요인에 대한 개인의 반응으로 보는 정신생물학적 관점을 반영하였다. 유럽에서 비슷한 목적으로 많이 사용하는 책으로는 1992년 세계보건기구에서 발표한 『국제질병분류체계의 질병 및 관련 건강 문제의 국제적 통계분류(International Statistical Classification of Diseases and Related Health Problems: ICD)』가 있는데, DSM은 정신질환에 집중하는 반면 ICD는 모든 종류의 질병을 다루고 있다. 양쪽 모두 독자가 기본적인 의학적 개념을 인지하는 것으로 가정하고, 질병을 체계적으로 진단하기 위한 기준을 제시해 놓았다. DSM은 후속 개정판에서 ICD와 양립할 수 있는 분류체계를 갖추고 있으며, 비유기체적인 정신장애를 이해하는 데 특정한 이론적 관점을 내포하고 있지 않다. 4판(1994)은 구체적인 진단기준, 다축적 진단체계, 그리고 정신적·신체적 장애의 기술적 결정요소에 대한 강조를 증대하였고, 분류가 이전 판들보다 행동적으로 더 분명하다고는 하지만 임상적 판단은 여전히 필요하다. 4판은 특정 진단적 상태에 대해서도 연령규준, 기본등급 또는 치료추천을 제시하지 않기 때문에 아동의 행동이 실제로 일탈되었는지 결정하기 위해서는 판단이 반드시 필요하다. 어떤 사람들은 특정 발달장애를 포함시키는 것은 논의의 여지가 있다고 보는데, 그 이유는 이러한 장애를 가진 많은 아동이 다른 형태의 어떤 장애도 가지고 있지 않기 때문이다. 또한 4판은 발달장애 진단을 위해서 표준화된 개별지능 및 학업성취검사의 실시를 요구하고 있다. DSM은 초판 이후 II, III, III-R, IV, IV-TR판 등으로 다섯 차례 개정되었다. 2007년 2월에 출판된 DSM-IV-TR에서는, 해당 편람은 정신건강분야의 전문가를 위해 만들어졌기 때문에 의학적 훈련을 받지 않은 사람은 편람의 내용을 부적절하게 적용할 수 있다고 명시하고 있다. 저자들에 따르면, 일반인이 DSM을 사용할 경우 진단을 내리는 용도가 아닌 단순히 정보를 얻는 용도로만 사용해야 하며, 정신장애가 있는 것으로 의심되는 사람은 전문적인 상담이나 치료를 받아야 한다. 4판은 특정한 이론적 입장에 치우치지 않고 심리적 증상과 증후군을 위주로 하여 정신장애를 분류하고 있는데, 정신장애와 관련된 다섯 가지 유형의 정보를 수집하여 진단하도록 하는 다축적 진단체계(multiaxial diagnostic system)로 구성되어 있다. 5개의 축은 임상적 증후군, 성격장애, 일반적인 의학적 상태, 심리사회적 및 환경적 문제, 현재의 적응적 기능수준이다.

정신장애진단 및 통계편람 제5판
[精神障碍診斷 – 統計便覽第四版,
Diagnostic and Statistical Manual of
Mental Disorder-5th edition: DSM-5]

미국정신의학회에서 출판한 비정상적 행동과 정신장애를 판단 편람으로 공식적인 진단과 기록 보관 과정을 위해 가장 널리 사용하는 분류 체계의 5번째 개정판. 이상 심리 특수아 상담

DSM-5는 미국정신의학회에서 발간하는 『정신장애진단 및 통계편람』의 5번째 개정판으로서 2013년에 출간되었다. DSM은 세계적으로 가장 많은 임상가와 연구자가 사용하고 있다. DSM은 특정한 이론적 입장에 치우치지 않고 심리적 증상과 증후군을 위주로 하여 정신장애의 분류체계와 진단기준을 제시하고 있다. 즉, DSM의 정신장애 분류는 장애의 원인이 아니라 증상의 기술적 특징에 근거하여 이루어져 있다. 1952년에 DSM-I이 처음 발행된 이후

임상적 유용성과 진전된 연구결과를 반영하여 여러 차례의 개정과정을 거쳤다. 1994년 네 번째 개정판인 DSM-IV가 발간되었으며 2013년 5월에 DSM-5가 발행되었다. DSM-5는 정신장애 분류체계에 있어서 곧 출간될 예정인 ICD-11과 조화를 이루도록 많은 부분이 개정되었다. 또한 임상가들이 정신장애의 진단을 좀 더 편리하게 할 수 있도록 구성하였으며 최근의 과학적인연구결과를 반영하려고 노력했다. 특히 DSM-5에서는 DSM-IV에서 사용했던 다축 진단체계가 임상적 유용성과 타당성이 부족하다는 이유로 폐기되었다. 아울러 범주적 진단체계의 한계를 보완하기 위해서 차원적 평가를 도입한 혼합 모델(hubrid model)을 적용하여 모든 환자의 주된 증상과 다양한 공병증상을 심각도 차원에서 평가하도록 되어있다. DSM-5는 정신장애를 20개의 주요한 범주로 나누고 그 하위범주로 300여 개 이상의 장애를 포함하고 있다.

정신적 여과
[精神的濾過, mental filtering]

주어진 상황의 주된 내용은 무시하고 특정한 일부의 정보에만 주의를 기울여서 전체 의미를 해석하는 오류. 아동청소년상담

전체적인 그림을 보지 않고 한 가지 작은 세세한 것에 쓸데없이 관심을 가지는 것을 말한다. 여과는 무엇인가를 걸러 내는 것을 의미하는데, 마음속에 여과지가 있어서 상황을 있는 그대로 보는 것이 아니라 본인이 보고 싶지 않은 것은 걸러 내고 그 상황 중 일부만 보고 생각하고 판단하는 것이다. 예를 들면, 친구와의 대화가 전반적으로 매우 긍정적이고 즐거웠음에도 불구하고, 친구의 잠깐 동안의 불편한 태도나 부정적인 몇 마디 말에 주의를 기울여서 그 친구가 자신에 대해 안 좋은 감정을 가지고 있다고 믿어 버리는 행동이다. 이와 같이 사건의 주된 내용은 무시하고 특정한 일부의 정보에만 주의를 기울여 전체 의미를 해석하는 것을 말하며 선택적 추상화(selective abstraction)라고 부르기도 한다.

관련어 | 감정적 추리, 과잉일반화

정신조사연구소
[精神調査研究所, Mental Research Institute: MRI]

1959년에 돈 잭슨(Don Jackson)이 미국 캘리포니아에 설립한 연구소. 전략적 가족치료

1950년대부터 1960년대까지는 미국에서 가족치료에 대한 연구가 활발히 진행되던 때다. 이 시기에는 특히 정신분열증 환자가 있는 가족에 대한 연구가 많이 진행되었는데, 돈 잭슨이 설립한 정신조사연구소에서도 이 같은 연구를 진행하고 있었다. 이 연구소에서는 특별히 정신분열증 가족에게서 특징적으로 발견되는 의사소통유형에 대해 관심을 가지고 연구하였는데, 이는 전략적 치료모델의 시초가 되었다. 이후 MRI의 전략적 접근은 미국 동부와 이탈리아의 밀란으로 점차 확대되었다. 이들은 가족의 문제가 각 구성원들의 개별적인 문제로 발생하는 것이 아니라, 역기능적인 의사소통과 상호작용의 결과로 생긴다고 보았다. 따라서 가족의 문제적 증상을 해결하기 위해서는 이러한 역기능적인 의사소통과 상호작용의 고리를 끊는 적극적인 치료적 개입으로 가능하다고 설명하면서, 많은 임상실험을 거쳐 자신들의 이론체계를 확립해 나갔다.

관련어 | MRI 모델, 전략적 가족치료

정신종합치료
[情神綜合治療, psychosynthesis therapy]

인간의 문제뿐만 아니라 잠재능력도 다루는 심리치료 접근방법. 정신종합치료

정신종합요법은 '영혼의 심리학'이라고도 불리는

데, 인간정신에 내재해 있는 것을 존중하고 모든 인간이 자신의 내부로부터의 문제에 대한 해답을 탐색으로 알아내는 것이다. 이 요법은 20세기 초반 아사지올리(Assagioli) 박사가 개발하였으며, 1960년대 이후 약 40개 국가에 정신종합요법센터가 세워지면서 널리 알려졌다. 정신종합요법이 추구하는 목표는 내담자가 잘 통합된 성격으로 발달하도록 도움을 주고, 이를 통해 가장 깊고 가장 본질적인 자기와 인생의 목표를 알아내고자 하는 것이다. 이를 달성하기 위해서 어떤 목적을 가지고 치료하는 것을 의도하지는 않고, 대신에 내담자의 내적 자유를 경험하도록 하고 우주를 초월하여 통제력을 발휘하면서 심리정신적인 건강을 회복하여 인생의 기능성과 선택을 확장시키는 데 가장 큰 중점을 둔다. 정신종합치료의 핵심은 '나-너(I-Thou)의 관계'에 있다. 이 관계를 통해서 치료자는 내담자의 강점과 잠재 가능성을 길러 줄 수 있다. 이러한 가능성을 길러 주는 것은 인생의 목적을 가지고 이 목적을 달성하기 위해 모험과 장애물에 직면하는 하나의 자기와 하나의 존재를 궁극적으로 감지하고자 할 때 일어난다. 따라서 정신종합요법 치료자는 내담자를 치료할 때 내담자의 과거와 어떤 어려운 주제나 모험에 직면해 있는지를 알고자 한다. 동시에 치료진행 방법에 대해서 내담자가 기대하는 방식과 자신의 목표, 이끌어 내고 싶은 결과 등을 알고자 한다. 이러한 치료자의 의도는 내담자에게 변화에 대한 동기를 불러일으키고 앞으로 나아가야 할 방향에 책임을 지도록 격려해 준다. 치료자는 이 과정을 내담자의 과거, 현재, 미래의 수준에서 함께 다루게 된다. 정신종합요법은 자기 자신과 자신의 문제, 그리고 삶의 난제들을 이해하려는 타당한 동기를 갖춘 사람들에게 효과적이다. 이들은 자신이 원하는 통찰을 얻기 위해 삶의 경험을 반영하는 데 관심을 갖기 때문이다. 또한 자신의 내부를 탐색하고자 하는 자발성과 적절한 수준의 개방성을 갖추고 있을 때, 경직된 방어체계를 극복하고 역기능적 행동을 다루는

정신종합요법을 시행하기가 쉽다.

관련어 | 아사지올리의 인간정신모델

정신측정연감
[精神測定年鑑, Mental Measurement Yearbook: MMY]

가장 포괄적이고 중요한 참고서적 중 하나로, 상업적으로 출판된 검사들에 대해 기술하고 개관한 서적. 이상심리

심리검사분야에서 검사에 관한 가장 포괄적인 개관서로, 1938년 부로스(O. Buros)가 초판 출간하였고 5년을 주기로 개정되고 있다. 성격, 발달, 행동평가, 업적, 지능 및 적성, 교육, 언어 및 청각 등과 관련된 4,000개 이상의 검사를 제공하여 교육자, 상담자, 심리학자, 변호사, 의학 전문가, 감독자 등에게 도움이 되고 있다. 이 같은 정보는 정해진 기간에 출판된 검사를 수록하며, 이전 연감에서 보고된 검사를 보완하는 역할을 한다. 각 검사에 대해 검사 분야에서의 전문가가 비판적으로 논평하고, 그 검사에 대하여 총망라된 참고문헌들이 함께 수록되어 있다. 가격, 출판사, 검사의 판수에 대한 정보도 수락되어 있다. http://buros.org에서 온라인으로도 볼 수 있다.

정신통합
[精神統合, psychosynthesis]

개인의 모든 기능과 특성을 조화, 통합시켜 하나의 큰 전체로서의 기능을 종합적으로 발휘할 수 있는 '의지(will)'의 힘에 중심을 두고 있는 자아초월 심리치료. 초월영성치료

이탈리아 출신의 정신의학자인 아사지올리(Assagioli)가 창시한 심리치료 분파로서, 자아초월심리치료의 대표적인 형태라고 할 수 있다. 정신통합은 정신분석에 대응한 개념으로, 정신분석의 전면적인 부정이 아니라 확대를 목표로 삼았다. 즉, 마음의

부정적인 여러 요소를 분석하고 치료하는 데서 끝나지 않고 바람직하고 긍정적인 요소까지 인정하여 이들을 신장시키고 일관된 인격의 통합을 이룩하는 것이 목표였다. 정신통합은 '자기'와 '의지'를 등식으로 연결시킬 정도로 의지를 강조하고, 의지에 중심적 기능을 부여하여, 의지의 여러 측면을 분석하고 이를 발달시키고 강화하여 고차적인 자기(higher self)와 바람직한 통합의 방향을 잡아 줄 수 있는 각종 기법을 개발해 낸 치료법이다. 아사지올리는 '자기 치유'만이 아니라 '자기실현'과 '자기초월'을 이루는 수준까지를 정신통합의 목표로 보았으며, 초의식과 집단적 무의식의 개념을 철저하게 포함시켰다. 아사지올리는 자기실현이 곧 정신통합이라 하였으며, 이를 계획적으로 성취하는 과정을 4단계로 요약하였다. 이 치료과정은 이탈리아의 시성 단테(Dante)가 자신의 인생관, 종교관, 우주관과 더불어 인간의 영혼이 죄악의 세계로부터 회오와 정화를 거쳐 영원한 천국에로 향상, 정진하는 경로를 묘사한 종교적 서사시인 『신곡』의 지옥편, 연옥편, 천국편을 이미지화한 것이다. 첫 번째는 자신의 인격에 관한 지식을 얻는 단계로서, 의식적 부분만이 아니라 무의식 영역에 대해서도 광범위한 탐구가 필요하다. 그것은 주로 하위 무의식 영역의 탐구를 말하는데, 이를 위해 정신분석, 자유연상법, 꿈분석, 로르샤흐 검사, TAT 검사를 비롯한 심리검사 등을 통합적으로 활용할 수 있다. 두 번째는 자기 성격의 다양한 요소를 통제하는 단계로서, 이 단계는 고통이 따르지만 참을성이 필요한 연옥과 등산에 비유된다. 이때 주로 사용하는 기법은 탈동일시(disidentification), 연습 등이다. 탈동일시는 자신의 사고, 감정, 행동 유형이나 성격 경향 등과 이를 관찰하는 자기와는 다르다고 하는 의식화 작업을 말한다. 세 번째는 진정한 자기실현을 통하여 자기를 통일, 제어할 수 있는 강력하고 안정된 구심점을 발견하는 단계다. 연옥으로부터 천국을 우러러보는 단계라고 할 수 있는데, 이때 주로 활용하는 기법은 내적 스승과의 대화기술(technique of inner dialogue)이다. 마지막은 정신통합의 단계로서, 이 단계에서는 먼저 실천의 내면적인 프로그램(inner program)을 수립하는 일이 필요하다. 실현시켜야 할 목표, 다시 말해서 새롭게 형성해야 할 인격을 명확하게 가시화하고, 이에 따를 문제를 정확하게 인식해야 한다.

관련어 ┃ 탈동일시

정의 예식
[定義禮式, definitional ceremony]

대안적 이야기로 재저작된 내담자의 삶을 인정해 주고, 축하·격려해 주기 위해 사용하는 이야기치료기법.
이야기치료

본래 정의 예식의 어원은 문화인류학자인 마이어호프(Myerhoff, 1982)에서 시작되었는데, 상담을 진행할 때 의식의 형태를 빌려 특별한 의미를 창출해 내고자 쓰이는 방법이다. 이 정의 예식에는 전문가들이나 내담자의 삶에서 중요한 의미를 가지고 있는 사람들로 구성된 외부증인집단(outsider witness group)이 참여하여, 내담자의 대안적 이야기를 듣고 그 의미를 강화하여 새롭게 구조화된 이야기를 풍성하게 만들며, 그 새로운 의미를 살아가는 내담자에 대한 증인역할을 한다. 혹은 내담자의 새로운 의미를 확인해 줄 수 있는 증명서를 만든다거나, 이를 위한 동호회 등을 구성하는 방법을 쓸 수도 있다. 정의 예식을 하기 이전에 내담자는 외부증인집단에게 공개할 자신의 대안적 이야기(alternative story)를 선택할 수 있다. 외부증인집단은 내담자의 대안적 이야기를 듣고, 자신들이 들은 이야기를 본인의 관점에서 어떻게 들었는지를 진술한다. 이렇게 외부증인집단이 진술한 대안적 이야기를 다시 내담자가 진술하는 과정을 거친다. 결국, 정의 예식의 말하기와 다시 말하기의 계속적인 반복을 통해 대안적 이야기는 계속해서 점점 더 풍성해지고 강화된다. 정의 예식의 효과적인 말하기(telling)와 다시 말하기(retelling)의 과정을 위해서는, 치료자가 내담자와 외부증인집단에게 지시적인 혹은 충고성의 이야기는 하지 않도록 하면서, 진술하는 이야기를 하도록 유도하는 질문을 어떻게 하느냐가 중요하다. 이렇게 효과적인 내담자와 외부증인집단의 반응을 이끌어 내기 위한 질문을 위해서는 다음 단계를 거친다. 첫째, 표현(expression) 질문이다. 첫 번째 단계에서 치료자는 들었던 내담자의 이야기 중에서 외부증인집단 개인들에게 가장 마음에 와 닿았던 단어나 부분, 표현방식, 감정 혹은 그 이야기가 진술될 때의 분위기 등에 대해서 이야기해 달라고 요청한다. 예를 들어, "○○의 이야기를 들으면서 당신의 마음에 가장 와 닿았던 단어 혹은 표현은 무엇이었나요?" 또는 "○○의 이야기를 들으면서 특별하게 당신이 주목한 특정 단어나 표현 혹은 느낌이 있었나요?"처럼 외부증인집단이 공동체의 의견이 아니라 개인적으로 주목한 부분에 대해 질문한다. 둘째, 이미지(image) 질문이다. 마음에 와 닿는 표현을 들었을 때 본인에게 떠오르는 이미지가 어떤 것인지 질문한다. 또 이러한 이미지가 본인의 어떤 신념, 가치, 믿음, 희망 혹은 의지를 반영하고 있는지에 대해 물어본다. 이러한 질문은 내담자의 이야기를 들었을 때 떠오르는 이미지는 그 이야기를 듣고 있는 외부증인집단 각 개인의 고유한 가치관 혹은 신념 등이 반영된 것이고, 그러한 새로운 요소의 기여를 파악하려는 의도가 있다. 이러한 표현 질문의 예로는, "주목했던 부분을 들었을 때 어떤 이미지가 떠올랐나요?" "그 이미지가 뜻하는 의미, 믿음 혹은 신념이 무엇인가요?" "그러한 가치 혹은 신념이 내담자의 삶 어떤 부분에 어떤 영향을 미치고 있다고 생각하나요?" 등이다. 셋째, 공명(resonance) 질문이다. 이 질문은 왜 그 부분을 본인이 주목하게 되었는지에 대해 물어보고, 그러한 것이 이야기를 듣고 있는 본인의 삶 어떤 부분과 관련이 있는지를 물어보는 것이다. 질문의 예로는, "어떻게 이 부분에

주목하게 되었나요?" "이 부분과 관련 있는 당신의 삶의 사건이나 특정한 부분이 있나요?" "그러한 부분들이 어떻게 당신의 삶과 연관성이 있다고 생각하나요?" 등이다. 넷째, 이동(transport) 질문이다. 이 질문은 내담자의 이야기 중 외부증인집단 개인에게 주목된 부분이 본인의 마음이나 감정, 혹은 생각을 어떻게 움직였는지를 물어보는 것이다. 예를 들면, "이러한 대화가 당신을 어떻게 변화시켰나요?" "이 대화의 초기와 지금 달라진 당신의 생각이나 느낌, 혹은 가치관 등은 무엇인가요?"라고 질문할 수 있다. 이러한 질문들은 먼저 내담자의 대안적 이야기를 듣고 외부증인집단 개개인에게 물어볼 수 있으며, 그 이후에 대화를 들은 내담자에게 동일한 구조의 질문을 한다. 이렇게 하나의 이야기를 내담자에게, 그리고 외부집단에게 다시 내담자에게, 그리고 필요하다면 또다시 외부집단에게 말하도록 하고 다시 말하기의 과정을 반복하면서 보다 풍부한 대안적 이야기를 이끌어 낼 수 있다. 계속적이고 반복적인 활동으로 풍성해지고 강화된 대안적 이야기는 내담자의 이야기가 단순히 자신에게뿐만 아니라 지역사회공동체와 연관되어 영향을 주고받는 것이라는 점을 깨닫도록 하고, 새로운 대안적 이야기가 이 지역사회공동체에게 어떻게 받아들여지는가를 확인하게 하여 보다 안정적이고 만족스럽게 재구조화된 삶을 살아가도록 격려해 주는 정의 예식의 최종 목표에 도달할 수 있도록 해 준다.

관련어 공명 , 대안적 이야기, 외부증인집단

정적 강화
[正的强化, positive reinforcement]

어떤 행동이 일어난 직후에 강화물을 제공함으로써 그 행동의 빈도 혹은 확률이 높아지도록 하는 것.　행동치료

정적 강화의 원리는, 첫째, 주어진 상황에서 어떤 사람이 무엇을 하면 즉시 어떤 결과가 뒤따르게 되

ス

며, 둘째, 그 결과가 긍정적인 것이었다면 이 사람은 다음에 비슷한 상황이 닥쳤을 때 같은 행동을 다시 하게 된다는 것이다. 정적 강화의 예로는 수업시간에 노트필기를 열심히 할 때마다 칭찬이나 사탕을 주면 노트필기를 더 열심히 하는 경우를 들 수 있다. 이때 노트필기는 표적행동 혹은 목표행동이며, 노트필기를 더 많이 하도록 작용하는 칭찬과 사탕을 준 것은 정적 강화다. 정적 강화에 사용되는 강화자극은 몇 가지 종류로 나눌 수 있다. 첫째, 소모강화로서 과자, 과일, 주스 등 사용을 하면 소모되는 것, 둘째, 활동강화로서 텔레비전 시청, 인터넷 게임, 독서, 운동 등 개인이 좋아하는 활동, 셋째, 소유강화로서 옷, 시계, 장갑, 휴대전화 등 물건 자체가 즐거움을 주는 것이 아니라 그것을 소유하고 사용하면서 즐거워지는 것, 넷째, 사회적 강화로서 칭찬으로 대표되는 언어적 자극과 미소, 뽀뽀, 등 토닥이기 등 접촉을 포함하는 것이 있다. 또한 정적 강화는 음식, 물, 성적 자극 등의 기초강화와 돈이나 스티커와 같이 그 자체는 중립적 자극으로서 강화효과가 없지만 기초강화와 연합하여 강화력을 갖는 조건강화로 나누기도 한다. 좋은 강화자극은 쉽게 구할 수 있어야 하고, 바람직한 행동이 일어난 뒤에 즉각적으로 줄 수 있어야 하며, 포화가 쉽게 일어나지 않아 반복적으로 줄 수 있고, 사용하는 데 시간이 지나치게 많이 걸리지 않는 것이다. 정적 강화를 효과적으로 사용하기 위해 기본적으로 확인해야 하는 두 요소는 강화할 구체적 행동인 표적행동 혹은 목표행동과 행동을 수정하도록 강화작용을 하는 강화인자가 있다. 또 정적 강화가 효과적이기 위해서는 몇 가지 유의할 점이 있다. 첫째, 증가시킬 행동이 구체적이어서 행동의 발생과 행동 발생률의 변화를 신뢰할 수 있게 관찰이 가능하고 강화 프로그램이 일관성 있게 적용될 수 있어야 한다. 둘째, 개인에게 효과가 있는 적절하고 적합한 강화자극을 선택해야 한다. 셋째, 강화자극이 주어지기 전 얼마 동안은 강화자극이 주어지지 않는 결핍 혹은 박탈 상태가 있어야 한다. 넷째, 바람직한 행동이 나타남과 동시에 강화가 주어지는 느낌이 들 정도로 강화가 즉각적으로 주어져야 한다. 다섯째, 강화에 대한 지시와 설명이 있어서 그 가르침에 따라 개인의 학습과정이 촉진될 수 있어야 하고 정적 강화물을 적절하게 사용하여 목표행동의 빈도가 증가된 다음에는 자연적인 환경 속에서 주어지는 강화로 대체하여 그 행동의 유지를 돕는 것이 필요하다.

관련어 | 부적 강화

정좌명상
[正坐冥想, sitting meditation]

의자, 방석 등에 앉아서 곧고 이완되며 편안한 자세로 수행하는 정신적 훈련. 명상치료

정좌명상을 하는 방법은, 먼저 의자나 방석 등에 편안한 자세로 앉아서 목, 등, 허리가 일직선이 되도록 곧고 바르게 하고 눈은 감거나 코끝을 지나 아래쪽 앞을 내려다본다. 호흡을 하는 동안 느껴지는 감각과 움직임에 주의를 기울이고, 몇 분 후에는 신체 감각으로 주의를 옮겨 간다. 다시 몇 분 후에는 주변에서 나는 소리, 생각, 감정으로 주의를 옮겨 가면서 순간순간의 경험을 알아차린다. 이때 수행자는 마음챙김을 위한 기본적인 태도, 즉 현재 순간의 경험에 주의를 기울이고 비판단적으로 경험을 수용하며 불쾌한 감각이나 부정적인 감정들은 호기심을 가지고 알아차리고 관찰하면서 수용한다. 자신에게 일어나는 모든 경험을 그저 있는 그대로 수용하며 자연스럽게 자신이 주의를 두었던 곳으로 되돌아오면 된다.

관련어 | 마음챙김, 마음챙김에 근거한 스트레스 완화, 마음챙김에 근거한 인지치료, 명상

정체성
[正體性, identity]

자신이 누구이며 어디로 나아가고 있고 자신에게 맞는 집단이나 사회는 어디인가 또는 어떻게 적응할 것인가에 대한 확고한 인식. `발달심리` `아동청소년상담`

이 개념은 에릭슨(Erikson, 1950)이 인간을 전 생애 발달적 관점에서 이론화한 심리사회적 발달이론의 주요 개념 중 하나다. 그리고 마샤(Marcia, 1980, 1988)는 정체성 지위(identity status)의 개념을 제시하여 정체성 형성과정과 정체성 형성수준에 대한 개인차를 진단하고자 하였다. 정체성이 형성하고 발달하는 시기는 청년기이며, 이때 자기 존재에 대한 의문이 강해지면서 정체성 혼돈과 위기를 겪는 중에 형성된다. 청소년은 주어진 역할에 대한 혼돈, 자신의 가능성에 대한 탐색, 자기평가와 타인평가의 불일치, 사회적 가치와 주관적 가치의 불일치, 급격한 생물학적 변화에 따른 본능적 욕구와 도덕적 갈등 등을 극복하려는 노력을 하게 되며 이러한 정체성 위기과정을 통하여 자아정체성을 형성해 나간다. 그러므로 청년기에는 자신에 대해 많은 갈등, 절망, 혼돈을 경험하게 되고 심리적 유예기(psychological moratorium)를 갖게 되며, 정체성 위기(identity crisis)는 자기인식에 대한 연속성과 동질성을 확립하고 여러 관점에서 자아에 대한 평가들이 통합되면서 자신의 독특성을 확립할 때 극복할 수 있다. 이 같은 정체성 위기를 극복하기 위한 과업으로는 미래 조망능력(future time perspective), 자기가치에 대한 자기확신, 역할실험을 통한 가능성 탐색, 성취기대를 갖고 과업에 몰두하기, 성정체성 확립, 지도성의 극대화, 인생에 대한 신념과 가치관의 극대화 등이 있다. 에릭슨은 자아정체성이 청년기의 발달과업이며 정체성을 형성하는 데 실패한 청년은 역할혼돈을 겪고, 자신의 인생목표를 설정하지 못하여 다가오는 성인기의 발달과업, 즉 진로선택, 직업선택, 배우자 선택 등을 수행하는 데 어려움을 겪는다고 하였다. 마샤에 따르면 정체성 지위는 정체성 혼미(identity diffusion), 정체성 유실(identity foreclosure), 정체성 유예(identity moratorium), 정체성 성취(identity achievement)의 네 가지 유형이 있으며, 뒤로 갈수록 수준이 높다. 즉, 정체성 지위 중 가장 높은 단계는 정체성 성취단계로, 인생목표, 가치, 직업, 인간관계 등의 위기를 경험하고 대안을 탐색하여 확고한 정체성을 갖게 됨으로써 현실성 있고 높은 자아존중감과 강한 회복력을 지닌다.

`관련어` 정체성 위기, 정체성 지위

정체성 위기
[正體性危機, identity crisis]

정체성의식이 명확하게 확립되지 않은 청소년이 겪는 불안. 개인의 정체감 형성과정뿐만 아니라 정체감 형성수준의 개인차를 함께 진단하고자 하는 개념. `발달심리` `아동청소년상담`

청소년은 자신이 누구이며, 무엇을 할 수 있는지에 대해 지나친 불안으로 흔히 자신의 미래를 예측할 수 없는 상태다. 또 중요한 타인에 의해 형성된 통일된 자기 자신의 이미지를 가지고 있지도 않다. 그렇기 때문에 그들이 겪는 정체성 위기는 인생의 그 어떤 시기보다 고통스러운 실존적 문제로 대두된다. 삶의 방향을 제시해 줄 지표가 부족한 청소년들은 아동기와 성인기 사이에 어떤 통일성을 만들어 내지 못하는 한계상황에서 정체성 위기에 시달린다. 특히 극단적인 정체성 위기를 역할혼돈(role confusing)이라고 부른다. 이 현상은 성인의 역할을 제대로 할 수 없는 상태에서 자기 가치에 대한 심한 회의와 함께 무엇보다도 그럭저럭 시간에 맞추어 단순하게 살아가는 것에 대해서 괴로워하는 특징이 있다. 청소년기에 이 위기가 극복되지 않을 경우 이는 다음 발달단계로 이어져 그때의 과업성취에 큰 지장을 초래한다. 마르샤(J. Marcia)는 청년기 발달수준에 근거하여 정체성 형성과정과 수준의 개인차를 위기와 관여의 정도에 따라 4단계로 분류하였다. 첫 번째 단계는 위기의식도 경험하지 못했고 적극적으로 사물과 부딪치려는 의욕도 가지지 않는 가장 낮은 수준의 자아혼미단계, 두 번째 단계는 자력으로 위기를 극복하지 못하는 자아미숙단계, 세 번째 단계는 위기의식도 경험하고 참여의식도 있으나 현재의 위치를 바꾸지 못하는 자아유예단계, 네 번째 단계는 자아의 완전 성숙을 의미하는 자아확립단계로 보았다. 이러한 자아정체감의 형성과정에 대해서 에릭슨(Erickson, 1968)은 평생 계속되는 발달과정이라고 하였다. 그러나 자아정체감의 형성이 평생 이루어지는 발달과업이라 해도 정체감의 문제는 청년기에 심각하게 일어난다고 할 수 있다. 이 시기에는 급격한 신체적·생리적 변화로부터 이에 대한 적응과 같은 개인의 심리성적 변화와 가족으로부터의 독립, 이성과의 교제, 직업이나 진로선택, 배우자의 선택이 강요되는 심리사회적 요구에 직면하여 정체감 형성의 위기를 겪는다. 이러한 위기는 적절한 해결 여부에 따라 세대적인 힘을 가져오거나 혹은 부적응을 초래하는 개체발생적인 근원이 된다고 할 수 있다. 마르샤(Marcia, 1980)는 에릭슨(E. H. Erikson)의 이론을 발전시켜 정체성 지위에 관한 연구를 하였다. 마르샤는 정체성 지위를 과업에 대한 전념(무엇인가에 전념하고 있는가), 정체성 위기경험 여부(정체감을 갖기 위해 노력하는가)라는 두 가지 기준에 따라 다음과 같이 정체감 혼미(diffusion), 정체감 상실(foreclosure), 정체감 유예(moratorium), 정체감 성취(achievement)의 네 가지로 분류하였다. 일반적으로 정체감 성취와 유예 상태가 청소년에게 바람직한 것으로 볼 수 있다. 정체감 혼미는 방향성이 결여된 상태로서 다른 사람이 어떤 일을 하는지, 내가 왜 이 일을 하는지에 대해 관심이 없다. 이 상태에서는 정체감 위기를 느끼지 않으며, 미성숙하여 자아존중감이 낮고, 혼돈에 빠져 있어서 정체성 지위 중에서 가장 낮은 단계다. 그대로 방치할 시 부정적 정체감으로 빠져들 위험이 있다. 정체감 상실은 스스로 심각하게 생각하거나 의문을 갖지 않고 타인의 가치를 받아들이는 상

〈마르샤의 정체성 지위〉

정체성 지위 (identity status)	위기(crisis)	전념 (commitment)
정체감 혼미	×	×
정체감 상실	×	○
정체감 유예	○	×
정체감 성취	○	○

태다. 권위에 맹종하므로 부모가 선택해 준 인생 그대로 받아들이다. 다른 지위에 비해 사회적 인정의 욕구가 강하고, 부모의 영향을 받은 자신의 가치에 따라 생애의 방향을 결정하고, 부모와 긴밀한 관계를 유지한다. 부모의 과업을 물려받거나 일찍 결혼하여 안정된 가정을 꾸려 나가는 청소년에게서 흔히 발견된다. 이들은 청소년기를 매우 안정적으로 보내는 것 같지만, 성인기에 들어서서 뒤늦게 정체성 위기를 경험하는 경우도 있다. 정체감 유예는 현재 정체감 위기나 변화를 경험하는 상태로 정체감 확립을 위해 노력한다. 삶의 목표와 가치에 대해 회의하고 대안을 탐색하나 여전히 불확실한 상태에 머물러 구체적인 자신의 역할과 과업에 몰두하지 못한다. 이 지위에 속하는 청소년은 가장 적극적으로 정체성을 탐색하고, 안정감은 없지만 정체감 성취를 위한 과도기적 단계이므로 시간이 지나면 정체감을 확립하게 되는 경우가 많다. 정체감 성취는 삶의 목표, 가치, 직업, 인간관계 등에서 위기를 경험하고 대안을 탐색하며 확실하고 변함없는 자아정체감을 확립한 상태다. 타인의 이해, 가치를 고려하지만 스스로 많은 생각을 통해 의사결정에 도달한다. 현실적이고 대인관계가 안정감이 있으며 자아존중감도 높고 스트레스에 대한 저항력도 높다. 청소년의 정체감 성취를 돕기 위해서는 자신의 연령수준에 맞는 무엇인가에 전념하도록 격려해야 한다. 대단한 것보다는 자신의 수준에 맞는 활동이 중요하며, 한 가지 일에 전념하고 스스로 정한 것을 지킬 수 있도록 도와야 한다. 각 분야에 전념하여 성

공한 예를 보여 주고, 교사나 다른 성인이 역할모델이 되어 주는 것도 중요하다. 다양한 인물의 사례를 통해 모델을 발견하거나 다양한 가치, 문화 등을 체험하도록 하는 것이 정체성 확립에 도움이 된다.

관련어 정체성, 정체성 위기

정치
[定置, placement]

선발과 분류에 뒤따르는 후속절차로 적재적소에 인력을 배치하는 것. 심리측정

정치는 심리검사의 분류기능과 공통점이 많다. 선발이나 분류를 하지 않고서는 배치나 정치가 불가능하기 때문이다. 그러나 분류가 심리검사 결과를 토대로 단순히 어떤 유목으로 나뉘는 것인 데 반해, 정치는 능력 또는 흥미를 기준으로 분류한 다음 알맞은 부서나 업무에 배치한다는 점을 강조한다. 분류는 심리검사를 거쳐 이루어지고 배치는 검사결과를 바탕으로 수행되는 작업으로서, 백 번 정확하게 분류하는 것보다 단 한 번의 정치가 더 중요하다는 점에서 분류와 정치의 개념은 구분해야 한다(김영환, 문수백, 홍상황, 2005).

정토
[淨土, pure land]

부처가 사는 곳을 말하는데, 오직 깨달음으로 이루어진 청정 광명각(淸淨光明覺)의 세계. 동양상담

중생이 살고 있는 세계는 탐욕, 성냄, 어리석음의 세 가지 독으로 이루어져 있으므로 부처님이 사는 세계는 정토라 한다. 대승불교에서는 열반을 성취한 무수한 부처님이 무량한 중생을 제도하기 위해 머무르고 있는 곳이 있는데, 그 세계가 불국정토, 즉 극락세계다. 이러한 정토는 보살의 원력으로 이루어지고 무한한 수행으로 성불할 때 완성되는 국토로서 부처님의 세계에 태어나고자 하는 중생의 뜻에 의해 갈 수 있는 곳이다. 아미타불의 서방 무승세계, 약사불의 동방 정유리세계 등이 있다. 그런데 『유마경(維摩經)』에서는 "마음이 청정하면 국토도 청정하다." "깨달음을 성취하면 사바세계가 그대로 정토가 된다."라고 하여 깨닫게 되면 바로 이곳이 극락이 된다고 설하고 있다.

정화경험
[淨化經驗, catharsis experience]

상담의 기본적인 처치로서 과거의 억압된 감정이나 경험을 언어, 행동, 상징적 수단으로 표출하여 해소하는 것. 개인상담

정화경험은 상담관계 형성, 재경험, 일치경험, 수용받는 경험을 통하여 이루어질 수 있으며, 상담의 전 과정에서 가능하다. 개인상담에서 내담자가 정화를 경험하기 위해서는 상담의 단계별로 몇 가지 고려해야 할 사항이 있다. 상담의 초기단계에서는, 첫째, 상담신청이나 접수면접에서 정화를 경험하는 것은 제한시켜야 한다. 둘째, 상담관계 형성 단계에서는 정화경험을 촉진하는 환경을 조성하도록 진행해야 한다. 셋째, 문제명료화 과정에서는 좀 더 적극적으로 정화를 경험할 수 있도록 해야 한다. 중기단계에서 고려할 점은, 첫째, 상담작업이 진행되는 단계이므로 언어적, 행동적, 상징적 전략들을 적용하여 보다 적극적으로 정화를 경험하도록 촉진한다. 둘째, 인지적 과정의 작업이 이루어진다면 정서적 정화경험을 제한시켜 감정이 인지활동을 방해하지 않도록 한다. 또한 문제해결에 대한 대안이나 행동 형성과정에서는 정화경험을 제한시켜야 한다. 종결단계에서는, 첫째, 이별에 대한 감정을 처리할 때 정서적 정화를 촉진한다. 둘째, 상담을 종결하기 위한 상담평가나 상담을 마무리하는 과정에서는 정화경험을 제한시키는 것이 바람직하다.

관련어 문제명료화, 상담관계, 재경험

정화기법
[淨化技法, catharsis technique]

신체심리치료에서 인간 유기체를 하나의 수력에너지 체계로 간주하고 심리적 고통의 결과로 축적된 정서에너지를 방출하는 것으로 에너지 균형을 이루는 방법. **무용동작치료**

정화기법은 토튼(Totton, 2003)이 제시한 신체심리치료의 주요 모델 세 가지 중 하나다. 세 가지 모델은 다음과 같다. 첫째는 적응모델로서 우리 몸의 신체와 에너지를 재정렬함으로써 간접적으로 심리 건강을 회복하고 교정하는 신체작업과정을 나타낸 것이다. 둘째는 신체증상과 개인경험이 관련된 강한 정서들을 정화하고 해소하는 정서모델이다. 셋째는 내담자를 중심으로 내담자의 내적 과정을 따라가는 자연스러운 치유모델이다. 무용동작치료 분야에서는 인간의 신체와 동작 자체에 창의적 가치가 있다고 보고, 창의적인 표현능력에 관심을 두는 정화의 방법을 중시한다. 헬프린(D, Halprin, 2003)의 5단계 심리치료인 발견, 직면, 해소, 변화, 성장과정에서, 해소의 단계는 변화를 이끄는 전 단계로서의 전환점과 같은 단계라고 설명하였다. 특정 사건에 따른 트라우마 혹은 누적된 정서관계로 인한 만성적 트라우마와 같은 경험은 주로 눈과 귀 등의 감각기관들을 자극하여 내적 에너지를 증가시킨다. 따라서 이 에너지를 균형 있게 해소하지 못하면, 받아들인 에너지가 축적되어 방출해야 할 필요성이 증가하는 것이다. 이렇게 축적된 에너지는 신경증의 원인이 되고, 신체적 방어인 근육경직을 일으켜 자신과 분리된 낯선 신체가 된다고 하였다. 신체치료에서 구부러진 사지를 똑바로 펴는 일이 치료라면, 이 모델에서는 강한 정서방출을 통해서 몸의 분리를 해소하고 청소하고 내쫓는 일이 치료라고 할 수 있다. 진정한 정화가 촉진되려면 정신적 에너지가 해소되는 열린 채널이 필요하다. 예를 들어, 목소리와 동작을 사용하는 목소리 동작 치료(voice movement therapy)는 강력한 정화방법 중 하나다. 목소리는 입에서 시작되어 가슴의 두 갈래의 폐까지 연결되는 긴 튜브로서 전 영역의 소리를 사용하면 좋은 방출구가 된다. 목소리 동작 치료에서 사용되는 내담자의 소리는 흐느낌, 울부짖음, 비명, 비탄, 외침, 날카로움의 특징이 있는 비성악적·비미학적 소리들이 극심한 정서적 자료를 방출하는 데 효과적이다. 동작하며 말하기(talking with movement) 기법도 목소리 동작 기법과 같은 특징과 효과가 있다. 그 외에 예술치료에서 하는 여러 가지 예술매체를 활용한 표현하기도 정화의 효과를 나타낸다.

관련어 | 신체심리치료

정화작용
[淨化作用, catharsis]

집단구성원이 감정의 공감을 얻고 자신의 경험을 노출하도록 격려받음으로써 마음속에 사무친 감정적 응어리를 충분히 푸는 경험. **집단상담**

집단상담자와 집단구성원의 공감은 집단구성원에게 관심과 돌봄을 전달해 주는 한편, 해당 구성원의 입장에서 이해하도록 만들어 준다. 타인의 감정을 이해함으로써 집단구성원은 자신도 유사한 경험의 소유자라는 것을 깨닫는다. 집단상담자는 다른 집단구성원들에게 각자 자신이 겪은 유사한 경험을 노출하도록 하여 동료의식을 느끼게 할 수 있다.

관련어 | 치료적 요인

정화효과
[淨化效果, cathartic effect]

정화(catharsis) 후에 수반되는 치료적 효과. **정신분석학**

정화기법은 프로이트(S. Freud)의 정신분석이 처음 소개될 당시에 강조되었던 치료법이다. 정화란 원래 그리스 비극을 본 후 정서적으로 정화되는 효과를 표현하기 위해 아리스토텔레스가 사용한 용어다. 정신분석장면에서는 내담자가 억압하거나 억제하고 있던 정서를 표출할 수 있도록 촉진하는 것을 정화라고 한다. 정화효과란 이러한 감정정화가 일어난 후에 나타나는 긍정적인 결과를 의미한다. 심리적 상처와 연결된 감정이 발산되면서 증상이 치료된다. 프로이트는 내담자의 고통스러운 기억에 관련된 감정, 정서 혹은 흥분이 배출되지 못하면 히스테리 증상이 생긴다고 보았다. 정상적인 경우에는 그러한 기억이 병을 유발하지 않는다. 기억에 연관된 정서가 의식적인 심리적 반작용에 의해 방출되거나 점진적으로 연합된 정신적 조작에 동화되어 심리세계로 통합되기 때문이다. 그러나 히스테리의 경우에는 이러한 반작용이 일어나지 않는다. 고통스러운 기억과 심리세계의 나머지 부분들 간의 연결이 단절되기 때문이다. 그 결과, 기억은 억압된 상태로 무의식 속에 남겨진다. 프로이트는 내담자가 충격적인 사건을 단순히 기억해 내는 것만으로는 충분하지 않다는 점에 주목하였다. 궁극적인 치료효과를 위해서는 적절한 양의 정서와 흥분감을 방출하는 단계가 필요하다고 파악한 이후부터 분석과정에서 정화작업을 시도하였고 내담자에게서 긍정적인 치료효과를 확인할 수 있었다. 내담자가 자신의 문제를 이야기하고 해결되지 않은 과거와 현재의 문제를 상세하게 진술한 후, 그러한 사건과 관련된 내담자 자신의 감정을 표현하도록 요구한다. 죄의식을 유발하는 고통스러운 문제와 그러한 문제에 관련된 경험을 떨쳐 버릴 수 있는 정화작용은 내담자에게 유익한 치료적 경험이 된다. 다른 사람들과 공유하지 못한 감정을 수용적인 상담분위기에서는 편하게 표현할 수 있다. 상담접근에 따라 내담자 정서의 표현과 발산이 강조되는 정도는 다양하지만, 죄의식이 강한 내담자의 경우에는 억압된 정서의 표현이 큰 치료효과를 가져온다.

관련어 │ 정화

제1급 게임
[第一級 -, first degree games]

교류분석

⇨ '게임' 참조.

제2급 게임
[制二級 -, second degree game]

교류분석

⇨ '게임' 참조.

제3의 손
[第三 -, third hand]

공감, 미술적 재능, 상상력 발휘 등 미술치료사에게 요구되는 역할 및 태도. 미술치료

'치료로서의 미술'을 주장하는 크레이머(E. Kramer)가 미술의 치료적 기능을 강조하면서 내담자의 개인적인 경험이 치료적으로 유용한 회화적 언어로 나타나는 과정을 돕기 위해서는 미술치료사가 특별한 능력을 길러야 한다고 지적하기 위하여 제3의 손이라는 용어를 사용하였다. 이 용어는 내담자를 돕기 위해 요구되는 미술치료사의 역할을 비유적으로 표현한 것이다. 크레이머에 의하면 미술치료사는 제3의 손, 즉 그림을 그리거나 조소작업을 할 수 있고, 감상할 수 있는 능력을 가지고 있어야 한다. 미술치료사는 예술적 능력을 길러서 미술치료과정에서 기교적 기술(technical skill), 회화적 상상력, 독창성 및 즉흥적 능력을 가지고 내담자에게 공감할 수 있어야 한다는 것이다. 결국 제3의 손은 내담자에게 비지시적이면서 의미를 왜곡하지 않고, 내담자의 회화적 표현에 지나치게 간섭하지 않으며, 내담자에게 적절하지 않은 것을 강요하지 않으면서

ㅈ

작품을 만드는 과정을 도와주는 것이다. 요컨대 내담자의 감정이 시각적 형태로 나타나도록 도와주는 것으로서, 내담자가 진정한 자기 경험을 드러내는 회화적 의사소통을 산출할 수 있도록 하며, 언어적 교환(exchange)을 보충하거나 대체하는 회화적 대화로 이끌어 나가는 것이다.

관련어 | 미술치료, 치료로서의 미술, 크레이머

제4수준의 자각/반응
[第四水準 – 自覺/反應, fourth level awareness/response]

무용동작치료에서 신체적 차원, 정서적 차원, 인지적 차원의 알아차림을 충분히 하여, 세 수준의 자각반응이 서로 통합되어 영적 차원과 연결될 때 일어나는 알아차림과 그 표현.

무용동작치료

초개인심리학(transpersonal psychology) 및 영성을 배경으로 하는 무용동작치료나 신체심리치료에서는 신체/정서/인지 차원의 변화만을 목표로 하지 않고 궁극적으로 변형을 일으키게 하는 영적 차원에도 관심을 기울인다. 핼프린(D. Halprin) 동작중심 표현예술치료의 이론적 배경 중 정신통합심리학에 따르면, 제4수준의 자각/반응은 높은 자기(Self) 또는 통합의 자기인 그 자기(the Self)의 초월성, 만능성 및 편재성의 특성 때문에 의식의 차원인 낮은 무의식, 중간무의식(전의식), 높은 무의식(초의식)의 도해적 위계에 따라 높은 차원에만 존재하는 것이 아니고, 의식/무의식차원 어느 곳에서나 만날 수 있다고 한다. 그러므로 자각(알아차림)의 차원—신체적 수준, 정서적 수준, 인지적 수준—의 어떤 위계적인 순서에 따라 제4수준의 자각이 가능한 것이 아니라, 세 수준의 어느 영역에서나 제4수준의 연결이 가능하다. 그러나 영적 수준과의 연결 통합보다 우선되어야 할 일은 세 수준의 자각과 반응이 충분하고 깊어야 한다는 것이다. 제4수준의 자각과 반응의 표현 역시 우리의 감각과 관련된 그림, 소리나 말, 신체운동감각으로 인상이 형성되고, 그 외적 표현은 감각 관련의 예술매체인 그리기, 동작표현, 언어표현으로 가능하다.

관련어 | 세 수준의 자각반응

제국주의
[帝國主義, imperialism]

한 국가가 다른 국가를 강제적으로 지배하려는 입장.
철학상담

황제나 제국을 의미하는 라틴어 'imperator' 'imperium'에서 비롯되었다. 제국주의라는 용어는 프랑스의 나폴레옹 1세와 3세가 고대 로마제국을 재현하고자 한 데서 시작되었다. 이 용어가 본격화된 것은 나폴레옹 3세가 몰락한 상황을 영국의 『데일리 뉴스(The Daily News)』가 1870년 6월 8일자 보도에서 프랑스의 제2제정을 제국주의라고 지칭하면서부터다. 제국주의는 근대 산업혁명 이후 대량 생산과 노동력 확보를 위해, 나아가 자유주의 국가들이 자국의 힘과 이익을 극대화하기 위해 아프리카, 아시아, 아메리카에 위치하고 있는 약소국들을 식민화하는 과정에서 더욱 심화되었다. 이 자유주의는 근대 자본주의 국가들의 팽창정책과 맞물려 확산, 심화되기 시작하였다. 제1차 세계 대전과 제2차 세계 대전 시기에 제국주의의 확산은 극에 다다랐다. 그러나 세계 대전 이후 약소국들의 연맹과 연대를 통한 저항, 즉 민족주의적 저항이 확산되면서 정치적이고 군사적인 억압의 형태를 띤 기존의 제국주의는 약화되었다. 하지만 새로운 형태의 제국주의, 이른바 경제적 제국주의, 문화적 제국주의 양상이 오늘날까지 전개되고 있다. 심지어 네그리(Antonio Negri)의 주장처럼 정보사회의 네트워크 발전과 세계화의 확산으로 제국주의를 넘어선 제국의 시대로 진입하고 있기도 하다. 자본이 국가의 장벽을 넘어 세계 곳곳으로 스며들면서 지배를 확산·심화시키는 현상이 오늘날 신자유주의와 더불어 강하게 진행되고 있다. 이 같은 제국시대의 인간의 사물화를 벗어나기 위해서, 이른바 인간의 해방을 위해서는 대항 제국의 건설이 필요하다는 주장도 제기되고 있다.

제라늄
[－, Geranium]

항우울, 방부성, 수렴, 반흔형성, 세포방어, 이뇨, 탈취, 지혈, 상처치료 등에 효과가 있는 관목으로서, 남아프리카가 원산지이며 현재 유럽 등에서 재배. `향기치료`

제라늄은 털이 많은 다년생 관목으로 1미터까지 자라며, 끝이 울퉁불퉁한 하트 모양의 잎과 여러 송이의 분홍색 꽃이 핀다. 제라늄 오일은 신경계 조절 작용이 우수하여 스트레스, 신경긴장, 우울, 두통, 불안 완화에 사용하며, 스트레스와 과로로 인한 신경성 탈진이 동반된 급성, 만성적 근심에 좋은 효과를 나타낸다. 또한 제라늄 오일은 이뇨성이 있으며, 림프계 촉진효과가 있어서 셀룰라이트, 체액정체, 발목부종의 치료에 유용하며, 항염증과 지혈효과가 뛰어나 습진, 건선, 상처 치료 등에 사용한다. 그리고 부신피질자극제로 호르몬 변동이 문제가 되는 질환의 치료제로 효과적이다.

제임스－랑게 이론
[－理論, James-Lange theory]

신체적 변화를 지각한 후에 정서적 경험이 이루어진다고 주장하는 정서이론. `인지치료`

자율신경계와 정서 간의 관련성을 연구한 제임스 (W. James)와 랑게(K. Lange)가 1884년 소개한 이론으로서, 정서를 느끼기 전에 자율신경적 흥분과 골격의 반응이 먼저 일어난다고 본다. 정서적 경험과 신체적 각성이 동시에 발생한다고 주장하는 캐넌－바드 이론과 달리, 이 이론은 정서적 경험 이전에 신체적 변화에 대한 지각이 선행된다고 본다. 정서를 경험한다는 것은 곧 자신의 반응에 명칭을 붙여 주는 것이다. 이 이론에서는 생리적 흥분이 정서가 발생하기 위한 필요충분조건이라고 가정하고 있다. 즉, 신체적 반응이 그와 관련된 정서적 경험 이전에 일어난다. 정서는 연관된 신체적 반응에 대한 지각에 불과하다. 신체가 반응하지 않거나 뇌가 그 반응을 지각하지 못하는 경우에는 정서가 유발되지 않는다. 신체적 반응을 지각함으로써 비로소 자기 자신이 분노하는 것인지, 두려워하는 것인지, 싫증난 것인지, 행복한 것인지 등의 정서를 느끼게 된다. 예를 들면, 도망가기 때문에 두려운 것이고, 공격하기 때문에 화가 나는 것이다.

`관련어` 캐넌－바드 이론

제지기법
[制止技法, restraining]

내담자의 긍정적인 변화가 너무 빨리 일어나지 않도록 제지함으로써 오히려 변화를 증가시키는 역설적 개입의 하나. `전략적 가족치료`

가족구성원들과 내담자의 변화가 너무 빨리 일어날 때 치료자가 천천히 변화되도록 요구하는 역설적인 지시를 하는 것이다. 이러한 지시를 받은 가족구성원은 오히려 치료자에게 반발하여 긍정적인 변화가 증가하거나 자신들의 문제를 새로운 시각에서 보는 기회를 얻는다. 제지기법은 내담자가 가족의 변화에 저항할 것을 예견하여 시작된 변화를 더욱 견고하게 할 목적으로 사용되는데, 치료자에게 변화하는 태도를 제지받은 가족들은 오히려 변화를 더욱 원하는 역반응을 하게 됨으로써 치료효과를 얻는 결과가 나타난다.

제한의 ACT 단계
[制限 – 段階, ACT stage of the limiting]

놀이치료실에서 허용될 수 없는 행동이 어떠한 것들인지에 대해 실행하는 치료적 제한설정과정. 놀이치료

제한의 ACT 단계는 아동에게 놀이치료와 일상생활에서 수용될 수 있고 수용될 수 없는 행동에 대한 명백한 제한을 설정하는 과정을 의미한다. 아동은 놀이치료자가 망설이거나 주저하는 태도로 제한하는 것을 쉽게 수용하지 않기 때문에 제한을 할 때는 친밀하지만 단호한 태도로 진술해야 한다. 또 제한은 아동에게 분노의 유발을 최소화하는 태도로 제시되어야 한다. 제한의 ACT 단계는 총 5단계로 구성되어 있다. 우선 1단계는 아동의 감정, 바람, 소망을 인정하는 것(Acknowledge the child's feeling, wishes, and the wants)이다. 이 단계에서 실행되는 아동의 감정이나 원망에 대한 이해를 언어화하는 것은 아동의 동기를 수용하고 있다는 것을 전한다는 의미다. 여기서는 아동이 놀이를 통하여 표현된 감정을 가지고 있고 이러한 감정들은 수용 가능하다는 사실을 인식하는 단계이기 때문에 중요하게 여겨진다. 2단계는 제한을 전달하는(Communicate the limit) 것이다. 제한을 설정할 때는 침착하고 인내심 있게, 있는 그대로 확고하게, 구체적으로 정확히 무엇을 제한하는지 분명히 해야 한다. 서둘러서 급하게 설정한 제한은 치료자의 불안과 아동에 대한 신뢰의 부족을 드러낸다. 치료자의 반응이 정말 아동이 책임 있게 반응할 것이라는 신뢰와 믿음에서 나온 것이라면 치료자는 침착하게 반응할 것이다. 놀이치료자는 때때로 이 단계를 순서대로 지킬 수 없는 상황에 놓이기도 한다. 예를 들면, 아동이 슈퍼히어로로 흉내를 내면서 뛰어내리려고 한다거나

무거운 물건을 창문에 던지려는 등의 긴박한 상황에서는 단계가 바뀔 수도 있다. 3단계는 수용 가능한 대안을 제시하는(Target acceptable alternatives) 것이다. 이 단계에서는 아동이 하려는 원래 행동 대신 할 수 있는 대안을 제시해 준다. 아동에게 여러 가지 대안을 제시함으로써 아동 자신이 느끼는 것을 한 가지 방법만이 아니라 여러 가지 방법으로 표현하는 경험을 할 수 있도록 만들어 주는 것이다. 4단계는 마지막 선택을 언급하는(State final choice) 것이다. 이 단계에서는 아동에게 긍정적인 마지막 선택을 제시한다. 그리고 분명하게 아동이 선택했고 선택의 결과로 어떤 일이 일어나든지 그것은 아동의 선택에 따른 것임을 이해하도록 주의 깊게 설명해야 한다. 마지막 5단계는 선택에 대한 책임을 지도록 하는(Follow through with the choice) 것이다. 선택권을 가진 아동은 그 선택의 결과가 자신의 행동과 관련된다는 것을 깨달아야 한다. 따라서 아동이 자신의 행동을 선택하면 놀이치료자는 아동의 선택을 따라야 하고, 그것이 실행되는지 보아야 한다.

관련어 놀이치료

제한하기
[制限 –, limiting]

놀이치료에서 치료상황을 실제 세계와 연결시키고 아동이 그 관계에서의 책임을 깨닫도록 실시하는 기법. 놀이치료

제한은 놀이치료상황에서 내담자의 행동이나 언어적 표현에 중재적 역할을 하는 치료자의 개입행동이다. 이 기법은 치료자의 공감과 수용적 태도를 지속하고, 안정성을 갖도록 하기 위한 것이며, 아동의 자기통제를 강화하고 사회적 책임을 갖도록 하는 것이 목적이다. 놀이치료에서 제한해야 할 상황은 자기 자신, 치료자, 다른 친구에게 신체적 공격을 하거나 놀이환경 또는 놀이도구를 파괴하거나 놀이환경에서 장난감이나 놀이도구를 가져가는 경우나

회기가 끝난 이후에도 머물러 있는 경우 등이다. 제한을 실행하는 대안적 방법은 먼저 아동의 감정과 욕구를 인정해 준다. 그리고 비판적 언어가 아닌 수동적 · 수용적 언어를 사용하여 설명하고, 더 인정받을 수 있는 행동을 제시해 준다. 이때 아동의 적대감, 분노, 짜증 등의 감정은 표현하도록 도와주는 것이 필요하다. 개인 및 집단치료에서 제한을 사용하는 여섯 가지 원리는 다음과 같다. 첫째, 제한은 상징적 경로를 통하여 정화되도록 한다. 둘째, 제한은 치료자가 치료하는 동안에 아동을 수용, 공감, 존중하는 태도를 유지하게 해 준다. 셋째, 제한은 놀이치료실에서 아동과 교사의 신체적 안전을 보장해 준다. 넷째, 제한은 자아조절을 강하게 해 준다. 다섯째, 어떤 제한은 사회적으로 수용받기 위해 만들어진다. 여섯째, 어떤 제한은 경제적인 이유로 설정된다.

관련어 제한의 ACT 단계

조건강화
[條件强化, conditioned reinforcement]

원래는 강화력이 없지만 강화가 되는 자극, 무조건 자극과 짝지어 제공되어 강화력을 발휘할 수 있는 강화자극, 즉 조건자극을 사용해서 대상자별 또한 행동별로 다양한 강화를 동시에 할 수 있고, 즉각적으로 계속 강화할 수 없는 병원이나 교실수업과 같은 상황에서 행동수정을 하는 방법. **행동치료**

그 자체로 강화력이 있는 강화자극은 1차 강화자극, 1차 강화자극과 연합하여 강화력이 생기는 강화자극은 2차 강화자극이라 한다. 조건강화는 토큰강화처럼 일관성 있는 규칙에 따라 1차 강화자극으로 교환되지 않으며 행동수정 대상자가 수집하기 어려운 종류까지 포함된다는 면에서 토큰강화와 완전히 동일한 것은 아니다. 조건강화는 칭찬이나 미소 같은 사회적 강화의 경우에도 적용된다. 칭찬이나 미소는 어린 시절부터 바람직한 행동을 하면 부모가 칭찬이나 미소와 함께 놀아 주고 장난감을 주거나

맛있는 음식을 주는 등 1차 강화자극과 연합이 되어 어른이 된 다음에도 강화력이 유지되는 또 다른 조건강화자극이다. 조건강화가 효과적이기 위해서는 조건강화자극이 사전에 행동수정 대상자에게 1차 강화자극과 연합되어 강화력을 가져야 한다. 예를 들어, 칭찬은 우리 사회에서 대부분의 사람에게 강화력을 가지지만 칭찬이 강화로 작용할 수 없는 사람에게는 칭찬과 1차 강화자극을 짝지어 제공하는 조건강화계획은 큰 효과를 기대하기 어렵다. 토큰의 효력에 영향을 주는 요인으로는 토큰과 교환해서 제공받는 후속강화자극의 강화력, 후속강화자극의 다양성, 후속강화자극을 주는 계획 등이 있다. 후속자극의 강화력은 개인에 따라, 또 상황에 따라 다르다는 점을 고려해야 한다. 예를 들어, 대상자에게 초콜릿이 효과적이었지만 충치로 치과치료를 받기 시작한 다음부터는 초콜릿의 강화력은 달라진다. 이런 점을 고려할 때 후속강화자극은 다양해야 큰 도움이 된다. 후속강화자극을 제공하는 계획은 기본적으로 처음에는 바람직한 행동을 할 때마다 매번 강화를 주어야 효과적이지만 행동이 어느 정도 형성된 후에는 간헐강화가 되도록 계획하는 것이 더 효과적이다.

조건부 암시
[條件附暗示, contingent suggestions]

최면치료에서 확실한 근거나 관련 없는 내용을 인과관계인 것처럼 연결한 암시기법. **최면치료**

에릭슨 최면치료기법 중 연결짓기의 하나다. 예를 들어, "당신의 의식이 혼란스러울수록 당신의 무의식은 당신이 최면에 들어가는 데 더 큰 도움을 줄 것입니다."라는 암시문을 들 수 있다. 이러한 치료자의 표현은 내담자에게 의식이 혼란스러운 것과 무의식이 최면을 돕는 것이 인과관계라고 느끼도록 하여 최면을 유도하는 효과를 볼 수 있다. 최면을

할 때 흔히 사용되는 후최면암시도 조건부 암시의 한 유형이라고 할 수 있다.

관련어 | 에릭슨 최면, 연결짓기, 최면, 후최면암시

조건형성
[條件形成, conditioning]

서로 연관이 없던 자극과 또 다른 자극과 반응의 연합이 학습되는 과정. 행동치료

학습이란 경험의 결과로 행동 잠재력이 변화되는 것을 의미하는데, 조건형성은 이러한 행동변화를 유도하기 위한 실제적인 절차를 기술하는 데 사용하는 구체적 용어. 일반적으로 조건형성학습은 고전적 조건형성학습과 조작적 조건형성학습의 두 가지 유형으로 구분한다. 먼저, 파블로프(Pavlov)의 학습이론은 대표적인 고전적 조건형성학습에 속하는데, 조건형성이 이루어지는 과정과 절차는 다음과 같다. 첫째, 음식과 같은 자극을 유기체에게 제시하면 타액분비와 같은 자연적이고 자율적인 반응이 유발된다. 이와 같이 자연적 반응의 원인이 되는 자극을 무조건 자극이라고 하는데, 이 경우에는 음식이 무조건 자극에 해당한다. 무조건 자극에 대한 자연적이고 자율적인 반응을 무조건 반응이라고 하는데, 이 경우에는 타액분비가 무조건 반응에 해당한다. 둘째, 종소리와 같은 중립적 자극을 무조건 자극을 제시하기 바로 직전에 유기체에게 제시한다. 셋째, 중립적 자극을 항상 무조건 자극에 선행하여 여러 번 짝지어 제시하면, 그 후 종소리만 제시해도 유기체는 타액을 분비하게 된다. 이때 중립적 자극이었던 종소리는 조건자극이 되고, 이러한 조건자극에 대한 타액분비반응은 조건반응이 된다. 이처럼 음식과 같은 무조건 자극에 대한 타액분비반응이 종소리와 같은 조건자극으로도 동일하게 유발되는 것이다. 고전적 조건형성 학습에서는 전체적인 조건형성이 무조건자극에 달려 있기 때문에 무조건자극

을 일종의 강화물로 보며, 강화물에 대한 통제력은 유기체가 아닌 실험자가 갖는다. 고전적 조건형성에서는 조작적 조건형성에서와 달리 강화물이 유기체의 외현적 반응과 유관되지 않는다. 한편, 스키너(Skinner)의 학습이론은 대표적인 조작적 조건형성학습에 속한다. 조작적 조건형성에서는 유기체가 강화물을 받기 전에 어떤 식으로든 반응행위가 선행되어야 한다. 고전적 조건형성에서와 달리 강화물은 유기체의 반응과 유관된다. 만약 유기체가 실험자가 바라는 행동을 하지 않으면 강화물을 받지 못한다. 조작적 조건형성에서 유기체의 반응은 그가 원하는 어떤 것, 즉 보상을 얻기 위한 도구에 해당되며 강화물을 얻기 위해 환경을 조작하는 것이라고 볼 수 있다. 이러한 의미에서 조작적 조건형성 혹은 도구적 조건형성이라고 한다. 조작적 조건형성과정의 대표적인 경우는 스키너 상자 실험이다. 이것은 전기가 통하는 살창마루가 있는 플라스틱 상자로, 그 안에는 지렛대가 있어서 그것을 누르면 상자 안의 동물에게 먹이가 제공된다. 실험자가 스키너 상자 안에 배고픈 쥐를 넣는다. 쥐는 상자 안을 돌아다니며 탐색하다가 지렛대를 발견하고 마침내 그 지렛대를 눌러 이어서 먹이를 얻는다. 이제 쥐는 지렛대를 누르는 행동과 먹이를 서로 결합시키게 되며, 따라서 그 후 지렛대를 누르는 반응비율이 증가한다. 이때 지렛대를 누르는 행동은 조건형성된 반응이며 먹이는 강화물로 작용한다. 실험자의 관점에서 보면, 고전적 조건형성과 조작적 조건형성 간의 구별은 단순하다. 고전적 조건형성에서처럼 음식과 같은 자극이 자극에 뒤따르는가 아니면 조작적 조건형성에서처럼 음식과 같은 자극이 반응에 뒤따르는가다. 탈조건형성(deconditioning)은 이미 조건형성된 특정 자극에 대한 정서를 각각의 자극으로 분리시키는 것이다. 탈조건형성은 행동수정기법에 자주 적용된다.

관련어 | 고전적 조건형성, 도구적 조건형성, 조작적 조건형성

조건형성학습
[條件形成學習, conditioning learning]

행동수정을 위해 조건형성의 실제적 절차를 적용하는 학습.
`행동치료`

⇨ '조건형성' 참조.

조기특수교육
[早期特殊敎育,
early childhood special education]

특정 영역에서 대부분의 유아와는 다른 유아의 개별적인 필요
를 충족시키기 위해서 특별히 고안된 교수. `특수아상담`

조기특수교육이란 용어는 현재 유아 특수교육,
특수아 조기교육, 조기중재, 조기개입 등으로 다양
하게 사용되고 있다. 일반적으로는 3~5세 취학 전
장애 유아를 위한 교육을 의미하며, 조기개입(early
intervention)은 0~2세 장애 신생아와 영아를 위한
포괄적인 서비스를 의미하는 용어로 사용되고 있
다. 여기서 말하는 개입은 장애나 발달지체의 방향
이나 결과를 교정하기 위한 목적으로 어린 아동과
그 가족의 삶을 간섭하는 과정이다. 우리나라에서
는 조기개입을 조기중재라고도 하는데, 일반 특수
교육에서 중재라는 용어가 교수의 의미로 폭넓게
사용되는 점을 고려해서 조기교육에서는 조기중재
보다는 조기개입이 더 적절한 것으로 보아 선호되
고 있다.

[관련어] 유아 특수교육, 조기개입, 조기중재, 특수아 조기교육

조력
[助力, helping]

스스로 해결하지 못한 문제를 해결하거나, 정서적 어려움에서
벗어나도록 하거나, 성숙을 촉진하는 데 필요한 도움을 주는
활동. `개인상담`

상담에서 조력이란 내담자의 자기탐색, 자기이

해, 자기실현 등의 내적 성장을 촉진하고 돕는 일이
다. 상담과정에서 상담자는 내담자와 조력관계를
유지하는 것이 보다 효과적인 상담결과를 이끌어
내는 데 도움이 된다. 그러나 상담자는 조력자, 내
담자는 피조력자라는 인식보다는 함께 만들어 가는
팀의 구성원으로 생각하고 서로의 반응에 적극적으
로 응대하며 상호작용하는 것이 변화의 힘이다. 이
러한 점을 강조한 학자는 칼크허프(Carkhuff)로서 그
는 이 같은 상담의 관계를 '조력적 인간관계'라고 하
였다. 조력과정은 관계형성, 참여, 반응하기, 자기
탐색, 의식화, 자기이해, 실행화의 단계를 거친다.
자세히 살펴보면, 관계는 경청하기, 관찰하기, 관심
기울이기, 공감하기, 시선 맞추기 등의 비언어적 의
사소통으로 형성된다. 의식화는 내담자의 문제, 의
미, 상담목표 등을 확인하는 것이다. 반응하기는 조
력자가 존경, 온정, 이해, 공감, 수용 등을 구체적이
고 명확하게 피조력자에게 전달하는 것이다. 이러
한 반응은 피조력자가 자기탐색을 촉진하고, 자신
의 내면을 깊이 통찰하도록 해 준다. 실행화는 피조
력자가 통찰로 자신의 문제를 인식하고 그것을 해
결하기 위해 행동으로 옮기는 것을 말하는데, 이때
상담자는 내담자가 행동목표를 수립하고 실행해 나
가도록 돕는 것이다. 조력자는 진술하고, 피조력자
의 경험과 관련된 자기노출과 함께 나누려고 하는
마음으로 구체적이고 명확한 문제해결과 행동계획
을 설정하도록 내담자를 도와준다. 이 과정에서 조
력자는 피조력자의 언행에 불일치가 보이면 그것을
지적하여 직면시키는 것도 필요하다. 이렇게 조력
적 관계를 통해 개인의 변화와 성장을 촉진하는 활
동으로는 또래상담(peer counseling), 참만남집단
(encounter group) 등을 들 수 있다. 그리고 조력의
한 유형으로 자기조력(self-helping)이 있다. 이는
어려움에 처하거나 문제를 해결하고자 할 경우에
다른 사람이나 전문가의 도움 없이 스스로 해결하
거나 비전문가의 도움으로 해결해 나가는 과정을
말한다. 자기조력적 집단의 대표적인 예는 알코올

중독자 모임(alcoholic anonymous: AA)과 통합집단(integrity group: IG)이다. 통합집단은 소외된 인간성을 회복하기 위해 1950년대에 미국의 마우라(Mowrer) 등이 일리노이에서 만든 집단이다. IG 활동의 3대 원리는 정직, 책임, 상호 관심과 관여다. 이 집단이 구성원의 이탈 없이 오랫동안 유지된 데에는 다음과 같은 규칙이 있기 때문이다. 첫째, 고정적 지도자를 만들지 않는다. 둘째, 주제를 고정하지 않고 자유롭게 한다. 셋째, 집단 참여를 강요하거나 제한하지 않는다. 넷째, 자발적으로 활동에 참여하도록 자율성을 준다.

관련어 | 또래상담, 알코올중독자 모임, 참만남집단

조루증
[早漏症, premature ejaculation]

남성이 지속적으로 작은 성적 자극에도 오르가즘을 느끼며 삽입하기 전, 또는 삽입 후 얼마 안 되어 자신의 의지와 달리 사정을 하게 되는 상태. **성상담**

DSM-IV에 따르면, 조루증은 질 내 삽입이 일어나지도 않은 상태거나 삽입 당시 혹은 삽입 직후에 약간의 자극으로도 자신은 원하지 않은 상황에서 사정이 일어나는 현상이 지속적·반복적으로 일어나는 것이다. 이는 자신의 의지대로 사정을 조절하지도 못하는 상태에서 배우자도 오르가즘을 느끼지 못할 만큼 단시간에 사정을 해 버리는 경우에 해당한다. DSM-5에서는 파트너와의 성행위 중 거의 모든 경우에서 성행위 시작 1분 이내 사정을 원하는 시점보다 이전에 사정이 일어나고, 6개월 이상 문제의 지속을 보이며, 심각한 고통이나 손상이 있는 경우 조루증으로 진단된다. 조루를 경험하는 남성은 성적 상대자를 만족시키지 못했다는 좌절감과 이 상태가 지속될 것이라는 두려움, 수치심 등을 느낄 수 있고, 이 같은 심리적 압박감은 조루증을 더욱 악화시킨다. 조루증의 원인은 신경계 장애, 성기병변, 내분비선 장애, 정신적 장애 등으로 나누어 볼 수 있다. 일차적 조루증이 있고 성교 시 전혀 조절이 불가능한 상태라면 심리적 원인으로 보고, 이전에 통제경험이 있었으나 이차적 조루증이 나타난 것이라면 의약품이나 생리적인 문제에서 원인을 찾을 수 있다. 권력투쟁, 무의식적 분노, 낮은 자존감, 성적 상대자와의 관계악화, 성 관련 지식 부족 등의 심리적 원인도 조루의 이유가 될 수 있다. 조루증의 치료에는 감각 집중훈련과 압박기법이 사용된다. 성적 상대자가 되는 여성에게 남성의 발기가 충분히 일어날 수 있도록 돕게 하고, 엄지손가락을 귀두에 두고 검지를 바로 붙여 귀두 측면에 둔 다음 성기에 즉각적 압박을 가하도록 하면서 사정의 충동을 효과적으로 둔화시키는 훈련을 한다. 그런 다음 여성 상위 체위로 두세 번의 발기를 유도하고, 여성이 남근을 자신의 질에 삽입하고 동작을 멈춘 채 그대로 정지한다. 이때 남성이 사정충동을 느끼면 여성이 다시 압박기법으로 돌아간다. 그런 다음 여성이 위협적이지 않을 정도의 낮은 수준으로 질 내 삽입을 다시 시도한다. 남성의 사정통제 정도가 개선되는 단계에 따라서 여성이 보다 격렬하게 삽입을 시도할 수 있다. 이외에 전립선 비대증에 주로 사용되는 알파차단제가 일정 부분 효과가 있다는 견해도 있고, 성행위 한 시간 전 복용하는 다폭세틴(dapoxetine)과 같은 약물을 사용하기도 한다.

조발성 치매
[早發性癡呆, dementia praecox]

크레플린(Kraepelin, 1899)이 처음 사용한 진단명으로, 정신분열병(schizophrenia)의 옛 명칭. **이상심리**

정신분열병은 사고체계와 감정반응의 전반적인 장애로 인해 통합적인 정상 사고를 하지 못하는 일종의 만성 사고장애다. 일반적인 증상으로 외부현실을 제대로 인식하지 못하여 부조화된 환각, 망상,

환영, 환청 등을 경험하고 대인관계에서 지나친 긴장감 혹은 타인의 시각에 대한 무관심, 기이한 행동을 보인다. 이로 인해 사회활동과 가족관계를 악화시키는 대표적인 정신질환이다. 주요 원인으로는 신경전달물질의 균형 이상, 대뇌의 구조 및 기능 이상, 유전적 소인, 비이상적인 신경증식, 환경적·사회문화적인 요인 등으로 알려져 있다. 정신분열병이 부정적 편견을 가져오기 때문에 이 병을 조현병(調絃病)이라 일컫기도 한다. 크레펠린은 처음으로 정신분열병을 하나의 독립적인 장애로 기술한 연구자다. 그는 이 질환이 회복되지 못할 것이라고 믿었으나 그가 연구한 127사례 중 16사례는 완전히 회복하였다. 그리고 지금과 달리 환자의 개인 생활사와 성격 등의 심리적 측면과 질환의 과거력 등에는 관심을 두지 않고 현미경과 시험관을 이용하여 질병을 객관적으로 연구하고자 하였다. 그는 정신분열병이 청소년기에 발병되기 때문에 조발성 치매라 하였고, 인지기능이 퇴화되는 기질적 장애로 보았다.

관련어 │ 정신분열병

조사연구
[調査研究, survey research]
어떤 사건이나 현상을 파악하여 있는 사실대로 기술하고 해석하는 연구. 연구방법

조사연구는 기술적 연구의 한 방법으로 내담자를 바르게 이해하고 그들을 효과적으로 지도하고 상담하려면 내담자와 관련된 제반 특성과 현상을 정확하게 파악해야 하기 때문에 상담분야에서 가장 널리 사용하는 연구방법이다. 조사연구를 하는 연구자는 자신이 관심을 가지고 있는 어떤 사건이나 현상에 대하여 아무런 통제를 가하지 않고 자연적인 상황에서 그것을 조사하여 정확하게 기술하는 것을 연구의 목적으로 삼는다. 그리고 어떤 사건이나 현

상에 관련된 여러 변인 간의 관계를 파악하고 분석하는 것도 조사연구의 주요한 기능이다. 이 같은 조사연구에서는 모집단을 대표할 수 있는 일부 대상만 뽑아서 하는 표본조사를 하는 경우가 많다. 조사연구는 조사의 목적에 따라 사실 발견을 위한 조사, 가설검증을 위한 조사, 규준작성을 위한 조사로 구분할 수 있고, 자료수집의 방법에 따라 질문지 조사, 면접조사, 전화조사, 우편조사, 인터넷 조사, 이메일 조사 등으로 구분할 수 있으며, 또한 조사의 내용에 따라 사회조사, 여론조사, 학교조사 등으로 구분할 수도 있다. 조사연구의 절차는 조사내용이나 조사대상에 따라 다를 수 있지만, 일반적으로 다음과 같은 단계를 거치면서 진행된다(이종승, 2009). 첫째, 조사의 목적과 내용을 명확히 한다. 조사결과가 어디에 어떻게 사용될 것인지 우선 생각해야 한다. 조사의 목적이 뚜렷하게 설정되면 그다음 그 목적을 달성하기 위하여 조사할 내용이 무엇인지, 즉 조사의 영역과 범위를 결정하고 구체적으로 어떤 항목을 조사해야 하는지를 결정한다. 둘째, 조사계획을 수립한다. 조사계획 속에는 조사방법, 조사대상, 조사일정, 결과분석 등에 관한 세부사항이 포함되어야 한다. 표본조사를 하는 경우 모집단을 명확히 규정하고 적절한 표집계획을 수립한다. 또한 어떤 방법으로 자료를 수집하여 분석할 것인지를 결정하고 필요한 조사도구를 선정하거나 제작한다. 조사에 소요되는 경비와 시간을 계산하고 알맞게 조사일정을 짜 놓는다. 그리고 조사자나 면접자를 고용하는 경우에는 조사업무를 잘 수행할 수 있는 사람을 뽑아서 조사 내용이나 방법에 관하여 사전에 훈련시킨다. 셋째, 조사계획에 따라 실제로 조사를 실시한다. 표본조사의 경우에는 표집 계획에 따라 모집단을 잘 대표할 수 있는 표본을 선정한다. 조사연구에서 가장 흔히 사용하는 방법은 질문지법(questionnaire)이다. 이 방법은 연구자가 직접 응답자에게 질문지를 배부하고 그 자리에서 질문지를 회수할 때는 별 문제가 없지만, 질문지를 우송하여 반응을 구하는

경우에는 회수율이 문제될 때가 많다. 연구의 계획 단계에서는 대표적인 표본이 되도록 응답자를 무선적으로 잘 뽑아서 우송했지만 회수율이 너무 적거나 성의 있는 사람들만 질문지에 응답하여 회송한다면 자료의 편파성 문제가 나타난다. 따라서 회수율을 높이는 데 신경을 써야 한다. 대규모 조사연구를 할 때는 본조사에 앞서 간단한 예비조사를 실시하여 문제점이 있는지 사전에 점검하는 것이 바람직하다. 넷째, 자료를 정리하고 분석한다. 수집한 자료 중에서 부실하게 응답하였거나 잘못된 것은 제외하고 적합한 자료만을 분석대상으로 삼는다. 자료의 정리작업이 끝나면 컴퓨터를 이용한 분석이 가능하도록 자료를 적절하게 코딩(coding), 입력시킨 다음 통계적 분석에 들어간다. 조사연구의 자료분석은 대체로 기술통계에 의한 것이 대부분이다. 조사항목별 응답빈도와 백분율을 산출하여 표를 작성하고, 필요하면 그래프를 만들어 함께 제시할 수도 있다. 집단 간 비교를 위해서는 교차분석을 하여 그 결과를 도표로 제시한다. 다섯째, 조사결과를 보고한다. 자료분석을 끝마친 다음에는 얻은 결과를 토대로 애초의 조사목적에 맞게 조사보고서를 작성한다. 보고서에는 조사결과뿐만 아니라 연구목적, 연구문제, 연구방법 등을 모두 기술해야 한다. 조사연구에서의 질문은 응답형식에 따라 폐쇄형 질문(closed-ended question)과 개방형 질문(open-ended question)으로 분류된다. 전자는 미리 반응이 나올 만한 여러 개의 선택지를 제시하고 그중에서 선택하도록 하거나 서열을 매기도록 하는 문항형식이고, 후자는 응답자가 주어진 질문에 대하여 비교적 자유롭게 반응할 수 있도록 만든 문항형식이다. 질문에 사용하는 용어는 명확해야 하며, 부정확한 낱말이나 모호한 표현은 피하여 응답자가 정확하게 질문 내용을 파악할 수 있도록 해야 한다. 하나의 문항에는 하나의 질문만 하도록 하고, 질문의 수가 많으면 성실한 응답을 얻기 힘들 뿐만 아니라 결과를 처리하는 데도 많은 시간과 노력이 들기 때문에

중요하고 꼭 필요한 내용만 묻는다. 또한 응답자를 난처하게 만들거나 감정을 상하게 하는 질문은 피하는 것이 좋다. 좋은 질문을 만들기 위해서는 일차로 작성한 질문을 가지고 예비실시과정을 거치는 것이 필요하다. 이를 통하여 질문 가운데 응답자가 이해하지 못하는 용어나 적절하지 못한 표현은 없는지, 반응하기 곤란한 문항은 없는지, 실시절차상의 문제는 무엇인지 등을 사전에 탐지해 낼 수 있다.

관련어 기술적 연구

조성
[造成, shaping]

행동수정에서 목표행동이 너무 복잡하여 개인의 행동목록에 없을 때, 이러한 목표행동에 접근하는 하위반응을 강화함으로써 새로운 행동을 가르치는 것. 행동치료

처음에는 서툴고 투박한 행동에서부터 단계적으로 차근차근 학습하여 정교한 기술을 갖는 절차가 조성이다. 조형 또는 행동형성이라고도 부른다. 돌고래나 원숭이가 재주를 부리는 행동, 서커스 단원이 보이는 절묘한 행동기술 등은 대체로 행동조성법으로 학습한 것이다. 조성법은 조형법, 계기적 근사법으로 불리기도 한다. 복잡한 행동이나 기술은 형성시키기 원하는 바람직한 행동의 마지막 형태를 닮은 세부행동부터 차례로 강화가 주어져서 체계적으로 학습될 수 있다. 조성법을 적용하려고 할 때 강화하려고 하는 바람직한 행동의 발생빈도가 극히 낮거나 전혀 나타나지 않을 경우에 반응이 일어나도록 하는 방법으로 행동유도가 있다. 행동유도의 방법으로는 점진적 접근, 언어촉진, 신체적 유도가 있다. 점진적 접근은 행동조성의 방법을 의미하는 것으로, 현존하는 행동 중에서 목표행동에 가장 가까운 행동을 표적행동으로 선택한 다음 점진적인 단계를 거쳐 강화시켜 나가는 방법이다. 이 접근법

의 첫 단계에서는 강화를 받는 조건을 가능한 한 낮게 잡아서 그 행동이 목표행동과 거리가 멀더라도 강화를 해 주는 것이 좋다. 언어촉진방법은 언어촉구라고도 하는데, 언제 어떻게 행동을 하도록 언어로 지시하는 것이다. 언어로 지시하여 그 행동을 하면 강화한다. 언어지시를 따를 수 없는 경우에는 제스처 등의 비언어적 지시를 사용한다. 신체적 유도는 비언어적 지시와 유사한 것으로서 행동수정 대상자를 움직이게 해서 반응을 유도한다. 주로 운동선수 혹은 악기연주자에 대한 지도나 특정 행동을 전혀 하지 못하는 장애 아동에게 사용하는 방법이다.

조시모스의 환영
[-幻影, the visions of Zosimos]

융(C. G. Jung)이 심리치료를 성공적으로 수행하기 위해서는 연금술에서 사용되는 상징이 중요하다는 것을 강조한 것으로, 조시모스가 연금술에서 사용되는 상징으로서 난쟁이의 꿈에 대한 내용을 다룬 논문. 분석심리학

융은 1967년에 미국 예일대학교에 초청되어 '심리학과 종교'를 강연했고, 논문 「조시모스의 환영」을 발표하였다. 그는 자신의 견해, 특히 종교와 심리학의 관계에 대한 견해를 발전시키는 데 여생을 바쳤다. 그는 심리치료자가 치료를 성공적으로 수행하기 위해서는 옛 거장들의 작품을 잘 알아야 한다고 생각하였다. 자신의 경험에서 새로운 심리치료법을 개발하고 이를 이론화했으며, 또한 이른바 연금술의 전통에 새롭게 중요성을 부과하기도 하였다. 그는 그리스도교를 의식의 발달에 필요한 역사적 과정의 한 부분이라고 생각했지만, 그노시스파에서 시작해 연금술에 이르는 이교도 운동을 그리스도교의 다양한 형태 속에서 적절히 표현되지 못한 무의식의 원형적 요소들이 표현된 것으로 보았다. 특히 현대의 꿈이나 환상에도 연금술에서와 같은 상징이 나타나는 사실을 발견하고 깊은 감명을 받았으며, 연금술사들이 집단무의식에 대한 일종의 교과

서를 만들었다고 생각하였다. 그는 4권으로 된 전집에 『금꽃의 비밀』 『조시모스의 환영』 『영혼 인도자로서의 파라셀수스』 『영혼의 메르크리우스』의 내용을 실었다. 이 중 『조시모스의 환영』은 대개 조시모스가 연금술에서 사용되는 상징으로서 난쟁이의 꿈에 대한 내용을 다룬 것으로 내용은 다음과 같다. "그리스도교 미사의 상징에 대한 그리스도교 이전의 선행사례는 연금술사 조시모스의 꿈 환영에서 살펴볼 수 있다. 제물전례에 대한 많은 암시는 제사장 히에류스(Hiereus)와 희생자 히에루르곤(Hierourgon)의 환상에서 찾아볼 수 있고, 성직자는 의식적 신체 절단, 재단에서 불을 태우는 등 많은 고문을 임의적으로 허가하였다. 이러한 고문행위 때문에 제사장은 변질되었다. 희생과 재물을 수반하는 환상은 전반적으로 동일했고, 통일성은 연금술 사고의 기본 주제가 되었으며, 다른 연금술의 전설에서는 다른 방식으로 상징화되는 것을 발견할 수 있었다. 이 같은 상징적 구분에서 변질과 새로움의 재결합, 더욱 완벽한 외양은 희생의 상징인 검에서 발견되었고, 삶에서 죽이고 쟁취하는 그리스도교의 전통이 되었다. 신의 계시로 잘린 머리는 고대 이교도나 현대 불교를 나타낸다. 이러한 꿈 환상에서의 무의식적 기원과 연금술의 종교적 상징구조는 강조되었다. 그러나 고대 무의식적 정신과정의 사고는 아직까지 명료화되지 않았다. 환상은 고대 이론가들이 그들 자신의 심리상태보다 자연적 힘과 영혼으로부터 발생하였다고 보았다."(Jung, 1967).

관련어 | 연금술

조언하기
[助言-, advice giving]

특정 상황에서 해야 할 것에 대해 정보를 주거나 충고해 주는 것. 개인상담

1930년대에 윌리엄슨(E. G. Williamson)이 창안

한 것으로서 지시적 상담의 주요 기법에 속한다. 이는 내담자가 할 수 있는 가장 바람직한 선택, 행동, 계획 등에 대한 견해를 솔직하게 표현하는 것이다. 이 기법을 사용할 경우에는 내담자가 지니고 있는 문제나 개인의 특성을 고려할 것을 강조한다. 즉, 내담자가 고집스럽거나 솔직한 의견을 요구할 경우, 심각한 실패와 좌절을 가져올 것이 확실한 행동이나 계획을 선택할 경우, 파괴적 행동으로부터 내담자를 보호해야 하는 경우, 정신적 외상에 휩싸여 건설적 계획을 세울 수 없는 내담자에게 도움을 주어야 하는 경우 등 위기상황에서 조언하기를 많이 사용한다. 이때 조언하기는 내담자가 자신의 사고, 감정, 행동과 맞닥뜨려 싸울 수 있게 도와준다. 하지만 조언하기는 내담자의 의존을 증가시키고 성장을 방해한다고 강조한 인간중심이론의 로저스(Rogers)가 비판한 이후 오늘날 대부분의 상담 접근법에서는 거의 사용되지 않고 있다.

조울증
[躁鬱症, manic depressive illness]

우울한 기분상태와 고양된 기분상태가 교차되어 나타나는 상태. **이상심리**

자기 자신에 대하여 과대평가하고 자신의 능력보다 더 높은 수준의 일을 시도하며 말이 많고 적은 수면 시간에도 불구하고 피로를 느끼지 않는 조증상태와 흥미나 의욕의 결핍, 슬픔 등을 느끼는 우울상태가 번갈아 나타나는 상태를 말한다. 현재는 이 장애를 양극성장애(bipolar disorder)라 명명하고 있다. 조울증 환자는 울기(鬱期)에서는 슬프고 낙담하여 축 처져 있으며, 활기가 없고 주변에 관해 관심을 나타내지 못하며 즐거움을 잃게 된다. 또한 식욕이 떨어지거나 깊은 잠을 이루지 못한다. 울기에서는 지연성 긴장·행동과다·절망·불안망상 등 흥분상태를 보이거나, 행동이 느려지고 기분이 저하되며 슬

프고 의기소침하며 자기비난·자기경시 경향이 짙은 지체성(遲滯性)으로 나타난다. 조기(躁期)에서는 비정상적으로 강한 흥분, 의기양양함·과대망상·떠들썩함·수다·주의산만·과민상태 등이 나타난다. 조기의 환자는 목소리가 크고 말이 빠르며 계속해 말을 하는데 말의 주제가 빠르게 변화된다. 또 극단적으로 열광적이거나 낙관적이고 자신 있는 태도를 취한다. 매우 사교적이며 어울리기를 좋아하고 몸짓이 많거나 쉴 새 없이 움직이며 과장된 생각과 자만심 등이 조증의 특징이기도 하다. 조증과 울증의 가장 극단적인 특징은 조기에서는 타인에 대한 폭력, 울기에서는 자살이다. 조울증은 또한 망상과 환각 같은 정신질환 증상을 보일 수 있다.

관련어 양극성장애, 우울증, 조증

조음기관구조기능선별검사
[調音器官構造技能選別檢査, Speech Mechanism Screening Test: SMST]

조음 기관 구조 및 기능상의 상태 평가와 진단을 위한 검사. **심리검사**

조음기관 구조 및 기능상의 상태를 평가하고 진단하기 위해 신문자, 김재옥, 이수복, 이소연이 개발한 검사로, 만 18~59세를 대상으로 한다. 성인의 조음기관 구조 및 기능의 문제를 선별하고 구조 및 기능의 정상 범위를 파악하는 데 유용한 검사다. 이 검사를 통해 언어치료사들은 임상현장에서 언어 및 말과 관련된 검사를 시행하기 전에 조음기관의 문제를 평가·진단함으로써 문제의 진전을 예방하고 치료계획을 수립할 수 있으며, 나아가 재평가를 통해 재활이나 치료효과를 검증할 수 있다. 검사는 조음기관의 구조 및 기능, 발성·음성 및 조음 선별, 조음교대운동의 세 영역으로 나누어져 있다. 각 조음기관 분야별로 구조와 기능으로 구분하였으며,

조음에 미치는 영향력의 정도에 따라 문항수를 배치하였다. 하위구성을 살펴보면 다음과 같다. 조음기관의 구조와 기능은 얼굴, 입술, 혀, 턱, 치아, 경구개, 연구개, 인두, 호흡 등 조음기관의 구조 및 기능을 평가한다. 발성·음성 및 조음 선별은 /아/ 모음 최대발성시간(MPT), 이름과 주소 대기의 자발화 및 주어진 문장 읽기를 할 때 음의 높이(pitch), 음의 강도(loudness) 및 음질(voice quality), 말 속도 등을 평가한다. 조음교대운동은 /퍼/ /터/ /커/ /긍/ /아/ /퍼터커/의 각 음절을 5초 동안 빠르고 정확하게 반복 조음하여 1초당 반복횟수, 규칙성 및 조음 정확도를 평가한다.

조음장애
[調音障礙, articulation disorders]
> 혀, 입술, 치아, 입천장 등 조음기관을 통하여 말소리가 만들어지는 과정에서 나타나는 결함. **특수아상담**

음소를 계획하거나 발음하는 과정에서 기질적인 또는 기능적인 결함으로 말소리를 정확하게 조음하지 못하는 아동은 '불명료한' 말을 사용하게 되므로 결국 의사소통의 어려움을 겪는다. 음소를 생략하거나 다른 음소로 대치하거나 같은 음소에서 소리를 왜곡시키는 조음장애 현상들은 순수 조음장애 아동뿐만 아니라 지적장애, 청각장애, 입천장 파열, 뇌성마비 등의 장애인들에게서 중복결함으로 나타나기도 한다. 조음장애를 초래하는 요인은 크게 기질적인(organic) 원인과 기능적인(functional) 원인으로 나누어 볼 수 있다. 기질적인 원인은 아동에게 신체적으로 또는 생리적으로 결함이 있어서 조음에 오류를 보이는 경우이고, 기능적인 원인은 신체적인 결함 없이 음소의 습득이 늦거나 음운체계에 대한 지식이 부족하여, 혹은 습관적으로 잘못된 방법으로 조음하는 경우를 의미한다. 기질적인 원인이 제거되더라도 이미 습관화된 조음 오류가 남아서 기능적인 오류형태로 지속되기도 하기 때문에 기질적인 원인과 기능적인 원인을 완전히 분리하기는 어렵다.

> **관련어** 음운장애

조작적 조건형성
[操作的條件形成, operant conditioning]
> 행동수정의 원리 중 하나로, 행동을 이끌어 내기 위해 행동 후의 자극을 조정하여 바람직한 행동을 통해 바라는 후속자극을 얻음으로써 반응을 강화하는 것. **행동치료**

도구적 조건형성(instrumental conditioning), 작동적 조건형성이라고도 부르는 조작적 조건형성은 행동을 반응행동과 조작행동의 두 가지 유형으로 구분한다. 반응행동은 자극에 의해 야기되는 반사 혹은 자동적 반응을 의미한다. 예를 들어, 밝은 불빛을 받으면 동공이 수축되는 반응이다. 조작행동은 제시되는 자극 없이 자발적으로 방출되는 행동으로 반응에 따르는 사건에 따라 강해지거나 약해진다. 반응행동은 선행사건이 통제하는 반면 조작행동은 그것의 결과가 통제한다. 스키너(Skinner)는 스키너 상자를 통해 조작적 조건형성을 연구하였다. 스키너 상자는 동물행동에 각기 다른 강화가 주는 효과를 연구하기 위해 고안한 기구인데, 여기서 비둘기는 레버를 조작하는 행동으로 먹이를 제공받고 이러한 행동을 바로 조작행동이라 한다. 조작적 조건형성에서는 결과를 산출하기 위해 환경을 조작하는 행위를 강조한다. 조작 행동의 예로는 읽기, 쓰기, 운전하기, 포크 사용하기 등이 있다. 이러한 행동들은 대부분 우리가 일상생활에서 하는 중요한 반응에 해당된다. 행동이 이끌어 낸 환경변화가 강화적일 경우, 즉 유기체에게 어떤 보상을 제공하거나 혐오자극을 제거하면 그 행동이 다시 일어날 가능성이 커지고, 환경변화가 강화를 낳지 못하면 그 행동이 다시 일어날 가능성은 작아진다.

> **관련어** 고전적 조건형성, 스키너

조절
[調節, accommodation]

피아제(J. Piaget)의 인지발달이론의 주요 개념의 하나로, 자신이 가진 기존의 도식이나 인지구조가 새로운 대상이나 사건을 동화하는 데 적합하지 않을 때 그 새로운 대상에 맞도록 이미 가지고 있는 도식이나 구조를 바꾸어 나가는 것. 발달심리

자기의 인지구조에 따라서 환경에 반응하는 과정, 즉 이전에 이미 확립된 도식이나 인지구조의 틀에 의거하여 현재의 대상이나 사건을 해석하고 이해하는 과정인 동화(assimilation)와 반대로 인간이 외계에 작용하는 측면이다. 외계가 인간에게 작용하는 것이 아니라 인간의 자기의 잠재적으로 가지고 있는 기능을 작용시켜서 자기 자신을 여러 가지로 통제하면서 외계에 적응해 가는 것이라고 할 수 있다. 만약에 어떤 사람이 전혀 박쥐에 대해서 알지 못하는데, 박쥐를 보고 다른 사람에게 설명해야 할 때, 그 사람은 새와 같은 것을 보았다고 설명할 것이다. 기존의 인지구조에 맞추어 표현을 한 것이며, 이것이 동화의 과정이다. 옆에서 그 이야기를 듣는 사람이 박쥐에 대해서 설명을 해 준다면, 그 사람은 자신의 인지구조를 변형시켜야 한다. 즉, 지금까지 자신이 알던 포유류의 특성에 '날 수 있다는 것'을 하나 더 첨가시켜서 박쥐에 대하여 더 적절하게 설명할 것이고, 이것이 조절의 과정이다. 동화는 기존의 도식을 사용함으로써 성장(양적 변화)을, 조절은 새로운 어떤 것이 필요할 때 그들의 도식을 수정하고 첨가함으로써 발달(질적 변화)을 담당하고 있어, 이 두 개념은 지적 적응에서 상보적인 관계에 놓여 있다고 볼 수 있으며, 이러한 동화와 조절의 과정을 통해 인간은 복잡해지는 환경에 적응해 나간다.

관련어 | 동화, 인지발달이론

조절
[調節, adjustment]

케스틴버그(Kestenberg)의 동작기법에 속하며, 사람들과의 관계에서 호흡패턴과 신체형태의 유사성을 공유하려는 상담자의 행동. 무용동작치료

조절은 호흡의 리듬을 통제하는 동작의 패턴을 상담자가 복제하는 과정으로, 상담자와 내담자 간의 상호 신뢰를 바탕으로 한다. 상담자는 내담자의 동작을 치료하고 근육의 긴장을 공유함으로써, 감정이입을 통해 내담자의 신체형태를 조절한다. 이러한 조절의 행위는 내담자가 치료과정에 보다 편안하게 적응할 수 있도록 신뢰할 수 있고 예측 가능한 관계를 형성하는 데 도움을 준다. 그러나 상담자가 내담자의 신체형태만 조절하고 그 운동역학을 고려하지 않는다면, 감정의 구조는 조절되지만 감정 자체는 조절되지 않는다. 상담자는 감정이입과 이해를 바탕으로 의사소통하기를 원할 뿐 아니라 지지와 구조, 그리고 확신을 가지고 의사소통해야 한다(Sossin & Loman, 1992). 무용동작치료사는 긴장-흐름 파장 동조와 형태-흐름 조절과 같은 KMP(Kestenberg Movement Profile) 개념을 익힘으로써 자신들의 개입이 효율적인지 또는 비효율적인지를 판단할 수 있다. 다시 말해, 자신의 형태-흐름과 긴장-흐름 동작의 선호도를 잘 알고 있는 무용동작치료사들은 더욱 명확하게 치료과정을 이끈다.

관련어 | 동조, 케스틴버그 동작 프로파일

조정적 음악치료
[調整的音樂治療, Regulative Musik-Therapie, Regulative Music Therapy: RMT]

이완요법, 요가, 선 등의 영향을 받아 심신의 과도한 긴장에서 비롯된 신경증을 해소하는 방법으로 고안된 음악치료. 음악치료

조정적 음악치료는 구동독의 음악치료학자 크리

스토프 슈바베(Christoph Schwabe)가 고안한 방법으로, 수용적 음악치료의 한 지류다. 슈바베는 불안과 같은 신경증은 과도한 긴장에서 비롯된 것으로 보고, 심신에 부정적 영향을 미치고 있는 과도한 긴장의 해소를 목적으로 조정적 음악치료를 생각해 냈다. 조정적 음악치료는 이완, 요가, 선 등에서 영향을 받은 긴장 해소를 위한 기제들을 사용하여 심신에 적재된 과도한 긴장을 해소하는 데 도움을 주고, 수면 및 심혈관계에 관련된 다양한 질환, 위통 및 근육 통증, 자극 감수성, 심신의 불균형, 불안 등을 치료하는 데 효과적이다. 조정적 음악치료사는 우선 개인의 성격, 신체, 기능, 사고, 정서 등을 효율적인 방법으로 관찰하여 구체적인 정보를 모을 수 있도록 내담자들을 도와준다. 이 과정에서 내담자들은 한쪽으로만 기울어져 다른 면을 볼 수 없었기 때문에 발병의 원인이 된 시각에서 벗어나 행동변화를 일으키고, 나아가 보편적인 건강과 자기에 대한 관용(self-tolerance)을 가질 수 있다. 조정적 음악치료에서 음악은 치료를 시작하는 매체로 사용되어, 앞으로 진행될 활동의 단서로 활용된다. 조정적 음악치료는 신경증 치료뿐만 아니라 과도한 긴장에 대처하기 위한 예방적 치료방법으로도 많이 활용되고, 일상의 정서적 소외감을 예방하는 수단이 되기도 한다.

조정하기
[調整 −, manipulating]

가족체계의 역기능적 대화의 형태를 바꾸기 위한 역설적 개입 전략. 전략적 가족치료

역기능적인 가족체계에서 일어나는 의사소통형태에 변화를 주기 위해 사용하는 역설적 개입 중 하나다. 예를 들어, 심하게 서로를 비난하는 부부가 있다고 하자. 그러면 치료자는 이 부부에게 평소보다 두세 배 더 많이 서로를 비난하도록 처방하고, 다른 가족이 있다면 그들이 정말 그렇게 하는지 점검하도록 한다. 이러한 과정을 통하여 이 부부는 자신의 역기능적인 대화패턴을 자각하고, 이것은 곧 변화의 동기를 유발한다.

관련어 | 역설적 개입

조증
[躁症, mania]

기분장애의 유형으로서, 비정상적으로 의기양양하고 과장하거나 과민한 기분상태. 이상심리

기분이 매우 고조되어 있고 말이 많으며 관념이 분열되어 있고 말의 속도가 빠르며 운동이 항진되어 있는 상태를 말한다. 사고와 언어의 비약, 수면과 음식물에 대한 생리적 욕구의 감소, 지나치게 비현실적인 의기양양한 기분과 이로 인한 충동적이고 통제할 수 없는 행동과 주의산만이 나타난다. 그리고 목표 지향적 활동이 증가하거나 흥청망청 물건을 사거나 무분별한 성행위, 어리석은 사업에 투자하는 것과 같이 좋지 못한 결과를 가져오는 감각적이고 쾌락적인 활동에 몰두하는 행동을 보이기도 한다. 이러한 행동들은 사회적, 직업적 기능에 심각한 장애를 초래한다. 이 증상은 5~6세 아동에게 출현하기도 하지만 청소년기에는 조증삽화만 나타나기보다는 조증과 울증이 함께 동반되는 가벼운 양극성장애를 흔히 보인다. 조증삽화는 청소년기나 20대 초반 또는 50세 이후에 발병하기도 하며, 갑자기 시작되고 빠르게 증상이 악화될 수 있다. 50세 이후에 발병할 경우에는 의학적 상태나 물질사용이 원인일 가능성이 있다. 조증은 재발할 가능성이 높고 초발 조증환자의 80%가 재발하며 재발횟수가 증가할수록 조증증상이 심해지고 삽화의 빈도가 길어지며 치료가 어려워진다. 또한 기능적 손상도 증가한다. 조증이 완화된 이후에도 기분상태가 크게 안정되지 않아 증상이 악화되거나 우울증이 나타나는

경우가 있다. 이 증상의 원인은 신경전달물질인 노르에피네프린, 세로토닌, 아세틸콜린, 도파민, 가바 등의 비정상성에서 찾아볼 수 있다. 조증은 정도에 따라 경조증, 급성 조증, 정신착란성 조증으로 분류하고, 깊은 우울의 시기에 조증 증상이 발현되면 조울증, 즉 양극성장애로 진단한다. 이 증상은 극적이고 변화가 심하여 환자나 가족에게 심각한 물질적, 신체적, 정신적 손상을 가져오기 쉽기 때문에 급성기에 조기 치료하는 것이 중요하다. 조증치료의 목표는 급성기 조증 증상의 완화, 재발 방지, 병전 기능을 회복하는 것이다. 조증치료에는 크게 약물치료와 심리사회적 치료가 있다. 경조증 환자는 약물치료가 효과적이지만 정신병 증상을 동반하거나 심한 조증, 빠른 주기 조증, 혼합형은 약물치료의 효과가 미비하다. 조증치료에 사용되는 약물은 리튬, 카바마제핀, 발프로에이트, 클로르프로마진, 클로자핀, 리스페리돈 그리고 신경전달물질인 세로토닌을 증가시키는 약물 등이다. 조증환자의 심리사회적 치료는 환자의 고통을 완화하고 심리사회적 기능을 향상시키고 재발을 예방하는 데 초점을 둔다. 이들은 자신의 행동의 결과에 대해 고통스러워하며 주변인의 편견, 낮은 자존감, 재발에 대한 두려움, 가족이나 동료 등의 사회적 관계형성의 어려움, 직장이나 학교생활의 부적응 등으로 어려움을 겪는다. 이를 위하여 환자와 더불어 가족치료가 필요하다. 예를 들면, 질병에 대한 심리사회적 교육, 의사소통훈련 또는 사회기술훈련, 문제해결 기술훈련 등의 인지행동치료가 도움이 된다. 이러한 치료에 반응을 보이지 않는 환자에게 전기충격치료(electroconvulsive therapy: ECT)가 도움이 되기도 한다.

관련어 기분장애, 양극성장애, 우울증

조직추론
[組織推論, organization corollary]

켈리(G. Kelly)가 제시한 11개의 정교한 추론의 하나로, 사람들은 제각기 사건을 편리하게 예기(豫期)하기 위하여 구성개념 간의 서열관계를 포괄할 수 있는 구성개념체계를 독특하게 발전시킨다는 것. **개인적 구성개념이론**

구성개념들은 서로 대등관계를 유지하거나 통합되기도 하고 때로는 대립하기도 하는데, 대립하는 경우 양자는 상호 모순되는 예견에 도달하므로 내적인 갈등을 야기하기도 한다. 이때에는 상호 모순되거나 대립하는 것을 초월하는 사건의 예기방식을 발전시켜야 한다. 이 같은 갈등을 극복할 수 있는 구성개념체계를 가진 사람들은 제각기 독특한 방식을 가지는데, 이런 과정을 통해서 하나의 구성개념은 다른 구성개념의 상위 구성개념이 되어 한 사람의 심리구조는 상위, 하위 등의 위계적 질서를 가진 조직을 갖춘다. 여기서 상위, 하위 구성개념은 상대적인 의미로 사용되어 그 서열도 수시로 바뀔 수 있기 때문에 항상 고정되어 있는 구성개념체계란 생각할 수 없다.

관련어 개인적 구성개념, 구성개념

조합적 사고
[組合的思考, combinational thinking]

모든 중요한 사실과 개념을 고려할 수 있는 사고능력. **인지치료**

피아제(J. Piaget)는 인간의 인지발달단계를 감각운동기, 전조작기, 구체적 조작기 그리고 형식적 조작기로 구분하였다. 조합적 사고는 그가 제시한 인지발달단계의 형식적 조작기(formal operational stage)에 나타나는 특징 중 하나다. 인지발달의 마지막 단계인 형식적 조작기는 초기 청소년기에 시작된다. 귀납적 추론을 통해 자신이 사고한 내용을 체계화할 수 있을 뿐만 아니라 자신의 생각을 비판적으로 다루어 이에 대한 이론도 수립할 수 있다. 또한 여러 변인을 고려하여 이 이론을 논리적이고 과학적으로 검증할 수 있고, 연역적 추론을 통해 과학적으로 진리를 발견할 수 있다. 피아제에 따르면 형식적 사고는 다섯 가지 구체적인 측면을 지니고 있다. 즉, 생각에 대한 생각을 가능하게 하는 내성, 현실을 넘어선 가능성에 대해 생각하는 추상적 사고, 모든 중요한 사실과 개념을 고려할 수 있는 조합적 사고, 연역법과 귀납법을 사용하여 올바른 결론을 내릴 수 있는 논리적 사고, 그리고 가설을 세우고 다양한 변인을 고려하여 증거를 찾는 가설적 추론이다. 조합적 사고개념은 피아제의 무색 용액 실험 연구에서 잘 드러나 있다. 그는 무색의 용액이 담긴 5개의 병을 피험자들에게 제시하였다. 1번 병에는 유황 용액, 2번 병에는 물, 3번 병에는 산화된 물, 4번 병에는 티오황산염, 5번 병에는 옥화칼륨이 들어 있었다. 그런 다음 피험자들에게 병의 용액을 마음대로 섞어 노란색 용액을 만들어 보도록 하였다. 구체적 조작기의 피험자들은 체계 없이 이 문제를 해결하려고 하였다. 그러나 형식적 조작기의 피험자들은 이 문제를 풀기 위해 보다 체계적인 시도를 하였다. 즉, 한 번에 한 용액씩 다음에는 두 가지 용액을, 그리고 그다음에는 세 가지 용액을 섞는 식으로 체계적인 조합방법을 이용하여 문제를 해결하고자 하였다. 누락된 순열이나 조합이 없는지 면밀히 검토하면서 모든 가능한 조합을 적용하였다. 이와 같이 한 문제에 대해 마치 과학자처럼 모든 가능한 순열이나 조합을 체계적으로 검토할 수 있는 능력을 조합적 사고라고 한다.

관련어 | 형식적 조작기

조화
[調和, harmony]

인간 체계의 각 구성원이 효과적인 의사소통, 상호 돌봄, 그리고 연결된 느낌을 가지고 서로 협력관계를 형성하는 것.
내면가족체계치료

조화로운 체계에서는 각 구성원이 노력하는 정도에 따라서 자신이 원하고 기대하는 가장 적합한 역할을 발견할 수 있다. 사람들은 공동의 비전을 향해 협력하면서 일하지만, 형식과 비전에서 개인적 차이를 존중하고 지지한다. 말하자면, 체계는 각 개인이 체계를 위한 더 큰 비전에 개인적 비전을 맞추려고 노력하면서 자신의 비전을 발견하고 추구하는 것을 인정한다. 이와 같은 분위기에서 사람들은 보다 큰 이익을 위해 자신의 개인적 자원과 목표의 희생을 개의치 않는다. 그들은 자신의 공헌은 물론이고 자신의 개인적 자질에 자부심을 느끼며, 타인의 복지에 관심을 기울인다. 그들은 체계의 구성원들과 나누는 정보에 민감하고 공감적으로 반응하며 원활한 의사소통을 한다.

존 폭스와 시치료연구소
[The Institute for Poetic Medicine and John Fox]

www.poeticmedicine.com **기관**

시는 우리를 움직이고, 우리를 눈뜨게 하며, 깊이 숨 쉬게 하고, 삶을 경험하게 해 준다. 시는 살아 있는 것이며 또한 에너지를 가지고 있다. 사람들은 자신의 삶과 말 속에서 에너지를 발견하고, 목소리에서의 리듬, 그리고 시를 읽음으로써 사람들 몸에서의 감정을 발견한다. 쓰고 듣는 유용한 것, 시의 내면에는 많은 것을 암시하고 있다. 시는 지금 이 순간만을 이야기하는 것이 아니라 과거의 정보를 배달하고, 자신과 인류를 위한 미래의 중요한 단서를 알려 준다. 시는 개인과 모든 사람을 연결시킨다. 이와 같은 생각을 바탕으로 하는 시치료연구소는 비영리조직으로서, 창조적이며 치료적인 시 감상과 창작을 통해서 몸과 마음, 영혼을 치료하는 데 이바지하고 있다. 시치료연구소는 인간 영혼에 잠재된 창조적이고 치료적인 목소리를 일깨울 목적으로 2005년에 설립되었다. 연구소의 설립자인 존 폭스(John Fox)는 유명 시치료사로서, 『Finding What You Didn't Lose: Expressing Your Truth and Creativity through Poem-Making』과 『Poetic Medicine: The Healing Art of Poem-Making』의 저자다. 그는 국제적인 시치료 움직임의 선구자이며, 2003년부터 2005년까지 전미문학치료학회(National Association for Poetry Therapy)의 회장을 역임하였다. 현재 캘리포니아통합연구소(California Institute of Integral Studies), 존 F. 케네디대학교, 초개인심리학연구소(Institute of Transpersonal Psychology), 캘리포니아대학교 산타크루스 캠퍼스, 홀리네임스대학교에 출강하고 있다. 이외에도 그의 연구는 병원, 교회, 명상센터에서 활용되고 있으며, 미국 전 지역과 영국, 아일랜드, 한국, 쿠웨이트, 캐나다에 소개되었고, 필리핀과 그리스, 리투아니아, 페루, 시실리, 프랑스, 일본 등의 문학치료자에게 영향을 미쳤다.

존스가드의 심상치료
[-心像治療,
Johnsgard's imagination therapy]

로이너(H. Leuner)의 KB 심상치료와 드주와이어(Desoille)의 공상치료기법을 행동주의적 치료방식에 접목시킨 심상치료. 심상치료

존스가드의 심상치료는 내담자의 부정적 심상노출에 무게중심을 둔 심상치료로, 내담자가 부정적 심상체험을 경험하고 스스로 자신의 분노 및 부정적 정서문제 등을 통제할 수 있게 되었을 때 내담자가 지닌 문제가 해결될 수 있다는 가설에서 실행된다. 부정적 심상의 체험은 악몽이나 견디기 힘든 과거경험처럼 개인이 지닌 부정적 정서를 수반하는 과거의 부정적 심상에서 출발하지만, 전개과정을 통해서 내담자에게 용기와 생기를 부여하고, 이로 인해 내담자의 정신세계를 확대 형성하여 점진적으로 강하고 긍정적인 정서와 행동, 자신감 등을 회복하는 단계에 이르도록 한다. 존스가드의 심상치료는 심상체험방법에 행동주의적 치료방식을 더하여 부정적 심상구조를 긍정적 심상구조로 재구성한다. 하지만 개인의 부정적 심상에서 출발해야 한다는 부담감이 있기 때문에 매우 신중하게 진행해야 한다. 일단 유도시각심상체험으로 부정적 심상을 환기시켜 부정적 심상을 체험하도록 한 뒤에는 내담자가 부정적 정서에 조금씩 둔감해지고 자신을 깊이 있게 이해하게 된다. 존스가드는 내담자의 긍정적인 행동변화를 유도하기 위해서는 심상작업을 통해서 내담자가 스스로 두려움에 직면하고 인정하는 과정이 있어야 하며, 경우에 따라서는 그 두려움에 맞서서 공격도 감행할 수 있어야 한다고 주장하였다. 예를 들어, 악몽으로 되살아난 자기를 해치려는 낯선 이의 심상이 결국에는 자신의 파괴적 성향이 인격화되어 나타난 것일 뿐이라는 통찰이 일어나는 과정에서 내담자는 자신의 두려움과 분노에 직면할 수 있다. 존스가드의 심상치료에서는 심상에 관한 심층적 의미분석을 중요시하지 않는 대신, 심상 작업을 통한 점진적인 정서 변화를 중요시한다. 여기서는 행동주의적 기법이 활용되기 때문에 내담자의 현실적이고 실제적 문제해결에는 도움이 되는 것이 사실이지만, 깊이 있는 치유효과를 기대하는 데는 한계가 있다는 입장도 있다.

관련어 | KB 심상치료, 공상치료기법, 유도시각심상

존슨 – 미클버스트 시스템
[–, Johnson–Myklebust system]

정신신경학적 학습장애와 관련된 언어장애를 지닌 아동의 수용언어와 표현언어의 치료를 위하여 개발된 프로그램. 학습상담

1967년에 존슨(W. Johnson)과 미클버스트(H. R. Myklebust)가 개발한 언어치료 훈련 프로그램으로서, 여기서는 음소와 문자를 인식하고 들으며 청각자극의 음소와 글자를 연합하여 반응하도록 훈련하여 수용언어를 향상시킨다. 그리고 표현언어를 향상시키기 위해서는 재청력화 장애, 청각·운동 통합장애, 구문장애 중 어느 한 장애에 초점을 두어 치료한다. 재청력화는 자신이 들은 단어, 음소, 멜로디를 회상하고 내적으로 다시 듣는 능력을 말하며, 이 능력을 향상시키기 위하여 문장완성, 그림, 경험, 대상물의 이름 붙이기, 시각적 단서, 근육운동 지각단서 및 촉각단서 등을 이용한다. 청각·운동 통합장애 아동은 단어는 이해하지만 모방하는 데 어려움이 있으므로 새로운 단어를 익히기 위하여 아동이 발성할 수 있는 조음운동, 음소 및 단어를 이용한다. 그리고 입술을 보거나 혀, 입술 등에 손을 대어 보는 등 시각과 촉각적 단서를 이용한다. 구문장애나 언어구조상 결함이 있는 아동은 의미 있는 경험, 연극활동, 그림 등을 매개로 치료한다.

관련어 | 구어장애

존재론적 고독
[存在論的 孤獨, existential isolation]

죽음, 자유와 책임, 무의미성과 더불어 실존주의 심리치료의 핵심이 되는 네 가지 요소 중 하나. 실존주의 상담

개인 간의 고독(고립, 소외)은 자신과 타인 사이에 존재하는 심연을 말하고, 개인 내 고독은 우리가 자기 자신의 부분들로부터 고립되어 있는 것을 말한다. 존재론적 고독은 다른 개인들이나 세계로부터의 근본적인 고립이다. 우리 각자는 실존에 홀로 들어가야 하고 홀로 떠나야 한다. 죽음에 직면한 사람들은 반드시 갑작스럽게 고립을 자각하게 된다. 근본적인 고립에 대한 자각과 보호받고 싶은 소망 사이에, 그리고 더 큰 전체에 융화되고 그 부분이 되려는 소망 사이에 역동적 갈등이 존재한다. 많은 인간관계에서 오는 정신병리에는 존재론적 고독에 대한 두려움이 밑바탕에 깔려 있다. 자신의 자아경계를 누그러트리고 다른 사람의 일부가 되면서 개인적인 성장을 피하고 성장에 수반되는 고독감을 피한다. 사랑에 빠지거나 강박적인 성욕을 갖는 것도 무서운 고독에 대한 반응이라 할 수 있다.

관련어 | 무의미성, 자유와 책임, 죽음

존재론적 원리
[存在論的 原理, ontological principles]

실존주의 심리치료인인 메이(R. May)가 치료자로서 발견한 실존하는 인간됨의 본질적인 특성을 기술한 것으로, 그의 인간관의 골자를 형성하는 원리. 실존주의 상담

메이는 인간을 이해하는 데 가장 중요한 것은 지금–여기에 실존하고(existing), 생성하며(becoming), 표출되고(emerging), 그리고 경험하는(experiencing) 존재로서 이해하는 것이라고 말하였다. 그는 자신의 존재론적 인간관을 다음의 여섯 가지 존재론적 원리로 요약하였다. 제1의 원리는 실존하는 인간이란 자기 자신 속에 중심을 가지고 있고, 이 중심에 대한 공격은 자신의 실존에 대한 공격으로 본다는 것이다. 이 원리는 모든 동물에게 적용할 수 있지만 특히 인간에 대해 적용하는 것으로서, 질병과 건강의 차이 또는 신경증과 정신건강의 차이를 이해하는 데 기반이 된다. 신경증은 인간이 어떠해야 하는지에 대한 특정의 이론에서 이탈된 것이 아니고 오히려 그것은 개인이 자기 자신의 중심, 실존을 보유하기 위해 사용하는 방법으로 간주할 수 있다는 것이다. 따라서 신경증을 적응의 실패로 정의하는 것

ス

은 부적절한 이해이며 신경증 자체가 그야말로 하나의 적응이라는 것이고, 조금이라도 존재(being)를 보유하기 위해 비존재(nonbeing)를 인수하는 방법에 불과하다고 보았다. 제2의 원리는 모든 실존하는 인간은 자기 확신을 원하는 성격, 즉 스스로의 자기중심성을 보유하려는 욕구를 가지고 있다는 것이다. 인간에게는 존재란 것이 자동적으로 부여되어 있는 것이 아니라 개인의 용기에 좌우되며, 용기가 없이는 인간은 스스로의 존재를 상실해 버린다. 따라서 용기 자체가 존재론적으로 필요조건인 것으로 요구된다. 제3의 원리는 모든 실존하는 인간은 자기중심성에서 나와 타 존재와 연관성을 가지려는 요구와 가능성을 지니고 있다는 것이다. 그러나 여기에 내포된 위험성은 자기중심성의 과잉노출로 자신의 정체성을 상실해 버리는 것이다. 신경증적 억압 또는 금지형의 신경증은 자기 자신의 중심성의 상실에 대한 공포로서, 방어적으로 협소범위의 반응형식으로만 축소된 세계공간에 살므로 성장과 발달이 저해된다고 보았다. 그러나 체제에 순응하거나 외부를 지향하는 현대의 인간 삶에서 가장 일반적인 신경증의 형태는 그 정반대의 형태를 취한다. 즉, 자기 자신의 존재가 상실되기까지 타자(other selves)와 연관성을 지니고 동일화되어 자신을 확산시킴으로써 자신의 존재를 파괴시키는 것이다. 인간이란 타인과의 관련성 없이는 한 개인의 자아로서 이해될 수 없다는 부버(M. Buber)와 설리번(H. Sullivan)의 주장에 메이는 동조하였다. 제4의 원리는 자기중심성의 주체적 측면은 각성(awareness)이라는 것이다. 모든 동물에게는 존재의 위협에 대비한 각성이 있는데, 메이는 이러한 각성을 인간에게는 불안과 상응되는 것으로 보았다. 제5의 원리는 모든 실존하는 인간은 자각(self-awareness), 즉 외부의 위험이나 위협을 안다는 것이다. 제6의 원리는 모든 실존하는 인간은 불안하다는 것이다. 불안이란 인간 존재를 파괴하려는 것에 대하여 고민하는 인간의 상태를 말한다. 틸리히(P. Tillich)에 따르면, 존재와 비존재가

갈등하고 있는 상태로 인간 내면의 투쟁을 의미한다.

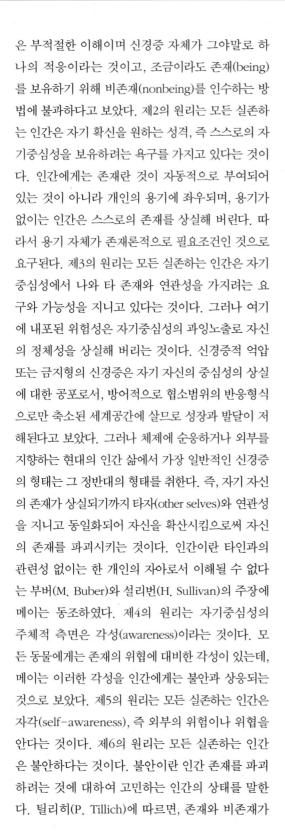

관련어 | 실존주의 상담

존재의 대 둥지
[存在-大-, great nest of being]

윌버(K. Wilber)가 제안한 개념으로, 존재가 물질, 몸, 마음, 영혼, 영의 다양한 수준으로 구성되어 있다는 것.

초월영성치료

일련의 동심원 모양과 아주 비슷해서 각 상위차원이 하위 차원을 감싸고 포함하고 있어서 티끌에서 신성에 이르는 전체를 포함하는 전체, 또한 그것을 포함하는 또 다른 전체 등으로 무한하게 이어지는 것을 말한다. 존재의 대 둥지는 잠재적이어서 변화와 발달이 가능하다. 예를 들면, 하위수준의 의식에 머무른 사람에게는 상위수준이 아예 없는 것이 아니라 잠재되어 있다. 이 잠재력이 실현된다면 이가 곧 발달이고 진화되는 것이다. 윌버에 따르면, 존재는 물질에서 영으로 발달해 나가는데, 성장을 해나가면서 그에 해당하는 형태와 내용이 주어지기 때문에 형태형성장(morphogenetic field)이라 하였다.

존재의 대 사슬 [存在-大-, great chain of being] 우주에 있는 모든 존재가 서로 연결되어 있다는 우주관이다. 이는 플라톤과 아리스토텔레스가 처음 주창했지만 플로티노스(Plotinos)가 체계화한 개념으로, 17~18세기의 여러 철학사상에 영향을 미친 우주관이다. 즉, 존재의 대 사슬이란 우주에는 다양한 존재들이 있고 존재는 가장 저급한 유형부터 최고의 완전한 존재인 신까지의 위계질서가 있으며, 각 존재들은 이웃하는 존재들 간에 적어도 한 가지 이상의 속성을 공유하고 있다는 것을 말한다. 통합심리학에서 존재의 대 사슬이란 티끌에서 신성

에 각각의 수준들이 무한하게 이어지는 연결을 말한다. 전통적으로 존재의 대 사슬을 3개, 5개, 7개, 12개, 30개, 80개까지 나누고 있지만, 플로티노스와 아우로빈도(Aurobindo)와 같은 많은 영원의 철학자들은 약 12개의 의식수준이 가장 유용하다는 사실을 발견하였다. 각 상위의 수준은 그보다 하위수준의 중요한 특징들을 모두 소유하지만, 하위수준들에서 찾을 수 없는 요소가 더해진다. 즉, 각 상위의 수준은 그보다 더 하위의 수준들을 초월하면서 포함하는 것이다. 이는 실재의 각 수준은 상이한 구조를 가지고 있다는 의미다.

존재의 요인
[存在 – 要因, existential factors]

얄롬(I. Yalom)이 정의한 것으로, 다른 사람과의 기본적인 고립에서 인생에 대한 책임감을 받아들이는 것이고 존재의 변덕스러움뿐만 아니라 자신이 죽을 운명에 있음을 인식하는 것. 실존주의 상담

　실존적 접근의 현재의 초점은 단독의 세계에 있고, 이러한 단독에 대한 불안에 직면하는 데 있다. 상담과 심리치료에 대한 법칙들을 개발하려고 노력하기보다는 실존주의 상담치료자들은 이러한 깊은 인간의 경험들을 이해하고자 한다. 심리적으로 건강하게 산다는 것은 가능한 한 적은 신경증적 불안을 가지고 생활의 일부인 정상적 불안을 수용하여 이에 대해 투쟁하는 것이다. 불안 없이는 살 수도 없고, 죽음을 직면할 수도 없다(May & Yalom, 1989). 죽음과 삶은 상호 의존적이며, 비록 물리적 죽음이 우리를 파괴하더라도 죽음에 대한 관념은 우리를 구한다. 죽음에 대한 인식은 케케묵은 삶의 양식을 더 진실된 참된 양식으로 바꿀 수 있도록 하는 요소가 되기 때문에 심리치료에서 중요한 역할을 한다(Yalom, 1980). 그러므로 내담자가 자신이 가치를 두는 것을 실천하고 있는 정도를 탐색하는 것은 실존주의적 상담과 심리치료에서는 중심이 된

다. 항상 우리와 함께 있는 비존재의 위협에 대해 병적으로 집착하지 않게 되었을 때 내담자는 자신이 어느 정도 잘 살고 있는지, 그리고 자신의 삶에서 원하는 변화를 평가하는 방법으로 죽음에 대한 건전한 인식을 발달시킬 수 있게 된다. 죽음에 대한 공포와 삶에 대한 공포는 서로 연관되어 있다. 죽음에 대한 공포는 자신의 팔을 쭉 펼쳐서 삶을 완전하게 품어 안기를 두려워하는 사람들의 마음을 짓누른다. 하지만 우리가 삶을 긍정하고 가능한 한 충분히 현재에서 살려고 할 때에는 우리는 삶의 종결에 집착하지 않는다. 죽음을 두려워하는 사람은 삶 역시 두려워한다. 마치 우리가 "우리가 진실하게 살지 않았기 때문에 죽음을 두려워한다."라고 말하듯이 말이다. 사람들은 자신이 언젠가는 죽는다는 현실을 직면하는 것에 두려움을 가지고 있기 때문에 결국은 비존재가 된다는 사실을 피하려고 한다. 그러나 우리가 비존재와의 직면을 피하려고 할 때에는 그 대가를 지불해야만 한다.

관련어　실존주의적 상담, 죽음

종결
[終結, termination]

다른 경험이 시작될 수 있도록 하나의 상황을 끝내거나 마무리하는 일. 개인상담

　상담과정에서 종결은 상담초기에 내담자와 합의된 상담목표가 달성되면 내담자와 함께 종결에 대하여 논의하고 합의한 다음 상담을 마무리한다. 종결은 내담자에게 그들 경험의 의미를 명백하게 할 수 있는 기회를 제공하고, 그들이 획득한 것을 견고하게 하며, 그들이 원하는 새로운 행동에 대해 결정을 내리게 한다. 종결은 가능한 한 충분한 시간을 가지고 내담자와 함께 결정해야 하며, 일반적으로는 4단계의 과정, 즉 오리엔테이션, 요약, 목표의 토론, 추후 과정을 거친다. 심리치료에서의 종결시점

에 대해서는 여러 가지 견해가 제시되었다. 이를테면 증상이나 당면한 과제의 해결과 더 근본적인 불안, 갈등의 해결이나 자아기능의 개선 등 목표에 따라 다르고, 이사·전근·경제적 사정 등 내담자와 상담자 양자의 현실적 상황, 나아가 상담자의 인간관이나 치료방식에 따라 다르다. 일반적으로 가장 바람직한 종결을 결정할 시점은 상담목표가 분명하여 달성 여부를 객관적으로 확인할 수 있는 경우다. 상담목표가 증상 중심이고 구체적인 행동목표일 때 종결을 결정하기가 비교적 쉬운데, 이러한 상담방법은 행동치료, 단기치료, 위기개입 등이다. 반면에 정신분석이나 다른 장기치료에서의 종결은 복잡하고 불분명하다. 그 이유는 상담목표가 비교적 덜 구체적이고 애매모호한 경우가 많기 때문이다. 의존적 경향이 강한 내담자라면 종결을 조심스럽게 다루어야 한다. 그들과 종결을 작업할 경우에는 다른 내담자보다 긴 시간을 두고 종결을 논의해야 한다. 그들은 상담자와의 종결을 때로는 버림받는다고 느끼기 때문에 오히려 더 큰 상처를 받을 수 있다.

관련어 | 상담목표

조기종결 [早期終結, premature termination]
상담자와 합의 없이 참여하지 않거나 상담목표를 달성하기 이전 또는 질병, 이사, 고용 등의 정당한 이유 없이 상담을 그만두는 것이다. 조기종결은 크게 두 가지 형태로 나눌 수 있는데, 내담자에 의한 조기종결과 상담자가 지각한 조기종결이 있다. 전자는 내담자가 접수면접을 한 후 상담을 약속했으나 이행하지 않은 경우, 정해진 상담약속을 지속적으로 지키지 않고 최소한의 상담회기에 참여하지 않은 경우, 상담자에게 알리거나 합의하지 않은 상황에서 갑작스럽게 상담을 멈추는 경우와 같이 내담자가 일방적으로 그만두는 것을 말한다. 후자는 상담자가 상담목표를 달성하지 못했다고 생각하는 경우, 변화를 위한 최소한의 상담회기에 내담자가 참여하지 못한 경우 등이다. 내담자에 의한 조기종결은 성인보다는 상담에 동기가 비교적 낮은 청소년이나 아동 또는 비자발적인 내담자였던 경우가 많다. 내담자가 조기종결을 하는 이유는 상담자가 자신을 충분히 이해하지 못한다고 느끼거나, 효율적인 의사소통과 상호작용이 이루어지지 않는다고 느끼기 때문이다. 조기종결이 발생하면 상담자는 좌절감, 무력감, 분노, 실패감 등을 느끼고, 내담자는 적응에 어려움을 보이기도 한다는 연구결과가 있다(Luborsky et al., 1971). 내담자가 상담약속에 참여하지 않거나 갑자기 종결에 대하여 이야기를 한다면 상담시간에 내담자의 종결에 대한 생각을 충분히 다루어야 한다. 만약 내담자가 갑자기 약속시간에 오지 않았다면 상담자는 바로 전의 상담기록을 검토하여 참여하지 않은 이유를 확인하고 동시에 참여하지 않은 것도 내담자의 선택이라는 것을 내담자에게 알려 준다. 그리고 언제든지 원한다면 상담을 받을 수 있다는 점을 인식시키고 내담자가 미안한 마음을 가지지 않도록 조심한다. 한편, 일정 기간 상담을 진행했지만 내담자의 변화가 보이지 않는다면 상담자는 종결을 고려하고 있는 사실을 그대로 솔직하게 내담자에게 알리고 종결에 대해 의논한다.

종결기록지 [終結記錄紙, termination recording sheet] 상담을 종결하고 난 이후에 상담의 전 과정의 내용을 종합적으로 작성하는 양식이다. 종결기록지에는 내담자와 상담자 이름, 상담기간 및 총 회기 수, 상담사례번호 또는 분류번호, 내담자의 호소문제, 상담목표 및 전략, 전체적인 상담의 진행 과정 등을 요약해서 기록한다. 그리고 상담목표의 달성 정도에 대한 상담결과, 상담목표의 성취요인 및 성취 방해요인, 추후지도 여부 등에 대한 평가 및 소견을 기록한다.

종교
[宗教, religion]

통합된 체계 속에서 사람들에게 삶의 의미, 목적, 그리고 영적인 관계를 찾도록 도와주는 초월자에 대한 제도화되고 성문화된 신념의 표현. 동양상담

인간의 정신문화양식의 하나로, 인간의 여러 가지 문제 중에서도 가장 기본적인 것에 관하여 경험을 초월한 존재나 원리와 연결 지어 의미를 부여하고, 또 그 힘을 빌려 통상의 방법으로는 해결이 불가능한 인간의 불안·죽음의 문제, 심각한 고민 등을 해결하려는 것이다. 초경험적이고 초자연적인 특성을 가지고 있는 종교는 오랫동안 수많은 질적 변천을 거쳐 왔으며, 오늘날에도 인간의 내적 생활에 크게 영향을 미치고 있다. 의지를 가진 존재로 믿어지는 것이 신이나 영혼이며, 원리로 인정되는 것이 법·도덕이다. 이것들은 단순한 사상이나 이론이 아니라 종교적 상징으로 만자(卍字)나 십자가는 물론, 신상과 같은 구체적인 형태로 표현되는 경우가 많다. 또 신의 초인간적 행동이 신화로 전해지고 숭배의 일정한 형식인 의례가 행해지는데, 이러한 종교의 특징이 고대로부터 철학자·지식인 사이에 종교에 대한 경멸심을 일으키게 만들었으며, 과학의 인식과 모순된다는 지적을 받고 있다. 그러나 한편으로 일상의 경험으로는 도저히 체험할 수 없는 구체성이나 실재감은 사람들이 종교를 지탱해 가는 매력이 된다. 또 하나의 특징은 신앙을 함께하는 사람들끼리 신앙적 공동체를 갖는 데 있다. 같은 신앙을 가진다는 원칙 위에 결성된 집단을 교단이라고 하는데, 교단은 승려나 목사와 같은 전문가를 양성하여 신자에게 교리를 철저히 가르치고 공동체의 유지를 도모하는 한편, 외부에 대해서는 새로운 신자를 구하는 행동, 즉 전도·포교를 한다. 또한 교단에는 사회에서의 지배적인 종교를 볼 때, 사람들이 태어날 때부터 가입하는 경우와 자기 의사에 따라 가입하는 경우가 있다. 언제, 어디서, 어떠한 이유로 발생하였는가에 대한 종교의 기원에는 여러 가지 학설이 있다. 이미 원시시대에 수렵의 성공을 기원하는 벽화나 장례법에서 영혼의 관념을 엿볼 수 있다. 그러나 종교기원설의 자료가 된 것은 지금도 원시적 생활을 계속하는 미개인의 종교였다. 신비한 힘을 가졌다고 보는 주물을 기원으로 보는 페티시즘(Fetishism)설, 죽은 자의 숭배를 최고로 보는 설, 꿈과 죽음의 경험에서 육체 이외에 영혼을 상상한 것이 기원이라고 보는 애니미즘(animism)설, 에너지와 같은 힘에 대한 원시신앙을 애니미즘 이전의 신앙형태로 보는 마나이즘(manaism)설, 동·식물과 인간과의 밀접한 관계의 신념을 원초로 보는 토테미즘(totemism)설 등이 있다. 또 물질문화가 빈약한 미개민족에게 인격을 가진 지상신이 많다는 점에서 연유한 원시 지상신설도 있다. 그러나 이들의 대부분은 단순한 관념으로부터 복잡한 관념으로의 경과에서 파악되는 심리적 억측에 의거하고 있으므로 실증적인 근거는 희박하다. 종교의 전개 과정은 미개종교에서는 각자가 당연한 습관으로 전해진 것을 믿고 있으며, 개인적인 면보다 사회적인 면이 강해서 제사 등의 의례가 중심이 되었다. 다만, 종교를 주재하는 신관의 계급이 생기고 국가 형성의 진전과 더불어 각지의 신들이 통합되고, 신들의 친자관계와 그 역할 등이 체계화되었다. 이것이 전형적인 다신교의 시대다. 고대사회에서는 정치와 종교가 밀접하게 결부되어 이집트·오리엔트제국·중국·페루에서와 같이 국가에서 종교를 뒷받침해 주고, 국왕은 신 또는 신의 자손으로 여겨진 때도 있었다. 종교사상 최대의 질적 전개는 기원 전후 약 10세기 동안에 세계 각지에서 일어났다. 기원전 8세기경 인도의 우파니샤드 철학의 전개, 기원전 8세기에서 기원전 7세기경 이스라엘 예언자의 활약, 기원전 6세기에서 기원전 5세기경 중국의 공자를 비롯한 제가의 활동, 기원전 6세기 이후 그리스의 탈레스부터 소크라테스, 플라톤에 이르는 철학의 발생과 전개 등이 주요한 것들인데, 그 영향은 현재까지 미치고 있다. 이들 사상가의 특징은 합리화라

고는 하지만 신화나 주술에서 분리하여 체계적인 사상을 부여함으로써 철학·윤리 등이 독립하고, 정치와 종교의 밀접한 관계도 성립되었다. 세계적인 여러 사상이 나타난 시기에 발전한 종교 사상 중에서 후세에 가장 크게 영향을 끼친 것은 현세 부정의 사상이다. 미개·고대의 시대에는 타계 관념은 있어도 현세의 가치는 부정되지 않았다. 하지만 이 시기의 종교는, 인간은 영원히 이 세상에 전생하며 고통을 경험해야만 된다든지, 타고난 죄인 원죄의 관념 등을 가르쳤다. 이와 같은 문제의 해결에는 이미 현세의 인간관계에 의지할 수 없기 때문에 그 구제는 초자연적인 힘에 의하여 내세에서 달성된다고 생각하게 되었다. 그래서 민족 특유의 종교로부터 세계적·보편적인 종교가 출현하였다. 그중에서도 기원전 5세기에 힌두교에서 나온 불교, 1세기에 유대교에서 출발한 그리스도교, 7세기에 아라비아의 민족종교에서 발생한 이슬람교가 가장 세력을 떨쳤다. 이와 같은 종교는 석가, 예수 그리스도, 무함마드와 같은 교조가 있어서 각기 교단을 형성하고, 민족의 테두리를 넘어 전도·포교 활동을 활발히 하였다. 그 내부에서는 여러 가지 변천이 있었지만 현재에 이르기까지 그 조직은 존속되어 정치적 집단에 비해 훨씬 오랜 연속성을 지니고 있다. 근대에 들어와서 종교의 위치는 크게 변화하였다. 예술·도덕 등이 종교에서 분화되고, 정치·경제·교육 등의 사회제도에서의 종교의 영향력은 약화되었다. 신앙의 자유, 철저한 정교분리의 원칙 등이 그 일례다. 한편으로는 계몽사상과 과학의 발전이 종교의 진리성과 존재 의식을 위협하고 있으며, 따라서 종교비판도 활발해졌다. 이러한 상황에서 종교는 끊임없이 그 현대적 존재 의의가 문제로 제기되고 있다. 세계의 주요 종교로는 유대교, 기독교, 이슬람교, 힌두교, 불교, 유교, 도교 등이 있다.

관련어 | 영성

종단적 연구
[縱斷的研究, longitudinal research]

사람이 발달하면서 어떤 모습으로 변하는지 알아보기 위하여 기간을 두고 반복적으로 동일한 사람에게서 정보를 수집하는 조사법. 연구방법

시간의 경과에 따른 유기체의 변화에 관심을 두는 발달연구에는 종단적 연구와 횡단적 연구(cross sectional research)가 있다. 동일한 연구대상을 오랜 기간 계속 추적하면서 관찰하는 종단적 연구는 동시적으로 여러 연령층의 대상을 선정해서 발달 특징을 알아보는 횡단적 연구보다 대부분의 경우 좀 더 타당하다고 보지만, 시간이 상당히 오래 걸린다는 단점이 있다. 종단적 연구에는 동일한 개체들의 자료를 추적조사 수집하는 패널연구, 동일 계층을 모집단으로 추적하여 자료의 수집을 반복하는 코호트 연구(cohort study), 시간의 흐름에 관계없이 동일 계층을 반복연구하여 변화를 탐구하는 추세 분석연구가 있다. 종단적 연구의 주목적은, 첫째, 시간 변화에 따른 변화유형의 파악이고, 둘째, 서로 이웃하는 두 시점 사이의 인과관계의 방향과 크기의 설정이다. 종단적 연구는 사람과 환경 상호작용 이론에서 가정하는 역동적 상호작용을 검증하는 데 필요하다. 종단적 연구와 대비되는 횡단적 연구는 연령에 따른 발달경향을 연구할 때 사용하는 연구방법의 하나로, 연구자가 정한 일정 시점 혹은 기간에 여러 연령대 연구대상자의 발달경향을 살펴보는 것이다. 예를 들어, 사회성 발달을 살펴볼 때, 5세, 6세, 7세, 8세 아동의 사회성을 측정하여 연령에 따른 사회성의 변화를 파악할 수 있다. 이 같은 횡단적 연구는 실시하기가 비교적 쉽고 비용도 적게 드는 장점이 있다. 그러나 각 연령대의 아동이 연구자가 관심을 둔 변수 이외의 모든 점이 동일하다고 가정해야 하는 곤란한 점이 있고, 출생 동시 집단효과(cohort effect)가 있을 수 있다.

종속모델
[從屬 - , of model]

카터와 나래모어(Carter & Narramore)가 신학과 심리학의 관계에 대해서 설명한 네 가지 유형 중 하나로, 심리학의 입장에서 신학을 통합하고자 하는 생각. 목회상담

카터와 나래모어는 신학과 심리학의 관계를 대립모델, 종속모델, 병행모델, 그리고 통합모델의 네 가지로 설명하였다. 그중 종속모델은 종교에 대한 인본주의/자연주의적 태도를 바탕으로 하여 일반 심리학의 입장에서 종교의 좋은 부분을 부분적으로 받아들이려는, 신학이 심리학에 종속된다는 입장이다. 이들은 과학적 주장과 이성을 성경의 권위보다 높게 평가하는 경향이 있다. 이러한 입장을 지지하는 학자들은 기독교의 사랑, 자유, 책임과 같은 미덕에는 관심을 기울이지만, 성경에서 강조하는 죄, 구원 등에 대해서는 적용을 거부한다. 이 같은 태도는 신학과 심리학을 자유주의적인 신학적 입장에서 통합하려는 시도에서 많이 나타나는데, 샌포드(J. Sanford)와 힐트너(S. Hiltner) 등이 여기에 속하는 학자들이다.

관련어 대립모델, 병행모델, 통합모델

종자모델
[種子 - , seed model]

인간은 긍정적으로 변화하고 성장하려는 잠재력을 가지고 있기 때문에, 적절한 양육환경이 주어지면 건강한 성인으로 성장할 수 있다는 사티어(V. Satir)의 생각을 나무의 속성에 비유하여 표현한 것. 경험적 가족치료

사티어는 MRI(The Mental Health Research Institude) 연구소의 초기멤버로서, 그곳에서 가족치료에 대한 연구를 시행하고 관련된 프로그램을 개발하였다. 이후 MRI 연구소를 떠나 독립적인 가족치료모델을 확립할 때, 성장기법에 큰 관심을 기울여 자신의 가족치료이론과 접목하였다. 사티어는

인간은 긍정적으로 성장하고 변화하려는 잠재력을 이미 가진 존재라고 믿었다. 따라서 이러한 인간에게 적절한 양육환경이 주어진다면 건강한 성인으로 성장할 수 있다고 설명하였고, 이를 나무의 속성에 비유해 종자모델이라고 불렀다. 사티어의 인간에 대한 이 같은 생각은 긍정적인 성장에 집중한 것으로, 사티어의 가족모델을 성장모델이라고도 한다.

종합인지기능진단검사
[綜合認知技能診斷檢査,
Cognitive Assessment System: CAS]

아동의 전반적인 인지기능을 평가하여 영재아동 판별, 특수아동 평가, ADHD 진단, 그리고 성취수준을 측정하는 심리검사. 심리검사

PASS 이론에 따라 아동의 계획, 주의집중, 동시처리, 순차처리 기능을 측정하기 위하여 내글리어리와 다스(Naglieri & Das, 1997, 2002)가 개발하고, 문수백(2007)이 우리나라 실정에 맞게 수정 및 번안한 검사다. 만 5~12세 아동을 대상으로 IQ 측정 및 영재아동 판별, 성취수준 예측 및 학습의 강·약점 진단, ADHD 아동을 평가하는 데 사용할 수 있다. PASS 이론은 지능에 대한 신경심리학적 접근으로, 주요 인지과정요인인 계획(planning), 주의집중(attention), 동시처리(simultaneous), 순차처리(successive processing) 기능의 머리글자를 따서 명명한 것이다. 계획은 개인이 문제해결에 대하여 결정, 선택, 적용, 평가하는 정신과정이다. 주의집중은 개인이 특정자극에 선택적으로 주의를 집중하고, 빈번하게 나타나는 다른 자극에 대하여 반응을 억제하는 정신과정이다. 동시처리는 흩어져 있는 자극들을 하나의 전체 또는 집단으로 통합하는 정신과정으로, 자극요소들을 지각적 또는 개념적 전체로 관련짓는다. 순차처리는 엄격하게 정해진 순서에 따라 처리해야 할 때 필요한 정신과정으로, 사물을 계열적으로 지각하는 것이나 소리 또는 동작을 순서대로 형

성하는 것 등이 있다. 이에 따라 CAS는 PASS의 4개 척도별 13개 종류의 과제로 구성되어 있다. 하위척도별 구성내용은 다음과 같다. 계획은 새로운 과제를 수행하기 위하여 방략을 설정하고 적용하는 능력을 측정하는 것으로 숫자 짝짓기, 부호 쓰기, 순서 잇기의 3개 과제로 이루어져 있다. 주의집중은 문제해결을 위하여 방해자극을 차단하고 과제집중을 지속시키는 능력을 측정하는 것으로 제시된 그림에 대한 내용을 올바르게 대답하는 표현주의력, 제대로 짝지어진 쌍에 밑줄 긋는 수용주의력, 숫자 찾기의 3개 과제로 이루어져 있다. 동시처리는 논리적-문법적 관계를 이해하고 분리된 자극을 통합하는 능력을 측정하는 것으로 도형유추, 도형기억, 그리고 제시된 그림 중 언어적으로 부합하는 그림을 선택하는 언어공간 관계과제로 이루어져 있다. 순차처리는 과제의 연속적, 순서적 처리과정을 측정하는 것으로 불러 준 말을 그대로 따라 하는 단어계열, 문장반복과제와 불러 준 단어를 열 번 빠르게 답하는 말하기 속도 과제, 지시문을 읽어 주고 그에 대한 문장구성적 관계를 이해하고 이를 바탕으로 답하는 문장이해과제 등 4개의 과제로 이루어져 있다. 하위검사 척도별 반분 신뢰도 계수의 평균은 .81~.87로 나타났으며, 3주차의 검사-재검사 신뢰도는 .81~.88로 나타났다. CAS는 표준화를 거친 뒤 학지사 심리검사연구소에서 출판되고 있다.

관련어 | PASS 이론, 인지기능, 지능검사

좋아하는 날
[-, favorite kind of day: FKD]

학대 아동을 선별하고 치료하기 위한 목적으로 개발한 미술치료기법. 미술치료

매닝(Manning, 1987)은 아동의 그림에서 표현되는 비, 눈, 바람, 해일 등의 혹독한 날씨가 학대 아동의 폭력적인 가정환경을 반영한다는 가정하에 좋아하는 날 그리기 기법을 개발하였다. 준비물은 흰 종이와 16색 크레파스이고, 실시방법은 다음과 같다. 먼저, "이 종이 위에 크레파스를 이용하여 자신이 좋아하는 날을 그려 보세요."라고 지시한 다음 자유롭게 그리도록 한다. 그림의 평가기준은 날씨의 특성, 날씨의 크기, 날씨의 움직임이다. 날씨의 특성은 비, 눈, 바람, 태풍, 해일 등을 말하고, 날씨의 크기는 불균형적이거나 과도한 정도를 나타내며, 날씨의 움직임은 비와 눈이 위에서 아래로 떨어지거나 바람이 왼쪽에서 오른쪽, 혹은 오른쪽에서 왼쪽으로 부는 것 등을 말한다. 세 가지 영역의 평가기준을 1~5점 리커트 척도로 매긴다. 즉, 1점은 분명하게 나타나지 않는 것이고, 3점은 보통이며, 5점은 분명하게 나타나는 경우다. 결과를 살펴보면 학대 아동은 비, 눈, 해일, 어두운 구름 등의 혹독한 날씨의 특성을 보이며, 날씨의 크기가 과도하게 크다. 또한 역동적인 움직임으로 나타나고 뚜렷한 윤곽선을 사용하여 사물의 형태만 표현한다. 반면에 학대를 받지 않은 아동은 태양과 꽃 등 밝고 따뜻한 소재를 등장시킨다.

관련어 | 학대

좋은 세계
[- 世界, Quality World]

개인의 욕구와 소망이 충족되는 내면세계. 현실치료

글래서(W. Glasser)에 따르면, 인간은 객관적인 현실세계가 아닌 주관적인 현실세계에 살고 있다. 자신이 처해 있는 현실을 지각할 수는 있지만 현실 그 자체를 알 수는 없다. 인간의 심리적 세계는 단지 현실에 대한 지각에 불과하다. 따라서 동일한 객관적 현실에 대한 지각과 인식은 각자 다를 수 있다. 글래서는 현실 그 자체보다는 현실에 대한 지각과 인식이 개인의 행동을 결정하는 데 더 중요하다고 보았다. 개인은 내적 욕구를 충족하기 위해 자신의 심리 속에 일종의 사진첩을 만든다. 욕구충족이 되었을 때 경험했던 사람, 물건, 장소, 사건 등에 대한 사진을 갖는다. 자신이 원하는 삶, 함께하고 싶은 사람, 갖고 싶은 물건, 가고 싶은 장소, 가치 있다고 여기는 신념 등에 대한 이미지를 갖는다. 이러한 기억과 이미지들은 좋은 세계라고 불리우는 내면세계에 보관된다. 전 생애를 통해 자신에게 중요하게 경험되었던 사람, 물건, 장소, 사건, 신념 등을 좋은 세계 안에 저장한다. 좋은 세계는 다섯 가지 기본욕구를 반영하며, 인식된 현실세계와 비교되어 앞으로 어떻게 행동할 것인지를 선택하는 데 영향을 미친다. 개인은 자신의 좋은 세계 안에 보관되어 있는 사진첩과 일치하는 현실세계를 경험하기 위해 행동한다.

관련어 | 기본욕구

좋은 이유
[good reasons]

'좋은 이유'라는 두 단어를 궁금증을 유발하도록 효과적으로 사용함으로써, 계속되는 문제의 해결책을 찾는 데 짜증이 난 내담자에게 보다 효율적으로 접근할 수 있도록 하는 언어기법. 해결중심상담

이 기법은 내담자가 자신의 문제를 해결해야 할 필요성을 별로 느끼지 못하거나, 자신의 문제를 해결할 별다른 방법을 생각해 내지 못할 때 사용할 수 있다. 예를 들어, 내담자가 이러한 상황에 있을 때 치료자는 호기심 어린 어조와 억양, 그리고 표정 등

을 사용하여 내담자에게 "당신이 문제를 해결하면 좋은 이유를 생각해 보시겠어요?" "당신이 처음에 이 문제를 해결해 보려는 이유가 분명히 있었을 텐데요. 문제가 해결되길 원하는 좋은 이유가 있나요?"라고 물어볼 수 있다. 치료자의 질문에 내담자는 자신의 문제를 없애는 데만 집중을 하다가, 문제가 해결되면 앞으로 나타날 긍정적인 영향에 대해 생각해 보는 기회를 가져 지루하고 짜증이 났던 치료과정을 새롭게 바꾸어 볼 수 있는 계기를 맞이하게 된다.

관련어 | 그 대신에, '그러나' 피하기, '왜' 피하기

좌절감의 재구성
[挫折感 – 再構成, reconstruction of frustration]

이마고 부부치료에서 부부 사이에 생기는 좌절감에 대해 새로운 의미를 부여하는 것. 이마고치료

부부는 대개 서로에 대한 좌절감을 불평의 형태로 표현하며, 상담사에게 도움을 요청한다. 이마고치료에서는 부부가 배우자에게 느끼는 좌절감을 치유와 회복에 대한 무의식적인 표현으로 본다. 물론 무의식적이기에 본인은 물론 때로는 상담사조차 인식하지 못할 수 있다. 의식적인 차원에서 본다면 부부치료에 참여하는 부부조차 치유와 회복의 변화에 대한 기대보다는 현 상태라도 지속할 수 있는 방법을 찾고자 한다. 즉, 무의식이 가지는 치유와 회복에 대한 욕구를 인식하지 못하기 때문에 원하는 것이 이루어지지 않을 때 좌절감을 느끼게 된다. 이에 대해 이마고치료사는 부부의 좌절감을 치유와 회복에 대한 무의식의 욕구를 채우는 과정으로 재구성하는 시각을 가짐으로써 부부를 치료의 과정에 참여하도록 도울 수 있다.

주도권 투쟁
[主導權鬪爭, battle for initiative]

경험주의적 접근의 가족치료에서 가족의 변화를 위한 동기가 가족들에게서 나와야 한다는 개념. `경험적 가족치료`

가족치료의 경험적 접근을 시도한 휘터커(C. A. Whitaker)가 주장한 개념으로, 치료의 초기과정에서 치료에 대한 규칙을 세우는 등의 구조적 수립이 이루어진 다음 가족들이 자신의 변화를 위해 치료의 주도권을 가져야 한다는 의미다. 이러한 주도권은 가족들이 자신의 문제가 변화됨으로써 성장할 수 있다는 그 동기를 스스로 가져야 함을 강조한 것이다. 가족들이 투쟁해야 할 주도권은, 치료과정에서 다루어지는 내용과 변화의 방향에 대한 것이다. 따라서 가족들은 치료의 과정에서 다루어야 할 문제를 스스로 제시하거나, 어떤 변화가 이루어져야 하는지에 대한 결정을 스스로 내려야 한다. 가족들은 이러한 주도권 투쟁을 통해서 자신의 변화에 대한 동기를 더욱 강화하고, 이것은 보다 효과적인 치료의 성과로 이어진다.

`관련어` 구조수립투쟁

주류화
[主流化, mainstreaming]

윌(Will)이 주장한 것으로, 장애 아동을 가능한 한 일반 아동의 생활 흐름에 포함시키는 것. `특수아상담`

과거에는 장애가 있는 아동과 일반 아동은 서로 분리된 집단이며, 그래서 장애 아동이 일반 아동과는 서로 다른 환경에서 교육받는 것을 당연하게 생각하였다. 이에 주류화는 장애 아동이 특수교육에 소속되어 있으면서 사회의 주된 교육환경인 일반 학급으로 들어오는 것을 의미한다. 즉, 개별화 교육과정을 통하여 장애 학생이 일반 학급 속에서 일반 학생과 함께 교육을 받고, 일부 과목에서는 특수 교사와 함께 특별 자료실에서 장애 학생의 특별한 교육적 요구를 만족시키는 활동을 제공하는 것이다. 이렇게 함으로써 장애 학생은 더 많은 시간을 일반 학생과 함께할 수 있고, 일반 학생의 사회적 기능을 익히는 기회를 갖게 된다. 이런 운동의 기저에 깔린 철학은 휴머니즘의 정신을 실천하는 것이다. 사회적으로 소외된 집단이 사회의 주류에 통합됨으로써 사회구성원의 상호 이해를 증진하고 사회의 분열과 대립을 막는다는 것이다. 또한 일반 학생의 장애 학생에 대한 이해뿐만 아니라 일반 교사의 장애 학생에 대한 이해를 높임으로써 그들의 태도를 바꾸는 데 기여할 수 있다. 주류화 운동에서는 모든 학생의 요구를 충족시키기 위해 분리된 특수교육 체제를 일반 교육과 하나의 교육체제로 만들 것을 주장한다. 특히 학업적 주류화는 장애 학생이 일반 학생과 같은 방식으로 과제를 수행해야 한다는 의미다. 그러나 다른 측면에서 보면 일반 교육 주도형이나 주류화는 단순히 경도 장애 학생의 교육에 대한 일반 교육과 특수교육 간의 책임 분할을 인정하고, 점진적인 통합의 필요성을 인정하는 것이다(Zigmond & Baker, 1995). 일반적으로 특수 교사가 장애 아동의 교육에 대한 주요 책임을 진다.

`관련어` 통합교육

주물
[呪物, fetish]

구두나 옷 등의 무생물 혹은 머리카락이나 목 등의 신체 일부분을 맹목적으로 숭배하는 일. `이상심리`

물신, 맹목적 숭배물, 미신의 대상, 집착이라고 부르기도 한다. 이성의 장갑, 양말, 신발 등의 무생물이나 머리카락과 같은 신체부위에 대하여 강하게 집착하고 숭배하며, 그것으로 성적 흥분을 느끼거나 성적 감정을 불러일으키는 대상을 말한다. 이러한 행동이 강박적일 때는 여성 물건애로 알려져 있는 성장애가 될 수도 있다. 주물 성장애자들은 주물을 보거나 만지거나 또는 냄새를 맡을 때에만 상대와 성행위를 할 수 있거나 또는 최소한 성적 환상에 들어갈 수 있다. 상대에게 특정한 물건, 예를 들면 특정한 옷을 입을 것을 요구하는 주물 성장애자들도 있고, 주물의 현존이나 그것에 대한 환상만으로도 성적 흥분과 오르가슴에 도달하는 주물 성장애자들도 있다. 주물 성장애자들의 대다수는 남성으로 여성의 발, 머리카락, 속옷과 신발이 가장 일반적인 주물이다. 가죽제품도 흔히 주물로 사용되는데, 이것은 특히 동성애자들 사이에서 자주 발견된다. 주물 성장애적 행위와 환상들은 또한 가학성·피학성 이상 성욕과 이성의 복장을 입는 행위와 같은 다른 성적 도착과 결합되어 나타날 수 있다.

관련어 | 성장애

주변세계
[周邊世界, umwelt]

실존주의자들이 확인한 인간의 세계 내 실존적 양식의 하나로, 생물학적 환경과 관련된 인간세계. 실존주의 상담

주변세계는 프로이트(S. Freud)가 관심을 가졌던 물리적·자연적 환경의 세계로서 자연의 법칙이나 자연의 순환과정의 세계다. 이 세계는 갈증, 성욕, 수면과 같은 인간욕구의 상태가 포함된다. 이것은 인간의 생득적인 욕구, 유전적으로 결정된 신장(身長), 특정 문화권의 소유 등 사실적 상태로서 인간의 선택으로 통제할 수 없는 인간 존재의 측면을 대표하고 있다. 이러한 상황을 피투성(thrownness)이라고 부르기도 하는데, 인간이 어떠한 형태로든 그에 적응해야 할 세계인 것이다. 그러나 메이(R. May)는 이 세계가 프로이트의 주요 관심사의 세계라고 해서 메이 자신이 자연계의 현실을 전혀 무시하는 것은 아니고, 그렇다고 해서 객관적인 자연세계를 정당하게 받아들임으로써 주변세계만을 보고 있는

것이 아니라 인간의 각성이라는 맥락에서 주변세계를 본다고 하였다. 그렇기 때문에 동인(drive)이라든가 실체(substance) 등으로 분석해서 세계를 보는 것보다 훨씬 현실적으로 주변세계를 파악할 수 있다고 생각하였다. 엄밀히 구분하면 동물은 환경, 인간은 세계를 가졌다고 할 수 있다. 따라서 이 세계는 적응(adjustment)과 순응(adaptation)이 타당한 범주에 속한다. 인간경험의 전부를 이 범주에 적용시키려는 방식이다. 인간에게서 주변세계가 유일의 실존적 양식처럼 인간을 취급하는 것은 근본적인 오류라고 보기 때문에 메이는 자신의 관점이 기계론자, 실증주의자 또는 행동주의자보다 현실의 인간적 상황을 더욱 존중하는 입장임을 명백히 하였다.

관련어 | 실존적 양식, 피투성

주변인
[周邊人, marginal man]

2개 이상의 이질적인 문화에 속해 있어서 그 문화들의 영향을 받으면서도 어느 쪽의 문화에도 완전히 속하지 않은 사람을 말하며, 경계인이라고도 함. 다문화상담 아동 청소년상담

기존 집단의 성원도 아니고, 새로운 집단의 성원도 아닌 이중문화의 구성원들이 이중 민족적 정체성을 형성하지 못한 상태를 말하는 '주변인'은 스톤퀴스트(Stonequist, 1973)가 만든 용어다. 이중문화를 소유한다는 것은 특권을 의미하는 것임과 동시에 두 가지 문화에 대한 적응이 부담이 되기도 한다. 특히 소수민족의 경우에는 지배적인 영향력을 가진 문화적 정체성 속에서 상대적으로 약한 영향력의 문화적 정체성을 유지하면서 이중문화 간의 적응과 협상을 하는 데 더욱 큰 어려움을 겪는다. 한편, 발달심리학에서는 청소년이 아동과 성인, 그 어느 쪽에도 완전히 소속되지 못하여 아동의 생활공간과 성인의 생활공간의 경계선에 존재하는 세대이므로 청소년기를 주변인이라 일컫는다.

주성분분석
[主成分分析, principal component analysis]

다수의 피험자에 대해서 여러 종류의 측정치가 주어지고 있는 경우, 즉 다변량(多變量) 자료가 있을 때 각 측정치 간의 상관관계에서 그에 포함된 정보를 소수의 종합적 지표로 나타냄으로써 변량 간 관계구조를 표현하는 방법의 하나. 통계분석

주성분분석은 요인분석(factor analysis)에서 사용하며, 주어진 확률변수 벡터 X를 선형변환(linear transform)시켜서 X보다 성분 수가 더 적은 새로운 확률 변수 벡터 Y를 얻되, X에 대한 분포적 정보를 최대한 포함하도록 Y를 구성하고, 다음에는 Y와의 상관계수가 0이 되며 동시에 X의 잔여변산을 최대한 설명하는 요인들을 순차적으로 밝히는 방법이다. 주성분분석의 목적은 다수의 변수를 소수의 요인으로 줄이는 데 있다. 구성확률변수들 사이의 상관계수가 모두 0이고, 훨씬 적은 수의 확률변수로 형성된 벡터 Y를 사용하여 자료를 분석하면 X를 사용할 때보다 결과의 해석이 훨씬 쉽다. 주성분분석은 요인분석, 중다 공선성 문제, 다변량 자료의 도형에 의한 분석 등에 유용하게 활용할 수 있다.

관련어 | 요인분석

주요우울장애
[主要憂鬱障礙, major depressive disorder]

조증 혹은 경조증 삽화 없이 한 번 이상의 주요 우울증 삽화를 경험하는 심리적 장애. 정신병리

기분장애의 하나로서, 양극성장애에 대비하여 단극성장애라고도 불린다. 대체로 서서히 발생하며 수년간 과다활동, 분리불안장애 혹은 간헐적인 우울증상을 나타낸다. 불면증, 슬픈 감정, 과거에 대한 집착, 주의산만, 절망감, 피로감, 식욕감퇴 등의 증상이 나타난다. 청소년의 경우에는 부정적이고 반사회적 행동 및 약물남용이 두드러진다. 또 적대

적 반항장애, 행동장애 등이 추가로 진단되고 학업 성취, 가족관계, 친구관계 등에 부정적인 영향을 미친다. 학교성적 저하는 집중력 저하, 관심과 동기 부족, 피로, 우울적 집착 등이 요인이 되므로 가끔 학습장애로 잘못 진단되기도 한다. 아동 및 청소년의 주요우울장애에는 환각과 망상이 동반될 수도 있다. 경멸하는 내용 혹은 죽음이나 자살과 관련된 내용이 단일 목소리로 들려오는 환청을 호소하기도 한다. 주요우울장애를 지닌 사람 중 약 15%는 망상 증상을 나타낸다. 우울망상은 주로 죄책감, 처벌, 빈곤감, 신체적 질병, 죽음, 허무주의, 피해감 등과 관련된다. 평생 유병률은 약 17%이며, 여성이 남성보다 약 2배 정도 높다. 반복되어 나타나는 재발성 장애(recurrent disorder)로서, 우울증을 호소하는 사람 중 약 80%가 1년 이내에 또다시 우울증을 경험한다. 성인과 달리 아동과 청소년은 우울한 기분보다는 과민한 상태가 더 빈번하게 나타난다. 발현증상도 연령에 따른 차이를 보이는데, 아동은 때때로 슬프거나 우울해 보이며 두통이나 복통과 같은 신체적 불편감을 호소하고 과민한 경우가 많다. 이에 비해 청소년은 슬픔과 무망감과 같은 감정을 더 많이 표현하며, 수면과 식욕 등에서 더 많은 변화를 경험한다.

관련어 | 양극성장애

주요인물심상
[主要人物心像, relationship]

KB 심상척도 중 하나로, 가족 및 주변의 대인관계에서 비롯된 내담자의 상처나 심리 및 정신적 문제의 원인을 분석하기 위한 심상척도. 심상치료

주요인물심상은 중급단계에서 활용하는 것으로, 내담자의 가족관계, 부모-자녀관계, 대인관계, 사회생활 중 여러 관계에서 비롯되는 문제와 그에 수반된 내담자의 부정적 정서를 파악하기 위한 심상척도다. GMIP에서 중요하게 다루는 심상척도로서,

주요인물심상을 통해서 유아기부터 형성된 내담자의 마음구조와 의미 있는 타인과의 관계에서 비롯된 아픈 기억이나 상처, 그로 인한 부정적 자아상 등을 탐색할 수 있다. 내담자는 자신에게 긍정적인 의미가 있는 타인에 대해서는 별 어려움 없이 심상작업에 임할 수 있지만, 자신에게 상처를 주었거나 부정적인 정서를 유발한 타인에 대해서는 심상작업을 힘들어할 수도 있다. 주요인물심상에서 주로 다루는 관계는 부모, 형제, 권위자 등이다. 이 심상체험으로 내담자 성격이나 가치관에 타인이 미친 영향을 파악할 수 있다. 하지만 주요인물심상을 분석할 때는 치료자가 주관적 해석을 하거나 가족에게만 한정시켜 의미를 찾지 않도록 신중을 기해야 한다. 이같은 주요인물심상을 통해서 사회생활능력, 자아상, 성격 및 가치관 구조 등을 포착하고, 주요 인물과 관련된 복합적 정서를 다룰 수 있다.

관련어 | KB 심상치료

주요치료집단
[主要治療集團, main clinical group]

치료적 공동체가 개인의 긍정적인 심리적 변화 촉진을 공통의 목적으로 삼아 운영하는 집단. 중독상담

주요치료집단에는 참만남집단(the encounter groups), 조사(probes), 마라톤(marathons)의 세 집단이 있다. 첫째, 참만남집단은 치료적 공동체에서 집단과정의 기본이며, 주요한 접근방법으로 직면이라는 절차를 사용한다. 기본적인 참만남집단은 10~20명의 또래가 이끄는 집단으로 구성되며, 목적은 교정되어야 할 특정 행동이나 태도에 대한 개인의 인식을 높이는 것이다. 둘째, 조사집단은 입소자들의 치료를 위해 깊이 있는 임상적 정보를 얻으려 수행되는 장기적인 집단과정이다. 역할극, 사이코드라마 또는 게슈탈트적인 요소와 같은 도구를 사용하여 개인의 자기표출을 촉진한다. 이러한 조사집

단은 이전에 표출되지 않았던 감정을 서로 공유함으로써 구성원끼리 더 친밀하게 만들어 주고, 집단의 응집력을 재강화해 준다. 셋째, 마라톤 집단은 다른 모든 집단으로부터 도출되는 요소와 방법을 사용하는 확대 집단 회합을 말한다. 마라톤 집단의 일차적인 목적은 개인의 성장이나 발전을 방해하는 삶의 경험을 해결하는 과정을 시작하는 것이다. 마라톤은 치료의 목적이 아니라 삶을 변화시킨 사건과 관련된 주제들에 대해 계속해서 이의를 제기할 수 있도록 개인을 격려하는 것이다. 최선의 효과를 얻기 위해 입소자들은 치료기간에 적어도 두 번의 마라톤을 경험해야 한다.

관련어 시설에서의 진행, 알코올중독, 치료적 공동체, 참만남집단

주의력결핍 과잉행동장애
[注意力缺乏過剩行動障礙, attention deficit hyperactivity disorder: ADHD]

학령 전기 또는 학령기에서 주로 나타나는 장애로 지속적으로 주의력이 부족하여 산만하고 과잉활동 및 충동성을 보이는 상태. 특수아상담

아이가 가만히 있지 못하고, 끊임없이 움직이고, 충동적이며, 그리고/또는 수행 중인 일에 집중을 못하고, 성인의 경우 과거의 기억할 수 있는 모든 범위에서 과잉활동과 부주의함이 문제가 될 때 주의력결핍 과잉행동장애로 진단된다. ADHD를 보이는 아이들 중 어떤 아이들(특히 남아)은 과잉 활동적이고 충동적이며, 또 어떤 아이들(특히 여아)은 주의가 산만하기만 하다. 대부분의 아이들은 두 가지 모습을 모두 보이고, 과잉활동은 성장하면서 점차 덜 문제시된다. 약 2/3의 아이들은 성인이 되어도 증상이 지속되는데 보통 주의력결핍 우세형에서 그러하다. 주의력결핍 과잉행동장애를 정의하는 데에는 하나의 단일 증후군으로 설명이 가능한지, 아니면 하위 유형이 존재하는지에 대한 논의가 이루어져

왔다. 그 결과 사용하는 용어도 변천해 왔는데, 예를 들어 과거에는 주의집중장애(attention deficit disorder: ADD)로 사용하면서 과잉행동(hyperactivity)의 유무에 따라 하위 유형으로 분류하였다. 그러나 현재는 DSM-5에 의해서 주의력결핍 과잉행동장애라는 용어를 사용하고 있으며, 주의력결핍 우세형 ADHD, 과잉행동 및 충동형 우세형 ADHD, 복합형 ADHD와 같이 세 가지 하위 유형으로 분류하고 있다. DSM-5에 따르면, 다음 중 한 가지에 해당하면 주의력결핍 과잉행동장애로 진단된다. ADHD의 정신집단 분류체계 준거에 맞으려면 여러 환경에 걸쳐 과잉행동과 부주의 문제가 나타나야 하기 때문에 여러 환경(학교, 가정, 친구관계) 속에서 관찰되어야 한다. 더욱이 이 장애를 가진 아동들은 종종 자신의 증상에 대해 잘 기술하지 않기 때문에 부모와 교사로부터 자료를 얻는 것이 중요하다. 또한 진단적 면담, 평정척도와 심리평가 등이 ADHD를 평가하는 데 도움이 된다. 오늘날 임상가들은 ADHD를 몇 가지 요인들이 상호작용하는 장애로 생각한다. 생물학적 요인들, 특히 도파민 신경전달물질의 비정상적 활동과 뇌의 전두-선조체 영역의 비정상성이 규명되었고, 또한 높은 수준의 스트레스와 가족기능 문제와도 관련된다. 그리고 사회문화이론가들은 ADHD 증상과 진단 그 자체가 사회문제를 만들고 부가적인 증상을 만들어 낸다고 한다. 즉, 과잉행동적인 아동은 특히 동료나 부모에 의해서 부정적으로 평가되고 자신도 부정적으로 평가한다. ADHD의 치료로 가장 일반적으로 적용되는 접근은 약물치료와 행동치료, 혹은 이 두 치료의 결합 형태다. 리탈린(ritalin)이라는 이름으로 널리 알려진 메틸페니데이트(methylphenidate)나 다른 흥분제 약물이 많이 사용된다. 이러한 약물은 ADHD 아동이 조용히 하고, 주의를 집중하고, 복잡한 과제를 해결하고, 학교공부를 더 잘하며, 공격성을 통제하는 데 도움이 되는 것으로 알려져 있다. 행동치료 또한 ADHD 사례에 광범위하게 적용되고 있는데, 부모와 교사들은 아동이 주의를 기울이거나 자기 통제를 할 때 보상하는 방법을 배운다. 토큰 경제(token economy) 프로그램과 같은 조작적 조건형성치료가 많은 ADHD 아동에게 도움이 되며, 특히 약물치료와 결합해서 사용될 때 더욱 그러하다.

A. 부주의에 관한 다음 증상 가운데 여섯 가지(또는 그 이상) 증상이 6개월 동안 부적응적이고 발달수준에 맞지 않는 정도로 지속됨
  • 세부적인 것에 세밀한 주의를 기울이지 못하고, 부주의한 실수를 자자 함
  • 과제나 놀이 시 지속적으로 주의 집중하는 데 자주 어려움을 보임
  • 다른 사람이 앞에서 말할 때 귀 기울여 듣지 않는 것처럼 보임
  • 학교활동이나 집안일, 숙제 등 해야 할 일에서 지시를 따르지 못하고 끝마치지 못함
  • 과제나 활동을 체계적으로 조직하는 능력이 부족함
  • 지속적인 정신적 노력을 필요로 하는 과제를 피하고 싫어하며 하기를 주저함
  • 과제나 활동에 필요한 것들을 자주 잃어버림
  • 외부 자극에 쉽게 주의가 분산됨
  • 매일 하는 일상적인 활동을 자주 잊음

B. 과잉행동-충동에 관한 다음 증상 가운데 여섯 가지(또는 그 이상) 증상이 6개월 동안 부적응적이고 발달수준에 맞지 않는 정도로 지속됨
  • 가만히 앉아 있기가 어렵고 손발을 계속 움직이거나 몸을 꿈틀거림
  • 교실 혹은 유사한 장소에서 가만히 앉아 있지 못하고 일어나 돌아다님
  • 장소에 적절하지 않게 과도하게 뛰어다니거나 기어오름
  • 놀거나 여가 활동을 할 때 조용히 하는 데 어려움을 보임
  • 마치 모터가 달려서 돌진하는 것처럼 계속적으로 움직임
  • 말을 너무 많이 함
  • 질문이 끝나기도 전에 대답을 불쑥 해 버림
  • 차례를 기다리지 못함
  • 자주 다른 사람을 방해하거나 불쑥 끼어듦

관련어 품행장애, 주의력결핍 장애

주의력결핍장애
[注意力缺乏障礙,
attention deficit disorder: ADD]

산만하고 부주의한 상태. `이상심리`

하나에 집중하는 시간이 매우 짧고 세부까지 자세하게 주의를 기울이지 않는 상태를 말한다. 구체적으로는 학교나 직장에서 주어진 과제를 끝까지 수행하지 않고 점차 옮겨 간다. 다른 사람이 말하는 것을 듣고 있지 않으며 놀이의 규칙을 따르지 않는다. 과제나 활동을 조직화하기 어렵고 정신적 노력을 기울여야 하는 활동을 싫어하면서 하지 않으려하며 학교 준비물이나 물건을 잘 잃어버린다. 작은소리에도 쉽게 주의가 산만해지고 해야 할 일상을잘 잊어버린다. 이 장애는 DSM-Ⅳ의 주의력결핍과잉행동장애의 진단적 범주 중 하나이며, 7세 이전에 발병한다.

`관련어` 주의력결핍 과잉행동장애

주의산만
[注意散漫, distractibility]

주의의 폭이 짧아 지속적인 행동이 어렵거나 적응적 행동을 하는 데 불필요한 자극에 반응하는 상태. `정신병리`

주의산만한 사람은 주의가 쉽게 흩어지고 주의의폭이 짧다. 이들은 끈기가 없으며 한 가지 활동에서금방 다른 활동으로 옮겨 가고 무엇을 해야 할지 당황해한다. 과제를 끝마치지 못했을 때, 이들은 과제를 기억하고는 있지만 실행은 하지 못한다. 때로는다른 일로 주의가 산만해져 잊어버리기도 한다. 이같은 아동은 특별히 어떤 행동에 대해서는 오랫동안 집착하기 때문에 산만함이 잘 드러나지 않을 수도 있다. 이러한 활동은 대체로 그들이 자발적으로선택한 활동인데, 읽기와 같은 유익한 것일 수도 있지만 그렇지 않을 수도 있다. 아동의 주의산만 결과

로 이차적 징후의 문제가 되는 것은 학업실패다. 주의산만과 학업실패와의 관계에 대해 몇 가지 가능성을 살펴볼 수 있다. 첫째, 인지기능의 발달저하때문에 학습장애가 유발되는 것으로 볼 수 있다. 장시간 주의집중을 통해서만 고차적인 인지기능이 발달하는데 주의력결핍 과잉행동아의 경우는 주의력결핍 때문에 인지기능 발달이 저하되어 학습장애를초래하는 것이다. 둘째, 집단적인 학습상황에서의어려움을 학습장애의 원인으로 볼 수 있다. 학교장면은 고도로 구조화되어 있고, 인지능력을 요구하는 곳인데 교실에서 조용히 앉아 있지 못하고 조직력이 열등하여 수업에 방해를 받음으로써 학습장애가 나타나는 것이다. 셋째, 과잉행동, 짧은 주의 폭,충동성이 학업성취를 손상시킨다. 넷째, 주의력결핍 과잉행동장애와 동반된 특수 학습장애가 학습장애를 일으키는 것으로 볼 수 있다. 발달성 독서장애, 발달성 산수 학습장애, 발달성 언어장애, 발달성발음장애 등 특정한 능력을 학습하는 데 지각의 결함이 있어 상당한 장애를 나타내는 것이다. 다섯째,부족한 학습동기가 학습장애를 일으킨다.

주의진술
[注意陳述, attention statement]

놀이치료에서 아동의 주의를 환기시키기 위해 놀이에서 보이는 아동의 행동이나 행하고자 하는 실제적 내용을 파악하도록 알려 주는 기술. `놀이치료`

주의진술은 아동의 행동과 언어의 사실적 맥락에 대해 아동의 주의를 환기시킬 목적으로, 놀이에서 보이는 아동의 행동이나 실행하고자 하는 실제적인 내용을 아동이 알도록 도와주는 것을 의미한다. 예를 들면, 자동차를 미는 행동에 열중하고 있는 아동에게 "너는 그것을 계속 밀고 있구나." "계속해서 왔다 갔다 하고 있네."라고 말해 준다. 이 같은주의진술은 정신분석적 놀이치료에서 사용하는데,놀이에 대한 해석을 어떻게 하느냐에 따라 아동 자

신의 자각과 통찰에 영향을 준다. 루이스(M. Lewis)는 이 자각과 통찰을 주의진술, 환언적 진술, 상황적 진술, 전이 해석, 원인적 진술의 측면으로 설명하였다.

관련어 | 놀이치료, 상황적 진술, 환언적 진술

주의집중력검사
[注意集中力檢査, Frankfurter Aufmerksamkeits-Inventar: FAIR]

자기주의력의 프로파일 유형을 파악하도록 하는 검사. 심리검사

특정 장애 진단검사(ADHD)를 위해 1995년에 독일의 무스부르거(H. Moosbrugger)와 윌슐라겔(J. Oehlschlaegel)이 개발한 검사로, 우리나라에서는 2002년에 오현숙이 표준화하였다. 대상은 8세부터 성인까지다. 이 검사는 자기주의력의 프로파일 유형을 알게 하여 주의력 차원의 상대적 취약점을 보강할 수 있도록 하는 것이 목적이다. 검사는 검사 진행방법 이해도(mark value: M), 주의의 작업기능으로서 정보처리 단계상의 선별주의력 지수(performance value: P), 주의의 상위기능으로서 자기통제력 지수(quality value: Q), 지속성 주의력으로서 뇌 에너지 활성수준의 지표가 되는 지수(continuity value: C)의 네 가지로 구성되어 있다. 검사방법은, 먼저 검사지에 피험자의 인적 사항을 적는다. 다음으로 피험자는 검사지를 열고 연습문제를 풀어 본다. 검사자는 검사에서 선 그리기가 반드시 연필 모양 그림에서 시작되어야 한다는 것과 선은 매 행의 마지막까지 그려야 하는 것에 대해 설명한다. 피험자가 준비되면 검사를 시작한다. 3분 후 검사자는 검사 1을 끝내고 검사지 1을 피험자 왼쪽에 덮어 두도록 한다. 검사자가 쉬는 시간 없이 곧바로 검사 2를 시작한다. 3분 후 검사자는 검사를 끝낸다. 채점방법은 검사 1과 검사 2의 결과를 기록하며, 총점은 피험자가 작업한 맨 마지막 줄에서 작업된 아이템의 개수와 오른쪽 같은 높이에 있는 채점난의 T 칸에 있는 숫자를 합하면 된다. 선 그리기 오류로서 빠짐은 총 점수 T 안에서 선이 그려져 있지 않은 모든 아이템이나 선이 그려져 있지 않은 것이고, 이중 표시는 선을 그린 후 수정작업을 한 것이며, 개별 표시는 아이템의 왼쪽과 오른쪽 선이 끊어져 있는 모든 아이템이다. 선 그리기 오류 EL의 숫자는 문제 행단위로 세어서 기록지의 항에 표기한다. 간과 오류 Eo는 목표 아이템에 톱니가 그려져 있지 않은 경우로 평가지의 Eo항에 기록한다. 틀린 알람 오류 Ec는 목표 아이템이 아닌데 아이템에 톱니표시를 한 경우로 평가지 Ec항에 기록한다. 그런 다음 EL, Eo, Ec의 항목을 각각 합계 계산한다. 검사 1과 검사 2 각각의 T, EL, Eo, Ec를 합한 후 T-EL, Eo+Ec를 계산한다. T-EL을 T로 나누고 100을 곱하여 표시값 M을 구한다. M≥.95인 경우 표준점수 도표에서 백분위와 표준점을 평가지에 기록한다. P는 (T-EL)-2×(Eo+Ec)로 계산하고, Q는 P를 총 개수 T로 나누어 계산하며, C는 Q를 P와 곱하여 계산한다. P, Q, C의 백분위와 표준점수는 해당 규준점수표에서 찾아 기록한다.

주인공
[主人公, protagonist]

사이코드라마에서 문제행동을 보여 주면서 통찰력을 얻고 대안적인 반응을 개발하기 위해 노력하는 개인의 역할을 말하며, 실연에서 가장 주된 역할을 하여 그의 경험이 집단의 핵심적인 요소가 되는 사람. 사이코드라마

주인공이란 뜻 protagonist의 'protos'는 '최초의(first)'란 뜻이고, 'agon'은 원래 죽음과 관련된 고통이나 불안을 뜻하는 말이다. 그래서 protagonist는 디오니소스 제전의 첫 중심인물 혹은 행위를 이끄는, 앞서가는 사람을 의미한다. protagonist는 원래 고대 희랍 비극에서 합창단의 일원이었다. 어느 날 그가 합창단을 벗어나 앞으로 나서면서부터 합

창단을 이끌고 그들과 상호작용하기 시작했던 것처럼 사이코드라마의 주인공 역시 처음에는 관객의 한 사람으로 참여했다가 나중에는 사이코드라마의 중심인물이 된다. 그래서 그는 언제든지 다시 관객으로 되돌아갈 수 있는 권리가 있으며 때에 따라서 진행과정 도중에도 관객이 되거나 행위가 마무리되면 다시 관객의 자리로 돌아간다. 주인공은 탐색해야 할 사건을 선정하고, 이들은 지원자이거나 집단 참여자들과 리더가 선발한다. 그는 무대 위에서 자기 자신이 되어서 자신의 사적인 세계를 표현해 보도록 요구받는다. 극본에 따라 그에게 부여된 역할을 하기 위해서 사적인 자신을 희생하도록 강요받는 배우가 아니라 그 자신이 되도록 지시를 받는다. 그는 마음속에 떠오르는 것을 자유롭게 행동으로 표현해야 한다. 무엇보다 자유로운 표현과 자발성이 중요하다. 연출자는 주인공이 자발적으로 연기하도록 독려하지만 연출자의 지시에 따를 것인가는 스스로 결정하고, 연출자가 특별한 기법을 사용해도 주인공은 그 지시에 따르고 싶지 않다고 말할 권리가 있다. 사이코드라마 주인공의 특징은, 자신을 버리고 대본이나 각본에 나오는 인물이 되어야 하는 연극의 주인공과 달리 자기 자신이 되어야 한다는 것이다. 사이코드라마 주인공은 일반적으로 다음과 같은 특징이 있다. 첫째, 자발적이고 자연스러운 연기는 드라마에 참여하려는 절실한 동기가 있을 때 가능하다. 둘째, 사이코드라마의 형식에 잘 적응하고, 창의적 사고와 우수한 지적 능력이 있는 경우에 효과적이다. 셋째, 자아강도가 높아 자기노출에 상처를 적게 받거나 자신의 문제를 어느 정도 객관적으로 파악하고 대처할 수 있는 경우에 진행이 원활하다. 이 같은 특징을 보이는 것은 사이코드라마에서 주인공이 자신에게 주어진 잉여현실을 통하여 자발적으로 과거에 대한 재경험이나 미래에 대한 경험을 하기 때문이다. 요컨대 사이코드라마의 주인공이 사이코드라마를 통하여 치료효과를 얻기 위해서는 평균 정도의 지능을 가지고 창의성과 자발성이 뛰어나며 강한 자아강도를 가진 인물이어야 한다.

관련어 | 관객, 보조자아, 사이코드라마, 연출자

주제가 있는 의식의 흐름 글쓰기
[主題 - 意識 - , topical stream of consciousness writing]

하나의 주제에 집중하여 쓰는 의식의 흐름 글쓰기.
문학치료(글쓰기치료)

의식의 흐름 글쓰기는 많은 방법에 사용되는데, 특정한 주제에 대해서 글을 쓰는 데 장애를 느낀다면 그 주제에 대해 집중적으로 글을 쓸 수 있다. 예를 들어, 저널치료에서 단 5분 동안 집중해서 쓰는 5분 집중 글쓰기 기법도 의식의 흐름기법을 사용하는 글쓰기이며, 더 짧은 시간에 집중해서 하나의 문제에 접근하도록 하는 저널기법이다. 의식의 흐름 글쓰기와 원리는 같지만 쓰는 동안 하나의 주제에 집중한다는 점에서 다르다. 주제가 있는 의식의 흐름 글쓰기의 경우 글쓰기를 시작하도록 유도문장을 주어서 더 효과적으로 글쓰기를 도울 수 있다. 예를 들어, "내가 지금 해결하고 싶은 지배적인 감정은 ~이다." "내가 그 사람에 대해 가장 못 견딜 때는 ~이다." "내가 가장 외로울 때는 _____." "나는 왜 ~ 문제에 대해서 글을 쓰지 못한 채 이렇게 앉아 있는 것일까?"와 같은 유도문(writing prompt)을 사용한다. 단순히 '글이 써지지 않는다.'고 글로 털어놓는 자체가 글쓰기를 가로막는 벽을 무너트리는 첫 번째 단계다. 일단 글쓰기를 가로막는 요인에 대해 이해하기만 해도 글쓰기의 시도가 쉬워진다.

관련어 | 5분 집중 글쓰기, 글쓰기치료, 유도문, 저널치료

주제통각검사
[主題統覺檢査, Thematic Apperception Test: TAT]

머리와 모건(Murray & Morgan)의 투사적 그림검사.

심리검사

머리와 모건(1935)이 개발한 투사적 그림검사로 회화통각검사라고도 한다. 개인이 가지고 있는 욕구(need)-압력(pressure) 관계를 비롯한 여러 가지 심리적 역동관계를 분석·진단·해석하려는 것으로서 로르샤흐(Rorschach) 검사와 함께 가장 널리 사용되고 있는 대표적인 투사검사다. TAT는 성인 대상 검사이며, 아동용으로는 3~10세의 아동을 대상으로 하는 CAT(Children's Apperception Test)가 있다. TAT 도판의 적용대상은 성인(남여 공용, 남자용, 여자용, 3매의 아동용 도판 포함)이고, 도판의 내용은 인물이 그려져 있으며, 해석과정은 '주제'를 강조한다. 여기서 주제의 의미는 '실생활에서 생긴 일과 같이'다. 이야기의 주제는 그림의 내용으로 그림장면에 대하여 과거, 현재, 미래에 대한 행동과 감정을 자유롭게 공상한 것이다. TAT 그림의 성격은 자극의 다양성, 즉 피검자가 그림을 다양하게 해석할 수 있게 애매모호해야 한다. 그림의 내용은 인물이 포함된 생활장면, 다시 말해 인간은 자기와 동일시되는 대상에 대해서 자신의 욕구, 감정, 경험 등을 가장 잘 투사한다는 경험적 근거에 기초한 것이고, 자극장면에 대한 지각은 개인의 욕구, 가치관 또는 성격 특성에 따라 결정되며, 이렇게 해서 지각의 내용을 분석하여 성격진단이 가능하다. TAT는 백지카드를 포함한 31장의 카드로 구성되어 있고, 적용대상은 카드 뒷면에 문자와 숫자로 표기되어 있다. 즉, 문자표기는 M(성인 남자), F(성인 여자), B(소년), G(소녀), BM(소년과 성인 남자), GF(소녀와 성인 여자), BG(소년과 소녀), MF(성인 남자와 성인 여자)이고, 숫자표기는 1, 2, 4, 5, 10, 11, 14, 15, 16, 19, 20으로 두 성과 모든 사람에게 적용된다.

10장은 모든 피검자에게 실시하며, 나머지 카드는 성별과 연령에 따라 10장씩 실시한다. 즉, 각 개인은 20장의 그림을 본다. 검사 소요시간은 한 시간 정도이며, 2회에 걸쳐 진행한다. 해석은 먼저 피검자의 나이, 성, 직업, 결혼 여부, 형제와 부모의 존재 여부에 대한 것까지만 아는 상태에서 개략적 분석(무정보 해석, blind analysis)을 행한다. 다음으로 피검자의 구체적인 개인력을 참조하여 TAT 내용을 재검토한다. TAT의 가장 일반적 해석방법은 욕구-압력 분석법이다. 개인의 욕구와 환경압력 사이의 상호작용 결과를 분석함으로써 개인의 심리적 상황을 평가하는 방식을 말한다. 해석과정은 첫째, 주인공의 탐색에서 피검자는 대체로 이야기 속의 주인공과 자신을 동일시했음을 가정할 수 있다. 주인공에게 미치는 압력이나 그의 욕구, 집중하고 있는 대상 등은 피검자의 그것과 같다고 볼 수 있다. 둘째, 환경의 압력에 대한 분석에서 환경에 대한 묘사와 상황을 구조화하는 중에 주인공의 환경에 대한 견해를 유추할 수 있다. 환경자극으로는 일반적 환경과 특정한 자극이 있다. TAT에 나타나는 진단별 반응 특징으로는 정신분열증, 우울증, 경조증, 히스테리적 성격, 강박장애, 편집증, 불안상태 등이 있다.

반면, CAT는 아동의 성격발달에 포함되는 특질, 태도 및 정신역동성을 측정하는 3개의 구어적 반응 투사검사다. CAT-A는 인간사회를 배경으로 하여 10개의 동물그림으로 구성되어 있는데, 아동은 그림에 관하여 이야기를 한다. CAT-H는 아동에게 관심이 되는 상황에서 10개의 인간 그림으로 구성되어 있다. CAT-S는 앞의 두 검사만큼 보편적이지는 않지만 공통적인 가족상황에서 10개의 동물그림을 나타내는 보충검사형태다. 그림의 판은 조각 그림 맞추기 장난감의 그림 조각과 비슷하므로 이야기를 관련시키지 못하는 아동은 검사문항을 놀이기술로 조작할 수 있다. 검사시간은 총 30분 정도 소요된다.

관련어 | 투사적 심리검사

주지화
[主知化, intellectualization]

자아가 불편한 감정을 조절하거나 최소화하기 위해 지나치게 추상적으로 생각하거나 인지화하는 것. 정신분석학

감정적 갈등이나 불안을 처리하고자 하는 방어기제의 하나로, 감정을 억누르고 장황한 논리를 주장하는 경우다. 자아가 감정이나 충동적 욕구를 직접적으로 표출하지 않고 오직 지적인 작용에 의해 관념적으로 대처한다. 주지화는 청소년기에 흔히 나타날 수 있는 방어기제다. 성적 충동이 강한 사춘기에는 성행위를 통해 성욕을 직접적으로 충족해 주는 행동 대신에 성적 지식을 획득하려고 노력하는 등 지적 활동을 함으로써 성적 충동을 통제하고자 한다. 본능적인 충동을 의식적으로 다룰 수 있는 관념과 연결 지어 자아의 불안을 감소시킨다. 개인에게 이해될 수 있는 방식으로 경험을 설명하기 때문에 적응적 가치가 있는 정상적인 과정으로 인식된다. 승화와 마찬가지로 자신의 내면에 억압해 두고 싶은 강한 감정이나 충동적 욕구의 직접적인 발산을 피하고 사회나 대인관계에서 수용될 수 있는 형태다. 그러나 과다한 주지화는 세심한 사항에 대해 자주 의혹을 갖는다든가, 언어적 설명이 지나치게 많다든가, 사고로 모든 것을 할 수 있다는 착각에 빠지게 만든다. 또한 실제적인 행동을 취하기보다 오히려 현실적인 검토 없이 사고의 논리전개만 강조되어 현실검토가 없는 병적 지성화의 상태에 이를 수도 있다.

관련어 | 방어기제

주효과
[主效果, main effect]

변량분석에서 연구자가 관심을 갖고 있는 각각의 독립변인이 종속변인에 미치는 효과. 통계분석

하나의 독립변인이 두 가지 이상의 상태를 가질 때, 이에 따른 종속변인의 2개 이상의 평균치 간 차이가 의의가 있는지를 검증하는 통계방법이 변량분석(analysis of variance: ANOVA)이다. 하나의 독립변인에 의한 종속변인의 평균치 간의 차이검증을 일원변량분석(one-way ANOVA)이라 하고, 2개의 독립변인에 의한 영향을 동시적으로 분류하여 분석할 때 이원변량분석(two-way ANOVA)이라고 하며, 2개 또는 그 이상의 독립변인에 의한 변량분석을 다원변량분석(multivariate analysis of variance, MANOVA)이라고 한다. 이러한 변량분석에서 각각의 독립변인만의 효과를 주효과라 하고, 두 독립변인의 동시적인 작용에 의한 효과를 상호작용효과(interaction effect)라 부른다. 예를 들어, 교수법(전통적 교수법, 멀티미디어 교수법, 개인 교수법) 및 보상 여부에 따라 학생들의 수리능력에 차이가 있는지 알아보기 위한 연구에서 학생들이 교수법을 택하는 동안 잘한다거나 혹은 격려하는 등의 보상을 하는 집단과 전혀 보상을 하지 않는 집단으로 나누어 처치를 했다고 하자. 이때 교수법과 보상이 독립변인 혹은 처치변인이고, 수리능력이 종속변인이다. 수리능력에 영향을 주는 변인은 교수법 효과, 보상효과, 교수법과 보상 여부의 상호작용 효과다.

여기서 교수법과 보상의 효과를 주효과라 하고, 교수법과 보상 여부의 상호작용의 효과를 상호작용 효과라 한다.

관련어 | 모수통계

죽음
[- , death]

실존주의 철학과 실존주의 상담에서 다루는 가장 중요한 문제로, 내담자가 직면하게 되는 삶의 궁극적 관심사의 하나이자 내적 갈등의 핵심. 실존주의 상담

인간은 지금은 존재하지만 미래의 언젠가는 자신이 죽고 존재하지 않는다는 것을 스스로 자각한다. 죽음은 누구에 의해서도 대신 죽어 주기를 바랄 수 없는, 언제나 자기가 맞이해야 할 피할 수 없는 사건이다. 이것은 끔찍한 사실이며, 인간은 죽음에 대하여 불안과 공포를 가지고 반응한다. 이런 의미에서 실존은 죽음에의 존재이자 종말에의 존재다. 스피노자(Spinoza)의 말에 따르면, 모든 것은 인간의 존재에서 존속하려고 노력한다. 핵심적인 존재론적 갈등은 피할 수 없는 죽음에 대한 자각과 계속 살고자 하는 원함 사이에 있는 갈등이다. 그러나 실존은 자기를 기만함이 없이 결단을 내리고, 이러한 유한적 실존인 존재방식을 엄연히 받아들여야 한다. 실존주의자들은 죽음을 부정적으로 보지 않는다. 그들은 삶이 시간의 제한을 받기 때문에 오히려 의미를 가진다고 주장한다. 이러한 죽음의 불가피성과 삶의 유한성 때문에 보다 진지하게 지금-여기에 충실한 삶을 살아가도록 자극한다는 것이다. 죽음을 두려워하는 사람은 삶도 무서워한다. 어떤 사람은 결코 참된 삶을 살지 않기 때문에 자신의 죽음에 실제로 직면하는 것을 두려워하여 점차 비존재가 된다는 사실로부터 도피하려고 한다. 실존주의적 상담자이자 심리치료사인 메이(R. May)는 자신을 완전히 이해하기 위해서는 죽음에 직면해야 한다고 말했고, 프랑클(V. Frankl)은 죽음이란 인간 실존에 의미를 주며 우리가 유한하기 때문에 지금 하는 것들이 특별한 의미를 가진다고 말하였다. 그리고 얄롬(I. Yalom)은 죽음이 자유와 책임, 존재론적 고독, 무의미성과 함께 인간의 네 가지 궁극적 관심사(ultimate concerns)임을 확인하였으며, 인간의 심리적 문제를 해결하기 위해서는 이러한 궁극적 관심사에 대한 진정한 이해와 수용이 본질적이라고 보았다.

관련어 | 궁극적 관심사

죽음의 본능
[-本能, death instinct]

파괴와 죽음을 향한 무의식적 충동과 관련된 본능. 정신분석학

죽음의 본능은 파괴의 본능이라고도 하는데, 프로이트(S. Freud)는 죽음의 본능을 타나토스(thanatos)라고 불렀다. 생물체가 무생물로 환원하고자 하는 본능으로서, 일반적으로 모험적이고 위험한 행동으로 나타난다. 인간은 때로 자기 자신이나 타인을 죽이거나 해치려는 무의식적 소망을 갖고 있다. 자신을 파괴하고 처벌하며, 타인이나 환경을 파괴하고자 서로 싸우고 공격하는 행동을 하도록 만드는 원천은 죽음의 본능에서 유래된다. 죽음의 본능은 현재 상태를 해체하며 퇴행을 통해 이전의 존재상태로 나아가게 하는 힘을 지니고 있다. 생명 이전, 즉 죽음으로 나타나는 생명이 없는 상태에 도달하는 것이 궁극적인 목적이다. 이러한 내적 파괴자는 인간 기질의 일부로서 존재 안에 늘 내재되어 있다. 따라서 죽음의 본능을 외현화하여 다른 존재를 해체하고 파괴하려는 충동을 만들어 넘으로써 죽음을 향한 자기 자신의 욕동에 맞서 생존할 수 있다. 죽음의 본능은 논란의 여지가 많은 개념이어서 대다수의 정신분석가는 죽음의 본능 대신에 공격적 본능(aggressive instinct)이라는 용어를 더 선호한다.

관련어 | 본능, 삶의 본능

죽음장면
[－場面, death scene]

주인공 자신의 죽음이나 중요한 타인과의 관계에 대한 감정을 돌아볼 수 있는 수단으로 활용하는 사이코드라마의 기법으로, 죽음을 체험해 보는 것. 사이코드라마

사이코드라마 안에서 잉여현실의 세계로 들어가서 죽음을 직접 체험해 봄으로써 삶을 바라보는 고정관념과 스스로 자신을 바라보는 방식을 바꿀 수 있으며, 나이 드는 것에 대한 두려움을 완화하고 삶의 단계마다의 아름다움을 인식하도록 해 준다. 그리고 죽음을 받아들이지 못하고 회피해서 이 사회가 놓치고 있는 자산을 강화하게 된다. 이 기법을 통하여 치유에 이르게 하는 중요한 원칙은 잉여현실의 도움으로 주인공이 소망하는 경험을 창조할 수 있게 해 주는 것이다. 이 기법은 두 가지 유형으로 구분되는데, 우선 첫 번째 유형은 자신의 죽음장면으로 다음과 같이 진행된다. 먼저, 연출자는 주인공에게 자신의 죽음을 눈앞에 그려 보도록 지시한 다음 주인공이 그 상황을 준비하기 위해 어떻게 죽고 그 느낌이 어떤지, 주변에는 누가 있는지 등에 관한 질문을 한다. 이와 더불어 유언과 (역할바꾸기를 통하여) 죽은 주인공에게 전할 메시지 등을 말하도록 한다. 마지막으로 죽음장면은 재탄생 장면으로 진행된다. 두 번째 유형은 중요한 타인의 죽음을 맞이하는 것으로, 일반적으로 많이 활용되는 기법이다. 연출자는 타인을 변하게 하려고 끊임없이 투쟁하고 있는 주인공에게 잠시 멈추라고 한 다음, "이제 그(타인)는 죽었습니다."라거나 "당신은 방금 그의 죽음을 알리는 전보를 받았습니다. 당신은 서둘러 가서 그의 침대 곁에 서 있습니다."라고 말한다. 때로는 연출자가 다음과 같이 바꿀 수도 있다. "그가 죽기까지는 5분이 남아 있습니다. 이제 작별해야 할 시간입니다. 마지막으로 묻고 싶은 것을 물어보고, 솔직하게 분노와 감사를 표현하십시오." 여기서 타인과의 마지막 작별인사는 주인공의 정체감을 강화시키는 특히 중요한 방법이다.

관련어 | 역할바꾸기

죽음준비교육
[－準備敎育, death education]

생과 사의 교육, 죽음의 준비 교육 등으로 이야기할 수 있으며, 죽음의 과정과 죽음과 관련된 정보를 제공하여 죽음이 곧 삶이라는 사실을 알도록 도와주는 교육. 중노년상담

최근에는 죽음준비교육의 필요성이 강조되고 있는데, 그 이유는 죽음에 임박한 환자가 증가하고 죽음을 맞이하는 기간이 장기화되며, 점차 노년인구가 증가하는 고령화 사회에 접어든 탓에 있다. 죽음에 대해 어떻게 준비하고, 대처해 가는가에 대해서 새삼 교육이라는 차원에서 생각하게 된 것은 대단히 중요성을 띤다. 이 생각에 앞서 우선은 죽음을 금기(taboo)에서 해방하여 그것을 하나의 생활사건(life event)으로 여기며, 일상생활에서 다루어 나가는 교육의 주제로 받아들이는 태도가 필요하다. 따라서 죽음준비교육은 죽음에 임박한 노인뿐만 아니라 청소년의 건강한 삶에도 큰 공헌을 할 수 있다. 즉, 죽음준비교육으로 청소년이나 젊은 사람들에게 죽음에 대한 긍정적 가치와 태도를 갖추게 함으로써 생명에 대한 소중함과 의미를 되새기는 기회를 가질 수 있다. 그리고 노인에게는 죽음을 편안하게 맞이하도록 이끌어 주며 우울이나 죽음, 불안과 같은 부정적 감정을 감소시켜 삶의 만족도를 향상시키고, 현재의 삶을 더욱 건강하고 가치 있게 영위하도록 도와준다. 데켄(Deeken, 2002)은 죽음준비교육이 다학제적 접근으로 다루어져야 한다고 주장하면서, 3단계로 이루어진다고 보았다. 첫째, 지식전달 단계이며 이 단계에서는 죽음과 관련된 정보를 전달한다. 둘째, 가치관 단계이며, 이 단계에서는 삶과 죽음에 대한 가치를 확인하고 탐색한다. 셋째, 이러한 과정을 거쳐 죽음준비교육과 관련하여 교육방법을 가르치는 교수법 단계에 이른다. 이외에 죽음준비교육을 지식, 가치관, 감정, 기술의 네 가지

수준에서 생각하는 입장도 있다. 이러한 죽음준비교육은 상담자가 네 가지 수준에 대해 자신을 교육하는 것에서 시작되어야 한다.

관련어 | 삶의 의지, 호스피스

죽음학
[-學, thanatology]

죽음의 원인, 조건, 이론 등에 관해 연구하는 학문분야.
정신분석학

고대 그리스어로 죽음의 구현을 뜻하는 '타나토스(thanatos)'에서 유래된 용어다. 문학작품에서 죽음을 다루고 있는 대표적인 작품은 브라이언트(W. Bryant)의 『Thanatosis』로서 죽음에 대한 예언과 묵상을 담고 있다. 의학분야에서는 신체의 일부나 기관의 죽음을 뜻하는 'thanatos'로 사용되고 있다. 또 '사망공포증(thanatophobia)'은 죽음에 대해 가지고 있는 일반적인 공포보다 더 큰 죽음에의 몰두 상황을 표현한다. 프로이트(S. Freud)는 본능적 욕동에 관한 개념을 몇 차례 수정한 끝에 최종적으로 에로스(eros), 즉 삶의 본능과 타나토스(thanatos), 즉 죽음의 본능을 제시하였다. 인간에게는 종족유지나 개체유지와 같은 에로스만 있는 것이 아니라 죽고 싶어 하는, 또 죽어서 본래의 상태로 돌아가려는 타나토스도 있다고 보았다. 무(無)의 상태, 열반의 상태, 평화의 상태로 돌아가려는 본능이 있다. 환경이나 자신을 향한 공격적이고 파괴적인 행동으로부터 타나토스를 관찰할 수 있다. 자기파괴의 본능이론은 많은 논란을 유발했고, 오늘날 일부 정신분석가들 중에는 타나토스 개념을 인정하지 않는 경우도 있다. 한편, 실존주의 상담에서 죽음은 가장 두드러진 궁극적인 관심사다. 죽음은 모든 사람들과 관련되며 그 누구도 죽음을 피할 수 없다. 이것은 두려운 진실로 다가오며, 따라서 내면에서 도덕적 두려움을 가지고 죽음에 대해 반응하게 된다. 실

존적 관점에서 볼 때, 개인의 핵심적인 내적 문제는 불가피한 죽음에 대한 자각과 삶을 지속하고자 하는 소망 간에 비롯된 갈등이다. 죽음은 개인의 내적 경험에서 중요한 작용을 한다. 아동의 심리세계 내에서도 죽음에 대한 주제는 나타나며, 아동의 주요 발달과제 중에는 소멸에 대한 공포를 다루는 것도 포함된다. 죽음에 대한 공포에 대처하기 위해 개인은 죽음 자각에 대항하는 방어를 형성한다. 정신병리는 대부분 죽음을 초월하지 못한 결과라고 본다. 즉, 증상과 부적응적인 성격구조는 죽음에 대한 개인적 공포에 근원을 두고 있다.

관련어 | 에로스, 타나토스

준거참조평가
[準據參照評價, criterion-referenced assessment]

사전에 결정된 수행준거 또는 목표를 얼마나 성취했는지에 초점을 두는 평가방법. 심리측정

일반적으로 준거참조평가는 다른 사람들과 비교하는 것이 아니라 한 개인이 무엇을 할 수 있고 무엇을 알고 있는가를 확인하기 위해 사용한다. 동일 연령 혹은 동일 학년에 있는 다른 개인이 지식이나 기능을 얼마나 잘 학습, 숙달했는지에 관심을 두지 않고, 특정 개인이 특정한 지식이나 기능을 얼마나 잘 학습, 숙달했는지를 측정하기 위해 설계하는 것이다. 오늘날 사용하는 준거참조평가에는 두 가지 유형이 있다. 하나는 최소능력기반평가(minimum competency-based assessment)이고, 다른 하나는 기준기반평가(standards-based assessment)다. 최소능력기반평가는 역사적으로 볼 때 주어진 교육 프로그램이나 과정을 마친 한 개인이 최소한 가져야 할 능력수준에 도달했는지를 확인할 목적으로 사용되어 왔다. 그 능력수준은 주어진 프로그램이나 과정을 마치는 데 모든 개인이 습득해야 한다고 보는

지식이나 기능을 구체적으로 미리 정해 놓은 것이다. 이와 달리 기준기반평가는 일반적으로 개인이 교육부, 교육청, 교과 교육과정에서 교과별·학년별로 기대되는 바를 정의한 보다 엄격한 일련의 학습목표를 숙달했는지를 측정하기 위해 설계한 것이다. 최소능력기반평가든 기준기반평가든 준거참조평가에서의 점수는 개인이 일련의 구체적인 지식이나 기능에 대해 미리 정해 놓은 수행수준과 비교하여 얼마나 잘 수행하고 있는가를 나타낸다. 즉, 준거참조점수는 개인이 일련의 지식이나 기능을 얼마나 숙달했는지를 보여 주는 수행기준(예컨대, 보통 이하, 보통, 우수, 탁월)으로 제시된다. 이와 같은 준거참조평가의 수행수준 점수, 혹은 기준은 여러 가지 방식으로 정의될 수 있다. 예를 들어, 체육교과에서 수행기준은 각 개인이 일련의 신체활동을 완벽하게 수행할 수 있는가의 여부로 정의된다. 이러한 활동에는 일정 시간 달리기, 평형대에서 떨어지지 않고 걷기, 일정 시간 로프 점프하기 등이 있다. 만약 개인이 이러한 신체활동을 모두 완벽하게 수행할 수 있다면, 그 수행기준을 숙달한 것으로 본다. 모든 개인이 각 활동을 성공적으로 완수하지는 못할 것이다. 그렇지만 수행기준은 명확하게 기술된다. 요컨대, 오늘날의 교육장면에서 준거참조평가, 특히 기준기반평가는 개인이 무엇을 알아야 하고 무엇을 할 수 있는지를 확인하기 위해 널리 사용하고 있다. 현재 준거참조평가의 점수는 평가결과가 교수와 학습에 영향을 미치는 책무성 체제와도 밀접하게 관계되어 있다.

관련어 | 규준참조평가

준비성
[準備性, readiness]

어떤 행동을 효율적으로 습득하는 데 필요한 전제조건이 갖추어진 상태. 특수아상담

필요한 전제조건으로는 신체적·지능적·정서적·사회적·경험적·교육적 요인 등의 성숙과 발달을 들 수 있다. 교육분야에서 준비도는 학교준비도와 학습준비도의 두 가지 개념으로 규정되어 왔다. 먼저, 초등학교에 입학하는 1학년 아동이 초기에 학교생활을 성공적으로 적응하는 데 요구되는 발달적 성숙상태와 기초 지식 및 기능을 갖추고 있는 정도를 학교준비도라고 한다. 그리고 특정 학습에 대한 준비가 되어 있을 때 가장 성공적으로 성취될 수 있다는, 즉 아동이 학교에서 실패하는 것을 방지하고 성공을 증진시키는 것이 학습준비도다. 학습준비도에는 읽기 준비도, 쓰기 준비도, 수 개념발달 준비도 등이 연구되고 있다.

관련어 | 수 개념발달 준비도, 쓰기 준비도, 읽기 준비도

준상담자
[準相談者, para-counselor]

상담자에 준하는 활동을 하며 주로 내담자와 전문상담자의 중간 지점에서 가교역할을 하는 사람. 상담윤리

미국에서 처음으로 사용된 용어로서, 상담자의 주변에서 상담자에 준하는 활동을 하는 사람을 말한다. 즉, 내담자와 전문상담자의 중간 지점에서 가교역할을 하는데, 이를테면 상담자와의 상담이 효과적으로 진행될 수 있도록 내담자의 불안을 감소시키거나 심리적 문제를 조정해 준다. 준상담자는 상담의 초보자가 아니라, 그 역할과 입장에서 전문성이 요구되는데 연령, 학력, 문화적 배경이 다양하다. 예방적 차원에서 국가기관이나 지역사회는 준상담자를 훈련시켜 낮은 사회경제적 집단에 속하는 사람들에게 도움을 주고자 노력하였다. 이 같은 준상담자는 대부분 내담자의 배경과 비슷하여 그들의 노력이 큰 성공을 이루었고, 준상담자 양성에 많은 노력을 기울이게 되었다. 준상담자는 지역봉사센터, 시설이나 기관에서 지원하는 정신건강 프로그램을 운영하는 데 참여하고 있다.

ス

준실험설계
[準實驗設計, quasi-experimental design]

연구자가 실험처치를 할 수는 있지만 모든 관련 변인을 완전하게 통제하거나 조작할 수 없는 실험설계. 연구방법

엄격한 실험절차를 밟지 않더라도 실험설계와 유사한 방법을 적용하여 연구에 필요한 자료를 수집할 수 있는 자연적 상황이 많다. 이렇게 실험실에서처럼 실험조건을 충분히 통제할 수 없지만 자연적 상황을 이용해서 실험연구를 할 수 있는 방안이 바로 준실험설계다. 연구설계는 순수하게 실험적인 것이 이상적이기는 하지만, 사회과학분야에서 진실험설계는 실현 불가능한 경우가 많다. 진실험의 필수적인 두 가지 조건은 어떤 처치가 적용되기 전에 동등한 집단이라고 입증하는 무선배정과 참여자들에 대한 표준화된 처치다. 참여자들은 연구에 필요한 특성들(외향성 혹은 내향성, 남성 혹은 여성, 기혼 혹은 미혼 등), 즉 피험자 특성을 가지고 있는 경우가 대부분이기 때문에 특정 집단에 자기선정(self-select) 되어 있다. 예를 들어, 어떤 연구자가 또래집단이 청소년의 공격적 행동에 미치는 영향을 연구하는 데 관심이 있다고 하자. 이 연구자는 특정 또래집단에 청소년을 무선배정하지 않고 이미 같은 흥미를 가진 또래집단에 소속된 참여자를 선정할 것이다. 만약 연구의 결과가 또래집단 친화에 의한 공격적 행동에서 통계적으로 유의한 차이를 보인다면, 연구자는 이 두 변인이 관련되어 있다고 말하지 공격적 또래에 대한 친화가 공격적 행동을 이끈다고 결론을 내리지는 않을 것이다. 다만, 공격적 성향의 청소년이 공격적인 또래와 교제할 가능성이 높다는 점을 시사할 것이다. 이러한 예에서 쉽게 알 수 있듯이 특정 집단에 참여자를 무선배정하는 것은 항상 가능한 것이 아니다. 진실험의 필요조건이

충족될 수 없는 경우에 연구자는 준실험설계를 이용할 수 있다. 이 설계의 내적 타당도는 진실험설계와 비교했을 때 좀 더 낮지만, 진실험설계와 같은 특징을 많이 가지고 있기 때문에 실험처치 전과 후의 집단 간 유의한 차이를 검증할 수 있다. 또한 준실험설계가 연구와 관련된 많은 질문에 대한 답을 주지만, 앞의 공격적 청소년의 예에서 보듯이 인과적 결론을 도출하는 데 이용될 수는 없다. 다시 말해서, 연구자는 변인들 간 관계에 대해서 이해하는 것은 가능하지만, 하나의 변인이 다른 변인에 영향을 준 원인이었다고는 말할 수 없다(American Counseling Association, 2009). 준실험설계에 속하는 실험방안은 여러 가지가 있는데, 대표적인 것이 이질집단설계(nonequivalent groups design)와 시계열설계(time-series design)다. 이질집단설계에는 실험집단과 통제집단이 있지만 두 집단이 실험을 위하여 무선적으로 동등화된 것은 아니다. 대개는 기존의 학교나 학급과 같은 집단을 자연적인 상태 그대로 유지한 채 실험집단과 통제집단으로 선정하여 연구에 이용한다. 이 설계를 도식화하면 다음과 같다. 여기서 O는 관찰 혹은 평가를 가리키고, X는 처치 혹은 개입을 가리킨다.

$$
\begin{array}{ccc}
O_1 & X & O_2 \\
O_3 & & O_4
\end{array}
$$

이러한 이질집단설계를 교육연구에서 많이 사용하는 가장 큰 이유는 교육상황에서 실험연구를 위하여 연구자가 의도하는 대로 학생들을 실험집단이나 통제집단에 임의로 배정하기 어렵기 때문이다. 만약 교육현장에서 실험연구를 하기 위하여 기존 학급을 무시하고 마음대로 학급을 재편성하거나 학생들을 각 집단에 무선배정한다면 학교교육과정을 정상적으로 운영할 수 없을 것이다. 그러므로 학교현장에서는 대개 정상적으로 교육이 진행되는 상태에서 있는 그대로의 학급(intact class)을 실험목적에 알맞게 실험집단과 통제집단으로 구분하여 연구

하는 방법을 택하게 되는 것이다. 이처럼 학급과 같이 기존의 집단을 실험집단 또는 통제집단으로 사용하여 실험처치를 하는 경우, 자연적인 집단을 그대로 사용함으로써 실험의 외적 조건을 완전히 통제하지 못하는 설계가 바로 준실험설계다. 준실험에서는 엄격한 실험실이 아닌 일상생활 상황을 연구상황으로 선택하므로 연구결과를 일반화하는 데에는 장점이 있지만, 그 상황과 관련된 무수한 변인을 통제할 수 없기 때문에 검증된 연구결과의 내적 타당성이 의문시될 수 있다. 시계열설계의 특징은 어느 개인이나 집단을 대상으로 종속변인을 주기적으로 여러 번 측정하고, 이러한 측정의 시간계열 중간에 실험처치를 도입하는 것이다. 시계열에서 관찰되고 기록된 측정은 불연속적으로 표시된다. 시계열설계를 도식화하면 다음과 같다.

$$O_1\ O_2\ O_3\ O_4\ O_5\ X\ O_6\ O_7\ O_8\ O_9\ O_{10}$$

시계열설계에서는 역사, 측정도구의 변동, 피험자의 탈락과 같은 요인이 실험의 타당도를 위협하는 요인이 된다.

관련어 ┃ 실험설계, 진실험설계

중간거주시설
[中間居住施設, halfway house]
약물중독치료를 위한 시설로, 중독치료를 받는 환자들이 입원치료 후에 일상생활로 돌아가기 전 과도기적 생활환경을 위한 시설. 중독상담

입원치료를 마치고 난 후 일부 환자들은 중간거주시설에 의뢰되는 경우도 있다. 중간거주시설은 약물사용을 끊으려는 환자들이 집단으로 임시로 거주하는 곳으로, 지역사회로의 복귀(재활)에 중간단계에 있다는 의미에서 만들어진 개념이다. 중간거주시설에 거주하는 사람들은 반드시 그런 것은 아니지만 직장과 재산을 잃어버렸거나 가족이나 친구로부터 소외당하고 또는 독립적으로 생활하는 기술이 부족한 사람들이다. 중간거주시설은 중독치료를 하는 수용시설에서 지원하지 못하는 독립적인 사회생활에 대한 훈련을 목적으로 운영되고 있다. 따라서 이 시설은 개인이 자신이 속한 지역사회에서 독립적으로 생활할 수 있는 준비를 할 수 있도록 도움을 주는 것이 목표다. 중간거주시설의 거주자는 상주직원의 감독을 받으며, 정해진 규칙을 반드시 따라야 한다. 이때 거주자들은 집 밖의 장소에서 일하거나 교육을 받을 수도 있고, 추가적인 중독치료 프로그램에 참여할 수도 있다. 중간거주시설의 프로그램은 시설마다 다양하나 입원치료에서처럼 개별·집단상담을 하며, 독립생활기술, 의사소통기술과 같은 교육 프로그램, 여가 프로그램 등이 있다. 가족이나 친지의 방문이 정해진 시간 내에 허용되고 환자들은 외출도 할 수 있으며 사회복귀의 일환으로 직장생활도 할 수 있다. 중간거주시설의 직원은 대부분 약물중독으로부터 회복된 사람들이나 목사에 의해서 운영되는 경우가 많으며, 이외에 약물중독치료에 전문적인 지식을 갖춘 사회복지사나 상담사가 환자들의 치료와 재활을 담당한다. 중간거주시설에 머무는 기간은 2개월, 6개월, 또는 1년 이상으로 다양하며 중간거주시설에 따라 남자 환자만을, 또는 여자 환자만을 또는 자녀가 있는 여자 환자만을 받아들이기도 한다.

관련어 ┃ 약물중독, 중독

중간편지
[中間便紙, midway letters]
인지분석치료방법에서 치료기간 중 치료자가 그간의 과정을 요약하여 내담자에게 보내는 편지. 문학치료(글쓰기치료)

중간편지는 인지분석치료과정에서 재구성 편지를 쓴 이후, 내담자뿐만 아니라 치료자에게도 간과되거나 묵인된 감정의 부분들을 재조명할 수 있도

록 치료자가 그간의 과정을 요약하여 내담자에게 보내는 편지다. 인지분석치료에서 재구성 편지가 긍정적이고 효과적인 치료관계를 만들어 내지만, 초기 이상화가 적절하게 요구되지 않거나 기존의 파괴적인 과정이 드러나도록 하는 불가피한 결점이 있어서, 인지분석치료 총 16회기 중 10회기쯤에 분위기 변화를 시도하는 경우가 일반적이다. 이런 변화의 시점에서 치료자가 지금까지의 치료과정과 재구성 편지에서 밝힌 내용들의 연관성을 짚어 주는 간단한 편지를 내담자에게 전달한다. 회기 중 침체기에 접어들었을 때, 중간편지를 사용해서 내담자의 협력을 다시 이끌어 내는 것이다. 이는 치료자가 치료진행과정에서 내담자의 부정적 감정회피를 묵인하여 내담자에게 암묵적으로 동의하고 있었다는 것을 파악하도록 해 준다. 이런 자각으로 내담자에 대한 이해를 더욱 심도 있게 할 수 있고, 적대감 없이 내담자가 자신의 부정적인 감정표현을 할 수 있도록 도와준다.

중간현상
[中間現象, transitional phenomena]

본래 창조적 활동과 내면화된 것을 투사하여 일어나는 활동의 중간 영역. 　대상관계이론

이행현상이라고도 한다. 위니콧(D. Winnicott)에게 있어서 중간현상은 유아가 어머니와 자신 사이에서 일어나는 것을 객관적으로 인식하지 못하고 있는 상태와 어머니가 자신에게 영향력을 미치고 있다는 것을 인식하는 상태 사이의 중간 경험을 의미한다. 유아는 어머니에 대한 절대적 의존단계로부터 상대적 의존단계로 넘어가면서 분리된 존재로서의 불안을 느끼게 된다. 이러한 불안을 감당하고 현실원리를 받아들이기 위해 유아는 중간현상이라고 하는 경험을 이용한다. 위니콧은 중간현상의 하위유형을 제시하였다. 첫째, '내 것(mine)'인 동시에 '내 것이

아닌 것(not mine)'을 모두 포함한다. 예를 들어, 옹알이는 유아 자신이 소리를 내는 것인 동시에 그 소리를 외부에서 오는 것으로 인식하는 경우다. 둘째, 중간현상 영역으로부터 하나의 대상을 선택하여 최초의 '나 아닌(not mine)' 소유물을 만들고 그것에 대해 강한 애착을 드러낸다. 이러한 소유물을 중간 대상(transitional object)이라고 일컫는데, 보드라운 동물 인형, 담요, 장난감 등이 이에 해당될 수 있다. 중간 대상(transitional object)에 대한 유아의 느낌은 부분적으로 현실이고 부분적으로 환상인데, 이는 유아가 실제 대상에 관심을 가질 수 있으면서 동시에 좋은 대상을 내면화하여 환상의 세계를 만드는 능력이 있음을 의미한다. 이와 같이 모든 중간현상의 본질적인 의미는 그것이 절대적 의존기의 전능적인 환상세계와 상대적 의존기의 현실세계 간을 연결시켜 주는 매개물로 기능한다는 점이다.

중개과정
[仲介過程, go-between process]

가족치료사가 서로 대립하는 가족구성원들의 문제를 중개하는 기능을 한다는 개념. 　기타 가족치료

집단치료에서 발생한 개념으로서, 어떤 집단에 있어서나 갈등이 생기는 시기를 피할 수는 없다. 따라서 집단은 그 갈등을 변화시키거나 둘러 돌아가 힘을 가진 조정자를 찾아내야 한다. 주크(Zuk)는 가족치료사의 역할을 중개자로 보았다. 그는 정신분석에서 출발하여 체계이론을 도입한 독특한 가족치료사지만 중개과정을 그 중심적 사고방식으로 삼고 있다. 따라서 주크파의 접근방법은 중개치료(go-between therapy)라고도 불리고 있다. 이 방식의 특색은 가족 안의 문제를 두 사람이 대립하는 진영에 따른 갈등으로 이해하고, 대립하는 주역들의 역할을 정의한다. 중개자가 되는 치료자는 대립을 강화하고 심각하게 만든 다음 주역 역할의 의미를 바

꾸거나 갈등의 의미해석을 달리하여 점차 갈등을 해결하도록 유도한다. 이에 따라 치료자는 예측할 수 없는 의외 행동을 취하는 유연한 지도자로서의 기능을 수행하는 것이다. 이러한 의미에서 이 같은 접근방법은 전략파와 공통점을 가지고 있다. 중개과정을 이끄는 치료자는 때로는 적극적으로 치료과정에 개입하며, 때로는 소극적이고 비지시적인 태도를 취한다. 또 한편으로는 어느 측의 편들기를 하거나 중립성을 유지할 때도 있다.

중년기
[中年期,
midlife(mid-aged, middle adulthood)]

인간발달에서 대략 40~60세에 이르는 시기. `발달심리`

중년기는 성인기와 노년기의 중간 단계로서 연령은 학자마다 다르게 제시하고 있다. 인간의 전 생애 중 최고절정에 오르는 시기이며 동시에 장년기에서 노년기로 넘어가는 교량적 역할을 하는 시기다. 융(Jung)은 40세에 시작되는 중년기를 인생의 전반에서 후반으로 바뀌는 전환점으로 보았다. 이 시기에는 외면으로 향했던 에너지가 내면으로 향하면서 인생의 궁극적인 목적인 자아실현을 이루는 시기라고 하였다. 또한 중년기 이후 남녀 모두가 자신의 생물학적 성과 반대되는 성격 측면을 표현한다고 하였다. 즉, 남성은 자신 속의 여성적인 측면인 아니마의 영향으로 덜 공격적이 되고 대인관계에 보다 많은 관심을 보이기 시작하며, 여성은 남성적인 측면인 아니무스 때문에 보다 공격적이고 독립적이 된다는 것이다. 레빈슨(Levinson, 1978)은 중년기의 발달단계를 크게 4단계로 나누어 각 발달단계마다 이루어야 할 발달과업을 제시하였다. 첫 단계는 중년기 전환기(midlife transition)다. 40~45세로 성년기의 일을 마무리해 가면서 한편으로는 중년기의 요령을 익히는 시기로 보았다. 둘째 단계는 45~

50세로 중년기 진입기(entering midlife adulthood)다. 40대 중반이 되면 남성은 새로운 선택을 수반하는 새로운 인생구조를 설계하기 시작한다. 셋째 단계는 50세 전환기(transition)로 인생의 구조를 수정할 수 있는 또 다른 기회로 볼 수 있다. 넷째 단계는 중년기 안정기(culmination of midlife adulthood)로 60세를 일컫는다. 이 시기는 중년기의 토대구축을 끝낸 안정된 시기를 말한다. 한편, 에릭슨(Erikson)은 중년기에 생산성 대 침체성이라는 일곱 번째 위기를 경험한다고 하였다. 생산성을 통해 중년기의 성인은 다음 세대를 인도하며 자녀를 출산하는 것뿐 아니라 직업을 통해 기술을 전수하고 문화를 창조하며 보존한다. 반대로 생산성을 경험하지 못하면 침체성을 경험하게 되는데, 이는 다음 세대를 위해서 자신이 한 일이 아무것도 없다는 것을 깨닫는 것이다. 중년기는 신체적·생리적·인지적 노화가 시작되는 시기다. 그리고 사회학적으로 직업에서 절정기를 맞이하면서 은퇴를 감지하며 자녀의 결혼 등으로 자녀가 독립하는 등 사회적 관계의 변화가 일어난다. 이렇듯 중년기는 연령, 가족주기, 개인의 심리적·생물학적 과정, 사회적·역사적 배경에 의해 복합적으로 영향을 받는 시기다. 이 때문에 이 시기의 개인은 삶의 형태가 각각 다양하다. 신체적 변화 중 가장 뚜렷하게 쇠퇴하는 기능은 시각과 청각의 감각기능이다. 40세경이 되면 가까운 것을 보는 데 어려움이 나타나고 시각의 범위가 좁아져 사각범위가 넓어지고 밝기에 대한 망막의 민감성이 떨어진다. 또한 청각기능에서는 고음에 대한 민감성이 약화된 후에 50대에는 저음에 대한 감퇴가 일어나며 이러한 기능의 저하는 많은 소음을 가까이 접한 사람이 먼저 발생한다. 특히 여성은 40대 후반 50대 초반에 폐경을 경험하고 그것을 전후하여 얼굴의 홍조, 식은땀, 만성적 피로감, 메스꺼움, 심장박동의 증가, 골밀도의 감소와 같은 갱년기 증상이 나타난다. 신체적 증상과 더불어 우울, 불안, 초조와 같은 심리적 증상도 동반하는 경우가 있는데 이

ㅈ

는 개인마다 다양하게 나타난다. 남성도 이 시기가 되면 남성호르몬 분비가 점차 감소한다. 성욕과 더불어 여러 가지 의욕의 감퇴, 불안, 초조와 같은 갱년기 증상을 여성보다 10년 정도 늦게 경험하기도 하지만 여성의 생리적 특성과 달리 심리적 요인에 기인하는 것으로 보인다. 외적으로는 피부탄력이 감소하고 주름이 생기며 체중이 늘고 배가 나오면서 흰머리가 생긴다. 인지적 측면에서 성인기에는 유전적 요인으로 결정되는 유동성 지능은 뇌세포의 쇠퇴로 점차 약화되고 후천적 경험으로 습득되는 결정성 지능은 점차 증가하다가 어느 시점부터 지속된다. 정보처리시간의 지연으로 기억에 어려움을 호소하기도 한다. 성격적 측면에서는 반복적인 자극에 주의가 감소하는 습관화 현상이 나타나 변화하는 세계에 적응하는 데 어려움을 겪고, 때로는 습관화가 지나쳐 모든 변화에 대하여 두려움을 느끼며 기존의 방식만 고집하는 경향이 나타난다. 자녀들이 성장하여 분가함으로써 빈 둥지 현상을 겪으며, 이전의 가치관에 대한 의문을 제기하게 되어 중년기 위기를 겪는다. 이 시기의 사회적 활동은 비교적 안정적이고 직장에서 높은 지위에 있게 되지만 때로는 직업의 전환기를 맞이하기도 하며 실직을 경험하기도 한다.

관련어 레빈슨의 인생주기모형, 빈 둥지 현상

중년기 위기 [中年期危機, midlife crisis] 35~40세에서 60~65세 사이에 신체와 인지기능의 감퇴, 시간적 전망의 단축, 죽음과 유한성의 자각, 사회적 역할의 변화 등에 따르는 위협적 상태를 말한다. 중년기의 발달과업을 수행하는 과정 자체가 중년기 위기로 보며 고립감, 절망감, 초조함, 긴장감 등의 신체적 증상까지 포함하기도 한다. 중년기 위기는 융(Jung)도 강조한 바 있으며, 그는 40세에 자신의 삶의 목표와 목표수행 과정의 의미에 대하여 의문이 생기면 위기가 시작된다고 하였다. 중년기 위기는 사회적으로 성공한 사람들도 겪는 것이며 이를 극복하기 위해서는 외부환경에 적응하는 데 쏟았던 정신에너지를 자신의 진정한 자아를 찾기 위한 여러 가지 탐색활동을 하는 데 활용하는 것이 도움이 된다. 이 용어를 처음으로 사용한 사람은 자크(Jacques) 다. 그는 예술가 310명을 대상으로 중년기와 노년기 삶의 변화 과정을 분석하여 죽음을 의식하고 심리적으로 죽음을 준비하는 시기에 중년기 위기가 시작된다고 하였다. 또한 레빈슨(Levinson, 1986)도 중년기는 중년기 위기에서 시작된다고 하면서 50대에 겪게 되고 정상적인 발달과정이며 보다 나은 적응을 위해 반드시 거쳐야 하는 과정으로 생각하였다. 이와 같이 중년기 위기는 다음 단계의 발달을 위해 필요한 보편적 현상이라는 견해에 반하여 베일런트(Vaillant, 1979)는 중년기를 보다 안정적이고 행복하며 통합적인 존재로 여기며 중년기 위기를 간과하였고, 한(Haan, 1981)은 청년기부터 40대까지를 추적한 2개의 종단적 연구에서 중년기 위기를 발견하지 못하였다. 보다 최근의 연구들은 중년기 위기가 보편적 현상이라기보다는 개인의 특성, 개인적 역할, 사회적 환경 등의 다양한 변인들 간의 상호작용에 영향을 받는다는 견해가 지배적이다. 코스타와 맥크래(Costa & McCrae, 1978)가 개발한 척도를 활용한 국내 연구에 따르면 우리나라 중년들은 인지적 위기보다는 정서적 위기를 더 강하게 느끼는 것으로 나타났다. 우리나라 중년기 위기를 촉진하는 영향으로는 자녀의 진로나 학업성적과 같은 자녀문제가 가장 큰 영향을 미치며 개인적 요인으로는 낮은 자아정체감, 성역할의 변화, 여가활동 부재 등이 있다. 중년기 위기를 평가하기 위하여 코스타와 맥크래(1978)는 정서적, 인지적 측면의 하위요인으로 구성된 중년기 위기척도를 개발하였다. 이 척도의 하위요인인 정서적 위기는 침체감, 무력감, 불행감, 지루함이 있으며 인지적 위기는 삶의 의미에 대한 회의, 자아인식, 자기탐색 등으로 구성되어 있다.

중년기 전환기 [中年期轉換期, midlife transition] 레빈슨(D. J. Levinson)의 '인생주기모형(season of man's life)' 중 중년기의 한 단계로서 40~45세를 말한다. 레빈슨(Levinson, 1978)은 여러 직업에 종사하는 성인 남성 및 여성을 조사하고 분석하여 인간의 발달단계이론에 근거를 두고 중년기를 4단계로 구분하여 제시하였다. 그중 첫 번째 단계인 40~45세를 중년기 전환기라고 칭하였다. 이 시기는 성년기의 일을 마무리해 가면서 한편으로는 중년기의 새로운 선택으로 인생의 구조를 새롭게 형성하는 시기다. 이 시기가 되면 지금까지 살아온 삶에 대한 의문이 시작되고 정서적으로 불안함과 동시에 만족감을 느끼며 자신의 삶에 대한 재평가를 시도한다. 가정 내에서는 배우자와 자녀의 관계를 재정립하고 직장에서의 역할이 재조정되어 사회적 관계에 변화가 일어나기 시작한다. 이 시기에 인생 구조에 대해 성공적으로 확립이 되면 중년기는 인생의 절정기를 맞이할 수 있다.

중년기증후군
[中年期症候群, middle age syndrome]

성인 후기인 35~40세에서 60~65세 사이에 나타나는 부적응적 증상. 중노년상담

소위 중년기의 맹렬 사원에게 주로 나타나는 증상인데, 자신이 바라는 승진 전망이 없다는 것을 알았을 때 나타나는 상승정지증후군, 승진을 무거운 짐으로 느끼는 결과 나타나는 승진 우울증, 귀가하여 아이나 아내와 접촉해야 하는 스트레스를 피하기 위해 회사를 마쳐도 좀처럼 귀가하지 않는 귀가거부 증후군 등이 포함된다. 현대인의 정신건강에 큰 영향을 미치는 요인 중 하나로 직장생활의 스트레스를 강조하고 있다. 예를 들면, 기술혁신에 따르는 산업합리화가 불러일으키는 인간소외현상, 하이테크 기술 등에 의한 일의 고도화, 직장 내 인간관계

문제, 기업 간 또는 직업 간 경쟁 등이 있다. 그리고 개인적 요인으로는 직장 내의 상하관계 및 동료관계와 가족 등의 인간관계의 희박화, 핵가족화, 부권상실 등이 남성의 중년기증후군을 촉발하는 요인이라 할 수 있다.

관련어 상승정지증후군, 중년기 위기, 테크노 스트레스

중도 · 중복장애
[重度重複障礙, severe or multiple disabilities]

지적장애-맹, 지적장애-지체 부자유와 같이 하나의 장애영역에 하나의 특수교육 프로그램을 적용시킬 수 없는 심각한 교육적 문제를 야기하는 장애. 특수아상담

일반적으로 매우 복합적이고 이질적인 다양한 장애유형이 동시에 나타나고, 지적 · 신체적 · 사회적 기능에 심각한 제한을 가진 학생을 의미한다. 1960년대까지는 의학적인 한계성 때문에 중도 · 중복장애아의 생존율이 높지 않았고, 중도 · 중복장애가 지적장애 혹은 지체장애로 분류되어 장애의 한 영역으로 인정되지 않았다. 그러다가 1970년대부터는 중도 · 중복장애의 존재를 인정하고, 학교교육에 대한 권리가 보장되었다. 중도 · 중복장애의 원인은 출생 전, 출생 시, 출생 후 등 출생 시기나 선천(유전)적, 또는 후천적으로 살펴볼 때 실제로 매우 다양하고 복잡하다. 따라서 정확한 출현율을 파악하는 것은 쉽지 않다. 우리나라의 국립특수교육원(2003)에 따르면 전체 장애 학생 가운데 약 4%가 중복장애를 가진 것으로 밝혀지고 있다. 중도 · 중복장애의 진단과 평가는 전반적인 교육적, 의료적 혹은 사회적 서비스를 적절하게 제공하기 위해서는 반드시 필요한 사항이다. 그러나 이 과정에서 주의해야 할 점은 장애 아동의 결손이나 결함을 강조하기보다는 잔존능력 및 가능성을 확인하는 것이 진단과 평가의 목적이 되어야 한다는 것이다. 하지만 인지문제, 주의력결핍, 과제이해력의 결함, 의사소통문제 등

의 특수성과 표준화된 검사도구의 부족으로 명확한 진단 및 평가 과정이 현실적으로 어렵다. 일반적으로 진단 및 평가에는 특수교사, 교육행정 관계자, 의사, 치료사, 부모 등이 참여하여 실시한다. 전반적인 진단과정에는 심리학적, 교육학적인 측면에서뿐만 아니라 치료와 요양활동을 위하여 의학적인 요소를 동시에 고려해야 한다. 중도·중복장애는 성격에 따라서 다양하게 분류할 수 있는데, 임상적, 긴급 유형별 혹은 원인별로 나누어진다. 먼저 중도·중복장애의 임상적 분류에는 중도 지적장애가 주장애이고 또 다른 장애가 수반되는 경우, 중도 운동 및 이동 장애가 주장애이고 지적·정서·의사소통·감각 장애 등이 수반되는 경우, 중도 운동 및 이동 장애와 중도 지적장애가 동시에 나타나는 경우, 기타 두 가지 장애를 함께 가지고 있는 경우다. 긴급 유형별 분류에는 의학적 중도·중복장애로서 중대한 지적 및 신체 장애로 인하여 의학적 보호와 관리가 우선적으로 필요한 경우, 의료적 보호보다는 심각한 문제행동 등으로 시설보호 관리가 필요한 경우다. 그리고 원인별 분류에는 우선 한 가지 원인으로 두 가지 이상의 장애를 수반하는 경우, 각각 다른 원인으로 두 가지 이상의 장애가 나타나는 경우, 혹은 주장애와 수반장애를 가지는 경우 등 매우 다양하게 구분할 수 있다. 여기에는 지체장애에 수반된 중복 장애(뇌성마비, 지적장애, 정서 및 행동장애 등의 수반), 지적장애에 수반된 중복장애(청각장애, 시각장애, 정서 및 행동장애 등의 수반), 정서 및 행동장애에 수반된 중복장애(시각장애, 청각장애 등의 수반), 시각 및 청각의 감각장애 등이 있다. 중도·중복장애 학생의 특성은 신체적, 인지 및 학습, 사회 및 정서, 의사소통의 측면에서 살펴볼 수 있으며, 그 특성은 개인 내에서도 매우 다양하게 나타난다.

관련어 지체 부자유, 지체장애

중도설
[中道說, middle path theory]

불교의 중심 사상으로서 있음과 없음의 극단을 종합한 뜻이며, 서로 다른 어느 한곳이나 한뜻으로 치우침이 없는 바른 도를 나타냄. 동양상담

세간(世間, loka)이라고 말해지는 이 세계의 현상이 생하고 멸하면서 계속 있다는 점에서 보면 일체가 없다는 견해가 성립될 수 없지만, 생하고 멸하는 것을 여실하게 들여다보면, 무명(無明)에서 생긴 것이기 때문에 세계의 모든 현상이 있다는 견해가 성립될 수 없는 것이다. 깨달은 자는 이 두 가지 견해를 떠나 중도(中道)에서 바라보고 있다. 즉, 일체는 무명에서 연기해 일어나고 있다는 현상에서 보면 없다고 말해서는 안 된다. 연기라는 형식을 빌려 되풀이되기 때문이다. 그렇다고 결정적으로 있다고 말해서도 안 된다. 실재성이 없는 것을 실재한다고 착각한 망념(妄念)에서 연기한 것들을 실체가 있다고 볼 수 없기 때문이다. 무명에서 연기한 것들은 무명의 소멸과 함께 없어진다. 범부들의 고행과 또 그 반대되는 수행법을 떠나 유(有)에도 치우치지 않고 공(空)에도 치우치지 않는 비유(非有), 비공(非空)을 중도라 하고 있는 것이다. 이 중도의 세계를 천태종은 실상(實相)이라 말하기도 하고 화엄종은 법계(法界)라고 말하기도 한다. 불교에서 말하는 무아는 바로 이런 뜻을 말하기도 하는데, 우리가 강하게 집착하고 있는 나에게는 실재성이 없기 때문에 무아인 것이다. 그러나 그 무아는 지금 망념에 사로잡힌 나까지 없다는 말은 결코 아니다. 즉, 알고 보고 말하는 그 내가 바로 이러한 망념의 내가 있기 때문이다. 따라서 불교의 무아는 유와 무의 두 끝을 떠난 중도적인 교섭이라고 말할 수 있는데, 이것은 십이연기설에 입각한 것이다. 그리고 거듭 말하지만 이 망념의 나는 무명에서 태어난 것이기 때문에 '참나'가 아니다.

관련어 연기

중독
[中毒, addiction]

개인에게 부정적인 영향을 미친다는 것을 인식하고 있지만 알코올이나 약물 등의 물질을 장기간에 걸쳐 사용하거나, 어떤 특정한 행위를 계속해서 반복하는 것을 스스로 조절하지 못하는 강박적인 경향. **중독상담**

중독이라는 단어인 'addiction'의 어원은 라틴어 과거분사인 'addictus'이며, 이것은 어떤 이에게 부여되거나 수여되는 것 혹은 한 사람이나 원인에 부착되는 것을 의미한다. 중독은 물질을 강박적으로 사용하여 부적응적인 변화가 생기는 물질중독(substance addiction)과 특별한 행동이 강박적으로 반복되는 행동중독(behavioral addiction)을 포함하는 좀 더 포괄적인 개념이다. 중독에 따르는 가장 일반적인 부적응적 변화는 지각장애, 각성장애, 주의력 장애, 사고력 장애, 판단력 장애, 정신운동성 행동장애, 그리고 대인관계 장애 등이다. 이러한 부적응적 변화의 양상은 개인마다 다양하게 나타나기는 하지만, 많은 물질의 반복적인 사용이 유발하는 생리적 · 심리적 변화가 반드시 부정적인 것이라고는 할 수 없다. 예를 들어, 카페인을 습관적으로 많이 섭취하는 것 때문에 빈맥이 나타나는 등의 생리적인 변화가 있지만 그에 따른 주의력결핍, 각성장애와 같은 부적응적 증상이 동반되지 않을 수도 있다. 따라서 이러한 경우에는 카페인 중독이라고 진단을 내릴 수 없고, 물질의 반복적인 사용에 따른 부적응의 증상이 나타나는 경우에만 중독으로 진단할 수 있다. 일반적으로 물질의 반복적인 사용으로 중독에 이르는 과정은 다음과 같다. 처음에는 해당 행위나 물질이 개인에게 쾌락을 주거나 고통을 완화해 주는 긍정적인 보상을 제공하는 것에서 시작된다. 그리고 이러한 물질사용이나 행위를 반복할수록 그 효과에 대한 내성이 생겨서 처음과 같은 강도의 보상을 얻기 위해서는 더욱 강한 자극이나 오랜 시간의 지속성이 필요하다. 또한 이러한 내성의 상태에서는 반복적인 물질의 사용이나 행동을 중단해 버리면 오히려 불쾌감이나 고통을 받게 되는 금단증상이 생기는데, 그 불쾌감이나 고통의 증상을 해소하기 위해 다시 반복적으로 문제의 행위나 물질의 사용을 반복하는 충동을 느낀다. 이러한 이유 때문에 중독이 진행될수록 물질사용이나 행동의 반복은 더 이상 쾌락을 얻기 위한 목적에서가 아니라 금단증상의 불쾌감을 없애기 위한 것으로 바뀌고, 결국 이러한 행동패턴을 스스로 조절하지 못하는 상태에 빠져 버린다. 이와 같은 중독과정의 특성에 따라 DSM-Ⅳ에서는 충동조절장애(impulse-control disorder)의 개념으로 중독을 설명하고 있다. 충동조절장애의 필수증상은 개인이나 다른 사람에게 해가 될 수 있는 행위를 하려는 충동, 욕동, 유혹 등을 조절하지 못하는 것이다. 중독현상이 심해지면 개인의 삶의 질을 떨어트리고, 가족과 사회와의 관계를 망가트리는 결과를 낳는다. 중독을 유발할 수 있는 것으로는 약물, 알코올, 도박, 일, 쇼핑, 인터넷, 성(sex), 사랑 등 매우 다양하며, 이러한 원인으로부터 유발된 중독을 보통 물질(약물) 관련 장애와 행동중독으로 나눈다.

관련어 | 금단증상, 내성, 물질관련장애, 물질남용, 물질의존, 행동중독

중립성
[中立性, neutrality]

가족동맹이나 가족연합에 참여하는 것을 피하는 치료자의 특성. **전략적 가족치료**

문제의 증상을 가지고 치료과정에 참여하는 가족들을 대할 때 지켜야 하는 체계적 접근을 하는 가족치료자의 자세를 말한다. 가족치료의 과정에서는 문제증상을 가진 IP(지목된 환자) 이외의 다른 가족 구성원과 치료자가 연합하여 IP를 무의식적으로 비난할 위험이 있다. 밀란학파의 가족치료사들은 이러한 잘못된 연합을 방지하고자 치료자가 모든 가

족구성원과의 관계에서 중립성을 지켜야 할 것을 강조하였다. 치료자가 이러한 중립성을 지킴으로써 모든 구성원의 입장과 그 사이의 상호작용을 객관적으로 이해할 수 있고, 각 개인에 대한 동등한 호기심을 유지할 수 있다.

중성화
[中性化, neutralization]

리비도와 공격성 에너지가 본능적 양태에서 비본능적 양태로 변화되어 자아가 사용할 수 있게 되는 과정. **대상관계이론**

고전적 정신분석에서의 승화(sublimation)는 본능적 에너지의 흐름을 전환시켜 즉각적인 성적 목적 대신에 초자아와 사회에서 수용될 수 있는 방향으로 사용하게 만드는 방어기제다. 즉, 본능적 목적의 전치(displacement)라고 할 수 있다. 그러나 하르트만(H. Hartmann)은 리비도만 포함하고 있던 프로이트(S. Freud)의 승화개념에 공격성 조절을 추가하였다. 따라서 중성화는 탈성욕동화(desexualization)와 탈공격성화(deaggressivization)를 모두 포함하는 개념이다. 프로이트 이론에서 리비도 부착이라는 방출을 통해 욕동의 만족을 추구하던 것이 하르트만의 이론에서는 욕동의 방출 대신 자아의 영역 안에 들어왔다. 이와 같은 하르트만의 중성화 개념은 프로이트의 승화개념을 확장한 것이라고 볼 수 있지만, 두 개념 간에는 몇 가지 차이점이 있다. 첫째, 승화는 리비도만을 다루는 반면 중성화는 리비도와 공격성을 모두 탈본능화한다. 둘째, 승화는 욕동이 고조됨에 따라 동원되는 방어기제인 반면 중성화는 점진적으로 이루어지는 과정으로서 단순한 방어기능에 그치는 것이 아니라 궁극적으로 자아형성에 관여한다. 셋째, 승화는 욕동에너지를 사회가 수용하는 방향으로 전환시키는 데 그치는 반면 중성화 과정에서는 욕동에너지가 원초아에너지에서

자아에너지로 전환되므로 에너지 자체가 변형된다. 이와 같이 욕동에너지를 중성화하는 능력과 욕동방출을 지연시키는 능력이 상호작용하여 에너지를 자아형성에 사용할 수 있게 된다. 이러한 자아형성과정을 구조화라고 한다. 자아형성이 전개되는 3개월 정도의 유아는 이미 중성화 능력을 갖추고 있다. 배고픔의 감각과 자신이 울었을 때 엄마가 다가와서 자신의 욕구를 충족해 주었던 기억을 연관 지을 수 있다. 따라서 유아는 대상 없는 울음을 대상 추구의 목적을 지닌 울음으로 바꿀 수 있게 된다. 단지 욕동에만 초점을 두었던 에너지를 전환하여 대상관계를 형성하는 데 사용할 수 있다.

관련어 방어기제, 승화

중심인물
[中心人物, key person]

내담자를 돌보고 지지해 주는 데 중요한 역할을 하는 사람. **개인상담**

사례관리를 하는 데 내담자의 생활기반인 소속집단, 즉 아동이라면 학교, 성인이라면 직장이나 지역사회 안에서 내담자를 돌보고 지지해 주는 인맥을 만들어야 할 경우가 있다. 이때 중요한 역할을 하는 핵심적인 사람을 중심인물이라고 한다. 중심인물의 조건은 내담자에게 신뢰받고 주위 사람에 대해 영향력을 갖고 있는 사람으로서, 내담자의 문제에 의욕적으로 대처해 주는 사람이 바람직하다. 학교에서는 교사, 직장에서는 동료, 상사가 중심인물에 해당한다. 상담자는 누가 중심인물이 되어 줄 것인지 내담자의 인간관계를 확인하면서 중심인물이 되는 사람과 제휴하여 내담자를 지원하는 체제를 갖추어 나간다.

중심자아
[中心自我, central ego]

이상적 대상과 연합관계에 있는 자아. （대상관계이론）

페어베언(W. Fairbairn)이 제시한 자아구조의 세 측면 중 하나로, 중심자아는 본래 자기에서 리비도적 자아와 반리비도적 자아가 분리되어 떨어져 나가고 남은 부분이다. 아동은 대상 상실에 대한 불안에 대처하기 위해 대상을 내재화하여 나쁜 대상 부분을 통제하고자 한다. 내재화된 대상은 양가적으로 경험되는데, 아동은 어머니를 좋은 대상과 나쁜 대상으로 나누고, 이 두 요소를 서로 분열시킴으로써 위협받지 않고 의존성의 끈을 유지하고자 한다. 내재화된 대상들은 병렬적 자아분열을 거쳐 독특한 자아상태를 발생시킨다. 이때 불만족스러운 대상은 리비도적 자아와 반리비도적 자아로 발달되고, 만족스러운 대상은 분열되지 않은 채 수용하는 대상, 즉 중심자아로 남는다. 리비도적 자아와 반리비도적 자아는 본래 자기로부터 분리되어 내적으로 억압되면서 형성된 심리구조인 반면, 중심자아는 억압과는 무관한 심리구조다. 아동의 중심자아는 부모와의 만족스러운 상호작용을 통해 확장되고 이상적 대상(ideal object)의 '좋음'을 강화한다. 이러한 과정에 따라 성숙해진 중심자아는 성장과정에서 겪는 좌절을 극복해 낼 수 있다. 이상적 대상의 '선함'이 좌절을 주는 대상의 '나쁨'보다 더 우세하기 때문이다.

관련어 | 리비도적 자아, 반리비도적 자아

중앙처리장치
[中央處理裝置,
central processing unit: CPU]

컴퓨터 프로그램의 명령을 해독하고 실행하는 장치로서 컴퓨터의 기억, 연산, 제어 기능을 종합하는 단위. （사이버상담）

간단하게 CPU라고도 부르는 중앙처리장치는 컴퓨터에서 가장 중요한 부분으로, 사람의 두뇌에 해당한다고 볼 수 있다. 중앙처리장치는 산술논리장치, 제어장치, 레지스터들로 구성되어 있다. 산술논리 연산장치는 산술계산과 논리연산을 담당하며, 중앙처리장치로 들어온 데이터를 처리하여 결과를 얻는다. 산술계산은 정수, 실수 등의 숫자계산을 말하는 것이며, 논리연산은 논리학에서 쓰이는 연산인 AND, OR, NOT 등의 처리를 의미한다. 제어장치는 프로그램을 구성하는 일련의 명령어를 따라가며 정보와 데이터의 흐름을 결정하고, 각종 장치의 동작을 제어한다. 레지스터는 중앙처리장치에서 데이터를 임시로 보관하는 장소다. 임시로 보관하고 있다가 산술논리 연산장치에 입력값으로 보내 주기도 하고, 연산결과를 받아 두기도 한다. 이처럼 중앙처리장치는 여러 가지 일을 할 수 있다. 하지만 인간의 두뇌처럼 스스로 작동하지는 않는다. 중앙처리장치는 단지 주어진 프로그램에 따라 데이터를 처리하여 결과를 얻을 뿐이다. 따라서 사용자가 원하는 결과를 얻기 위해서는 데이터 처리를 위한 전체 시나리오를 작성하여 컴퓨터에 입력해 놓아야 한다. 여기서 컴퓨터를 제어하는 전체 시나리오라는 것이 바로 소프트웨어이며, 실질적으로 데이터를 정보로 변형시키는 것은 중앙처리장치다. 데이터는 한 학급의 성적이나 학생이 획득한 점수, 사진에서의 명암부분처럼 컴퓨터로 처리될 수 있는 재료가 된다. 처리된 데이터는 조직적이고 의미를 가지고 있으며 유용한 정보가 된다.

중이염
[中耳炎, otitis media]

박테리아나 바이러스에 의한 감염으로 중이에 발생한 질환. （특수아상담）

중이에 가장 빈번하게 발생하는 질병이며, 세균 감염이 있을 수도 있고 없을 수도 있다. 특히 어린

아이에게 빈번한 질환으로 6세 이하 중 75~95%는 중이염을 경험하는 것으로 알려져 있다. 중이의 이상은 대개 외이의 경우보다 심각한 청력손실을 가져온다. 그러나 대개 농보다는 난청으로 구분되는 경우가 많다. 중이염은 치료하지 않고 방치하면 만성 중이염이 되어 청각장애를 일으킬 수 있다. 유스타키오관의 기능이 비정상적일 때 발생하기 쉬우며, 다운증후군이나 구개파열 아동의 경우 더 많이 나타난다. 또한 일시적 전음성 청각장애를 초래하기도 한다.

관련어 | 감음 신경성 청각장애, 전음성 청각장애

중재적 신념
[仲裁的信念, intermediate beliefs]

핵심 신념과 자동적 사고를 연결해 주는 신념. **인지행동치료**

중재적 신념에는 사람들의 자동적 사고를 형성하는 극단적이고 반복적이며 절대적인 규칙과 태도가 반영되어 있다. 벡(Beck)은 자각의 가장 가까운 곳에 있는 생각이나 생각의 조작을 자동적 사고라고 하였다. 엘리스(Ellis)는 이를 자기진술이라고 했는데, 이것은 의식의 흐름 속에 있으며 내담자는 이러한 사고를 잠시 생각하고는 쉽게 보고할 수 있다. 이는 "지금 당신 자신에게 무슨 이야기를 하고 있습니까?" "어떤 사건이 일어났을 때 당신 자신에게 무슨 이야기를 합니까?" 등의 질문을 통해 찾아낼 수 있다. 예를 들어, '나는 무능력하다.'는 핵심 신념이 있다면 여기에 "무능력한 것은 끔찍한 일이다(태도)." "나는 항상 열심히 일을 해야 한다(규칙-내가 무능하니까, 더 해야지)." "열심히 하면 다른 사람들이 쉽게 할 수 있는 일을 나도 할 수 있게 될지 몰라(가정)."라는 중재적 신념이 있다.

즈나나 요가
[- , jnana yoga]

인간의 고뇌가 무지에서 비롯됨으로써 철학적 지식을 습득하고 철학적 사색을 행하는 수행을 통하여 바른 지식을 얻으려는 심신훈련법. **명상치료**

즈나나는 지식을 의미하며, 지식은 분석적이고 과학적인 지식이 아니라 총체적이고 직관적인 인식작용에 따른 지혜다. 이 요가의 목표는 자신의 선입견적 사고나 관념에 사로잡히지 않고 경험적인 지식을 갖는 것이다. 편견이나 교의, 믿음 등은 삶을 이해하는 데 도움을 주지 않기 때문에 그것에서 벗어나 몸과 마음과 영에 관련된 사실에 근거한 생각들을 발전시켜 나가는 것이다. 즉, 지혜를 통하여 현상적 자아와는 다른 영원한 정신성으로서의 진정한 자아를 발견하고 구현하는 것이다. 이 요가는 자기분석, 직관의 각성, 수냐(sunya, 空)의 과정으로 이루어진다. 자기분석은 자신의 욕구에 대하여 자각을 하고 인격에 대한 현실적인 이해를 통해 삶에 소용없는 것을 버린다. 직관의 각성은 직관의 섬광을 경험하여 자각하는 것이다. 수냐는 허공, 무(無)를 말한다. 수냐를 이룰 때 비로소 우리는 자신의 존재를 알게 되지만 이를 수행하기 위해서는 불굴의 의지를 지녀야 한다.

관련어 | 요가

즉시성
[即時性, immediacy]

내담자와 상담자의 지금-여기의 상호작용에서 발생하는 무엇인가에 대한 상담자의 반응. **개인상담**

상담관계에서 상담자와 내담자 간에 어떤 일이 일어나고 있는지, 즉 상담자의 목적뿐만 아니라 내담자의 감정, 인상, 기대에 대하여 상담자가 이해하고 의사소통하는 것을 말한다. 이건(Eagan)은 즉시성을 관계 즉시성과 지금-여기 즉시성의 두 가지 유형으로

분류하였다. 관계 즉시성(relationship immediacy)은 상담관계의 질을 말한다. 예를 들면, 상담관계가 긴 장되었는지, 지루한지, 혹은 생산적인지에 관해 내담자와 논의할 수 있는 상담자의 능력을 의미한다. 지금-여기 즉시성(here-and-now immediacy)은 당시 일어난 현상 자체에 관해 논의하는 것을 말한다. 예를 들어, 내담자는 어떤 사실에 관해 이야기한 자신에 대해 상담자가 어떻게 생각하는지를 알고 싶어 할 수도 있다. 이때 상담자는 내담자가 지금 이 순간 어떤 것을 경험하고 또한 어떤 생각과 감정을 갖고 있는지를 탐색해 들어간다.

관련어 | 상담관계, 지금-여기

즉흥연주
[卽興演奏, improvisation]

즉석의 환경에서 주어지는 자극에 대한 반응과 내적 감정을 그 순간에 바로 음악적 표현으로 나타내는 활동. 음악치료

즉흥연주란 악곡의 전체 혹은 일부를 주어진 악보에 의존하지 않고 즉석에서 연주자가 직접 작곡과 동시에 자발적 연주를 병행하는 행위로, 음악치료에서는 연주자의 감정표현을 창조적인 비언어적 표현으로 활용하는 방법이다. 이는 치료사가 내담자를 비롯한 참여자들과의 신뢰형성을 위해서도 활용할 수 있고, 사정(査定)도구로도 유용하다. 즉흥연주는 주어진 양식이 없는 상태로 어떤 상황 및 환경 아래서 즉흥적으로 이루어진다는 특성 때문에 새로운 사고양식, 새로운 구조와 상징, 새로운 행동양식 등이 그대로 드러난다. 즉흥연주는 비단 음악적 활동에서만이 아니라 모든 예술 장르를 비롯하여 과학, 체육, 인지, 그 외 여러 학문적 영역에서도 효과적으로 활용할 수 있는 활동이다. 즉흥연주는 단독으로 할 수도 있지만 여러 사람이 동시에 할 수도 있다. 즉흥연주에서는 청중의 반응에 따라 연주가 바뀔 수 있기 때문에 청중의 정서적 반응이 매우

중요한 요소가 된다. 가장 저명한 즉흥연주자 중 한 사람을 들자면 프란츠 리스트(Franz Liszt)를 손꼽을 수 있으며, 이외에도 바흐, 모차르트, 베토벤과 재럿(K. Jarrett), 베일리(D. Bailey), 프리즌(E. Friesen) 등이 즉흥연주자로 이름을 남겼다. 즉흥연주는 악곡 전부를 즉흥적으로 연주하느냐 일부에 즉흥적 요소를 넣느냐에 따라서 전체적 즉흥연주와 부분적 즉흥연주로 나누어진다. 전자의 경우는 주제나 형식이 미리 주어지는 경우에 많이 행한다. 이는 주로 14세기 이후 건반 악기로 많이 행해졌는데, 전주곡·환상곡·변주곡·푸가·토카타 등이 즉흥연주로 많이 창작되었다. 후자의 경우는 기존 악곡을 연주하는 과정에서 그 주악곡을 바탕으로 하고 장식이나 성부, 삽입구 등을 즉흥적으로 가미하거나 삽입하는 것을 말한다. 이는 중세 다성 음악에 성부를 가미하거나, 16세기에서 18세기까지 즉흥적인 장식을 가미한 변주, 바로크 시대 코랄의 즉흥연주, 이탈리아 오페라에서의 즉흥적인 콜로라투라, 통주저음법, 협주곡에서의 카덴차 등에서 많이 쓰였다. 현대에 접어들면서 즉흥연주는 재즈음악의 주요 요소로 부상하였고, 전위음악에서 나타나는 연주자의 자발적 창의성을 위한 필수요소로까지 확대되었다. 음악치료에서는 소리, 악기, 즉흥적 움직임 등을 통해서 치료 참여자들의 교류와 비언어적으로 표현되는 감정탐색 등을 위해 즉흥연주를 많이 사용하며, 연주자가 스스로 선택을 할 수 있는 기회를 주는 창조적 방법으로도 활용되고 있다.

즉흥연주기법
[卽興演奏技法,
Improvisational music therapy]

내담자와 치료사가 함께 치료장면에서 즉흥적으로 음악을 만들고, 연주 혹은 노래를 부르는 등의 활동을 통해서 치료적 효과를 내는 음악치료기법. 음악치료

임상적 장면에서의 즉흥연주는 내담자와 치료사,

혹은 두 사람의 내담자가 서로, 집단 내 구성원들이 되는 내담자들끼리 함께 음악을 통해서 교류하는 기법으로, 내담자가 각각의 능력에 맞는 음악적인 면뿐만 아니라 비음악적인 면을 발현하여 개인적으로 혹은 집단으로 즉흥적인 음악활동을 하는 것을 말한다. 이때 사용될 수 있는 음악적 매체란 사람의 음성, 신체에서 낼 수 있는 모든 소리, 타악기, 현악기, 숨, 건반악기 등 음악과 인간에게 주어진 모든 매체가 포함된다. 신체에서 내는 소리나 숨과 같은 비음악적 요소들은 즉흥연주를 할 때 나타날 수 있는 이미지, 주제, 이야기 등을 구성하는 데 도움을 주어 즉흥연주를 더욱 풍성하게 만들 수 있다. 음악치료는 체계적 과정으로 무작위로 일어나는 사건들의 조합과는 다르다. 체계적이라는 것은 목적성을 가지고, 조직적으로 구체적인 방법을 계획하고, 지적 기반을 가지고 원칙을 바탕으로 해서 일어나는 활동의 특성이다. 음악치료과정 중 다양한 음악적 경험을 체험하면서 내담자는 그 순간마다 자신에게 필요한 구체적인 방법을 찾아낼 수 있다. 치료를 계획하고, 내담자에게 가장 잘 맞는 음악 장르와 음악적 경험을 선별하여 즉흥연주 프로그램을 면밀하게 계획해야 치료의 성공 확률을 높일 수 있다. 내담자는 주어진 음악을 듣고, 그것을 재창조하고, 작곡하고, 즉흥연주를 할 수 있다. 또 소리와 음악을 접하는 기회를 얻어 생산적이고 창의적인 과정으로 즉흥연주를 행하는데, 이를 통해서 자신을 성찰하고, 타인과의 관계를 돌아보고, 적합한 행위를 탐색해 볼 수 있다. 그뿐만 아니라 개인의 새로운 음악적 능력을 개발하는 기회가 되기도 한다. 치료적 환경에서 즉흥연주가 행해지면 독립심을 신장시킬 수도 있으며, 선정된 음악보다는 좀 더 융통성 있는 접근이 가능하기 때문에 상황에 따른 문제해결능력을 촉진할 수 있다. 이외에도 집단 내 즉흥연주는 사회적·대인적 기술, 서로 간의 상호작용을 통한 대인관계 능력을 키우는 데도 효과가 있다. 음악치료에서 행하는 즉흥연주의 치료적 목표에 대해 브루시아(Bruscia, 1998)는 아홉 가지로 이야기하였다. 첫째, 비언어적 의사소통의 길을 열어 언어적 의사소통의 가교를 마련한다. 둘째, 자기표현 및 정체성 형성의 수단이 된다. 셋째, 타인과의 관계에서 자신에 대한 여러 국면을 탐색한다. 넷째, 대인관계 능력을 함양한다. 다섯째, 집단기술을 발전시킨다. 여섯째, 창의성, 표현적 자유, 재미 등을 여러 수준으로 개발한다. 일곱째, 감각을 일깨우고 발전시킨다. 여덟째, 분명한 목적을 가지고 즉석에서 결정하여 연주함으로써 의사결정능력을 신장시킨다. 아홉째, 인식 및 인지적 기술을 개발한다. 즉흥연주기법은 관련적 즉흥연주와 비관련적 즉흥연주로 구분하는데, 전자는 내담자가 특정 사건, 감정, 관계, 이미지와 같은 비음악적 요소들을 그려 내기 위해서 즉흥연주를 하는 것이고, 후자는 소리나 음악이 아닌 다른 요소들은 배제한 채 음악적 요소로만 즉흥연주를 행하는 것이다. 즉흥연주에는 관련적 기악연주(instrumental referential), 비관련적 기악연주(instrumental non-referential), 즉흥가요(song improvisation), 비관련적 발성(vocal non-referential), 신체 즉흥연주(body improvisation), 혼합매체 연주(mixed media), 즉흥지휘(conducted improvisation) 등이 있다. 즉흥연주에 관한 대표적인 학자로는 브루시아, 위그램(Wigram) 등이 있으며, 이들은 다양한 즉흥연주 기법을 저서를 통하여 선보이고 있다. 그중 내담자의 음악적 반응을 치료사가 그대로 따라하는 모방하기(imitating), 내담자가 표현한 기분이나 감정을 치료사가 가능한 한 똑같이 표현하는 반영하기(reflecting), 내담자의 즉흥연주를 뒷받침해 줄 박자나 리듬을 만들어 주는 배경리듬 만들어 주기(rhythmic grounding), 내담자와 치료사가 즉흥연주를 서로 주고받는 대화하기(dialoguing), 내담자의 즉흥연주에 맞는 반주를 해 주는 반주하기(accompanying) 등이 대표적이다.

증상 무관심
[症狀無關心, la belle indifference]

실제 고통스러운 증상이 있음에도 불구하고 그것에 대해 걱정하지 않고 무관심한 태도를 나타내는 것. 정신병리

　전환장애 환자에게서 주로 발견되는데, 이들 중 일부는 자신의 증상에 대해 오히려 만족해하며 심지어 자신의 증상을 포기하고 싶어 하지 않는 것처럼 보인다. 생활의 다른 영역에서는 강렬한 불안을 경험하는 반면, 자신을 무능하게 하는 신체장애를 완화시키는 노력에는 관심을 갖지 않는다. 전환(conversion)은 프로이트(S. Freud)에게서 유래된 용어로, 그는 억압된 본능 에너지가 감각운동기능으로 옮겨 가서 그 기능을 억제한다고 보았다. 심리적 갈등과 불안이 신체 증상으로 전환된 것이라고 이해하였다. 전환장애는 신경증적 장애 중 매우 고전적인 형태로서, 심리적 갈등이 원인이 되어 감각기관이나 수의운동기관과 같은 신경계 증상이 한 가지 이상 유발된다. 이 증상은 의학적으로나 병리 생리적으로는 설명되지 않으며, 심리적 외상경험과의 관련성이 크게 강조된다. 증상은 억압과 전환의 무의식 과정을 통해 유발된다. 증상은 억압된 욕구 중 일부가 상징적으로 전환되어 표현된 것으로서, 환자는 증상이 지니는 의미를 인식하지 못하지만 그 증상을 통해 주위 환경과 관계를 맺고 갈등을 통제하려고 한다. 증상 무관심 현상에는 두 가지 기제가 관련된다. 첫째, 내적 갈등을 지속하면서도 이것을 의식적으로 이해할 필요가 없게 함으로써 일차적 이득을 얻는다. 예를 들어, 심한 언쟁 후 분노에 관련된 내적 갈등이 실성증 혹은 팔의 마비를 유발하여 심리적 갈등을 깨닫지 않으면서 부분적으로는 그것을 해소하여 항상성을 유지할 수 있게 된다. 둘째, 이차적 이득이라고 할 수 있는데, 환자는 원하지 않는 언쟁이나 폭력 행위를 하지 않아도 될 뿐만 아니라 주위 환경으로부터 관심과 보호를 받을 수 있고 나아가 사회적으로 곤경에 빠지는 상황을 피할

수 있게 된다. 이와 같이 고통스러운 증상에도 불구하고 그것을 통해 얻는 이득이 있기 때문에 증상에 대해 걱정하지 않고 태연할 수 있다.

관련어 ┃ 전환장애

증상 앵커링
[症狀 –, anchoring the symptom]

치료에 방해되지 않는 특정 상황, 장소, 시기에만 증상을 표현할 수 있도록 허용하는 최면치료기법. 최면치료

　앵커링은 본래 NLP 기법에서 파생되어진 단어지만, 그 활용의 다양성과 효과의 효율성 때문에 최면이나 정신치료에서도 널리 사용되고 있다. 앵커란 배가 항구에 정박할 때 사용하는 닻을 뜻한다. 배가 항구에 닻을 내리는 것처럼 하나의 심리상태를 어떠한 특정한 심리상태로 닻을 내려 주는 것을 앵커링이라 부른다. 예를 들어, 노랗게 익은 아주 신 귤을 먹고 난 후, 노란색을 보게 된다면 입 안에 침이 고이게 되는 경우가 생긴다면 이것은 노란색과 신 귤을 먹은 심리상태와 앵커링되어 있는 것이다. 면접이나 미팅 때마다 말을 버벅거리며 부끄러움을 잃어버리는 사람이 있다고 하자. 그 사람은 평상시 주위 가족을 대할 때는 아무런 문제가 없는데, 이상하게도 낯선 사람을 만나게 되면 지나치게 긴장하는 버릇이 있다. 이 사람의 문제를 해결하기 위해 낯선 이를 만날 때마다 왼손을 쥐게 하고 이때 "가족들과 같이 보냈던 작년 크리스마스의 그 즐겁고 편안했던 집의 모습과 소리를" 생각하도록 앵커링을 걸었다. 이렇게 함으로써 그는 낯선 사람들을 만날 때에도 왼손으로 주먹을 쥠으로써 편안한 마음으로 다른 사람들을 상대할 수가 있게 되는 것이다. 최면에서 증상 앵커링이란 저항 앵커링이 내담자의 저항반응을 특정 상황이나 장소, 시기에만 허용한 것처럼 내담자의 호소증상을 특정 상황이나 장소, 시기에만 허용함으로써 증상을 완화시키는 기법이다.

예를 들어, 에릭슨(M. Erickson)은 비행공포증이 있는 내담자에게 최면 상태에서 비행을 상상하게 한 다음 모든 두려움과 공포가 빠져나와 그녀의 옆자리에 놓이도록 암시를 하여 공포증을 분리시키고, 그 공포증을 의자와 연결 지어 공포증을 제거하였다.

관련어 | 앵커링

증상의 기능
[症狀 – 機能, function of symptoms]

증상이란 가족에게 가해지는 자극에 대응하여 가족의 항상성을 유지하고자 하는 가족체계의 노력이라고 보는 전략적 접근의 개념. 전략적 가족치료

전략적 접근의 치료사인 헤일리(J. Haley)는 가족의 역기능적인 증상만 치료의 대상으로 삼아, 이를 제거하려고 시도하는 것은 막대기가 한쪽 끝만 있다고 생각하는 것과 같다고 하였다. 그는 가족의 역기능적인 증상을 가족체계 안에서 이해해야 한다고 설명하였다. 즉, 증상이란 가족에게 가해지는 자극에 대처하여 가족항상성을 유지하기 위한 반응으로, 구성원들은 이러한 증상과 다양하고 복잡한 상호작용을 함으로써 가족의 체계를 유지하는 보상을 얻을 수 있다. 따라서 가족치료사들은 가족의 증상만 해결하려고 하지 말고, 증상과 상호작용하는 가족구성원들의 상호관계와 역할을 주의 깊게 살펴보아야 한다고 주장하였다.

증상전환
[症狀轉換, symptom transformation]

문제에 내포된 정서나 에너지를 다른 대상과 연결 짓는 최면 치료기법. 최면치료

에릭슨(M. Erickson) 최면의 치료기법 중 '연결짓기'의 하나로, 문제가 되지 않는 대상에 문제가 되는 정서나 에너지를 연결함으로써 문제행동을 해결하는 것을 말한다. 예를 들어, 강박증을 가진 내담자에게 에릭슨은 강박의 대상을 '강박증 자체가 언제 없어질 것인가'로 바꾸어 주고, 강박증이 없어졌을 때 지금까지 강박증에 쏟았던 에너지와 시간으로 무엇을 할 것인지에 대해 무조건적으로 집착하게 하였다.

관련어 | 에릭슨 최면, 연결짓기

증상처방
[症狀處方, symptom prescription]

내담자에게 그들이 해 온 것을 계속하도록 요구하는 역설적 개입의 한 유형으로, 증상처치라고도 함. 전략적 가족치료

전략적 가족치료에서 널리 활용되는 역설적 기법으로, 흔히 내담자에게 자발적으로 문제증상을 통제하거나 포기하도록 하는 효과가 있다. 치료자는 가족구성원에게 문제증상을 지속하도록 지시하여, 비자발적으로 발생했던 행동이나 상호작용을 자발적으로 수행하도록 요구한다. 어떤 상황에서는 가족구성원이 불평하는 것을 계속하거나 확대하도록 지시하기도 하고, 또 어떤 경우에는 가족구성원이 치료자의 지시에 반발할 것을 예견하면서 증상에 대해 처방하기도 한다. 치료자가 지시하는 이러한 역설적인 명령은 내담자에게 두 가지 중에서 한 가지 결과를 강요하는 전략이다. 즉, 가족구성원에게 증상을 통제하거나 아니면 포기하도록 하는 것이다. 가족이 증상을 행동으로 나타내고 이것이 무의식적인 행동이 아니라는 것을 스스로 인정하든지, 혹은 가족이 증상을 포기하든지 둘 중 하나를 선택하도록 한다. 예를 들어, 부부싸움이 잦은 부부에게 부부싸움을 하지 않도록 지시하는 것이 아니라, 오히려 매일 일정한 시간 동안 부부싸움을 적극적으로 하고 다른 시간에는 하지 않도록 지시하는 것이다. 이러한 처방을 실천하면서 내담자인 부부는 매

일 정해진 시간에만 규칙적으로 부부싸움을 하는 자신들의 문제증상을 통제하거나, 치료자의 처방을 수행하지 않고 부부싸움을 하지 않는 선택을 하는 것이다. 이 기법은 가족은 문제와 관련하여 어떤 변화를 추구하고자 하지만 또한 동시에 변화를 두려워하여 기존의 행동습관을 유지하고자 하는 항상성의 경향이 존재한다는 것을 전제로 하고 있다. 가족은 증상에 불만이 있지만 스스로 통제하는 것을 포기한 상태다. 가족체계 내의 항상성에 변화를 초래하기 위해 치료자는 가족구성원에게 증상에 대해 강도를 과장하면서 그 증상을 지속하도록 한다. 만약 가족이 치료자의 지시대로 증상을 유지하려는 선택을 한다면 결국 그 증상에 대한 책임은 가족에게 있다. 한편, 가족이 치료자의 지시를 거부한다면 그 증상에 대한 통제력을 회복하게 되고 궁극적으로 증상이 제거되는 효과가 있다.

관련어 | 역설적 개입

증상치료
[症狀治療, symptomatic therapy]
질병의 원인보다는 내담자가 호소하는 증상을 제거하거나 감소시키기 위한 목적으로 행해지는 치료방법. 이상심리

증상은 병의 원인에 대한 생체의 반응으로 나타난다. 이에 대한 치료에서는 원인에 관계없이 동통에 진통제, 발열에 해열제나 얼음찜질로 차게 만드는 것, 경련에 항간질제, 불면에 수면제, 불안이나 흥분에 정신안정제나 진정제를 사용한다. 이와 달리 개별 증상과 관계없이 원인을 치료하는 것을 원인치료라고 한다.

증상해결을 위한 시간 암시
[症狀解決 – 時間暗示, time suggestions for symptom resolution]
문제가 되는 증상의 해결을 위해 시간과 관련한 암시를 주는 최면기법. 최면치료

밀턴 에릭슨(M. Erickson) 최면의 치료기법 중 연결짓기의 하나로, 증상이 해결되는 시간에 대한 암시를 주는 것이다. 예를 들어, 에릭슨은 유뇨증을 호소하는 내담자에게 다음과 같은 암시를 주었다. "나는 네가 앞으로 일주일 이내에는 마른 침대를 사용한다고 기대하지 않는다. 그것은 너무 빠르니까 말이다. 그렇다고 2주일 이내라고 기대하는 것도 아니다. 그 점에 대해서 확신하지 못하니까 말이다. 하지만 2개월 이내에 마른 침대를 사용하지 못한다면 아주 많이 놀랄 것이다." 이 같은 말은 내담자의 무의식에 2개월 내에 증상이 해결될 수 있다는 암시를 준 것이다.

관련어 | 암시, 에릭슨 최면, 연결짓기

증후군
[症候群, syndrome]
공통성이 있는 일련의 병적 징후에 대한 총칭. 이상심리

증세로는 일관성이 있지만 인과관계가 확실치 않아 특정 병명으로 부르기에는 곤란한 것을 말한다. 예를 들면, 정서적 긴장이나 스트레스로 인해 장의 운동이나 분비 기능의 장애를 보이는 과민성 대장 증후군, 성년이 되었지만 어른들의 사회에 적응하지 못하는 피터팬 증후군, 인터넷을 하지 않으면 불안감을 느끼는 인터넷 증후군, 모든 일을 완벽하게 하지 않으면 안 되는 슈퍼우먼 증후군 등이 있다. 이 증세들은 심하고 반복적이며 만성화되면 신체적·심리적·사회적 활동에서 장애를 일으키고, 그러한 경우에는 정신의학적 질환으로 간주되어 치

료가 필요해진다. 그리고 최근에는 이 용어가 신문·방송 등에 전용되어 하나의 유행어가 되었는데, 대중매체의 영향으로 특정 인물에 대한 우상화와 모방이 만연하는 병적 현상을 증후군이라고 부른다.

증후군 전환 [症候群轉換, syndrome shift] 어떤 질병의 증후군이 사라지자 이어서 다른 증후가 나타나는 현상을 말한다. 이를테면 유아기의 지능성 습진이 없어지자 이어서 기관지 천식이 나타나는 것이다. 증후군 전환은 그론(Groen)이 주장한 것으로서, 정신생리적 반응이나 정신신체증의 발생 순서를 설명하는 데 필요불가결한 부분이다. 이것은 증상 콤플렉스의 치료초기, 다시 말해 치료가 성공한 것처럼 보이는 경우에도 나타날 수 있으며, 약물치료, 외과적 치료, 정신치료 및 전기충격치료에 이어서 나타나는 경우도 있다. 그론에 따르면, 증후군 전환은 적응을 위하여 이용된 질병이 어떤 형태에서 다른 형태로 치환할 때의 신경계 능력이 나타나는 것이다. 그리고 이 현상은 흔히 어떤 전환을 전인격 반응, 즉 신경증이나 정신생리학적 반응으로까지 파급시킬 뿐만 아니라 그 반대의 경우도 있을 수 있다. 이 전환은 질병을 통하여 불안정한 항상성 적응을 유지하려고 하는 수단이라고 생각할 수도 있다. 그때 반응성 증후 자체는 주위 환경의 완화에 따라 수식되어도 반응성 증후를 야기한 개인의 인격이나 기존 스트레스는 변하지 않는다. 그 예로, 인격 구조나 스트레스의 끊임없는 위협에는 아무런 영향을 미치지 않고 끝이 난 치료적 개입을 들 수 있다.

지각장애
[知覺障碍, perception disorder]

환경 내의 여러 물체나 상황을 바르게 인식하는 시각·촉각·후각·미각·청각 등의 감각을 이용하는 데 결함을 가진 상태. 특수아상담

지각장애가 있으면 그리기나 쓰기, 읽기 등 문자학습의 기초 기능 수행이 곤란하며, 형태나 크기, 소리, 맛, 냄새 등의 식별활동에도 어려움이 따른다. 지각장애는 지각이 전혀 없는 지각상실, 둔해지는 지각감퇴, 뒤늦게 감지되는 지각전도완서(傳導緩徐), 유달리 높아지는 지각과민, 옳지 않은 감각을 일으키는 지각이상 등으로 구분된다.

지각적 필터
[知覺的 -, perceptual filter]

메타 모형에서 사용하는 주요 언어패턴으로 인간이 외부정보를 받아들일 때 사용하는 인식적 여과장치. NLP

필터는 여과장치로서 목적에 맞거나 필요한 것만 받아들이고 나머지는 걸러 내는 장치를 말한다. 우리는 외부세상의 정보나 상황, 일을 인식할 때 그것을 있는 대로 또는 사실대로 인식하고 받아들이는 것이 아니라 자기중심적으로 자신에게 해당되고 자기 목적이나 관점에 맞는 것만 선별하여 인식하고 받아들이게 되는데, 지각적 필터는 이러한 과정에서 작용하는 것이다. NLP에서 지각적 필터는 우리의 세상모형을 형성하는 독특한 생각, 경험, 신념, 언어로 구성된다. 대표적인 지각적 필터로 왜곡, 생략·삭제, 일반화(generalization)가 있으며, 이외에 메타 프로그램이나 가치 등도 해당한다.

관련어 | 메타 모형, 일반화

복문 등식 [複文等式, complex equivalence] NLP에서 메타 모형의 왜곡에 해당하는 문형으로서 두 가지 문장이 직접적으로 관련이 없음에도 불구

하고 같은 것을 의미하는 것처럼 해석되거나 등식으로 연결짓는 것을 말한다. 예를 들면 "당신은 나를 바라보지 않는군요. 그래서 당신은 나를 싫어하는군요." 같은 문장은 상대방을 바라보지 않는다는 것이 반드시 자신을 싫어하는 것이라는 증거가 없음에도 불구하고 그렇게 해석하고 받아들이는 것은 왜곡의 한 예이며 복문 등식이라 할 수 있다.

비구체적 동사 [非具體的動詞, unspecified verb]
메타 모형과 밀턴모형의 종류로서 생략 혹은 삭제에 해당하는 문형이다. 어떤 동사가 구체적으로 무슨 행동을 뜻하는지, 또는 그 행동의 과정이 어떠한지의 설명이 생략되거나 삭제되어 막연하게 표현되는 문형을 말한다. "나는 버림받았다."라고 한다면 구체적으로 어떻게 또는 어떤 식으로 버림받았는지에 대한 설명이 없기 때문에 '버림받았다'는 것이 비구체적 동사라고 할 수 있다.

비구체적 명사 [非具體的名詞, unspecified noun]
메타 모형과 밀턴모형의 한 종류로서 생략 · 삭제에 해당하는 문형이다. 누구 또는 무엇에 대한 구체적인 설명이 없는 막연하고 추상적인 명사를 말한다. '미움을 버려라.'라는 표현에서는 어떤 미움, 무엇 또는 누구에 대한 미움을 말하는 것인지 설명하고 있지 않기 때문에 비구체적 명사라고 할 수 있다. 또한 수동태를 사용함으로써 문장의 능동적 주어가 삭제될 수 있다. 예를 들어, "누군가가 그 집을 지었다."라고 말하기보다는 "그 집이 지어졌다."라고 말하는 것과 같은 것이다. 문장 속에서 집을 지은 사람을 생략했다는 이유만으로 집이 저절로 솟아났다는 것을 의미하지 않는다. 즉, 문장 속에 집을 지은 사람에 대한 내용을 삭제하고 그에 대한 언급을 전혀 하지 않아도 집을 지은 사람은 여전히 존재한다. 일상적 언어에서 이루어지는 이 같은 유형의 삭제는 우리가 단지 무기력한 구경꾼으로 살아가게 만드는 세계관이 담겨 있다. 그리고 어떤 일이나 사건은 어느 누구의 책임도 없는 가운데 그냥 발생한 것이 되는 것이다. 그래서 "그 집이 지어졌다."라는 말을 들었을 때 누락된 정보를 위해 "누가 그 집을 지었나요?"라는 질문을 할 수 있다. 비구체적 명사는 명사 자체가 추상적이어서 구체적인 정보를 담고 있지 않다. 그렇기 때문에 비구체적 명사는 '구체적으로 누가(또는 무엇이) ~란 말인가?' 라는 질문을 함으로써 좀 더 명료해진다.

생략 [省略, deletion] 말이나 생각을 할 때 비구체적 명사를 사용하여 경험의 일부를 제외하는 것으로서 삭제라고도 부른다. 인간은 외부의 정보를 받아들일 때 자신의 욕구나 사전경험, 관심 정도에 따라서 자신에게 유리하거나 해당되는 것에만 주의를 집중하여 나머지 부분에 대해서는 소홀히 하다가 결과적으로 생략 혹은 삭제하는 결과를 낳을 수 있다. 상담에서 내담자가 자신의 세상 모델로 의사소통할 때 생략 · 삭제라는 메타 모형 위반이 일어난다. 이때 상담자는 내담자의 생략된 불완전한 표층구조가 복원되도록 질문을 하고, 내담자가 이 질문에 답하기 위해 생략된 요소를 복원하는 과정에서 내담자의 변화가 일어난다. 예를 들어, 내담자가 "무서워요."라고 할 때 상담자가 "무엇이 무서운가요?"라고 질문하면 내담자는 이에 답하기 위해 생각하고 대답하는 과정에서 자신을 발견하며 이러한 과정은 내담자의 세상 지도를 확장시켜 준다.

왜곡 [歪曲, distortion] 있는 그대로 보지 않고 경험한 내용을 어떤 식으로든 다른 의미로 변화시키거나 혹은 정확하지 않고 틀리게 지각하여 경험하는 것이다. NLP의 생략(deletion), 일반화(generalization)와 함께 세 가지 인식적 여과장치(perceptual filter) 중 하나에 해당한다. 왜곡은 심층구조에서 표층구조로 변화하는 데 발생하는 메타 모형 위반이다. 연구에 따르면 우리가 이해하는 것의 20%만이 외부단서에서 직접 오고 나머지 80%는 이전의 기억, 신념, 여과에서 나온다. "자라 보고 놀란 가슴 솥뚜껑 보고 놀란다."라는 속담이 있는데, 이 말은 전혀 놀랄 필요가 없는 솥뚜껑을 자라로 왜곡하여 지각했기 때문에 놀라게 되는 과정을 설명한 것이라고 할 수 있다.

전칭 양화사 [全稱量化辭, universal quantifier] 메타 모형과 밀턴모형의 종류로서 전체 또는 전부를 총칭하는 말이다. 즉, 일반화에 해당하는 문형인데 포괄적 수량화(包括的數量化)라고도 부른다. 전칭 양화사는 한두 개 또는 소수의 사례에 대하여 전체 사례가 일정한 특성을 띠고 있거나 어떤 것도 해당되는 것이 없는 것처럼 평가하거나 표현하는 것을 말한다. 예를 들면, '모두, 모든 것, 전부, 전체, 어느 것이든, 아무것도, 항상, 늘, 아무도, 전혀, 일체'와 같은 단어를 사용하여 전부 혹은 전무의 상태로 표현하는 것이다.

지각체계
[知覺體系, perceptual system]
감각기관을 통해 현실세계를 경험하고 그것에 가치를 부여하는 인식과정. **현실치료**

현실치료는 현상학적 관점에 근거하여 지각(perception)이 행동을 유발한다고 본다. 자신이 인식하고 있는 것을 충분히 자각할 때 비로소 그것을 수정해 나갈 수 있다는 것이다. 내면세계의 욕구나 바람은 현실세계를 통해서만 충족될 수 있다. 개인이 경험하는 현실세계는 감각체계와 지각체계를 거치면서 특별한 사진기로 찍혀서 지각세계에 전달된다. 지각된 것은 지식여과기와 가치여과기라고 하는 두 번의 여과과정을 거친다. 지식여과기로 불리는 낮은 수준의 여과장치는 지각된 것을 인식하고 분류한다. 높은 수준의 여과장치인 가치여과기는 지각된 것을 평가한다. 지각된 현실은 각각 긍정적인 것, 부정적인 것, 중립적인 것으로 평가되어 분류된

다. 예를 들어, '이 물건은 참 예쁘다.'라고 지각된 것은 중립적인 것이다. '이 보석은 저 사람이 아닌 내가 가져야 해.'라고 지각된 것은 그 사람과의 관계를 해칠 수 있기 때문에 부정적인 것이 된다. '동생이 좋은 선물을 받은 것을 보니 나도 참 기쁘다.'라고 지각된 것은 사랑과 소속감의 감정을 증가시키기 때문에 긍정적인 것이 된다. 자신이 지각한 것을 정확하게 자각하고 평가·분류하게 되면 자신의 욕구를 충족하는 데 도움이 된다. 이렇게 분류한 것 중에서 특별히 그 개인이 원하는 것은 사진첩이 되어 좋은 세계 안에 간직된다. 즉, 시각·청각·미각·촉각 등의 감각체계를 통해 경험된 현실세계는 지식여과기를 거쳐 있는 그대로 받아들여지고, 이렇게 지각된 것들이 가치 여과기를 통과하는 동안에 좋은 세계 안에 있는 사진첩과 비교되어 일치하면 그것들에 긍정적인 가치가 부여된다. 한편, 현실세계가 지각체계를 거치면서 있는 그대로 완벽하게 전부 인식되는 것은 실제로 불가능하다. 개인이 아는 현실은 전부가 아니고 단지 부분적이고 주관적인 것이다. 따라서 현실세계라고 할 때에는 그 개인이 지각한 세계에 대해서만 말하고 있는 것이다. 개인이 지각할 수 있는 것을 제외한 현실세계에 대해서는 알아낼 수 있는 방법이 없기 때문이다. 내담자의 감각체계와 지각체계를 이해하는 것은 상담장면에서 중요하다. 내담자는 자신의 지각세계 안에 들어 있는 정보를 토대로 행동한다. 다른 사람들이 내담자가 지각하는 것과 동일하게 세상을 지각하지는 않는다는 사실을 내담자에게 인식시킨다.

지금 – 여기
[只今 – , here and now]
상담자가 내담자의 모든 문제를 현재로 가져와서 다루는 것. **실존주의 상담** **집단상담**

대부분의 상담자는 '지금–여기'란 말을 강조한

다. 즉, 현재 내담자에게 진행되는 경험을 강조한다. 내담자가 과거에 가졌던 중요한 일들이나 미래에 일어날 일들을 현재로 가져와 경험하도록 하는 것이다. 일반적으로 단기상담에서 초점은 내담자의 현재 문제 증상, 반복적으로 일으키는 대인관계 등에 맞추어진다. 또한 아동기의 기억, 꿈, 전이, 해석 등도 다룰 수 있지만, 이러한 내용이 현재에 직접적으로 영향을 미치고 있는 경우에 한해서 다루어진다. 상담자의 이론적 입장에 따라 상담의 형태는 다양할 수 있지만, 상담자는 내담자에게 최근에 일어났던 의미 있는 경험자료에 초점을 맞추고 일반적이고도 모호한 내용에서 구체적인 내용으로 주목하도록 한다. 과거의 사건이나 역사보다는 주로 내담자가 인간관계에서 현재 느끼고 있는 감정과 정서에 주목하여 상담장면의 '지금-여기'에서 내담자의 감정과 행동에 주목한다. 대체로 내담자는 자신의 문제를 과거의 어떤 사건이나 경험의 탓으로 돌리고 과거의 문제에 매달리는 경향이 있다. 과거에 머무름으로써 자신의 존재방식에 대해 타인을 비난하는 게임을 끊임없이 할 수 있고, 그래서 다른 방향으로 움직일 자신의 능력과 절대 마주치지 못한다. 상담자는 내담자가 직접적인 접촉을 통하여 경험하면서 그 순간의 감정과 사고를 자각하도록 하는 데 초점을 둔다. 그러나 현재에 초점을 둔다는 것이 과거에는 관심이 없다는 의미가 아니라 과거는 내담자의 현재와 관련되어 있는 것으로서만 중요하다는 뜻이다. 상담에서 '지금-여기'란 내담자가 현재를 온전히 음미하고 경험하는 학습을 강조하는 것이다. 지금-여기는 본래 하이데거(Heidegger) 등 실존철학에서 현존재를 나타내기 위해서 사용되었는데, 1934년 모레노(Moreno)가 심리치료에 도입하였고 1950년대에 펄스(Perls)가 게슈탈트 치료에 도입하여 널리 보급하였다. 집단상담에서 보편화된 것은 얄롬(Yalom) 이후다. 펄스에 의하면, 과거는 이미 지나가 버린 것이며 미래는 아직 오지 않은 것이다. 또한 지금 이외에 존재는 없고 힘은 현실에만 존재한다고 하였다. 그래서 과거의 회상이나 미래의 예측은 피하고 현재형으로 말하는 것을 강조하였다. 즉, 지금은 곧 경험이며, 경험은 곧 인지이고, 인지는 곧 현실이 되는 것이다. 집단에 대한 신뢰나 안정감이 덜 발달된 집단 초기단계에 집단구성원들은 흔히 지금-여기에 집중하기보다는 그 회기에 가지고 온 집단 외부의 이야기, 과거의 경험과 관련된 이야기를 꺼낸다. 이때 집단상담자는 집단구성원이 가지고 온 그때 거기의 이야기들을 집단 내에서의 경험과 관련짓도록 하는 것이 바람직하다.

지남력 상실
[指南力喪失, disorientation]

시간, 장소, 방향, 자신에 관한 감각이 혼란스러운 상태.

이상심리

한 인간의 일상생활을 건전하게 영위하기 위해서는 자신이 처해 있는 입장을 정확히 파악하는 일이 무엇보다 중요하다. 주위 환경 중에서 특히 자기가 처해 있는 공간, 시간 및 상대하고 있는 사람을 구체적으로 인지하는 능력을 지남력이라 하며, 이것이 상실된 상태를 지남력 상실이라고 한다. 다시 말해, 오늘이 며칠인지, 몇 시인지, 자신이 무슨 일을 하는지, 주위 사람들과의 관계를 의식하는 등의 감각이 소실되거나 감퇴되는 증상을 말한다. 이는 사고, 판단, 기억 등에 장애가 있는 사람들에게 나타난다. 때, 장소, 사람, 상황에 대해서 의심스럽기 때문에 일상생활이 위험해진다. 망상(delusion)이 있거나 의식이 혼탁하거나 기억을 상실하거나 대뇌의 일부 손상이 있을 때 이 증상이 나타난다. 제2차 세계 대전 후 수심 수천 미터 아래에 서식하는 거북이 유황도의 뜨거운 바닥 위를 기어 다녔는데, 그 원인은 미국의 핵실험으로 거북이 방향감각 상실증에 걸려서라고 한다. 현대인은 현대문명 속에서 방향 감각을 상실한 채 살아가고 있다고 할 수 있다.

지능
[知能, intelligence]

학습상담

새로운 과제를 다루고 성취하기 위해 사전지식과 경험을 적용하는 능력/지능(Intelligence)에 대한 정의는 다양하지만, 지능을 설명하는 이론가들은 지능이 완전히 발달한 성취물이라기보다는 일종의 능력 또는 잠재력이며 생물학적 근거를 가지고 있다는 것에 의견을 같이하고 있다. 지능은 유전적으로 부여된 인간의 중추신경계의 특징과 경험·학습·환경요인에 의해 만들어진 발달된 지능의 복합물로 여긴다. 지능은 학자에 따라 다소 다르게 정의하고 있는데, 비네(A. Binet)는 "일정한 방향을 설정·유지하는 경향성, 소망하는 결과를 성취할 목적으로 순응하는 역량 그리고 자기비판력"이라고 정의하였다. 터먼(L. M. Terman, 1916)는 지능을 "추상적 사상(事象)을 다루는 능력"이라고 정의하였다. 웩슬러(Wechsler, 1942)는 "유목적적으로 행동하고, 합리적으로 사고하며, 환경을 효과적으로 다루는 개인의 종합능력"이라고 정의하였다. 스피어만(C. Spearman)은 지능을 한 개의 일반요인(g-factor)과 여러 개의 특수요인(s-factor)으로 구성되어 있다고 정의하였다. 이와 같은 여러 심리학자와 교육학자의 의견을 종합하여 게이지와 버라이너는 지능을 다음 세 가지의 능력이라 정의하고 있다. 첫째, 추상적인 것을 다루는 능력이다. 지능을 구체적인 것(기계적 도구, 감각활동)보다 추상적인 것(아이디어, 상징, 관계, 개념, 원리)을 취급하는 능력으로 보는 개념이다. 둘째, 적응능력이다. 지능을 인간을 둘러싸고 있는 전체 환경에 대한 적응능력으로, 익숙한 사태에 연습한 반응을 보이는 것이 아니라 새로운 사태를 융통성 있게 취급하는 문제해결능력으로 본다. 셋째, 학습능력이다. 지능이 높은 사람은 지적인 학습을 보다 잘 할 수 있는 능력이 있다고 보는 것이다. 따라서 새로운 사태에 필요한 새로운 지식과 경험을 학습하여 더 신속하게 처리할 수 있다. 지능 정의에 대한 최근의 경향은 크게 세 갈래로 정리할 수 있다. 첫째는 지능을 복합능력으로 보는 관점으로 가드너의 다중지능이론, 스턴버그의 삼원지능이론 등이 있다. 이 관점에서는 지능을 단일능력 요인이 아닌 복합능력 요인으로 본다. 둘째는 지능을 실제적 능력으로 보는 관점이 있다. 이 관점에서는 종전의 지능이 학습에 관련된 능력만을 의미하고 있다고 비판하고, 실제 사회생활에서도 적용할 수 있는 실제적 능력을 지능의 영역에 추가하고자 한다. 셋째는 사회적·문화적 맥락을 반영하는 지능모형 추구다. 이 관점에서는 표준적인 하나의 지능모형을 모든 연령과 계층에 대하여 동일하게 적용하는 기존의 방식에서 벗어나, 한 개인이 처해 있는 다양한 사회적, 문화적 맥락을 반영하는 지능모형을 개발하려는 경향을 보이고 있다. 지능의 연구는 지능검사의 발달에 힘입는 바가 크다. 그렇지만 지능검사의 창시자라고 하는 비네(A. Binet)는 '지능은 무엇보다도 먼저 인식능력(認識能力)이다.—이해, 창조, 방향부여, 비판—지능은 이 네 가지 말에 포함된다.'고 하면서 정신검사(精神檢査)에는 언제나 한계가 있기 때문에 지능검사는 지능의 부분을 분석하는 데는 도움이 되지만 지능 전체를 아는 데는 적절하지 않다고 보았다. 따라서 어떤 지능검사도 지능의 전체상(全體像)을 포착할 수는 없다고 볼 수 있다. 상담에서 지능을 다루는 경우 이러한 한계를 이해하고 지능검사의 결과 해석 및 전달에서 융통성을 가질 필요가 있다.

지능검사
[知能檢査, intelligence test]

개인의 현재 정신능력을 사정하는 표준화된 검사.

심리검사

종종 일반 능력검사(general ability test)라고도

불리는데, 대개 추상적 사고능력, 문제해결능력, 복합적 개념에 대한 이해능력, 새로운 내용을 학습하는 능력 등을 측정하며 집단 또는 개인별로 실시한다. 비록 지능은 복합적인 현상이지만 우리가 흔히 지능이라고 할 때는 그 개인이 얼마나 '똑똑한지'에 관련된 개념을 의미한다(Sternberg, 1985). 일반적으로 지능의 본질적 정의는 곤란한 것으로 알려져 있다. 어떤 개인에게 몇 가지 과제를 부과했을 때 달성할 수 있는 과제와 달성할 수 없는 과제가 생긴다. 똑같이 하나의 과제를 몇 사람에게 부과했을 때 그것을 달성할 수 있는 사람과 달성할 수 없는 사람이 생기는 것도 사실이다. 이처럼 곤란도가 다른 과제를 일련의 문제계열로 하여 그것을 일정 조건하에 피검자에게 실시하여 결과를 수량적으로 처리하고, 개인의 달성 수준을 일정한 척도상에 위치 부여하는 것이 지능검사라고 불리는 것이다. 그래서 보통 지능검사와 지능척도는 동의어로 사용된다. 지능검사의 결과는 정신연령, 지능지수, 지능편차치, 편차지능지수, 지능단계, 지능 프로파일 등을 사용해서 표시한다. 또 지능검사는 실시하는 대상에 따라서 개별 지능검사와 집단 지능검사로 나뉜다. 개별 지능검사는 실시법·채점법이 복잡한 것, 검사자와 피검자와의 대인관계 조정이 어려운 점 등이 있어 검사의 실시법·채점법 등에 정통해야 한다. 이에 대하여 집단 지능검사는 제한된 시간 안에 일정한 과제를 내어 피검자의 반응방식으로 지능을 측정하는 것이기 때문에 집단을 통제하는 기술을 몸에 익혀 가면 개별식보다 쉽다고 할 수 있다. 그러나 어느 것이라 해도 피검자는 숙달된 기술과 세심한 주의는 반드시 필요하다. 검사결과의 해석과 그 이용에는 다음과 같은 내용을 주의하여 과신에 빠지지 않도록 한다. 첫째, 어떤 지능검사도 피검자의 과거 경험과 독립된 요소를 측정할 수는 없다. 둘째, 어떤 지능검사도 모든 지적 작용을 같은 정도로 추출하여 검사할 수 없다. 셋째, 지능검사의 결과로 표시된 수치는 개인의 고정적·절대적인 것이 아니다. 넷째, 지능검사의 결과는 각 개인의 우열 현상을 나타내지만 그 원인은 이야기하지 않는다. 현행 검사에는 타당성이나 신뢰성에 대한 비판도 있지만 적절하게 사용하면 유효한 것도 사실이다. 또 학교심리학자 카우프만(A. Kaufman)의 견해를 생각해 볼 필요가 있다. 지능검사는 아이들의 학력을 예상하고 안락의자에 앉아서 그 예상이 당연한 것을 기다리기 위해 있는 것이 아니다. 검사결과, 얻어진 정보(지능 특성, 특별한 학습방법, 한 번에 기억할 수 있는 학습량 등)를 기초로 아이들을 교육하고 검사의 예상(예, 수학에서 낙제점을 얻을 것이다)을 뒤엎기 위해 있는 것이다.

관련어 능력검사, 비네시몽 지능검사, 아동용 웩슬러 지능검사, 아동용 카우프만 진단검사

지능발달
[知能發達, intelligence development]

지적 잠재력이 나이가 들수록 변화되어 가는 과정.
발달심리

지능을 구성하고 있는 하위구조의 특성들은 연령이 증가할수록 변화하고 발달한다. 즉, 지능발달은 연령이 증가하면서 지능이 점차 분화되어 여러 영역의 능력이 나타나는데 이에 따라 발달한다는 가설과 지능을 구성하고 있는 하위요소들의 본질적인 변화로 발달한다는 두 가지 가설이 있으며, 두 가설 모두 타당한 것으로 밝혀지고 있다. 지능발달은 9세 이후가 되면 안정적으로 형성되고 변화의 폭이 크게 줄어들면서 변화가 없다. 지능발달에는 유전적 요인, 사회경제적 위치, 가족의 크기, 출생순위, 부모의 부재, 부모와 자녀의 상호작용, 양육태도 등의 환경적 요인, 편향적인 검사도구, 검사에 대한 동기 등의 요소가 영향을 미친다. 과거에 지능을 측정하는 도구들은 학업적 지능을 주로 측정하여 실제 사회생활에 활용할 수 있는 지적 능력의 발달수준은

알 수 없다는 비판이 많았다. 또한 기존의 지능검사는 개인의 잠재력보다는 경험하거나 학습된 지적 능력을 측정한다는 점에서 학업수행 능력과의 차이를 분명하게 설명하지 못하였다. 이러한 비판을 극복하기 위하여 스턴버그(Sternberg, 1985)는 새로운 지식을 획득하여 과제 해결에 논리적으로 적용하는 능력인 분석적 능력, 문제해결에 중요하고 적합한 정보에 주의를 기울이는 선택적 부호화, 서로 관련이 없는 요소들을 관련지어 다소 다르거나 전혀 새로운 것을 만들어 내는 선택적 결합 또는 선택적 비교 능력을 포함하는 경험적 능력, 일상생활의 경험을 통하여 획득되고 발달하는 맥락적 능력을 지능의 요소로 구성하여 지능의 삼원 이론을 제안하였다. 가드너(Gardner)는 기존 지능의 요소들과 달리 지적 능력은 서로 독립적이고 다른 유형의 능력으로 구성되었다는 것을 강조하면서 초창기에는 언어, 논리수학, 공간, 신체운동, 음악, 인간친화, 자기성찰 지능의 일곱 가지 영역을 제안하였으나 최근에는 자연친화지능을 추가하여 여덟 가지 영역으로 구성된 다중 지능을 제안하여 지능발달을 설명하였다. 비고츠키(Vygotsky, 1978)는 지능발달은 문화적 영향을 크게 받는다고 강조하면서 우리의 모든 지식은 자신이 속한 사회집단의 긴 역사를 통해 누적된 문화의 형태로 존재하게 되어 아동은 문화적 산물인 지식을 성인으로부터 내면화하여 지적 능력이 발달한다고 보았다. 이 같은 관점에서 그는 지적 능력을 근접발달영역으로 설명하였으며 지적 발달을 촉진하기 위해서는 성인의 도움과 상호작용이 필요하다고 역설하였다.

관련어 | 지능

지도성
[指導性, leadership]

집단이나 조직의 활동을 촉진하고 목적을 달성해 나가기 위한 중심적인 힘, 혹은 조직이나 집단의 공통 목표를 달성하기 위하여 집단의 구성원들이 목표 지향적인 행동을 하도록 집단의 상호작용을 돕는 지도자의 영향력 있는 행동. 집단상담

지도력으로 번역되기도 하는데, 학자에 따라 '모든 사람들이 집단목표를 위하여 자발적으로 노력하도록 사람들에게 영향을 미치는 활동(Terry, 1960)' '어떤 목표나 목표의 달성을 위하여 의사소통 과정을 통해서 개인 간의 영향력을 행사하려는 행위(Fleishman, 1973)' '집단이 목표를 달성하거나 목표 달성을 지향하도록 하기 위하여 의사소통의 과정을 통해서 영향력을 행사하려는 행동(Stogdill, 1974)' 등으로 정의하고 있다. 이외에도 몇몇 사회학적 입장의 학자들은 주어진 상황 속에서 집단의 목표를 달성하기 위하여 구성원들에게 영향력을 행사하는 개인 또는 집단의 활동과정이라고 정의하기도 한다. 지도성과 유사한 개념으로는 헤드십(headship)이 있다. 직권력, 주도권으로 번역되며, 이 헤드십도 지도성의 일종이지만 임명된 장(長)과 같이 형식적, 절차적으로 정해진 것을 말한다. 레빈(Lewin)의 리더십 유형의 실험적 연구는 집단 역학(group dynamics)의 시작이 되었는데, 그는 민주형, 전제형, 방임형의 세 가지로 나누어 집단운영의 효과라는 측면에서 비교하였다. 그 후 리더십 유형에 관한 연구는 점차 발전하였다. 리더십 이론은 자질, 특성 이론에서 상황 이론으로, 다시 상호작용 이론으로 변증법적인 발전을 해 왔다. 주요 연구를 보면 아이오와 실험(Lewin, Lippitt, White)에서는 자유와 질서라는 기능 차원에 따라 민주형, 자유방임형, 전제형의 세 가지 유형을 제시하였고, 미시건 연구(Katz & Kahn)는 종업원 지향, 집단 관계성, 감독 역할의 분화 및 감독의 자상함 등 기능 차원에 따라 종업원 지향형, 생산성 지향형을 제시하였다. 또한 오하이오 연구(Halpin & Winer)는 리더십 기능 차원을 배려, 감수성, 생산

성 강조, 구조 만들기의 네 가지 유형으로 나누었다. 한편, 집단 역학 센터(Cartwright & Lander)는 기능 차원으로 집단유지 기능과 목표달성 기능을 들고 있으며, 블레이크와 무튼(Blake & Mouton)은 인간의 관심과 생산의 관심이라는 두 가지 차원에 따라 무기력형, 과업형, 중용형, 컨트리클럽형, 팀 관리형 등 81개의 유형을 제시하였다. 피들러(Fiedler)의 컨틴전시 모형은 높은 LPC(대인 인지 거리)와 낮은 LPC로 나누어 성격과 상황의 조합 모형을 제시하였으며, 허시와 블랜차드(Hersey & Blanchard)는 두 가지 행동 차원(지시, 협조)의 정도에 따른 네 가지 유형을 제시하였다. 집단상담자와 집단구성원의 관계에서도 지도성이 크게 작용한다고 볼 수 있다. 상담자가 집단에 참여하는 방식에 따라 그 집단의 방향이 달라지므로 집단상담에서는 지도성의 유형에 따라 집단의 유형을 지도자중심 집단, 방임적 집단, 내면적 통제집단, 외면적 통제 및 격려 집단으로 구분한다. 여기서 지도자중심 집단의 상담자는 논의할 주제를 집단구성원에게 제시하여 그들이 무엇을 해야 하고 어떻게 실행할 것인지, 그들의 행동에 대한 뚜렷한 의미 등을 교육해야 하는 책임이 있다. 방임적 집단의 상담자는 집단구성원에게 지나치게 허용적이며 행동에 대한 방향 감각이 없으므로 보다 폭넓은 훈련과 집단형성 과정에 관한 철저한 지식과 상담기술을 갖추어야 한다. 내면적 통제집단의 상담자는 지나친 감수성을 소유하고 있으며 상담자 자신이 처리할 수 없는 문제에 대하여 토론을 회피하는 경향이 있다. 상담자는 자신에게 어려움을 주는 부분을 인정하고 가능한 한 개방적으로 문제를 다루려고 노력해야 한다. 외면적 통제 및 격려집단의 상담자는 집단구성원을 존중하고 잠재력을 신뢰하여 그들의 자신감을 향상시키는 데 역점을 둔다.

지도자 공격
[指導者攻擊, attack on the leader]

집단구성원이 지도자를 적대하거나 무시하며 반항적인 행동을 하는 것. `집단상담`

집단에서 집단구성원의 신뢰와 친밀감에 대한 두려움 때문에 지도자 공격이 일어날 수 있다. 이에 집단지도자는 먼저 집단구성원과 신뢰를 형성하는 방법을 습득해야 한다. 집단에서 비밀보장의 내용과 한계에 대하여 설명해 주고, 집단구성원을 염려에서 안전으로 이끌어 주는 것이다. 지도자 공격을 예방하기 위해 집단지도자는 집단구성원에게 지속적이고 반복되는 느낌을 표현할 수 있도록 도와준다. 또한 집단구성원이 자기노출을 어느 정도 할지 스스로 결정하도록 한다. 집단구성원이 무엇을 얼마나 자기노출을 하고, 일상생활 속에서 겪는 개인적인 갈등을 함께 나눌지 결정하는 일은 집단구성원의 책임이라는 점을 상기시켜야 한다. 어떤 집단구성원은 지도자가 주는 피드백이 타당하지 않다고 하면서 무시하며 공격을 할 수 있다. 지도자는 피드백이 집단에서 무엇을 하고 있고 그 행동이나 태도가 다른 사람에게 어떤 영향을 미치는지 파악할 수 있는 매우 소중한 정보가 된다는 점을 설명해야 한다.

지도자 부재 집단
[指導者不在集團, leaderless group]

지도자를 두지 않고 대신 지도자 역할을 집단구성원들이 돌아가면서 담당하는 집단. `집단상담`

지도자 부재 집단은 집단구성원들이 모든 자유와 책임을 서로 나누어 가지면서 집단을 운영한다. 실제 기획자가 촉진자 역할을 맡을 것을 기대하는 경우가 많기 때문에 참된 의미에서의 지도자 부재가 성립하기는 어렵다. 이 경우 집단구성원들은 자신의 경험을 나누고 서로에게 정서적 지지와 사회적 지지를 제공하면서 서로 배우고, 새로운 집단구성원들에게 도움을 준다. 이 같은 경험을 통하여 집단구성원의 대인관계 능력이 향상되고 사실상 교대로 지도자 역할을 수행하는 사람이 있는 경우에는 지도자 부재가 가능할 수 있다. 예로는 자조집단이 있다.

관련어 | 지도자중심 집단

지도자중심 집단
[指導者中心集團, leader-centered group]

집단에서 상담자가 중심이 되어 집단을 통제하는 집단.
집단상담

지도자중심 집단은 집단구성원들이 나눌 주제를 상담자가 제시한다. 상담자는 집단구성원들이 무엇을 해야 하고, 어떻게 실행하며, 그들 행동의 뚜렷한 의미 등을 집단구성원에게 교육할 책임이 있다. 상담자는 집단구성원들에게 학습방법을 강의하고 자신이 준 과제를 신속히 수행할 것을 기대하면서 집단구성원들의 비효과적인 학습결과를 처리한다. 따라서 지배적인 성향을 가진 상담자는 가능하면 집단상담에서 배제하는 것이 좋다. 집단상담의 방법에 확신을 갖지 못하고 사전 준비가 부족한 상담자일수록 엄격하고 권위적인 방법으로 집단을 통제하는 것으로 좋은 결과를 얻으려는 경향이 강하기 때문이다.

관련어 | 지도자 부재 집단

지루증
[遲漏症, delayed ejaculation]

성욕과 발기력은 정상이지만 질 내 사정이 원활하게 이루어지지 않는 상태. 성상담

성기능장애 환자의 3~4%를 차지하는 지루증은

조루증과는 상반되는 개념으로 성관계 시 사정을 하려고 해도 시기가 자꾸 지체되면서 사정이 임의대로 조절되지 않고 잘 되지 않는 증상을 말한다. 사정 불능이 사정량의 감소나 소실을 증상으로 하는 데 비해, 지루증은 질 내 사정 이외 자위와 같은 다른 행위로 인한 사정은 가능하다. 다시 말해서 성욕과 발기력은 정상이지만 질 내 사정이 원활하지 않은 상태를 일컫는다. 지루증이 흔하지는 않지만, 평생 한 번도 정상적인 관계로 사정을 하지 못한 사람도 있다. 지루증의 기질적 원인으로 척수 손상, 척수 질환, 교감신경계 손상, 당뇨병, 말초신경장애, 요로 생식계 질환 등을 꼽지만, 대부분 심리적 요인이라 볼 수 있다. 우울, 불안, 스트레스, 피로, 금욕과 같은 종교적 신념, 부적절한 상대자, 부적절한 성적 자극, 성적 감각 집중 결여, 변화 없는 성적 행위, 여성에 대한 적개심, 임신에 대한 양가감정, 성에 대한 죄책감, 성적 상대자의 과도한 요구, 강박적 성격, 최초 성교의 불완전한 경험 등의 정신적 요인 때문에 지루증이 발생하는 경우가 흔하다. 특히 젊은 남성의 경우는 불안과 죄책감이 큰 원인으로 작용한다. 심리적으로 성관계에 대한 압박이나 상대방을 만족시켜야 한다는 데서 비롯되는 스트레스 등이 크게 영향을 미친다. 지루증의 진단은 병력에 관한 청취만으로 이루어지며, 증상은 4단계로 나누어 볼 수 있다. 1단계는 최소 경증으로 질 내 사정이 가능한 상태에서 상대에 따라 질 내 사정장애가 일어난다. 2단계는 경증으로 질 내 사정이 이루어지지 않고 구강성교와 같은 다른 방법을 통해야 사정이 가능하다. 3단계는 중증도로 수음과 같은 상대방이 없는 자위행위나 진동자극으로 사정이 가능하다. 4단계는 중증으로 어떤 상황에서도 사정을 경험하지 못하는 경우로, 몽정도 하지 못한다. 기질적 원인에 따른 지루증은 그 원인을 제거하는 것이 치료의 목표이며, 심리적 원인이라면 불안감과 죄책감을 없애고 성행위 시 정신적 산만함을 없애는 것을 일차적 목표로 삼는다. 교감신경 흥분제와 같은 약

물로도 치료할 수 있고, 주로 행동요법을 동반한 치료를 행하는 경우가 많다. 지루증 치료의 첫 단계는 감각집중이다. 여성이 수음을 행하여 남성을 자극하고, 남성에게 그 여성이 즐거움을 주는 사람으로 인식될 수 있도록 하는 과정을 거친다. 처음에는 짧게 수음으로 사정을 유도하고, 그런 다음 여성 상위 체위로 질 내 삽입을 시도한다. 여성이 주도하여 남성이 사정을 할 때까지 밀어 넣는다. 남성이 사정하지 않으면 다시 여성은 수음으로 자극하는 단계로 돌아가 과정을 반복하면서 사정중추의 둔감함을 극복하고 민감도를 높일 수 있게 한다. 남성이 압박감을 느끼지 않는 환경을 만들어 주는 것이 중요하고, 매번 사정이 되지 않아도 괜찮다는 심리적 편안함을 가질 수 있도록 한다. 지루증 자체는 다른 신체적 증상의 원인이 되거나 합병증을 유발하지는 않는다. 하지만 부부관계의 원만성을 해치고, 성적 문제 관련 우울, 불안 등의 기분장애를 일으킬 수 있으며, 사정 불능으로 자연임신이 불가능한 결과를 낳을 수도 있다. 지루증 치료에는 본인의 의지와 배우자의 협력이 필수다.

지목된 환자
[指目 – 患者, identified patient: IP]

가족구성원 중 제일 먼저 역기능적인 증상을 나타내어 스스로 상담현장에 찾아오거나, 보호자에게 이끌려 오는 내담자.
가족치료 일반

⇨ 'IP' 참조.

지문자
[指文字, finger spelling]

시각적 의사소통 수단의 하나로서, 문어의 자음과 모음의 철자 하나 하나를 손과 손가락의 모양으로 나타내는 것.
특수아상담

지문자는 종종 지화라고도 불리는데, 다른 의사소통 방법과 함께 사용되어 왔다. 우리나라의 지문자는 24개 손 모양으로 구성되어 있으며, 각각은 한글 자모음을 나타내고 주로 한 손으로 하는 지화가 사용되어 왔다. 'ㄱ' 'ㄴ'과 'ㅂ' 같은 지문자는 한글의 글자 모양과 비슷하며, 타이핑할 때 각각의 단어는 하나하나의 글자로 쓰인다. 수화언어 사용자는 수화단어가 없는 고유명사를 철자화할 때, 그리고 의미를 분명히 하고자 할 때 지화에 의존한다. 현재 한국 농아학교 교육에 이용되고 있는 한글 지문자가 만들어진 것은 광복 직후로서, 서울맹아학교 초대교장인 윤백원(尹伯元)에 의하여 고안되었다.

관련어 청각장애

지배적 이야기
[支配的 – , dominant story]

이야기치료에서 사용하는 개념으로, 인간의 삶 속에서 일어나는 다양한 사건과 그 사건에 부여되는 의미 중에서 개인의 삶을 표현하고 그 정체성을 규정하는 데 가장 강력한 영향력을 미치고 있는 사건 혹은 그에 대한 의미 있는 해석.
이야기치료

인간의 삶에는 끊임없이 수많은 사건들이 일어나지만, 이러한 다양하고 수많은 사건에 따르는 경험을 모두 다 기억하고 해석하면서 의미를 부여하지는 않는다. 그중에서 선택적으로 몇 가지만 기억하고 이를 자기만의 방식으로 해석하고 의미를 부여하여 구조화된 이야기의 줄거리(구상構想, plot)를 구성한다. 이렇게 개인의 삶에서 선택되어 구조화된 이야기 중에서 그 삶에 강력한 영향력을 미치고, 자신과 삶의 정체성을 규정하는 강력한 자료가 되는 이야기가 바로 지배적 이야기다. 따라서 지배적 이야기는 현재 개인이 자신의 삶을 이해하고 의미를 부여하고 있는 방식이라고 할 수 있다. 이렇게 형성된 지배적 이야기는 개인이 미래에 어떤 경험을 할 것인지에 대해서도 영향을 미친다. 즉, 지배적 이야기에 부합되는 경험만을 더 많이 선택할 가능성이 높아지는 것이다. 예를 들어, 집단 따돌림을 당하고 있어서 그 괴로움을 호소하는 학생이 있다. 이 학생은 학교에서 집단 따돌림을 당하는 경험 외에도 여러 가지 다양한 경험과 친구 관계와 관련된 이야기가 있을 것이다. 하지만 자신의 현재 삶에서 가장 많은 영향력을 미치고 있는 사건인 친구들에게 소외당하고 괴롭힘 당하는 일을 선택적으로 더 많이 기억하고, 이렇게 선택된 사건 때문에 자신은 친구들에게 집단 따돌림을 받는 인기 없는 아이라고 평가하고 해석하여, 언어를 매개로 이 내용을 이야기하는 과정을 거치게 된다. 또한 이러한 이야기들이 그 학생의 삶에서 지배적인 영향력을 미쳐서, '나는 친구들에게 집단 따돌림을 당하는 사람이다'라는 정체성으로 자신을 표현하게 된다. 이것이 바로 이 학생이 가진 지배적 이야기 중 하나다. 이렇게 형성된 삶의 지배적 이야기는 개인의 과거와 현재의 정체성을 표현하는 것뿐만 아니라, 미래에 일어날 행동에도 영향을 미치는 역동적인 힘을 가지고 있다. 예를 들어, 친구들에게 집단 따돌림을 당하면서 아무에게도 관심을 받지 못하는 재미없는 아이라는 지배적 이야기를 가지고 있는 학생은 이러한 자신의 지배적 이야기가 과거와 현재의 상태를 표현해 주는 것은 물론, 앞으로 친구들과의 새로운 관계를 형성하는 데에도 자신의 지배적 이야기에 영향을 받아 좀 더 소극적이고 자기 방어적인 행동패턴을 선택할 가능성이 높다. 이러한 삶의 지배적 이야기들은 시간의 흐름에 따라 비슷한 경험들이 계속해서 추가되고, 그러한 지배적 이야기에 대한 해석을 반복적으로 함으로써 더욱 강력한 영향력이 생기고, 구체화되며, 구조화되는 특징을 갖는다.

관련어 대안적 이야기, 독특한 결과

지시방법
[指示方法, directive method]

헤일리(Haley)의 전략적 치료모델에서 핵심적인 방법으로 치료자가 가족의 상호작용 형태를 변화시키고자 시도하는 기법.

전략적 가족치료

치료자는 치료를 위한 효과적인 지시를 내리기 위해서 내담자가 과거에 어떤 방법의 치료를 받았으며, 또한 그 방법이 왜 실패했었는지 정확하게 파악해야 한다. 이를 위한 치료자의 지시에는 세 가지 목적이 있는데, 첫째, 치료의 주된 목표로서 내담자가 과거와는 다른 행동을 할 수 있도록 돕는 것이고, 둘째, 내담자와 치료자의 관계를 변화시키기 위한 것이며, 셋째, 치료자의 지시에 대한 내담자의 반응을 관찰함으로써 내담자의 태도에 변화가 생겼을 때 가족들의 반응을 파악하기 위한 것이다. 한편, 치료를 위한 두 가지 형태의 지시방법이 있는데, 첫째는 가족들을 면밀히 관찰하여 가족구성원들이 원하는 행동을 스스로 할 수 있도록 지시하는 방법, 둘째는 이와는 대조적으로 가족들이 원하지 않는 행동을 할 수 있도록 지시하는 방법이다. 이 경우, 치료자는 직접적인 방법이나 은유적인 방법 두 가지를 사용하여 지시한다. 직접적 지시는 내담자가 어떤 행동을 중지하거나 다른 행동을 취할 수 있도록 직접적인 표현으로 지시하는 것이다. 내담자가 이 방법을 잘 따르도록 만들려면 치료자의 지시를 따를 때 얻을 수 있는 이득에 대해서 사전에 충분히 설명하여 동기부여가 되도록 해야 한다. 은유적 지시는 가족이 자신의 문제를 치료자에게 털어놓기를 꺼려할 때 비유를 통하여 내담자가 마음의 변화를 얻도록 유도하는 것이다. 이 방법은 먼저 가족의 행동목표를 정한 다음 그 행동과 비슷한 좀 더 쉬운 행동을 선택해 실행이 가능하도록 한다. 예를 들어, 부부간 성적인 문제로 고민하는 경우, 이를 부끄럽게 생각하여 치료자에게 자신들의 문제를 털어놓기를 주저하게 되는데, 이때 치료자는 성에 관한 문제를 부부가 식사하는 것과 비유하면서 자연스럽게 대화를 이끌어 나가도록 한다. 이 대화에서 치료자는 남편과 아내의 식욕과 음식 취향, 그리고 두 사람이 상대방에게 원하는 것을 구체적으로 이야기해 볼 수 있도록 유도하고, 또한 부부가 즐겁게 식사할 수 있는 방법을 지시할 수 있다. 즉, 부부가 즐겁게 식사하기 위해서는 남편과 아내가 함께 식사를 준비하고, 서로의 기호 차이를 존중하면서, 음식을 먹을 때는 속도를 조절해 가며 즐거운 식사시간이 되도록 노력해야 한다는 것을 방법적으로 지시한다. 이처럼 치료자는 비유적으로 사용한 식사방법에 관한 지시를 부부의 성 문제에 적용함으로써 부부로 하여금 자신들이 가지고 있는 성적인 문제를 새로운 관점에서 이해할 수 있도록 도움을 주고, 문제의 해결을 찾도록 한다.

할 수 있도록 도와주어야 한다고 주장하였다. 로저스(C. Rogers)는 이러한 지시적 상담에 반대되는 상담접근의 중요성을 강조하기 위해 자신의 초기 상담접근을 비지시적 상담이라고 불렀다. 현재 로저스의 비지시적 상담의 영향으로 지시적 상담은 과거의 상담접근방식으로 간주해 버리는 경향이 있다. 그러나 실제 상담장면에서는 진단, 조언, 지시, 설득, 계획수립, 계획실천과 같은 지시적 방법이 도입되는 경우가 많다. 특히 긴급성이 강한 위기개입 장면, 깊은 자기통찰이 필요 없는 안내, 비지시적 방법에 친숙해지기 어려운 사람(지적 수준이 낮거나 자기결정 습관이 모자라는 사람, 아버지와 같은 의존 대상을 구하는 사람)에게는 유효하다. 그러나 지시적 상담접근의 경우에도 내담자의 자원과 자기해결력을 끌어내고 길러 주어야 한다는 것을 항상 마음에 새겨 두어야 한다.

관련어 | 비지시적 상담

ㅈ

지시적 상담
[指示的相談, directive counseling]

상담자가 교사 혹은 조언자의 역할을 하면서 내담자에게 객관적이고 정확한 정보를 제공하여 내담자가 보다 합리적이고 효과적인 선택과 결정을 할 수 있도록 도와주는 상담 접근.
인간중심상담

윌리엄슨(Williamson, 1903)의 진로상담 접근에서 발전된 것으로, 상담자-중심 상담, 특성-요인 상담, 미네소타 견해라고도 한다. 지시적 상담의 목표는 개인이 지니는 다양한 잠재능력을 최대한으로 발달시킬 수 있도록 상담자가 도움을 주는 것이다. 즉, 내담자가 합리적인 선택을 하도록 해 주고, 내담자의 자기이해, 자기조절, 자기성장을 촉진한다. 상담과정은 주로 분석, 종합, 진단, 예언, 상담, 추수지도의 단계로 진행된다. 상담과정에서 상담자의 역할은 내담자의 건강한 심리적 발달을 위해 방향을 정해 주고 정보를 제공하는 것이다. 윌리엄슨은 상담자가 적극적으로 내담자가 자신의 가치를 명료화

지식구조발달
[知識構造發達, knowledge structure development]

경험이나 학습을 통하여 정보를 기억하거나 획득한 개념들 간의 상호 관련성을 연합하는 능력의 연령증가에 따른 변화.
발달심리

외부 정보나 자극을 지각하여 기억에 저장하는 기본 단위는 표상인데, 이는 생후 8개월경이 되면 가능해진다. 이 시기의 표상은 사물이나 사건을 추상적이거나 개념적으로 저장하는 것이 아니라 직접적으로 표상하게 되는 영상적 표상이 발달한다. 점차 사물이 아닌 사랑, 미움, 생각 등 영상이 없는 추상적 개념을 표상하게 되는데, 이를 의미적 표상이라 하며 언어 이해력과 표현력이 어느 정도 발달되었을 때 가능하다. 이렇게 기억에 저장된 정보나 개념들은 사태 도식(event schema)과 위계망 구조 또

는 내용지식 구조(content knowledge structure)에 의해 상호 관련성이 생긴다. 사태 도식이란 일의 진행순서에 따라 표상을 연결시키는 기억구조를 말하며, 여기에 특정한 사회적 환경에서 이루어지는 일련의 행위를 차례대로 구조화하여 시공간적으로 조직하는 틀을 스크립트라고 한다. 여기서 사태 도식은 내용지식 구조보다 빨리 발달하며 3세가 되면 사태에 대한 스크립트를 형성한다. 스크립트의 발달은 어떤 상황에서 어떤 행동을 해야 하는지를 알 수 있도록 해 주며 사회적 상호작용을 촉진한다. 또한 사건의 인과성을 이해하고 유목개념을 형성하며 내용의 범주를 학습하는 데 영향을 미치는 중요한 기제로서 아동기의 인지발달을 촉진한다. 취학 전후에는 자신이 표상한 대상과 그와 관련된 표상들을 연관 짓는 새로운 형태의 기억구조이자 위계망 구조를 형성하는 내용 지식 구조가 발달한다. 내용지식 구조가 잘 발달하면 그와 관련된 새로운 정보나 지식을 더 잘 기억할 수 있다. 이와 같이 사진을 찍는 것처럼 그대로 기억하거나 표상하여 정보를 저장하기도 하지만 자신의 경험에 비추어 요점만 저장하거나 새로운 정보를 추가하여 저장하거나 또는 다른 여러 정보를 통합하여 새로운 형태로 저장하기도 한다. 저장한 기억을 인출하는 과정에서도 정보를 그대로 인출하기보다는 경험과 기억, 그리고 새로운 정보들을 재구성하거나 창조해 내어 기억하는 데 이러한 특성을 구성기억이라 한다. 이 기억은 3세경이 되면 발달하는데, 발달과정에서 비교적 초기에 형성되는 인지기억이라 할 수 있다. 이러한 기억과정들을 통제하는 능력인 상위기억이 있으며, 여기에는 상위인지적 지식과 상위인지적 조정 및 자기규제능력인 자기조정능력이 있다. 우리는 사람, 과제, 방략 등에 대하여 상위인지적 지식이 발달하게 되는데, 사람과 과제에 대한 지식은 취학 이후에 발달하며 방략에 대한 상위인지적 지식은 친숙한 사건이나 과제에서는 4~5세경에도 나타나고 아동기에는 양적인 증가가 곧 질적인 변화를 이끌어 낸

다. 기억에 대한 자기조정능력은 과제를 수행하는 데 필요한 행동을 계획, 실행, 평가하는 전체 과정을 통제하는 것을 말한다. 이를 위해서는 앞서 설명한 상위인지적 지식이 모두 포함되며 상위기억에 대한 조정능력은 취학 이후 많은 성공과 실패를 경험할 때 발달하게 되는 능력이다.

관련어 스키마, 인지구조

지역사회 상담자
[地域社會相談者, community counselor]

지역사회의 특성을 잘 이해하고 대규모 자연재해 등의 문제발생 후에 지역사회를 대상으로 상담을 제공하는 상담자.
사회복지상담

좁은 의미에서의 지역사회 상담자란 큰 규모의 자연재해나 재앙이 일어난 지역사회에서 심리적, 정신적, 정서적인 부분에서의 상담 필요성을 느끼거나 필요한 주민을 대상으로 상담을 행하는 상담자를 의미한다. 이들은 기본적인 심리상담기술은 익힌 상태지만 전문적인 상담자일 필요는 없다. 좀 더 넓은 의미의 지역사회 상담자는 지역 내 사회복지 및 상담서비스를 제공하는 기관을 중심으로 경제적 궁핍으로 인한 심리적 불안정이나 가족 간 갈등에 따라 여러 형태로 발생되는 문제를 돕는 사람을 말하며, 이들의 필요성과 당위성은 계속 증가하고 있다. 기존의 전통적인 상담은 대면 상담을 중시하고, 시간적인 제한을 받으며, 상담실에 찾아오는 내담자에게 국한된 서비스를 제공해 왔다. 따라서 지역 내 다양한 사회적 환경으로부터 많은 영향을 받고 있는 비자발적 특성을 지닌 대다수의 내담자에게 전통적인 상담 방식은 제약이 따를 수밖에 없다. 최근 많은 학자들은 전통적인 개인 중심 상담의 한계를 넘어 새로운 상담자 역할의 필요성을 강조해 왔으며 대다수의 내담자에게 효과적으로 제공할 수 있는 상담모형을 개발하고자 하였고, 그러한 역할을 수행하는 사람들이 지역을 거점으로 활동하는 지역사

회 상담자라 할 수 있다. 이들은 지역주민에게 빈번하게 발생하는 주 호소문제에 대해 깊이 이해하고 있으면서 사전에 문제발생을 예방할 수 있어야 하고, 주민의 안녕과 개인적 발달을 증진시키는 개입전략과 서비스로 구성된 포괄적인 조력활동을 수행하면서 지역사회 구성원들이 좀 더 효율적으로 살아갈 수 있도록 도와주는 역할을 한다. 다시 말해, 전통적인 대면 상담을 넘어서 지역주민, 가족, 지역 내 환경에 개입할 수 있는 포괄적 상담자라 할 수 있다.

지역사회 정신건강
[地域社會精神健康, community mental health: CMH]

지역사회 전체의 정신건강 증진을 목표로 소위 치료보다는 예방에 역점을 둔 전문가가 내담자를 감싸는 것이 아니라 지역사회 사람들의 책임으로 내담자를 지탱해 간다는 생각을 가진 정신건강활동. 　사회복지상담

서구사회에서 지적장애를 포함한 정신장애자들의 대단위 수용시설에서 탈시설화시키는 정책으로 시작되었다. 병원에서의 의학적 치료로만 정신장애에 개입해 오던 것을 넓은 의미에서의 예방(정신장애의 발생을 저지하는 것), 치료(정신장애의 조속한 발견 및 신속한 치료), 재활(정신장애로 인해 부차적으로 갖게 되는 정신적 결함이나 사회적 장애를 줄이는 것) 및 사회복귀의 차원으로 확대시킨 것이다. 정신장애자에게만 국한하지 않고 전체 사회를 대상으로 삶의 질을 보장하는 정신건강과 관련된 모든 것을 포괄하는 광범위한 의미를 내포하고 있다. 의료를 포함한 각종 정신보건서비스를 제공하며, 제공의 주체는 지역사회가 된다. 최소한 규제를 원칙으로 하고, 사회 통합을 보장해 주는 다양한 서비스를 개발 · 제공하며, 서비스는 독자적인 사회생활의 영위를 보장해 줄 수 있는 것이어야 한다. 모든 사람이 차별 없는 동등한 기회를 보장받는 것으로서 삶의 질과 기능적 기술재활에 그 목표를 두고 있다. 정신장애자의 생활 조건이나 환경을 정상화하면서 장애나 사회적 불리로 인해 파생되는 문제를 최소화하여 가능한 한 많은 정신장애자가 지역사회 생활의 주류로 동참할 수 있도록 한다. 또한 사회적 상호작용의 달성을 원칙으로 하기 때문에 지역사회에서의 물리적 통합을 이루고(주거지 마련), 지역사회 자원과의 활발한 교류가 중요하다. 이처럼 지역사회 정신건강에서는 정신장애자를 격리 · 수용하지 않고 지역사회와 교류를 해 나가면서 또는 그 속에서 회복을 도모하는 종합적인 대책이 구성되어 있다. 또 정신장애의 발생예방에서부터 발생했을 때 즉시 대처할 수 있는 서비스 네트워크를 만들며, 수용치료가 필요한 사람들의 사회복귀 대책 등 일련의 포괄적인 서비스가 고려되고 있다.

지역사회사업
[地域社會事業, community work]

지역사회 집단과의 활동, 행정 및 사회계획을 포함하는 연속체로서의 궁극 목표에 대한 광범위한 사회사업활동. 　사회복지상담

지역사회복지라고 부르기도 하는 지역사회사업은 사회사업의 지식과 기술을 활용하는 것으로서 다음과 같이 요약할 수 있다(Piccard). "사례관리(casework), 가족작업(family work), 집단작업(group work)과 마찬가지로 지역사회사업 역시 인간과 사회 제도에 관심을 갖는다. 지역사회의 사회 제도는 거대하지만 결국 개인, 가족과 집단으로 형성되어 있다. 지역사회사업은 지역개발, 사회계획, 사회활동으로 구분하는데, 이들은 중복되고 때로는 함께 실천되는 반면에 제각기 자신의 이론, 역할과 기술을 가지고 있다. 지역사회사업은 사회사업의 지식, 기술, 가치를 활용하고 계획된 변화과정을 이용하는 것이다." 코헨(Cohen)은 지역사회복지의 근본 목적을 "주민들이 사회생활에서 보다 효과적 역할을 할 수 있도록 하는 데 있다."라고 하면서 지역사회 주민의 자기결정을 강조하였다. 또한 그는 지역사

회복지라는 개념을 다음과 같이 기술하였다. ① 활용 가능한 외부자원의 보조로 그들 자신의 욕구를 충족시키기 위해 결정하고 계획, 실천하려고 하는 지역사회 주민을 돕는다. ② 그들이 충족하려고 하는 사회적 욕구를 보다 효과적이고 사용 가능하며 얻기 쉽게 만들기 위해 지역적 서비스를 지원한다. ③ 주민의 계획 중 다른 서비스 간의 상호관계를 조정한다. ④ 항상 변화하는 환경에 대하여 새로운 사회적 욕구를 충족시키기 위해 필요한 대응책을 예측한다. 한편, 지역사회개발과 지역사회조직이란 용어는 제각기 역사적 배경을 달리하여 발전되어 왔다. 초기 지역사회 개발은 주로 후진국의 농촌을 대상으로 기본적인 생활조건의 개선에 중점을 두었고, 지역사회조직은 선진국에서 특히 도시에서 고도의 통합과 주도성을 바라는 경우에 사용되었다. 그러나 오늘날에는 대상이나 목표에 의한 양자의 구별이 힘들어져서 선·후진국 가릴 것 없이 두 용어를 유사한 개념으로 사용하며, 지역사회 주민의 복지를 위해 개인 및 집단생활의 상호작용을 증진하고 사회적 기능을 강화하여 지역사회의 역량을 향상시키는 개념으로 볼 수 있다.

지연모방
[遲延模倣, delayed imitation]

피아제(J. Piaget)의 인지발달단계 중 감각운동기에 나타나는 특징으로서, 어떤 행동을 목격한 다음 일정한 시간이 지난 후에 그 행동을 자발적으로 재연하는 것. `발달심리`

피아제는 친구 집에서 친구의 딸이 방바닥에서 뒹굴며 트집을 부리는 모습을 놀라워하며 지켜본 자신의 18개월 된 딸이 3일 뒤에 그 행동을 그대로 모방하는 것을 관찰하고 이 무렵에 지연모방이 획득된다는 사실을 확인하였다. 이 단계는 영아의 지적 능력이 놀랄 정도로 많이 성장하는 시기로, 눈앞에 없는 사물이나 사건을 생각으로 그려 내기 시작하고, 실행하기 전에 머릿속에서 먼저 생각한 다음

행동한다. 전 단계처럼 시행착오 과정을 거치며 문제를 해결하는 것이 아니라 행동하기 전에 상황에 관한 사고를 하기 때문에 문제를 더 빨리 해결할 수 있다. 즉, 지연모방이 가능하다는 것은 아동이 관찰한 사태를 표상의 형태로 저장하고 있음을 입증하는 하나의 예가 된다.

지적장애
[知的障礙, intellectual disability]

지적인 기능이 평균 이하인 상태이며 지능발달의 장애로 학습이 불가능하거나 제한을 받고, 적응행동의 장애로 관습의 습득과 학습에 장애가 있는 상태. `특수아상담`

과거에는 정신박약 또는 지적장애라는 용어를 사용했으나 장애인에 대한 무시라는 지적에 따라 2007년 10월 '장애인 복지법'의 개정으로 지적장애라는 명칭으로 바뀌었다. 이 법에 따르면, 지적장애는 지능에 따라 3등급으로 분류된다. 지적장애 1급은 지능지수와 사회성숙지수가 34 이하로, 일상생활과 사회생활의 적응이 현저하게 곤란하여 일생 타인의 보호가 필요한 사람이다. 지적장애 2급은 지능지수와 사회성숙지수가 35 이상 49 이하로, 일상생활의 단순한 행동을 훈련할 수 있고 어느 정도의 감독과 도움을 받으면 복잡하지 않고 특수 기술이 필요 없는 직업을 가질 수 있는 사람이다. 그리고 지적장애 3급은 지능지수와 사회성숙지수가 50 이상 70 이하로, 교육을 통한 사회적 직업적 재활이 가능한 사람이다. 미국 지적장애 및 발달장애협회(American Association on Intellectual and Developmental Disabilities: AAIDD)에서는 지적장애를 다음과 같이 정의하고 있다. ① 지적장애는 지적 기능은 물론 많은 일상적인 사회 및 실제적 기술을 포함하는 적응행동 모두에 심각한 제한을 보이는 특징이 있으며, 18세 이전에 나타난다. ② 지적 기능은 학습, 추리, 문제해결과 같은 일반적인 정신적 능력을 의미하며, IQ가 70~75일 때 지적 기능의 제한이

있다고 간주된다. ③ 적응행동은 표준화검사를 통하여 개념적 기술, 사회적 기술, 그리고 실제적 기술에서의 제한을 평가한다. 우리나라 '장애인 등에 대한 특수교육법'에서는 지적 기능과 적응행동상의 어려움이 함께 존재하여 교육적 성취에 어려움이 있는 사람을 가리킨다. 따라서 지적장애를 진단하기 위해서는 지적 기능과 적응행동에 대한 평가가 모두 필요하다. 지적장애의 원인은 다양한데, 크게 유전적(생물학적) 원인과 환경적(사회문화적) 원인으로 나눌 수 있지만 두 원인이 복합적으로 작용하는 경우도 있다. 유전적 원인으로는 다운증후군과 같은 염색체 이상 증후군, 결절성 경화증과 같은 단일 유전자 이상, 페닐케톤뇨증과 같은 선천성 대사장애 등이 있다. 환경적 원인으로는 초기 태아발달의 이상(태아 손상, 태아 알코올 증후군), 임신 및 주산기 장애(산전 및 산후 뇌 감염, 태아의 영양실조, 조산 및 미숙아, 출산 시의 저산소증 및 뇌 손상, 핵황달), 소아기의 질병(선천성 갑상선 기능 저하증, 신경 섬유화증, 기타 감염, 종양 및 손상, 약물 및 중금속 중독), 사회경제적 문제(양육자의 교육 정도가 낮아 아이에게 적절한 자극을 주지 못하는 경우, 절대 빈곤층 또는 사회경제적으로 낮고 불우한 계층에서의 경험 부족, 아동학대 및 방임의 장기간 경험) 등이 있다. 어떤 원인에서든 지적장애를 갖게 되면 대개 언어지연, 인지, 학습기능의 발달 문제가 조기에 나타난다. 가벼운 정도의 지적장애인 경우, 학령 전기에는 쉽게 알아채지 못할 수 있으며, 나이가 들수록 추상적 사고능력 결핍과 같은 인지적 기능 저하, 자기중심 사고 등이 나타날 수 있다. 중간 정도의 지적장애인 경우, 유아기 때는 정상적으로 의사소통을 하기도 하지만 초등학교 2~3학년 수준 이상의 학업을 성취하는 것이 곤란하고, 적절한 감독하에서 복잡하지 않은 수작업을 할 수 있다. 심한 정도의 지적장애인 경우, 중요 단어와 숫자를 익힐 수 있으나 직업훈련은 어렵다. 매우 심한 정도의 지적장애인 경우, 드물게 기본적인 지시이해 및 단순

요구를 하는 정도로 의사전달을 하는 사람도 있지만 대부분에서 신경학적 이상이 동반되고 자해행동이 빈번하다. 지적장애인의 정신장애 유병률은 일반인보다 3~4배 높은 것으로 보고되고 있다. 주의력결핍 과잉행동장애, 자폐증, 상동행동장애, 불안장애, 공격적 행동, 분노발작, 자해행동 등이 흔히 동반될 수 있고, 중증의 지적장애일수록 시력, 청력, 간질, 뇌성마비 등의 신경학적 장애를 동반하는 경우가 많다. 적절하지 못한 성교육이나 성 충동 조절 능력으로 성적 탈선이나 성 범죄를 저지르는 비율도 높다. 대부분의 지적장애에서 지적인 기능 자체는 호전되기 어렵지만, 지지적이고 좋은 환경을 제공할 경우 적응수준은 향상될 수 있다. 지적장애 아동의 교육을 위해서는 무엇보다도 부모의 이해와 애정이 앞서야 한다. 집안에 지적장애아가 있다는 것을 부끄럽게 생각하여 다른 사람들에게 숨기려 하거나 또는 친한 사람에게 자기 고충을 털어놓는 것을 삼가야 한다. 또 형제들 앞에서 비웃는 조로 말을 하는 경우가 많은데, 아무리 지능은 모자라도 자신을 업신여기는 것에 대한 반감은 본능적으로 가지고 있기 때문에 아이의 감정이 비뚤어지기 쉽다. IQ가 모자라다 해도 어릴 때 집에서 경험한 따뜻한 대우는 성장한 뒤에 사회적응에서 큰 차이를 나타낸다. 가족은 지적장애인에 대한 현실적인 기대를 유지하면서 그의 능력과 자존심을 향상시키도록 해야 한다. 어느 정도로 그의 독립을 촉진하면서 동시에 보호해야 할 것인가 하는 문제는 매우 어려우면서도 중요하다. 지적 기능과 적응능력에 따라 경도 지적장애의 경우 특수교육과 직업훈련을 통하여 지역사회 내에서 자립할 수 있도록 도와주는 것이 필요하지만, 고도 지적장애의 경우 수용주거시설이 필요할 수도 있다. 사회와 국가는 지적장애인을 수용하여 지도하고 상담하는 시설은 물론, 전문인력도 배치해야 한다.

관련어 다운증후군, 적응행동

지지
[支持, support]

게슈탈트 이론에서 성공적인 접촉을 할 수 있도록 받쳐 주는 힘. 집단구성원이 상담과정에서 불편함을 느끼거나 불안해할 때, 어떤 이유로 심리적인 상처를 입을 우려가 있을 때, 불안이나 긴장 또는 상실감 등을 경험할 때 그들을 따뜻하게 수용하고 불안과 긴장 등을 완화시키는 기법의 총칭. `게슈탈트` `집단상담`

개체가 환경과 접촉하는 과정을 보면, 접촉행동을 하기 위해서 스스로를 지탱하고 환경과의 만남을 유지시키며, 외부환경에서 받아들인 요소를 소화·흡수·동화하는 등의 일을 한다. 성공적인 접촉을 위해서는 이러한 행동을 중도에 멈추지 않고 계속 밀고 나갈 수 있는 힘이 필요한데, 이 힘을 '지지'라고 한다. 따라서 접촉을 시도하고, 유지하고, 마무리하려면 튼튼한 지지가 있어야 한다. 알아차림이나 전 접촉단계가 성공적으로 행해졌다 하더라도 지지가 부족하면 접촉단계와 최종 접촉단계로 이행할 수 없는 것이다. 펄스(Perls)는 지지를 환경적 지지와 자기 지지의 두 종류로 분류하였다. 환경적 지지란 가족이나 친척, 친구 등 유사시에 도와줄 사람, 그리고 정치·교육·문화적 배경 등의 사회문화적 시스템, 또 동창회·친목 단체·종교 단체 등 개인이 어려움에 처했을 때 도움을 줄 수 있는 외적 지지시스템을 의미한다. 자기 지지란 스스로 자신을 지원하는 지원시스템을 의미한다. 여기에는 개인이 가지고 있는 자기보존능력체계로서 신체 상태, 지식이나 정보, 사고능력, 과거경험의 양, 가치관, 신앙, 그리고 어떤 상황에 처했을 때 그 상황에서 달아나지 않고 머물러 있는 능력이 포함된다. 지지는 일반적으로 개인상담에서도 사용되는 기법이다. 집단상담에서 지지는 집단구성원이 집단에서 후퇴를 하거나 실망 또는 좌절하는 것이 아니라 용기를 갖고 집단에 임하도록 집단상담자가 격려해 주는 것을 말한다. 부정적인 피드백을 받아도 그것은 자신을 위한 것이라는 점을 일깨우기 위하여 지지가 필요하다. 집단상담자의 지지는 집단구성원들에게 격려가 될 뿐만 아니라, 그들이 보다 적극적으로 집단활동에 참여하고 때로는 기꺼이 모험을 감행하는 힘을 주기도 한다. 언어적인 지지를 해 주는 것도 중요하지만 비언어적으로 표현되는 지지도 중요하다. 예를 들어, 부드러운 얼굴표정이나 미소, 고개 끄덕임, 수용적인 몸짓이나 몸가짐과 같은 비언어적인 수단으로도 지지를 해 줄 수 있어야 한다. 언어적인 차원과 비언어적인 차원이 서로 불일치하거나 일관되지 못할 때는 심적인 지지를 한다고 볼 수 없고, 또한 집단상담자의 신뢰성을 떨어트릴 수도 있다. 집단구성원이 부정적인 느낌이나 심적인 경험을 할 때 그것을 충분히 경험하기 전에는 심적인 지지를 하지 않는 것이 중요하다. 부적절한 지지는 집단구성원에게 도움이 되지 않을 뿐 아니라 잘못된 행동을 인정하거나 강화해 주는 꼴이 되기 때문이다. 진정으로 지지가 필요한 경우는 집단구성원이 위기에 맞닥트렸을 때, 미지의 행동을 모험적으로 감행하려 할 때, 바람직하지 않은 행동을 고치거나 없애고자 할 때 등이다.

`관련어` 공감적 이해, 무조건적 긍정적 존중, 접촉, 지지집단

지지적인 환경
[支持的-環境, sustaining environment]

균형, 조화, 그리고 효과적인 리더십이 형성되어 있는 인간체계의 환경. `내면가족체계치료`

대부분의 인간체계는 건강하고 조화로운 생활을 하는 데 필요한 모든 자원을 처음부터 가지고 태어나지만 그들은 지지하는 환경 내에서 그러한 자원을 발달시킬 시간이 필요하다. 체계의 구성원에게는 자신의 비전과 선호하는 역할을 발견하고 조화로운 관계, 영향력, 자원, 책임감 및 경계 간의 균형을 유지하기 위한 시간이 필요한 것이다. 체계의 지도자들 역시 신용, 신뢰, 그리고 공유 가능한 비전을 만들기 위한 시간이 필요하다. 만약 체계가 발달과

정 중 양육적인 환경에 놓인다면, 정상적인 발달속도로 건강한 상태를 유지할 수 있을 것이다. 한 아이에서 가족까지, 한 회사에서 국가까지 모든 인간체계는 건강한 발달을 위해 지지적인 환경 속에서 시간을 보낼 필요가 있다.

지지집단
[支持集團, support group]

집단구성원들이 공통된 관심사를 공유하지만 집단지도자와 시간제한이 있는 자조집단의 한 형태. `집단상담` `중독상담`

지지집단은 자조집단과 유사하지만 시간 제한적으로 진행되고, 전문적 혹은 준전문적인 집단지도자가 함께한다는 점에서 차이가 있다. 이때의 지도자는 집단구성원에 비해 집단촉진자로서의 훈련 경험과 전문지식이 있다는 점에서 권위를 지니고 있지만 집단구성원과 동등한 관계에 있다. 지지집단은 같은 문제를 경험하는 참가자로 구성되어 서로에게 조언, 제안, 위로, 지지 등을 제공함으로써 인지적·정서적·행동적 변화를 일으킨다. 또한 지지집단은 금주회에서 술의 해로운 점에 대한 체험담을 나누거나, 의료분야에서 자궁암 환자들이 체험담을 나누는 가운데 불안을 희망으로 변화시키는 것을 도와주는 집단이기도 하다. 지지집단의 목적은 공통의 문제나 생활경험 및 불행을 가진 사람들이 집단을 구성하여 심리사회적 결핍감을 보충하도록 하는 것이다. 지지집단의 기능은 다음과 같다. 첫째, 집단구성원 간에 개인적인 경험을 공유한다. 둘째, 적응전략에 관해 상호 비교하면서 적응력을 개발하거나 성장시킨다. 셋째, 집단구성원 간 상호 원조를 제공한다. 넷째, 지역사회 내 자원을 확인하고 이를 활용할 수 있는 정보를 제공한다. 다섯째, 집단구성원이 직면한 어려움을 다루는 데 필요한 피드백을 얻을 수 있다. 지지집단의 특징은, 집단구성원 중심으로 구성되고 지도자는 전문가나 자원봉사자 혹은 집단구성원에 의해서 구성되기도 한다는 점이다. 지지집단이 제공하는 다양한 효과적인 개입 가운데 가장 뛰어난 점은 바로 보편성을 제공하는 집단경험 자체라고 할 수 있다. 그러나 이를 촉진하기 위해서는 집단지도자가 중요한 역할을 해야 한다. 집단지도자는 집단구성원들이 공유하는 유대를 이용하면서 서로를 지지하고 원조관계를 형성하도록 촉진자 역할을 한다. 그리고 힘들거나 고통스러운 주제에 대해 토론하는 것을 도와주어 지지집단과정을 성공적으로 이끈다. 지지집단의 개입기술은 개방적인 토론에서부터 구조화된 모임에 이르기까지 다양하며, 문제해결기술 발전시키기 등 여러 가지가 있다. 지지집단은 폭력의 피해자, 노인을 돌보는 가족, 특수한 병을 가진 환자, 별거 중인 부부나 그 자녀, 그 외 생활상의 변천을 경험하는 내담자에게 적합하며 그 효과가 검증되었다. 이와 같이 지지집단은 같은 문제를 경험하고 있는 사람들이 서로 정보를 공유·지지·충고하고, 감정적으로 상호 의지하여 심리사회학적인 문제를 완화하는 데 긍정적인 효과를 나타내고 있다.

지지치료
[支持治療, supportive therapy]

내담자를 신뢰하는 감정, 안정감과 의미가 있는 치료상황으로 감정적 활성화를 일으켜 내담자의 불안을 덜어 주고 새로운 행동을 하도록 격려하는 치료형태. `정신분석학` `집단상담`

인간중심 접근에서 가장 중요하게 여기는 자기실현을 하는 데 촉진적 분위기를 조성하는 접근이 지지치료적 접근과 부합한다. 인간중심 접근에 따르면 지지적 치료는 통찰과 변화를 가져오기 위한 필요충분조건이라고 해도 과언이 아니다. 그러나 지지치료를 통찰치료(insight therapy)와 대비되는 개념이라고 생각하는 관점도 있다. 지지치료는 자아를 지지하고 성숙을 증진시키며 정체감을 발달시키는 수단으로서 가장 성공적인 방법이다. 심리치료에서는 장애로 진단된 성격치료의 목표를 심층적인 성격구조를 변화시키는 데 두지만, 이들의 경우에도 생활장면에서의 요구사항에 적응하거나 내담자의 잠재력을 신장하거나 표현하게 함으로써 그가 효과적으로 기능할 수 있도록 하는 것을 목표로 삼을 수 있다. 전자를 심층적 차원의 치료, 통찰치료라고 부르고, 후자를 표층적 차원의 치료, 지지치료라고 불러 왔다. 그러나 현실적으로 지지치료는 내담자의 통찰을 가능하게 하는 가장 근본적인 접근에 해당되기도 하므로 심층, 표층의 표현은 무리가 있다. 지지치료는 재보증, 환경정비, 설득 등으로 내담자의 자아를 안정시키고 적응능력을 지지하는 가운데 자연스럽게 재적응을 유도한다. 또한 지지치료는 주로 심리치료의 도입기에 내담자와의 라포를 형성하는 데 사용된다. 통찰치료는 내담자에게 치료에 적극적인 참가를 요구하고 깊은 인간관계를 형성함으로써 성격의 기본적 변혁을 초래하며, 자기이해나 의식적인 통제를 높일 가능성이 있는 경우에 시행한다. 이와 달리 지지치료는 치료자가 내담자의 적응능력을 지지하는 것이 유효한 경우에 시행한다. 말하자면, 지지치료는 내담자의 무의식적 요소를 다루거나 변화시키려 하지 않고, 그가 이미 의식하고 있는 장애를 다루는 것이다. 따라서 지지치료는, 첫째, 두드러진 성격왜곡이 없고 자아가 강한 경우, 둘째, 주된 원인이 환경이고 자아가 약하지 않은 경우, 셋째, 뚜렷한 성격왜곡이 없고 자아가 약하지 않은 경우 등에 시행한다. 요컨대, 지지치료는 내담자가 당면한 증상이나 장애를 좀 더 잘 대처해 나가도록 지지하거나 도움을 주는 것이다.

관련어 | 지지, 지지집단, 통찰 치료

지체장애
[肢體障礙, physical disability]

기능·형태상 장애를 가지고 있거나 몸통을 지탱하거나 팔다리의 움직임 등에 어려움을 겪는 신체적 조건 또는 상태 때문에 교육적 성취에 어려움이 있는 경우. **특수아상담**

지체장애는 종종 중도·중복장애를 수반하므로 개인 내적으로 차이가 크게 나타나며 아울러 개인 간의 차이를 동시에 발견할 수 있다. 따라서 지체장애아의 교육은 장애의 특성과 필요에 따른 적절한 개별화 계획을 수립하여 통합적 교육환경에서 실시하는 것이 바람직하다고 본다. 지체장애의 정의는 각 국가 및 문화권에서 장애 유형, 원인, 정도 등의 여러 가지 요인에 따라 매우 광범위하고 다양하다. 지체장애아 교육의 역사는 각 시대별 문화, 사회 및 종교 등 다양한 요인에 따라서 지체장애를 가진 사람들의 사회적 위치와 밀접하게 관련되어 있다. 인류 역사 가운데 원시와 고대시대에 지체장애인은 배척의 대상이었지만, 지체장애인에 대한 치료, 보호 및 교육적 활동이 국가적 차원으로 이루어져 현대에 이르러서는 통합교육의 주요 대상으로 다루어지고 있다. 우리나라의 경우 최초의 지체장애아를 위한 시설은 1952년 민영재가 서울에 설립한 삼육아동재활원이다. 지체장애는 선천성 혹은 후천성, 뇌 손상 여부, 진행성 혹은 비진행성, 장애의 정도, 장애 발생 시점, 신체기관의 장애 부위 혹은 장애 증상 등 매우 다양한 기준으로 분류할 수 있다. 일반적으로는 뇌성마비, 이분척추, 근이영양증, 척수 손상, 간질 등으로 분류한다. 지체장애의 출현율은 지체 부자유, 병·허약, 중복장애 등 다른 장애와 복합적으로 나타나기 때문에 파악하기는 쉽지 않다. 교육부(2013)의 특수교육 통계자료에 의하면, 지체장애 학생수는 총 11,233명으로 전체 장애의 13.0%를 차지하고 있다. 장애의 진단 및 평가는 성공적인 교육 및 재활과 더불어 궁극적으로 독립적인 개인 및 사회 활동을 위한 중요하고 기초적인 단계에 해당

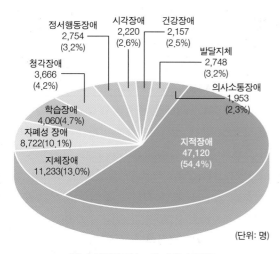

정서행동장애
2,754
(3.2%)

시각장애
2,220
(2.6%)

건강장애
2,157
(2.5%)

발달지체
2,748
(3.2%)

청각장애
3,666
(4.2%)

의사소통장애
1,953
(2.3%)

학습장애
4,060(4.7%)

자폐성 장애
8,722(10.1%)

지적장애
47,120
(54.4%)

지체장애
11,233(13.0%)

(단위: 명)

[장애 영역별 특수교육 대상자 현황]

출처: 교육부(2013). 2013 특수교육통계. p.4.

한다. 정확한 진단 및 평가를 위해서는 부모를 비롯하여 교사의 세심한 관찰과 의료진, 물리치료사, 작업치료사, 재활 기사, 양호교사, 특수 교사, 부모, 언어 병리학자, 사회사업가 등 관련 전문가의 진단 및 검사가 필요하다.

관련어 강직형, 단마비, 대마비, 불수의 운동형, 사지마비, 삼지 마비, 양마비, 운동 실조형, 중복마비, 진전형, 편측마비, 혼합형

지필 검사대도구검사
[紙筆檢査對道具檢査, paper and pencil test vs apparatus test]

도구에 따라 나뉘는 검사. 심리검사

심리검사를 실시할 때 사용하는 도구에 따라 지필검사와 도구검사로 나누어 볼 수 있다. 지필검사는 지능검사나 적성검사와 같이 질문지와 연필만 있으면 검사를 수행할 수 있고 대부분의 심리검사는 여기에 해당한다. 도구검사는 종이나 연필 이외의 다른 도구를 이용해 실제로 동작이나 작업을 하도록 하여 이를 측정하는 방식의 검사다. 기구검사라고도 하는데, 웩슬러 지능검사에서 동작성 지능

을 알아보기 위해 실시하는 토막 짜기, 모양 맞추기 영역이 이에 속한다.

지형학적 모형
[地形學的模型, topographic model]

지형학의 모형을 심리세계에 적용하여 의식, 전의식, 무의식의 역할과 이들 세 수준 간의 역학관계를 체계적으로 제시한 모형. 정신분석학

프로이트(S. Freud) 이전에는 마음의 영역을 두 가지로 구분하였다. 하나는 의식적 경험으로 현재 개인이 인식하고 있는 사고, 감정, 행동이 이에 속한다. 다른 하나는 기억을 포함하여 지금은 의식영역 밖에 있지만 조금만 노력하면 의식의 영역으로 들어올 수 있는 것들이다. 정신세계를 심층적으로 분석한 프로이트는 이러한 두 가지 영역에 한 가지를 추가하여 인간의 마음을 의식, 전의식 그리고 무의식이라는 세 가지 수준으로 설명하는 지형학적 모형을 제시하였다. 지형학적 모형을 통해 정신의 형태, 구조, 생성 원인, 발달 등을 탐색하고 나아가 그것들의 역할과 기능을 밝혀내는 데 목적을 두었다. 신경학과 신경생리학에 학문적 근거를 두고 있던 프로이트는 인간의 마음에는 각기 다른 기능을 담당하는 분리된 영역이 존재한다고 보았다. 1900년에 발간한 『꿈의 해석(The Interpretation of Dreams)』에서 지형학적 모형을 소개하면서, 동기에서 유발된 충동들이 마음속의 심층에서 심적 표상(mental representation)을 만들어 낸다고 하였다. 이후 그의 정신분석이론은 지형학적 모형의 토대 위에 발전하였다. 성적 특성을 지니고 있는 충동은 사회적으로 수용되기 곤란하기 때문에 적극적으로 표현될 수 없으며, 따라서 무의식 속에 놓인다. 마음의 피상적인 부분에 해당되는 전의식과 의식은 이러한 충동들을 조정하여 사고와 행동으로 표현될 수 있는 형태로 전환시킨다. 따라서 마음의 세 가지 수준 사이에는 지속적인 갈등이 존재한다. 프로이트는 마음

ㅈ

의 지형학을 설명하기 위해 종종 마음을 빙산에 비유하였다. 빙산의 꼭대기는 의식에 해당하며, 수면 아래 더 많은 부분은 의식 밖의 영역에 해당한다. 수면을 통해 들여다볼 수 있는 수면 바로 아래 부분은 전의식이며, 그 아래 들여다볼 수 없는 빙산의 대부분은 무의식에 해당한다. 비록 의식과 전의식이 행동에 영향을 미치지만 무의식이 가장 중요한 행동의 동기가 된다. 사고내용은 의식에서 전의식으로 쉽게 통과되고 다시 의식영역으로 되돌아온다. 그리고 의식과 전의식의 내용은 무의식으로 들어갈 수 있지만, 그 역으로 무의식의 내용은 자발적으로 의식화되기 어렵다.

관련어 무의식, 의식, 전의식

지혜
[智慧, wisdom]

대안들 사이에서 효과적인 선택을 하는 능력. **중노년상담**

현명한 지식을 지칭하는 인지적 측면과 성격적 특성을 나타내는 성격발달적 측면에서 정의되는 개념이다. 인지적 측면을 강조한 정의를 살펴보면, 발테스와 스미스(Baltes & Smith, 1990)는 지혜를 삶에 대한 전문적 지식으로 보면서 삶에 대한 실제적 지식, 절차적 지식, 인생 맥락적 사고, 가치 상대주의, 불확실성의 인식 등으로 정의하고 있다. 스턴버그(Sternberg, 1998)는 균형이론에 근거한 암묵적 지식으로 정의하고 있으며, 이는 개인적으로 가치 있는 목표를 타인의 도움 없이 성취하도록 하는 행동 지향적 지식을 말하는데 무엇을 아는가가 아니라 어떻게 하는지를 아는 것이라 하였다. 지혜는 개인 내, 개인 간, 초개인적 이해관계의 균형을 통하여 환경에 적응하거나 환경을 조성하면서 새로운 환경을 선택하고 공동의 선을 지향해 나가도록 암묵적 지식을 적용하는 것이다. 이러한 균형은 인간의 인

지적 오류를 예방할 수 있다고 보았다. 키치너와 브렌너(Kitchner & Brenner, 1990)는 아는 것의 한계를 지각하는 지적 능력으로 지혜를 정의하였으며, 이는 높은 반성적 판단능력과 관련이 있다. 알린(Arlin, 1990)은 지혜란 문제를 발견하는 능력이라고 하였다. 한편, 성격발달적 측면에서 지혜를 정의한 오울과 펄무터(Orwoll & Perlmutter, 1990)는 자아발달과 자아초월의 상태라 하였으며, 윙크와 헬슨(Wink & Helson, 1997)은 실용적 지혜와 초월적 지혜로 구분하여 설명하였다. 실용적 지혜는 생산성, 멘토링, 지배성을 말하며 초월적 지혜는 직관, 창의성, 융통성을 뜻한다. 홀리데이와 챈들러(Holliday & Chandler, 1986)는 지혜로운 사람의 특성으로 탁월한 이해력, 판단력, 의사소통기술, 유능성, 대인관계 기술, 사회적 겸손을 제시하였다. 커노(Curnow, 1999)는 자아지식, 초연, 통합, 자아초월 등이 지혜를 구성하는 요인이라고 하였다. 자아지식은 자신의 무의식적 측면을 자각할 수 있는 것이며, 초연은 집착하지 않는 것이고, 통합은 무의식적 측면을 자각한 것을 통합해 나가는 것이며, 자아 초월은 생물학적이고 사회적 조건과 관련된 경험의 한계에 대한 애착에서 벗어나는 것이다. 웹스터(Webster, 2003)는 지혜의 구성요소로 경험, 정서, 회상, 개방, 유머를 제안하였다. 경험이란 대인관계에 관한 것이며, 살아오는 동안의 중요한 선택, 삶의 전환, 어두운 측면에서 노출되었던 경험을 말한다. 정서는 정서적 경험, 정서를 구별하는 능력, 정서의 수용과 개방을 뜻한다. 회상은 과거에 대한 반성, 정체성 유지, 과거와 현재의 연결, 미래조망, 대처능력 등을 말한다. 개방은 자신의 생각, 가치, 경험 등에 대한 개방성을 의미하며, 유머는 인생의 아이러니를 자각하고 타인을 편안하게 대하기 위하여 보다 성숙한 대처전략으로서 유머를 사용하는 것을 말한다. 아델트(Ardelt, 2004)는 인생과 진실에 대한 깊은 이해를 얻고자 하는 바람, 자기검토와 자각, 자기통찰, 다른 관점에서 조망하고 검토하는 능력, 타인에 대

한 공감, 자비 등을 지닌 사람을 지혜로운 사람이라고 정의하였다. 이러한 지혜는 인간이 살아오는 동안 많은 어렵고 힘든 경험을 하면서 얻는 발달과정의 산물이며, 초월적 지혜는 성인 발달의 궁극적 목적이다. 그러나 지혜는 단순한 연령의 변화로 획득되는 것이 아니며 개인의 지적 능력, 개방성, 사고유형, 창의성, 사회적 지능, 삶의 경험, 도덕적 추론능력, 교육수준 등이 지혜 형성에 영향을 미친다. 지혜는 멘토링, 훈련, 학습, 교육 등을 통하여 발달이 촉진될 수 있다. 힘든 사건이나 문제를 효율적으로 해결하도록 하며 자신뿐만 아니라 타인이나 사회에 바람직하고 긍정적인 선택과 역할을 하도록 영향을 미치는 지혜는, 개인이 삶에 대한 만족감과 안녕감을 갖도록 하며 삶의 위기를 극복하는 데 도움을 주고 사회에도 긍정적인 영향을 미친다.

직계가족
[直系家族, stem family]

맏아들이 결혼을 한 뒤에도 부모와 함께 거주하는 가족의 형태. `가족치료 일반`

직계가족은 확대가족의 한 형태로서, 가족이 종적으로 확대된 방식이다. 주로 맏아들이 결혼을 한 뒤에도 부모와 함께 살면서 가계를 계승하고, 다른 자녀들은 분가하는 형태를 보인다. 본인을 기준으로 볼 때 부모, 조부모, 자녀, 손주 등이 직계가족에 포함된다. 이때 형제나 자매, 남매끼리는 직계에 포함되지는 않지만, 아버지를 기준으로 하면 자녀에 해당되기 때문에 아버지에게는 둘 다 직계가 된다.

관련어 | 방계가족, 복합가족, 핵가족, 확대가족

직면1)
[直面, confrontation]

두렵거나 회피하고 싶은 상황을 피하지 않고 직접 그 속으로 들어가서 자신이 경험하는 불안이나 공포가 점차 감소할 때까지 그 대상이나 심상을 지속적으로 경험하도록 하는 인지행동치료기법. `개인심리학` `인지행동치료`

경험하고 싶지 않은 상황에 직면하도록 하는 고전적 방법으로는 '상상을 통한 직면(confrontation in sensu)'과 '실제 상황에의 직면(confrontation in vivo)'이 있다. 상상은 감각기관과 운동기관을 따라 무의식을 작동시키는 기본적인 매개체 중의 하나다. 심상법은 자신의 행동, 느낌 심지어 내적인 심리상태를 조절하기 위하여 상상을 사용하여 숙고하는 방법으로 자기행동이나 상태에 대하여 문제가 되는 상황이나 사건을 간접적으로, 그러나 구체적으로 체험하게 한다. 프랑스 의사 에밀 쿠에(Émile Coué)는 상상의 힘은 의식적이고자 하는 의지를 훨씬 뛰어넘는다고 주장하였다. 칸퍼(R. Kanfer)와 그의 동료들(1996)은 사람들이 자신의 감각과 지각체계의 가능한 폭을 모두 사용할 수 있다는 장점이 있기 때문에 치료에서 심상법의 특별한 효과성을 강조하였다. 여기에는 불안이나 공포를 야기하는 상황이나 사건의 위계를 작성한 다음 강도가 약한 것부터 점진적으로 직면하도록 하는 체계적 둔감법(systematic desensitization)과는 달리, 가장 두려워하는 상황에 가상적으로 노출시켜 회피행동을 못하게 하는 심상홍수치료(imaginal flooding therapy)가 있다. 심상홍수치료는 공포나 불안을 야기하는 대상 혹은 사건 중 가장 강도가 강한 것을 심상 속에 떠올려 직면함으로써 공포나 불안이 점차 감소될 때까지 그 대상이나 심상을 지속적으로 경험하게 하는 인지행동치료기법이다. 즉, 그동안 극도로 회피해 온 상황에 직접 직면하기 어렵다면, 그에 대한 심상을 상세히 떠올리고 그 심상 속으로 들어가서 불안과 공포를 체험하며, 이를 통해 그 상황과 연결되어 있는 자신의 불안과 공포를 스스로 이겨 내 공포 반응을 제거하는 것이다. 심상의 효과를 높이기 위한 전략은 다음과 같다. 첫째, 심상법에 대해 설명한다. 둘째, 지지적이고 격려하는 음성을 사용한다. 셋째, 내담자에게 그 사건 이전에 무슨 생각을 하고 있었는지 기억해 보도록 한다. 넷째, 사건을 떠올리는 데 도움이 되는 질문을 한다. 다섯째, 내담자가 어떤 장면을 묘사할 때 치료자는 심상을 강화시키고 자동적 사고를 기억하는 데 도움이 되는 질문을 한다. 심상홍수치료의 절차는, 공포나 불안을 야기하는 대상 혹은 사건 중 가장 강도가 강한 것을 결정한 뒤 치료목표에 따라 직면에 대한 구체적인 지시가 주어지고 상상을 구체화하는 질문과 과제에 대해 합의를 한다. 상담회기 중에 연습을 실행하고 이에 대한 경험을 이야기한다. 연습은 상황과 연결된 불안이나 초조함이 줄어들고 흥분 정도가 가라앉을 때까지 지속되어야 하며, 이를 통해 어려움을 겪었던 상황에 대한 새로운 시각이 생기고, 그에 따른 지각과 평가가 바뀌어서 새로운 행동양식이 구축되어야 한다(Fiegenbaum et al., 1992, 1996). 이러한 심상법을 활용한 심상홍수치료는 일반적으로 범불안장애나 공포증, 광장공포증을 수반한 공황장애, 외상 후 스트레스 장애(PTSD), 강박장애 등에 효과가 있다고 알려져 있다. 최근에는 적용영역이 점차 확대되고 있는데, 예를 들면 프로야구 선수는 공을 완벽하게 맞추는 것을 떠올리는 방법으로 평균 타율을 높일 수 있다. 심지어 마라톤 선수도 매일 마라톤 코스를 자세하게 떠올림으로써 실제적인 실력을 향상시킬 수 있다. 사이먼턴 등(Simonton, Simonton, & Creighton, 2009)은 『Getting Well Again』이라는 책에서 심상기법을 사용함으로써 어떻게 면역체계의 기능을 향상시키고 암의 진행과정을 막을 수 있었는지 설명하였다. 심상법과는 달리 실제 상황에 노출시켜 경험하고 있는 불안이나 공포를 극복하게 하는 치료법도 널리 사용되고 있다. 대표적인 방법으로 전정기관탈감각(vestibular de-sensitization)이 있는데, 이는 환경적인 단서를 이용하여 현기증, 불균형, 어지럼, 오심, 이명, 시야 흐림, 두통과 같은 운동성 장애를 야기해서 이에 적응하도록 하는 훈련 기법이다. 전정기관탈감각은 공포증이나 공황장애 환자에게 적용하는 노출치료로서, 예를 들면 상품이 가득 쌓인 슈퍼마켓 통로를 걷는 것이나 갑작스럽게 위치를 변경하는 것 등이 있다.

직면[2]
[直面, confrontation]

내담자의 행동, 사고, 감정에 있는 불일치나 모순을 깨닫도록 하는 것. 실존주의 상담 집단상담

직면은 맞닥트림 혹은 대결이라고 부르기도 하는데, 이 직면은 내담자의 게임, 만성 부정 감정, 생활자세, 각본의 문제점을 지적하여 내담자가 이를 각성하는 데 도움을 줄 수 있다. 질문, 논쟁 또는 토의 중 내담자의 모순성, 특히 현실적 책임과 관련된 모순성이 보이면 이에 대해 상담자는 내담자에게 이를 직면시킬 수 있다. 직면은 피드백의 일종으로서, 정도가 좀 더 강한 피드백이라고 할 수 있다. 이는 내담자의 말이나 행동이 일치하지 않거나 모순점이 있을 때 그것을 지적해 주는 기법이다. 일반적으로 직면은, 첫째, 이전에 한 말과 지금 하는 말이 불일치할 때, 둘째, 말과 행동이 불일치할 때, 셋째, 내담자가 스스로에 대해서 인식하는 것과 다른 사람이 인식하는 것이 불일치할 때, 넷째, 내담자의 말과 정서적 반응이 불일치할 때, 다섯째, 내담자의 말 내용과 상담자가 그에 대해서 느끼는 느낌이 다를 때 시행한다. 직면을 시행할 때 유의할 점은, 첫째, 평가나 판단을 하지 말고 사실을 있는 그대로 진술하여 보고하도록 한다. 둘째, 변화를 강요해서는 안 된다. 셋째, 시기적으로 적절한 때에 기법을 적용해야 한다. 상담자는 내담자가 겪는 실존적 불안이나 실존적 공허감이 그의 궁극적 관심사와 관련되어 있다는 전제에서 그 문제를 진술하게 직면할 수 있도록 격

려한다. 실존주의 상담자이자 심리치료사인 얄롬(I. Yalom)은 개인이 네 가지 궁극적 관심사(ultimate concerns), 즉 죽음, 자유와 책임, 존재론적 고독, 무의미성의 각각에 대해 직면할 때 실존적인 준거들에서 나온 내적 갈등의 내용이 구성된다고 보았다. 한편, 얄롬은 죽음에 직면한 암환자들에게 일어났던 몇 가지 개인적 변화를 보고하였다. 환자들은 실존은 지연될 수 없다는 것을 배우고, 사람이 현재에서만 진실로 살 수 있다는 것을 깨달았다. 그래서 죽음 자각 워크숍 등에서 자신의 묘비명이나 사망 기사를 써 보도록 하거나 자신의 장례식을 상상하도록 하여 죽음에 직면해 보게끔 하였다. 이를 통하여 환자는 일상생활의 일부를 구성하고 있는 죽음을 피할 수 없는 운명의 신호로 인식하게 된다. 죽음에 직면하는 중요한 기회는 환자들이 그들과 가까운 사람의 죽음을 경험할 때 일어난다. 또한 생일이나 기념일 같은 간단한 사건을 통해서도 인생의 실존적 사실에 초점을 맞추도록 할 수 있다. 개인의 경력에 대한 위협, 심한 질병, 퇴직, 관계를 맺는 것 등은 중요한 한계상황이며, 죽음의 불안에 대한 자각을 증가시키는 기회가 된다. 직면은 합리적 정서적 행동치료에서도 중요한 위치를 차지한다. 예를 들면, 직면은 "화가 나있지 않다고 말했지만 그 주먹은 뭔가요?" "왜 그렇게 되지 않으면 안 된다고 말하죠?" 등과 같이 시행된다. 합리정서행동치료에서 이러한 경우에 상담자는 어김없이 내담자의 생각과 부딪힌다. 그리고 직면하는 것을 추진한다. 그것은 직면이 내담자를 존중하는 것이며 상담자의 순수성에 대한 보증이라고 생각하기 때문이다. 물론 직면 이전의 내담자와의 관계는 확립해 둘 필요가 있지만, 다른 학파만큼 그 관계에 신경질적이지는 않다. 그것은 직면을 함으로써 시간을 쓸 데 없는 데 쓰지 않고 내담자의 문제 중심에 다가가며, 또 직면에 필요한 준비성(readiness)이 반드시 필요하다는 증명은 없으며, 직면으로 내담자가 상담에의 의욕을 낮추는 경우는 드물고 내담자가 필요 이상으로 보호

적으로 취급받는 것도 오히려 상담적인 것이 아니라고 생각하기 때문이다. 이 같은 직면은 실존주의 상담에서는 자기개시(自己開示)에 가까운 개념이지만 마이크로 상담에서는 내담자의 언동의 모순을 지적하는 기법이다. 즉, 기본적 관계 기법, 초점 맞추는 방법, 적극기법과 순서를 따라서 배운 뒤 이를 지금까지 배운 여러 기법을 대결기법과 조합시킴으로써 내담자에게 문제의 핵심을 다시 한 번 생각하도록 하는 방법이다. 대결이라는 말에서는 상담자와 내담자가 싸우는 기세로 의논하는 인상을 주기도 하지만 그러한 것은 아니다. 내담자 내면에서의 갈등·모순·혼란에 대결시키는 것을 말한다. 구체적으로 상담자는 우선 내담자가 이야기한 내용이나 이야기 방식 가운데 모순점을 발견하고 될 수 있는 한 비심판적인 태도로 그 점을 지적한다. 각각의 모순점마다 내담자의 이야기를 듣고 양자를 비교하도록 하거나 양자를 통합해 가는 것이다. 그때 상담자는 필요에 따라 요약을 사용하며, '당신은 한편으로 ~뿐'이라고 하면서 다른 한편에서는 '~입니다.'라든가 피드백을 사용하여 불일치에 돌파할 수 있도록 도움을 준다.

관련어 궁극적 관심사, 마이크로 상담, 실존주의 상담, 합리정서행동치료

직무분석
[職務分析, job analysis]

직무를 구성하고 있는 직무의 내용과 그것을 수행하는 데 필요한 요건을 체계적으로 밝히는 일. 진로상담

직무분석은 1960년경 미국에서 처음 시행되었고, 우리나라는 1970년대 공무원의 인사관리를 위하여 정부의 총무처에서 처음 시작하였다. 이후 1980년대 노동부에서 직업훈련연구소, 중앙직업훈련원, 한국검정공단, 한국경영자총연합회 등의 직원을 대상으로 직무분석교육을 실시하여 총 12명의 직무분

석전문가를 배출하였다. 이후 1981~1997년 사이에 443직종의 직무를 분석하였다. 직무분석은 직업에서 필요로 하는 인력을 과학적이고 합리적으로 관리하기 위한 기초 작업의 하나로서, 개별 일이나 직책상 업무에 대한 내용, 특징, 필요한 기술과 학력, 자격 요건 등을 분명하게 제시하여 수행하는 일에 대한 기본적인 정보를 제공하는 것이 목적이다. 직무분석의 장점은 직무에 대한 권한과 책임을 분명하게 알려 주어 조직체계를 확립하는 데 도움이 된다는 것이다. 그리고 개인이 맡은 업무를 능률적이고 효과적으로 수행할 수 있도록 한다. 예를 들면, 조직의 설계, 인원 채용·배치·이동·승진의 기준 설정과 같은 인사관리, 직원교육 및 훈련, 임금관리, 정원관리, 업무수행을 혁신하기 위한 기초 작업, 직무수행평가, 직무평가, 안전관리 및 작업조건의 개선, 조직의 합리화, 고충처리, 인사고과, 교수매체, 진로지도 등에 도움이 된다. 직무를 분석하는 방법은 관찰, 면접, 설문조사, 작업일지 작성이나 일기기록, 주요 사건 기록법, 직무표집 등이 일반적으로 사용되고 있다. 한편, 설명한 직무분석방법들은 과업 중심 직무분석(task-oriented job analysis)과 작업자 중심 직무분석(worker-oriented job analysis)으로 구분하기도 한다. 과업 중심 직무분석은 직접관찰법, 기능적 직무분석법(functional job analysis), 직무검사 등이 포함된다. 이 방법은 직무수행에 필요한 모든 과제나 활동을 세부적으로 파악하는 것으로서 직무기술서를 작성하는 데 도움이 된다. 주요 사건기록법, 직위분석, 설문조사 등은 작업자 중심 직무분석에 해당한다. 이 방법은 직무를 수행하는 데 필요한 개인의 능력, 지식, 기술, 경험 등에 초점을 두고 직무를 기술하는 것으로서 작업명세서를 작성하는 데 유용하다. 직무분석방법을 선택할 때는 분석대상의 직무 특성, 자료수집의 목적, 분석 조건 등을 고려한다.

직무적성검사
[職務適性檢査, Vocational Aptitude Test: VAT]

전공적성 확인 및 취업대비 직업 관련 적성능력수준을 측정하는 진로검사. 심리검사

전공적성을 확인하고 취업을 대비하여 직업 관련 적성능력수준을 측정하기 위해 이종구와 현성용이 개발한 검사로, 대상은 취업을 앞둔 대학생 또는 성인이다. 국내외 주요 기업의 선발현장에서 사용하는 적성검사의 대표 영역을 반영하였다. 전국 성인에 대비하여 적성 영역별 프로파일, 우수한 적성 영역, 전반적인 수준, 전공계열별 능력수준, 상대적으로 유리한 계열 정보를 제공한다. 성인의 전공 적합도 및 학업성취를 예측하며, 기업체 선발용 적성검사에 대비하고 성공 가능성을 판단하는 데 활용한다. 졸업 후 진로 및 취업을 위한 상담 가이드에도 활용한다. 이 검사의 문항수는 138문항이고, 측정 영역은 언어능력, 논리력, 수치자료해석, 공간능력, 추론능력으로 나누어진다. 언어능력은 문서나 보고서의 요지파악, 교육내용의 이해, 문서 의사소통, 언어구사력을 측정한다. 논리력은 정확한 논리를 바탕으로 추리하며 합리적으로 문제해결에 도달하는 능력을 측정한다. 수치자료해석은 문서에 포함된 각종 수치와 요약된 표, 그래프를 해석하고 예측하는 능력을 측정한다. 공간능력은 설계, 공간배치, 공간활용, 입체적 대상조작 등 대상과 공간 정보를 활용하는 능력을 측정한다. 추론능력은 구체적인 대상을 다루는 문제를 인식하고 문제해결의 규칙을 추론해 내는 능력을 측정한다.

직선적 인과관계
[直線的因果關係, lineal causality]

특정 원인에 따라 특정 결과가 일어난다고 생각하는 것.
체계치료

직선적 인과관계는 'A → B'의 도식으로 설명할 수 있다. 결과에 선행하는 사건이 있고, 결과가 문제라면 선행사건을 찾아 교정하면 된다고 가정한다. 베이트슨(Bateson, 1982)은 어떤 사건이 한 방향의 직선적인 인과관계에서 일어난 것처럼 인식되어도 이것은 한 차원 높은 곳에서 보면 순환적 인과관계의 일부에 지나지 않는다고 생각하였다. 그러므로 직선적 인과관계는 있을 수 없으며, 그것은 인식론적 오류라고 주장하였다. 체계론적 접근을 하는 가족치료에서는 이처럼 직선적 인과관계의 사고를 배제한다. 그러나 이들이 추구하는 순환적 인과관계를 이해하는 것은 쉽지 않다. 왜냐하면 우리의 일상적 경험의 대부분은 직선적 인과관계를 근거로 성립되어 있다고 생각하기 때문이다.

직업가치관
[職業價値觀, occupational values]

직업 및 그에 수반한 여러 가지 사상에 대하여 개인이 지니고 있는 전반적인 태도. 진로상담

직업가치는 인간의 가치를 구성하는 하위요인이며, 직업에 대한 자아개념의 구성요인으로서 직업선택에서 중요한 기준이 된다. 긴즈버그(E. Ginzberg)에 의하면 직업가치는 내재적 가치(intrinsic work values)와 외재적 가치(extrinsic work values) 및 부수적 가치라는 세 가지 범주로 분류된다. 내재적 가치는 직무활동 그 자체에서 얻는 만족이고, 외재적 가치는 직무가 제공하는 보수이며, 부수적 가치는 직장의 인간관계 등 직무 상황에 수반되는 만족이다. 그뿐만 아니라 직업가치는 경제성, 사회성,

자아실현성 및 의무성으로도 구분할 수 있다. 직업가치관은 직업발달에도 중요한 역할을 수행한다. 긴즈버그는 직업선택의 주요인으로 흥미(11~12세), 능력(13~14세), 가치관(15~16세)이 순차적으로 나타난다고 주장하였다.

관련어 직업가치관검사, 직업흥미

직업가치관검사
[職業價値觀檢査, Occupational Values Test]

청소년의 직업가치관을 평가하는 진로검사. 심리검사

만 15세 이상 청소년을 대상으로 그들이 중요하게 생각하는 직업가치관을 측정하여 그들의 직업가치를 실현할 수 있는 직업을 안내해 주기 위해 개발되었다. 고용노동부 홈페이지 워크넷(www.work.go.kr)에서 이용할 수 있다. 검사결과 제시되는 직업정보는 한국고용정보원에서 제공하는 직업정보와 연결되어 있기 때문에 검사를 실시한 다음 상세한 직업정보를 탐색할 수 있다. 13개의 하위척도로 구성되며 척도별 6문항씩 총 78문항으로 되어 있다. 13개 하위척도는 성취, 봉사, 개별 활동, 직업 안정, 변화 지향, 몸과 마음의 여유, 영향력 발휘, 지식 추구, 애국, 자율, 금전적 보상, 인정, 실내활동이다. 문항 내적 합치도 크론바흐 알파는 .70~.85로 나타났다. 이외에도 임인재와 김봉환(2007)이 개발한 중·고등학생용 직업개관검사(Occupational Value-Oriented Test: OVOT)가 마인드프레스에서 출판되고 있다. 개인의 가치에 적합한 직업영역을 파악하기 위해 개발된 검사로, 대상은 중학생과 고등학생이다. 중학생과 고등학생의 규준은 별도로 구성되어 있으며, 직업 결정과 직업 만족도를 제고할 수 있는 직업가치 수준을 측정한다. 검사는 8개의 가치 영역과 그와 대립되는 8개의 가치영역수준을 파악하는데, 문항 수는 45문항이며 자동 채점 프로그램이 있다. 소요

시간은 30분 정도 내로 검사의 실시, 채점, 해석까지 가능하다. 이 검사는 중고등학생의 진로지도와 직업 의사결정이 필요할 때 광범위하게 활용된다. 교과 시간 및 상담에 활용하기 용이한 형태로 개발되었고, 검사결과를 활용할 수 있는 활용 가이드를 통해 진로교육, 수업 등이 가능하다. 하위척도는 확신성, 관여성, 독립성, 진로정보처리 능력, 현실 조화성으로 구성되어 있다.

관련어 | 직업가치관, 직업 적성, 직업흥미, 진로교육

직업상담
[職業相談, vocational counseling]

직업을 선택, 준비, 직업생활의 적응, 직업전환, 은퇴 등의 과정에서 일어나는 직업문제를 예방하고 최적의 상태에서 직무를 수행하도록 도움을 주는 상담. 진로상담

직업상담은 진로상담에 포함되는 영역으로 '직업탐색'에서 시작되며, 상담의 기본 원리와 기법에 바탕을 두고 직업을 선택하는 데 합리적으로 의사결정을 하며, 직업생활에 적응하고, 순조로운 직업전환과 은퇴 후의 효율적인 여가 활동을 할 수 있도록 도움을 주는 과정이다. 기스버스와 무어(Gysbers & Moore, 1987)에 의하면 직업상담의 목적은, 첫째, 예언 및 발달로서 인간의 전 생애진로발달에 관심을 두는 것이다. 둘째, 처치와 자극으로서 내담자들이 보다 바람직한 선택과 직업적응을 하는 데 필요한 지식과 기능을 습득할 수 있도록 해 준다. 셋째, 결함과 능력으로서 개인이 직업문제를 효과적으로 다루도록 돕는다. 직업상담은 파슨스(Parsons, 1909)

가 시작했는데, 그가 1909년에 출간한 Choosing a Vacation을 보면 자기분석, 직업분석, 직업정보의 단계를 거쳐 상담하거나 사실적 이유 등을 통합하는 과정으로 직업상담에 관해 설명하고 있다. 한편 우리나라 직업안정기관에서 직업상담을 도입한 것은 1995년 고용보험이 도입되면서부터다. 특히 1996년 7월 1일부터 실업급여가 실시되면서 실업자를 대상으로 한 직업상담이 불가피해졌다. 이에 따라 1996년 7월부터 직업상담원이 직업안정기관에 배치되기 시작했고, 1998년 12월 IMF 사태 이후 대량실업 발생으로 1996년에 42명이던 직업상담원은 현재 2,000여 명에 이르게 되었으며, 직업상담사라는 국가자격제도로 생겨났다. 또한 대구대학교 대학원 산업복지학과에는 직업상담 전공이 생기는 등 학제에도 반영되고 있다. 현재 미국에서 1시간에 200달러 이상 받는 치료사는 직업상담사, 가족치료사, 심리치료사 세 가지 직종으로 21세기에 각광받는 직업영역의 하나로 주목받고 있다.

직업선택
[職業選擇, choosing a vocation]

다양하고 복잡한 직업세계에서 가능한 대안을 결정하고 선별할 수 있게 되며 보다 나은 삶을 영위하고자 하는 사람들에게 적절한 기회를 제공하는 것으로 진로선택이라고도 함. 진로상담

진로계발을 성공적으로 이루기 위한 가장 초기 과제이며, 직업적응과 직업만족에 이르는 중요한 요소가 된다. 직업선택은 ① 직업적 성공과 실패를 결정하고, ② 자신의 일을 즐기느냐 아니냐를 결정하며, ③ 다른 삶의 양식에 영향을 미치고, ④ 노동력을 활용하는 사회적 방식을 결정함으로써 개인의 생애에 영향을 미친다. 여러 가지 직업선택이론을 살펴보면 다음과 같다. 첫째, 특성요인진로상담은 개인의 특성과 직업을 구성하는 요인에 관심을 둔 이론이다. 둘째, 인간중심진로상담은 로저스(Rogers)

의 인간중심 상을 원용하여 일반적 적응과 직업적 적응이 관계가 있다 해도 동일한 의미를 내포하지는 않는다고 보는 이론이다. 셋째, 정신분석적 진로상담은 보딘(Bordin)과 그의 동료들이 발전시킨 것으로서 내담자의 욕구와 발달과정을 강조하는 이론이다. 넷째, 행동주의 진로상담은 학습이론을 이론적 바탕으로 두고 있는 이론이다. 다섯째, 홀랜드(Holland) 인성이론은 'RIASEC(realistic, investigative, artistic, social, enterprising, conventional)'이라는 육각형 모형을 통해 진로결정에서의 효과적이고 체계적인 방법을 제시하는 이론이다. 여섯째, 포괄적 진로상담은 크리티스(Crites)가 제시한 것으로서 여러 가지 진로상담이론과 일반상담이론의 장점을 서로 절충하고 단점을 보완하여 더욱 설득력 있고 일관된 체제로 통합시킨 이론이다. 직업선택의 과정은 자기에 대한 인식, 선택을 위한 준비, 선택을 하는 과정, 선택된 내용의 실천 등으로 진행되며, 직업선택의 요인은 일반 요인과 특수 요인으로 나눌 수 있다. 일반 요인에는 사회계층, 인종, 문화, 나이, 성별 등이 포함되고, 특수 요인에는 적성, 지능, 흥미, 직업, 명성, 가치, 요구, 자아개념 등이 포함된다.

직업선호
[職業選好, vocational preference]

자신의 능력이나 자원과 상관없이 특정 직업에 대해 매력을 느끼는 정도. `진로상담`

주로 직업의 명예, 지위, 보수, 자율성과 같은 외적 요인 때문에 선택하는 경우를 말한다. 학자에 따라서는 선호와 흥미의 개념을 엄격하게 구분하여 설명하고 있지만 대부분의 저서에서는 직업흥미와 혼용해서 사용하는 경향이 강하다.

관련어 │ 직업흥미

직업심리학
[職業心理學, vocational psychology]

개인의 직업적 행동을 연구하는 학문. `진로상담`

직업과의 관계 속에서 개인의 여러 가지 행동을 취급하는 분야다. 대표적인 직업적 행동이라고 하면 우선, 직업 또는 진로선택이다. 즉, 어떤 사람은 왜, 어떻게 하여 자신의 진로를 선택하는가, 선택의 심리학적 규정요인은 무엇인가 등이다. 다른 하나는 직업적성으로서 직장이나 직업, 학교, 대학이나 전공학과 등을 선택한 결과에 어떻게 적응하는가, 부적응(不適應)은 왜 일어나는가, 적응하는 규정요인은 무엇인가 등에 대한 해답을 구하고자 한다. 직업심리학은 진로지도(career guidance)의 이론적 배경이 된다. 최근에는 직업(vocation)이라는 말보다 진로(career)를 더 많이 사용하는데, 이것은 이 분야의 전문가가 제창한 직업적 발달이론의 영향이 있었다고 할 수 있다.

관련어 │ 직업상담, 직업지도, 진로상담, 진로지도

직업적 내담자
[職業的來談者, professional counselee]

도움을 구하기 위해 상담실을 찾아오는 것이 아니라 상담자를 시험하기 위해서 오는 내담자. `목회상담`

제이 애덤스(Jay Adams)가 말하는 직업적 내담자의 특징은 다음과 같다. 첫째, 자신이 여러 상담자를 찾아다녔다는 것을 공공연하게 상담자에게 말하는 것을 즐긴다. 둘째, 상담이나 정신의학에서 사용하는 전문용어로 말하는 것을 즐긴다. 이들은 자신의 문제에 대해서가 아니라 상담 자체에 대해서 말하는 것에 관심을 둔다. 셋째, 자신의 문제를 신중하게 취급하지 않는다. 이러한 특징을 지닌 직업적 내담자에게 권면적 상담자는 진지한 태도로 그러한 상담자가 자신의 문제에 대해서 신중하게 다룰 것을 요구하며, 자신의 문제에 대한 두려움을 이기고 하나님께 돌아와서 그 문제를 해결받도록 요청해야 한다고 설명한다.

관련어 | 권면적 상담

직업전망서
[職業展望書, occupational outlook handbook: OOH]

미국 직업의 종류와 전망 및 임금 등에 관한 정보를 수록한 책.
진로상담

직업 전망에 관한 연구는 1936년 프랭클린 루스벨트가 시도했다가 제2차 세계 대전 때문에 중단된 후 1949년에 처음으로 발간되었다. 이후 1966년부터 격년 발간되고 있으며, 2010~2011은 27판으로 2009년에 출간되었다. 이 책은 미국 노동통계국(Bureau of Labor Statistics)에서 격년마다 출간하는데, 직업의 특성, 작업조건, 훈련과 교육, 임금, 직업전망, 관련 직종, 추가 정보 제공처 등에 관한 정보를 수록하고 있다. 여기서 직업은 대분류, 중분류, 세분류로 구분되어 있으며 대분류는 관리와 경영 및 금융직, 전문직, 서비스직, 판매직, 사무 및 행정 지원직, 농림 어업직, 건설직, 설치와 유지 및 보수직, 생산직, 운송직, 군대 관련직의 11개 직업군으로 총 250여 개의 대표 직업에 관한 직업전망을 제시하고 있다.

관련어 | 한국직업전망

직업정보
[職業情報, occupational information]

직업의 종류, 직무, 직능, 직위 등의 전반적인 직업세계에 관한 구체적이고 타당하며 유용한 자료. 진로상담

직업정보는 크게 국가적, 기관 및 산업체, 노동 시장, 교육적 · 개인적 차원의 정보로 구분할 수 있다. 국가적 차원의 정보는 직업구조, 노동력 인구 통계치, 지역별 · 성별 · 직종별 인구분포, 매월 근로 조사통계치 등에 관한 국가의 인력수급계획에 관한 자료다. 기관이나 산업체에 관한 정보는 직업 분류 및 종류의 변화 추세, 산업구조의 변화, 취직률과 실직률, 직업의 장래전망, 취업경향 등이 있다. 노동시장에 관한 정보는 구인 및 구직 정보, 노동과 취업을 다루는 기관, 노동시장의 변화추세에 관한 자료들이다. 교육적 차원의 정보는 각종 자격증 취득, 직업훈련, 기술습득을 위한 교육 및 훈련 기관과 내용 등에 관한 자료다. 개인적 차원의 직업정보는 졸업생의 취직상황, 연도별 취직 및 이직 경향, 근무평정, 근무조건, 직업적응, 보수, 승진, 인간관계, 일의 형태, 흥미 등에 관한 것이다. 이러한 직업정보의 기능은 진로선택에 대한 지식을 증가시켜 주며 현실적이고 객관적인 선택을 할 수 있도록 내담자의 생각을 통찰할 기회를 제공한다. 그리고 직업정보 제공은 내담자가 진로의사결정 과정에 적극적으로 참여하는 데 동기를 강화해 주며, 선택에 대한 확실성을 결정하도록 도와준다.

관련어 | 진로정보

직업지도
[職業指導, vocational guidance]

미래직업의 선택, 계획, 의사결정, 직업적응을 조직적이고 체계적으로 조력하는 활동. 진로상담

직업지도는 미국의 파슨스(Parsons)와 위버(Weaver)가 이론화 및 체계화하였다. 현재는 진로지도(career guidance)와 같은 뜻으로 해석되고 있다. 직업지도는 학생의 개인 자료, 진로정보, 계발적 경험 및 상담을 통하여 학생 스스로 장래의 진로선택과 계획을 하며, 취직 또는 진학하고, 나아가 그 후의 생활에 보다 잘 적응하고, 진보능력을 신장하도록 교사

가 조직적·계속적으로 지도하고 조력하는 과정이다. 즉, 개인의 능력이나 적성을 올바르게 파악하고 직업정보를 수집하고 분석하여 직업을 올바르게 이해하도록 돕는 것이 중요하다. 또한 미래에 만족이나 충족감을 가지고 삶의 보람을 느끼게 하는 직업을 스스로 선택할 수 있는 능력을 키우는 데 도움을 준다. 따라서 직업지도는 개인이 바람직한 생활을 선택하도록 돕는 것이라 할 수 있다.

관련어 | 직업교육, 진로상담

직업지도운동 [職業指導運動, vocational guidance movement] 학교나 사회에서 직업이나 진로에 관한 조직적·계획적·계속적인 교육이나 지도를 추진하려고 하는 활동 또는 운동을 말한다. 산업이나 경제가 발달하고 복잡해지면서 산업구조나 고용조건이 바뀌는 데 따라 학교나 사회에서 직업선택이나 진로지도에 관한 교육을 받지 못하거나 정보를 얻을 수 없다면 어떻게 될까? 아마도 취업하지 못하거나 노동조건이 나쁜 곳 혹은 적성에 맞지 않는 곳에 취직하여 전직을 반복하며 일생을 끝없이 고민하는 경우가 많아질 것이다. 이와 관련하여 진로에 관해 교육과 지도를 하고자 하는 것이 직업지도운동이다. 특히 잘 알려진 것은 1908년 미국 보스턴에서 직업상담을 시작한 파슨스(Parsons)나 그랜드 래피즈 고등학교에서 직업지도를 행한 데이비스(Davis)에서 발단한 운동이다. 이 운동은 그 후 같은 때 시작한 미국의 정신위생운동이나 교육측정운동과 합류하여 지도나 상담발달을 촉진하고 세계적으로 확산되었으며, 제2차 세계 대전 후에는 우리나라도 큰 영향을 받았다.

직업체험
[職業體驗, job shadowing]

직업장면에서 직업인들의 직무와 작업을 관찰하거나 현장활동을 체험하면서 일정 기간 직업에 관해 학습하는 학생의 활동. 기업 및 산업상담

학생이 개인이나 단체로 관심 있는 직업의 지역 기관이나 기업체 등을 얼마간 방문하여 직무나 직업활동을 관찰하거나 근로자에게 간단한 질문을 하면서 직업을 이해하는 기회를 갖는 것이다. 이 체험활동을 통하여 학생은 특정 직업이나 직종에 대한 편견을 갖지 않게 되어 올바른 직업관을 형성할 수 있다. 여러 가지 직업을 관찰함으로써 자신의 적성에 맞는 직업이 무엇인지 탐색하고, 적성과 흥미를 고려하여 직업을 선택할 수 있도록 하는 것이다. 자신의 진로결정을 검증하고 진로선택을 확신할 수 있는 기회가 되기도 한다. 그래서 학생들은 이 활동을 미래직업을 준비하는 기회로 삼을 수 있고, 사회적으로는 잘못된 직업선택에 따른 사회적 비용의 낭비를 막을 수 있으며, 기업은 직무에 적합한 인력을 배치할 수 있게 된다. 다만 이 활동을 실시할 경우에는 다음과 같은 사항에 주의해야 한다. 첫째, 학생들은 현장에 참여할 때 직무를 방해하지 않아야 한다. 둘째, 해당 기관과 그 기관의 직업인은 사회적 책임과 의식을 갖추어야 한다. 즉, 직업인은 학생이 직업환경에 안정적으로 대처할 수 있도록 인내심을 갖고 지원해 주는 것이 필요하다.

직업카드분류
[職業 – 分類, vocational card sort, occupational card sort]

개인의 흥미, 욕구, 가치 등의 주제에 따라 직업을 분류하거나 우선순위를 매겨 자신의 진로를 이해하고 통찰해 볼 수 있게 만든 도구. 진로상담

직업카드분류는 타일러(Tyler, 1961)가 처음으로 개발한 것으로, 각 개인은 스스로 자신의 문제를 해

결할 잠재력이 있다는 가정하에 구성된 체계화된 면담기법이다. 도구를 사용하는 방법은 먼저, 직업명이 적힌 카드를 보고 자신이 좋아하는 직업, 싫어하는 직업, 무관심한 직업 등으로 분류한 다음 특정 분류 목록을 선택하여 주제에 따라 더 작은 분류로 나누어 자유롭게 이야기를 함으로써 자신이 원하는 진로, 의사결정 유형, 문제해결능력 등을 이해하는 데 도움을 얻는 것이다. 카드는 직업에 관한 흥미, 기술, 욕구, 가치 등에 관한 것으로 구조화되어 있어서 대부분의 사람들이 쉽게 다룰 수 있고 게임방식으로 이루어져 흥미와 재미를 더하여 상담관계를 촉진할 수 있다. 카드를 분류하는 것으로 내담자의 선택에 대한 이유를 확인할 수 있고, 그 선택에 대한 확신을 심어 줄 수 있다. 분류 활동을 하는 동안 내담자의 반응에 대하여 즉각적이고 지속적인 피드백을 제공함으로써 내담자의 지각을 강화한다. 카드 분류는 특별한 규준이 없기 때문에 문화적 · 인종적 · 신체적 · 인지적 능력의 차이에 관계없이 대부분의 사람들에게 적용할 수 있다. 직업카드분류는 타일러(1961)의 직업카드분류(Tyler Vocational Card Sort), 돌리버(Dolliver, 1967)의 직업카드분류(Vocational Card Sort), 홀랜드(Holland, 1977)의 VEIK(Vocational Exploration and Insight Kit), 크리삭, 한센과 존스턴(Krieshok, Hansen, & Johnston, 1989)의 미주리 직업카드분류(Missouri Occupational Card Sort), 존스(Jones, 1981)의 Occ-U-Sort, 기스버스와 무어(Gysbers & Moore, 1987)의 MOP(Missouri Occupational Preference Inventory), 슬래니(Slaney, 1978)의 SVCS(Slaney Vocational Card Sort), 노델(Knowdell, 1993)의 OICS(Occupational Interest Card sort), 파렌, 케이와 레이보위츠(Farren, Kaye, & Leibowitz, 1985)의 DMI(Deal Me In card) 등이 있으며, 우리나라에서는 한국고용정보원이 청소년에게 적용할 수 있는 직업카드분류를 개발하였고, 김봉환과 최명운(2002)도 청소년을 대상으로 하여 홀랜드의 유형별 직업을 포함한 직업카드분류를 개

발하여 제작하였다.

직업흥미
[職業興味, vocational interest]

개인이 특정 직업에 대해 좋아하는 정도. **진로상담**

직업흥미는 직업선호와 혼용하여 사용되기도 하지만 학자에 따라 엄격하게 구분하기도 한다. 직업흥미는 내적 흥미로서 자신이 좋아하는 직무를 하고자 하는 직업적 가치를 반영한다. 특정 직업 또는 직업군에 대해 좋아하거나 싫어하는 반응 정도를 나타내며 그 직업에서의 주된 활동을 취하려는 선택적 경향 여부를 말한다. 직업흥미는 동기적 변인이며, 스트롱(Strong, 1943)은 흥미를 자연 환경에 대한 반응의 표시이며 동시에 어떤 대상에 대하여 가지고 있는 만족 또는 불만을 나타내는 것이라고 하였다. 흥미는 생득적 능력에서 파생된 심리적 특성이므로 어떤 대상에 대해서 '좋다'거나 '싫다'라고 달리 반응하는 것은 개인마다 지니고 있는 생득적 능력이 다르기 때문이다. 직업흥미는 자신이 원하는 것을 성공적으로 수행하여 만족감을 느낄 때 발달되므로 흥미와 능력은 정적 관계에 있다. 즉, 수학 문제를 쉽게 잘 푸는 학생은 수학을 좋아하게 되고 관심을 보이지만 잘 풀지 못하는 학생은 수학을 싫어하거나 외면하게 된다. 슈퍼와 크리티스(Super & Crites, 1962)는 직업적 흥미를 행동이나 욕구, 그리고 동기의 힘을 전달할 수 있는 것으로 여겼다. 슈퍼는 직업적 흥미를 표현된 흥미, 명료화된 흥미, 자기진술된 흥미, 검사된 흥미의 네 가지 측면으로 제시했는데, 이 중 직업과 가장 가까운 흥미는 검사된 흥미다. 즉, 각종 직업검사를 통해서 얻어진 흥미가 가장 신뢰성이 높고 직업흥미가 있는 곳에서 직무 수행을 하는 것이 만족스럽고 적응이 잘 된다. 직업흥미검사를 개발한 한센(Hansen, 1990)은 개인마다 친숙한 활동이나 직업에 대한 흥미가 있다

고 믿었으며, 직업흥미를 몇 개의 범주로 나누었다. 한 개인이 특정 범주에 속하는 흥미를 가지고 있으면 그 범주에 속하는 특정 직업의 흥미를 함께 나타낼 수 있다. 그래서 진로선택을 돕기 위한 자료로 지능이나 적성검사를 사용하기보다는 흥미검사를 사용하는 경향이 증가하고 있다. 직업흥미에 관한 대표적인 이론은 홀랜드(Holland)의 육각형 모형 이론을 들 수 있으며, 직업적 흥미를 실재형, 탐구형, 예술형, 사회형, 기업형, 관습형으로 구분하였다. 그에 따르면 직업흥미가 직업선택, 학업성취도, 직업적 성취도, 직무만족, 대인관계 능력, 가치관 등에 영향을 주며, 이 직업흥미는 성역할에 따라 다르게 나타난다.

관련어 | 직업선호, 직업흥미검사

직업흥미검사
[職業興味檢查, Vocational Preference Inventory: VPI]

직업정보의 탐색에 도움을 주는 진로검사. 심리검사

진로결정을 위한 직업을 탐색하기 위해 1959년에 미국의 심리학자 홀랜드(Holland)가 개발한 검사로, 대상은 중학생부터 대학생까지 직업을 탐색하는 개인이다. 이 검사는 160개의 직업명을 제시하고 그에 대한 흥미 내지 관심의 유무에 응답하도록 하는데, 결과는 현실적·연구적·사회적·습관적·기업적·예술적 영역의 6종류 흥미 영역과 자기통제, 남성/여성 경향, 지위 지향, 드문 반응, 순종반응의 5종류 경향 척도에 대한 개인의 특성을 측정한다. 학생의 진로지도용으로 개발되어 학생이 스스로 채점할 수 있는 검사인데, 간단해 보이지만 성격검사로서의 특징을 가지고 있는 만큼 상담사의 도움으로 효과적인 결과를 가져올 수 있다. 따라서 적당한 직업을 판정하려는 검사가 아니라 진로선택에 불가결한 자기이해를 탐구하기 위한 도구이며, 특히 160개의 직업명은 직업정보의 탐색에 도움이 된다. 그러나 직업에 대한 지식이 부족한 사람에게는 적합하지 않은 검사다.

관련어 | 직업선호, 직업흥미

직장 내 연수
[職場內研修, on the job training: OJT]

현실적인 작업조건하에서 또는 실제 업무를 진행시키면서 상사나 선배가 새로 배속된 사람에게 개별적으로 직무수행에 필요한 업무수행능력과 문제해결능력을 개발하고 향상시키는 기업의 교육 및 훈련 활동. 기업 및 산업상담

조직에서 행하는 조직구성원의 직무와 업무 능력을 향상시키기 위한 노력은 직장 내 연수, 직장 외 연수(off the job training: Off-JT), 자기계발(self development: SD)의 세 유형으로 구분할 수 있다. 직장 내 연수는 직장훈련, 현장훈련, 직장 내 훈련, 직무상 훈련 등으로 표현할 수 있다. 다시 말해, 일상업무활동 중 상황에 따라 일하는 방식이나 업무지식 등을 교육하고, 단계적으로 능력계발을 행하여 인재를 육성하는 방법이다. 실제 업무현장에서 체험적으로 각종 교육과 훈련지도를 그 계통의 전문가에게 직접 받기 때문에 교육의 효과가 크다.

직접 암시
[直接暗示, direct suggestion]

최면치료에서 내담자에게 특정한 방법으로 반응하도록 유도하거나 지시하는 암시. 최면치료

최면과정에서 내담자가 특정한 방법으로 반응하도록 유도하거나 지시하는 암시화법으로, 권위에 호소하는 유도방법을 사용했을 때나 최면술사와 환자와의 친화감이 강한 경우 자주 사용하는 방법이다. 초기 최면치료에 있어서 최면암시는 주로 직접 암시로 구성된다. 그것은 내담자의 무의식에 직접

적인 언어로 이야기를 하는 것이다. 예를 들어, 우울증 환자에게 최면을 유도한 뒤 그의 무의식에 "앞으로 우울한 기분이 절대 생기지 않을 것이다. 이 사실을 믿으세요."라고 말한다. 일상 의식이 깨어 있을 때는 이런 이야기는 공허한 메아리에 지나지 않지만 무의식이 활성화된 상태에서는 이러한 유치한 형태의 직업 암시도 강한 작용력을 발휘한다. 직접 암시는 짧은 시간 내에 효과를 봐야 하는 경우에 유용하다. 다른 암시 보다 훨씬 최면술사의 외모, 목소리, 카리스마에 의존하는 암시이므로, 최면술사의 개인적 능력에 따라 암시의 위력이 큰 차이를 보인다. 직접 암시는 상상을 활용할 필요가 없는 최면유도법에서 사용되고, 최면술사의 내담자와의 친화감 형성 능력이 다른 암시보다 훨씬 중요하고, 즉각적 반응을 야기 시키는 짧은 문장을 사용해야 하며, 여러 가지 은유와 비교는 사용하지 않는다. 최면과정에서 내담자에게 내리는 치료자의 이 같은 지시적 암시는 내담자에게 강력한 영향을 미치지만, 한편으로 저항이나 부정적인 반응을 초래할 가능성도 있다. 반대 개념으로 간접 암시가 있다.

관련어 | 간접적 암시, 암시 화법, 전통적 최면, 최면

직접관찰
[直接觀察, direct observation]

수퍼비전과 같은 상담의 협력을 위하여 상담과정을 직접적으로 관찰하거나 참여하는 것. **상담 수퍼비전**

직접관찰과 라이브 수퍼비전(live supervision)은 외형상 그 모습이 비슷하기는 하지만 직접관찰은 상담과정을 관찰하고 분석하는 것이 주목적이고, 라이브 수퍼비전은 관찰과 상담과정의 적극적인 개입을 모두 포함하는 개념이다. 직접관찰을 하는 방법으로는 수퍼바이저나 관찰팀이 상담회기가 진행되는 장소에 직접 들어가서 관찰하거나, 일방경이 있는 다른 방에서 상담회기를 관찰하기도 한다. 또

상담회기를 비디오로 촬영하면 다른 장소에서 이를 실시간 화면으로 관찰하는 방법도 있다. 이러한 직접관찰의 방법으로 수퍼비전을 하는 것은 제이 헤일리(Jay Haley)와 살바도르 미누친(Salvadore Minuchin)이 1960년대에 처음 적용하였다. 직접관찰을 통한 수퍼비전은 먼저 내담자에게 동의를 구하고, 상담회기에 수퍼바이저가 직접 참가하여 관찰하거나 다른 방에서 일방경이나 비디오 화면으로 관찰을 한 뒤, 상담회기가 끝나고 수련생과 수퍼바이저가 해당 상담회기에 관하여 논의하는 것이 일반적인 방법이다. 혹은 상담회기의 중간에 일정한 휴식시간을 정해 두고, 그때 수련생과 수퍼바이저가 함께 그동안의 과정에 대해서 의논하기도 한다. 이러한 직접관찰은 수퍼비전을 하는 데 많은 장점을 가지고 있는데, 정리해 보면 다음과 같다. 첫째, 비상시 수퍼바이저가 개입하는 것이 가능하기 때문에 내담자에게 긍정적인 효과를 줄 수 있다. 둘째, 상담과정을 음성녹음하거나 비디오 녹화하는 것보다 상담 시의 분위기나 내담자의 태도, 몸짓, 감정의 흐름까지 정확하게 파악하면서 상담과정을 관찰하는 것이 가능하다. 셋째, 상담회기가 끝난 뒤 수련생이 수퍼바이저와의 수퍼비전을 통해 다음 회기를 준비하기가 훨씬 쉬워진다.

관련어 | 개인 수퍼비전, 라이브 수퍼비전, 비디오 녹화, 음성녹음, 팀 수퍼비전

진단
[診斷, diagnosis]

신체적 혹은 심리적 상태에 관한 평가결과를 토대로 전체적인 해석을 하는 것. **심리측정**

환자의 질환의 증세나 원인을 판단하기 위해 의학적 원리와 경험 그리고 과학적 수단과 방법을 적용하여 진단한다. 이처럼 의사가 환자를 진단하듯이 심리학이나 상담학 분야에서는 심리측정 혹은 임상심리전문가가 면접, 조사, 또는 심리검사를 실

시하여 개인의 심리적 특성과 원인을 규명하고 이를 근거로 개인의 심리 특성 구조와 기능을 판단한다. 심리진단은 개인의 기본 특성의 본질과 내용을 구체적으로 파악하는 데 초점을 둔다. 진단과 유사한 개념으로 측정, 검사, 검진, 평가, 사정, 척도 등이 있는데, 이들은 심리적 특성을 재는 행위 그 자체를 뜻하거나 측정도구를 의미할 수도 있다. 진단은 어떤 심리적 특성이 지니고 있는 문제점이나 부정적 측면을 재는 활동만을 일컫기도 하고, 한편으로 지능 진단검사, 읽기 진단검사, 성격 진단검사처럼 어떤 심리적 특성을 분석적으로 측정한다는 것을 강조하기 위해 사용되기도 한다. 따라서 진단용 검사는 대부분 여러 하위척도를 사용하여 하나의 특성에 대해 다양한 구성요인 수준을 자세하게 제시한다. 다차원적인 특질을 파악해서 어떤 문제점이 잠재되어 있는지 그 원인을 탐색하는 데 활용한다. 단순한 측정점수뿐만 아니라 질적인 측면을 파악하는 데에도 중점을 둔다. 예를 들어, 읽기 검사는 어휘력, 문법적 지식, 독해력 등의 점수를 제공하며, 자기개념 검사는 사회적 상황에서뿐만 아니라 학교 상황에서 아동 자신에 대한 생각을 점수로 제시한다. 학교에서는 검사를 이용하여 학생의 잠재적 학습문제를 탐색하여 교정교육을 위한 계획을 수립한다. 임상전문가들은 검사를 이용하여 내담자의 병리적 영역이나 적응문제를 밝히고 심리치료계획을 수립한다. 정신의학, 임상심리학, 상담학 분야에서는 내담자의 정신장애 혹은 이상행동 여부를 진단하기 위해 ICD(International Classification of Diseases)나 DSM(Diagnostic and Statistic Manual of Mental Disorders) 등의 정신장애진단기준을 활용한다. 진단의 원리는 분명하다. 특정의 증상들이 주기적으로 같이 발생하고(증상의 조합을 증후군 syndrome이라고 함) 일정한 경과를 보일 경우, 그 증상들이 특정 장애라고 할 수 있다. 사람들이 이런 증상 패턴을 보이면 진단가가 진단을 내리게 된다. 증상이나 지침에 대한 기술을 포함하는 범주나 장애의 목록을 분류체계(classification system)라고 한다. 미국을 비롯한 많은 나라에서 가장 많이 사용되고 있는 분류체계가 DSM이다. DSM의 최신판인 DSM-5에는 400여개의 정신장애가 있으며, 각각의 장애 진단을 위한 기준과 주요한 임상 특징이 기술되어 있다. DSM-5를 이용해 적절한 진단을 내리기 위해서 임상가는 범주와 차원정보를 제공해야 한다. 범주정보란 내담자의 증상에 따른 범주(장애) 이름을 말하고, 차원정보란 내담자의 증상의 심각도와 여러 성격범주에서 얼마나 역기능을 보이는지에 대한 등급을 지칭한다. 진단적 목적으로 활용되는 검사도구는 복잡하고 정교하기 때문에 그 검사도구를 다루기 위해서는 상당한 훈련이 필요하다.

진단 그림 시리즈
[診斷 -, diagnostic drawing series: DDS]

구조화된 그림과 비구조화된 그림과제를 제시하여 한 번의 시행으로 내담자의 좀 더 많은 임상적 정보를 얻기 위해 개발된 투사적 그림검사. **미술치료**

코헨(Cohen, 1985)이 개발하여 미국 버지니아 주 소재의 정신병원 환자들에게 처음 사용한 그림 검사도구다. 이 검사는 현존하는 미술치료 사정의 임상적 부정확성을 수정하고 임상적 판단에 근거한 연구기반을 확보하기 위하여 개발되었으며, DSM-5 진단분류에 대한 정보를 제공한다. 내담자의 인지능력뿐만 아니라 행동과 정동상태에 관한 정보를 알 수 있고, 환자의 강점, 방어, 그리고 문제들에 대한 정보도 알 수 있다. 그림과제는 자유그림, 나무그림, 감정그림 등의 하위검사로 구성되어 있다. 자유그림은 내담자의 선택의 폭이 가장 넓은 자유화 형식의 비구조화 과제로서, 내담자의 반응이 매우 다양하게 나타나기 때문에 그의 방어기능을 확인할 수 있다. 나무그림은 구체적인 지시하에서 이루어지기 때문에 대체로 그림 그리기에 대한 내담자의 부담이 줄어든다. 이 영역은 심층적이고 무의식적인 정신세계가 반영됨으로써 억압되거나 회피하는 내용에 관하여 풍부한 설명을 확보할 수 있다. 감정 그림은 내담자의 정서표현 수준과 추상적 사고능력의 수준을 확인할 수 있다. 준비물은 4절지와 12색 파스텔이고, 실시시간은 15분 정도 소요된다. 실시방법은 다음과 같다. 먼저, 치료자는 내담자에게 3장의 용지에 서로 다른 그림을 그리도록 하는데, 종이는 원하는 방향으로 사용할 수 있다는 것을 말해 준 뒤 다음과 같이 단계적으로 진행한다. 자유그림에서는 "이 재료를 사용하여 그림을 그리세요."라고 지시한다. 그림이 완성되면, 치료자는 이어서 바로 "한 그루의 나무를 그리세요."라고 지시한다. 이어서 감정그림에서는 "선, 형체, 색채를 사용하여 자신의 감정을 그리세요."라고 지시한다. 이 과정에서 내담자가 그림을 그리지 못하는 경우에는 빈 용지를 그대로 보관한다. 그림이 완성되었을 때, 치료자는 내담자에게 항목에 따라 질문하고 그것을 기록해 둔다. 검사를 실시하는 과정에서 유의점은, 그림을 그리는 동안에는 이야기하는 것을 삼가고, 3장의 그림을 모두 그린 다음 대화를 하도록 한다. 이와 같이 이 검사는 개인상담, 집단치료, 교육계획, 치료계획에서 사용될 수 있는데, 아동에게 적용할 수 있는 아동용 진단 그림 시리즈(CDDS)가 개발되어 있다.

아동용 진단 그림 시리즈 [兒童用診斷 -, children's diagnostic drawing series: CDDS] 닐(Neale, 1994)이 그림 진단 시리즈(DDS)를 약간 수정하여 아동에게 적용할 수 있도록 개발한 그림검사 도구다. 이것은 아동임상치료집단에서 주로 사용한다. 준비물은 4절지와 12색 파스텔이다. 아동용 진단 그림 시리즈에서 달라진 점은 준비물과 지시어인데, 여기서는 딱딱한 파스텔을 사용하고 자유그림에서의 지시어가 수정되었다. 즉, "이 파스텔과 종이를 사용하여 그림을 그리세요."로 바뀐 것이다. 그 외 실시방법과 절차 등은 진단 그림 시리즈와 동일하다.

진단적 구성개념
[診斷的構成概念, diagnostic constructs]

임상가의 진단에 적용될 수 있는 구성개념. **개인적 구성개념이론**

켈리(Kelly, 1955)는 모든 사람을 개인적 구성개념(personal construct)에 근거하여 예측하고 경험을 통해 자신의 이론을 검증하고 수정하는 과학자로 보았다. 개인적 구성개념은 스스로 자신의 경험에 부과하는 정신적 표상이다. 켈리는 개인적 구성개념의 여러 측면이 임상가의 진단에 어떻게 적용될 수 있는가와 관련하여 진단적 구성개념을 제시하고 설명하였는데, 그것들을 살펴보면 다음과 같다. 전 언어적 구성개념(preverbal constructs)이란 어떤 구성개념이 일관성 있는 언어상징이 없는데도 불구하고 사용이 될 때를 말한다. 전 언어적 상징은 내담자가 언어적 상징을 충분하게 활용할 수 있기 이전에 구안될 수도 있지만 그렇지 않을 수도 있다. 전 언어적 구성개념은 무의식보다 훨씬 더 넓은 편의성의 범위를 갖는다. 침몰(submergence)이란 어떤 구성개념의 침몰된 극(pole)이 구체적 사건이나 현상에 적용하는 데 별 소용이 없는 것을 가리킨다. 이것은 사람이 어떤 구성개념의 완전한 표현을 회피하기 위해 사용하는 속임말 같은 것에서 찾아볼 수 있다. "모든 사람이 저에게 항상 잘해 주었습니다."라고 내담자가 말하면 상담자는 이러한 구성개념의 침몰된 극을 찾는 일을 시작할 수도 있는데, 이 침몰된 극을 찾아내는 것은 과학자가 적대가설을 찾는 것만큼이나 상담자에게 중요하다. 정지(suspension)란 어떤 구조가 개인이 사용하고 있는 전체적 체계와 상충하여 거절되었을 때 정지되었다고 말할 수 있는 것처럼 내담자의 구성개념체계가 개정된 결과로 특정 구성개념의 맥락에서 제거된 것을 말한다. 인지적 의식수준(level of cognitive awareness)이란 인지적 의식수준이 높은 것에서부터 낮은 것에 걸쳐 있다는 것으로서, 전 언어적 구성개념, 침몰, 정지가 모두 낮은 수준의 구성개념이다. 높은 수준의 구성개념은 사회적으로 효과적인 상징으로 쉽게 표현될 수 있고, 구성개념의 여러 대안에도 쉽게 접근할 수 있다. 또한 높은 인지적 수준의 구성개념은 내담자의 주요 구성개념의 편의성 범위 안에 있으며, 하위 구성개념에 의하여 정지되지 않는다. 확장(dilation)이란 상반되는 체계들을 계속해서 사용함으로써 보다 더 포괄적인 수준으로 재조직하는 데 지각의 장(場)을 넓히는 것이다. 압축(constriction)이란 명백한 상반성을 최소화하기 위해 지각의 장을 좁히는 것이다. 포괄적 구성개념(comprehensive constructs)이란 사람들이 서로 다르다고 간주하는 아주 많은 사건, 즉 광범위한 사건을 포섭하는 구성개념을 말한다. 우연적 구성개념(incidental constructs)이란 포괄적 구성개념과 대조되는 것으로 적은 유형의 사건을 포섭하는 구성개념을 말한다. 상위 구성개념(superordinate constructs)이란 'A'라는 구성개념이 'B'라는 구성개념을 맥락의 한 요소로 활용할 때 'A'는 'B'에 대해 상위 구성개념이 된다. 하위 구성개념(subordinate constructs)이란 앞에서 말한 'A'와 'B'에서 'B'는 'A'에 대해서 하위 구성개념이 된다. 지배 구성개념(regnant constructs)이란 각각의 요소를 전체 또는 전무(all or none)라는 기초의 한 범주로 할당하는 상위 구성개념을 말한다. 예를 들어, 모든 삽은 도구라고 말할 때 도구는 삽에 대해 지배 구성개념이 된다. 핵심 구성개념(core constructs)이란 개인의 정체성과 실존의 토대가 되는 것으로서 개인에게 가장 중요하고 가치 있는 구성개념을 말하는데, 켈리는 이를 개인의 유지 과정을 통합하고 있는 구성개념이라고 하였다. 주변 구성개념(peripheral constructs)이란 핵심 구조를 크게 변용시키지 않고서도 변화될 수 있는 구성개념을 말한다. 엄밀한 구성개념(tight constructs)이란 변함없이 일관성 있는 예측에 이르게 하는 구성개념을 말한다. 느슨한 구성개념(loose constructs)이란 정체성은 그대로 유지한 채 여러 가지 다양한 예측에 이르게 하는 구성개념을 말한다.

관련어 | 구성개념, 극, 편의성 범위

진단적 이해
[診斷的理解, diagnostic understanding]

공감적 이해라는 말과 대조되는 개념으로서 내담자의 입장보다는 상담자의 관점에서 내담자를 관찰하고 기술하며 해석하는 것. 개인상담 정신분석학

내담자가 호소하는 문제, 성격, 적성, 지적 능력, 환경 등에 대한 관찰, 분석, 검사, 보고 등을 통하여 내담자를 이해하는 것이다. 이는 상담자가 내담자의 관점에서 바라보는 것이 아니라 보다 객관적이고 과학적이며 신뢰성 있는 사정으로 내담자를 이해하는 태도를 말한다. 인간중심상담에서는 내담자에 대한 공감적 이해를 강조하고 있지만 정신분석치료에서는 분석자의 중요한 태도로 보고 있다. 그러나 분석자가 내담자에게 역전이를 일으키면 객관적 시각으로 내담자를 이해할 수 없게 된다. 그 때문에 상담자 자신은 정신분석을 받아 자신의 성격이나 무의식적 왜곡을 의식할 필요가 있다. 이러한 것이 내담자에 대한 진단적 이해를 증진시키는 조건이 된다.

관련어 | 공감적 이해

진동 음향 음악치료
[振動音響音樂治療, Vibroacoustic Music Therapy]

이완음악(혹은 명상음악, relaxing music)의 물리적 진동을 저주파 진동(pulsed low frequency sine tones)에 접목시켜 인체에 전달하는 방법으로 치료효과를 높이는 음악치료. 음악치료

진동 음향 음악치료는 외부에서 전해지는 진동이 인체의 기능에 영향을 미친다는 사실을 기반으로 인간의 가청영역 안으로 낮춘 주파수를 이용하여

신체 및 정신적 증상을 완화시키고자 하는 음악치료기법을 말한다. 1980년대에 노르웨이 교사였던 스킬리(O. Skille)가 처음 개발하여 미국, 영국, 독일 등지에서 관찰 및 임상을 통해서 입증된 음악치료법이다. 진동 음향 음악치료는 신체 및 정신적 장애가 있는 환자를 대상으로 하기도 하지만, 여타의 음악치료에서 대상으로 삼는 모든 경우에 적용 가능하며, 특히 과도한 스트레스에서 비롯된 현대인들의 문제에 효과가 크다. 우리나라에는 2005년 대한음악치료학회 하계학술대회에서 정식으로 소개되었다. 스킬리는 중증의 장애 아동들이 진동 음향 자극에 반응하는 것을 보고, 소리의 물리적 진동이 아동들을 이완시키고 자극시킬 수 있다는 것을 알게 되어 저주파 진동을 음악에 접목하였다. 이후 1991년에는 자신의 발견과 임상에 관한 저서인 『Manual of Vibroacoustics』를 출간하였다. 진동 음향 음악치료는 저주파의 진동이 인체에 전달되면 인체를 구성하고 있는 세포를 진동시키는데, 이 과정에서 체액의 순환이 보다 빠르게 진행되어 근육조직에서 체내 산물들이 혈관과 임파구로 쉽게 전달되도록 할 뿐만 아니라 체내에서 발생된 독소물질을 배출하는 데 용이하게 한다는 의학적 사실을 근거로 하여 치료적 효과를 입증하였다. 이로써 심장박동수 및 호흡조절, 혈압조절, 피부반응, 불안감소, 긴장해소, 스트레스 해소, 면역기능 강화 등의 효과를 도출할 수 있기 때문에 근육조직 경련 진정효과, 뇌성마비 치료, 다발성 경직증, 파킨슨병 등에 관련된 일시적 통증 완화, 천식 및 담낭 섬유증 등의 통증 완화에 많이 적용되고 있다. 이외에도 자폐, 우울, 불면, 혈액 순환 관련 질환, 폐 질환 등에서도 환자의 고통 완화를 위해 진동 음향 음악치료를 활용하고 있다. 스킬리에 따르면, 진동 음향 음악치료는 경련 진정 및 근육 이완 효과, 사지 혈액 순환 개선, 식물신경계(vegetative system, 의식적 노력이나 인지 없이 내부기관을 통제 및 조절하는 신경계의 일부)에 나타나는 여러 가지 영향 등에 특히 치료적 효과가 있다. 진동 음향 음악치료의 구성요소는 음악과 저주파 진동이다. 여기서 사용되는 음악은 갑자기 멜로디가 변하거나 역동적이고 급한 박자 변화는 없고, 고요하면서 안정된 분위기의 음악이 주를 이룬다. 이는 스킬리와 앨빈(J. Alvin)이 내세운 세 가지 원칙 때문이다. 첫째, 고주파는 긴장의 수준을 높이고 저주파는 긴장의 수준을 낮춘다. 둘째, 진정을 시키는 음악은 심신의 이완을 돕는다. 셋째, 리듬의 변화가 많은 음악은 생기를 북돋아 주지만 리듬이 단조로운 음악은 진정효과가 있다. 진동 음향 음악치료를 실행할 때는 사운드 체어(soundchair), 사운드 베드(soundbed), 사운드 박스(soundbox)와 같은 진동 음향 기구, 조작 가능한 CD 플레이어, 저주파 음악 CD 등이 필요하다.

진로가계도

[進路家系圖, career genogram]

생물학적 친조부모, 부모, 삼촌과 숙모, 형제자매, 외조부모 등 친인척 또는 자신에게 영향을 주었던 주변의 다른 사람들을 포함하여 그들의 직업, 경력, 직업 포부, 직업선택 등을 그림으로 나타내는 것. 진로상담

진로가계도는 보웬(Bowen, 1980)의 가계도를 근거하여 작성한다. 진로가계도를 그리는 과정에서 내담자에게 여러 가지 질문을 하는데, 이와 관련된 질문 내용은 대글리(Dagley, 1984)가 제시하였다. 그가 제시한 질문의 예는 '원가족 내에서 가장 지배적인 가치는 무엇인가?' '직업적으로 어떤 임무에 가치를 두는가?' 등이 있다. 일반적으로 진로가계도를 그린 후에 확인할 내용은 가족들이 자신의 직업에 대해 어느 정도 만족하는지, 어떻게 느끼고 생각하는지, 직업활동으로 얻은 혜택, 진로선택의 과정, 직업에 대한 전망 등이다. 이러한 탐색과정을 통하여 개인의 진로선택이나 의사결정능력을 향상시킬 수 있다. 또한 다문화 진로상담에서 내담자의 세계관, 환경적 장벽, 개인과 가족 그리고 직업 간의 역할갈

등, 정체감의 문제, 인종적 갈등, 문화 순응 정도 등에 관하여 표현할 기회를 줌으로써 정보에 대한 안면 타당도를 높일 수 있다. 진로가계도는 내담자가 가족적 맥락에서 사회적·문화적·심리적·환경적 요인을 이해하고 과거와 현재를 연결함으로써 현재 상황의 역동을 이해하는 데 도움을 준다. 또한 가족구성원, 가족형태, 가족사건 등을 쉽게 이해할 수 있고, 이러한 요인들의 관련성을 체계적으로 파악할 수 있다. 그리고 진로상담에서 상담자와 내담자 간의 협력관계를 형성하는 데 용이하며 내담자의 자기이해, 성장과정, 발달사 등에 대한 정보를 통합적으로 제공해 준다는 이점이 있다. 진로가계도를 사용하는 과정은, 첫째, 가계도를 작성하는 목적에 대하여 설명하는 것부터 시작한다. 둘째, 진로가계도를 구성하는 과정을 설명한다. 셋째, 진로가계도를 작성하도록 한다. 넷째, 작성한 진로가계도를 상담자와 함께 분석하고 이해하는 것으로 마무리한다. 이와 유사한 활동에는 가계 직업 나무(occupational family tree) 그리기가 있다.

관련어 | 가계도

진로결정
[進路決定, career decision]

여러 가지 정보를 수집하고 조직하여 여러 가지 대안을 산출한 다음, 그 대안들을 면밀히 검토하여 자신의 진로에 관한 방향을 분명하게 설정하고 그 선택에 대한 믿음을 가지고 행동하는 심리적 과정. 진로상담

진로결정은 바람직한 진로교육을 통하여 진로 설계와 계획이 장시간에 걸쳐 진로발달로 이루어진 결과, 합리적으로 진로를 결정할 수 있게 되는 상태를 말한다. 예를 들어, 대학에서 자신이 선택한 전공과 학과목에 대한 확신을 가진 채 졸업 후 자신이 선택할 직업과 진로가 분명한 것을 진로결정이라 한다. 따라서 진로결정은 개인이 특정한 진로를 선택하는 구체적인 과정으로, 그 선택에 영향을 미치는 선행요소들을 중요하게 다룬다. 진로결정은 진로상담이나 진로교육의 최종 목표이며, 결과의 내용보다는 과정에 초점을 둔다. 이 같은 개인의 진로결정 수준을 측정해 보기 위해 많은 도구가 개발되었다. 가장 대표적인 검사도구는 오시포우(Osipow, 1980)가 개발한 진로결정 척도(Career Decision Scale)인데, 이는 진로결정과 진로 미결정의 2개 하위척도로 구성되어 있다. 또한 자신의 진로에 관한 방향을 분명하게 설정하고, 그 선택에 대한 믿음을 가지고 행동하는 수준에 따라 구분한 것이 진로결정 유형으로, 피터슨, 샘슨과 리어든(Peterson, Sampson, & Reardon, 1991)은 진로결정을 진로에 대한 욕구의 성격에 따라 세 가지로 구분하였다. 첫째, 결정형은 하나의 진로를 선택한 내담자이며 자신의 선택에 대한 확신을 갖고 싶어 하거나 선택을 이행하기 위한 도움을 필요로 한다. 둘째, 미결정형은 선택을 하지 않았으며 직업정보나 자기이해가 부족하거나 다양한 능력 때문에 여러 종류의 진로를 선택할 가능성이 있어서 선뜻 결정을 하기가 어려운 내담자이며 성격적인 문제는 없다. 셋째, 우유부단형은 역기능적인 사고를 하고 불안수준이 높으며 인지적 명료성이 낮고 비합리적인 신념을 가지고 있어서 진로문제보다는 성격적 문제가 있는 경우다. 이들은 일상생활에서도 결정을 쉽게 하지 못하면서 불안, 좌절, 정체감의 혼미, 낮은 자존감, 외부 귀인 양식 등을 지니고 있다. 이들을 돕기 위해서 내담자의 개인적 욕구와 직업적 욕구를 동시에 다루어야 하지만 성격적으로 문제가 있기 때문에 상담관계를 형성하는 데 어려움이 있다. 따라서 이들은 심리치료나 개인상담을 먼저 한 다음 진로상담을 실시하는 것이 효율적이다.

관련어 | 진로교육, 진로상담

진로결정이론
[進路決定理論,
career decision making theory]

진로결정을 할 때 거치게 되는 일련의 과정들을 분화와 통합의 연속과정으로 설명한 타이드만(Tiedeman)과 오하라(O'Hara)의 이론. `진로상담`

타이드만과 오하라는 진로발달을 자신을 동일시하면서 계속적으로 분화하고 통합하는 과정이라고 보았으며, 분화는 분리된 경험의 문제이고, 통합은 확장된 경험을 모아 구조화하는 문제로 설명하였다. 분화와 통합은 논리적으로는 분리되지만 실제 경험에서는 분리되지 않는다. 이 이론에서는 진로 의사결정 과정을 인지적인 구조의 분화와 통합이 현재의 불만족스러운 사항이나 문제에 대한 인식을 통해 움직이고 있는 의식적인 문제해결 행동으로 보고 이 과정을 예상기와 이행기로 나누고 이를 다시 7단계로 설명하고 있다. 예상기는 탐색 단계, 구체화 단계, 선택 단계, 명료화 단계로, 이행기는 적응 단계, 개혁 단계, 그리고 통합 단계로 이루어진다. 타이드만과 오하라의 모델은 이상적인 진로결정에 도달하는 과정의 분화와 통합의 측면을 잘 묘사해 주고 있으며, 이 이론으로 학생들은 자신의 체계나 환경을 이해하는데 도움을 받을 수 있고 이를 바탕으로 교육적이고 직업적인 결정을 할 수 있다.

진로교육
[進路敎育, career education]

개인의 잠재력과 일이나 여가에 대한 여러 가지 정보를 탐색하여 자신에게 적합한 진로선택, 진로적응, 진로발달을 돕기 위한 학교, 가정, 지역사회의 조직적이고 체계적인 활동. `진로상담`

진로교육의 시작은 1907년 미국의 보스턴에서 파슨스(F. Parsons)가 처음으로 직업상담을 실시하면서부터다. 1915년경에는 직업지도라 명명하였고, 1971년 이후에 미국 교육의 여러 가지 문제점을 교육부가 주도적으로 시정하기 위한 교육개혁운동의 일환으로 발전하였다. 이를 계기로 직업지도는 진로개발교육, 진로교육으로 명칭이 변경되었고, 진로교육은 생애교육, 평생교육의 개념으로 받아들여지고 있다. 진로교육의 목적은 각 개인의 잠재 능력과 가능성을 기초로 자신에게 적합하고 사회적으로 바람직한 직업이나 여가를 선택하도록 하여 생산적인 사회구성원으로 성장시키는 데 있다. 이를 수행하기 위한 진로교육의 목표는 각 개인의 자아개념, 성격, 흥미, 적성, 태도, 가치관 등을 이해하고 직업의 세계를 탐색하면서 일의 가치를 인식하여 실제 생활에 적용하는 것이다. 개인과 직업 세계에 대한 이해는 개인이 진로를 계획하고 준비하고 적절한 시기에 진로를 선택할 수 있는 능력과 직업환경에 적응하는 데 도움이 되며 진로발달을 촉진한다. 이러한 활동은 취학 전 유치원 교육부터 시작하여 평생 이루어지며 학교뿐만 아니라 가정이나 사회에서도 가르치고 훈육하는 것이다. 진로교육은 교과과정을 통한 학습(curricular activity), 교과과정 이외의 활동을 통한 교육(extracurricular activity), 진로정보의 제공(career information), 진로선택을 안내하는 진로지도(career guidance), 진로와 관련된 문제해결을 조력하는 진로상담(career counseling) 등을 포함한다. 우리나라의 교과과목을 통한 진로교육에서 초등학교는 전 교과과정을 통하여 이루어지지만 중학교는 도덕, 사회, 기술·가정의 한 부분에서 주로 이루어진다. 고등학교에서는 선택 중심 교육과정으로 진로교육이 이루어지는데, '실업·가정' 과목의 독립선택과목으로 신설된 진로·직업 교양선택과목이 편성되어 실시되고 있다. 대학교육에서는 진로상담센터, 여성커리어센터, 진로정보센터 등으로 불리면서 시행되고 있다. 지역사회에서는 직업능력을 향상시키기 위한 직업훈련교육이 이루어지고 워크넷(worknet, 중앙고용정보원), 커리어넷(careernet, 한국직업능력개발원), 노우(KNOW, 한국직업정보시스템) 등 인터넷을 통하여 진로탐색이나 진로정보, 직업흥미, 진로적성 등을 확인할 수 있다. 또한 진로상담이나 교육 프로그램 등도 운영하고 있다. 이렇듯 진로교육은 진로지도, 진로상담 등을 포괄하는 상위개념이라 할 수 있다.

관련어 | 노우, 워크넷, 직업 교육, 진로정보, 진로지도, 커리어넷

진로문제
[進路問題, career problems]

진학이나 직업에서의 어려움. 진로상담

먼저 진학에서의 어려움으로는 진로를 결정하지 못하는 것, 진학 후에 학업에 적응하지 못하는 것, 교우관계에 곤란을 겪는 것 등을 들 수 있다. 직업에서의 어려움으로는 취업을 결정하지 못하는 것, 직장에서의 적응문제를 들 수 있다. 구체적으로 직장에서의 적응문제란 업무 불만족, 스트레스, 대인관계 곤란, 업무환경 등이다. 진로는 전 생애에 걸친 생활방식을 말하는 것이므로 생활에서의 다양한 역할, 즉 부모역할, 자식역할, 직장에서의 역할, 동료역할, 친구역할 등을 적절하게 혹은 만족스럽게 통합하지 못하여 발생하는 어려움도 포함한다.

진로발달
[進路發達, career development]

일련의 발달과업에 직면하여 자신이 되고자 하는 사람이 되는 방식으로 그 발달과정을 이행하는 생애과정으로서, 전 생애를 거쳐 크고 작은 일련의 의사결정과 관련된 발달과정. 진로상담

우리나라에서 'career development'는 대상에 따라 진로발달과 경력개발(經歷開發)이란 용어로 구분되어 사용되고 있다. 학교체제에 있는 학령기 학생 개인 측면에서 진학과 취업 등의 생애목표를 조율하고 추진하는 것을 도와주는 입장에서는 진로교육, 진로지도, 진로개발이라고 부르지만, 일정한 직업경험을 가지고 있는 학교체제 밖 연령층에 해당하는 성인의 경우는 이들의 생애 계획과 조직(기업/산업체) 요구와의 균형적인 고려가 개인의 직업 경험 개발 과정에 개입되기 때문에 통상 경력개발이라는 용어를 사용하는 것이다. 진로발달은 평생 지속되는 과정으로, 일에 대한 가치가 발달하고, 직업적 정체의식이 형성되며, 직업기회를 배우고, 시간제 또는 전일제 직업과 여가선용을 계획, 실천해 보는 과정이다(Tolbert, 1980). 또한 한 개인의 진로를 구체화하는 데 필요한 심리적·사회적·교육적·신체적·경제적·우연적 요인들과 교육, 직업, 취미생활을 하는 데 개인의 선택과 취업, 그리고 교육적·직업적·취미생활의 진전과 관련되는 개인적 경험의 양상을 가리킨다. 따라서 진로발달에는 신체적·정신적 발달과 마찬가지로 직업에 대한 지식, 태도 등이 어려서부터 발달하기 시작하여 죽을 때까지 계속된다는 의미가 포함되어 있다. 진로발달의 과정은 대개 몇 개의 단계로 나뉘고 각 단계마다 달성해야 할 발달과업이 있다. 해당 단계에서 요구되는 발달과업은 그 시기에 중점적으로 노력하고 성취해야 할 내용을 말하며, 대부분의 학자는 체계적인 진로교육을 통해 발달과업을 이루어 나가는 것이 중요하다고 지적하였다. 진로발달이론의 대표 학자로는 긴즈버그, 긴즈버그, 애셀레드와 허머(Ginzberg, Ginsburg, Axelrad, & Herma, 1951), 슈퍼(Super, 1953, 1957), 그리고 타이드만과 오하라(Tiedeman & O'Hara, 1963) 등이 있다. 1950년대 이후 직업의 결정은 단순히 하나의 직업을 선택한다는 일회적 행위라는 개념에서 진로는 일생을 통해 발달해 나간다는 발달적 과정이라고 보는 개념으로 변화되었다. 즉, 개인은 다른 신체적·정신적 발달과 마찬가지로 직업에 대한 지식, 태도, 기능이 어릴 때부터 발달하여 생을 마감할 때까지 일련의 단계를 거치면서 발달된다는 것이다(이현림, 1998; Upton, 1982; Zunker, 1944). 슈퍼의 진로발달이론은 현재까지 나온 진로이론 중에서 가장 포괄적이고 종합

적인 이론이라고 할 수 있다. 그의 이론은 긴즈버그 등 종전 진로발달이론가들의 한계를 극복하려는 노력에서 시작되었다. 긴즈버그 등은 진로선택이란 단일한 의사결정 사건이 아니며, 일종의 발달과정으로서 개인의 희망과 직업 가능성 간의 타협으로 보았다. 또한 진로발달과정을 3단계, 즉 환상기, 잠정기, 현실기에 이르는 20대까지로 파악했으며, 개인의 진로의사결정에 관한 요인으로 개인적 가치, 정적 요인, 교육수준, 환경의 영향 등 네 가지를 제시하였다. 이에 대하여 슈퍼는 긴즈버그의 이론이 진로 의사결정 과정에서 흥미의 역할을 충분히 고려하지 않았고 선택과 적응의 개념을 구분하지 못하고 있으며 진로선택과 관련된 타협의 과정을 설명하지 못한다는 지적을 하였다. 슈퍼는 이와 같이 동시대의 진로선택 발달이론가들의 이론을 반박하며 진로발달과정의 다양하고 복합적인 현상을 아우르는 종합적인 이론을 만들고자 하였다. 이러한 시도는 '전 생애-생애공간이론(life-span life-space theory)'이라는 모든 진로이론 중 가장 포괄적인 이론을 만들기에 이르렀다. 그의 이론은 진로발달을 크게 전 생애(life-span), 생애역할(life role), 자아개념(self-concept)의 세 가지 개념으로 이론화하였고, C-DAC 모형을 통해 이론과 상담현장을 접목하고자 하였다. 그는 1953년 논문에서 이론의 근거로서 열 가지의 가정을 제시하였고, 1957년 저서에서는 두 가지 가정을 첨가하였으며, 마침내 1990년 논문에서 열네 가지 가정으로 확대시켰다. 그 결과 본래의 열 가지 가정은 1~6과 9~12까지이고, 첨가된 것은 7, 8, 13, 14의 네 가지다. 이를 살펴보면 다음과 같다(Super, 1990). ① 인간은 능력, 흥미, 인성에 차이가 있다. ② 인간은 각기 다른 직업적 특성을 갖는다. ③ 인간의 직업적 능력, 선호성 및 자아개념은 계속적인 선택과 적응의 과정을 통해 발달한다. ④ 각 직업에는 각기 다른 특성이 있다. ⑤ 이 과정은 일련의 생활단계로서 성장기(0~14세), 탐색기(15~24세), 확립기(25~44세), 유지기(45~65세), 하락기(65세 이후)로 나눌 수 있다. 이를 다시 성장기는 환상기(4~10세), 흥미기(11~12세), 능력기(13~14세)로, 탐색기는 잠정기(15~17세), 전환기(18~21세), 시행기(22~24세)로, 확립기는 시행기 및 안정기(25~30세), 승진기(31~44세)로, 하락기는 감속기(65~70세), 은퇴기(71세 이후)로 구분한다. ⑥ 개인의 진로유형의 본직(직업수준, 시행〈시도 도전〉과 안정된 직업의 기간, 빈도, 순서 등)은 지적 능력, 인성적 특성, 사회경제적 수준, 주어진 기회에 따라 결정된다. ⑦ 환경과 조직의 요구에 상응하는 성공은 특정 생활-진로단계에서 내담자의 진로의식성숙이라는 요구에 상응하는 개인의 준비도에 의존한다. ⑧ 진로 의식 성숙은 하나의 가설적인 구조이며, 그 조작적 정의는 지능을 정의하는 것만큼 어려울 것이다. 그러나 진로의식성숙의 역사는 훨씬 더 명확하며, 업적은 한층 더 명백하다. ⑨ 개인의 진로발달은 현실을 평가하는 능력이나 자아개념, 흥미 등을 발달시켜 촉진할 수 있다. ⑩ 진로발달의 과정은 본질적으로 자아개념을 발달시키고 보완해가는 과정이다. 이는 타고난 적성, 다양한 역할을 수행할 기회, 역할수행의 결과가 선배나 동료의 승인을 얻는 정도에 따라 평가의 상호작용 결과로 나타난 자아개념 속에서 야기되는 타협의 과정이다. ⑪ 개인과 사회적 요인, 자아개념과 현실성 사이의 타협과정은 역할담당의 하나다. 이러한 역할담당은 환상 속에서나 상담 또는 학급활동, 클럽활동, 시간제 일자리와 같은 실생활에서의 역할수행을 통해 이루어진다. ⑫ 진로, 직업 및 인생의 만족은 자신의 능력·흥미·성격 특성 또는 가치가 실현되는 정도에 달려 있으며, 이는 자신의 성숙과 탐색의 경험에 따라 일관되고 적합한 역할을 할 수 있는 생활양식, 작업조건, 일의 형태를 수행할 수 있느냐에 따라서도 좌우될 수 있다. ⑬ 일에서 얻을 수 있는 만족의 정도는 자신의 자아개념에 도움이 될 수 있는 정도에 비례한다. ⑭ 일과 직업은 성격을 형성하는 데 방법이 된다. 어떤 이들에게 이러한 방법은 다분히 주변적(周邊的)이고 부수적이며 심지어 존재하지 않는 것일 수도 있다. 그럴 경우에는 여가활동과 가정관리 같은 또 다른 방법이 중요하다. 진로상담이란 내담자가 장래의 불확실한 진로를 개척하기 위해 치밀한 방법과 계획을 세워 생애문제에 어떻게 대처해 나갈 것인지에 관한 여러 가지 문제를 현명하게 선택하고 적응해 가는 방법이다. 또한 진로상담은 자기이해와 자신의 잠재력을 발견할 수 있도록 전문가인 상담자와의 원만한 인간관계 속에서 내담자의 진로결정 계기를 마련해 주는 상담의 종합적인 과정이라 할 수 있다. 효과적인 진로상담을 위해 APGA(American Personnel and Guidance Association)에서 제시하는 상담자의 역할과 기능을 중심으로 방향을 제시하면 다음과 같다. ① 학생들에게 진로발달의 단계에 따른 발달과업을 파악하도록 하고, 이 과업을 성취할 수 있는 진로지도 프로그램을 제공한다. ② 진학 및 취업에 관한 정보를 학생들이 파악하도록 만든다. ③ 진로에 대한 의사결정을 도울 수 있는 방법과 자료를 수집하여 이를 활용할 수 있도록 한다. ④ 진로선택이나 취업을 하는 데 성별에 따른 차별을 두지 않도록 한다. ⑤ 학문적이고 직업적인 여러 결정이나 그 외 개인에 관계되는 의사결정을 바람직하게 할 수 있도록 돕고, 각종 검사도구를 유효적절하게 활용할 수 있도록 한다. ⑥ 진로상담의 필요성과 중요성을 강조한다.

관련어 │ 진로상담, 진로성숙

진로발달검사
[進路發達檢査, Career Development Inventory: CDI]

학생들의 진로발달수준을 평가하는 검사. 심리검사

학생들의 직업 결정의 태도 및 인지를 평가하기 위하여 슈퍼, 본, 포렛, 조든, 린드먼과 톰슨(Super, Bohn, Forret, Jordan, Lindeman, & Thompson, 1971)이 개발하였다. 태도척도와 인지척도로 구성되어 있는데, 태도척도는 개인의 직업발달에 대한 계획성과 직업탐색에 대한 의지를 확인하는 문항으로 되어 있다. 인지척도는 직업결정 원리에 대한 이해, 그 직업을 얻는 방법에 대한 것, 어떻게 하면 직업세계에서 성공할 수 있는가, 선호직업에 대한 지식 등 의사결정과 직업세계 정보 등을 포함한 문항으로 되어 있다. 따라서 앞으로 생애계획 속에서 직업을 결정하는 능력은 이 척도로 확인할 수 있다.

관련어 │ 진로발달, 진로성숙도검사, 홀랜드 진로발달검사

진로발달이론
[進路發達理論, career development theory]

인간은 인지적·정서적·신체적·사회적 변화를 통해 발달하고 성숙한다는 발달이론에 근거하여 진로의 발달을 설명하고자 하는 이론. 진로상담

진로의 탐색, 선택, 적응, 변경의 과정을 보이는 일과 관련된 활동들이 어느 한순간에 일어나는 것이 아니라 전 생애에 걸쳐 발달해 간다고 보는 것이다. 각 진로발달이론에서는 진로발달단계 및 각 단계에서의 과제를 제시하고 있다. 이 과제를 성취함으로써 성장해 간다는 것이다. 대표적 이론으로는 긴즈버그(Ginzberg)의 진로발달이론, 슈퍼(Super)의 진로발달이론, 타이드만(Tiedeman)의 진로결정과정 이론, 고트프레드슨(Gottfredson)의 진로 포부 발달이론 등이 있다. 긴즈버그는 개인의 진로(직업) 선택 행동을 일회적으로 이루어지는 것이 아니라 상당한 기간에 걸쳐 이루어지는 일련의 발달과정으로 보았으며, 이러한 발달과정이 대체로 불가역적이고 그 과정의 모든 선택은 적성, 흥미, 능력, 가치관 및 성격 등의 개인의 내적 요인과 외부의 현실적인 요인을 고려한 타협(compromise)의 결과로 보았다. 이러한 타협을 진로선택의 본질로 간주한 그는 진로발달이 환상적 선택단계(10세 이전), 시도적

선택단계(11∼17세), 현실적 선택단계(18세 이후)로 이루어진다고 주장하였다. 슈퍼는 진로선택발달이 아동기로부터 성인 초기에 국한되지 않고 인생의 전 생애에 걸쳐서 발달·변화된다고 주장하였다. 그는 먼저 개인의 능력, 흥미, 인성 등의 차이에 따라 각기 적합한 진로환경이 있다고 보고, 진로선택이란 직업선호, 생활장면, 자아개념 등에 의해 변화하는 연속적인 과정으로 파악한다. 그의 진로발달이론의 핵심은 진로의식의 발달과정이 바로 개인의 자아개념의 발달과 그것의 실현이라고 보는 데 있다. 그리고 이러한 발달과정은 개인의 변인과 사회적 요인 간의 타협과 종합의 연속으로서, 자아개념은 타고난 능력, 신체적 특징, 다양한 역할수행의 기회, 역할수행의 결과에 대한 주위의 반응 등의 상호작용의 산물이라는 것이다. 슈퍼는 이러한 과정을 성장기(14세 이전), 탐색기(15∼24세), 정착기(25∼44세), 유지기(45∼64세), 쇠퇴기(65세 이후)의 다섯 단계로 나누고 평생에 걸쳐 진로발달이 이루어진다고 보았다. 타이드만은 진로발달단계에서 중요한 것은 기간과 시기이며, 특정 활동에 투자된 시간은 개인의 진로발달유형에 상당한 정보를 제공한다고 보았다. 그는 의사결정의 개별과정과 자아의 발달을 중시했으며, 진로발달의 과정이 지속적으로 자아정체감의 분화, 발달과업의 수행, 심리적 위기의 해결로 이어지는 일련의 과정으로 보았다. 진로결정은 체계적·문제해결적 패턴을 통해서 이루어지고 전체적인 인지능력을 요구하며, 개인과 직업세계와의 고유성이 모두 일치됨으로써 가능하다. 그의 진로결정과정에서 예상기 혹은 전직업기는 '탐색기 → 구체화기 → 선택기 → 명료화기'로 이루어지고, 실천기 혹은 적응기는 '순응기 → 개혁기 → 통합기'로 이루어진다. 슈퍼가 연령과 진로발달단계를 고정시키고 불가역적이라고 주장한 데 반해, 타이드만은 진로발달의 단계를 반복 가능한 순환관계로 설명하였다. 고트프레드슨은 개인의 진로발달을 진로포부에 초점을 맞추고 진로 포부(career aspira-tions)도 발달한다는 전제 아래, 사회계층 배경을 진로 포부의 발달에 있어서 주요한 요소로 간주했다. 그에 따르면, 다른 수준의 직업에 대한 지각이나 선호는 사회계층 배경의 작용으로 비롯되는 경향이 높다는 것이다. 진로 포부 수준과 관련되는 다른 요소로는 직업의 위신, 성(性) 역할, 그 직업에 종사하는 사람들의 공통적 특징 등을 들고, 이런 것들의 종합으로 개인은 이른바 직업 인지지도(cognitive map of occupations)를 형성한다는 것이다. 진로포부와 관련된 직업선호를 외형적 관심단계(3∼5세), 성역할 관심단계(6∼8세), 사회적 위신 관심단계(9∼13세), 내적인 자아 관심단계(14세 이후) 등 네 단계에 걸친 발달과정으로 파악하였다.

관련어　고트프레드슨의 직업 포부 발달이론, 긴즈버그의 진로발달이론, 슈퍼의 진로발달이론, 타이드만의 진로결정 과정 이론

진로발달평가 및 상담 모형
[進路發達評價－相談模型, career development assessment and counseling model]

슈퍼(Super)가 제안한 진로발달이론에 근거하여 개인의 진로발달을 평가하고 촉진하기 위한 조력활동 틀. 진로상담

　슈퍼는 인간의 진로는 전 생애적 과정으로 개인의 능력과 흥미, 자아개념 등의 발달과 성숙이 진로발달에 영향을 주며 개인과 환경은 서로 상호작용한다고 보았다. 개인이 환경에 대처하는 능력은 환경의 요구에 대처하는 준비도에 달려 있다고 주장하였다. 이러한 관점에서 흥미검사나 다른 심리검사들을 활용하여 개인의 진로성숙도를 객관적으로 평가하여 환경에 대한 준비도를 확인한 다음 진로를 결정하도록 하는 상담 모형을 제안하였다. 즉, 진로를 확인하고 결정할 준비가 된 내담자는 상담자와 함께 자신의 관심, 능력, 가치관을 구체화하여 자신을 객관적으로 이해하기 위해 노력한다는 것이

다. 이러한 내담자는 자신의 생애 주제와 양식을 객관적으로 평가함으로써 각 발단단계에서 획득해야 할 발달과제를 성실하게 수행하여 자신의 능력, 흥미, 적성 등과 직업 환경을 충분히 고려한 후 바람직한 진로를 결정한다.

관련어 │ 진로발달, 슈퍼의 진로발달이론

진로상담
[進路相談, career counseling]

진로에 관한 문제를 호소하는 사람이 자신과 직업에 대한 이해를 통해 스스로 진로선택을 하고 결정하며, 이러한 행동에 대한 책임을 지니도록 도움을 주는 전문적 활동. 진로상담

진로상담은 진학이나 직업적 선택, 그리고 여가활동을 포함하는 생애 전반의 일 등에 대한 문제를 내담자가 스스로 해결할 능력을 키워 진로나 직업적 발달을 촉진하고 사회적, 직업적 자기실현을 이루도록 도움을 주는 데 목적이 있다. 즉, 진로상담은 진로발달을 위한 진로계획, 진로선택, 직업적응, 진로변경을 도와주는 활동으로, 일과 관련하여 전 생애에 걸친 일과 생활방식에 관하여 상담하는 것이라 할 수 있다. 이러한 목적을 수행하기 위한 활동으로는, 첫째, 자신에 대하여 충분히 이해를 한다. 자신을 이해하기 위해서는 자아개념, 성격, 흥미, 가치관, 능력, 적성 등을 탐색한다. 이러한 활동은 개인의 문제를 해결하고 자신이 원하는 진로를 선택하고 잘 적응할 수 있도록 해 주며, 진로선택에 대한 만족감을 높일 수 있다. 둘째, 진로나 직업적 환경을 탐색하고 이해하여 바람직한 진로결정을 하도록 한다. 셋째, 미래생활에 대하여 관심을 갖고 학업과 생활, 학업과 진로 및 직업에 대한 관계를 파악한다. 넷째, 의사결정, 미래 계획의 수립, 실행의 기능을 습득하여 진로에 관한 계획과 선택을 바람직하게 조직할 수 있도록 한다.

관련어 │ 직업상담, 진로교육

진로성숙
[進路成熟, career maturity]

자신과 직업세계에 대한 이해에 근거하여 자기 진로를 계획, 선택, 변경해 나가는 일련의 발달과정. 진로상담

인간은 전 생애를 거쳐 발달이 이루어지는데, 진로 또한 전 생애 동안 성숙하고 발달해 나간다. 이렇듯 진로성숙은 진로발달이나 직업발달을 포괄하는 의미로도 사용되며, 이 개념은 슈퍼(Super)의 진로발달이론의 주요 개념이다. 이 이론에 따르면, 진로성숙이란 발달의 연속선상에 있으면서 각 발달단계에서 수행해야 하는 직업적 발달과업에 대한 준비도, 진로선택이나 진로계획에 대한 준비도, 직업세계를 충분히 이해한 후에 자신과 통합하고 조정할 수 있는 능력으로 정의한다. 그리고 현재의 개인 진로행동을 동일한 연령대의 행동과 비교하였을 때, 동일 연령대보다 높은 수준의 진로행동을 보이면 진로성숙도가 높다고 할 수 있다. 예를 들면, 대학교 4학년 학생이 아직 자신의 장래계획을 세우지 않아 진로를 결정하지 못했다면, 이 연령단계의 진로발달과업을 달성하지 못한 것으로 진로성숙도가 아직 고등학생 연령수준이라고 할 수 있다. 그런데 성숙은 생물학적 성장을 표현하는 것으로서 유전적이고 자연적 변화를 강조하기 때문에 성인기 이후에는 개인마다 다른 진로발달과정을 보여 진로성숙보다는 진로적응이라는 개념을 사용한다. 진로성숙을 구성하는 요인에는 진로계획, 직업탐색, 의사결정, 직업세계에 대한 지식, 선호하는 직업군에 대한 지식 등이 있다. 슈퍼의 이론을 바탕으로 크리티스(Crites, 1973)는 진로성숙도검사(Career Development Inventory)를 개발하였다. 이 척도는 태도척도(attitude scale)와 능력척도(competence scale)의 하위척도로 구성되며, 태도척도는 다시 선발척도(screening form)와 상담척도(counseling form)로 나뉜다. 선발척도에는 진로결정성(decisiveness), 참여도(involvement), 독립성(independence), 성향

(orientation), 타협성(compromise)의 5개 하위영역이 있다. 능력척도는 진로의사결정에 중요한 자기평가(self-appraisal), 직업정보(occupational information), 목표선정(goal selection), 계획(planning), 문제해결(problem solving)의 5개 하위영역으로 구성되어 있다. 우리나라는 한국교육개발원(1992)과 한국직업능력개발원(2001)에서 각각 진로성숙도검사를 개발하여 보급하고 있다.

관련어 | 슈퍼의 진로발달이론, 진로발달, 진로의식

진로성숙도검사
[進路成熟度檢査,
Career Maturity Inventory: CMI]

존 크리티스(John Crites)의 진로발달모델에 기초한 진로성숙 정도를 측정하는 검사. 심리검사

크리티스(crites, 1978)가 자신의 이론에 따라 10여 년간의 연구 끝에 개발한 진로성숙도검사로, 국내외 여러 연구자가 사용하는 척도다. 이는 초등학교 6학년부터 대학생까지 사용할 수 있는 자기보고식 검사다. 크리티스는 진로성숙도는 요인의 위계체계를 가지고 있다고 보았으며, 지능검사의 일반 요인과 유사하게 진로성숙도에도 일반적인 요인이 있고 몇몇의 영역 요인, 수많은 특수 요인이 있다고 하였다. 이에 따라 CMI는 결정성(decisiveness), 타협성(compromise), 관여성(involvement), 독립성(independence), 성향성(orientation)의 5개 하위척도로 구성되어 있다. 문항은 총 47개로 '전혀 아니다(1점)'부터 '매우 그렇다(4점)'까지 4점 리커트 척도로 만들어졌다. 크리티스의 연구에서 1년 간격 검사-재검사 신뢰도는 $\alpha = .71$로 나타났고, 국내에서는 김봉환(1997)의 연구에서 신뢰도 $\alpha = .85$, 반분 신뢰도 $= .85$로 나타났다. 각 하위요인의 내용 및 해석은 다음과 같다. 결정성은 자신의 진로문제에 관해 확신을 갖고 있는 정도를 측정하며, 높을수록 자신의

진로에 대해 준비를 하고 있고 안정감을 느끼는 것으로 해석한다. 타협성은 진로선택 시 자신의 욕구와 외부 상황을 조화시켜 타협하는 정도를 말하며, 높을수록 성숙한 현실감각을 가진 것으로 해석한다. 관여성은 자신의 진로문제에 얼마나 능동적으로 관여하는가를 의미하며, 높을수록 직업을 통해 삶의 의미를 추구하고 자신의 진로에 많은 관심을 기울인다고 해석한다. 독립성은 자신의 진로를 주체적으로 결정하는가 아니면 타인에게 의존하는가를 나타내는 것으로 높을수록 주체성이 높고, 낮을수록 의존성이 높다고 해석한다. 성향성은 진로선택에서 그에 필요한 사전 이해 준비 정도를 의미하며, 높을수록 준비를 잘하고 있는 것이라고 해석한다.

관련어 | 진로발달, 진로성숙

진로의사결정이론
[進路意思決定理論,
career decision making theory]

⇨ '진로결정이론' 참조.

진로자기효능감
[進路自己效能感, career self-efficacy]

직업이나 진학, 여가활동 등과 관련된 선택, 의사결정, 적응, 과제수행을 성공적으로 수행할 수 있다는 스스로의 믿음. 진로상담

베츠, 해켓과 베츠(Betz, Hackett, & Betz, 1981)가 반두라(Bandura, 1977)의 자기효능감 이론을 적용하여 여성의 진로발달을 설명하고자 제시한 개념이 진로자기효능감의 효시다. 그들에 의하면 자기효능감 수준이 낮은 여성들은 진로이동, 진로선택에 많은 제약을 받고, 성취에 대한 보상이 남성보다

낮으며, 불평등한 작업환경 때문에 진로자기효능감도 낮다고 보고하였다. 그래서 낮은 자기효능감을 지닌 여성들은 진로결정을 미루거나 포기하고 때로는 회피해 버린다. 이 연구를 통하여 진로자기효능감은 진로발달에 영향을 미치는 진로와 관련된 과제, 의사결정, 행동, 적응과정, 진로탐색, 진로과제 수행 등을 성공적으로 수행할 수 있다는 자기 신념 또는 자신감을 뜻하게 되었다. 진로자기효능감은 진로발달을 촉진하는 요인으로서 개인적인 수행을 성취하거나 진로에 관한 간접 경험, 사회적 설득, 생리적 상태와 반응 등의 학습경험으로 향상될 수 있다. 특정 영역의 진로행동에 대하여 낮은 진로자기효능감과 기대는 가장 적합한 진로를 선택하는 것과 개인의 발전을 손상시킬 가능성이 있다.

관련어 ┃ 자기효능감

진로정보
[進路情報, career information]

진로선택 및 적응을 이해하는 데 필요한 교육적 · 직업적 · 사회적 · 심리적 자료 등의 모든 지식과 관련된 정보. 진로상담

진로정보는 보다 구체적이면서 신뢰할 수 있고, 정확하며 가장 최근의 것으로 구성되어야 한다. 이 정보는 교육정보, 직업정보, 개인 및 사회적 정보로 구분할 수 있다. 교육정보는 학교교육, 진학, 직업교육이나 훈련을 통한 교육활동에 관련된 자료를 말한다. 즉, 학교의 교육과정, 교과활용, 교과와 직업의 관계, 교과와 흥미의 관계, 교과와 적성의 관계, 상급학교 진학 및 입학 요건, 현재와 미래에 가능한 교육이나 훈련의 기회, 상급학교 출신들의 직업선택 및 사회진출 경향, 진학에 필요한 경제적 조건, 상급학교의 교육시설, 학업 분위기, 학교생활의 문제점에 관한 자료 등이 있다. 직업정보는 작업요건, 취업자격요건, 보수, 승진, 채용 계획 등 직업과 관련된 타당하고 유용한 자료를 말한다. 예를 들면,

국가 및 지역사회의 인력수급계획, 산업 및 직업 분류, 노동시장의 구인 및 구직, 취업 가능하거나 관심 있는 직업, 졸업생의 취직 및 진로 경향, 기술 습득 및 자격증 획득을 위한 교육이나 훈련의 기회에 관한 자료가 있다. 개인 및 사회적 정보는 개인과 사회적 환경의 상호작용에 타당하고 유용한 자료를 말하는데, 이는 개인이 자신과 타인을 이해하고 대인관계를 발전시키며 사회적 적응을 돕는 데 유용하다. 이와 관련된 정보를 좀 더 구체적으로 살펴보면 신체발달, 인지적 · 정서적 · 기본적 욕구 및 행동에 관한 정보, 인성 및 정신위생에 관한 정보, 사회관계에 관한 정보, 남녀의 성역할 및 성에 관한 정보 등이 있다.

관련어 ┃ 직업정보

진로지도
[進路指導, career guidance]

개인의 자기이해와 직업이 서로 관련되어 있다는 것을 인식하도록 하고, 진학이나 직업세계에 관한 정보를 주어 진로의식과 진로성숙(career maturity)을 가질 수 있도록 관련된 정보를 주는 모든 활동. 진로상담

진로지도는 진로교육의 하위개념이며 진학지도와 직업지도를 모두 포괄하는 개념이다. 따라서 진로지도는 정규 교육과정에서 진학에 관련된 활동뿐만 아니라 직업선택, 인생설계와 관련된 활동들을 다룬다. 각 개인은 자신의 가치관, 자아개념, 성격, 적성, 흥미 등을 깊이 이해하고, 교육환경이나 직업환경, 그리고 여가활동에 대한 여러 가지 지식을 획득, 확장하며 개인의 미래생활 설계에 필요한 의사결정 능력을 습득하는 데 도움을 받는다. 진로지도를 위해 진로검사, 직업박람회, 취업박람회, 직업세계 탐색, 진로탐색과 관련된 강연 등을 활용할 수 있다.

관련어 ┃ 직업지도, 진로교육

진로지도와 정보의 자기탐색과 상호작용 체계
[進路指導 – 情報 – 自己探索 – 相互作用體系, self-directed, interactive system of career guidance and information PLUS: SIGI PLUS]

개인이 스스로 진로계획을 수립하도록 진로지도를 도와주는 컴퓨터용 프로그램. 진로상담

미국의 교육평가원(Educational Testing Service: ETS)이 개발한 프로그램으로, 각 개인이 자신을 객관적으로 평가하고 여러 가지 직업을 탐색하도록 하여 진로에 대한 최신 정보를 수집한 다음 진로계획을 세우고 실현할 수 있도록 도와준다. 프로그램은 도입부, 자기평가, 탐색, 정보, 기술, 준비, 적응, 결정, 후속조치의 전체 9개 영역으로 구성되어 있다. 도입부는 프로그램의 전반적인 내용을 소개하며, 자기평가영역은 개인의 직업가치관, 흥미, 직업기술 등을 객관적으로 평가한다. 탐색영역은 개인의 가치관, 흥미, 기술, 교육수준에 따른 직업과 자신이 싫어하는 직업을 확인할 수 있으며 주로 자신의 전공과 관련된 직업을 알 수 있다. 정보영역은 특정 직업에 대한 의문점이나 궁금한 점을 확인해 보고 여러 직업을 비교할 수 있다. 기술영역은 직업에서 요구하는 기술이나 능력을 확인할 수 있다. 준비영역은 개인이 선택한 직업에 필요한 교육내용이나 훈련에 대한 정보 또는 실현 가능성을 확인할 수 있다. 적응영역은 개인이 선택한 직업을 유지하고 발전시켜 나가는 데 필요한 정보나 실질적인 조언을 확인할 수 있다. 결정영역은 개인이 선택한 직업에 대한 잠재적인 보상과 성공 확률을 확인하고 자신이 선택한 일을 포함한 세 가지 진로를 선택하여 비교해 보고 평가할 수 있다. 그리고 후속조치영역은 개인이 바라는 진로를 선택하기 위한 단기목표를 설정하고 그것을 실행할 계획을 수립한다. 그 예로서 프로그램에서 제공하는 견본 이력서를 참고하여 자신의 이력서를 작성해 볼 수 있다. 이와 관련된 내용은 홈페이지(www.ets.org)를 참고한다.

관련어 | DISCOVER, 워크넷, 커리어넷

진로직업선호체계
[進路職業選好體系, career occupational preference system: COPS]

주요한 8개의 직업군을 흥미, 능력, 가치관 등을 측정하는 세 가지 검사도구로 평가하여 진로를 안내하는 프로그램. 진로상담

이 시스템은 미국에서 개발되었으며 진로 직업선호도 검사(Career Occupational Preference Scale: COPS), 진로능력배치검사(career ability placement survey: CAPS), 진로 정향배치 및 평가검사(career orientation placement and evaluation survey: COPES) 등을 실시하고 평가하며 해석하는 매뉴얼로 구성되어 있다. COPS는 전체 직업을 과학직, 기술직, 옥외활동직, 영업직, 사무직, 운송 통신직, 예술직, 서비스직의 8개 직업군으로 분류하고 그중 6개의 직업군은 다시 전문직과 기능직으로 나누어 전체 14개의 직업군으로 분류하였다. 이 검사는 총 168문항, 4점 척도로 구성되어 있으며 피검자는 각 직업군에 대한 흥미, 능력, 가치관 등을 평가한다. 검사의 내적 합치도는 .86~.92이며, 타당도는 COPS를 받은 학생의 64%가 1년에서 7년 사이에 3개의 가장 높은 흥미를 보인 영역 중 하나의 진로를 선택한 것으로 검증되었다. CAPS는 진로발달능력을 측정하는 것으로서 5분짜리 능력검사 8개로 구성된 배터리 검사다. 즉, 기계추론(mechanical reasoning), 공간관계(spatial relations), 언어추리(verbal reasoning), 수리능력(numerical ability), 언어유창성(language usage), 단어지식(word knowledge), 지각 속도 및 정확도(perceptual speed & accuracy), 손동작 속도 및 기민성(manual speed and dexterity)으로 구성되어 있다. 각 영역의 점수로 COPS의 14개 직업군 각 분야의 능력에 대한 점수를 알 수 있으며, 각 분야

에 대한 강점과 약점도 확인할 수 있다. 이 검사는 8~9세, 10~12세, 대학생 집단의 세 규준표가 제시되어 있어 피검자의 연령에 따른 상대적 위치를 확인할 수 있다. 검사-재검사 신뢰도 계수는 .70~.95이며, 능력점수는 계속적인 진로선택과 유의미한 상관이 있다. COPES는 직업동기와 관련된 개인의 가치관을 측정하는 것이다. 가치관은 탐구적 대 수용적(investigative vs accepting), 실용적 대 무관심(practical vs carefree), 독립적 대 순종적(independence vs conformity), 지배적 대 지지적(leadership vs supportive), 규칙적 대 융통성(orderliness vs flexibility), 공식적 대 개인적(recognition vs privacy), 심미적 대 현실적(aesthetic vs realistic), 사교적 대 보수적(social vs reserved)인 것에서 하나씩 선택하는데, 각각의 가치관뿐만 아니라 COPS의 직업군과 관련된 가치관을 확인할 수 있다. 신뢰도는 .70~.83이며, 예비 추수연구에서 89%가 진로가치관과 진로나 진학의 선택에서 상관을 보였다. 이 세 가지 검사의 프로파일을 통하여 피검자가 진로탐색과정을 밟아 나가는 단계를 선택할 수 있는 정보를 제공하는 것이 COPS 시스템 평가 프로그램의 장점이라고 할 수 있다.

알맞은 직업세계를 탐색할 수 있다. 학교현장에서 진로지도와 진로상담을 맡은 교사에게 기초 자료를 제공할 수 있으며, 또한 학부모들도 자녀의 진로 관련 특성을 정확하게 이해하여 진로지도를 할 때 효과적으로 이용할 수 있다. 다섯 가지 요인을 측정하는 하위검사 중 직업적 흥미, 적성, 성격, 선호직업의 하위검사는 사회형(social: S), 사업형(enterprising: E), 사무형(conventional: C), 현장형(realistic: R), 탐구형(investigative: I), 예술형(artistic: A)의 6개 직업성격유형으로 구성되어 있고, 직업환경의 하위검사는 사람-사물, 자료-아이디어 차원의 문항으로 구성되어 있다.

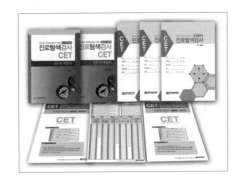

진로탐색검사
[進路探索檢査, Career Exploration Test: CET]
자신의 진로 및 적성에 대한 탐색을 위한 검사. `심리검사`

진로 및 적성을 탐색하기 위해 1999년에 이종승과 김형태가 개발한 검사로, 대상은 중학생과 고등학생이다. 홀랜드(J. L. Holland)의 직업흥미이론을 기초로 한 이 검사는 직업적 흥미, 적성, 성격, 선호직업, 직업환경의 다섯 가지 요인을 측정하며 개인의 진로, 적성에 대한 자세한 결과를 제시해 준다. 중·고등학생용으로 나뉘어 있고, 자신의 직업적 흥미, 적성, 성격 등을 객관적으로 파악하여 진로계획을 세우거나 선택할 때 도움을 준다. 또 자신에게

진실성[1]
[眞實性, authenticity]
실존주의 상담자들이 내담자의 궁극적 관심사(ultimate concerns)와 관련하여 중요하게 생각하는 주제 중 하나로, 행동 및 정서를 통하여 자기가 진정 누구인지를 표현하는 상태. `실존주의 상담`

틸리히(Tillich, 1952)는 존재할 용기라는 말을 사용하면서, 우리 자신을 긍정하고 내부에서부터 살아갈 수 있도록 하는 힘이 용기라고 하였다. 우리 존재 내에 깊은 핵심을 발견, 창조, 유지하는 것은 어렵고 끝이 없는 노력이 필요하다. 진실적인 존재로 있다는 것은 우리를 정의하고 긍정하는 데 필수적인 것은 무엇이든 한다는 것을 의미한다. 개인은 진실적 실존 속에서 언젠가 일어날 비존재의 가능

성에 직접적으로 직면하고, 불확실성에 직면해서 결정하며 그에 대한 책임을 진다. 실존주의자들은 진실적 존재는 불안에서 태어난다고 말한다. 여기서의 불안은 우리가 옳은 선택을 했는지, 또 행위에의 용기를 아직 결정하지 못했는지를 전혀 모르는 불안이다. 이 길이냐 저 길이냐, 인지적 모호성의 조건 아래서 어떤 가치를 선택하는 것은 자신을 통제할 수 있다는 것이며, 타당하게 자기 자신을 세우는 것이다. 우리가 진실적 실존에 이를 때, 계속적으로 우리가 될 수 있는 능력을 가진 개인이 되는 것이다. 진실적으로 사는 것은 우리의 한계를 알고 받아들이는 것을 수반하고 있다. 비진실성에 관련된 개념이 죄책감인데, 실존적 죄책감은 불완전감과 우리의 완전한 잠재력을 사용하고 있지 못함을 아는 것에서 느낀다. 궁극적으로 존재의 자각에 대한 상실은 심리적인 병이 된다.

관련어 | 궁극적 관심사

진실성[2)]
[眞實性, genuineness]

행동과 감정, 행동과 사고, 사고와 감정이 일치하는 것으로서, 상담자가 역할 뒤로 숨지 않고 상담관계에서 꾸밈없이 자신의 모습 그대로 존재하는 것. **인간중심상담**

로저스(C. Rogers)가 창안한 인간중심상담이론에서 제시된 치료 분위기 혹은 상담자의 태도, 핵심 치료요소의 하나다. 진솔성이라고도 하며 일치성(congruence)이라고도 한다. 로저스는 일치성 또는 꾸밈이나 거짓이 없는 진실성이 치료적 성장을 높이는 태도 중에서 가장 기본 조건이 된다고 하였다. 진실성 혹은 일치성이 높은 상담자는 내적 경험과 외적 표현이 일치하고, 내담자와의 관계에서 지금 느껴지는 감정, 생각, 반응 그리고 태도를 개방적으로 표현한다. 진실성 혹은 일치성은 로저스가 생각하는 가장 중요한 상담자의 태도로서 다음의 두 가지 내용을 담고 있다. 첫째, 항상 자기 내면에 흐르고 있는 경험과 접촉하고 때로는 불편하고 혼란스러운 경험의 자각도 부정하지 않으면서 있는 그대로 느끼고 경험해야 한다. 둘째, 상담관계에서 일어나는 끊임없는 감정을 막지 않고 있는 그대로 소유하고 표현하려는 의지를 가져야 한다. 또한 상담자는 전문성이라는 가면 뒤에서 은신처를 찾으려는 유혹과 항상 대치하고 있다. 상담자의 일치되고 진솔한 태도는 내담자의 자기와 경험 간의 불일치를 줄여 나가는 데 밑거름이 되고, 진실하고 일관성 있는 상담자의 태도는 내담자에게도 자신의 경험에 대한 접촉을 촉진하는 효과가 있다. 상담자가 자신 안에 있는 참된 진실을 보여 주면 그에 따라 내담자도 성공적으로 자기 안에서 진실을 발견할 수 있게 되고 일치성을 높일 수 있다. 반면, 상담자의 진실성 혹은 일치성이 없는 반응들은 정직하지 못하고 혼합된 메시지와 불일치성을 내포하고 있기 때문에 내담자가 해석하기가 어렵다. 이것은 혼란과 불신을 가져올 수 있고, 상담관계를 손상시킬 수 있다. 만약 상담자가 일관되고 분명하다는 것을 믿을 수 없다면 내담자는 어떻게 행동하고 자신에 대해서 무엇을 공개해야 하는지 판단하는 데 어려움을 느낄 것이다. 내담자가 상담자의 불분명한 메시지에서 가능한 한 모든 의미를 이해하려고 할 때 내담자의 메시지는 점점 불일치하게 된다. 상담과정 중 상담자의 반응에서 진실성 혹은 일치성을 높이기 위해서는 민감성, 개방성, 자기자각이 필요하다. 진실하고 일관성 있으며 내담자의 경험과 함께하는 능력을 최대화하기 위해서 상담자는 반드시 현재 이 순간에 존재해야 하며, 그들의 환경과 조화를 이루고, 상호작용하는 것을 인식하고 있어야 한다. 로저스의 진실성 혹은 일치성이 오직 완전하게 자기실현된 상담자만이 효과적인 치료를 할 수 있다는 의미는 아니다. 상담자도 인간이기 때문에 완전히 솔직해지기를 기대하기는 어렵다. 그러나 상담자가 내담자와의 관계에서 일치성을 유지하려고 노력한다는 것을 내담자가 인식하고 받아들이면 그 자체만으로도 상담과정은 잘 진행될 수 있다.

자기불일치 [自己不一致, self-incongruence]
진실성의 반대개념으로서, 말과 행동처럼 조화되어
야 할 두 물건 혹은 상태 사이의 불일치를 의미한다.
불일치라고도 부르는 자기불일치 상태는 자기개념
과 유기체적 경험 사이에 어긋남이 생기는 것이다.
즉, '나는 ……이다. 혹은 ……여야만 한다.'는 신념
(이상화된 나 혹은 이상적 자기)과 실제로 자신 속
에 일어나고 있는 것(진실된 나 혹은 실제 자기) 사
이에 모순이 있는 것이다. 이러한 상태일 때 사람은
충분히 자기 자신을 살릴 수가 없어 부적응 상태에
빠진다. 상담회기 중에 불일치가 발생하면 상담자
와 내담자는 진전된 결과를 낳지 못한다. 그래서 인
간중심상담에서는 내담자의 자기불일치 상태를 자
기일치로 개선해 가는 것을 목표로 삼고 있다.

진실험설계
[眞實驗設計, true experimental design]
통제된 관찰방법을 통해서 독립변인과 종속변인 간의 인과적
관계를 검증하기 위한 실험 방안. 연구방법

진실험설계는 실험집단과 통제집단을 갖추고 있
으며, 피험자들을 각 집단에 무선배정하는 것이 특
징이다. 이러한 실험설계는 준실험설계에 비하여
실험의 내적 타당도가 훨씬 높아서 실험연구를 하는
경우에 우선적으로 권장된다. 진실험설계의 주요 세
가지 유형은 전후검사 통제집단 설계(pretest-postt-
est control group design), 사후검사 통제집단 설계
(posttest-only control group design), 솔로몬 4집
단 설계(Solomon four-group design)다. 먼저 실
험설계를 도식화할 때 사용하는 기호의 의미를 살
펴보면, O는 관찰 또는 측정을 뜻하고, X는 실험처
치 또는 독립변인을 뜻하며, R은 무선표집 또는 무
선배정을 뜻한다. 전후검사 통제집단 설계는 진실

험설계의 전형(典型)이라고 할 만큼 대표적인 실험
방안으로 다음과 같은 도식으로 나타낼 수 있다. 여기
서 위와 아래에 있는 실선은 이들 선 안에 있는 것 이
외의 모든 조건이나 가외 변인이 통제됨을 뜻한다.

$$\begin{array}{cccc} R & O_1 & X & O_2 \\ R & O_3 & & O_4 \end{array}$$

이러한 전후검사 통제집단 설계를 이용하는 경
우, ① 피험자들을 실험집단과 통제집단에 무선적
으로 배정하고, ② 실험집단과 통제집단에 각각 사
전검사(O_1, O_3)를 실시하고, ③ 실험집단에 실험처
치(X)를 투입하고 통제집단에는 실험처치를 하지
않으며 이 밖의 모든 측면에서는 두 집단이 동일하
게 조건을 통제하고, ④ 실험처치를 마친 다음 실험
집단과 통제집단에 각각 사후검사(O_2, O_4)를 실시
하며, ⑤ 적절한 통계적 방법을 사용하여 두 집단을
비교한 다음 실험처치의 효과를 검증하는 실험과정
과 절차를 밟는다. 사전검사를 실시하지 않더라도
무선화 방법을 이용하여 실험집단과 통제집단의 동
등화를 확보할 수 있는데, 사후검사 통제집단 설계
는 사전검사를 받지 않은 두 집단을 이용한 실험방안
으로 다음과 같은 도식으로 나타낼 수 있다.

$$\begin{array}{ccc} R & X & O_1 \\ R & & O_2 \end{array}$$

사후검사 통제집단 설계에서는 피험자들을 실험
집단과 통제집단에 무선적으로 배정하기 때문에 두
집단이 동등화되었다고 간주한다. 이 설계는 ① 피
험자들을 두 집단에 무선배정하고, ② 실험집단에
는 실험처치를 투입하고 통제집단에는 실험처치를
하지 않고, ③ 실험처치를 마친 다음 두 집단에 사후
검사를 실시하며, ④ 두 집단 간의 점수 차이를 비교
함으로써 실험처치의 효과를 평가하는 실험 과정과
절차를 밟는다. 그리고 솔로몬 4집단 설계는 전후검
사 통제집단 설계와 사후검사 통제집단 설계를 통
합한 것과 같은데, 이 설계를 처음 제안한 연구자의

ス

이름을 따서 붙인 명칭이다. 사전검사를 받고 난 다음 실험처치를 받는 피험자들의 반응은 순수하게 실험처치만 받는 피험자들의 반응과 다를 수 있기 때문에 이러한 문제점을 보완하기 위하여 고안한 것이 솔로몬 4집단 설계다. 사전검사의 영향과 실험처치에 따른 영향이 상호작용하여 실험의 외적 타당도를 낮추고 실험결과의 일반화를 저해하는 것을 막기 위해서 이 실험설계에서는 4개 집단을 이용한다. 이때 두 집단에는 사전검사를 실시하지 않고, 사전검사를 받은 두 집단 중 한 집단과 사전검사를 받지 않은 두 집단 중 한 집단이 실험처치를 받는다. 솔로몬 4집단 설계는 다음과 같은 도식으로 나타낼 수 있다.

R	O_1	X	O_2
R	O_3		O_4
R		X	O_5
R			O_6

이처럼 솔로몬 4집단 설계를 이용한 실험연구는 두 번의 실험을 한꺼번에 한 것과 같은 효과가 있다. 한 번은 사전검사를 하고, 또 한 번은 사전검사를 하지 않은 실험을 동시에 진행하는 것이다. 사전검사를 실시하지 않은 두 집단을 실험에 포함시킴으로써 사전검사만의 영향과 사전검사와 실험처치 간에 상호작용으로 나타나는 영향을 알 수 있으며, 사후검사만 실시하는 네 번째 집단의 결과를 분석함으로써 실험 외적 변인이 종속변인에 얼마나 영향을 주는지 검토할 수 있다.

진전도기록
[進展度記錄, progress note]

상담회기의 진단, 목표, 개입전략뿐만 아니라 회기 중 실제로 일어나는 말이나 행동, 변화 등을 포함하는 상담자의 모든 기록. 상담 수퍼비전

과정기록(process note)은 주로 상담회기의 객관적인 사실만을 기록하는 것인 데 반해, 진전도기록은 내담자의 실제 말이나 특징적인 행동까지 기록하는 등 좀 더 사실적인 기록이라고 할 수 있다. 진전도기록에서 상담자는 그날 적용한 활동과 내담자의 반응, 변화의 정도를 기록하며, 다음 회기를 위한 자신의 소견이나 적용해야 할 사항 등을 기록한다. 이러한 기록은 내담자가 상담치료의 과정을 통해 성장해 나가는 변화 정도를 예측할 수 있고, 그 변화의 정도를 평가하는 평정자료로도 활용할 수 있다. 또한 수퍼비전에서는 수퍼바이저가 수련생의 진전도기록을 살펴봄으로써 상담회기가 어떻게 진행되고 있는지, 내담자와 어떻게 상담하고 있는지 등을 좀 더 상세하게 살펴보고 격려하는 데 사용할 수 있다.

관련어 | 과정기록, 축어록

진전섬망
[進展譫妄, delirium tremens]

알코올 금단 증후군의 가장 극심한 형태로, 장기간 다량의 알코올을 섭취하던 사람이 특정한 이유로 이를 중단했을 때 나타나는 급성 정신증. 중독상담

뇌의 보상성 적응 기전에 의해 발생하는 대표적인 금단증상으로 섬망, 빈맥, 발한, 혈압상승, 수족 떨림(진전)과 같은 자율신경기능 항진과 망상, 환각, 환청 등의 섬망현상이 함께 나타나는데, 이러한 증상들이 복합적으로 나타나는 것을 진전섬망이라고 한다. 사람에 따라서는 진전섬망이 발생하기 전에 발작이 일어나기도 한다. 이 같은 금단현상은 보통 음주중단 후 3~7일 사이에 나타나며, 다른 내과적 합병증이 없을 경우에 10일 이내에 해소된다. 진전섬망과 같은 금단증상이 일어나는 원인에 대해서는 다양한 이론이 있지만, 주로 뇌에서 발생하는 세포 내 칼슘대사가 원인이 되어 신경의 과흥분 상태로 보는 견해가 많이 알려져 있다.

관련어 | 금단증상, 섬망, 알코올중독, 중독

진정한 동작
[眞正 – 動作, authentic movement]

적극적 상상을 통해 일어나는 동작차원 중에서 의식의 통제 및 선택을 포기하는, 즉 '내가 움직여진다(I am moved).'는 무의식적 수준의 동작. 무용동작치료

융학파 무용치료자인 화이트하우스(M. White-house)는 춤(dance)이란 용어의 개념을 재평가하여 춤과는 특성이 다른 개인의 움직임 중 무의식적 동작표현을 심층동작이라 칭하고, 이들을 진정한 동작이라는 개념으로 연구하였다. 또한 융학파 무용치료자인 초도로(Chodorow, 1999)는 진정한 동작이라는 개념을 받아들여 융의 심층심리학과 연결시키고, 심층동작을 좀 더 연구하였다. 융학파 무용동작치료에서는 동작의 특성인 양극성의 차원에서 동작의 수준을 두 가지로 나누는데, 한쪽 극은 의식적 자기에서 나오는 '내가 움직인다(I move).'로 표현되는 동작이고, 반대 극은 무의식적 자기에서 나오는 '내가 움직여진다(I am moved).'로 표현되는 진정한 동작이다. 하지만 동작의 특성을 의식적 동작과 무의식적 동작으로 나누어 양극성 차원으로 구별한다 하더라도, 진정한 동작이 완전히 무의식적 동작이 될 수 없고 의식적 자기와 무의식적 자기와의 연속적 개념이 있다. 즉, 진정한 동작에서 의식의 완전한 부재가 있을 수 없는데, 이 경우 의식의 차원은 무의식적 자기인 진정한 동작이 일어나도록 비판이나 지시 없이 허용하고 관찰하며 더 나아가 협동하고 참여하는 자아의 부분이 된다는 뜻이다. 따라서 진정한 동작은 통합의 그 자기(the Self)의 안과 밖에서 즉시적으로 일어나는 경험의 동작이다. 개인의 무의식적 내적 과정이 신체 동작의 형태를 띠고 보인다는 의미에서 진정한 동작을 가시적 동작(visible movement)이라 하고, 이와 다른 의식적 동작을 비가시적 동작(invisible movement)이라 한다. 초도로(1999)는 진정한 동작의 수준인 '내가 움직여진다(I am moved).'의 경우에도 의식이 완전히 부재하는 것이 아니라고 설명하였다. 그는 적극적 상상 가운데 나타나는 의식-무의식의 연속적 차원에서 다음과 같이 동작의 차원을 분류하였다. 첫째, 고도의 의식적이고 비언어적 예술의 형태인 자아-주도적 동작, 둘째, 정서 콤플렉스가 충전된 개인무의식차원의 그림자 동작, 셋째, 문화적으로 읽힐 수 있는 문화 무의식 동작, 넷째, 원시적인 내적 정서의 강렬한 표현인 원시 무의식 동작, 다섯째, 자아(ego)-그 자기(the Self) 축 동작이다.

자아-주도적 동작 [自我主導的動作, ego-directed movement] 자발적 측면이 들어 있는 제스처, 신체이동, 직업활동, 놀이, 마임, 비언어적 형태의 동작예술 등 모든 의식적이고 의도적인 신체동작을 말한다. 고도의 의식적 동작의 안무를 위해 자아-주도적 동작에서는 의도적으로 시간(빠르거나 느린, 갑작스럽거나 지체된), 공간(직접적 또는 간접적 경로), 무게(강하거나 가벼운 접촉), 흐름(속박된 긴장 또는 자유로운) 등 동작의 에포트(effort) 요소를 사용한다. 무대예술을 위해 기술적으로 안무된 무용동작과 스텝, 그리고 마임이 그 대표적인 예다. 무대예술 외에 개인이 일상생활에서 목적 지향적이거나 사회관계 속에서 의도적이고 의식적으로 하는 행동들도 있다. 초도로(Chodorow, 1991)가 분류한 인간동작의 정신적 원천에 따라 나타나는 다섯 가지 동작 중에서 가장 의식적 차원의 동작이 바로 자아-주도적 동작이다. 발달적인 관점에서 보면 자아-주도적 동작은 16~18개월경 아이가 상상적인 마임을 사용해서 상징과정에 참여하기 위해 성인처럼 '가장하기(pretend)' 능력이 형성된다고 설명한다. 또한 성인은 각자 나름대로의 외적으로 밝고 적응력 있는 페르소나(persona) 행동을 한다. 예를 들면, 30대 남자가 명랑하고 사교적인 태도로 술을 따르고, 웃고, 건배하기 행동을 하는가 하면, 20대 여성이 인정을 받기 위해 어린 소녀처럼 귀엽고 매력적으로 행동한다. 이 같은 의식적 측면인 페

ㅈ

르소나 행동은 그 사람의 개인무의식인 그림자 부분과 긴장관계를 갖는다.

그림자 동작 [-動作, shadow movement] 개인적 무의식차원의 콤플렉스 정서에서 나오는 동작 표현은 무작위적이고 복잡한 움직임의 특성을 보이는데, 이 무의식적 동작에 머무를 수 있는 능력이 있을 때 핵심적 정서패턴과 함께 나타나는 개인특질적 패턴이 포함되어 있는 동작을 말한다. 그림자란 개인이 숨기기를 원하는 모든 불유쾌한 성질의 총합으로, 어둡고 알려지지 않은 미지의 개인 성격이다. 그림자 차원에서 개인특질적 동작이 나타나기 이전의 내담자 동작은 그 정서가 자신의 콤플렉스 혼합에서 나오는 것이고, 그 내용이 현재까지 억압되어 있었기 때문에 표현행동도 복잡하고 혼란스러워서 동작의 주제를 발견하기 힘들다. 콤플렉스 정서들은 원시적 기본 정서를 포함하고 있지만 다른 섬세한 정서, 즉 수치, 짜증, 탐욕, 의심, 기만, 질투, 선망, 자비, 열정, 용기, 사랑, 희망, 너그러움, 칭찬 등 가족관계에서 발달된 복합정서가 미묘하게 얽혀 있다. 예를 들면, 짜증은 원시적 원형 정서인 화(anger)를 포함한 콤플렉스 혼합이고, 화나 짜증은 무기력의 종류로 대치되어 표현된다. 콤플렉스 동작과 개인특질적 동작은 진정한 개인 성격의 그림자에서 나온 것이기는 하지만 다른 어느 사람의 동작과도 다르고, 어느 누구에게도 의미가 없으며, 그 특성을 확인하기도 힘들다. 때로는 자아 의식적으로 하는 동작 때문에 개인무의식이 나오도록 허용되지 않거나, 어떤 때에는 개인특질적 패턴동작이 문화적으로 상징적인 제스처로 대체되어 표현될 수도 있다. 그러나 융학파 무용동작치료에서는 적극적 상상을 통해 진정한 동작 탐구 및 발견을 하게 된다. 융학파 무용동작치료자인 아들러(Adler, 1972)와 초도로(Chodorow, 1991)는 무용치료과정에서 개인무의식적 차원에서 나오는 그림자 동작에 대해 연구하고 관찰하였다.

문화 무의식 동작 [文化無意識動作, cultural unconscious movement] 특정 상황에서 개인이 속한 문화적 배경에서 습득한 상징표현들이 무의식적으로 동작에 나타나는 것이다. 무용동작치료에서는 댄스 스텝부터 기도와 예배의 의식적 행동, 사회적 관습, 사회적 상호작용에 나타나는 형식적 제스처까지 특정한 문화적 배경에서 형성된 동작이며, 이러한 문화성이 무의식적이고 상징적 행동들로 반영되는 것이라고 보았다. 문화 무의식에서 나오는 동작은 의식적 자아수준에서 나오는 계획적인 동작과 달리 무의식적이고 무계획적이다. 하지만 행위자는 보통 그 동작이 나오게 하는 자극의 이미지를 자각하고 있다. 이것은 모든 종류의 내적 풍경과 개인 차원의 존재가 상호작용하고 있어서 내적으로 나오는 특정한 풍경을 통해서 자신이 움직이는 동작이 무엇과 같은지를 반영한다. 문화 무의식차원의 이미지들은 신(神)적일 수도 있고, 자연 이미지 또는 신비적 고대의 이미지일 수도 있다. 이러한 이미지 자체가 행위자 몸속으로 들어와 그 자체가 더 잘 드러나고 구체화되는 경험을 통해 특정 이미지를 가지고 춤을 추거나 그 이미지에 자기 자신을 맞추어 출 수 있다. 예를 들어, 위대한 어머니 이미지 역시 의식적, 그리고 무의식적 차원에서 여성이 위대한 어머니가 되기를 세상에서 기대하기 때문에 무의식적으로 이 같은 이미지가 내면화된 문화적 원형 이미지가 그것을 표현하는 동작 가운데 포함되는 것이다. 또한 성인에게 문화 무의식은 어떤 문화 형식적 특성을 공유하는 공통된 정서적 표현이 존재한다. 예를 들면, 특정 종교집단에서는 모든 일을 자기 탓으로 돌리는 상징적 표현으로 가슴을 치는 동작을 하고, 초월자에게 자신의 소원을 빌 때 두 손을 모으거나 마주 대고 비비는 행동을 한다. 이 같은 행동은 같은 문화권에서 자연스럽게 습득된 무의식적 상징행동이라고 할 수 있다.

원시 무의식 동작 [元始無意識動作, primal unconscious movement] 기쁨, 흥미, 슬픔, 공포, 화, 혐오/수치, 깜짝 놀람과 같은 심층 무의식차원의 기본적인 동작을 말한다. 초도로(Chodorow, 1991)는 인간의 심층 무의식적 차원인 원형적 정서들이 각각의 범주 속에서 그 강도의 차원, 즉 기쁨은 즐김에서 황홀까지, 흥미는 관심에서 흥분까지, 슬픔은 스트레스에서 고뇌까지의 차원이 각각 다르게 나타나며, 이 범주들이 복잡하고 미묘하게 얽혀 복합(complex) 정서로 발전한다고 설명하였다. 원시 무의식 동작의 특성은 비의도적이고, 대개 언어 이외의 소리 ― 웃기, 울기, 흐느끼기, 신음하기, 헐떡거리기, 소리치기, 으르렁대기, 코웃음 치기 등 ― 를 수반한다. 이러한 원시 무의식 정서가 표현될 때 정화의 효과가 나타난다. 원시 무의식적 동작의 예는 다음과 같다. 기쁠 때 껑충껑충 뛴다든지 큰 소리로 웃는다. 사랑, 축복, 환희를 경험할 때 팔을 크게 벌린다. 흥분된 순간에 더듬대며 넘어진다. 고뇌 속에서는 울고 또 운다. 화가 날 때는 폭발적 에너지, 열, 긴장을 느끼며, 분노할 때는 눈이 고정되고 코는 벌어지며, 입술은 열리고 꽉 문 이빨이 보이며, 물고 때리고 친다. 혐오의 경우는 입술이 비틀리고 코에 주름이 잡히면서 대상으로부터 멀리 피한다. 수치심을 느낄 때는 어색하게 몸부림치고, 우리 몸의 중간 부분에서 경련과 같은 동작이 나오는 것은 유독성 감정의 전형적인 반응이다. 깜짝 놀람은 예기치 않은 미지의 것에 대한 반응으로서 매우 강하고 갑작스러운 동작이나 큰 동작이 일어난다.

자아―그 자기 축 동작 [自我―自己軸動作, ego ― the Self axis movement] 움직이는 신체 속에 있는 모든 역동적인 양극성에 균형 있게 나타나는 강한 중심축을 가진 나선형과 기하학적 형태의 동작을 말한다. 자아―그 자기 축 동작은 정신의 중심 잡기 과정에 의해 움직여지면서, 의식이 높은 무의식의 영향을 받아 그 자기가 자아와 통합되는 동작이다. 이 경험들은 융의 발달이론에서 말하는 일방성

의 발달적 편향이 자동적으로 양극성 통합으로 보상되는 최고의 상태인 그 자기(the Self)의 형성을 나타내는 동작적 측면이다. 자아―그 자기 축의 움직임은 리듬감 있게 파동하는 특성이 있고, 일정한 순서대로 리듬 있는 움직임이 위/아래, 오른쪽/왼쪽, 앞/뒤와 같은 양극성 요소가 상호 혼합되어 일어난다. 즉, 자아―그 자기 축 동작은 동작에서의 양극성 통합이다. 초도로(Chodorow, 1991)는 스튜어드(Steward, 1987)의 원시적 정서의 각인된 이미지 연구와 오스터먼(Osterman, 1965, 임용자, 나해숙 역 재인용)의 만다라 이미지 연구를 바탕으로 자아―그 자기 축 동작을 무용동작치료과정에서 관찰하였다. 초도로(1991)는 내담자가 이전의 회기에서 골반의 상처받음과 치유됨을 핏빛 이미지로 경험한 이후 보여 준 동작의 변화에 대해서 설명하였다. 그 내담자는 다음 회기에서 마룻바닥에 다리를 뻗고 안정되게 접지감을 느낀 다음, 점차 느리지만 힘 있는 리듬패턴의 동작으로 변화했다고 묘사하였다. 그리고 양팔, 머리 및 몸통이 수평 공간에서 오른쪽에서 왼쪽으로, 시계 반대방향으로 반원을 그리면서 하나의 단위로 반복해 움직였으며, 더 이상 나아갈 수 없을 때 몸을 획 돌려 시계 방향으로 돌아오는 동작을 단위로 하여 주기적으로 강한 리듬으로 되풀이했다고 보고하였다. 초도로는 이 동작들이 2개의 반원의 통합이며, 여러 측면에서 원형적 교차를 이루면서 두 종류의 평행선과 네 방향을 함께 사용하는 것이라고 하였다.

질문지법
[質問紙法, questionnaire method]

검사의 종류 중 하나로서 질문에 답을 기입하게 하는 방법.
심리검사

질문지를 작성함으로써 응답자 본인이 질문에 답을 기입하는 검사의 하나다. 면접자의 도움 없이 응답

자 스스로 답을 기입한다는 점에서 조사표(interview schedule)에 의거한 표준화된 면접법과 차이가 있지만, 질문지법에도 면접자와는 달리 응답자의 대답을 듣고 단순히 기록만 하는 조사원이 답을 대신 기입하는 타기식 방법도 있다. 질문지는 조사될 내용을 체계적으로 정리한 문제집이며 질문에 대한 응답의 정도를 측정하는 도구로서 보통 직접 전달되거나 우편으로 배달된다. 질문지가 우편으로 배달되는 경우 우편설문법(mailed questionnaire)이라고 한다. 질문지법은 연구자가 연구될 문제와 관련된 많은 양의 정보를 표준화된 조사표에 따라 통일적이며 일관적으로 얻을 수 있는 방법으로서 가장 많이 쓰이는 조사방법이다. 질문지를 사용하기 때문에 조사되는 내용을 표준화, 객관화할 수 있고, 응답자의 응답결과의 차이를 객관적이면서 정확하게 비교·측정할 수 있다. 이 방법은 보통 객관적으로 비교되고 도표화될 수 있는 객관적·양적 자료, 용이하게 관찰되는 자료, 검토할 수 있는 확실한 자료 등을 얻는 데 이용한다. 질문지법은 대답의 기입방법에 따라 우편설문조사와 같이 응답자 스스로 답을 기입하는 자기식 조사방법과 조사원이 응답자의 답을 듣고 기입하는 타기식 조사방법으로 구분할 수 있다. 타기식 방법은 조사원의 선발과 훈련 문제, 조사원 채용에 따른 비용 증가 문제 등이 있지만 질문에 대한 응답자의 곡해를 없애고 조사원에 의한 응답자의 관찰을 통해 응답의 진위를 파악할 수 있으며, 응답의 정확도가 높고 무응답 비율이 낮다는 장점이 있다. 이는 성격측정이나 사회조사를 위한 앙케트에서 곧잘 사용되는 방법이다. 지면에 수많은 질문사항이 기재되고, 피험자는 그 질문내용이 어느 정도 자신의 성격이나 의견, 신조 등에 맞는지 자신을 돌이켜 보면서 응답한다. 응답하는 방식은 양자 택일법이나 삼자 택일법이 많은데, 질문내용에 대해 양자 택일법의 경우는 '예/아니요'로, 삼자 택일법의 경우는 '예/아니요/둘 다 아니요'로 응답한다. 많은 피험자를 대상으로 하는 것이 가능

하고, 또 결과의 집계도 용이하다. 그러나 사용되고 있는 기본적인 방법이 자신을 돌이켜 보면서 응답하는 것이기 때문에 순수한 의미에서 객관적인 기법이라고는 말할 수 없다. 결과가 개인에서 피드백되는 경우 질문지의 타당성, 신뢰성이 그 개인에게 항상 적용될 수 있다고 할 수 없기 때문에 신중하게 취급해야 한다.

질병이득
[疾病利得, gain from illness]

질병이 생겨서 얻을 수 있는 심리적·현실적인 이익 및 만족.
분석심리학

질병이득은 역동심리학의 용어로 신경증 증상과 환자의 무의식 과정 사이에는 일정한 대리(代理) 관계가 존재하며, 무의식의 역동적 과정이 증상의 의미를 내포하고 있다고 보는 것이다. 이처럼 신경증의 증상에 대해 프로이트(S. Freud)는 의식하의 심적 갈등으로부터 질병으로의 도피라고 해석하면서, 이것을 일차적 질병이득이라고 불렀다. 환자는 질병이 생긴 것이 무의식적인 심리적 만족이나 정신적 안정의 수단이 되어 불안이나 고민을 의식하지 않고 지내게 된다. 나아가 신경증 그 자체가 사회적·경제적 이익을 얻는 경우, 즉 싫은 일로부터 해방되는 등 현실적인 이득이나 만족을 얻게 되는 경우 이를 이차적 질병이득이라고 부른다. 이들 질병이득은 신경증의 치료에 대한 완고한 저항요인이 된다. 질병이득은 흔히 환자를 현실에서 소외시키고, 적응곤란에 빠뜨리거나 질병이득을 고집하여 질병에 안주한 채 치료받지 않으려고 하는 무의식적인 원망을 강하게 만들어 병폐화를 촉진하며, 결국 치료에 대한 완고한 저항(질병이득 저항)으로 되는 경우가 많다. 이 같은 치료에 대한 저항으로서의 질병이득은 일반적으로 환자의 질병이나 부적응이 만성화될수록 그 병적 상태에서 얻을 수 있는 이득

이나 만족은 증가한다. 그 때문에 환자가 치료를 받음으로써 건설적인 생활에 대한 의의를 이성적으로는 이해하고 있어도 감정수준에서는 질병이득 저항을 나타내면서 건강해지는 것에 대한 망설임이나 불안 등의 마음이 존재한다. 따라서 질병이득에 대한 치료적 접근은 환자에게 당면한 안정이나 이득을 위협하고 빼앗는 것일 수 있기 때문에 치료자는 환자의 질병이득을 빼앗든지, 충분히 자각하게 만들어 치료할 필요가 있다.

질적 연구
[質的研究, qualitative research]

주관적 · 해석적 인식론에 근거를 두고, 되도록이면 인위적으로 조작되지 않은 자연스러운 삶의 세계에서 연구대상 스스로의 말이나 글, 행동, 그들이 남긴 흔적 등을 집중적으로 연구하여 해석하고 의미를 찾으려는 연구방법. **연구방법**

질적 연구는 인간이 생활하고, 경험하고, 상호작용하는 등 인간의 삶을 이해하고 그 의미를 발견하는 것이 일차적 목적이다. 질적 접근을 하는 연구자들은 개인이나 단일한 환경, 한 집단의 문화적 모형과 관점, 한 집단구성원들의 일상적인 활동과 사회적 구조 사이의 관계, 상호작용을 통하여 습득하는 관점과 의미, 사람들이 경험하는 현상 등에 관심을 둔다. 양적 접근은 경험적 · 실증적 탐구의 전통을 따르는 입장으로서 사회현상을 어떤 형태로든 수량화하고 이렇게 수량화된 자료를 가지고 통계방법을 이용하여 기술하고 분석하는 연구전략인 반면에, 질적 접근은 현상학적 · 해석학적 탐구의 전통을 따르는 입장으로서 연구와 관련된 당사자들의 상호주관적인 이행에 바탕을 두고 사회현상을 사실적으로 기술하고 해석하는 연구전략이다. 질적 연구에는 문화기술지(ethnography), 해석학적 연구(hermeneutic research), 현상학적 연구(phenomenological research), 상징적 상호작용론(symbolic interaction), 근거이론(ground theory), 사례연구(case study), 생애사

(life history), 내러티브 연구(narrative research) 등이 있다(Patton, 2002; Creswell, 2009). 문화기술지는 문화인류학에서 발전한 질적 연구의 방법으로서 집단의 문화를 연구대상으로 삼아 각 집단구성원들이 가지고 있는 그들만의 고유한 문화(생활양식, 사고방식, 행동규범 등)를 그들의 관점에서 이해하고 과학적으로 기술하고자 하는 연구방법이다. 해석학적 연구는 연구자가 사람들이 문화를 어떻게 해석하고 그것이 어떤 행위로 나타나는지를 그들의 관점에서 다시 해석하여 기술하는 연구방법이다. 현상학적 연구는 연구자가 연구 참여자를 묘사함으로써 현상에 관련된 인간 경험의 본질을 확인하는 연구방법이다. 상징적 상호작용론은 인간의 사회적 행동이 상징에 대한 해석의 결과로 이루어진다고 보는 사회학에서 발전한 질적 연구방법으로 사람들이 언어나 몸짓으로 의미를 교환하고, 그 속에서 서로의 생각과 기대와 행동을 조정해 가는 사회화 과정에 초점을 맞춘다. 근거이론은 상징적 상호작용론에서 파생된 질적 연구방법으로 인간이 실제로 행동하는 모습을 근거로 하여 인간행동을 실질적으로 설명할 수 있는 이론을 찾아내고자 하는 데 목적이 있다. 사례연구는 연구자가 어떤 프로그램, 사건, 행동, 과정, 한 명 이상의 개인을 심층적으로 연구하는 방법이다. 생애사는 한 개인, 한 집단, 한 조직체의 경험과 그 경험 속에 녹아 있는 역사를 연구하는 방법이다. 내러티브 연구는 연구자 한 개인의 삶을 연구하고 한 명 또는 그 이상의 개인에게 그들의 삶에 대한 이야기를 제시해 달라고 요구하는 연구방법이다. 양적 연구와 구별되는 질적 연구의 주요 특징은 다음과 같다(이종승, 2009). 첫째, 질적 연구에서는 아무런 조작을 가하지 않은 상황에서 자연적으로 발생하는 현상을 연구대상으로 삼는다. 즉, 질적 연구에서는 인위적으로 상황을 통제하거나 조작하지 않고 실제 세계에서 자연적으로 일어나는 다양한 현상을 연구한다. 둘째, 질적 연구에서는 현상의 독특성, 다면성, 역동성을 있는 그대로 파

악하기 위하여 자료수집의 방법에 제한을 두지 않고 다양한 자료를 수집하여 분석한다. 관찰이나 면담을 통한 자료수집뿐만 아니라 현상을 이해하는 데 도움이 될 만한 자료는 모두 수집한다. 셋째, 질적 연구에서는 상황이나 현상을 전체적으로 이해하고자 한다. 현상을 요소나 부분으로 분석하지 않고 총체성을 강조하는 관점에서는 전체란 부분들의 단순한 산술적 총합이 아니라 그 이상의 것이며 부분들은 전체적인 맥락 속에서만 의미를 갖게 된다고 가정한다. 넷째, 질적 연구에서는 결과보다는 과정에 더 많은 관심을 가진다. 물론 결과도 소홀하게 취급하지는 않지만, 그러한 결과가 나오기까지의 과정을 면밀하게 살펴보는 것이 질적 연구의 주된 관심사다. 다섯째, 질적 연구에서는 구체적인 자료를 분석하고 종합하여 일반화에 도달하는 귀납적 방법을 선호한다. 따라서 자료를 많이 수집하여 종합할수록 귀납적 일반화의 타당성은 높아진다. 여섯째, 연구대상자의 관점에서 의미를 추출하여 현상을 설명하고자 한다. 따라서 연구자는 현장 속에 들어가 연구대상자들과 직접적이고 개인적인 접촉을 하면서 그들의 외현적인 행동뿐만 아니라 가치관, 관점, 태도 등 내면적인 특성도 이해하려고 노력한다. 일곱째, 질적 연구에서는 연구를 수행하는 데 융통성과 유연성이 있다. 사전에 완벽한 연구설계를 작성하지 않고, 연구를 진행하는 과정에서 점차 구체화시켜 나간다. 연구설계의 융통성은 질적 연구의 개방성, 모호성, 불확실성에 대한 관대함에 기인한다고 볼 수 있다. 이러한 특징을 가지고 있는 질적 연구는 참여관찰이나 심층면접을 통하여 인간 행동에 대한 심층적 이해를 할 수 있고, 사실적이면서 자연스러운 인간의 모습을 파악할 수 있으며, 연구를 유연하게 진행할 수 있다는 장점이 있다. 그러나 자료의 기술과 해석에서 연구자의 주관적 판단에 의존하기 때문에 연구의 객관성과 신뢰성에 문제가 있을 수 있고, 연구대상이 극소수이거나 특수집단일 경우가 많아서 표본의 대표성에 문제가 있

으며, 연구결과를 일반화하는 데 한계가 있다는 단점이 있다. 질적 연구에서 가장 중요한 인물은 연구자 자신이다. 연구자는 연구를 수행하는 주체인 동시에 핵심적인 연구도구이기 때문에 연구자의 연구역량 여하가 질적 연구의 질을 좌우한다고 볼 수 있다. 질적 연구의 자료는 관찰, 면담, 문서, 사진, 기록물, 그림, 비공식적 대화 등이 있는데, 대개 한 가지 이상의 자료수집 방법을 이용하며 보편적으로 가장 많이 이용하는 것이 관찰과 면접이다. 관찰의 방법에는 관찰자와 피관찰자의 상호작용 정도의 형태나 수준에 따라 참여 관찰, 비참여 관찰 등 다양한 형태가 있다. 한 연구에서 참여 관찰과 비참여 관찰을 결합하여 사용할 수도 있고, 처음에는 비참여 관찰을 하다가 후반기에 참여 관찰을 할 수도 있다. 참여 관찰은 연구자가 직접 현장구성원들의 생활에 참여하여 그들의 행동, 언어, 습관, 상징뿐 아니라 참여자로서 경험한 것이나 느낀 것, 구성원들과의 그때그때 있었던 대화 내용까지 자료로 사용하는 것이 특징이다. 관찰을 하면서 혹은 관찰한 후에 관찰 내용을 현장노트(field notes)에 정확하고 상세하게 기록해 두는데, 관찰하면서 보고 듣고 경험하고 생각한 것을 모두 기술하되 가능한 한 관찰 즉시 기록하는 것이 좋다. 시간이 흐른 후에 현장노트를 작성하면 사실과 다르게 적을 수 있기 때문이다. 현장노트는 주변환경, 사람, 행동, 대화 내용 등에 관한 기술적인 측면과 연구자의 생각이나 아이디어에 관한 반성적인 측면으로 구성된다. 관찰을 통하여 얻을 수 없는 연구대상자의 가치관이나 과거의 경험과 같은 중요한 정보는 면접으로 얻을 수 있기 때문에 질적 연구에서 면접을 통한 자료수집방법을 많이 사용한다. 면접 내용을 기록할 때는 제보자(informant)의 말을 그대로 적는 것이 좋은데, 제보자의 말을 바꾸어 적으면 그 뜻을 왜곡할 수 있기 때문이다. 장시간 면접을 하는 경우에는 제보자의 동의하에 면접내용을 녹음하는 것이 좋다. 녹음을 한 다음에는 녹음된 내용을 서면으로 정리한다. 수집된 질적 자

료의 분석은 읽기와 메모하기에서 시작하여 기술하기, 분류하기, 해석하기의 단계를 거친다. 자료 속에 담긴 의미를 이해하기 위해 가장 먼저 해야 할 일은 현장노트, 메모, 관찰자의 평 등을 읽는 것이다. 수집된 자료에서 연구의 결론을 도출해야 하기 때문에 자료를 여러 번 읽어야 하며, 처음 읽을 때는 중요하게 생각되는 부분에 밑줄을 긋거나 가장자리에 자신의 생각이나 의미를 기록해 두고 핵심 사항을 메모한다. 기술은 연구의 상황을 이해할 수 있도록 그 안에서 일어났던 사건과 장면에 대하여 실질적으로 묘사하는 것을 말하는데, 발생한 사건과 상황, 과정, 참여자들 간의 상호작용 등에 대하여 자세하게 기술해야 한다. 기술을 통하여 연구자는 장면, 사건, 연구대상자의 여러 가지 측면과 관련된 자료를 분류하고 묶을 수 있으며, 보다 핵심적인 자료의 특성을 명확하게 묘사할 수 있다. 질적 자료를 기술한 다음에는 분류작업이 뒤따른다. 질적 자료를 정리하는 전형적인 방식은 자료를 이해하기 쉽게 범주화해서 분류하는 것이다. 끝으로 해석은 자료에 담긴 의미가 무엇인지, 즉 수집된 자료에서 중요한 주제나 의미를 찾아내는 것이다.

관련어 | 사례연구, 양적 연구

질투
[嫉妬, jealousy]

주체가 느끼기에 당연히 자신의 것이라고 여기는 사랑을 경쟁자에게 빼앗기거나 그럴 위험에 처했을 때 느끼는 감정.
대상관계이론

클라인(M. Klein)은 질투 또한 시기심에 바탕을 둔 감정이라고 보았다. 그러나 시기심과 달리 질투는 최소한 두 사람 이상이 관여한다. 질투는 죽음의 본능이나 시기심에서 보다 더 발전된 감정형태다. 시기심이 너무 지나치지 않을 경우, 질투 자체는 오이디푸스콤플렉스를 처리해 나가는 대응책이 될 수

있다. 원초적 대상(어머니와 젖가슴)에게 향했던 적개심(시기심) 대신 경쟁자인 아버지와 형제에게 질투심을 느끼게 되는데, 이는 아버지나 형제들이 좋은 어머니와 함께 있을 만하다는 것을 스스로 인정한다는 뜻이 된다. 시기심은 좋은 것 자체의 가치를 인정하지 못하고 파괴하려고 하지만, 질투는 비록 고통스럽기는 해도 대상의 가치를 인정하고 더 긍정적인 관심으로 발전시키고자 하는 기제다. 따라서 질투는 어느 정도 시기심을 대신하고 대처해 나가는 수단이 될 수 있다. 힌셜우드(Hinshelwood)에 따르면, 일차적으로 자기파괴적인 죽음의 본능에서 생명의 원천인 대상을 파괴하려는 시기심으로 이동하고, 그다음 단계로 생명의 원천을 파괴하려는 것으로부터 경쟁자에게 공격성이 옮겨 가는 것이 질투라고 하였다. 그 후 사랑의 충동이 공격성의 충동을 점점 완화시키고 건강한 경쟁구도로 발전한다.

관련어 | 시기심, 탐욕

집 – 나무 – 사람검사
[–檢査, House–Tree–Person Test: HTP]

벅(J. Buck)이 고안한 투사적 인격 검사. 심리검사

벅(Buck, 1948)이 고안한 투사적 그림검사로서 집, 나무, 사람을 각각 그리게 하여 내담자의 성격, 행동 양식 및 대인관계를 파악할 수 있다. HTP는 개별 혹은 집단으로 실시할 수 있는데, 피험자의 성격적 특징뿐만 아니라 지적 수준을 평가할 수도 있다. 또한 정신분열증, 조울증과 같은 정신장애 및 신경증의 부분적 양상을 파악할 수 있다. 적용대상은 모든 연령이고, 준비물은 A4 용지 4매, 4B 연필, 지우개이며, 실시방법은 다음과 같다. 피험자에게 종이를 한 장씩 주고 집, 나무, 사람을 차례로 마음대로 그리도록 한다. 자신과 반대되는 성의 인물을 그린 경우에는 종이 한 장을 더 제시하여 동성의 인물을 그리도록 한다. 모두 그린 다음 그림에 대한

질문을 한다. HTP 해석과 관련해서 볼 때, 집그림은 내담자가 지각한 가정환경을 나타내고, 나무그림은 무의식적 자기상과 자신에 대한 감정을 나타내며, 사람그림은 의식에 가까운 부분으로서 자기상과 환경의 관계를 나타낸 것이다. HTP는 벅이 검사도구로 개발했지만, 이후 해머(Hammer, 1958)가 더욱 발전시켜 임상에 적용하였다. 그 후 HTP는 심리치료를 위한 검사도구뿐만 아니라 치료기법으로도 사용하고 있다. 그리고 HTP에서 가족역동에 대한 설명이 제한되었다는 것을 인식하여 HTP에 동적 요소를 통합한 동적 집-나무-사람(Kinetic House-Tree-Person: K-HTP)이 개발되었다. 게다가 HTP는 현재 채색 집-나무-사람(Chromatic House-Tree-Person: C-HTP), 집-나무-사람-사람(House-Tree-Person Person: HTP-P), 다면적 집-나무-사람(Multi House-Tree-Person: M-HTP), 통합적 집-나무-사람(Synthetic House-Tree-Person: S-HTP), 통합적 집-나무-사람-새(Synthetic House-Tree-Person Bird: S-HTP-B), 가족화 검사(Draw-A-Family Test: DAF) 등 다양한 형태로 변형·연구되면서 사용 중이다.

관련어 | 투사적 심리검사

집 심상
[-心像, the house]

KB 심상척도 중 하나로, 초원심상체험 뒤에 연결되며 내담자의 성장과정에서의 성격요인, 유년기 및 과거 경험에서의 흐름과 의미 등을 파악할 수 있는 유도시각심상척도. 심상치료

집 심상은 어린 시절부터 형성되어 온 성격요인

이나 과거경험에서 내담자가 받아들인 의미 등을 파악할 수 있기 때문에, 부정적인 성격요인을 찾아내어 교정하고 이상적 성격 요인으로 재구성할 수 있는 방향을 제시하는 작업에 활용된다. 또한 집 심상을 통해서 내담자 성격 및 자아의식 상태, 내담자 정신 내적 세계 등을 파악할 수 있다. 집의 각 구성은 내담자의 정신발달단계나 과거 경험한 사건과 그 원인, 발달단계에 따라 형성된 여러 심리 및 정서, 정신적 문제들을 상징한다. 특히 집의 유형에 따라서 신경적 장애, 성격장애, 정신장애 등의 원인을 구조적으로 파악할 수 있다. 집 심상에서 드러나는 것은 내담자가 살아오면서 스스로 만들어 온 자아와 성격을 나타내기 때문에 성격구조 및 형성과정, 유년기 부모-자녀관계, 과거 외상경험 등이 내담자에게 어떤 의미를 지니는지 파악할 수 있다. 경우에 따라서는 다가올 미래에 내담자가 바라는 소망이 집 심상에 투사되어 표현될 수도 있다. 아동의 경우는 집 심상에서 가정에서 비롯되는 부모, 형제 간 갈등, 가족구성원 간의 불화에 따른 심리 및 정신적 문제 등을 쉽게 드러낸다. 또한 아동은 집 심상을 통해서 고착된 정신발달단계를 보여 주기도 한다.

관련어 | KB 심상치료, 유도시각심상

집단 간 설계
[集團間設計, between-groups design]

실험에서 처치조건에 따라 상이한 피험자 집단을 사용하는 설계. 연구방법

집단 간 설계에서는 다르게 처치된 집단 간 종속변인값을 비교하는 것이다. 이때 처치조건 간 반응의 차이는 피험자 집단 간의 차이이므로 피험자 간 설계라고도 한다. 둘 혹은 그 이상의 무선화된 집단설계, 요인설계, 배합집단설계는 모두 집단 간 설계의 예다. 이는 둘 또는 그 이상의 독립변인값이 연

구에서 선택되기 때문이고, 실험에서는 하나의 값만 각 집단에 처치된다. 그다음 각 집단의 종속변인 값의 평균, 집단 간 평균 차이를 계산하고 덧붙여 다양한 독립변인의 효과를 추정한다. 예를 들어, 어떤 상담자가 우울증 감소에 대한 A 상담방법의 효과를 확인하고자 한다고 가정해 보자. 집단 간 설계의 경우에는 통제집단에 대해서는 아무런 상담방법을 처치하지 않거나 기존에 많이 사용되는 B 상담방법을 처치하고, 실험집단에 대해서는 A 상담방법을 처치한다. 우울증 검사에서 두 집단 혹은 세 집단의 평균값의 비교를 통해 A 상담방법의 효과를 검증하는 것이 가능하다. 이 방식에 대비되는 집단 내 설계보다 설계 및 분석이 쉽고 통계적 가정이 엄격하지 않다는 장점이 있지만, 피험자 수가 많이 필요하며 처치효과를 검토할 수 있는 민감도가 상대적으로 부족하다는 단점이 있다.

관련어 | 집단 내 설계

집단 내 설계
[集團內設計, within-group design]

실험에서 각 처치조건에 동일한 피험자 집단을 사용하는 설계. 연구방법

집단 내 설계에서는 반복처치 또는 둘 혹은 그 이상의 독립변인값에 같은 참여자가 할당된다. 이때 처치조건 간 반응의 차이는 동일한 피험자 내의 차이이므로 피험자 내 설계 또는 반복측정설계(repeated measures design)라고 한다. 종속변인값은 독립변인값의 영향을 받는 각 참여자에게서 얻어지며, 이러한 다른 처치하에서의 종속변인값의 비교는 독립변인의 다양한 효과를 추정하도록 한다. 이처럼 집단 내 설계에서는 동일 참여자가 서로 다른 시간에 다른 방법으로 처치되고, 상이한 실험의 적용에 따른 그들의 점수를 비교한다. 예를 들어, 어떤 학교 상담 교사가 진로발달 프로그램이 학생들의 진로결

정(career decision-making)에 미치는 효과를 확인하고자 하였다. 반복측정설계의 경우에는 학년 초에 진로결정 검사를 실시하여 진로결정 수준을 파악한 다음(기초선 측정), 학년 중간과 학년 말에 진로결정검사를 실시하여 시간의 경과에 따라 진로발달 프로그램의 적용이 학생들의 진로결정 수준에 어떤 효과가 있는지 검증해 볼 수 있다. 또한 둘 이상의 처치가 이루어지는 경우에도 집단 내 설계가 사용될 수 있다. 예를 들어, 어떤 상담자가 중재활동으로서 심리교육, 집단상담, 개인상담을 사용하는 약물남용 프로그램의 효과를 확인하고자 하였다. 집단 내 설계의 경우에는 중재하기 전에 기초선 자료를 획득한 뒤 각 중재활동(심리교육, 집단상담, 개인상담)을 제공하여 결과를 측정하고 내담자들이 시간에 따라 어떻게 변화되었는지 확인한다. 이때 한 가지 고려해야 할 문제는 처치의 순서가 영향을 미치는가의 여부다. 이러한 문제에 관심이 있는 상담자라면 내담자들을 별도의 집단에 할당하여 동일한 중재를 하면서 순서를 달리할 것이다. 이 방식에 대비되는 집단 간 설계에 비해 적은 피험자 수를 가지고 더 민감한 실험을 할 수 있다는 장점이 있는 반면, 상대적으로 엄격한 통계적 가정을 충족시켜야 함은 물론 피험자들이 처치 조건에 따라 변하는 피험자와 처치 간 상호작용의 문제가 나타날 수 있다는 단점이 있다.

관련어 | 집단 간 설계

집단 수퍼비전
[集團 – , group supervision]

상담기술의 전문적인 발달을 위해 집단형태 모임의 상호작용을 통해서 이루어지는 수퍼비전. 상담 수퍼비전

할로웨이와 존스턴(Holloway & Johnston)은 집단 수퍼비전을 상담수련생의 전문적 발달을 동료집단에서 큰 시각으로 보는 과정으로 정의하였다. 즉,

집단 수퍼비전이란 그 집단의 구성원들의 지혜를 종합함으로써 학습적 효과를 기대하는 공동체라고 할 수 있을 것이다. 집단 수퍼비전의 규모는 5~8명으로 이루어지는 것이 보통이며, 집단의 공동목표를 달성하기 위해서 수퍼바이저의 도움을 받아 집단구성원들이 서로 피드백과 상호작용의 방법으로 그 과정을 발전시켜 나가게 된다. 집단 수퍼비전의 장점은 다음과 같다. 첫째, 시간, 돈, 그리고 전문성의 경제성이다. 이것은 집단 수퍼비전의 가장 두드러진 특성이다. 둘째, 최소화된 상담수련생의 의존이다. 이것은 개인 수퍼비전에서 수련생이 수퍼비전에 지나치게 의존하는 것을 피하고 더욱 적극적인 참여와 활동을 격려할 수 있다. 셋째, 대리학습의 기회다. 다른 동료의 사례를 통해 대리 성공이나 실패에 대한 학습기회를 얻는다. 넷째, 다양한 내담자에 대한 상담수련생의 노출이다. 개인 수퍼비전을 할 때보다 다양한 내담자를 다른 동료의 사례에서 접할 수 있다. 다섯째, 보다 다양하고 풍부한 피드백이다. 개인 수퍼비전을 할 때는 수퍼바이저로부터의 피드백밖에 얻을 수 없지만 집단 수퍼비전에서는 수퍼바이저뿐만 아니라 동료의 피드백까지 얻음으로써 좀 더 다양한 의견과 시각을 공유할 수 있다. 여섯째, 상담수련생을 위한 우수한 질의 피드백이다. 다양한 종류의 피드백을 통해서 수련생의 발전에 도움이 되는 우수한 질의 피드백을 얻을 가능성이 더욱 높아진다. 일곱째, 상담수련생에 대한 더욱 종합적인 묘사다. 이는 수퍼바이저가 수련생이 자신의 사례를 발표하는 것뿐만 아니라 다른 동료와 상호작용하는 것을 보면서 다각적으로 그 사람을 인식하고 평가할 수 있도록 해 준다. 여덟째, 행동기술을 사용할 수 있는 좋은 기회. 개인 수퍼비전보다 더 많은 구성원들이 참여하므로 이들과 함께 심리극과 같이 여러 가지 행동기술을 훈련할 수 있는 기회가 생긴다. 아홉째, 상담수련생의 개입의 반영이다. 집단 수퍼비전을 받는 방식을 자신들의 상담집단에 적용함으로써 집단치료 활동에 반영

할 수 있는 아이디어를 제공하기도 한다. 이와 같은 장점들을 가지고 있는 집단 수퍼비전에 대해서 캐럴(Carroll, 1996)은 다음과 같은 단점을 제시하였다. 첫째, 집단형식은 개인이 필요한 것을 가지지 못하게 할 수 있다. 시간의 제약성이나 산만해지기 쉬운 분위기 등은 집단 수퍼비전이 가지고 있는 단점이다. 둘째, 비밀보장에 대한 걱정이다. 집단 수퍼비전 내에서 거론되는 사례는 개인 수퍼비전보다 안전 보장성이 떨어진다. 셋째, 집단형식은 개인상담과 동일한 형식이 아니다. 집단 수퍼비전에서 이루어지는 상호작용은 개인상담에서 이루어지는 상호작용을 반영하기가 어렵다. 넷째, 집단의 특정한 현상은 학습을 방해할 수 있다. 구성원들 사이의 경쟁이나 희생양 만들기 현상을 방치하면 여러 상담수련생에게 해로운 영향을 미칠 수 있다. 다섯째, 집단은 다른 집단의 구성원들에게 흥미롭지 않거나 관련이 없는 문제에 많은 시간을 쏟을 수 없다. 따라서 소외되거나 관심을 끌지 못하는 문제는 논의 대상에서 제외될 가능성이 있다.

관련어 개인 수퍼비전, 동료 수퍼비전, 팀 수퍼비전

집단 저글링
[集團 - , group juggling]

치료자가 집단활동에서 내담자와 저글링을 함으로써 끈기와 자신감을 갖도록 격려해 주는 방법. **해결중심상담**

집단 저글링은 주로 집단활동을 하는 ABET(모험에 기초한 경험치료)에서 활용할 수 있는 방법이다. 치료자가 내담자와 저글링 활동을 하면서 집단에서 몇 가지 물건을 떨어트리지 않고 던지고 잡는 연습 활동을 하도록 한다. 이때 집단구성원은 그 물건을 떨어트리지 않으면서 동시에 던지고 받는 저글링을 하게 된다. 구성원 모두가 이 놀이에 익숙해지면 물건이 오는 동안 다른 활동을 추가할 수 있다. 이러한 활동은 매우 수줍어하는 사람이 자신감을 갖

는 데 도움을 주고, 실의에 빠진 사람이 끈기를 배우는 데 효과가 있다.

관련어 | 가상의 상자연습, 모험에 기초한 경험치료, 해결상자연습

집단 히스테리
[集團 -, group hysteria]

기숙사 음악회나 종교행사 등 집단적 분위기 속에서 한 사람이 실신, 경련, 사지마비 등이나 정신적 흥분 또는 황홀 등의 신체 증상이나 이상행동을 보이면 전염이 되어 많은 사람이 유사증상을 나타내는 현상. 이상심리

집단원의 공통적이거나 유사한 심성 사이에 암시 또는 모방으로 확산되어 나타나는 증상이다. 감응성 정신병과는 달리 망상은 수반하지 않는다. 단순한 피암시성인 경우에는 1930년 미국에서 일어난 화성인 침입사건과 같이 집단 패닉행동에 머무르지만 집단 히스테리에서는 신체적·정신적 증상이 수반된다. 중세 유럽에서는 많은 사람이 열광적인 댄스에 도취되었을 때 경련이 일어나거나 환각을 수반한 몰아적인 몽롱상태를 보였다. 19세기에는 방적 공장의 여공 사이에 마비, 경련이 확산된 경우가 있으며, 급성 전염병이라고 생각된 적도 있다. 20세기가 되어 미국에서는 "밤중에 창에서 침입한 괴물에게 마취되어 심장박동이 격해지면서 허기와 다리마비를 느꼈다."라고 경찰에 호소하는 똑같은 피해자가 속출하였다. 조사결과 이 같은 인물은 실재하지 않았고 강한 피암시성을 가진 여성들 가운데 이 경험을 보고한 사람이 많았다고 한다. 우리나라에서도 종교행사 중에 흥분이나 황홀 등의 현상을 경험하는 사람이 많이 나타났는데, 한때 휴거사건과 더불어 사회 문제화되었다.

집단과정
[集團過程, group process]

집단구성원들이 상호 영향을 미치면서 공동 목표를 향하여 함께 움직여 나아가고 있는 변화·발달의 과정 및 현상. 집단상담

집단구성원 간의 상호작용이 활발해지면 집단과정에서 역할 관계나 의사소통의 구조화가 추진되며, 집단 전체로서의 문화가 나타난다. 집단과정에서는 집단구성원들과 집단지도자 간에 상호작용과 에너지 교환이 이루어진다. 즉, 지도자가 집단구성원에게 어떻게 반응하고, 집단구성원끼리 그리고 지도자와 집단구성원 사이에 어떻게 관계를 맺는지 등으로 집단과정을 알 수 있다. 집단과정은 집단 응집력과 밀접하게 관계되어 있기 때문에 응집력이 높은 집단일수록 사회적 상호작용도 많고 집단구성원 간에도 긍정적인 관계를 맺고 있다. 집단과정은 집단구성원의 연령, 성별, 신체적 특성, 지능, 사회경제적 수준 등의 배경 특성에 영향을 받는다. 집단과정은 원래 집단역동(group dynamics) 연구에서 파생된 용어다. 과제해결집단에서 집단과정은 동기부여, 목표설정, 의사결정 등의 진행과 관련이 있다. 상담집단의 집단과정에서는 집단구성원 개인의 단계적 자기공개(自己公開)가 중요하다. 전자에 속하는 산업집단에서는 집단과정에 따라 응집성, 사기(morale), 생산성을 높이며, 후자에 속하는 참만남집단에서는 집단과정에서 의존, 공격으로부터 자기 내면에 대한 관심의 깊이나 창조성의 증대를 인정하는 것이 중요하다. 하지만 보다 넓은 사회적 관점에서는 각종 문화집단이나 비행집단의 형성도 과정(process)이 존재한다.

관련어 | 집단발달, 집단역동

ㅈ

집단과정의 처리
[集團過程 – 處理, group processing]

집단상담자와 집단구성원 간의 상호작용을 통하여 집단 내에서 발생하는 변화. **집단상담**

집단과정의 처리는 집단구성원 개인의 내적 심리상태, 대인관계에 따른 상호작용, 집단 전체의 힘, 집단의 임상적 환경 등을 비롯한 다양한 요인을 고려해야 한다. 즉, 집단과정에서는 집단의 발달단계, 집단역동, 치료적 힘이 포함된다. 집단과정을 이해하기 위해서는 참가자들 사이에 이루어지는 대화 내용을 상위 의사소통, 즉 의사소통에 대한 의사소통의 측면에서 특정 참가자가 특정 시점에서 특정 집단구성원에게 특정 메시지를 전달하려는 이유를 밝혀야 한다. 그러나 집단의 과정적 측면을 간과한다면, 집단은 목표에서 멀어질 것이다. 집단상담자는 특정 시점에서 집단에 가장 필요한 것이 무엇인지 파악하여 참가자 사이에 이루어지는 의사소통의 의미를 알아차리고 집단이 목표를 달성하는 방향으로 나아가도록 도와야 한다. 즉, 집단과정을 촉진하고 집단내용을 활성화하기 위하여 집단상담자는 집단의 과정에 따른 집단목적과 회기별 쟁점에 초점을 맞추고 지속적으로 상담을 진행해야 한다.

관련어 | 집단과정

집단구성원
[集團構成員, group member]

집단상담에서 집단상담자를 제외한 참여자. 집단참가자 혹은 집단참여자라고도 함. **집단상담**

집단구성원은 처음 집단에 참여하여 점진적인 발달과정을 거쳐 제구실을 다할 수 있는 집단구성원이 되기까지, 첫째, 도입 혹은 이때까지 습성화된 행동형의 와해, 둘째, 추이 혹은 새로운 행동형으로의 이행, 셋째, 새로운 행동형을 터득하여 자기 것으로 굳히는 단계를 거치게 된다. 첫째 단계에서는 집단 경험에 대하여 호기심, 불확실성 및 의문을 가지고, 임시로나마 집단에 정서적으로 참여하기 시작하며, 약간의 안정감을 가진 채 점차 다른 사람의 이야기를 들으려는 태도를 갖는다. 또 어색한 느낌이 줄어들고 자기 자신에 대한 지나친 관심이나 지나친 자기의식에서 점차 해방되는 경험을 한다. 둘째 단계에서는 점차 모호성이나 비조직성 및 지적인 불확실성에도 익숙해지고, 개인차를 인정하기 시작하며 갈등에 대한 인내력이 생겨 보다 적극적인 태도로 이에 마주 대하려고 한다. 또 집단기술이나 의사소통기술의 중요성을 인식하고, 이 기술들을 학습하고 발달시키려는 노력을 한다. 마지막 셋째 단계에 접어들면 대화의 내용을 이해하고 인간관계의 진가를 절감하게 되며, 점차 어색한 느낌 없이 마음의 문을 열고 자신을 노출하려고 한다. 동시에 다른 사람을 이해하는 느낌도 갖는다. 마침내 보다 정확한 자기이해를 하게 되고, 감성이 증가하며, 집단과정에 깊은 관심을 가져 집단기술을 개선하는 데 보다 많은 경험이 필요하다는 사실을 인정하게 된다. 이와 같은 수준에 도달하면 나름대로의 역할을 수행하는 한 사람의 집단구성원이 될 것이다. 집단구성원의 능력은 자신이 속한 집단에서 얼마나 효율적으로 참여할 수 있는가, 그리고 집단에 속한 다른 사람들이 자신에게 어떠한 반응을 보일 것인가에 영향을 준다. 여기서 능력이란 일반적인 지능과 특정 과제를 수행하는 능력으로 구분할 수 있다. 지능은 다양한 상황에서 문제를 다루는 능력을 예측할 수 있게 한다. 지능지수와 집단의 지도성 간의 상관관계는 대체로 크지 않은 것으로 보고되고 있다. 집단지도자와 집단구성원 사이에 지능의 차이가 너무 크면 오히려 집단의 지도성은 효율성이 떨어질 수 있다. 지능은 또한 일반적인 활동, 인기도와는 정적인 상관관계가 있을 수 있다. 동조행동과 지능은 부적 상관을 보이는 경향이 있다. 대체로 지능이 높은 사람일수록 그렇지 않은 사람보다 집단활동에서 더 적극적인 반면 동조하는 경향은 더 낮은 편이고, 지도자로서는 보다 효율적이라고 말할 수 있다. 그러나 지능은 집단행동에 관계되는 다른 요인들에 비하여 중요도가 미약한 편이다.

관련어 │ 집단지도자

집단구조
[集團構造, group structure]

집단이 형성되는 방법뿐 아니라 집단구성원이 자기 스스로 상호작용하거나 다른 사람과의 관계에서 구조화하는 방법으로서, 전체 집단과정 중 초기에 이루어지며 절차나 규범이 구체화되는 과정. 집단상담

집단의 기본 원칙은 상담자와 집단구성원의 협의로 만들어질 수 있으며, 그것 자체가 집단의 과정이 되므로 집단구조는 집단구성원 간 상호작용의 안정된 형태라고 할 수 있다. 집단은 구성원들이 상호작용할 때 가능하며, 인간관계 망으로서 구성원들이 서로 효율적으로 협력해야 효과적인 집단이 된다. 목표를 달성하기 위해 둘 또는 그 이상의 개인이 결합할 때마다 집단구조는 발달한다. 집단구성원 사이의 상호작용은 집단의 역할과 규범에 의해 구조화되며, 역할이 집단구성원의 책임성을 차별화하는 반면 규범은 집단구성원의 노력을 통일된 완전한 모습으로 통합시킨다. 이러한 집단구조에 영향을 주는 것으로는 집단의 개방성과 폐쇄성, 집단의 준비된 형식과 틀의 정도에 따른 구조화·반구조화·비구조화 집단, 집단구성원의 배경의 유사성 정도에 따른 동질집단과 이질집단 등이 있다. 개방집단은 집단이 진행되는 동안 몇몇 집단구성원이 나가고 새로운 집단구성원이 들어오는 변화가 있는 집단이다. 이는 집단구성원의 변화를 통해 기존 집단구성원에게 자극을 줄 수 있다는 이점이 있다. 그러나 너무 많은 사람이 한꺼번에 들어오거나 나갈 경우에는 결속력이 약해질 수 있다. 따라서 새로운 집단구성원은 한 번에 한 명씩 받아들이는 것이 좋다. 집단상담자는 새로운 집단구성원이 들어올 때 사전 면담을 하면서 집단에서의 기본 원칙을 설명해 주어 별도의 설명을 하는 데 집단의 시간을 허비하지 않도록 한다. 또한 기존 집단구성원들에게는 새로운 집단구성원이 집단에 대한 책임감을 가지는 데 도움이 되는 기본 지침을 가르쳐 줄 것을 요구하기도 한다. 이 같은 집단구성원들의 변화가 집단의 결속력을 약화시키지는 않는다. 매주 새로운 사람들이 출석하는 병원이나 치료센터와 같은 환경에서는 현재의 집단구성원들이 얼마나 집단에 참여할지 추측하기가 어렵기 때문에 모든 집단구성원이 한자리에 모일 수 있는 기회는 지금뿐일지도 모른다는 것을 알려 주는 것이 좋다. 각 회기에서는 한 번에 끝낼 수 있는 문제만 다루고, 한 회기로 충분하지 않은 부분에 대해서는 탐색하지 않는 것이 좋다. 집단상담자는 주어진 회기 내에 집단구성원 간의 상호작용을 활용해서 어떤 해결점을 끌어내야 하는 책임이 있다. 집단구성원들이 회기 중 무엇을 배웠는지, 각 회기를 끝내는 것에 대해 어떻게 느꼈는지를 탐색할 충분한 종결시간을 남겨 두어야 한다는 점도 잊지 말아야 한다. 사전에 몇 회기에 참여할지 동의를 구하고, 몇 회기를 결석하면 더 이상 참석할 수 없다는 원칙을 미리 정한다면 집단구성원의 연속성을 높일 수 있다. 폐쇄집단은 집단이 시작되면 새로운 회원은 받지 않고 끝날 때까지 처음 집단구성원이 계속해서 집단에 남아 있는 것을 원칙으로 한다. 이 집단은 지속성을 유지하고 응집력을 조장하여 집단구성원들에게 안정감을 주지만 너무 많은 집단구성원이 중도에 하차하면 집단과정이 심각한 영향을 받는다는 문제점이 있다. 구조화 집단은 특정 주제나 특정 사람들에 초점을 맞추어 구성되고 집단과정이 순서에 따라 활동과 목표가 명시되어 있는 집단이다. 반대로 비구조화 집단은 미리 정해진 순서나 활동이 없다. 구조화 집단은 몇 가지 목적을 가지는데, 정보를 제공하는 것, 공통 경험을 나누는

것, 사람들에게 문제해결방법을 가르치는 것, 지지를 제공하는 것, 사람들이 집단장면 외부에서 자기 자신의 지지체계를 창출하는 방법을 학습하도록 도와주는 것 등이다. 다양한 기관에서 시행하는 주제로는 중년 과도기, 가치와 생애 결정, 생활양식과 '작업-양식'에 대한 통제력 획득, 스트레스 관리, 우울증 관리 훈련, 관계 유지하기/관계 종결하기, 여자 대학원생을 위한 자기-신뢰 구축전략, 발표불안에 대응하기 위한 학습, 주장적인 행동개발, 변화하고 있는 여성, 방식 바꾸기, 완벽주의, 자살의 여파 등이 있다. 특정 주제는 상담자의 관심과 집단의 구성원에 따라 달라지지만 이 같은 집단은 집단구성원들에게 인생의 어떤 문제를 더 잘 인식하게 하고 이에 더 잘 대처할 수 있는 수단을 제공한다는 공통의 목표를 갖는다. 이런 집단에서 상담기간은 매주 약 2시간, 4~15주 정도 소요된다. 집단에 따라서 어떤 집단은 30~45분 정도로 짧은데, 특히 어린이를 대상으로 하거나 주의를 기울일 수 있는 시간이 짧은 내담자인 경우에 그렇다. 구조화된 집단의 초기에는 보통 문제시되는 영역을 얼마나 잘 처리하고 있는지를 측정하는 질문지를 완성하도록 한다. 이때 구조화된 연습문제, 읽을거리, 숙제, 약속을 이용한다. 집단이 끝날 때는 집단구성원들의 향상 정도를 측정하는 다른 질문지를 사용한다. 구조화된 집단의 주제 범위로는 스트레스 관리, 자기주장훈련, 섭식장애(식욕 항진과 거식증), 생애전환점에 놓인 여성, 알코올중독자 부모에 대처하기, 대처기술의 습득, 대인관계 유지 및 끝맺기, 완벽주의의 극복, 근친상간 희생자 지지 등을 들 수 있다. 동질집단은 사회적 성숙도, 성, 지적 능력, 교육수준, 성격의 차이, 문제영역, 그리고 사회경제적 수준 등이 비슷한 집단으로 이들 집단은 출석률이 좋고, 보다 쉽게 공감이 이루어지며, 상호 즉각적인 지지가 가능하다. 또 갈등이 적고 응집성이 빨리 발달하며, 집단소속감의 발달이 쉽게 이루어진다고 볼 수 있다. 그러나 집단구성원끼리 피상적인 관계에 머무르며

영속적인 행동변화의 가능성도 낮다. 반대로 이질집단은 유사성이 없는 사람으로 구성된 집단을 말한다. 이질성이 높은 집단은 집단구성원의 시야를 넓힐 수 있고, 개인 간 상호작용을 활기 있게 만든다는 장점이 있다.

집단기법
[集團技法, group techniques]
집단상담자가 효과적인 집단상담을 위해서 사용하는 방법.
집단상담

집단기법은 참가자들이 노출한 문제들을 효과적으로 다루는 데 목적이 있다. 이때 집단상담자는 어느 정도 전문적인 지식을 갖추고 집단기법을 사용하는 것이 중요하다. 개인적으로 경험이 있거나, 기법을 사용하기에 앞서 지도·감독을 받은 기법인 경우 더 효과적이다. 예를 들어, 집단상담자가 환상유도기법에 대해 읽은 지식으로만 이 기법을 집단에 도입한다면 예상치 않은 결과가 발생할 수 있다. 따라서 집단기법을 사용하는 데는 주의할 점이 따른다. 첫째, 집단기법이 상담목적에 맞아야 하며 이론적 틀에 근거를 두어야 한다. 둘째, 집단상담자의 불쾌감이나 무능력을 감추려고 기법을 사용해서는 안 된다. 셋째, 섬세하고 시기적절하게 집단기법을 도입한다. 넷째, 참가자들의 배경을 고려해서 기법을 사용한다. 다섯째, 효과가 없다고 판단되면 기법을 포기한다. 여섯째, 특정 집단기법의 참여 여부에 관한 선택권을 집단구성원들에게 준다. 이때 참여를 명령하는 것이 아니라 정중하게 부탁해야 한다.

집단놀이치료

[集團 – 治療, group play therapy]

치료자와 2명 이상의 아동 내담자로 구성되는 놀이치료 형태.

놀이치료

집단놀이치료는 개인놀이치료가 치료자와 아동 내담자의 일대일 치료관계를 기초로 행해지는 것과 달리, 한 사람의 치료자와 두 사람 이상의 내담자로 구성되며 그 치료이론이나 치료자의 역할 또는 적용 대상도 개인의 경우와 다소 차이가 있다. 슬라브슨(Slavson, 1943)이 제창한 활동 집단치료(activity group therapy)는 아동 내담자의 문제를 내담자가 타인에게 수용되지 못한 데에서 생기는 사회적 기아(social hunger)에 따른 것이라 생각하고, 집단에서 수용하는 것이 내담자의 자발적인 행동수정을 유발한다고 생각하였다. 또 기노트(Ginott)는 정신분석적 집단놀이치료의 특징을 다음 다섯 가지로 분석하였다. 첫째, 개인적 취급보다도 어떤 경우는 치료관계의 성립이 용이하고, 둘째, 정화가 생기기 쉽고 특히 다른 사람의 행동을 봄으로써 유발되는 대상적(代像的) 정화와 다른 사람으로부터 유발되는 유발적 정화 등도 일반적인 정화에 추가해서 유효성을 발휘한다고 주장하였다. 셋째, 동료의 반응에 비추어서 자신의 행동을 재평가할 수 있기 때문에 통찰이 생기기 쉽고, 넷째, 현실 음미(reality testing)가 생긴다고 하였다. 마지막으로 승화(sublimation)를 초래하기 위한 활동목록이 보다 많이 준비된다고 하면서 집단놀이치료의 능동적인 점을 강조하였다. 이 같은 집단놀이치료의 제반 사항으로는, 놀이방은 개인의 경우보다 넓은 것을 준비하고 구성원 간 의사소통을 촉진할 수 있는 놀이도구를 많이 준비하도록 하였다. 1회의 시간은 개인의 경우보다 약간 길어서 40~60분 정도로 하였다. 그러나 설비나 용구는 전체적으로 개인 놀이치료의 경우와 거의 비슷하다. 개인 놀이치료와의 차이점을 상세하게 살펴보면, 첫째, 집단구성(grouping)인데 '어떤 구성원을 하나의 집단 내에 짜 넣을까?' 하고 생각하는 것은 좋은 결과를 낳는 열쇠가 된다. 크게 나누어 여기에는 동질집단과 이질집단의 두 가지 방법이 있으며, 각각 적용대상이 다르고 효과도 다르다. 통상적으로 1~2회의 개인 세션을 가진 다음 적절한 조합을 생각한다. 구성원은 유아인 경우는 연령차를 1~2세로 하고, 집단의 대비도 거의 같게 구성한다. 집단크기는 아이의 문제, 치료경과, 방의 넓이에 따라서 다르지만 3~10명 정도로 보통 5명 전후가 된다. 둘째, 집단의 운영 방식인데 폐쇄집단과 개방집단으로 나눈다. 폐쇄 집단은 처음부터 구성원을 고정하지만 도중에서의 참가를 인정한다. 개방집단은 클리닉에서 일반적으로 행해지고 있는 방법으로서, 필요에 따라 구성원이 교체되지만 집단 구성의 문제나 구성원 한 사람 한 사람의 치료과정 차이를 고려하여 새로운 구성원을 추가할 때 상당한 배려가 필요하다. 셋째, 치료자의 역할인데 개인놀이치료의 경우보다 일반적으로 소극적이며, 구성원의 배후에 있는 경우가 많다. 집단놀이치료에서는 필요한 때 외에는 집단의 지도력을 장악하지 않는다. 집단이 하위집단을 형성 또는 통합할 경우나 집단구조를 조정할 경우, 전체 활동수준의 조정, 제한을 가할 경우에는 치료자가 전면에 나올 필요가 있다. 집단놀이치료의 치료자는 항상 구성원의 행동에 관심과 주의를 기울여야 한다는 점에서 어떤 의미로는 개인놀이치료보다 어려운 점이라 할 수 있다. 예컨대 어떤 구성원에게 등을 돌려도 그 행동을 파악하고 있는 것처럼 폭넓은 시야를 확보해야 한다. 집단놀이치료는 비사회적인 아동, 미성숙한 아동, 동료나 형제관계가 원만하지 않은 아동, 어른(치료자)과의 관계가 제대로 성립되지 않는 아동, 모든 문제행동의 치료에 맞추어 최종적으로 사회적 적응을 원조해 주어야 하는 아동에게 특히 효과가 있다.

관련어 | 자유 놀이치료, 집단치료, 활동치료

집단목표
[集團目標, group goal]

집단상담자가 집단구성원의 목표나 특성, 집단상담이론, 자신의 특성 등을 고려하여 집단이 나아가야 할 방향으로 설정한 것, 혹은 집단구성원 개인이 자신의 어려움과 입장, 여건을 고려하여 집단에서 토의를 거쳐 각자 설정한 방향. `집단상담`

집단목표는 집단 전체의 목표와 집단구성원 개인의 목표로 나뉜다. 집단목표 설정은 이후 상담의 진행을 위한 계획을 구체적으로 수립할 수 있고, 회기목표의 설정과 준비에 도움이 된다. 집단상담자는 집단구성원 스스로 의미 있는 목표를 설정하도록 어떻게 도와줄 수 있는지, 집단상담자의 이론적 방향이 목표설정 과정에 어떤 영향을 끼치는지, 여러 이론적 방향에 근거하여 집단목표의 설정이 가능한지 등을 고려해야 한다.

`관련어` 행동계약

집단무의식
[集團無意識, collective unconscious]

정신의 가장 접촉하기 어려운 가장 깊은 수준에 존재하며, 개인정신의 토대가 되는 보편적인 진화경험의 저장소. `분석심리학`

융(C. G. Jung)은 처음에는 콤플렉스가 외상적인 어린 시절의 사건에서 생긴다고 믿었지만 후에 훨씬 더 깊은 경험에서 비롯된다는 사실을 깨달았다. 그는 콤플렉스가 종(種)의 진화사(進化史)에서 어떤 경험, 즉 유전기제를 통해서 한 세대에서 다음 세대로 전달되는 경험에 의해 영향을 받는다고 느꼈다. 마치 우리 각자가 자기 과거의 모든 경험을 모아서 정리, 보존해 온 것처럼 인류도 그렇게 해 왔다는 것이다. 이러한 보편적인 진화경험의 저장소인 집단무의식은 정신의 가장 접촉하기 어려운 가장 깊은 수준에 존재하며, 한 개인 정신의 토대가 된다. 초개인적 구조로서 이미지, 상징, 신화가 원시인에서 현대인으로 전수된 원형의 가상창고인 집단

무의식은 현재의 모든 행동을 지시한다. 따라서 정신에서 가장 강력한 힘을 발휘한다. 그러나 이 같은 아주 오랜 옛날의 인간경험은 무의식적인 것이며, 우리가 그것을 인식하지 못한다. 우리는 의식적으로 그것을 기억하거나 상상하지 못하는 것이다. 그 대신 아주 오랜 옛날의 경험은 우리 모두에게 조상과 똑같은 방식으로 지각하고 사고하고 느끼는 소인(素因)이나 경향성으로 존재하고 있다. 이 경향성이 우리의 행동에 실제로 나타나는지의 여부는 앞으로 직면하게 될 특정 경험에 달려 있다. 예를 들어, 우리의 원시 조상들이 어두움을 두려워했고, 그래서 우리는 그와 같은 방식으로 행동하는 하나의 소인을 물려받는다. 이 말은 우리 각자가 자동적으로 어두움을 두려워하는 인간으로 성장한다는 것을 뜻하는 것이 아니라, 밝은 것을 두려워하기보다는 어두움을 두려워하는 것이 더 쉽게 학습된다는 뜻이다. 이러한 경향성은 존재하며 그 소인을 현실화시킬 적당한 경험(말하자면 어두움 속에서 악몽으로부터 깨어나는)만을 필요로 한다. 융(Jung, 1953)은 "그가 태어날 세계의 모습은 하나의 허상으로서이미 그의 내부에 타고난다."라고 기술하였다. 또하나의 예로서, 융의 이론에 따르면 우리는 정해진 방식으로 어머니를 지각하는 소인을 가지고 태어난다. 어머니는 일반적으로 과거 세대의 어머니들이 행동했던 것처럼 행동한다는 것을 생각해 보면, 우리의 소인은 우리가 경험하고 있는 현실과 일치할 것이다. 타고난 우리 세계의 본질은 우리가 경험을 지각하고 반응하는 방식을 사전에 결정해 준다. 융은 여러 문화권의 탐구를 통해서 언제, 어디서나 이러한 공통된 경험과 유사한 주제 및 상징성을 가지고 있다는 것을 알고 있었다. 그는 또한 이러한 주제들이 자기 환자들의 환상과 꿈속에서 반복되고 있다는 것을 알아냈다. 고대와 현대 사이의 이러한 일치성으로, 그는 어떤 경험들은 수많은 세대를 통해 반복되어 왔기 때문에 영혼 속에 새겨져 있다고 믿게 되었다. 이처럼 종족 기억(racial memory)이

라고도 불리는 집단무의식은 융이 제안한 독창적인 개념으로 분석심리학의 이론체계에서 가장 핵심적인 개념이 된다. 집단무의식에는 사람들이 역사와 문화를 통해 공유해 온 모든 정신적 자료, 즉 인류의 보편적인 종교적 · 심령적 · 신화적 상징과 경험이 저장되어 있다. 인간정신의 기초를 형성하는 집단무의식의 기본 구조는 원형으로, 융은 이러한 구조가 생물학적으로 기초가 되면서 타고난 것이라고 믿었다. 집단무의식은 직접적으로 의식화되지는 않지만, 인류 역사의 산물인 신화, 민속, 예술 등이 지니고 있는 영원한 주제의 현시를 통하여 간접적으로 관찰될 수 있다.

관련어 | 개인무의식, 원형, 콤플렉스

집단반응
[集團反應, group response]

집단구성원들이 집단에서 나타내는 언어적 · 비언어적 메시지. 집단상담

집단구성원은 다른 집단구성원들에게 받아들여지기를 원하고 자신에 대한 기대를 알고 싶어 하며, 소속감과 안전감을 느끼고 싶어 한다. 이러한 힘이 결여될 때 집단구성원들은 부정적 · 적대적 · 소극적인 반응을 보이며, 집단활동에 무관심해지는 경향이 있다. 특히 집단상담자는 특정 집단구성원에게 쉽게 설득을 당한다거나 한 사람에게만 지나치게 반응을 많이 해서 다른 집단구성원이 소외감을 느끼게 해서는 안 된다. 또한 어떤 집단구성원이 적개심을 표현했을 경우 부정적인 반응을 보이는 등의 실수를 하는 것에 대해서 지나치게 염려해서는 안 된다. 상담자는 자신의 감정과 행동의 의미에 대해서 솔직해야 하고, 집단구성원들이 느끼는 감정을 표현하도록 하여 집단반응을 살피는 것이 바람직하다. 집단구성원들의 부정적인 집단반응은 집단발달을 저해하는 원인이 되기 때문에 집단상담자는

주의해야 한다.

관련어 | 집단역동

집단발달
[集團發達, group development]

집단의 목표달성을 향해 계속적으로 이루어지는 생산적이고 역동적인 흐름. 집단상담

집단발달은 자동적으로 이루어지는 것이 아니라 구성원의 욕구를 충족하고 목표를 달성하기 위한 노력의 결과로 만들어진다. 집단이 건강하게 발달하려면 긴장을 완화하고 갈등을 제거하며 문제를 해결하기 위해 계속적으로 재구성하고 조정해야 한다. 이때 집단상담자는 집단의 단계를 심층적으로 이해하여 집단과정을 관찰하고 집단이 목표를 향해서 움직이는 데 필요한 기술과 행동을 지시할 수 있다. 집단의 발달은 상담자의 이론적인 방향과 집단의 목적, 집단 참가자에 따라 구체적인 반응내용이 다소 차이가 있기 때문에 독립적인 단계로 구분하는 것은 어려울 수 있다. 하지만 이러한 차이에도 불구하고 집단을 이해하고 효과적으로 발달시키기 위해서 학자들은 집단의 단계를 어느 정도 예측할 수 있다고 보았다. 한센(Hansen) 등(1976)은 집단단계를 시작 단계, 갈등과 직면 단계, 응집성 단계, 생산단계, 종결단계로 구분하였고, 코리(Corey, 1995)는 시작 혹은 도입단계, 추수단계, 작업단계, 종결단계의 4단계로 구분하였다. 또한 말러(Mahler, 1969)는 시작 혹은 참여 단계, 과도기적 단계, 작업단계, 종결단계로 구분하기도 하였다.

도입단계 [導入段階, introduction stage] 집단상담이 시작되는 초기에 집단구성원이 자신의 성장을 위하여 집단경험을 최대한 활용할 수 있도록 집단의 목적과 성격에 대해 안내하고 탐색하는 단계로서 시작단계, 초기단계, 준비단계라고도 부른다.

오리엔테이션을 중심으로 하는 도입단계에서는 크게 집단구성원 소개와 예기불안의 취급, 집단상담의 구조화, 행동목표 설정의 과정을 거친다. 오리엔테이션은 집단상담자가 현재 진행 중인 집단이나 신청받은 집단에 대해서 필요한 만큼의 정보를 제공함으로써 집단구성원을 적절하게 준비시키는 과정으로, 최소한 몇 가지 영역과 관련된 정보를 주고 있다. 첫째, 집단상담자는 가입절차, 집단경험의 시간제한, 집단참여의 목표(적절하다면), 상담비 지불방법, 종료절차 등을 집단구성원의 성숙도와 집단의 성격 및 목적에 합당한 정도로 설명한다. 둘째, 집단상담자는 특히 특정 집단의 성격 및 목적과 관련해서 제공할 수 있는 집단상담자의 자격 및 집단서비스에 관한 정보가 포함된 전문가로서의 자기노출을 허용한다. 셋째, 집단상담자는 자신과 집단구성원의 역할기대, 권리 및 의무를 전달한다. 넷째, 집단상담자는 집단의 목표를 가능한 한 간단하게 언급한다. 여기에는 그 목표가 누구의 것인지(집단상담자의 목표인지, 기관의 목표인지, 부모의 목표인지, 법의 목표인지, 사회의 목표인지 등)와 집단목표에 영향을 주고 이를 결정하는 데 필요한 집단구성원의 역할이 포함되어야 한다. 다섯째, 집단상담자는 집단경험으로 생길 수 있는 잠재적인 삶의 변화에 따르는 위험을 집단구성원과 함께 탐구하고 이 같은 가능성에 직면할 수 있다는 점을 스스로 탐구하도록 도와준다. 여섯째, 집단상담자는 집단경험에서 기대할 수 있는 흔치 않거나 실험적인 절차를 집단구성원에게 알린다. 일곱째, 집단상담자는 특정 집단구조에서 어떤 서비스를 제공할 수 있거나 없는지를 가능한 한 사실적으로 설명한다. 여덟째, 집단상담자는 집단구성원의 충분한 심리적 역할과 참여의 필요성을 강조한다. 미래의 집단구성원에게 집단에서의 기능에 영향을 줄 수 있는 마약이나 약물을 사용하고 있는지 물어보는데, 집단구성원이나 다른 집단구성원의 신체적·정서적 참여에 영향을 줄 수 있는 술이나 (합법적·불법적) 약물은 모두 사용을 금한다. 아홉째, 집단상담자는 이전에 상담이나 심리치료 내담자였는지를 미래의 집단구성원에게 물어본다. 만일 미래 집단구성원의 한 사람이 다른 전문가와 이미 상담관계에 놓여 있다면 그 전문가에게 집단 참여를 통보하도록 충고한다. 열째, 집단상담자는 집단구성원과 기꺼이 상담할 준비가 되어 있다는 것과 관련된 방침에 대해 집단과정 중에 수시로 집단구성원에게 분명히 알린다. 열한째, 집단상담서비스에 대한 상담비를 정할 때 미래 집단구성원의 재정상태와 거주지역을 고려한다. 집단상담자가 참석하지 않은 시간에 대해서는 상담비를 부과하지 않으며 집단구성원이 참석하지 않은 시간에 대한 상담비 징수 방침을 분명하게 전달한다. 집단구성원으로 참석한 데 대한 상담비는 집단상담자와 집단구성원 간에 특정 기간만큼의 계약으로 결정한다. 집단상담자는 현존하는 계약요금구조가 만료될 때까지는 집단상담서비스에 대한 상담비를 올리지 않는다. 기존의 요금구조가 미래의 집단구성원에게 적합하지 않다면 집단상담자는 그에게 가능한 비용의 유사한 서비스를 찾는 데 도움을 준다. 성취해야 하는 기본 과업은 안정되고 신뢰할 만한 집단분위기를 조성하여 다음에 이어질 작업단계를 준비하는 일이다. 집단구성원은 집단이 있는 그대로의 느낌과 생각을 공유하고 새로운 행동을 실험해 볼 수 있는 안전하고 신뢰할 만한 곳이라는 믿음을 가져야 한다. 이를 위해 집단상담자는 가면을 쓰거나 역할놀이를 하는 대신, 자신의 느낌과 말에 일치되는 행동을 해야 한다. 집단구성원에게 바라는 행동을 솔선수범하는 동시에 온정적·긍정적·수용적 태도로 집단활동에 임한다. 또 자신을 신뢰할 뿐 아니라 집단을 신뢰하는 마음을 간직한 채 집단구성원들로 하여금 신뢰감 형성을 방해하는 어떤 요소에 대해서도 솔직하게 이야기하도록 격려해야 한다. 경우에 따라 집단상담자는 신뢰감 형성을 위하여 의도적인 활동을 도입할 수 있다. 그러나 신뢰감은 인위적으로 형성되는 것이 아니라 흐름에 따라 자연스럽게 형성되는 것임을 명심하고 집단상담자는 여유 또는 인내심을 가지고 집단에 임해야 한다(Corey et al., 1988). 다음으로 도입단계의 특징을 살펴보면 다음과 같다. 첫째, 다른 단계에 비해 집단구성원 간의 신뢰감 수준이 상대적으로 낮다. 집단구성원들이 즉각적인 표현을 억제하고 상호작용이 추상적으로 흐른다. 둘째, 집단참여에 소극적인 태도를 보인다. 집단구성원은 역할 혼란, 즉 집단에서 말과 행동을 어떻게 해야 할지 몰라 불안하고 혼란스러운 경우가 자주 발생한다. 셋째, 집단구성원의 불안수준이 높다. 불안의 주요 원인은 집단구성원의 내재적 갈등이다. 그들은 본질적으로 자신의 소망, 욕구를 표출하면서 앞으로 나아가고 싶은 반면, 내면의 거부, 수치감, 징벌에의 두려움 때문에 표출을 위한 동기가 꺾이기도 한다. 넷째, 집단과정에서 집단구성원은 흔히 자신에 대한 초점을 회피한다. 집단구성원은 자신이 겪은 사건이나 상황에 대해 이야기하면서 마치 다른 사람의 일처럼 말하거나 다른 사람의 일에 초점을 맞추기도 한다. 즉, 의도적 혹은 비의도적으로 집단작업에 저항하는 경우가 있다. 다섯째, 거기 그때(there-and-then)에 초점을 맞추어 이야기하는 경향이 있다. 집단구성원은 과거의 경험과 관련된 문제나 주변에서 발생한 사건이나 관심사를 드러내려고 한다. 개인적인 문제를 의미 있게 탐색하기 위해서는 지금-여기에 초점을 맞추어 집단 내에서 다루어야 한다. 이 같은 특징을 가진 도입단계에서의 집단상담자의 역할은 다음과 같다. 첫째, 상호작용을 촉진해야 한다. 집단구성원에게 지지적이고 집단 지향적인 태도를 보임으로써 적절한 상호작용 촉진방법에 대한 시범을 보여야 한다. 둘째, 집단에 대한 구조화를 실시하고 모델로서 실천을 통해 집단구성원들에게 기대하는 행동을 가르친다. 셋째, 집단구성원의 문제행동에 대하여 효과적으로 대처하거나 해결한다. 이 단계에서는 흔히 집단에서 허용되는 행동과 그렇지 않은 행동의 한계를 시험해 보려고 하

기 때문이다. 넷째, 집단의 신뢰분위기를 조성해야 한다. 집단구성원에게 적극적으로 수용적·공감적인 반응을 보이면서 서서히 이루어 나갈 수 있다. 도입단계에서 집단상담자는 거의 주도적으로 오리엔테이션에 임한 셈인데, 그 결과 집단구성원은 도입단계에서도 집단상담자에게 의존하려는 경향을 보인다. 그들은 집단상담자가 집단을 주도하고, 지시하고, 충고하고, 평가해 주기를 바란다. 그러나 지도성의 원리에 따르면, 집단상담자는 집단활동의 책임을 점차 집단에 이양하는 것이 바람직하다. 이를 위해 집단상담자는 도입단계에서 의존성을 나타내는 집단구성원의 질문에 직접 응답하는 대신 반응의 방향을 집단구성원에게 돌려야 한다.

과도기 [過渡期, transition stage] 집단의 시작단계 혹은 도입단계에서 작업단계 혹은 생산단계로 넘어가는 중간 발달단계로서 중기, 전환기라고도 부른다. 시작단계가 끝날 시기인데도 불구하고 집단구성원들이 개인적인 문제를 나눌 준비가 충분히 되지 않은 때다. 상담집단, 치료집단, 지지집단, 성장집단은 과도기 단계를 거치는데, 집단상담자는 이 단계가 발생했다고 해서 불안을 초래할 만큼 지나치게 빨리 집단을 밀어붙이는 일은 삼가야 한다. 이 단계에서 주요 과제는 집단구성원이 집단에 참여하는 과정에서 일어나는 망설임이나 저항, 방어 등을 자각하고 정리하도록 도와주는 것이다. 즉, 과도기 단계의 성공 여부는 주로 상담자가 집단구성원에게 얼마나 수용적이고 신뢰할 만한 태도를 보이며, 상담기술을 어떻게 발휘하는가에 달려 있다. 과도기 단계의 특징을 살펴보면 다음과 같다. 첫째, 집단구성원 사이에서 주도권 쟁탈을 벌인다. 집단구성원들이 상대방의 부정적인 측면을 말하거나 비판하면서 자신의 장점을 내세워 보다 지배적인 위치를 차지하려고 한다. 둘째, 집단상담자에 대한 적대감이나 저항이 표면화된다. 집단에 참여하기 전에는 상담자가 주로 자기만을 위해 존재할 것이라

는 비현실적인 기대를 갖고 있다가 상담이 진행되면서 자신의 기대와 다르다는 것을 알아차리면 상담자뿐만 아니라 집단구성원들에게도 적대감을 느낀다. 이때 상담자는 집단구성원의 문제에 대해 어떤 대답이나 해결책을 제시해 주지 말고 스스로의 힘으로 해결을 탐색하는 과정이라는 것을 집단구성원들에게 알려 주어야 한다. 셋째, 상담자 자신이 불편감이나 저항에 대한 방어가 일어난다. 상담자는 적극적으로 집단과정에 참여하여 구성원들이 서로 긴밀한 상호작용을 하도록 도와줌으로써 집단의 응집력을 증진시켜야 한다. 과도기 단계에서는 집단구성원들이 다양한 경험을 통해서 몇 가지를 학습한다. 첫째, 직접적이고 정당하게 분노를 표현하는 방법을 배운다. 지금까지 자신의 감정을 제대로 표현하지 못한 집단구성원은 적절한 감정표현을 시도해 볼 수 있으며, 적절한 감정표현의 행동이 결코 위험하거나 파괴적이지 않다는 것을 배울 수 있다. 둘째, 자기주장을 해 온 집단구성원은 다른 집단구성원에게 피드백을 받음으로써 그 주장이 대인관계에 미치는 결과를 배운다. 또한 타인의 공격과 압박을 참는 것을 배우거나 타인과의 상호작용에서 좀 더 절충적으로 대응하는 방식도 체득할 수 있다.

작업단계 [作業段階, working stage] 집단상담의 가장 핵심적인 과정으로 집단구성원 상호 간에 신뢰감을 형성하고 집단목표 달성을 위한 작업을 시작하는 단계로서 후기, 생산기라고도 부른다. 행동변화를 촉진하는 실행단계로 개인, 집단, 가족상담에서 가장 통합되고 생산적인 시기다. 매켄지(Mackenzie, 1990)는 작업단계를 개별화 단계라고 불렀는데, 이때 집단구성원들은 자기 자신을 좀 더 깊이 있게 탐색하게 된다. 집단구성원들은 이 단계에서 저항이나 불편감이 줄어들고 응집력이 생기면서 집단과 구성원 간 상호 신뢰를 바탕으로 집단 밖에서 표현하기 어려운 사적인 문제까지 집단에서 노출하기

시작한다. 집단구성원은 이해와 관심을 가지고 그러한 문제에 대하여 깊이 있게 탐색하도록 상호 격려하는 모습을 드러낸다. 따라서 집단상담자는 이 단계에서 집단구성원이 각자의 문제를 노출하고 탐색하며 이해하고 수용하는 과정을 통하여 바람직하지 못한 행동패턴을 버리고 보다 생산적인 대안행동을 학습하도록 도움을 주기 위해 노력해야 한다. 작업단계는 자기노출과 감정을 정화하고, 비효과적인 행동패턴을 다루고, 바람직한 대안행동을 다루는 세 과정을 거친다. 첫째, 집단구성원이 사적으로 의미 있는 문제를 노출하면 집단은 공감과 자기노출기법을 활용하여 그 문제와 관련된 여러 가지 감정적 응어리를 토로하도록 도움을 주어야 한다. 둘째, 당면 문제와 관련된 감정의 응어리가 충분히 정화되어 집단구성원이 심적으로 여유를 가지게 되었다면 이제는 그 문제상황에 연루되고 헤어나지 못하게 만드는 자신의 비효과적 행동패턴을 탐색, 이해, 수용하도록 하는 작업을 시작한다. 셋째, 집단구성원이 자신의 비효과적인 행동패턴을 깨닫고 인정한 다음에는 바람직한 대안행동의 탐색, 선택, 학습작업에 들어간다. 이것은 작업단계의 또 다른 핵심 과제가 된다. 한편, 작업단계의 특징을 살펴보면 다음과 같다. 첫째, 집단구성원의 불안감이 더욱 고조된다. 집단이 작업단계에서 정체되다가 생산 단계로 도약하지 못하고 종결을 맞게 되는 이유는 집단구성원의 불안, 저항, 갈등을 직접 다루지 않고 회피하거나 방치하였기 때문이다. 다양한 형태의 부정적인 감정을 침착하게 직면하여 통찰을 유도해 나가는 것은 신뢰할 수 있는 분위기 조성과 집단발달을 촉진하는 데 중요하다. 둘째, 집단상담자와 집단구성원 사이에 갈등이 야기된다. 이 갈등은 전형적으로 집단구성원의 방어적 행동, 적대감, 신뢰감의 부족에서 발생한다. 이때 집단상담자는 집단구성원을 갈등에 직면하도록 하는 한편, 상호작용을 촉진하여 건설적인 방법으로 해결하도록 도움을 준다. 셋째, 집단상담자에게 도전함으로써 권위와 능

력을 시험해 보는 집단구성원이 나타난다. 집단구성원의 전이반응을 단순히 자신의 전문성과 능력에 대한 무시나 공격으로 간주해서는 안 된다. 상담자는 집단구성원의 요구에 방어적인 태도로 즉각 반박하기보다는 수용적으로 경청하면서 오히려 불만을 충분히 표현하도록 해 준다.

종결단계 [終結段階, close stage] 집단상담에서 집단과정 전체를 마무리하는 단계를 말한다. 집단구성원들이 집단에서 비효과적 행동패턴을 버리고 새로운 대안행동을 학습하여 소기의 목표를 달성했을 때, 집단은 종결단계에 접어든다. 이 단계에 도달하면 집단구성원은 자신의 문제를 해결하게 되어 자기노출을 줄이는 반면, 이제까지 맺어 온 유대관계에서 분리되어야 하는 아쉬움을 경험한다. 이때 집단상담자는 집단구성원이 학습결과를 잘 정리하고 이를 실천하겠다는 의지와 희망을 품은 채 집단상담에 대한 긍정적인 시각을 가지고 떠나도록 도와야 한다. 이와 관련하여 이별감정의 취급, 집단경험의 개관과 요약, 집단구성원의 성장 및 변화의 평가, 미해결 과제의 취급, 학습결과의 적용 문제, 피드백 주고받기, 작별인사, 지속적 성장 또는 문제해결을 위한 계획, 추수집단모임의 결정, 마침을 위한 파티문제 등을 다룰 수 있다. 종결단계의 기간은 집단의 유형, 집단의 목적, 모임의 횟수, 그리고 집단구성원의 요구 등에 따라 다르지만 대개 마지막의 1~2회기 정도면 충분하다. 상담자와 집단구성원은 집단과정에서 배운 것을 미래의 생활 장면에서 어떻게 적용할 것인지를 생각해야 하는데, 집단상담의 종결단계는 어떤 면에서는 하나의 '출발'을 의미한다고 볼 수 있다. 집단구성원 각자의 첫 면접 기록과 현재 상태를 비교한 다음, 일정 정도의 진전이 있다면 상담자는 종결을 준비한다. 이러한 판단은 적어도 집단에 참여할 때 설정한 목표가 달성되어야 가능하다. 자신을 사랑할 수 있고 문제적 상황들에 융통성 있게 대처하며, 자신의 가치를 신뢰하

고, 이를 추구할 수 있다면 집단상담을 종결해도 된다. 종결단계에서 이루어져야 하는 내용은 다음과 같다. 첫째, 집단경험의 개관과 요약하기다. 종결을 앞두고 시간을 할애하여 집단 경험을 개관해 주어야 한다. 이때 집단과정에서 의미 있게 경험한 두세 가지 일을 회상해 보고 돌아가면서 간단하게 발표하도록 유도한다. 둘째, 집단구성원의 성장 및 변화에 대한 평가다. 변화나 학습된 것에 대해 이야기를 나누고, 그것을 어떻게 현장에 적용할지에 관하여 집단구성원에게 물어보고 구체적이면서 가시적인 행동용어로 진술하도록 돕는 일이 중요하다. 셋째, 분리감정 다루기 및 미해결 문제 다루기다. 집단구성원은 처음 집단에 가입할 때처럼 집단을 떠날 때도 분리에 대한 두려움이나 불안감을 경험한다. 이 집단에서 느낀 신뢰감을 집단 밖에서 느낄 수 없다고 생각하는 집단구성원도 있을 수 있다. 지금의 신뢰감은 노력의 결과라는 것을 다시금 상기시키고 우연히 이루어진 일이 아님을 깨닫도록 한다. 집단 밖의 새로운 삶은 학습한 대안행동을 밖에서 실행하는 새로운 시작임을 깨닫게 하고, 집단경험에 대한 긍정적인 느낌과 밖에서 새로 시도할 행동에 대한 희망을 가지고 떠나도록 도와주어야 한다. 이를 위해 집단상담자는 집단구성원 상호 간에 또는 집단과정과 목표 달성의 정도에서 미해결 과제나 미진한 사항이 없는지 시간을 할애하여 확인해 보아야 한다. 아직 자신의 문제가 완전히 해결되지 못한 집단구성원에게는 그 문제를 토론할 수 있도록 격려해 준다. 이는 시간적인 제약이 있을 수 있기 때문에 이에 관한 감정을 토론하도록 하고 적절히 공감한 다음 계속 해야 하는 경우는 집단 후 개별적으로 도와주거나 다른 전문가 또는 상담집단에 의뢰하는 것이 바람직하다. 넷째, 피드백 주고받기다. 집단이 종결되면 초점이 분명한 피드백을 주어야 한다. 이때의 피드백은 지금까지 관찰해 온 집단구성원의 행동변화를 종합하는 것이 특징이다. 이에 반해 종결단계에서 야기되는 문제점을 살펴보면 다

음과 같다. 첫째, 집단구성원이 자신의 경험을 재검 토하는 것을 피하고 이를 어떤 인지적 틀로 합치는 데 실패할 수 있으며, 그래서 자신의 학습을 일반화 하는 것을 제한한다. 둘째, 분리불안 때문에 집단구 성원이 집단작업과 자신을 멀리할 수 있다. 셋째, 집단구성원은 종결작업 자체로 집단이 끝났다고 생 각할 수 있으며, 성장을 계속하려는 마음에 종결 작 업을 하지 않을 수 있다.

추수단계 [追隨段階, follow-up stage] 집단상 담회기가 끝난 다음 집단구성원의 새로운 행동과 목표달성을 점검하는 단계로서 추수단계를 위한 모 임을 사후고양회기라고도 부른다. 추수단계는 집단 의 결과를 평가하는 기회가 되고, 참가자들에게 집 단이 자신과 동료에게 미친 효과를 검토하여 집단 의 효율성을 알아볼 수 있도록 해 준다. 집단상담자 는 집단상담의 지속적 성과를 평가한다거나 집단구 성원이 요구할 때 후속모임을 갖도록 한다. 이처럼 추수단계는 중요한 상담의 평가도구가 될 수 있다. 추수단계는 상담이 종결되고 약 3개월에서 6개월 뒤에 갖는 것이 보통인데, 종결단계에서 집단구성 원은 추수단계를 언제 가질 것인지, 무엇을 할 것인 지 결정한다. 이 단계에서는 상담이 끝나고 집단구 성원이 계속 직면했던 어려움에 관하여 이야기하 고, 아울러 상담하는 동안 겪은 가장 긍정적인 경험 을 잊지 않기 위해 무슨 노력을 했는지도 이야기나 눈다. 집단상담자는 추수단계를 통하여 집단구성원 이 습득한 생산적인 신념과 행동이 일상생활에 일 반화되도록 도와주고, 스스로 행동을 강화해 나가 는 방법을 모색할 수 있도록 해야 한다. 추수집단회 기를 갖는 횟수는 집단의 유형과 집단구성원의 요 구에 달려 있다. 예를 들어, 동일한 기관에서 과업 집단에 참여한 사람들은 일이 어떻게 진행되고 있 는지 확인하기 위해 한 차례의 추수단계를 가져도 효과가 있다. 상담집단, 치료집단, 지지집단에서의 추수단계는 집단구성원들에게 자신의 근황은 물론

이별에 따른 불안감을 감소시키는 기회가 된다. 즉, 집단상담자는 추수단계를 상담에 잘 활용하여 집단 구성원의 불안을 해소시키는 것이다. 그러나 상담 에서 추수단계가 항상 이루어지는 것은 아니다. 추 수단계를 진행하지 못할 때는 집단에 대한 참가자 들의 생각과 집단상담이 그들의 삶에 미친 영향력 을 평가하는 간단한 설문지를 보내거나 개인적으로 추수단계를 가질 수도 있다. 추수단계에서 집단구 성원이 해야 할 주요 역할은 다음과 같다. 첫째, 지 지하는 집단 없이도 스스로를 강화시킬 수 있어야 한다. 둘째, 진전과 문제점을 포함한 변화과정을 기 록하여 집단상담의 효과를 장기간으로 본다. 셋째, 변화를 위한 자기 개발 프로그램에 참가하여 계속 새로운 행동을 시도한다. 넷째, 상담이 끝난 다음 어떻게 행동했는지를 이야기한다. 또한 추수단계 에서 발생할 수 있는 문제점으로는 우선, 집단에서 의 깨달음을 일상생활에 적용하기가 어려워지면 집 단구성원들은 낙담하여 자신이 얻은 깨달음의 의미 를 깎아내린다. 그리고 지지해 주는 집단 없이 새로 운 행동을 계속하는 데 어려움을 느낄 수 있고, 변 화하는 데는 시간과 노력, 탐색, 실천이 필요하다는 사실을 잊은 채 깨달음을 실천에 옮기지 않을 수 있 있다.

집단분석
[集團分析, group analysis]

정신분석적 집단에서 분석자가 피분석자의 내면적 문제를 깊 이 분석하는 것. 집단상담

정신분석은 보통 분석자와 피분석자가 일대일로 수행하는데, 집단분석은 한 명 혹은 두 명의 분석자 와 몇 명의 피분석자가 함께한다. 집단분석의 특징 적인 장점은 다음과 같다. 첫째, 동시에 여러 사람 이 참가할 수 있으므로 시간적·경제적 부담을 줄 일 수 있다. 둘째, 분석자에 대한 과도한 전이나 저

항이 생기는 것을 막을 수 있다. 셋째, 다른 집단구성원에 대한 전이, 성격방어 등이 자극이 되어 통찰에 도움을 준다. 넷째, 집단생활의 경험을 통하여 현실 음미, 승화에의 기회가 된다. 다섯째, 다른 집단구성원의 분석과정을 통하여 관찰학습을 할 수 있다. 반면, 집단분석의 단점은 다음과 같다. 첫째, 집단으로 이루어지기 때문에 개인분석보다 집단구성원의 문제점에 대한 분석이 깊이 행해지기 어렵다. 둘째, 집단 내의 전이, 갈등의 처리가 곤란한 경우가 있다. 셋째, 분석자에 대한 대항, 전이가 일어나기 쉽다.

집단상담
[集團相談, group counseling]

생활과정상의 문제해결과 바람직한 성장발달을 위하여 전문적으로 훈련된 집단상담자의 지도 및 동료들과의 역동적인 상호 교류를 함으로써 각자의 감정, 태도, 생각 및 행동양식 등을 탐색, 이해하고 보다 성숙한 수준으로 향상시키는 과정.
집단상담

집단상담은 개인상담과는 달리 집단 속에서, 그리고 집단에 소속된 개인 사이에서 끊임없이 역동적인 상호 교류를 하는 특징이 있다. 이를 통해 집단상담은 각자의 대인관계적인 감정과 반응 양식이 집중적으로 탐색, 명료화, 수정되고, 그 결과가 확인되는 계속적인 절차와 과정으로 진행된다. 이 같은 집단역동을 통해 집단상담의 효과가 결정된다는 점은 집단상담과 개인상담의 큰 차이점이 된다. 집단상담은 주로 집단구성원이 자의로 문제를 제기하고 다루며, 집단상담자는 이러한 분위기와 과정을 촉진하는 역할을 담당하면서 상담자에 의한 지도나 해석은 최대한 줄이는 것이 효율적이다. 집단상담의 주된 강조점은 치료보다는 성장과 적응에 주어지므로 이를 촉진하기 위해 상담집단의 분위기는 신뢰할 만하고 수용적이어야 한다. 즉, 의미 있는 성장과 행동 변화를 이루기 위해 집단구성원의 개별 속성에 상관없이 하나의 존엄성을 가진 인간으로 받아들이고 집단구성원 간에는 반드시 무조건적 수용을 해야 하는데, 이는 집단의 신뢰할 수 있는 분위기 조성이라는 용어로 중시된다. 집단상담자가 집단상담을 효과적으로 운영하기 위해서는 인간의 성격과 변화에 대한 전반적 이해 및 집단역동에 관한 광범위한 이해, 그리고 타인과의 정확한 의사 및 감정 소통의 능력이 필요하므로 전문적인 훈련을 거쳐야 한다. 개인상담과 달리 집단상담의 성과에 영향을 주는 요인으로 얄롬(Yalom, 1985)은 대인관계 학습-투입, 대인관계 학습-산출, 정화, 응집력, 이타주의, 보편성, 자기 이해, 희망 고취, 지도, 동일시, 가족생활 관계 재연, 실존의 12개 요인을 제시하였다. 또한 블로흐 등(Bloch et al., 1979)은 수용, 이타주의, 감정정화, 지도, 희망고취, 대인관계 학습, 자기노출, 자기이해, 보편성, 관찰학습의 10개 요인을 제시한 바 있다. 한편, 집단상담은 구분기준에 따라 다양하게 분류할 수 있다. 집단상담과정이라는 틀의 구체화 정도에 따르면 사전에 틀이 구체적으로 정해진 구조화 집단, 사전체계와 계획이 없는 비구조화 집단, 그리고 중간 정도의 구조를 지닌 반구조화 집단으로 구분된다. 집단회기 구성을 기준으로 하면 자는 시간과 식사 시간을 제외한 모든 시간을 집중적으로 집단상담에 사용하는 마라톤 집단과 매주 한 번 혹은 두 번 등 정기적으로 집단회기를 갖는 정기집단, 두 형식을 절충하여 매주 모이되 중간 혹은 마지막에 1박 2일 정도의 마라톤 집단을 병행하는 절충적 집단으로 구분된다.

관련어 │ 집단지도, 치료적 요인

집단상호작용
[集團相互作用, group interaction]

집단상담에서 집단구성원의 문제해결을 돕고 그들의 성장을 촉진하기 위해 활용하는 집단의 역동적 교류. 집단상담

집단상호작용을 촉진하기 위해서는, 첫째, 상담자

는 집단구성원의 긴장과 불안을 덜어 주고 지금-여기의 경험에 초점을 맞추도록 이끌어야 한다. 또 집단구성원은 심리적 에너지를 다른 참가자들과의 관계에 집중해야 한다. 둘째, 공감적 이해를 바탕으로 재진술, 반영, 연결과 같은 집단기법을 이용하여 집단구성원 사이에 활발한 교류가 일어나도록 해야 한다. 예를 들어, 집단구성원의 질문에 일일이 답해 주기보다는 공감적 이해와 적극적 경청기술을 활용하는 것이 좀 더 적절한 상호작용방법이다.

관련어 | 집단역동

집단심
[集團心, group mind]
집단이 하나의 조직체로서 갖는 공통된 마음. 집단상담

집단심은 집단참가자 개인의 생활법칙이 아니라 집단생활의 법칙에 따라 결정된다. 즉, 집단심은 개인의 심리와는 달리 집단만의 고유한 심성을 가지고 있다. 예를 들어, 자기주장훈련집단에서 참가자들은 개별적인 개인이 아닌 조직체로서 하나의 마음을 갖고 공동의 목표를 달성하기 위해 행동한다. 그러나 올포트(Allport)는 "본질적으로 그리고 완전하게 개인심리학이 아닌 집단심리학은 없다."라고 하여 집단심이라는 실체를 인정하는 것은 집단의 잘못된 해석이라고 주장하였다. 이에 맥두걸(McDougal)이 의지는 개인 이외의 곳에는 존재하지 않는다는 것을 인정함으로써 집단심에 대한 논쟁은 종결되었다. 지금은 집단심에 대해 개인심리학이 갖지 못하는 새로운 이론적인 틀로 집단과정의 심리적 연구가 추진되고 있다.

관련어 | 응집성

집단압력
[集團壓力, group pressure]
집단상담에서 구성원이 느끼는 심리적 위험의 압박감. 집단상담

집단구성원은 집단이 진행되고 집단 응집성이 발달함에 따라 집단의 기대치에 부응해야 한다는 미묘한 압박감을 느낄 수 있다. 특히 다른 구성원들과 차별화된 특성과 배경을 가진 사람은 집단의 지배적인 구성원의 가치관에 동조해야 할 것 같은 압력을 받을 수 있다. 즉, 집단압력은 개인의 주도적인 선택권이나 자율권을 포기하게 되는 것을 의미한다. 집단압력을 받는 세 가지 예를 살펴보면, 첫째, 집단구성원이 개인적인 결정과는 무관하게 집단의 압력으로 집단상담의 진행절차, 주제를 결정하고 자신의 감정 역시 집단압력에 따라 과도하게 표현하는 경우다. 둘째, 집단압력이 다른 구성원들로부터 구체적으로 표현되지 않아도 집단구성원 자신이 스스로 말하지 않으면 불안해서 견디지 못하는 심리상태가 되는 경우다. 셋째, 부정적인 심리적 정서 때문에 개인적 실패감을 가짐으로써 상담자의 조정적 개입이 없는 한 집단상담에서 실질적인 성과를 얻지 못하는 경우다. 이에 상담자는 집단압력을 느끼는 구성원에게 불안을 제거해 주고 미리 주도권과 선택권이 있음을 알려 주어야 한다. 또한 상담자는 주제의 선택이나 감정표현의 수준이 집단구성원들에게 유익하게 활용되고 있는지를 항상 검토하여 심리적 압박감을 조절하도록 도와주어야 한다.

집단역동
[集團力動, group dynamics]
집단과정에서 발생하는 집단구성원 간의 언어적 · 비언어적 상호작용의 총체로서 상호작용과 그 결과로 생성된 집단 내의 균형과 변화. 게슈탈트 집단상담

집단역학(集團力學)이라고도 부르는 집단역동은

개인심리학, 사회심리학, 사회학 등 학문마다 그 개념이 달라진다. 심리학, 특히 집단상담에서의 집단역동은 집단과 구성원 간의 상호작용, 그 상호작용과 집단의 구조와 발달 및 목표와의 관계를 포함한 집단 고유의 성격을 의미한다. 집단 속에서 집단에 참여한 구성원 사이에 끊임없이 진행되고 있는 상호작용의 관계로, 이를 통해 수용적이고 문제해결적인 집단분위기가 형성된다. 집단상담에는 서로가 자극이 되어서 끊임없이 영향을 주고받는 움직임과 흐름이 있다. 이 같은 집단 내 역동은 상담자의 지도력, 집단응집력, 그리고 집단구성원의 특징에 영향을 받는다. 집단역동에는 집단의 구성원들이 어떻게 말하는지, 어떻게 행동하는지, 어떻게 체험하는지 등이 모두 속한다. 즉, 집단역동이란 집단과정(group process)이라는 개념과 같은 용어로 볼 수 있는데, 이는 말해지거나 행해지는 '내용(what)'이 아니라 '방식(how)'을 의미하는 것이다. 역동은 개인 내 역동, 개인 간 역동, 집단 전체 역동의 세 차원으로 나누어 볼 수 있다. 어느 차원이든 어떤 욕구나 감정, 사고, 행동 등의 내용이 아니라, 그것이 행해지는 방식을 의미한다. 이러한 세 차원의 집단역동은 따로따로 일어나지 않고 항상 동시에 일어난다. 집단에서는 성원들이 어떤 행동을 하든 하지 않든, 항상 역동이 존재한다. 예를 들어, 서로 간의 경계심 때문에 선뜻 나서서 말을 하지 않은 채 모두가 침묵을 지키고 있거나, 혹은 어떤 문제를 건드리지 않기 위해 딴전을 피우는 것 등이 집단역동에 속한다. 집단에서는 다루어지는 내용도 중요하지만 때로는 집단역동이 더 중요할 때가 있다. 특히 어떤 현상이 집단에서 되풀이되어 나타날 때 그 집단역동은 매우 중요하다. 집단의 리더는 이러한 집단역동을 잘 파악하여 성원들이 자각하도록 함으로써 집단주제로 부각시켜 이 주제를 놓고 적극적으로 상호작용을 하여 문제해결에 이르도록 격려해야 한다. 집단역동은 집단이 형성되는 단계부터 시작되며, 집단은 끊임없이 변화하는 역동적 실체라고 할 수 있다. 집단

역동을 이해하기 위해서는 집단의 형성 및 발달단계부터 집단의 상호작용과정까지 전반적으로 파악하고 있어야 한다. 여기서 집단의 상호작용과정은 물리적 환경, 인적 환경, 사회적 환경으로 나뉜다. 물리적 환경에는 공간배치, 개인적 공간, 의사소통망 등이 포함되며, 인적 환경에는 집단의 크기, 집단구성원의 배경적 특성, 성격 등이 포함된다. 또 사회적 환경에는 집단구성원의 응집력과 규범 및 역할, 지도력 등이 포함된다. 집단역동은 1800년대 말 유럽에서 시작된 개념으로 보고 있다. 이 분야에 영향을 준 학문으로는 사회학, 심리학, 철학 및 교육학이 있으며, 레빈(Lewin)과 모레노(Moreno)가 초기 공로자라고 할 수 있다. 집단역동의 연구는 레빈의 실험사회심리학이 출발점이며, 특히 1947년에 창설한 NTL(national training laboratories)을 중심으로 집단역동운동이 전국적으로 보급되었다. 이 집단운동은 1964년 이후 집단치료 분야에 응용되었고, 집단상담에 응용된 것은 그보다 더 지나고 나서다. 학문으로서 집단역동의 주된 연구영역은 응집력, 규범, 압력, 목표, 리더십, 구조 등이며 오늘날에는 대인인지, 태도변화, 대인적 상호작용, 의사결정 과정, 원조행동 등으로 확대되었고, 상담영역뿐만 아니라 산업이나 임상에서 폭넓게 응용되고 있다. 또 집단의 연구방법과 관련해서는 베일즈(Bales) 등의 공헌으로 관찰기법이 발전하였다. 특정 집단의 특성을 이해하려고 하는 이론은 집단 심리치료, 가족치료 분야에서 발전했는데, 전자에서는 비온(Bion)과 슬라브슨(Slavson), 후자에서는 애커먼(Ackerman), 보웬(Bowen), 미누친(Minuchin) 등이 대표적 학자다. 눈에 보이지 않는 '집단' 혹은 '상호작용'을 취급하는 데에는 집단이나 가족의 이해에 집단역동이라는 사고방식이 불가결하며, 동시에 개인역동의 이해도 필요하다. 집단역동을 이해하는 훈련에는 이론학습, 체험, 관찰, 수퍼비전, 연구 등이 있다.

관련어 | 집단과정

집단작업
[集團作業, group work]

집단상담과정에서 이루어지는 모든 활동의 총칭. `집단상담`

집단작업은 집단상담의 전 과정에서 이루어지는 모든 활동과 역동을 아우르는 개념이다. 집단에서 집단지도자가 집단구성원의 문제해결과 성장, 발달을 목적으로 하는 모든 개입과 더불어 이러한 과정에서 집단구성원들이 하는 모든 행동과 반응을 집단작업이라 할 수 있다.

관련어 | 집단상담

집단적 그림자
[集團的 -, collective shadow]

융(C. G. Jung)이 제안한 개념으로 개인적 무의식의 내용. `분석심리학`

융은 그림자를 개인적 그림자와 집단적 그림자로 구분하였다. 개인적 그림자는 각 개인이 가지고 있는 무의식 영역에 잠재된 인격의 어두운 부분을 말하고, 집단적 그림자는 개인적 무의식의 내용으로서 개인적 그림자에 비해 엄청나게 강력한 에너지를 가지고 있다. 이러한 집단적 그림자는 인류에게 공통으로 받아들여지기 어려운 것으로 간주되고, 외부로 투사될 경우 사람들은 굉장히 강한 증오감, 혐오감, 공포감 등을 느끼게 된다. 즉, '악마' '사탄'으로 상징되는 성향을 띤다. 개인적 그림자가 의식화되면 의식의 시야가 넓어지고 그림자가 건설적인 기능으로 작용을 한다. 그러나 집단적 그림자는 그대로 의식화될 수 없다. 집단적 그림자뿐 아니라 아니마, 아니무스 등 모든 원형은 존재를 인식할 수는 있지만 동화시킬 수는 없다. 왜냐하면 집단무의식 등이 지니는 강렬한 에너지는 의식에 감정적 충격을 주어 그 기능을 지배하기 때문이다.

관련어 | 그림자

집단적 이중자아
[集團的二重自我, collective double ego]

사이코드라마의 이중자아기법의 변형으로, 집단 전체가 이중자아로 참여하는 것. `사이코드라마`

집단적 이중자아기법은 주인공과 그 상대방 간에 다툼이나 갈등 및 혼란이 야기되는 상황에서 사용할 수 있다. 이때 집단을 양분하고, 양분된 집단이 각각 주인공과 상대방을 지지하는 이중자아 역할을 맡는 것이다. 이렇게 함으로써 주인공과 상대방 간의 다툼이나 갈등은 그들만의 것이 아니라 집단 전체의 것이 된다. 그 결과 다양한 시각과 다양한 의견이 제시되고, 이를 통하여 두 사람의 상황이 반전되거나 해결점을 모색하는 새로운 전기가 마련될 수 있다.

관련어 | 이중자아

집단접근방법
[集團接近方法, group approach]

개인의 성장, 교육, 상담, 치료, 대인관계의 개선, 조직개발 등을 목적으로 집단의 기능, 과정, 역동 등을 사용하여 소집단 형태를 활용하는 접근방법. `집단상담`

집단상담, 집단심리치료(집단정신치료), 심리극, 집단 가이던스, 그룹워크, T-집단, 참만남집단, 집중적 집단경험 등을 포함하는 것으로서, 집단방법(group method)이라고도 불린다. 구체적으로는 화제나 활동 내용 등의 구조가 명시되지 않는 비구조적 집단(T-집단, 참만남집단, 감수성 훈련집단 등)과 사전에 프로그램이나 과제가 제공되는 구조적 집단(문제해결집단, 작업치료집단, 사이코드라마, 예술치료집단 등)이 있는데, 목적이나 대상자에 따라 선택적으로 사용된다. 집단접근의 장점은 소집단이 갖는 다양성, 수용적 지지, 집단의 성장과정에서의 변화, 그것에 참여하여 얻는 삶의 보람, 기쁨 등을 활용하는 데 있다. 이 접근에서 얻을 수 있는 것은 지적인 이해만이 아니라 감각, 신체적 행동, 태도 등을 포괄한 전인적인 것에 관계한다. 지금-여기에서의 의식은 물론 자신의 형성에 관계하는 과거체험에 대한 자각과 그 통합에의 실마리를 제공하는 것이다. 그것은 대인기술훈련에서 사람들과의 만남을 통해 얻는 보람을 발견하는 것이다. 예를 들면, 집단에서 집단구성원과 관계하는 중에 대립이나 갈등을 맛보며, 그것을 초월하여 만남을 경험하고 집단의 변화, 성장과정에서 변화하면서 자신을 재발견한다. 집단접근은 참가자가 살아 있는 환경을 시야에 넣고 행해지기 때문에 효과가 크다.

집단정체감
[集團正體感, group identity]

자신의 정체감을 자신이 속한 집단에서 찾고자 함으로써 집단에 대해 갖게 되는 소속감. 집단상담

집단정체감은 같은 집단 내에 있는 구성원과 공유된 특성을 가진 채 본래적인 특성(인종, 성)이나 성취적 특성(직업, 지위)에 기초하여 형성된다. 이러한 공유된 특성은 반드시 직접적인 접촉이 있어야 형성되는 것은 아니며 심리적인 접촉으로도 형성될 수 있고, 주관적인 특성을 나타낸다. 형식적으로 동일한 집단에 속해 있더라도 개인이 집단의 측면들을 자기개념의 일부로 받아들이지 않으면 집단정체감은 형성되지 않는다. 즉, 개인적 정체감이 자신의 독립적인 특성과 관련되는 자아개념이라면, 집단정체감은 자신이 속한 사회집단에 대한 소속감과 그에 결부된 정서와 감정에 근거한 자아개념이라고 할 수 있다. 집단정체감과 대비하여 개인적 정체감은 자기에 한정된 것으로서, 타인과 공유하는 특성이라기보다는 개인의 독특한 특성이라고 할 수 있다.

집단정체성에 대한 탐색
[集團正體性 – 探索,
search for group identification issues]

문화민감가족치료에서 가족구성원들 간에 가족을 괴롭히는 내면화된 고민을 찾는 것. 기타 가족치료

한 집단이 가지고 있는 강한 정체성이 자동적으로 그 집단이나 구성원의 긍정적인 관점을 가리키는 것은 아니다. 가족구성원에게 다음과 같은 질문을 할 수 있다. "당신의 민족(혹은 집단)에 대해 당신이 최고로 여기는 것은 무엇입니까?" "당신의 집단에 대해 적어도 이것은 좋다고 여기는 것은 무엇입니까?" 이와 같은 질문을 함으로써 가족구성원들이 자신의 민족적 정체성에 대해 어떻게 느끼는지를 표현할 수 있다. 내면화된 부정적 메시지는 내담자에게 자기회의에서 자기혐오로 이어지는 감정을 갖는 부담을 지울 수 있기 때문에 내담자가 자기 민족에 대해 어떤 정체성을 가지고 있는지 파악하는 것은 매우 중요한 일이다.

집단지도
[集團指導, group guidance]

집단구성원이 정보를 획득하고 필요한 기술을 개발하는 데 도움을 주기 위해 교육적인 방법을 사용하는 과정. 집단상담

집단지도는 정보와 자료의 제공을 통해 바람직하고 건전한 학습 및 생활태도의 촉진을 목적으로 하는 예방적 접근방법이다. 집단지도에서는 문제사태에 대해 정보를 제공해 주어 방향을 안내하는 것을 주목적으로 하고 있다. 학교에서의 집단지도는 학생들에게 학생활동을 기획하고 실천하도록 하며, 학습방법이나 진로방향과 관련한 결정 및 실천을 위한 자료 등을 주는 것으로 행해진다. 즉, 집단지도는 교육적 경험이 주가 된다. 집단상담과 집단지도는 다음과 같은 측면에서 몇 가지 차이점이 있다.

첫째, 집단지도는 토의되는 주제에 초점을 맞추는 반면, 집단상담에서는 집단구성원 개인에게 초점을 맞춘다. 둘째, 집단지도에서의 집단구성원의 행동 변화는 일반적인 차원에서 다루어지지만, 집단상담에서는 개인의 행동변화를 구체적으로 다룬다. 셋째, 집단지도는 지도자가 집단의 구조, 활동방향, 진행내용 등에 권위적인 책임을 지지만, 집단상담에서는 지도자가 안내자 혹은 촉진자의 역할을 한다. 넷째, 집단지도는 주로 교육적·직업적 지식을 가르치면서 개인적 문제보다는 집단구성원의 공통 관심사나 동일한 학습 및 훈련 목표에 따라 진행되는 반면, 집단상담에서는 개인적 태도나 정서적 반응에 주목하여 집단구성원의 생활상 문제들을 개인별로 탐색하여 해결하도록 하는 데 목적이 있다.

관련어 집단상담, 집단지도자

집단지도자
[集團指導者, group leader]

상담 또는 치료집단에서 집단을 이끌기 위해 집단역동과 집단발달을 이해하는 데 특별히 훈련되어 있는 사람.

집단상담

상담집단에서는 집단상담자, 치료집단에서는 집단치료자, T-집단이나 감수성 훈련집단, 참만남집단 등에서는 촉진자라고 부른다. 특정한 지위를 가진 채 다른 사람들을 위한 의사결정의 권리를 부여받아 이를 통하여 다른 사람들에게 영향을 미칠 수 있는 지위에 있는 사람을 지도자라고 부르며, 집단을 지도하는 사람을 집단지도자라고 한다. 집단지도자는 구조와 성취 초점에 따라 나누어지기도 한다. 구조 주도적 지도자는 구조 주도적 측면을 강조하며, 집단구성원의 과업을 계획하고 구체화하여 그들을 적극적으로 지시하고 주도해 가는 지도자다. 성취 지향적 지도자는 높은 수준의 목표설정과 의욕적인 목표달성 행동을 중시하며, 집단구성원의 능력을 믿고 그들에게 의욕적인 성취동기 행동을 기대하는 지도자다. 한편, 집단지도자는 다섯 가지 측면에서 정의한다. 첫째, 집단행동의 초점이 되는 사람이다. 이들은 다른 사람보다 더 많은 의사소통을 하며 집단의 결정에 더 많은 영향을 미칠 수 있다. 둘째, 집단을 특정 목표로 이끄는 사람이다. 셋째, 집단구성원들이 지도자로 지목하는 사람이다. 이때 지도자는 집단구성원이 선택하기는 했지만 소위 지도자로서의 특성을 갖추고 있는지는 확인할 수 없다. 넷째, 집단 수행의 수준에 변화를 가져올 수 있는 사람이다. 다섯째, 집단에서의 특정 행동을 지도적 행동으로 정의할 수 있고, 다른 사람들이 이를 확인할 수 있는 사람이다. 이외에도 집단에서 특정 지위를 가지고 있는 사람을 집단지도자라고 할 수 있다. 집단지도자가 갖추어야 하는 자질에는 사람들과 함께하는 일반적 경험뿐만 아니라 일대일의 상담경험도 있어야 한다. 집단과정 중에서도 개인별로 작업하는 경험을 할 수 있기 때문에 개인상담의 경험 없이 집단상담을 이끄는 것은 쉬운 일이 아니다. 또한 집단상담에 대한 이론을 알고 있어야 한다. 이론은 집단지도자에게 집단구성원의 말과 행동을 이해할 수 있는 다양한 방법을 알려 준다. 집단지도자의 기능을 살펴보면 다음과 같다. 첫째는 지도다. 집단이 뚜렷한 목적이나 결론도 없이 지나치게 피상적인 대화의 수렁에 빠져 헤어날 수 없을 때 집단지도자는 지도적 기능을 수행한다. 이때 집단지도자는 그 집단이 해결하고자 노력하고 있는 밑바탕에 깔린 숨은 주제를 지적해 주어 그 집단이 주제에 초점을 맞추어 활동을 계속해 나가도록 도와야 한다. 둘째는 자극이다. 억압, 저항, 정서적 피로 혹은 흥미의 상실 등으로 말미암아 집단이 무감각 상태에 빠지거나 활기를 상실했을 때 집단지도자는 자극기능을 행사한다. 집단지도자는 구성원들에게 능동적인 질문을 하고, 앞서 나온 생각이나 감정들을 재생시키기도 한다. 셋째는 확충이다. 집단의 의사소통이나 상호작용이 한 영역에 고착되어 있을 때 이를 확장시키는 데 힘써야 한다. 넷째는 해석이다. 집단구성원의 마음속에 숨은 무의식을 의식화하려는 집단지도자의 노력을 가리킨다. 집단지도자는 집단구성원이 억압과 저항을 충분히 해결했을 때나 통찰을 위한 준비가 되었다고 판단되면 이 기능을 시도해야 한다.

관련어 | 집단지도

집단최면법
[集團催眠法, group hypnosis]

일대일로 행해지는 일반적인 최면법과는 달리 최면치료전문가가 집단을 대상으로 상호작용을 일으켜 최면을 유도하는 방법. 심상치료

집단최면법은 기존의 일대일 최면방법을 사용한 개인 최면치료법을 같은 문제나 같은 목적을 가져 동시에 해결해야 할 부분이 있는 동질집단을 대상으로 삼아 최면을 행하는 것이다. 이 경우 집단구성원들은 하나의 동일한 호소문제나 공통 요소를 가지고 있어야 한다. 따라서 개인최면보다 적용할 수 있는 경우가 많이 제한된다. 최면치료사는 집단 내 각 구성원들과 개별적으로 면대면 인터뷰를 하고 최면에 사용할 수 있는 공통 언어를 선택하거나 개발해야 한다. 개인최면과 비교해 보았을 때, 집단최면은 집단구성원이 같은 공간에서 함께하기 때문에 혼자서 모든 것을 감당해야 하는 부담감이 없어 안전성이 확보되고, 치료비용을 줄일 수 있다는 장점이 있다. 게다가 개인최면 시 최면감수성이 낮은 사람도 집단최면을 통해서 감수성을 높일 수 있고, 여러 사람이 함께하기 때문에 최면에 대한 오해, 공포, 저항 등을 줄일 수도 있으며, 집단에게 동일한 문제이기 때문에 최면에의 동기부여도가 높다. 하지만 집단구성원 간의 피암시성은 개인별로 차이가 있기 때문에 치료사는 민감성을 가지고 정성을 들여 점진적인 암시방법을 사용해야 한다. 집단 내 피암

시성이 높거나 최면성 혼수상태경험이 있는 사람이 참여하고 있으면, 다른 구성원들에게 영향을 미쳐 집단유도가 쉬워진다. 실행방법은 개인최면과 마찬가지로 준비(preparation), 최면유도(induction), 심화(deepening), 순환(circulation), 종료(termination)의 단계를 거친다. 집단최면유도 중 심한 불안이나 공포, 그 외 강렬한 반응을 보이는 내담자의 경우는 집단에서 분리하여 개인치료를 받도록 해야 한다. 집단최면은 차멀미, 편식, 야뇨증, 말더듬과 같은 아동 중심의 증상, 만성 알코올중독, 끽연벽, 약물기벽과 같은 기벽에 관한 문제, 비만이나 무통분만 등에 적용한다.

집단치료
[集團治療, group therapy]

정신장애를 치료하기 위해 심리적 부적응 상태에 있는 사람들을 일정 기간 동안 집단토론 등의 집단활동을 시킴으로써 적응에 도움을 주는 정신 요법. 집단상담

한 사람의 치료자가 동시에 4, 5명 이상의 내담자들을 상대로 심리적 갈등을 명료화하며 심리적 부적응 행동을 수정해 가는 일련의 집단면접으로, 치료에 목적을 두고 보다 장기간을 요하면서 주로 의학적 환경과 관련된다. 심리적 혹은 행동적 문제나 장애가 있는 사람들을 대상으로 하며 보다 깊은 성격의 문제를 다루는 것이 특징이다. 보다 나은 자기 이해를 통해 심리적 긴장을 완화시켜 치료적 목표를 달성하는 것으로 부적응적 태도의 변화 및 심리적 문제의 해결에 주된 관심을 두고 있다. 집단치료는 집단 그 자체의 영향력을 이용하여 치료효과를 높이려는 것으로, 심리극(psychodrama)이 대표적인 예라 할 수 있다. 심리극은 무대에서의 연기를 통하여 긴장을 풀어 주려는 것으로서, 이 방법을 심리치료로서 확립한 것은 미국의 모레노(J. L. Moreno)다. 예를 들면, 난폭하고 싸움을 즐기는 아이에게 무대 위에서 자유로이 싸움을 하는 역을 맡긴다. 그

것은 그 아이에게 있어 내부적인 울분을 토하는 기회가 되며 무대라고 하는 객관적 입장에서 자기의 행동을 반성하고 또 다른 연기자나 관객인 친구의 평가를 받을 수 있으며 혹은 사회적으로 보다 좋게 승인하는 입장에서 연기하는 친구를 보고 자연히 자기와 비교하게도 된다. 권위 있는 지도자의 조언과 훈계보다 동료들의 생각하는 방식과 행동에 의한 영향이 보다 자연스럽고 효과적으로 치료효과를 가지는 일이 많으므로 이럴 때에 집단치료가 이용되는 것이다. 심리극 외에도 놀이치료(play therapy)와 토의법 등이 집단치료로 이용되는 일이 많다.

관련어 | 심리극, 집단상담

집단항상성
[集團恒常性, group homeostasis]

집단 내 상호작용 속에서 집단의 구조와 기능을 적절하게 유지하려는 상태. 집단상담

집단은 참가자의 문제를 해결하기 위해 반드시 목표를 정하고 이를 효율적으로 실현하고자 하는데, 만약 참가자들의 사고방식이나 행동이 흩어지면 곤란을 겪는다. 집단항상성을 유지하기 위해서 집단은 반드시 집단구성원의 생각과 행동을 통제하고 보조를 맞추려는 심리적 약속인 집단규범을 갖추어야 한다. 그러나 어떤 시점에서 집단규범의 작용이 갑자기 저하될 때 집단은 경직화되고 효율성이 떨어질 수 있다. 이를 예방하기 위해서는 집단구성원 상호 간에 새로운 관심이나 작용을 도입해야 한다. 또 집단이 어떤 과제를 수행할 때 노력을 요하는 외부의 압력이 가해지기도 한다. 그런데 집단의 규모가 커지면 구성원에 대한 압력이 느껴지지 않아 집단항상성의 균형이 깨질 수 있다. 따라서 집단 속에서 집단구성원 개개인의 역할과 사명, 그리고 책임을 명료화하여 집단에 적극적으로 참여해야 집단항상성에 도움이 될 것이다.

집단환경
[集團環境, group setting]

집단상담을 진행하기 위해 갖추어야 하는 심리적·물리적 배경. 집단상담

집단환경은 집단이 이루어지는 장소, 집단크기, 집단회기의 빈도, 집단의 지속기간 등을 말한다. 집단환경에서 장소는 집단구성원들이 일상의 사회적 상호작용과는 달리 심리적으로 편안하면서도 사생활이 존중되는 느낌을 받을 수 있는 곳이어야 한다. 즉, 적당히 넓고 외부소음이 차단되는 곳이 좋다. 집단의 크기는 10명 내로 이루어지는데, 집단의 크기가 너무 크면 집단 응집력을 높이는 데 어려움이 따르고 집단의 크기가 너무 작으면 성격구조 측면에서 다양성이 결여될 수 있다. 집단회기의 시간은 한 시간 반에서 두 시간 정도가 일반적이다. 이는 집단에서 집단구성원 모두가 충분히 참여할 수 있을 만큼의 시간이다. 집단회기의 빈도는 보통 일주일에 한 번 정도다. 이는 집단구성원들이 매주 만나지 못하면 서로 유대감을 잃어버릴 수 있기 때문이다. 집단의 지속기간은 보통 12회기에서 30회기로 이루어진다. 이런 집단에서는 모든 집단구성원이 전 회기에 참여하도록 되어 있다. 장기집단인 경우는 1년에서 3년까지 진행되기도 한다.

집단희생자
[集團犧牲者, group casualties]

집단에서 다른 집단구성원의 불편한 감정을 대신 해소해 주면서 희생하는 구성원. 집단상담

집단희생자는 집단에서 자신이 수용하기 어려운 부분을 마치 다른 집단 참가자의 것처럼 여기거나, 자신의 욕구 또는 문제점을 다른 집단구성원에게 투사함으로써 생긴다. 집단희생자는 다른 집단구성원의 부정적인 정서를 대신 해소해 주는 일종의 피뢰침 역할을 담당한다. 즉, 집단구성원들은 집단희

생자가 된 사람을 죄의식, 분노, 수치감과 같은 강한 감정을 표출하는 대상이라고 여기곤 한다. 이러한 현상은 집단 내에서 갈등이 고조된 상황에서 자신의 경험을 기꺼이 공개하는 모험을 하는 집단구성원에게 자주 일어난다. 이때 해당 집단구성원은 결국 집단희생자로 전락하여, 자신의 불편한 감정을 해소하려는 다른 집단구성원들의 공격대상이 된다. 이처럼 집단희생자는 집단과정을 저해하는 역기능적인 역할을 한다.

집중경향치
[集中傾向値, central tendency]

하나의 점수분포에서 중심적 경향을 나타내는 값으로 대표치라고도 함. **통계분석**

집중경향성은 모집단이나 표본에서 얻은 자료가 특정값을 중심으로 분포를 형성하는 경향을 말한다. 집중경향성을 이용하여 자료를 가장 잘 대표할 수 있는 하나의 값으로 요약한 것을 집중경향치라고 부른다. 결국 집중경향치란 한 집단의 점수분포를 하나의 대표치로 나타내는 것으로서, 여기에는 평균(mean), 중앙치(median), 최빈치(mode) 등이 있다. 평균은 가장 흔히 쓰이는 대푯값으로 평균에는 산술평균, 기하평균, 조화평균 등 여러 가지가 있는데 일반적으로 평균이라 할 때는 산술평균을 가리키는 경우가 많다. 산술평균은 모든 개별 점수의 합을 관계되는 사례 수로 나누어 얻어진 수치를 말한다. 산술평균을 $\overline{X}$ (X바)라고 하면 다음과 같이 구할 수 있다.

$$\overline{X} = \frac{\sum X}{N} \cdots\cdots ⓐ$$

$$\overline{X} = \frac{\sum fX}{N} \cdots\cdots ⓑ$$

ⓐ에서 X는 각 개인의 점수를 나타내고 $\sum$는 모든 점수 X를 합한다는 의미다. 예를 들어, 3, 4, 5라는 세 점수의 평균은 다음과 같다.

$$\overline{X} = \frac{\sum X}{N} = \frac{3+4+5}{3} = \frac{12}{3} = 4$$

ⓑ는 한 점수에 대한 빈도가 하나 이상 여러 개 있을 때마다 이 점수를 일일이 더하기보다는 그 점수에 해당하는 빈도(f)로 곱하는 것이 더 편리하다는 것을 알 수 있다. 예를 들어, $N = 20$명일 때 점수의 평균을 ⓑ를 이용하여 구하려면 우선 각 점수에 대한 fX를 구한 다음 이를 더하여 $\sum fX$를 구하고, 이를 다시 N으로 나누어 주면 된다. 산술평균은 얻어진 집단의 점수가 커다란 대집단(전집이라고 부름)에서 무선표집을 통하여 얻었을 때 이 전집의 평균을 추정하는 대표치로서는 중앙치나 최빈치보다 안정성이 있는 통계치가 된다. 예를 들면, 강원도의 중학교 3학년생 평균지능이 105라고 했을 때, 강원도 중 3의 전집에서 $N = 200$씩을 무선적으로 표집하여 평균 중앙치 및 최빈치를 내는 것을 계속한다면 평균치가 표집에 따른 변산이 비교적 가장 적다. 또 하나의 산술평균의 특징은 그 계산에서 모든 점수를 고려한다는 점이다. 이 같은 특징은 극단적 점수가 있는 경우에 평균치의 단점이 되기도 한다. 즉, 15, 4, 3, 2, 1과 같은 극단적 점수가 한두 개 있는 경우 평균치는 큰 영향을 받아서 한 집단의 대표치로 적합하지 않을 때가 있다. 두 번째로 흔히 사용하는 대표치는 중앙치다. 중앙치란 일련의 점수분포상에서 이 집단의 사례를 상위 50%와 하위 50%로 나누는 점이 된다. 묶지 않은 자료에서 중앙치를 구하기 위해서는 점수를 크기의 순서로 배열한다. 다음에 전체 사례 수 N이 홀수일 경우, N에 1을 더하여 다음과 같이 a를 구한다.

$$a = \frac{N+1}{2}$$

그런 다음 낮은 점수부터 세어서 a번째 점수가

중앙치가 된다. 예를 들어, 45, 45, 43, 42, 41, 38, 25인 경우 a는 다음과 같다.

$$a = \frac{7+1}{2} = 4$$

따라서 밑에서 네 번째 점수인 42가 중앙치가 된다. 그리고 N이 짝수인 경우에는 2로 나누어 a를 구한다.

$$a = \frac{N}{2}$$

이 경우에 중앙치는 가장 낮은 점수부터 a번째 점수와 바로 그다음으로 높은 점수를 합하여 2로 나누면 된다. 예를 들어, 45, 44, 43, 41, 43, 41, 41, 40인 경우에 a는 다음과 같다.

$$a = \frac{8}{2} = 4$$

따라서 낮은 점수부터 네 번째 점수 41과 다음으로 높은 점수 43과의 합의 평균이 된다. 즉, (41+43)/2=84/2=42가 된다. 동점이 있는 경우에도 마찬가지 방법으로 구할 수 있다. 예를 들어, 48, 47, 46, 45, 45, 44, 42, 39인 경우에 a=4가 된다. 따라서 중앙치는 (45+45)/2=45다. 중앙치는 몇 가지 장점을 가지고 있다. 첫째, 계산하기가 비교적 쉽다. 점수를 크기의 순서로 배열하여 전체 사례의 반에 해당하는 점수를 세어 올라가면 중앙치를 구할 수 있다. 둘째, 그 의미를 직관적으로 이해할 수 있다. 즉, 점수의 분포상에서 중앙치 위에 50%의 사례가 있고, 또는 그 중앙치 아래에 50%의 사례가 놓여 있는 점이다. 셋째, 중앙치는 극단한 점수의 영향을 받지 않으므로 극단한 점수가 있는 경우에는 산술평균보다 더욱 타당한 대표치가 된다. 예를 들어, 15, 4, 3, 2, 1의 경우 평균치는 5가 되고, 중앙치는 3이 된다. 이때 이 점수들을 대표하는 하나의 수치로 중앙치가 보다 적절한 대표치임을 바로 알 수

있다. 그러나 중앙치는 표집에 따른 안정성이 산술평균보다 낮다. 이외에도 중앙치는 다른 통계치와 의미 있는 관련을 맺기 어렵기 때문에 추리통계에서는 산술평균보다 활용성이 별로 없다. 또 하나의 대표치로 많이 쓰이는 것이 최빈치다. 이것은 점수분포상에서 가장 빈도가 많은 점수를 의미한다. 최빈치는 가장 계산하기 쉽다는 장점이 있다. 따라서 점수분포가 좌우 대칭이고, 각 점수에 대한 사례가 비교적 많은 경우에 시간 관계상 산술평균이나 중앙치를 구할 수 없을 때 이에 대한 대략적인 추정치로 사용할 수 있다. 최빈치의 단점은 표집에 따른 안정성이 없고 추리통계에서는 거의 활용되지 않는다는 점이다.

관련어 | 기술통계, 추리통계

집중명상
[集中冥想, concentration meditation, samadhi]

특정 대상에 마음을 머물게 하여 알아차림을 유지하면서 마음이 고요하고 평화로운 상태에 이르게 하는 명상활동.
명상치료

집중명상은 산스크리트어로 사마티(samadhi)이며 어원은 빨리어의 사마타(samadha, 止)다. sama는 '고요함' '평정' '평화'를 뜻하고, tha는 '지키다' '머물다' '어떤 상태로 남겨지다'라는 뜻이다. 이 활동은 우리가 근심과 걱정으로 산란해진 마음을 어떤 대상에 머물러 집중을 하게 되면 시간이 지날수록 마음이 고요하고 평화로운 상태에 이르게 된다는 가정에서 이루어진다. 이 활동에서 집중하는 대상은 실생활의 어떤 대상이 아니라 마음에 의해 구성된 표상(nimitta)이다. 예를 들어, 벽에 있는 어떤 한 점을 본 다음 눈을 감으면 그 점의 이미지가 눈앞에 나타난다. 눈앞에 나타난 점의 이미지에 반복해서 집중을 하면 그 점이 더욱더 선명해지고 일정 기간

유지되는데, 이를 집중명상이라고 하는 것이다. 처음 집중명상을 접할 때는 효율적으로 수행하기 위해서 다음과 같은 사항을 지켜야 한다. 첫째, 처음 집중명상을 수행할 경우에는 보다 직접적이고 구체적인 감각기관의 대상을 선택한다. 예를 들어, 귀의 대상은 전화벨 소리, 눈의 대상은 색깔, 물체 등 지금 현재에 들려오거나 보이는 대상을 선택하는 것이 도움이 된다. 이는 현재의 경험을 제공해 주기 때문에 명상에 도움이 된다. 둘째, 집중명상을 하는 동안에 좋다 또는 나쁘다와 같은 가치판단을 하지 않는다. 판단을 하게 되면 마음이 더욱 산란해져서 집중하거나 마음을 고요하게 유지하는 것이 어렵다. 셋째, 처음 집중명상을 할 때는 느낌에 초점을 맞추지 않아야 한다. 기분이 좋고 즐거운 느낌을 가지게 되면 그 느낌에 깊이 빠져들게 되고, 부정적인 감정을 느끼게 되면 그것을 회피하고자 한다. 이렇게 느낌이나 감정에 주의를 더 많이 기울이면 선택한 대상에 집중하지 못하게 되어 명상을 계속해서 진행할 수 없다. 그러므로 집중명상의 대상은 감각대상으로 선택하는 것이 바람직하다. 집중명상의 과정은 준비단계인 집지(dharana), 머물기 단계인 정려(dhyana), 몰입단계인 삼매(samadhi)의 세 단계로 이루어진다. 집지는 명상하고자 하는 대상에 의도적으로 주의를 집중하는 단계로서 마음을 한곳에 모아 흩어지지 않게 한다. 즉, 하나의 대상에 주의를 집중하고 그 외의 다른 대상들은 주의의 대상에서 완전히 제외하는 것이다. 이때 다른 대상에게 주의를 빼앗긴다면 마음이 산만한 상태에 있으므로 아직 명상을 위한 준비단계에 이르지 못했다고 할 수 있다. 정려는 마음이 고요해져 순수하고 맑아지는 단계로서 탐욕, 성냄, 산만, 의심, 졸음 등의 다섯 가지 방해요소가 소멸되어 상반된 표상을 알아차리고 머무는 단계다. 삼매는 정신집중이 최고에 이르러 자신의 의식은 사라지고 대상만이 돋보이고 빛을 발하는 것으로서, 이 단계가 되면 비로소 대우주와 하나가 되는 경험을 한다. 즉, 모든 장애나 마음을 산란하게 하는 요소들이 사라져 버려 마음의 기쁨, 행복감, 평온함을 경험하면서 마음과 대상이 온전히 하나가 된다.

관련어 | 명상

집중적 접근
[集中的接近, intensive approach]

권면적 상담에서 상담자가 내담자의 한 가지 핵심적인 문제가 다른 문제에 어떤 영향을 미쳤는지 자료를 수집하며 접근하는 방법. 목회상담

인간은 전인격적인 존재이므로, 그가 행한 모든 것은 삶의 전체적인 다른 영역과 상호 관련성을 가지고 있다. 따라서 내담자가 자신의 근본 문제에 대해서 말하기를 두려워하여 숨긴다고 해도, 상담자는 그러한 문제의 원인이나 근본 문제를 직접적으로 물어보거나 파악하려고 애쓰지 않아도 된다. 집에 들어가는 문은 정문만 있는 것이 아니라 뒷문도 있는 것처럼, 직접적인 문제의 핵심에 접근하지 않고 다른 접근 가능한 문제를 통해서 최종적으로 핵심을 파악할 수도 있다는 것이다. 즉, 한 가지 문제를 해결하기 위해서 다른 문제들을 수단으로 만드는 방법이다. 내담자가 처음에 이야기 하는 문제가 비록 작고 중요한 것이 아니라 할지라도, 상담자가 이를 집중적으로 파악하고 다른 삶의 영역들과의 관계를 파악해 나간다면 결국에는 문제의 핵심을 알게 되고, 삶의 전적인 변화를 기대할 수 있다. 이러한 집중적 접근방법은 내담자가 말하지는 않지만 의심이 가는 문제를 파악할 수 있는 기회가 되고, 내담자의 문제에 대해서 상담자가 많은 지식을 소유하고 있지 않을 때 특별히 유용한 방법이다.

관련어 | 권면적 상담, 변화, 죄, 포괄적 접근

집필자장애
[執筆者障礙, writer's block]

글을 쓰는 사람들이 글 내용이나 소재에 대한 아이디어가 떠오르지 않아서 애를 먹는 상황으로, 글길 막힘이라고도 함.

문학치료

집필자장애 혹은 글길 막힘으로 번역되는 이 용어는 원래 직업적으로 글을 쓰는 사람들이 새로운 작품을 쓸 능력을 상실한 상태를 일컫는다. 강도에 따라서 다양한 범주로 나타나는데, 잠시 글을 쓰기 힘든 경우도 있지만 몇 년 동안 집필활동을 하지 못할 정도로 심각한 경우도 있고, 그로 인해 아예 작가로서의 삶을 포기해 버리는 경우도 있다. 이 상황으로 고통을 받는 작가들은 자신의 작품에 대해 좋지 않게 보는 경우가 많은데, 실제로는 그 반대인 경우가 더 많다. 대부분의 작가가 집필자장애를 경험하며, 그 원인은 여러 가지가 있다. 글을 쓰는 것에 대한 공포, 불안, 삶의 변화, 한 작품의 완결, 새로운 작품의 시작 등 다양하다. 원인이 무엇이든 글을 쓰는 것에 대한 두려움과 좌절을 느끼는 것이 공통적인 현상이다. 집필자장애가 치료의 장에서 일어나게 되는 것은 내담자가 글을 쓰기 거부할 때 종종 볼 수 있다. 이는 작가들처럼 직업적인 문제와는 달리, 내면의 자아검열이 일어나기 때문이다. 게다가 일상에서도 시험이나 과제물만 앞에 두면 집필자장애가 일어나는 사람들도 있다. 집필자장애의 가장 큰 원인은 자기방어적인 검열과 비판적 평가에 대한 두려움이다. '글쓰기 가이드(Fiction Writing Guide)'에서 지니 위하트(Ginny Wiehardt)는 이를 극복하기 위한 방법으로 다음의 열 가지를 제시하였다. 첫째, 글쓰기 계획 세우기. 글을 쓸 시간을 정해 두고 집필자장애가 있더라도 무시한 채 일단 쓰는 것이다. 아무것도 떠오르지 않아도 단어들을 나열하기만 하는 방법으로라도 일단 쓰는 행위를 한다. 둘째, 너무 무리하지 말기. 글을 쓰는 데만 지나치게 열중하지 말라는 것이다. 글을 쓸 수 없어서 집필자장애가 생기는 것이 아니라, 글을 잘 쓸 수 없을 거라는 절망 때문에 집필자장애가 생기는 것이다. 따라서 비판적인 시각은 일단 접어 둔 채 그냥 쓴다. 그에 대한 평가를 하고 다듬는 것은 글을 쓴 이후 편집을 할 때 하면 된다. 셋째, 글을 쓰는 것을 작품을 만들어 내는 특별한 일로 생각하지 않기. 글 쓰는 것을 일상으로 생각하라는 것이다. 보통 노동과 마찬가지로 글을 쓰는 것도 하나의 일이다. 글을 쓸 때 사용하는 은유는 노동자나 기술자의 연장통 같은 것이다. 이렇게 생각하면 앉아서 글을 쓰기가 더 쉬워진다. 넷째, 하나의 글을 끝내면 휴식시간 가지기. 집필자장애는 아이디어가 다시 만들어지기 위해서 시간이 필요하다는 신호다. 창조적인 작업을 하는 데게으름은 아주 중요한 요소다. 새 글을 다시 시작하기 전에 생활 속에서 스스로에게 시간을 좀 주고 독서나 다른 형태의 예술을 접하도록 해서 새로운 경험과 새로운 아이디어를 모을 수 있게 한다. 다섯째, 시간을 정해 두고 지키기. 자기 혼자서 글을 쓰기만 하는 것은 무척 힘든 일이다. 같이 글을 쓸 사람을 구해서 서로 시간을 정한 다음, 약속을 지켜 나가도록 한다. 물론 서로 비난은 금물이다. 누군가가 자신의 일에 대해서 알고, 그 글이 나오도록 기다리고 있으면 그 기대 때문에라도 글을 쓰는 작업에 박차를 가하게 된다. 집단으로 함께해도 좋다. 여섯째, 집필자장애 뒤에 숨겨진 심리적 문제 찾기. 글이나 집필에 대한 자신의 불안에 대해서 보는 것도 좋은 방법이다. 친구나 동료와 이야기를 나누고, 집필자장애를 다룬 도서를 읽어 보면서 자신의 집필자장애에 대한 뿌리 깊은 원인을 탐색한다. 다른 작가들의 삶을 살펴보는 것도 자신의 장애 이유에 대한 통찰에 도움이 된다. 집필자장애가 계속될 때는 상담을 받아 보는 것도 좋다. 일곱째, 한 번에 하나씩 하기보다는 두 가지 이상의 일을 걸쳐 두고 하기. 이 글을 쓰다가 좀 힘들어지면 다른 글을 써 보는 식으로 작업을 할 때 집필자장애가 덜한 경우가 있다. 한 가지에 매달려서 생기는 지루함이나 두려움이 서로 다른 글을 쓰면서 해소될 수 있는 것이다. 여덟째, 쓰기 훈련하기. 쓰기 훈련을 많이 하면 아무래도 긴장이 풀어지고 여러 방식으로 글을 쓸 수 있게 된다. 아홉째, 글쓰기 공간 다시 살펴보기. 물리적 환경이 글쓰기에 영향을 미치는 경우도 있다. 책상 배치나 자리, 글을 쓰다 차를 마시는 공간 등이 자신에게 편안하게 배치되어 있는지, 변화를 줄 필요는 없는지 다시 살펴본다. 열째, 처음 글을 쓰게 된 곳에서 자신이 왜 글을 쓰게 되었는지 기억하기. 자신이 쓰는 글과 글을 쓰는 이유를 돌아본다. 초심으로 돌아가 글을 쓰게 된 마음을 다시 기억해 내면 처음 글을 쓸 때의 동기나 기쁨 같은 것이 장애를 극복할 수 있게 해 준다. 쓰기 작업과 관련된 치료에서는 지금까지 열거한 작가들에게 적용되는 방식과 유사한 검열제거 및 두려움 완화를 통한 사전작업이 먼저 이루어져야 한다.

집합가족
[集合家族, commune]

집단 속에서 가족의 생활형태를 유지하면서 경제와 육아 문제는 공동으로 해결하는 가족형태. 가족치료 일반

이스라엘의 키부츠는 가장 널리 알려진 집합가족의 형태다. 이들은 일부일처의 가족형태를 그대로 유지한 채 경제와 육아를 공동으로 담당하는 방식을 취하고 있다. 이러한 집합가족은 현대에 들어와 독신자, 노인가족, 편부모 가족 등 가족기능이 부족한 형태가 증가하면서 관심이 증대되고 있다. 집합가족의 생활을 장기적으로 할 수도 있지만, 2~3년 정도의 단기적 참여를 하거나 농촌 등지에서 계절적으로 집합가족 형태가 발생하기도 한다. 집합가족은 가정생활에서 부부가 혼자 감당하기 어려운 영역을 다른 가족들로부터 도움을 받는다는 장점이 있지만, 양육주권을 상실할 가능성과 사유재산의 범위 등에서 갈등이 일어날 수 있다.

징검다리기법
[-技法, steppingstones]

프로고프(I. Progoff) 박사의 저널쓰기 집중훈련워크숍이 저널치료에 기여한 핵심의 하나. 문학치료(글쓰기치료)

프로고프는 인생의 징검다리란 인생의 시작부터 현재에 이르기까지의 과정을 무의식적으로 떠올리게 되는, 또는 우리 마음속에 떠오르는 사건들이라고 말하면서 한 개인의 인생행로에서 중요한 행동이 있었던 시점이라고 하였다. 인생의 징검다리는 표지이자, 쉬어가는 장소며, 기쁨이나 고통, 발전이나 실패 중 어느 것에 편향되지 않은 중립적인 것이고, 인생의 흐름을 재구축할 때 중요한 의미를 지니는 표식이다. 징검다리 목록을 작성할 때는 징검다리의 앞 또는 뒤에 무엇이 있는지 신경 쓰지 말고 각각의 징검다리를 있는 그대로 표현하도록 한다. 징검다리 목록은 12~15개 정도로 제한하여 연대기적으로, 혹은 무작위 순으로 목록화한다. 징검다리로 제시된 자신의 인생을 아우르는 글쓰기를 통해 자신의 운명을 형성한 사건과 순간을 다시 포착할 수 있게 된다. '그때는 바로 ~한 때였다.'는 구절은 각각의 징검다리 시기로 들어갈 수 있는 도약대다. 프로고프는 대화관계에 들어서기 위한 준비로서 상대를 위해 징검다리 작성을 권고하기도 하였다.

관련어 | 연대기

징후성 음주
[徵候性飲酒, symptomatic drinking]

불안하거나 스트레스를 받을 때 이를 해결할 목적으로 알코올을 습관적으로 섭취하는 행위. 중독상담

징후성 음주 습관은 알코올 섭취를 여러 가지 부정적인 정서를 해결하는 수단으로 선택하기 때문에 형성되는 것이다. 이 같은 징후성 음주 행태는 알코

올중독으로 이어질 가능성이 크다.

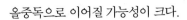 **관련어** | 문제성 음주, 알코올중독

상담학 사전 ❸ (ㅇ~ㅈ)
Encyclopedia of counseling

2016년 1월 5일 1판 1쇄 인쇄
2016년 1월 15일 1판 1쇄 발행

연구 책임자 • 김춘경
공동 연구자 • 이수연 · 이윤주 · 정종진 · 최웅용
펴낸이 • 김진환
펴낸곳 • ㈜ **학지사**

121-838 서울특별시 마포구 양화로 15길 20 마인드월드빌딩
대표전화 • 02)330-5114   팩스 • 02)324-2345
등록번호 • 제313-2006-000265호

홈페이지 • http://www.hakjisa.co.kr
페이스북 • https://www.facebook.com/hakjisa

ISBN 978-89-997-0823-7   94180
      978-89-997-0820-6 (set)

세트 정가 200,000원

인터넷 학술논문 원문 서비스 **뉴논문** www.newnonmun.com

이 도서의 국립중앙도서관 출판시도서목록(CIP)은 서지정보유통지원시스템
홈페이지(http://seoji.nl.go.kr)와 국가자료공동목록시스템(http://www.
nl.go.kr/kolisnet)에서 이용하실 수 있습니다.
(CIP 제어번호: CIP2015024799)

학지사는 깨끗한 마음을 드립니다

유능한 상담사
원서 9판

Gerard Egan 저
제석봉 · 유계식 · 김창진 공역

2015년
4×6배판 · 양장 · 728면 · 27,000원
ISBN 978-89-997-0808-4 93180

대상관계이론 입문

Lavinia Gomez 저
김창대 · 김진숙 · 이지연 ·
유성경 공역

2008년
크라운판 · 양장 · 376면 · 18,000원
ISBN 978-89-5891-664-2 93180

대상관계 이론과 실제
－자기와 타자－

N. Gregory Hamilton 저
김진숙 · 김창대 · 이지연 공역

2007년
크라운판 · 양장 · 456면 · 18,000원
ISBN 978-89-5891-438-1 93180

가족치료의 이해
2판

정문자 · 정혜정 ·
이선혜 · 전영주 공저

2012년
4×6배판변형 · 양장 · 560면 · 20,000원
ISBN 978-89-6330-784-8 93180

가족상담
3판

김유숙 저

2015년
크라운판 · 양장 · 456면 · 20,000원
ISBN 978-89-997-0736-0 93180

가족치료
3판
－이론과 실제－

서울여자대학교 김유숙 저

2014년
크라운판 · 양장 · 496면 · 19,000원
ISBN 978-89-997-0423-9 93180

아들러 아동상담
－이론과 실제－

경북대학교 김춘경 저

2006년
크라운판 · 양장 · 384면 · 16,000원
ISBN 978-89-5891-201-9 93180

아들러 상담이론과 실제

Thomas J. Sweeney 저
노안영 · 강만철 · 오익수 ·
김광운 · 송현종 · 강영신 ·
오명자 공역

2005년
4×6배판변형 · 반양장 · 536면 · 19,000원
ISBN 978-89-5891-149-4 93180

아들러의 사회적 관심과 상담

김필진 저

2007년
4×6배판변형 · 반양장 · 416면 · 17,000원
ISBN 978-89-5891-387-0 93180

칼 로저스 상담의 원리와 실제
진정한 사람되기

Carl R. Rogers 저
주은선 역

2009년
크라운판 · 양장 · 472면 · 19,000원
ISBN 978-89-6330-068-9 93180

칼 로저스의 사람－중심 상담

Carl R. Rogers 저
오제은 역

2007년
크라운판 · 양장 · 400면 · 17,000원
ISBN 978-89-5891-534-8 93180

칼 로저스의 카운슬링의 이론과 실제

Carl R. Rogers 저
한승호 · 한성열 공역

1998년
신국판 · 양장 · 528면 · 15,000원
ISBN 978-89-7548-242-7 93180

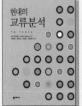

현대의 교류분석

Ian Stewart · Vann Joines 공저
제석봉 · 최외선 ·
김갑숙 · 윤대영 공역

2010년
크라운판 · 양장 · 448면 · 19,000원
ISBN 978-89-6330-358-1 93180

교류분석 상담의 적용

Ian Stewart 저
한국교류분석임상연구회 공역

2009년
신국판 · 반양장 · 384면 · 15,000원
ISBN 978-89-6330-079-5 93180

생활 속의 교류분석
관계의 미학, TA

이영호 · 박미현 공저

2011년
신국판 · 양장 · 304면 · 13,000원
ISBN 978-89-6330-544-8 03180

학지사는 깨끗한 마음을 드립니다

은퇴상담

Virginia E. Richardson 저
이장호 · 김연진 · 김현주 · 여정숙 ·
오경민 · 윤석주 · 이은경 · 이회란 ·
정선화 · 조성자 공역

2008년
신국판 · 양장 · 288면 · 14,000원
ISBN 978-89-5891-684-0 93180

2판
노인상담

이호선 저

2012년
크라운판 · 양장 · 416면 · 18,000원
ISBN 978-89-6330-815-9 93330

노인상담
－기본 기술과 과정－

서혜경 · 정순둘 · 최광현 공저

2013년
크라운판 · 양장 · 416면 · 18,000원
ISBN 978-89-997-0042-2 93330

2판
학교상담과 생활지도

김계현 · 김동일 · 김봉환 · 김창대 ·
김혜숙 · 남상인 · 천성문 공저

2009년
4×6배판 · 양장 · 568면 · 20,000원
ISBN 978-89-6330-072-6 93180

개정판
한국형 초등학교
생활지도와 상담

한국초등상담교육학회 편
박성희 · 김광수 · 김혜숙 · 송재홍 ·
안이환 · 오익수 · 은혁기 · 이한종 ·
임용우 · 조붕환 · 홍상황 · 홍종관 ·
황매향 공저
2014년
4×6배판 · 반양장 · 680면 · 23,000원
ISBN 978-89-997-0302-7 93370

학교상담과 생활지도
－이론과 실제－

강진령 저

2015년
4×6배판변형 · 양장 · 600면 · 21,000원
ISBN 978-89-997-0640-0 93180

2판
학교진로상담

김봉환 · 정철영 · 김병석 공저

2006년
4×6배판변형 · 양장 · 480면 · 19,000원
ISBN 978-89-5891-257-6 93180

진로상담이론
－한국 내담자에 대한 적용－

김봉환 · 이제경 · 유현실 · 황매향 ·
공윤정 · 손진희 · 강혜영 · 김지현 ·
유정이 · 임은미 · 손은령 공저

2010년
크라운판 · 양장 · 336면 · 17,000원
ISBN 978-89-6330-318-5 93180

심층 직업상담
－사례적용 접근－

황매향 · 김계현 · 김봉환 ·
선혜연 · 이동혁 · 임은미 공저

2013년
크라운판 · 반양장 · 320면 · 16,000원
ISBN 978-89-997-0096-9 93180

청소년상담

김춘경 · 이수연 · 최웅용 공저

2006년
크라운판 · 양장 · 480면 · 18,000원
ISBN 978-89-5891-368-9 93180

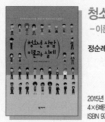

청소년 상담
－이론과 실제－

정순례 · 양미진 · 손재환 공저

2015년
4×6배판변형 · 양장 · 416면 · 19,000원
ISBN 978-89-997-0596-0 93180

다루기 힘든 청소년을 위한
효과적인 청소년 상담

Janet Sasson Edgette 저
김영은 역

2013년
신국판 · 반양장 · 240면 · 13,000원
ISBN 978-89-997-0015-6 93180

기독교상담

신명숙 저

2010년
크라운판 · 양장 · 400면 · 18,000원
ISBN 978-89-6330-392-5 93180

목회자를 위한
상담심리학

William R. Miller ·
Kathleen A. Jackson 공저
제석봉 · 천성문 · 박충선 공역

2009년
4×6배판 · 양장 · 624면 · 22,000원
ISBN 978-89-93510-15-7 93180

통합의 관점에서 본
기독교 상담학
－배경, 내용 그리고 모델들－

김용태 저

2006년
4×6배판변형 · 양장 · 464면 · 18,000원
ISBN 978-89-5891-373-3 93180